LA TIERRA PURPUREA

•

ALLA LEJOS Y HACE TIEMPO

Traducción: IDEA VILARIÑO

GUILLERMO ENRIQUE HUDSON

LA TIERRA PURPUREA
·
ALLA LEJOS Y HACE TIEMPO

Prólogo y Cronología
JEAN FRANCO

BIBLIOTECA AYACUCHO

Diseño / Juan Fresán
Impreso en Venezuela
Printed in Venezuela

WILLIAM HENRY HUDSON

EL EXILIADO NATO*

CONSIDERADO en algún momento profeta y visionario, visto alguna vez como "el más grande de los escritores",[1] W. H. Hudson es hoy día poco conocido en Inglaterra, excepto, quizás, entre los naturalistas. Esta desatención en su país de adopción contrasta con el lugar seguro que sus escritos han adquirido en la literatura argentina. Su estilo anticuado, sus explicaciones evolucionistas de los fenómenos, tan pasadas de moda y, especialmente, la desaparición de una especie clara y oponible de comunidad rural inglesa, son responsables de un descenso en el interés por su obra: esto debido a que hoy día la negación literaria de la industrialización avanzada ha venido a alojarse cada vez más en la narrativa fantástica, como la de Tolkien y Richard Adams y cada vez menos en modos de vida observables. Enfocar la escritura de Hudson nos requiere así ir más allá de su diferenciación entre el campo y la ciudad, la naturaleza y la civilización, con el objeto de desentrañar los procesos a través de los cuales se generaron estas oposiciones y los cambios históricos que hacia fines del siglo XIX habían ya asegurado la integración de la vida rural al sistema capitalista de modo que ella no podía seguir siendo confiable para la existencia como

---

*Las citas textuales de las obras de G. E. Hudson corresponden a la edición inglesa de sus obras recogidas en veinticuatro volúmenes, publicadas por Dent, 1922-23.

[1] Por lo menos de acuerdo con su biógrafo, Morley Roberts en *W. H. Hudson* (Londres, 1924) p. 103. El epígrafe del estudio de Luis Horacio Velázquez *Guillermo Enrique Hudson* es una afirmación de Rabindranath Tagore que lo describe como "el más grande prosista de nuestra época".

cosa distinta de otras.[2] La escritura de Hudson, con su mítico "allá lejos y hace tiempo" de la pampa, con su fantasía de las "mansiones verdes" y la evocación de la obsoleta vida pastoril puede verse finalmente como sintomática de un cambio histórico como resultado del cual los valores anteriormente atribuidos al "campo" y la "vida rural" retroceden hacia un pasado irrecuperable o se trasladan a lugares lejanos.

Desde este lugar estratégico, los primeros treinta y seis años de Hudson transcurridos en el cono sur, lo proveyeron de esa visión periférica que también encontramos en Kipling y Conrad. En realidad, lo que distingue a estos autores cuyos escritos se tornaron populares en la década comenzada en 1890 y en los primeros años de la siguiente es precisamente su habilidad para integrar en sus narraciones esa experiencia del mundo no-europeo ante el cual sus héroes y personajes son confrontados y puestos a prueba. En una sociedad en la cual, a pesar de la homogeneización y la racionalización de la vida, todavía se aprecia la virtud anacrónica del heroísmo, esta otra dimensión proveía de una arena para la ordalía de la humanidad. Kipling, Conrad y Hudson, son los exiliados natos cuyos escritos subrayan la pérdida producida por la integración al capitalismo, aunque nunca desafiaron su necesaria fatalidad.

Pero Hudson era hijo de exiliados aun en la Argentina, y en consecuencia su arraigo era dudoso. Su padre, Daniel, y su madre, Caroline Kemble, habían nacido ambos en los Estados Unidos, el padre en Massachussetts (de familia recientemente emigrada) y su madre en Maine, de una familia rígidamente cuáquera establecida en la zona desde mucho tiempo atrás. Cuando llegaron en 1833 a bordo del Potomac, los Hudson, como norteamericanos, eran inmigrantes poco habituales en la región del Plata; y a primera vista, su elección de nuevo hogar parecía inexplicable, dado que la frontera de los Estados Unidos se estaba expandiendo rápidamente en aquella época.[3] Cualquiera hubiera sido la razón de su excéntrica elección, hundieron su capital en una pequeña "estancia", "Los veinticinco ombúes", en la región de Quilmes. William era el cuarto hijo de la familia: cinco años después de su nacimiento, en 1846, las dificultades para ganarse la vida forzaron a los inmigrantes a trasladarse a una tienda, "Las acacias", en Chascomús, donde nacieron el hermano y la hermana menores de Hudson, y que sería conducida por el padre sin mayor éxito durante algunos años. La tienda era un lugar adonde los habitantes del pueblo llevaban "cueros y lanas y sebo en vejigas, crin de caballo en bolsas y quesos de la zona. A cambio, podían comprar cualquier cosa que quisieran: cuchillos, espuelas, ani-

[2]Raymond Williams, *El campo y la ciudad* (*The Country and the City*, Londres, 1973).
[3]Morley Roberts, *op. cit.*, p. 20, cree que fue la mala salud de su padre lo que lo llevó a emigrar; y Luis Horacio Velázquez, *op. cit.*, afirma que las actitudes puritanas de los Kemble y de Nueva Inglaterra en general, pueden haber alentado la emigración.

llos para aperos, ropa, yerba mate y azúcar, tabaco, aceite de castor, sal y pimienta, y aceite y vinagre, y el mobiliario que necesitaban: ollas de hierro, asadores, sillas de caña y ataúdes". (*Allá lejos y hace tiempo,* p. 19). El padre de Hudson, cuyo carácter curiosamente indeciso sólo puede entreverse en los escritos de su hijo, como no era comerciante parecía satisfecho con dejar andar a los tropezones al negocio, hasta que en 1854 quebró totalmente y la familia volvió a lo que quedaba de la estancia "Los veinticinco ombúes".[4]

Sin embargo, la infancia de Hudson en uno de sus aspectos difiere en gran medida de la de sus contemporáneos británicos de clase media que a menudo eran separados de sus padres a temprana edad para que se los disciplinara, intimidara y castigara, para que se los educara para las "obligaciones" y el "servicio" imperial. La infancia descrita en *Allá lejos y hace tiempo* era, para una generación que idealizaba la niñez, un estado maravillosamente exento de trabas y no socializado, totalmente diverso al de guerras entre bandas que describe Kipling en *Stalky y compañía* en el cual los niños son más listos que el sistema, el mejor para adaptar. Aún así, es también interesante que, inclusive sin el apoyo del "aparato ideológico del Estado", Hudson abrazaría más tarde voluntariamente un chauvinismo no muy diferente al de Kipling. Y esto, a su vez, sugiere que la situación del *colono* era tan importante como la educación en la formación de actitudes conservadoras y, en realidad, todavía más importante.[5] Porque aunque el cono sur no era formalmente una colonia, hay pocas dudas acerca de que los británicos, y aun los semi-británicos como los Hudson, se consideraban y eran considerados como una raza aparte, lo suficiente como para hacer que Hudson se identificara con los ingleses, aun cuando en años posteriores, al igual que Kipling, fue considerado un exótico entre ellos. Los ingleses borrachos de *La tierra purpúrea* y la pequeña aristocracia cazadora de zorros de *Allá lejos y hace tiempo* todavía eran considerados miembros de una raza "civilizada" y la infancia bárbara de Hudson, compartida con los niños gauchos, no lo excluiría como a sus compañeros de la posibilidad de optar por la "civilización". Así, aun en un pasaje inocente como el que sigue, existe un claro sentido de la diferencia entre el niño anglosajón, para el cual la barbarie era una etapa, y el niño gaucho, para quien era un destino.

> Cuando estaba en la etapa joven y bárbara y mis compañeros de juegos eran niños gauchos a caballo en las pampas, ellos me enseñaron a cazar perdices a su simple manera, con una caña delgada de veinte a veinticinco pies de largo, con un nudo corredizo en la punta, hecho con el fino eje plegadizo de una pluma de ala de avestruz. (*Los Pájaros y el hombre,* p. 209.)

Sin embargo, gozó de una infancia insólitamente libre, que le permitió desarrollar su don natural para la observación y su amor por la vida natural. Entre sus compañeros de juegos se contaban ocho perros, un cordero y una

---

[4]Para detalles sobre los quebrantos financieros del padre, ver Ezequiel Martínez Estrada, *El mundo maravilloso de Guillermo Enrique Hudson* (México, F.C.E., 1951) especialmente pp. 16-25.
[5]Para comparar, véase el estudio de Philip Mason sobre Kipling (Londres, 1973).

sucesión de caballos. Sus pasatiempos diarios eran cabalgar, cazar y armar trampas, y desde muy niño le permitían vagar a caballo a través de enormes distancias, cabalgatas de las que a veces regresaba después de la caída de la noche, acostado sobre el lomo del caballo para observar las estrellas. (*Un Naturalista en el Plata*, p. 358.) "No había montañas, bosques, ni espacios yermos en esa región: todo era verdor y vegetación y predominaban los cardos gigantes; también había pantanos y en cualquier lugar con agua poco profunda e interminables lechos de eneas, juncos y cañas, un paraíso de toda clase de aves acuáticas." (*Una Cierva en el Richmond Park*, pp. 172/73.) Muchos años después recordaría haber escuchado "los grandes gritos de las aves acuáticas en las lagunas, a una y hasta a tres millas de distancia: la vandaria, el gran rascón, el chillón crestado, la llamada 'viuda loca' y otros a los que la maldita y repulsiva civilización de Europa ha borrado ahora para siempre".[6] Pues esta sería la ironía de la última parte de su vida: pertenecer a una civilización cuyos objetivos incluían la destrucción de la vida natural que amaba.

Su pasión por la naturaleza, que le hacía pasar horas observando un cardenal cautivo y sentir una profunda emoción a la vista de un cubillo, no estaba diluida por la mediación de la página impresa. Como Guacho, el personaje de Ricardo Güiraldes, comenzó a gozar de la lectura sólo cuando su pasión por la naturaleza había arraigado hondamente en él. Una propensión a enfermarse lo llevó a los libros, y dos de ellos le fueron especialmente importantes: la *Historia natural de Selborne* (1789) de Gilbert White, se convirtió en el modelo para sus sencillas observaciones cotidianas, de tal modo que más tarde consideraría a toda la pampa como su "parroquia de Selborne". Por otra parte, *El origen de las especies* de Darwin lo perturbó profundamente. Lo leyó en 1859 tras sus dos enfermedades serias, fiebre tifoidea primero y una fiebre reumática luego, que debilitó su corazón y le dejó la sensación de que se hallaba condenado a una muerte temprana: "No podía soportar partir con una filosofía de la vida, si puedo describirla así, que no podía sostenerse lógicamente si Darwin tenía razón, y sin la cual, la vida no sería digna de vivirse" (*Libro de un naturalista*, pp. 214-15) escribía muchos años después.

Pero había otro aspecto del paraíso infantil de Hudson que haría erupción en sus escritos posteriores y que le haría sentir luego que no había forma de adherir a una vida vivida cerca de la naturaleza sin admitir la violencia. Porque la violencia y la muerte eran espectáculos familiares para él cuando niño, desde la muerte del ganado hasta la muerte de los hombres, desde las ocasionales peleas a cuchillo y los accidentes, hasta las luchas políticas. Aunque la guerra civil entre blancos y colorados en la Banda Oriental no afectó inmediatamente a la familia, ésta sufrió los remezones de otros acontecimientos políticos más cercanos; Hudson recuerda el retrato de Rosas que colgaba en su hogar y el hecho de que "nos habían hecho saber que él era el hombre más grande de la república, que tenía poder ilimitado sobre vidas y fortunas de todos los hom-

---

[6] Edward Garnett, ed.: *Cartas de W. H. Hudson* (*Letters from W. H. Hudson*, Londres, Nonesuch Press, 1923), p. 168.

bres y que era terrible en su cólera hacia los que obraban mal, especialmente aquellos que se rebelaban contra su autoridad." (*Allá lejos y hace tiempo*, pp. 108-110.) Rezagos del ejército de Rosas derrotado en Monte Caseros trataron de robar caballos luego de la batalla, incidente que recordaba principalmente a causa de la negativa fría y peligrosa opuesta por su padre. Y, en fin, existía la violencia fronteriza y la guerra perpetua contra los indios, en la que participó. "En esa época, la frontera estaba protegida por una línea de fortines de adobe, cada uno guarnecido por dos o tres veintenas de soldados o gauchos, armados con sables y carabinas, fortines situados a una distancia de cinco a diez leguas uno del otro. Moviéndose con rapidez, los indios podían devastar las estancias más alejadas, matando y haciendo cautivos, incendiando casas y reuniendo todo el ganado y los caballos que pudieran atrapar y luego retirarse al desierto con su botín evitando todo lo posible el encuentro con su enemigo, pero luchando cuando eran alcanzados." (*Una Cierva en Richmond Park*, p. 130.) Un amigo de la familia, comandante, murió pisado por los caballos durante un ataque indígena y el propio Hudson sirvió en el ejército dos veces, la segunda de ellas en la guarnición de Azul, entonces cuartel central de la guerra fronteriza.

Llegó a creer que la violencia era un aspecto inevitable de las vidas vividas cerca de la naturaleza. Richard Lamb explicita esto hacia el final de *La tierra purpúrea* donde declara que estaría dispuesto a "abrirse paso con una masacre hasta la silla presidencial si con ello pudiera permanecer en esa tierra que lo había unido con la naturaleza". Y en 1897, Hudson escribe a Cunninghame Graham: "En cuanto a la Banda Oriental, me place enormemente saber que existe todavía una nación en el globo que no tendrá 'paz a cualquier precio'. Cuanta más degollina a la antigua de la buena haya en la Banda, más me gustará."[7]

Uno de sus últimos recuerdos de la Argentina es curiosamente simbólico de su ambigua actitud hacia la tierra donde nació. Poco antes de partir para Inglaterra en abril de 1874, cabalgó a través de la pampa a la caída del sol. Era el final de "un brillante día de marzo, que acababa en una de esas puestas de sol perfectas que se ven sólo en el desierto, donde ninguna línea de casas o setos estropea el encantador desorden de la naturaleza y los matices del cielo y de la tierra están en armonía. Había estado viajando todo el día con un compañero y por dos horas habíamos cabalgado a través de pastos incomparables, que se extendían por millas a cada lado, miríadas de blancas lanzas tocadas con variados colores, mezclándose a la distancia hasta parecer casi la superficie de una nube. Al oír un sonido similar a un silbido a menos de cuarenta yardas detrás de nosotros, dimos media vuelta y vimos, a menos de cuarenta yardas detrás de nosotros, un grupo de cinco indios a caballo dirigiéndose rápidamente a nuestro encuentro: pero en el preciso momento en que los vimos, sus

[7]Carta a R. B. Cunninghame Graham, 21 de marzo de 1897, en Richard Curle, ed., *Cartas de W. H. Hudson a Robert Bontine Cunninghame Graham* (*W. H. Hudson's Letters to Robert Bontine Cunninghame Graham*, Londres 1941), p. 39.

animales se detuvieron en seco, y en la misma instancia los cinco jinetes saltaron y se irguieron de pie sobre el lomo de sus caballos". *(Un Naturalista en el Plata,* p. 7).

Pocos años después, los indios se habrían retirado, barridos por la campaña del desierto y habrían llegado los inmigrantes italianos que "odiaban a los pájaros".[8] Como Audubon en Norteamérica, Hudson había hecho la experiencia del continente en una época de gloria irrecuperable y la sensación de pérdida lo invadiría casi en seguida de llegar a la metrópoli victoriana.

A pesar de la nostalgia que sentía, particularmente en sus últimos años, Hudson no intentó seriamente en ningún momento regresar a la Argentina, a pesar de que uno de sus hermanos mayores, Edwin, lo instaba a hacerlo y a pesar de que hasta llegó a decirle a Cunninghame Graham que sentía por esa tierra lo mismo que por su país natal.[9] Edwin, que se había mudado a Córdoba, sentía que Hudson estaba realmente dotado como naturalista y le escribía "estos bosques y sierras y ríos tienen una fauna ornitológica mucho más plena e interesante que la de las pampas y la Patagonia. Aquí podría ayudarte y haría posible que dedicaras todo tu tiempo a la observación de los pájaros autóctonos y de la fauna en general". Pero Hudson ya había elegido "permanecer por el resto de mi vida en este país de mis antepasados que se ha convertido en mío". Era una elección no exenta de arrepentimientos: Cuando pienso en esa tierra tan rica en pájaros, esos bosques más lozanos y prados más nuevos donde podría haber hecho tanto, y luego miro esto, lo poco que hice en estos tomos, me veo forzado a reflexionar en que, después de todo, elegí probablemente el camino equivocado de los dos que se abrían ante mí entonces".[10]

No resulta claro si, en realidad, tuvo una opción, dado que la Argentina le había ofrecido escasas oportunidades de llegar a ser naturalista y menos todavía un escritor dedicado a la naturaleza. Fue el doctor Burmeister del Museo de Historia Natural de Buenos Aires quien lo puso en contacto con el Museo Smithsoniano luego de que Hudson hubo aprendido por sí mismo a desollar y rellenar pájaros. Pero su colección para el Smithsoniano sólo cubrió sus gastos y no lo proveyó de un medio de vida, de modo que desde su más temprana adolescencia trabajó en la estancia de su padre y ocasionalmente ayudó a los vecinos durante las épocas de rodeo y esquila. Cuando el Museo Smithsoniano le dio traslado de su trabajo al doctor P. L. Sclater de la Sociedad Zoológica de Londres de la cual Hudson llegó a ser corresponsal en 1869,[11] éste comenzó a adquirir la útil costumbre de tomar notas extensas, pero los largos viajes a campo traviesa hacia la Banda Oriental y la Patagonia donde estudió la migración de los pájaros, los había hecho por su propia iniciativa. El problema era

[8]Hudson acusa constantemente a los italianos de ser especialmente hostiles a las aves; véase, por ejemplo, las páginas iniciales de *Un naturalista en el Plata.*
[9]Richard Curle (ed.), *Cartas de W. H. Hudson (W. H. Hudson's Letters),* p. 17.
[10]Introducción a *Pájaros de La Plata* (1920) *(Birds of La Plata,* 2ª ed. Londres, Dent, 1923), p. 3.
[11]Para una lista de las cartas de Hudson a la Sociedad Zoológica de Londres y a la Smithsoniana, véase Velázquez, *op. cit.,* pp. 94-6.

que, aunque la materia prima abundaba en la Argentina, sólo la metrópoli le podía brindar la oportunidad de vivir como escritor dedicado a la naturaleza, si no como naturalista. Sin embargo aún allí tuvo considerables dificultades para ponerse en movimiento, probablemente a causa de que carecía de toda educación formal y tenía pocos contactos. Durante quince años soportó la pobreza y el casi morirse de hambre, hasta que finalmente encontró en el ensayo "al aire libre" su pasaporte para ingresar a la sociedad literaria inglesa.

LA FACTURA DE UN HOMBRE DE LETRAS

La carrera de Hudson como escritor, es inseparable de su integración en la vida ciudadana, a la que detestaba. En *Una Cierva en el Richmond Park* describe en forma semihumorística cómo lo instruyó para que se convirtiera en un perfecto inglés un amigo suyo, mayor que él, que sólo traicionaba su "extranjería" por el perfume que le gustaba rociar en su pañuelo, una costumbre considerada afeminada por los ingleses (p. 77). Su matrimonio con Emily Wingrave a quien, según confesó una vez, nunca había amado y de quien le atraía principalmente su cantarina voz, parece haber sido parte del mismo proceso de integración. Ella era cerca de quince años mayor que él y se mantenía tomando inquilinos y dando clases de música. Su vida de casados, en sus comienzos, se parece a la de los empleados y escritores que luchan por su supervivencia en las novelas de Gissing, y en un período especialmente malo, se alimentaron principalmente de cocoa.[12] Después de 1886 vivieron en Tower House, St. Luke's Road, Westbourne Park, donde habitaban un apartamento del piso superior y alquilaban las otras habitaciones. Con excepción de algunas excursiones al campo, que al principio no eran frecuentes, allí es donde vivió la mayor parte del resto de su vida. Era un lugar que sus amigos recuerdan con horror. William Rothenstein, un retratista de moda entonces, describe "el mobiliario lúgubre, los cuadros y la porcelana más comunes, las cortinas de encaje y los antimacasares más feos posibles",[13] y Violet Hunt recuerda el repelente sofá, con el cuero colgándole como las barbas del cuello de un buitre.[14] Pero aun así era como si la propia fealdad del interior victoriano realzara el valor de la vida natural que había dejado atrás en la Argentina, vida que redescubría en lugares aislados de la campiña inglesa.

No resulta claro por qué Hudson se volcó a escribir, aunque carreras como las de Wells y Kipling demuestran que era una forma aceptable de movilidad

[12]Morley Roberts, *op. cit.,* p. 53.
[13]William Rothenstein, *Hombres y memorias,* 2 vols. (*Men and Memories,* Londres, Faber and Faber, 1932), vol. 2, p. 62.
[14]Violet Hunt, *Los años agitados* (*The Flurried Years,* Londres, 1926), p. 283.

social hacia arriba. Sin embargo Hudson tuvo un aprendizaje largo y más arduo que el de aquéllos y hablaría más tarde con amargura de sus luchas iniciales.[15] Recién en 1880 encontró su primer amigo literario, Morley Roberts, y en 1889 le presentaron a George Gissing. "Gissing, Morley Roberts y yo, éramos tres bohemios muy pobres, que vivíamos en Londres, y en buena medida juntos",[16] escribía después de la muerte de Gissing, aunque en realidad como escritores tenían poco en común y las novelas de Gissing le repugnaban. Aun así, sucedió que los primeros esfuerzos de Hudson coincidieron con el mismo período descrito en la novela de Gissing *The New Grub Street* (*La calle de los muertos de hambre* en su traducción al castellano); este es un período que vio producirse una creciente separación entre los intelectuales y el público de las colecciones de gran circulación, como las Muddy y las Smith que dominaban el mercado de la novela. Era también una época en la que las presiones del mercado hacían especialmente urgente la cuestión de la autenticidad del escritor. Los principales novelistas de la década del 70 —George Eliot y Meredith— reflejan una creciente conciencia de la discontinuidad entre la experiencia personal de los individuos y las metas de la sociedad, tanto más cuanto sus personajes están atrapados en un constante proceso de adaptación por una parte y de autocuestionamiento por la otra.

George Eliot hacía arraigar sus estándares y valores en un ideal de comunidad derivada de tradicionales formas de vida ya reemplazadas. Sin embargo, hacia las décadas del ochenta y del noventa se había vuelto más difícil para los escritores serios inspirarse en una experiencia común, inclusive del pasado, y retener aun así su autenticidad. La popularidad de Kipling era considerada sospechosa por los críticos serios, precisamente a causa de que explotaba los sentimientos populares imperialistas y jingoístas. Había también un número creciente de escritores como María Corelli que escribían sin vergüenza alguna para el mercado. Tales presiones ayudaron a dar existencia al modernismo (en el sentido anglo-norteamericano) como forma de disenso contra la manipulación del lector y del mercado. Y también dan cuenta del ulterior renacimiento de un culto a la naturaleza ejemplificado por los escritos de Richard Jefferies y del propio Hudson, a partir de que la naturaleza representaba el último y peligroso refugio de la "autenticidad" y el campo acerca del cual escribían, representaba una forma de vida que atraía a la gente "hacia viejas costumbres, costumbres humanas, costumbres naturales".[17] Este era el atractivo de Hardy, aun cuando difícilmente pudiera acusárselo de simplificar la relación entre la ciudad y el campo. Como opuesta a esta comunidad ideal que todavía podía evocarse en las zonas rurales, la ciudad representaba la alienación. Una lobreguez terrible había caído sobre las ciudades, la lobreguez de las novelas de Gissing; Londres se había convertido en la "ciudad de la noche terrible" del poema de James

[15]"Me imagino que el barrendero más cercano me superaba y tenía con qué pagarse una cena más generosa todos los días." (AE, p. 33.)
[16]R. Curle (ed.) *Cartas de W. H. Hudson* (*W. H. Hudson's Letters*), p. 81.
[17]Raymond Williams, *op. cit.*, p. 2.

Thomson: y uno de los personajes de Meredith proclamaba que la sociedad moderna y especialmente Londres eran "algo más apropiado para operaciones de hospital que para rapsodias poéticas".[18] "Este triste mundo de Londres" lo llamó Hudson en uno de sus primeros poemas.[19] La multitud, ese fenómeno de la vida urbana, había llegado también a simbolizar la degeneración del sentimiento humano. Hudson confesaría sentirse "envenenado por el contacto con la mentalidad de la multitud (el ácido fórmico de los espíritus)". Por contraste, la gente de campo "no se encuentra conmigo con caras vacías ni pasa de largo en silencio como las hormigas". (*Un viajero en cosas pequeñas*, p. 246.)

Aunque sería erróneo tomar la polaridad campo-ciudad por su valor expreso como lo señaló Raymond Williams, en Inglaterra el mismo campo se integró pronto al sistema capitalista. "La Revolución Industrial no sólo transformó tanto al campo cuanto a la ciudad; estaba basada en un capitalismo agrario altamente desarrollado del que desapareció tempranamente el campesinado tradicional. En la fase imperialista de nuestra historia, la naturaleza de la economía rural en Inglaterra y en las colonias se transformó de nuevo muy pronto; la dependencia de la agricultura doméstica quedó reducida a proporciones muy bajas, con un porcentaje de menos del 4% de los hombres económicamente activos ocupados en la agricultura, y esto en una sociedad que ya se había convertido en el primer pueblo predominantemente urbano en la larga historia de los asentamientos humanos."[20]

Así, el campo es un fenómeno más complejo e integrado de lo que puede expresarse en la simple polaridad ciudad-campo. Y aunque Hudson se muestra a veces consciente de esta complejidad, sus ensayos buscan en el campo los remanentes de la resistencia a los valores ciudadanos; y reencuentra esto en la vida pastoril casi desvanecida y en los recuerdos de las ancianas campesinas que evocan el sabor de la vida tradicional.[21] Durante el lapso de vida de Hudson sin embargo, la aldea ya se estaba convirtiendo en un lugar para huir de la semana de trabajo en la metrópoli; el nuevo bosque hormiguea de coleccionistas aficionados, y excursiones en ferrocarril baratas llevan a los obreros de las fábricas al corazón de Cornwall. Una inmensa clase media de maestros de escuela, empleados de tienda y de oficina, así como obreros fabriles, se convirtió en paseante de fin de semana y observadora de pájaros. Este anhelo por la vida silvestre por parte del habitante de la ciudad fue el que dio a Hudson su primer público real, gustárale o no. Las novelas que escribió en la década del 80 fueron ignoradas y sólo en 1892, tras la publicación de *Un naturalista en el Plata*, registró su primer éxito, bastante modesto. Libros posteriores como *Hampshire Days*, *A Naturalist in Downland* y *The Land's End* alimentan claramente a este público al que los ferrocarriles habían llevado al campo y al mar.

[18]Víctor en *Uno de nuestros conquistadores* (*One of our Conquerors*, 1891), capítulo V.
[19]"A un gorrión de Londres," incluido en *Un niño perdido* (*Little Boy Lost*, Londres, Dent, 1923), pp. 149-154.
[20]Raymond Williams, *op. cit.*, p. 2.
[21]Además de *Vida de un pastor*, véase también *Hampshire Days*, p. 302.

Durante las dos últimas décadas de su vida Hudson fue tratado como una celebridad. Gozó de la compañía de aristócratas como Sir Edward y Lady Grey y el Ranee de Sarawak que lo invitaban a sus casas; y la Sociedad para la Protección de la Sociedad lo condujo a muchos otros contactos con damas de las altas esferas. Después de conocer a Edward Garnett en 1901, se amplió el círculo de sus amigos literarios. Conoció a Conrad, Galsworthy, Belloc y Edward Thomas. Belloc, Rabindranath Tagore y T. E. Lawrence lo buscaron cuando estuvieron en Londres. Theodore Roosevelt escribió la introducción a una edición norteamericana de *La tierra purpúrea*[22] y personalidades tan diferentes como Galsworthy y Cunninghame Graham lo tenían en gran estima como escritor. También su cualidad de exótico hacía que se lo recubriera de una capa de romanticismo. Sus contemporáneos gustaban describirlo como un pájaro enjaulado: "un cóndor en un pequeño zoológico" según uno;[23] o, en las palabras de Rothenstein, como una de esas "tristes águilas enjauladas en el zoológico".[24] Tales descripciones resultan indicativas del modo en que su exotismo podía controlarse y sentimentalizarse. A cambio, Hudson se tornó inglés de modo creciente y chauvinista, especialmente hacia el final de su vida. Adoptó la ciudadanía inglesa en 1900, lo que le permitió recibir una pensión.[25] Con la vejez, sus puntos de vista sobre los "extranjeros" se volvieron cada vez más sedientos de sangre. Hubiera dado la bienvenida a una guerra con los irlandeses para evitar su autonomía.[26] Saludó el conflicto de 1914-18 como "guerra bendita". "Y ya era tiempo de que tuviéramos una, para nuestra purificación." "La sangre que se está derramando nos purgará de muchas odiosas cualidades: nuestro sentimiento casto, nuestro detestable partidarismo, nuestro vasto egoísmo y un centenar más".[27] Estos sentimientos estaban bastante a tono con su enfoque evolucionista de la sociedad, a la que veía degenerando a causa de la sobreindulgencia. Pero también se oponía intensamente al socialismo y cuando estalló la revolución bolchevique fustigó a Garnett por su idealismo y por su oposición a aquéllos que deseaban devolver "golpe por golpe y bala por bala".[28] En su conservadorismo político se parece a otros exilados natos: Conrad y Kipling.

Inclusive la escena curiosamente simbólica que tuvo lugar poco después de su muerte ilustra una vez más la ambigüedad esencial de su posición dentro de la cultura británica. En 1925 cierto número de amigos de Hudson entre

---

[22]*La tierra purpúrea, aventuras en Sudamérica* (*The Purple Land, Adventures in South America,* Nueva York, E. P. Dutton and Co., 1916). Galsworthy escribió un prólogo para una edición póstuma de *Allá lejos y hace tiempo* (Londres, Dent, 1923).
[23]Morley Roberts, *op. cit.,* p. 40.
[24]Rothenstein, *op. cit.,* vol. 2, p. 40.
[25]Aparentemente la pensión le fue asegurada por mediación de Sir Edward Grey, más tarde Vizconde Grey de Falloden. Véase David R. Dewer, "En movimiento por Inglaterra con Hudson" en Samuel J. Loocker (ed.) *William Henry Hudson. Homenaje de varios escritores,* (*William Henry Hudson. A Tribute by Various Writers,* Londres, 1947), p. 53.
[26]E. Garnett, *Cartas (Letters),* p. 108.
[27]E. Garnett, *Cartas,* p. 129.
[28]E. Garnett, *Cartas,* p. 185.

los que se hallaban Cunninghame Graham, Conrad, Galsworthy, Garnett, Rothenstein y otros, erigió en Hyde Park un monumento a su memoria. El bajorrelieve de Jacob Epstein que mostraba a Rima, un personaje de la novela *Mansiones verdes*, fue descubierto por el Primer Ministro Stanley Baldwin "que fue sacudido de tal manera por lo que vio que su mandíbula cayó y se olvidó completamente del artista".[29] Lo que vio era una mujer con el pecho desnudo que más parecía una diosa de un templo hindú que la pura mujer-pájaro de Hudson. Hudson, el tradicionalista, era recordado con un monumento que simbolizaría para muchos ingleses el escándalo del arte moderno.

EL ENSAYO "AL AIRE LIBRE"

El ensayo "al aire libre" era un género popular en el siglo XIX y lo había sido desde la publicación en 1789 de la *Historia natural* de Selborne de Gilbert White. A Hudson le encantaba este libro y visitó a Selborne muchas veces. Las cartas de White, con su minuciosa descripción de la vida animal, sus especulaciones sobre las costumbres de los pájaros y otros animales, combinaban una cuidadosa observación con un intenso placer derivado del campo. Por encima de todo, hacían converger el espíritu del lugar y la reconfortante promesa del cambio de estaciones. Es este sentimiento de la "infinita e indescriptible amigabilidad (de la naturaleza)... como una atmósfera que lo sustentaba" lo que Hudson descubriría también en el *Walden* de Thoreau. Pero también era un sentimiento difícil de conservar después de la publicación del *Origen de las especies* de Darwin en 1859, que produjo, en filosofía y literatura, la conciencia creciente de que la naturaleza era hostil e indiferente al empeño humano. La significación de *La historia de mi corazón* de Richard Jefferies (1883) radica en que esta visión más oscura de la naturaleza estaba ahora incorporada a una filosofía de la autotrascendencia. Jefferies encuentra que la naturaleza "es absolutamente indiferente hacia nosotros y, excepto para nosotros mismos, la vida humana no tiene más valor que el césped".[30] Lo que busca en los paisajes, aun en los de la ciudad, son las condiciones para la epifanía. Así, en el Puente de Londres "sentí la presencia de los inmensos poderes del universo; caí en las profundidades del éter. Tan intensamente consciente del sol, del cielo, del espacio sin límites, me sentí en medio de la eternidad, o sea, en medio de lo sobrenatural, entre lo inmortal, y la grandeza del

[29] Linda Gardiner, "Origen del monumento a Hudson 'Rima', Hyde Park, Londres" en Looker (ed.), *William Henry Hudson*, p. 147.
[30] Richard Jefferies, *Cuento de mi corazón* (*The Story of my Heart*), ed. Samuel J. Looker (Londres, Constable, 1947), p. 52.

material daba vida al espíritu".[31] Este aspecto de los escritos de Jefferies preanuncia a D. H. Lawrence, y como Lawrence, aquél era un sutil observador de árboles, animales y flores: el más brillante e imaginativo de su tiempo según Raymond Williams.[32] Pero junto a esto viene una añoranza por modos de vida que la "degenerada" sociedad industrial había reemplazado. El comentario de Raymond Williams acerca de Jefferies, cuando dice que en extraña relación con un activo deleite ante árboles, flores y pájaros "existe una extensión virtualmente inconsciente de los valores y ataduras de una sociedad injusta y arbitraria"[33] puede en realidad aplicarse a D. H. Lawrence y al propio Hudson. Este sin embargo, era naturalista antes que ensayista, y no hay dudas de la influencia de Darwin en sus primeros escritos. *El viaje del Beagle* (1845), en particular, describía una región que Hudson había visitado y donde durante un año entero había podido comprobar y corregir las observaciones de Darwin. También admiraba los escritos de W. H. Bates cuyo *Viaje por el Amazonas* se había publicado en 1865. En *Un naturalista en el Plata,* el primero de su colección de ensayos "al aire libre", todavía encuentra que los hechos por sí solos son "suficientemente maravillosos", sin elaboración ulterior. "Si sucede que el lector no es un naturalista, resulta correcto decirle que un naturalista no puede exagerar conscientemente; y si es capaz de exageración inconsciente, entonces no es un naturalista. Debe apresurarse a unirse a la caravana interminable que se mueve hacia el fantástico reino de la novela." (p. 337). Pero aun así, los hechos por sí mismos no lo satisfarían por mucho tiempo y confesaría admirar bastante más a Jefferies y Melville que a los escritores científicos, y llegaría a creer que el poeta estaba en el fondo, más cerca de la verdad que el naturalista.[34] En *Días de ocio en la Patagonia* publicado muy poco después que *Un naturalista en el Plata* existe un pasaje muy revelador que describe un acceso al conocimiento bastante diferente al del científico. Y esta vía de acceso consiste en "holgazanear", cosa a la que tuvo una propensión mayor cuando dejó de guardar cama a causa de una herida de bala.

Yacía desvalido sobre mi espalda a lo largo de los prolongados días bochornosos de mediados del verano, con las paredes blanqueadas de mi habitación como único horizonte y panorama y una o dos veintenas de moscas zumbadoras perpetuamente empeñadas en su intrincada danza aérea por única compañía. Estaba forzado a pensar en una gran variedad de temas y a ocupar mi mente con otros problemas que los de la migración. También estos otros problemas eran, de muchas maneras, como las moscas que compartían mi apartamento, y aun así, permanecían siempre extraños a mí, como yo a ellos, como si entre sus mentes y la mía se hubiera establecido un gran golfo. Pequeños misterios indoloros de la tierra, cosas como silfos que revoloteaban, que comenzaban su vida como abstracciones y se desarro-

[31]Richard Jefferies, *op. cit.,* p. 64.
[32]Raymond Williams, *El campo y la ciudad* (*The Country and the City*), p. 193.
[33]*Ibid.,* p. 196.
[34]Henry S. Salt, "W. H. Hudson y cómo lo vi yo", *Fortnightly Review,* Vol. CXIX, nueva serie, enero-junio, 1926, pp. 220-1.

llaban como imagos a partir del gusano, convirtiéndose en entes: siempre yo revoloteando entre ellos mientras practicaban su laberíntico baile, girando rápidamente en círculos, cayendo y levantándose, suspendidos sin movimiento, y entonces, de repente, chocaban por un momento con violencia contra mí, burlando mi capacidad de atraparlos y partiendo como flechas nuevamente por una tangente... Felizmente para el progreso del conocimiento sólo unos pocos de estos fascinantes y elusivos insectos del cerebro pueden aparecer ante nosotros al mismo tiempo; como regla fijamos nuestra atención en un solo individuo, como un copo en medio de una bandada de palomas o un incontable ejército de pequeños pinzones de campo, o una mosca dragón en la espesura de una nube de mosquitos o infinitesimales moscas de la arena..." (pp. 18-19).

El científico abstraería uno de esta miríada de elementos y lo aislaría como hipótesis, destruyendo así lo que era para Hudson uno de los principales atractivos de la naturaleza: su plena abundancia y perpetua creatividad. De manera similar, el pensamiento instrumental selecciona entre las miríadas de fantasías que existen en el cerebro, organizándolas para su utilización. El "holgazaneo" de Hudson estaba así a contrapelo del pensamiento positivista y empírico contemporáneo, que apreciaba el conocimiento por su valor de uso, aunque rara vez conectaba en forma directa los golpes de una sociedad racionalizadora con la destrucción de la naturaleza, como habría de hacerlo la Escuela de Frankfurt. Si a algo asigna Hudson el carácter de causa de la destrucción, es al instinto o al materialismo. Así, en *Un naturalista en el Plata* comentando los cambios en el cono sur, afirma que "si se los toma meramente como evidencia del progreso material, deben ser un motivo de regocijo para los que están satisfechos y más que satisfechos con nuestro sistema de civilización o método de burlar a la Naturaleza por la remoción de todos los controles al indebido crecimiento de nuestras propias especies. Al que encuentra encanto en las cosas tal como existen en las provincias no conquistadas de los dominios de la Naturaleza y que, sin estar hiperansioso por alcanzar el fin del viaje, se halle satisfecho de hacerlo a caballo o en una carreta tirada por bueyes, le es permisible lamentar el aspecto alterado de la superficie de la tierra junto con la desaparición de innumerables formas nobles y hermosas, tanto del reino vegetal cuanto del animal." (p. 3).

Como se confirmará más adelante en este ensayo esta celebración de abundancia está en extraño contraste con el tema de la esterilidad que atraviesa mucha de su literatura de ficción. Porque "la cantidad incalculable e increíble" en que existen algunos pájaros, especialmente cuando migran, despertaba en él un azoro casi religioso.

Poniendo pie a tierra, ataría mi caballo y me quedaría sentado observando con asombro y deleite el espectáculo de esa inmensa multitud de pájaros, que cubría una superficie de dos o tres acres y parecía menos una vasta bandada que un *piso* de pájaros, de rico color marrón profundo en fuerte contraste con el gris pálido del suelo seco que los rodeaba. Un piso viviente, movedizo y también sonoro y el sonido también era sorprendente. Digamos que era como el soplo del viento a través de millares de cables tensos de grosores diferentes, haciéndolos vibrar con un sonido estridente, una masa y una maraña de diez mil sonidos. Pero resulta indescriptible e inimaginable. (*Una Cierva en el Richmond Park,* pp. 173-75).

Muchos años después, todavía podía recordar cada especie:... "el avestruz de la pampa, la gran garza real azul, el flamenco, el ibis, el gran ibis azul de los pantanos y el gran ibis de cara negra de las mesetas con sus gritos resonantes como golpes de martillo dados por gigantes en planchas de hierro; y cigüeñas y gansos de las mesetas, y los cisnes de cuello blanco y negro. Luego siguen otros de menor tamaño... las garcetas nevadas y otras garzas y avetoros, ibis lustrosas, rascones y grullas grandes y pequeños, las bellas limosas de alas doradas, zarapitos y jacanas y aves zancudas y patos tan numerosos que hacen imposible mencionarlos". (*Aventuras entre pájaros,* p. 36). Considera a estas especies una cosa superior a las obras de arte, porque son obras maestras naturales, creadas a lo largo de extensos períodos de evolución y ahora destruidas sin motivo, de modo que no pueden volver a reproducirse o verse. Esto da un aura y un patetismo especiales a especies raras que, precisamente a causa de su rareza, fueron elegidas para su destrucción por los cazadores.

Walter Benjamin considera que las obras de arte adquieren su aura debido a su unicidad y a la historia que acumulan a lo largo de un lapso determinado. Hudson aparenta haber creído que la naturaleza podía ofrecer una experiencia aún más intensa que el arte a causa de la irrepetibilidad de cada acontecimiento o acción dentro de la historia general de las especies. "Cuánto más hermoso que todos los demás resulte para mi mente cierto pajarillo marrón sin nombre" escribe en un pasaje de *Un naturalista en el Plata* en el que trata de evocar la intensa emoción que le provocaban algunas especies raramente vistas. Las serpientes que, aunque abundantes, muy pocas veces permitían ser observadas, eran objeto especial de admiración y le inducían a comentar que "la primera visión de una cosa, el choque de la emoción, la imagen vívida e imborrable registrada en el cerebro, vale más que todo el conocimiento adquirido por la lectura" (*Libro de un naturalista,* p. 187). Hudson estaba tan fascinado por las serpientes que proyectaba un *Libro de la serpiente,* parte del cual fue luego incorporada al *Libro de un naturalista,* y para esto estudió el culto a las serpientes en distintas civilizaciones. Porque por encima de las demás criaturas la serpiente tiene el poder de sugerir un mundo bastante ajeno al hombre, al cual éste no puede introducirse. En ninguna parte se evoca esto con más fuerza que en el pasaje de *Allá lejos y hace tiempo* en el que describe la "conversación" de unas serpientes bajo su cama cuando era niño, pronunciando "estrofas y antistrofas musicales" y, a intervalos, varias veces se unían en una especie de coro bajo y misterioso, vigilancia mortal y conmoción y siseo, mientras yo, yaciendo despierto en mi cama escuchaba y temblaba. La habitación estaba oscura, y para mi excitada imaginación las serpientes ya no estaban debajo del piso sino afuera, deslizándose aquí y allá sobre él, con las cabezas levantadas en una especie de danza mística; y a menudo me estremecía pensando que podrían tocar mis pies desnudos

XXII

si llegara a sacar una pierna de la cama dejándola colgar a su lado". (*Allá lejos...* pp. 208-9).

Podía fácilmente imaginarse a estas criaturas misteriosas como los primeros señores de la tierra y, en verdad, un día en medio de sus cabalgatas, Hudson encontró un paraíso de víboras congregadas alrededor de un oasis en medio del campo afligido por la sequía. La escena podría haber provisto a Quiroga el germen de uno de sus cuentos de la selva y podría haber sugerido a Conrad una descripción de la mina de plata de Sulaco como "un paraíso de víboras". Las serpientes que Hudson descubrió no reptaron alejándose cuando él se acercó sino que defendieron su territorio con singular audacia. "No eran, como otras víboras, la cosa anillada y mecánica que conocemos, una mera trampa de hueso y músculo para hombres tendida por los elementos para asaltar y golpear cuando se la pisara: éstas en cambio tenían gran inteligencia, un espíritu elevado y estaban llenas de noble furia y asombro ante el hecho de que otra clase de criaturas, inclusive un hombre, se aventurara a perturbar su sagrada paz." (*Un naturalista en el Plata*, p. 377). Hudson pensaba que era el poeta y no el naturalista quien tenía el secreto que le permitiría transmitir la emoción despertada por semejantes visiones. Nos recuerda la víbora en la charca de D. H. Lawrence:

> Como un rey en el exilio, destronado en el submundo, que debiera ser ahora coronado nuevamente (Víbora).

Esta vida subterránea, extraña y rebelde, de la naturaleza, emerge en alguno de los cuentos de Hudson. Sin embargo en los ensayos "al aire libre" se preocupa sobre todo por transmitir emociones y sucesos que, con el avance de la civilización, eran llevados a tornarse cada vez más raros. Los "tristes recuerdos" de pájaros en el museo son meros recordatorios de lo que hemos perdido: y los pueblos futuros "si nos recuerdan para algo, será sólo para aborrecer nuestra memoria y nuestra era, esta era iluminada, científica y humanitaria que debería tener por lema '¡Asesinemos todas las cosas nobles y bellas porque mañana moriremos!" (*Un naturalista en el Plata*, p. 31).

Las convicciones evolucionistas de Hudson lo condujeron a dar cuenta del desarrollo de la sociedad humana en términos genéticos antes que históricos. Así como no aparece disconstinuidad alguna en su pensamiento entre naturaleza y arte, tampoco existe ninguna entre naturaleza y cultura. Para él, el hombre es una especie más que una creación histórica. Las puntas de flechas halladas en la Patagonia y los huesos enterrados bajo los túmulos del sur de Inglaterra son eslabones, del mismo modo en que lo es un pájaro raro, en la cadena de la evolución. El cuerpo humano mismo documenta la historia evolutiva de la cual es "sepulcro vivo". "Los viejos huesos del pasado" duermen dentro de cada hombre y cada mujer "muertos, y aun así no muertos ni sordos a las voces de la Naturaleza: los arroyos rumorosos, el rugido de la catarata, y el trueno de las grandes olas en la costa, y el sonido de la lluvia y los vientos susurrantes entre las hojas multitudinarias, le traen recuerdos de viejos tiempos; y los huesos se regocijan y bailan en su sepulcro". (*Días de ocio...*, p. 227).[35]

RASTROS: LA EXPERIENCIA SUDAMERICANA

La escritura sudamericana de Hudson difiere de sus ensayos "al aire libre" ingleses en que describe escenas revisitadas en la memoria. Existe en esto cierta paradoja, porque aunque creía que la emoción transmitida por la palabra impresa nunca podía ser más que un simulacro de la experiencia real, en cada libro que escribió evocó hasta cierto punto su infancia y su juventud en la pampa. La literatura era para él el medium de la ausencia.

Sin duda no fue el primero en describir la pampa antes de que la actividad ganadera la transformara, pero los recuerdos tiñen su descripción con una cualidad diferente a la de los libros de esos viajeros ingleses que estuvieron entre los primeros en conocer y registrar la flora, la fauna y los habitantes humanos del cono sur. Estos viajeros, por supuesto, pertenecían a una era distinta y a un proyecto diferente, pues eran misioneros tempranos del capitalismo que querían extender la empresa británica a todas partes del globo. El capitán Andrews, John Miers, los hermanos Robertson, J. A. B. Beaumont, Frances Bond Head y otros, abrigaban pocas dudas acerca de un proyecto que integraría el área al mercado mundial.[36] Hudson escribe con una visión posterior, desde otra época en la cual la noción de progreso ha comenzado a parecer sospechosa. Aun así, comparar estos libros de viajes con la escritura

[35]Este tipo de meditación acerca de los muertos desaparecidos se encuentra con frecuencia en Jefferies. Véase *The Story of my Heart*.

[36]Frances Bond Head, *Notas en borrador tomadas durante algunos viajes rápidos a través de las Pampas y entre los Andes* (*Rough Notes taken during some rapid journeys across the Pampas and among the Andes*, Londres, 1826). Traducción al castellano de Carlos Ardao, *Las Pampas y los Andes. Notas de un viaje*. (Buenos Aires, Vaccaro, 1920.) Capitán Joseph Andrews, *Viaje desde Buenos Aires a través de las provincias de Córdoba, Tucumán y Salta hasta Potosí, desde allí por los desiertos de Caranja hasta Arica y subsiguientemente hasta Santiago de Chile y Cochimbro. Emprendido en representación de la Asociación Minera Chilena y Peruana en los años 1825-6*, 2 vols. (*Journey from Buenos Aires through the provinces of Cordova, Tucuman and Salta to Potosi, thence by the deserts of Caranja to Arica and subsequently to Santiago de Chile and Cochimbro. Undertaken on behalf of the Chilian and Peruvian Mining Association in the years 1825-6*, Londres, 1927). Traducción al castellano por Carlos A. Ardao, *Viajes de Buenos Aires a Potosí* (Buenos Aires, Vaccaro, 1920). J. P. y W. P. Robertson, *Cartas sobre el Paraguay, incluyendo un relato sobre cuatro años de residencia en esa República bajo el gobierno del Dr. Francia*, 3 vols. (*Letters on Paraguay, comprising an account of four years residence in that Republic under the government of Dr. Francia*, Londres, 1838). Traducción al castellano por Carlos A. Ardao *La Argentina en la época de la Revolución. Cartas sobre el Paraguay*. (Buenos Aires, L. J. Rosso, 1916). Segunda edición (Buenos Aires, Vaccaro, 1920). J. A. B. Beaumont, *Viajes por Buenos Aires y provincias adyacentes del Río de la Plata* (*Travels in Buenos Aires and adjacent provinces of the Rio de la Plata*, Londres, 1828).

de Hudson puede ser particularmente instructivo; porque se trata de un contraste entre la activa ideología utilitaria de la expansión capitalista y la emoción estética no utilitaria despertada por la distancia y el tiempo. Los autores de los libros de viajes tenían clara conciencia de su propósito que era, eventualmente, transformar la región en una parte útil y productiva del globo. En consecuencia, su mismo lenguaje tiene que ser instrumental y deben prescindir de toda tentación de explayarse en el placer y el goce estético. Beaumont, por ejemplo, justifica esto diciendo que no hay nada en la pampa que pueda despertar emociones estéticas, y el capitán Andrews se jacta de su enfoque utilitario que le hace desechar la belleza de un bosque antiguo, con árboles "cubiertos de musgo por la edad, con enredaderas y tachonado de parásitas por todas partes" para calcular mejor su valor en el mercado. Del mismo modo, los habitantes de la zona son descritos, habitualmente, como bárbaros o grotescos, claramente ineptos para explotar los recursos naturales a su disposición. Pero lo más interesante de todo es la forma misma del libro de viajes, que parece ser admirablemente adecuada para este espíritu utilitario, que se rehusaba a toda digresión del propósito principal del viaje y se complacía sólo en los precios y detalles prácticos acerca de caballos y alojamientos. Inclusive el capitán Head, en otros aspectos tanto más sensibles a la belleza del paisaje y la libertad de la vida en la pampa, fue apodado con justicia "el galopante Head" a causa de su impaciente prisa, una impaciencia que se proyecta en la forma de notas en que está escrito su libro.

> Galopamos sin parar, excepto para cambiar caballos, hasta las cinco de la tarde, verdaderamente muy cansados, pero al llegar a la posta, vimos los caballos en el corral y resolvimos seguir adelante a pesar de todo.

Por contraste, los científicos que escribieron sobre Latinoamérica —el geógrafo Félix de Azara cuyas observaciones sobre pájaros precedieron a las de Hudson,[37] Humboldt y Darwin— consideraron la naturaleza como un estanque de conocimientos sin dueño. La vida natural depara hechos cuyo mero registro llena los espacios en blanco de las taxonomías o los eslabones perdidos de un modelo evolutivo. Y desde *El origen de las especies* en adelante, la observación se dirigía especialmente hacia la conclusión de la historia de las especies y del hombre como figura culminante de la evolución. Esta noción de "ascenso", estructuró sin duda los puntos de vista de Hudson acerca del hombre y la naturaleza. Sin embargo, lo que agregó a la investigación fáctica fue cierto impacto que transmitía el impacto emocional de la vida natural sobre el observador. Esto es cierto aun en las notas que escribió para Sclater y en sus escritos tempranos sobre ornitología argentina. Su primer libro de relativo éxito, *Un naturalista en el Plata,* está repleto de tales sentimientos; sea que esté describiendo la música de los pájaros o la verdadera naturaleza del puma. Para la época en que llegó a escribir *Días de ocio en la Patagonia,* un año más

[37]Félix de Azara, geógrafo español, había publicado *Apuntamientos para la historia natural de los pájaros del Paraguay* en 1805.

tarde, ha roto completamente con el estilo de naturalista de campo. En cambio ha incorporado materiales heterogéneos —leyendas, cuentos, una discusión sobre la migración de las aves y descripciones del escenario— todos los cuales se conectan temáticamente por el "genio del lugar". Como los autores de los libros de viajes, Hudson estaba, es verdad, dirigiéndose conscientemente a una audiencia británica y su estilo abunda en señales reveladoras como "En agosto, el abril de los poetas argentinos;"[38] aun así, estos indicadores sirven de algún modo para establecer distancias tanto temporales cuanto espaciales. La Patagonia se torna así en una especie de escena primaria frente a la cual puede medirse no simplemente el avance de las metrópolis, sino lo que han perdido de intimidad con la naturaleza. Así, imagina a los cazadores y recolectores de la Patagonia volviendo una y otra vez al río Negro como los niños regresan a su madre. "Todas las cosas se reflejaban en sus aguas, el cielo infinito y azul, las nubes y los cuerpos celestiales; los árboles y pastos de sus orillas y sus caras oscuras; y del mismo modo en que se reflejaban en él, su corriente oscura se reflejaba en sus mentes" (p. 47). Allí en la Patagonia, sentía el placer de "ir hacia atrás" y experimentar una vez más "ese estado de intensa vigilia, o más bien de alerta, suspendiendo las facultades intelectuales más altas" que representaba "el estado mental del salvaje puro" (p. 222).

Para la época en que llegó a escribir *Allá lejos y hace tiempo* en 1918, Hudson había desarrollado un estilo parsimonioso de escritura que le permitía deslizarse fácilmente de la especulación a la observación, de la naturaleza a la vida humana. Para esta época también había llegado a ver su pasado en Sudamérica como una Arcadia pastoril con su "antigua felicidad hace tiempo perdida y ahora recuperada". De este modo describe la plantación que rodeaba "Las Acacias" como una tierra mágica protegida por "el foso frecuentado por las ratas en medio de los árboles encantados". "Había un campo de alfalfa de cerca de medio acre de superficie que florecía tres veces al año, y durante la época de floración atraía con su deliciosa fragancia a las mariposas de toda la planicie que lo rodeaba, hasta que el campo quedaba repleto de mariposas rojas, negras, amarillas y blancas, revoloteando en bandadas alrededor de cada espiga azul" (*Allá lejos...*, p. 53).

En el comienzo de *Allá lejos y hace tiempo,* destaca la extraordinaria lucidez que experimentó escribiendo sus memorias durante una convalecencia, porque era "como si las sombras de las nubes y la neblina se hubieran disipado y se me hubiera hecho claramente visible todo el ancho panorama por debajo de mí. Mis ojos podían recorrerlo completamente a voluntad, eligiendo este o aquel punto para explayarse, para examinarlo en todos sus detalles; y, en el caso de algunas personas que había conocido cuando era niño, para seguir su vida hasta que terminaba o se perdía de vista; luego regresar otra vez al mismo punto para repetir el proceso con otras vidas y recomenzar mis ca-

---

[38]Emilio Renzi, "Hudson, ¿Un Güiraldes inglés?" en *Punto de Vista,* Buenos Aires, Año 1, nº 1, marzo de 1978, pp. 23-4.

minatas en los viejos escondites familiares" (*Allá lejos...*, p. 3). En otras ocasiones es trasladado hacia el pasado por el sentido del olfato. Una prímula podía producir en él un cambio "tan grande que parecía un milagro" y transportarlo de regreso a la pampa cubierta de hierba "donde he estado durmiendo muy sonoramente bajo las estrellas. Es el momento de despertar, cuando mis ojos están precisamente abriéndose al puro cielo abovedado, encendido en su mitad oriental con un tierno color; y en el momento en que la naturaleza se revela así a mi visión en una exquisita riqueza y frescura matutinas, percibo el sutil aroma de la prímula en el aire." (*Días de ocio...* pp. 239-241). Pero esta visión fugaz es bastante diferente de la evocación ininterrumpida de *Allá lejos y hace tiempo*.

El estilo enmarañado y aparentemente casual de estas memorias tiende a oscurecer la verdadera naturaleza del libro, que no es tanto un intento de autobiografía, sino más bien una serie de experiencias intensamente sentidas. Si debe considerárselo una autobiografía, su modelo es más *Preludio* de Wordsworth que *Vida* de John Stuart Mill. Su padre y su madre y la vida familiar misma son incidentales para escenas como el florecer de los duraznos:

> Los grandes y viejos árboles irguiéndose muy separados sobre su alfombra de hierbas, tocándose apenas unos a otros con las puntas de sus ramas más anchas, eran como grandes nubes de pimpollos exquisitamente rosados en forma de montículo. No había entonces nada en el universo que pudiera compararse en encanto a ese espectáculo. Yo rendía culto a los árboles en esa estación. (*Allá lejos...* p. 55).

Esos momentos son de intensa soledad. Como el niño de Wordsworth, Hudson rastreaba "nubes de gloria" que se oscurecerían en la adolescencia y estos intensos momentos de alegría experimentados por el niño no se parecen a ningún otro. Porque la intensidad de la emoción infantil es única —aquellos momentos por ejemplo, en que la visión de una extensión de terreno cubierta de verbenas escarlatas en flor, lo haría arrojarse de su pony "gritando de alegría para acostarme en el césped en medio de ellas y recrear mi vista con su brillante color." (*Allá lejos...* p. 227). En la adolescencia esas emociones no pueden ya experimentarse puras, pues se las experimenta simultáneamente con la conciencia del paso del tiempo, la muerte y la inevitable pérdida. Es por ello que el animismo natural de la niñez mantuvo un gran encanto para Hudson quien, como muchos de su generación, creía que la adultez requería una perspectiva estoica y era algo que debía soportarse antes que gozarse. Es este despertar a la pérdida y la muerte el que lleva a su fin sus memorias en *Allá lejos y hace tiempo*. La conciencia adulta y el miedo a la muerte que llegaron con la enfermedad lo separan del pasado y

> el sol naciente y poniente, la visión de un cielo azul y claro luego de las nubes y la lluvia, la nota de llamada familiar y que hacía tiempo no escuchaba de algún migrante que acaba de regresar, la primera visión de alguna flor en primavera, traerían de vuelta la vieja emoción y serían como un súbito rayo de luz solar en un lugar oscuro —una alegría intensa y momentánea

que sería sucedida por un dolor inefable. Entonces había momentos en que estos dos sentimientos opuestos se entremezclaban y se mantenían juntos en mi mente durante horas a un tiempo, y eso ocurría con mayor frecuencia durante la migración otoñal, cuando la gran ola de aves se dirigía hacia el norte y durante todo marzo y abril se podía ver a los pájaros, bandada tras bandada, desde el alba hasta el anochecer, hasta que todos los visitantes del verano se habían ido, para ser seguidos en mayo por los pájaros del lejano sur escapando del viento antártico. (pp. 324-325).

Las emociones despertadas por la pérdida están impresas también en los retratos de personas incluidos en *Allá lejos y hace tiempo,* porque los extraños y excéntricos personajes que a menudo recuerdan *Almas muertas* de Gogol, son entrevistos en algún momento característico pero siempre al borde de algún vacío creado por su muerte o desaparición. Don Evaristo, que tenía seis esposas y una numerosísima familia, muere dejando una propiedad arruinada que Hudson recuerda en su remota plenitud. "Sólo sé que el viejo lugar donde cuando yo era niño lo vi por primera vez, donde su ganado y sus caballos pastaban y el arroyo donde bebían estaba vivo con las garzas reales y las espátulas, los cisnes de cuello negro, las nubes de ibis lustrosos y los grandes ibis azules de voz resonante, está ahora poseído por extraños que destruyen toda la fauna avícola silvestre y cultivan maíz en la tierra para los mercados de Europa." (p. 189). Aquí, excepcionalmente, Hudson exhibe conciencia de las fuerzas del mercado que destruyeron la Arcadia y codiciosamente produjeron el despoblamiento de la pampa de su vida salvaje. Pero habitualmente las fuerzas destructivas son menos tangibles. Hay un retrato inolvidable de Cipriana, una de las hijas de don Evaristo, vestida de blanco y montando un gran caballo bayo, "y su amante que indicaba el camino". Pero el amante desaparece y durante años luego, en el "largo intervalo vacante que precede a la noche", ella se sentará cerca de la puerta "donde un viejo tronco yacía sobre un pedazo de terreno árido, cubierto de ortigas, bardanas y malas hierbas, ahora marrón y muerto, y sentada sobre el tronco, el mentón apoyado en su mano, fijará su vista en el polvoriento camino media milla más adelante, e inmóvil, se quedará cerca de una hora en esa actitud de abandono." (p. 188).

Existe un sentido similar de pérdida inexplicable en sus relaciones de otros personajes que aparecen brevemente y desaparecen en la memoria —un nómade misterioso que ni siquiera sabe hablar el idioma del país ni ninguna otra lengua conocida y cuyos huesos se encuentran un día en la pampa donde había muerto; Dardo, llevado a rastras a la guerra y la muerte; Angelita, su amiga de la infancia. Inclusive la propia arbitrariedad de su destino actúa como una especie de coartada o reemplazo para la innombrable fuerza destructiva, a saber, el propio capitalismo. Y los anglosajones, entre quienes se hallaba la propia familia de Hudson, aun en el período acerca del cual éste escribía, se hallaban activamente comprometidos en la integración de Sudamérica al mercado mundial. La intensidad de las emociones de Hudson, la irrecuperabilidad de los deleites de su infancia, intensificaban la tragedia de una forma de vida que había desaparecido no sólo para un individuo sino también para la raza íntegra. Aun incorporando esa pérdida a la experiencia de la infancia, Hudson sugiere su inevitabilidad biológica en lugar de verla como un fenómeno social. Lo personal se ha convertido en una coartada para lo social.

El ideal de una comunidad orgánica en el pasado o el futuro o en alguna parte remota del mundo es la ideología común de muchos escritores ingleses del siglo diecinueve y comienzos del veinte. R. L. Stevenson trataría de descubrirlo en el mundo real, en Tahití, pero para la mayoría permanecería menos tangible. Muy a menudo, como en el caso de los escritos de Hudson, esta comunidad ideal era esencialmente una comunidad pastoril; la había experimentado brevemente en su propia infancia, como esa plenitud sentida al fin del día cuando "una tropa de cuatrocientas o quinientas cabezas trotaba de regreso a la casa con mugidos y bramidos bajos, levantando con sus pezuñas una gran nube de polvo, mientras los jinetes galopaban detrás urgiéndolas con gritos salvajes." Y era esta sociedad pastoril, en otras palabras, una sociedad más simple que la de la era industrial, la que buscaba nuevamente en sus excursiones por la campiña inglesa.[39]

PASTORAL INGLESA

Aunque muchos de los ensayos de Hudson sobre Inglaterra consisten en observaciones sobre la vida de las aves (*Pájaros de Londres, Pájaros de Inglaterra*) que publicó en periódicos, también escribió una serie de libros que apelaban al creciente número de excursionistas —libros tales como *Land's End, Afoot in England, Hampshire Days, Nature in Downland*. Aunque Hudson mismo distaba de alegrarse con las incursiones en el campo del habitante de la ciudad, sus libros apuntaban claramente a este mercado. Sin embargo, dos de sus libros sobre Inglaterra difieren bastante de éstos. *Una Cierva en el Richmond Park* es una meditación sobre los sentidos y, finalmente, sobre las relaciones entre arte y naturaleza. *A Shepherd's Life (Vida de un pastor)* es un ensayo de historia oral, que registra la vida rural en Wiltshire durante los primeros años del siglo diecinueve. Entre sus antecedentes se cuentan *Nuestra aldea* de Mary Russell Mitford (1824-32), *Cabalgatas rurales* de William Cobbett (1820-30) y *Hodge y sus amos* de Richard Jefferies. Este último en particular, es un documento notable que consiste en un informe extensivo acer-

[39]Para una definición del término "pastoril" como proyección imaginaria de formas más sencillas de vida y la resolución del conflicto de clases, véase William Empson, *Algunas versiones de lo pastoril* (*Some Versions of the Pastoral*, Londres, 1969).

ca de todos los estratos de la población rural, desde el terrateniente hasta el labriego sin tierra, junto a una discusión sobre la economía de la agricultura y el destino de los agricultores, muchos de los cuales, como Hodge, se encontrarán relegados a un asilo al cabo de una vida de duro trabajo. El interrogante que Jefferies plantea al final del libro es crucial, aunque nunca se le habría ocurrido a Hudson. Hablando de Hodge que está acercándose al final de su vida, el escritor pregunta: "¿Qué cantidad de producción representaba la vida de trabajo de ese viejo? ¿Qué valor debe asignarse al servicio de su hijo que luchó en la India; al del hijo que trabajó en Australia; al de la hija en Nueva Zelanda cuyos hijos ayudarían a construir una nueva nación? Estas cosas tienen seguramente su valor." Jefferies introduce así un concepto de valor del trabajo que era ajeno al capitalismo, destacando la indiferencia del mercado hacia los seres humanos. En contraste Hudson, cuyo *A Shepherd's Life* transcurre en Wiltshire, la misma región de Jefferies, está más preocupado por el pasado que por el presente. Esto debido a que había encontrado un lugar en Winterbourne Bishop que era lo más parecido posible a la pampa, y en consecuencia, al ideal pastoril de vida vivida en armonía con la naturaleza.

> El efecto final de este espacio verde y vasto con señales de vida humana y labranza en él, y animales a la vista —ovejas y bovinos— a diferentes distancias, es que no somos extraños aquí, intrusos o invasores de la tierra, viviendo en ella pero separados, quizá odiándola y arruinándola, sino que, como los otros animales, somos hijos de la Naturaleza, viviendo y buscando nuestra subsistencia bajo su cielo, familiares de su sol, su viento, su lluvia. (p. 29).

El pastor con quien Hudson conversó durante muchos días obteniendo recuerdos de su infancia y de la vida de su padre, se convierte en una figura ejemplar de dignidad y austeridad clásicas. Hudson carecía de ese conocimiento detallado y preciso de las fuerzas del cambio que distingue a *Hodge y sus amos* de Jefferies, si bien, como historia oral, su libro es notable a partir de que los recuerdos de Caleb Bawcombe y a través de él los de su padre, cubren un siglo de vida rural.[40] Para obtener estos recuerdos Hudson tuvo que inventar su propia técnica antropológica dado que, "el recuerdo valioso que poseía (Caleb) sobre cualquier tema, no podría obtenerse cuando uno lo deseara, al menos como regla; yacería bajo la superficie, por así decir y él pasaría y volvería a pasar sobre el terreno sin verlo. No sabría que estaba allí; sería como la bellota escondida por un arrendajo o una ardilla, que se han olvidado totalmente de ella, pero que sin embargo recuperarán algún día si por casualidad sucede algo que se los rememore. El único método era conversar de cosas que él conocía y cuando por casualidad se acordaba de alguna vieja experiencia o de alguna pequeña observación o incidente dignos de ser oídos, tomar nota de ella y luego esperar pacientemente por algo más." (p. 167).

[40] El verdadero nombre de Caleb era James Lawes. Winterbourne Bishop es también un nombre ficticio. Véase Ruth Tomalin, *W. H. Hudson* (N. York, Greenwood Press, 1954), p. 126.

El pastor encarnaba simplemente para Hudson un ideal de vida moralmente buena, para la cual la "sociedad" es casi irrelevante. En consecuencia destaca el hecho de que no existen grandes fincas en las cercanías de Winterbourne Bishop como si esto eliminara el propio sistema de clases y como si hubiera sido posible para la gente vivir independientemente de los terratenientes. El pastor de Wiltshire como el gaucho argentino, corporiza el mito de la libertad individual; aun así, es fácil ignorar el otro costado del relato del pastor: la pobreza brutal y la casi inanición, que condujeron inclusive a hombres honestos a afrontar la muerte y la deportación por cazar ilegalmente ciervos o robar ovejas. Caleb también recuerda las grandes revueltas contra la introducción de maquinaria agrícola en una época en la cual los agricultores eran "sumamente prósperos y los terratenientes estaban extrayendo altas rentas". Sin embargo, la transcripción por Hudson de los recuerdos de Caleb es imprecisa, como habitualmente lo era cuando se ocupaba de la política más bien que de la naturaleza. "La imagen que permanece en su mente es la de una gran multitud excitada en la cual hombres y ganado vacuno y ovino se entremezclaban en la ancha calle que era el lugar del mercado, y los gritos y el ruido de máquinas haciéndose pedazos y finalmente la turba derramándose por las colinas en su camino hacia la aldea siguiente, y él y otros niñitos siguiendo su marcha."

Esta rebelión, como señala Hudson, ha sido registrada desde el punto de vista de los terratenientes y los agricultores "pero existe un material más abundante para una narración más veraz y conmovedora no sólo en las breves informaciones de los periódicos de la época, sino también en la memoria de muchas personas todavía vivas y en la de sus hijos y los hijos de sus hijos, preservadas en muchas cabañas a través del sur de Inglaterra". (p. 155).

Sin embargo, lo que el pastor representa principalmente para Hudson es una vida vivida como lo era ancestralmente, independiente de amos y ciudades, una vida con hondas raíces en el lugar donde están enterrados los antepasados. Esta es su definición de la buena vida, resumida en las propias palabras del pastor cuando dice: "Devuélvanme mis colinas de Wiltshire y déjenme ser pastor allí toda mi vida." La cabaña del pastor "un hogar tan perfecto como el que podría haber tenido un hombre tranquilo y contemplativo que amara la naturaleza" parece idílica, pero como todos los idilios de Hudson, está ya condenada fatalmente.

EL NARRADOR: LA TIERRA PURPUREA Y LOS CUENTOS DE LA PAMPA

El ideal pastoril da cuenta no sólo de los puntos de vista de Hudson sobre la sociedad sino también de su preferencia por la tradición oral por sobre lo impreso y por el lenguaje sentencioso "bíblico" que se encuentra entre los pueblos de pastores, sea en las colinas de Wiltshire o en la pampa. En esos lugares "la filosofía de la vida, los ideales, la moralidad (de la gente) eran el resultado de las condiciones en que existían y completamente diferentes de las nuestras; y esas condiciones eran las de los pueblos antiguos de que nos habla la Biblia. Su misma fraseología era fuertemente reminiscente de la de las Sagradas Escrituras y su carácter, en los mejores especímenes era similar al de los hombres del pasado remoto que vivían más cerca de Dios, como se dice, y ciertamente más cerca de la naturaleza de lo que es posible para nosotros en este estado artificial". (*Vida de un pastor,* p. 102.)

La cultura transmitida oralmente es tradicional de un modo bastante diferente al de la cultura impresa.[41] Aunque cada representación es diferente de todas las obras, la matriz de los *topos* y fórmulas tradicionales le da el poder de evocar todas las representaciones pasadas y, en consecuencia, le provee de un vínculo viviente con antepasados remotos. Es por eso que el narrador tiene tal poder para conjurar tiempos distantes y ésa la razón por la cual su supervivencia depende de una comunidad cuyo lenguaje y tradiciones preserva y revitaliza. Hudson creció en una cultura en la cual el recitado de décimas era todavía una realización del *macho*. Así recuerda haber oído a un narrador cuyo carácter y cuentos venían directamente de la antigua tradición folklórica: el intérprete era "un portugués con un solo ojo. Ese tipo era el alma y vida del conjunto y con sus chistes y bufonadas mantenía a los demás de buen humor. Era un día excesivamente caluroso y, con intervalos, el gracioso portugués tuerto habría de contar alguna historia entretenida. Una de estas historias versaba sobre la Era de los Tontos, y me divirtió tanto que puedo recordarla hasta ahora". (*Los pájaros y el hombre,* p. 7.) Los cuentos de estos tontos que tratan de llevar la luz del sol dentro de la iglesia y cometen otras crasas estupideces nos retrotraen al humor folklórico medieval; y su atractivo para Hudson radica precisamente en que es experiencia transmitida de persona a persona sin la mediación de la página impresa. Además, es inseparable de la situación social que el ritual del *macho* desafíe o, inclusive, funcione.

En una ocasión Hudson pasó a Cunninghame Graham la transcripción de un poema gaucho que había recibido de un amigo en la Argentina, poema que traslada un antiguo *topos* al propio contexto del gaucho.

> Aquí me pongo a contar
> Debajo de este membrillo,
> A ver si puedo alcanzar
> Las aspas de aquel novillo,
> Si ese novillo me mata
> No me entierren en sagrao;
> Entiérrenme en campo limpio
> Donde me pisa el ganao.
> Pónganme de cabecera
> Un letrero, colorao, que diga,

[41]Walter Ong, *Presencia de la palabra* (*The Presence of the Word,* Yale University Press, 1967).

> Aquí murió un desgraciao
> No murió de tabardillo
> Ni de puntada de costao
> Ha muerto de mal de amores
> Que es el más desesperao.[42]

Lo que le interesaba era el instrumento, el ansia del gaucho por la libertad del campo, aun después de la muerte. Y aunque le hace llegar el poema a Cunninghame Graham más como curiosidad que por otra cosa, claramente valora esos ejemplos de poesía "espontánea" precisamente a causa de su conexión con una íntegra textura de vida.

Le interesaban no sólo esas supervivencias sino también lo que podría llamarse "narrativa natural" —los cuentos relatados por la gente de campo y por los ancianos que había encontrado en sus viajes. Y quizás esto da cuenta del hecho de que sus escritos de ficción exitosos tienden a inspirarse en la tradición oral. En realidad, aparte de su deplorable novela *Fan (Abanico)*, firmada con seudónimo, y aparte de sus novelas utópicas —de las cuales escribió otras posteriormente— sus otros trabajos narrativos: *La tierra purpúrea* (1886), sus cuentos de la pampa y sus dos cuentos ingleses, "Dead Man's Plack" (La placa del muerto) y "Old Thorn" (Vieja espina), tratan de provocar el efecto del saber popular transmitido oralmente.

Aunque no se publicó hasta 1886, *La tierra purpúrea* fue escrita probablemente en la década del setenta, poco tiempo después de su llegada a Inglaterra. En la época de su publicación despertó poco interés y, en general, ha sido subvaluada en Inglaterra. Sin embargo Borges la encontró superior al *Martín Fierro* y *Don Segundo Sombra* y aprobó la elección de la Banda Oriental como escenario. "Nacido en la provincia de Buenos Aires, en el círculo mágico de la pampa, elige sin embargo la tierra cárdena donde la montonera fatigó sus primeras y últimas lanzas: el Estado Oriental." Y agrega: "Percibir o no los matices criollos es quizá baladí, pero el hecho es que de todos los extranjeros (sin excluir por cierto a los españoles) nadie los percibe como el inglés, Miller, Robertson, Burton, Cunninghame Graham, Hudson."[43] Theodore Roosevelt y otros compararon *La tierra purpúrea* con *Almas muertas* de Gogol. "Por sobre todo pone frente a nosotros el esplendor y la vasta soledad del campo donde se lleva esta ardorosa vida,"[44] escribió Roosevelt. Aun así no es la "autenticidad" u otro aspecto de la narrativa lo que ahora importa, sino la ideología que le dio nacimiento y, particularmente, la contradicción entre el mensaje abierto que es una adhesión apasionada a la Banda Oriental y la reproducción subliminal de la dicotomía perjudicial (para Latinoamérica) entre civilización y barbarie.

[42]Richard Curle (ed.) *Cartas de W. H. Hudson* (*W. H. Hudson's Letters,* Londres, Golden Cockerel Press, 1941).
[43]J. L. Borges, "Nota sobre *La tierra purpúrea*", publicada por primera vez en *La Nación,* 3 de agosto de 1941.
[44]*The Purple Land. Adventures in South America* (Nueva York, E. P. Dutton and Co., 1916), con una nota introductoria de Theodore Roosevelt.

Concebida originalmente como una obra más extensa, *La casa de Lamb,* (probablemente a causa de que los editores ingleses en las décadas del setenta y del ochenta estaban interesados principalmente en novelones), *La tierra purpúrea* es un relato moderno picaresco de aventuras, y en realidad al comienzo de la novela, el narrador Richard Lamb se compara autoconscientemente con Gil Blas (p. 4). Es tentador considerar autobiográfica a esta novela como lo han hecho otros críticos, especialmente dado que daría cuenta de un período comparativamente oscuro en la vida de Hudson, pero éste mismo desalienta deliberadamente tal lectura en una carta a Cunninghame Graham. "Es un error de su parte considerar que las aventuras aquí narradas sean autobiográficas. Richard es una persona puramente imaginativa, su historiador no era así. Las aventuras contenidas en ese libro, que son parcial o totalmente verdaderas, ocurrieron a diferentes personas. Richard fue solamente la cuerda con la que fueron enhebradas."[45] La picaresca es, por supuesto, un artificio útil para unificar una serie fortuita de aventuras, estudios de personajes y meditaciones acerca de la persona de un narrador y la forma es la más cercana posible al estilo lleno de digresiones de los ensayos de Hudson. La ventaja del narrador imaginario es que actúa como mecanismo unificador para toda clase de materiales heterogéneos. Por otra parte, la negativa de Hudson acerca del contenido autobiográfico también debe tomarse con cierto escepticismo, dado que las complicadas aventuras amorosas de Lamb, quien difícilmente podía ver una mujer sin sentirse atraído por ella, eran con toda claridad los precisos aspectos de la novela con los cuales un Hudson más viejo y enteramente victoriano no querría ser asociado. Aunque las aventuras amorosas no constan estrictamente de hechos, la disposición amorosa del narrador sugiere que en esa época Hudson ponía mayor acento en lo erótico de lo que lo haría más tarde, cuando se mostró de acuerdo con críticos que le habían dicho que había allí "demasiado galanteo".

Sería absurdo considerar a *La tierra purpúrea* como novela histórica, aunque la utilización por Hudson de episodios de la historia uruguaya y, en especial, del conflicto entre blancos y colorados es sintomática. La contienda civil en la Banda Oriental había sido manipulada por diversos intereses, incluidos los del Brasil y Gran Bretaña (en conjunción con el General Mitre en la Argentina), que estaba en medio del proceso de asegurar su control económico sobre el país. Uno de los contendientes, el líder blanco general Flores, estaba apoyado intensamente por Buenos Aires, a donde huyó tras mantenerse escondido en su propio país por un lapso considerable, luego del triunfo de las fuerzas coloradas. Posteriormente habría de invadir el Uruguay y tomar el poder. Existe un paralelo, así, entre las peripecias de Flores y las del líder blanco Santa Coloma en *La tierra purpúrea,* a quien Richard Lamb conoce primero como Marcos Marcó, luego como general de las fuerzas rebeldes nacionalistas que luchan contra los colorados y la infiltración brasileña y finalmente como civil disfrazado que huye a Buenos Aires. La manipulación extranjera por detrás de fuerzas na-

[45]*Cartas a Cunninghame Graham,* p. 21.

cionales en contienda que se tornan mera fantasmagoría sería desplegada con todo brillo por Conrad en *Nostromo,* donde se inspiró en el conocimiento de Hudson y Cunninghame Graham acerca del escenario sudamericano. Sin embargo, en *La tierra purpúrea* las fuerzas reales resultan desplazadas en dramas locales de honor, amor, lealtad y traición. Así *La tierra purpúrea* parece más cercana a un *western* que *Nostromo,* desde que la guerra provee meramente una máquina más dramática para la producción de pasiones intensas que las calles de la ciudad o las casas bancarias. En realidad el narrador, Richard Lamb, permanece sin comprometerse en estas pasiones nacionales y huye de la batalla de San Paulo sin preocuparse demasiado por la derrota: "No me preocupo mucho por mí mismo, pero no puedo dejar de pensar mucho en Dolores, que tendría ahora una pena fresca para acrecentar su dolor." (p. 151). De este modo Richard Lamb que, hacia el fin de la novela, rechaza aparentemente la conquista inglesa, reproduce la exacta actitud de los ingleses en su conquista informal de Sudamérica, en la cual se mantuvieron al margen y en apariencia neutrales en la medida en que sus intereses más amplios quedaban asegurados.

El mensaje que enmarca los libros también está pensado para los ingleses, no para los habitantes de Latinoamérica. En realidad, el título completo de la primera edición era *La tierra purpúrea que Inglaterra perdió* y la "lección" de Richard Lamb se explicita al principio y al final de la novela. Al comienzo, representa sin problematizarse el proyecto británico inicial de ocupación de América Latina, creyendo que los vastos espacios que los habitantes indígenas han sido demasiado incompetentes o perezosos para desarrollar, requieren la ocupación británica si han de ser alguna vez llevados a la escena mundial. América del Sur está madura para la conquista y Lamb anhela "¡un millar de hombres jóvenes de Devon y Somerset aquí conmigo, cada uno de ellos con el cerebro encendido con pensamientos como los míos! ¡Qué acción gloriosa se llevaría a cabo para la humanidad! ¡Qué grito poderoso de entusiasmo elevaríamos por la gloria de la vieja Inglaterra que se está desvaneciendo!" (p. 9). Lamb consideraba que la ocupación de Buenos Aires había sido una "cruzada santa" y maldice su fracaso. Lo que sus aventuras en el interior consiguen es su reeducación y su reunión con la naturaleza. En lugar de ansiar la ocupación británica, desearía ahora mantener inviolado su paraíso y cree que la violencia y la pasión (o la barbarie) tienen que aceptarse con el fin de mantener sin trabas el estado silvestre de la naturaleza. En consecuencia ruega que "el instinto caballeresco de Santa Coloma, la pasión de Dolores, la amable bondad de Candelaria" puedan "mantenerse vivos en vuestros hijos para hacer sus vidas más brillantes de romance y belleza; que la plaga de nuestra civilización superior no caiga nunca sobre vuestras flores silvestres, ni el yugo de nuestro progreso se instale sobre vuestros troperos, —despreocupados, graciosos, amantes de la música como los pájaros— para hacerlos como el taciturno y abyecto paisano del Viejo Mundo". (p. 248). Lamb (cuyo nombre —cordero— significa la no-violencia) es, así, el término neutral en una polaridad generada por las siguientes oposiciones:

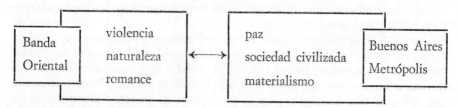

Lamb, como varón pacífico, más en su ambiente con mujeres que con hombres no puede sobrevivir en las tierras violentas; aun así su casamiento ha causado su expulsión de la sociedad "civilizada". Es un observador desde afuera, que no puede participar en las apasionadas lealtades de la Banda Oriental, ni siquiera, excepto incidentalmente, en sus luchas. Y aun así, con toda la violencia, es una Arcadia a la que sólo puede contemplar como exiliado. En consecuencia, ve el hogar de Anselmo y su hija Margarita, como "el único lugar en el vasto mundo donde la edad de oro todavía persistía, apareciendo como los últimos rayos del sol poniente tocando algún punto prominente, cuando por todas partes las demás cosas están en sombras". (p. 53). El precio de la Arcadia es la barbarie: e inclusive Lamb se ve forzado a matar en cierto punto, bien que en defensa propia. Aunque clama que un asesinato no le ha producido regresión a la barbarie, todavía luego sentía "tal alegría que podría haber cantado y gritado en voz muy alta si no me hubiera parecido imprudente permitirme tal expresión de sentimiento". (p. 176). E inmediatamente después de la batalla de San Paulo experimenta una profunda y religiosa comunión con la naturaleza:

> Sobre todo reinaba un profundo silencio; hasta que, de repente, una bandada de oropéndolas anaranjadas y color de llama con alas negras se lanzaron en picada sobre un grupo de arbustos muy cerca y derramaron un torrente de música salvaje y gozosa... ¡Qué matices tan brillantes, qué música alegre y fantástica! ¿Eran pájaros realmente, o bien los habitantes alados y contentos de una región mística, parecida a la tierra, pero más dulce que ésta, y nunca penetrada por la muerte sobre cuyo umbral había tropezado yo por azar? Entonces, mientras la rica inundación de brillo solar se volcó sobre la tierra desde esa urna roja y perenne que descansaba en el lejano horizonte, hubiera podido de haber estado solo, arrojarme sobre el terreno para adorar al gran Dios de la Naturaleza que me había dado este precioso momento de vida. (p. 152).

Así para Lamb, la opción es entre violencia o pérdida de esta unión con la naturaleza, "antes que ver perseguir al avestruz y al ciervo más allá del horizonte, asesinar al flamenco y al cisne de cuello negro en los lagos azules y enviar al tropero a puntear su romántica guitarra al Hades como preliminar a la seguridad personal, preferiría andar de un sitio para otro preparando, en todo momento, para defender mi vida de los súbitos asaltos del asesino". (p. 244). Y la civilización acarrea también otras pérdidas. "El romance, la belleza, la poesía, se irán" sacrificados a los fines materialistas de la civilización. "No vivimos sólo de pan, y la ocupación británica no da al corazón todas las cosas que reclama.

Las bendiciones pueden convertirse en maldiciones cuando el poder gigante que las otorga ahuyenta de entre nosotros a los tímidos espíritus de la Belleza y la Poesía." (p. 244).

Es este entorno incivilizado el que podía (como en *Nostromo* de Conrad), producir todavía las virtudes anacrónicas de líderes carismáticos y súbditos leales y un campesinado romántico, habitando casas aisladas alejadas de sus vecinos y hablando la lengua de la sabiduría tradicional:

> Porque; ¿qué tiene un hombre más que otro que lo ponga en lugar de la Providencia? Somos todos de carne. Es cierto, algunos somos sólo carne de perro, útil para nada, pero para todos nosotros el látigo es doloroso, y donde él llueva brotará sangre. (p. 56).

Este aroma arcaico no es exclusivo de Hudson. Las *Comedias bárbaras* de Valle-Inclán recrean un entorno similar y similarmente recurren no sólo a anacronismos de tema, sino también de forma. En el caso de *La tierra purpúrea* el uso de lo picaresco, el lenguaje sentencioso y los muchos relatos que le cuentan a Lamb en el curso de sus aventuras, todo contribuye a la atmósfera arcaica. Aunque es precisamente este anacronismo el que resultaba compatible con los intereses neocoloniales que permitían que las áreas "retrasadas" del mundo se convirtieran en reservas en las cuales las costumbres arcaicas pudieran preservarse sin perturbar de ningún modo el funcionamiento del sistema en su conjunto. El imperialismo británico operaba feliz con sociedades tribales que le proveían de mercados sin resistencias y de abundantes materias primas. La violencia interna y la inestabilidad de tales sociedades era un subproducto de su relación con el mercado mundial y proveía de una espléndida coartada para la diplomacia de los buques artillados. De este modo la ruidosa protesta de Lamb al final de la novela contra la ocupación inglesa no es un reclamo revolucionario sino más bien una versión idealizada de la propia política imperialista británica que destinaba el Uruguay a la independencia aparente en tanto aseguraba su dependencia económica. Hudson no estaba, por supuesto, abogando por el neocolonialismo. Simplemente no percibía que el anacronismo no constituía una verdadera oposición al sistema.

El anacronismo toma una forma bastante diferente en los cuentos de la pampa: "La confesión de Pelino Viera", "El ombú" y "Marta Riquelme", que se inspiran los tres en la tradición local, de mujeres convirtiéndose en pájaros, de cautivos de los indios, de venganza y brujería. Es esto lo que da su autenticidad a estos cuentos. En realidad, Hudson debe haber oído tales relatos en la Argentina, especialmente cuando estaba en el ejército, y luego declararía que "El ombú" se basaba en las notas que tomó cuando escuchaba a un viejo gaucho (el Nicandro del cuento) alrededor del año 1865.[46] En "La Confesión de Pelino Viera", el primero en publicarse de esos cuentos, se inspiró no sólo en la

---

[46]En la edición de 1916 de "El ombú" en *Cuentos de la Pampa* (*Tales of the Pampa*, Nueva York, Alfred A. Knopf), p. 1, dice "esta historia de una casa que había existido fue contada por Nicandro en la sombra, un día de verano".

riqueza de la tradición brujeril que había sido transmitida desde el período colonial, sino también en la leyenda de "la ciudad de los Césares", que también inspiraría el poema de Neruda "La espada encendida". Aunque este material folklórico se motiva ahora con el fin de sugerir "fuerzas oscuras" a las que la civilización tornó subterráneas. La esposa de Pelino Viera es una bruja cuyas artes él aprende en secreto; una noche es transportado mágicamente a la misteriosa ciudad de los Césares, a la que halla habitada por personas emplumadas. En ella "no había fuegos ni lámparas, pero en las paredes había pintadas figuras de jaguares, caballos corriendo en medio de nubes de polvo, indios enzarzados en luchas con blancos, serpientes, torbellinos, planicies cubiertas de hierba incendiándose, con avestruces volando delante de las llamas y un centenar de cosas más; los hombres y animales estaban dibujados en tamaño natural, y los colores brillantes con que estaban pintados despedían una luz fosforescente que los hacía visibles y arrojaba un tenue crepúsculo en la habitación". Lo que estas imágenes representan es destrucción y caos, una destrucción y un caos claramente asociados con la pasión sexual, puesto que Pelino, antes de su matrimonio, tenía hacia su esposa "un deseo vehemente inexplicable", tan intenso que "perdió carnes".

En "Marta Riquelme" la pasión sexual se relaciona directamente con el tema de la barbarie. El sacerdote que narra el cuento sólo descubre su pasión cuando Marta ya se ha vuelto loca a causa de su cautiverio entre los indios y sus desventuras ulteriores. Su destino trágico, así como la inexplicable pasión del sacerdote, son atribuidos al ensalmo del propio lugar, a Yala, donde los antiguos dioses se han refugiado. Exiliados de su reino por la Cristiandad, se retiran a regiones inaccesibles —"así los viejos dioses y demonios se han retirado a este apartado territorio donde, si bien no pueden mantener fuera las semillas de la verdad, al menos tienen éxito en tornar estéril como una piedra el suelo en que caen". Y aun cuando el sacerdote proclama su derrota, todo el relato demuestra lo contrario: el poder de estas fuerzas oscuras que se identifican con la sexualidad.

Existe en verdad una notable consecuencia en los relatos sudamericanos de Hudson, desde *La tierra purpúrea* hasta "El ombú" y "Marta Riquelme", que radica en que todos ellos abordan la regresión a lo primitivo y asocian esto al misterioso efecto del propio territorio. Así, aunque escrito en el estilo digresivo con que intenta transmitir la forma pausada de contar de Nicandro, el narrador gaucho, "El ombú" sigue el modelo de otros cuentos en cuanto atribuye la mala fortuna de los protagonistas a la maldición de un lugar en particular. En vez de la ciudad de los Césares o el refugio de los viejos dioses en Yala, es la sombra del ombú la que establece una maldición sobre los habitantes de la casa vecina. Aunque este cuento de crueldad y venganza tiene también un agente humano del mal —el general Barboza, cuya descuidada crueldad causa la muerte primero de su padre, y luego del hijo que lo había asesinado. El salvajismo de Barboza es hiperbólico, inexplicable en cualquier campo psicológico o racional normal. Al final del cuento se ha enfermado y, con el fin de curarse de su debilidad, se baña en la sangre de un novillo recién sacrificado —un "baño de sangre" que lo enloquece. "Corrió hacia afuera el General, completamente desnudo, enrojecido por ese baño de sangre caliente en que había estado sumergido, llevando en la mano una daga que había arrebatado súbitamente. Saltando sobre la barrera, se detuvo inmóvil por un instante y entonces, viendo frente a él la gran masa de hombres, se precipitó hacia ellos aullando y revoleando su daga de modo que parecía una rueda brillando al sol." Parece haberse convertido, en esa escena, en una encarnación más de los viejos dioses que permanecieron en acecho en estas zonas marginalizadas del mundo.

No es necesario recordar cuán profundamente este sentido de lo irracional había de afectar a la propia literatura latinoamericana: *La vorágine* es un ejemplo asombroso. Ni cuán recurrente es este sentido de la barbarie primitiva aguardando para tragarse seres humanos civilizados. Aunque después de todo era la sociedad industrializada metropolitana la que había definido lo tradicional y lo irracional. Hudson no cuestiona nunca la fuente de esa actividad racionalizante que caracterizaba la dominación de las potencias industriales. Sólo deploraba algunas de sus consecuencias. Mientras que al mismo tiempo, en cuentos como "El ombú" y "Marta Riquelme", muestra la fuerza de lo que ha sido reprimido. De este modo en "Marta Riquelme" el cautiverio de Marta, su violación por el indio que la captura, la muerte de su criatura, estampan en ella la barbarie de tal manera que, a su regreso a la civilización, afloja toda identidad social y su marido rehúsa reconocerla. En consecuencia es llevada a la locura por la sociedad representada por su civilizado marido y se convierte en "una figura encogida... en sórdidas iras" con "los ojos reverberando de furia" que ha quedado perdida a los dioses oscuros. De ser humano se transforma en un monstruoso pájaro "kakué". En forma bastante parecida a la de la heroína de D. H. Lawrence en *La mujer que se alejó,* es reclamada por una fuerza instintiva más antigua, irracional, pero extremadamente poderosa, que el propio sacerdote tiene dificultad para conquistar.

Claramente tales fuerzas encarnan el temor que Hudson experimentaba ante la idea de "volver atrás" que había previsto con tanta ligereza al final de *La tierra purpúrea.* Dada su filosofía evolucionista, "volver atrás" sólo podía implicar una regresión genética y no podían formularse alternativas a la expansión industrial capitalista excepto como desarrollo evolutivo de nuevos tipos.

LA TRAGEDIA PASTORIL

Las dos novelas de Hudson, *Una era de cristal* y *Mansiones verdes* intentan resolver las contradicciones del primitivismo de Hudson representando una comunidad ideal y un tipo ideal en el cual se ha trascendido la sexualidad y la violencia.

Son, en consecuencia, las que han quedado más anticuadas entre sus obras. Para aproximarnos de algún modo a ellas necesitamos reconsiderar el tipo de compulsión bajo la cual escribía: es decir, no sólo los tabúes victorianos y las palabras inmencionables sino también los aspectos más severamente reprimidos de la propia vida de Hudson. Su matrimonio es una huella importante que conduce a ellos. En 1876, su casamiento con Emily Wingrave que era mucho mayor que él, le proveyó de una respetabilidad de las más sobrias, aunque debió pagar un precio por ella. Hacia el fin de su vida destacaría el compañerismo que había hallado en su matrimonio e inclusive se refirió a Emily en *Afoot in England* como su compañera más que su esposa. Aun proclamando que es "la bondad lo que cuenta al final —el sentimiento hacia otro que sobrevive a la pasión efímera", agregaba "ahora bien, nunca estuve enamorado de mi mujer ni ella de mi. Me casé con ella porque su voz me emocionaba como ninguna otra voz cantante lo había hecho antes, aunque había escuchado a todas las grandes tiples operísticas de la época, —Patti inclusive, pero nos hicimos amigos". Luego de su muerte escribió: "Me siento como si el único ser que me conocía y al que conocía como no puedo conocer a otro, me hubiera dejado muy solo."[47] Por supuesto, la respetabilidad podía haber sido transgredida —como lo fue por su amigo George Gissing que se casó con una prostituta y como lo sería por D. H. Lawrence, pero es sumamente probable que Hudson se sintiera lo bastante *outsider* sin agravar la situación. Existen buenos testimonios acerca de que Hudson suprimió activamente de su vida los aspectos vergonzantes o embarazosos. Nunca hablaría de sus años de pobreza en Londres, y destruyó centenares de cartas que le habían escrito, aunque no está claro por qué razón. Criticó intensamente las descripciones de la sexualidad hechas por D. H. Lawrence en *Hijos y amantes* —"Mordiendo, royendo los pechos de su amante hasta que su boca se llenaba de sangre y espuma", escribió.[48]

Particularmente más tarde en su vida hizo profesión de despreciar a las mujeres, "el sexo fatuo". (*Una Cierva en el*... p. 21.) Relegándolas a lo meramente decorativo, siendo su única cualidad esencial el encanto. Aunque algunos curiosos incidentes sugieren que había aguas más profundas bajo esta remilgada superficie. Tenía tendencia a poner a prueba y proteger muchachas jóvenes, y estaba orgulloso de haber impedido que tomara los hábitos de monja a una joven enfermera católica de Cornwall a la que era muy afecto.[49] También confesó haber amado a una niña de catorce años "como si hubiera sido mi propia hija a causa de su dulzura y encanto y amorosa disposición, el claro y brillante genio de su mente y otras cualidades atractivas y deseaba adoptarla —un anhelo o ansia que a veces ataca a un hombre sin hijos". (*Una Cierva en el*... p. 44). Es probable que un lector moderno encuentre tal confesión más reveladora de lo que Hudson percibía. En realidad la ingenuidad sexual alcanzaba proporciones cómicas si es cierta una anécdota que cuenta Violet Hunt. Esta le había pe-

[47]En una carta a Violet Hunt en Looker (ed.) *William Henry Hudson*, p. 117.
[48]E. Garnett, *Letters*, p. 142.
[49]Violet Hunt, "Recuerdos de Hudson", en Looker (ed.) *William Henry Hudson*, p. 102.

dido que explicara la historia mítica del ruiseñor y él "se embarcó en un relato chocante, como si fuera hecho por un tribunal de policía, de lujuria severa y crueldad" que impidió a la Hunt "volver a escuchar al ruiseñor para siempre".[50] Todo lo cual viene a demostrar que Hudson era pre-freudiano en su consciente. La sexualidad era para él un instinto necesario pero desgraciado, un deseo feroz tan fuerte en el varón que lo llevaba hasta a casarse con prostitutas. Es por esto que le parecía absurdo que la comunidad utópica del siglo veinte en *Noticias de ninguna parte* de Morris, hubiera superado tan rápidamente esta pasión. En contraste, defendía su propio libro, *Una era de cristal,* como más verosímil porque aunque prevé que llegue a trascenderse la pasión sexual, ubica esto lo suficientemente lejos en el futuro como para que tal evolución se haya producido. "La pasión sexual es el pensamiento central de *Una era de cristal,*" escribió, "la idea de que no existirá ningún milenio, ningún descanso, ninguna paz perpetua hasta que esta furia se haya consumido a sí misma, y concedo un tiempo ilimitado para el cambio".[51] Sin embargo, con toda claridad, lo que falta desde este esquema de cosas es algún concepto tal como represión.

Una era de cristal comienza, como la mayoría de las novelas utópicas, con el despertar del narrador, un victoriano rico y corrupto llamado Smith, como *outsider* en una nueva era. Ha venido de un mundo de "escuelas, iglesias, prisiones, anillos; estimulantes y tabaco; reyes y parlamentos; hostiles rugidos de cañones y pianos que tronaban pacíficamente; historia, prensa, vicios, economía política, dinero y un millón de cosas más". Esta lista heterogénea es indicativa por sí misma de todo lo que Hudson encontraba negativo en la sociedad contemporánea. La comunidad en la cual Smith se introduce está tan limitada por reglas y disposiciones tan incomprensibles como las del país de las maravillas de Alicia. Es una sociedad pastoril que aprecia la belleza en todas sus formas, pero especialmente la belleza natural, de modo tal que la comunidad entera declara día festivo aquel en que florece cierta planta. Pero lo que resulta más asombroso en esa comunidad, y lo que la haría lúgubre para un lector moderno, es que sus miembros han superado el instinto sexual. Están ligados sólo por la amistad amorosa y por la gratitud hacia la "madre" y el "padre" de la comunidad que padecen el sexo en beneficio de la reproducción de la raza. Smith, el *outsider,* transgrede las reglas enamorándose de Yoletta, sólo para darse cuenta consultando un libro formidable de *Conducta y ceremoniales* que, excepto para la madre y el padre no puede haber sexo. Sin que Smith lo sepa, Yoletta está destinada a ser la madre y él el padre de la comunidad, pero antes de enterarse de esto ya ha deglutido un veneno mortal y alcanzado la proeza, inusual en una narración en primera persona, de referir su propia muerte.

El interés principal de *Una era de cristal* es su intento insatisfactorio de reconciliar una religión de la naturaleza con el ideal de una comunidad armoniosa y orgánica. Esta reconciliación puede llevarse a cabo solamente eliminando el de-

[50]Violet Hunt, *loc. cit.,* p. 103.
[51]*Cartas a Garnett* (*Letters to Garnett*), p. 154.

seo y esto a su vez suprime la motivación dado que sin deseo no hay acción. La pasión aberrante y primitiva de Smith es, en consecuencia, la única fuerza productiva en la novela, pero es una fuerza que la filosofía de Hudson querría ver eliminada. Esto explica por qué era importante para él separar el sentimiento de la sexualidad, no sólo en sus novelas, sino también en sus estudios sobre la vida natural. Es significativo, por ejemplo que, en *Un naturalista en el Plata* explique el canto de los pájaros en primavera como *joie de vivre* más que como función del mecanismo reproductivo. E inclusive creía que los insectos experimentaban alegría. Tuviera o no algún valor científico esta observación, parecería indicar un deseo de relegar la sexualidad a un papel menos importante en la existencia, y no sorprende que hubiera concebido la buena vida prescindiendo de ella enteramente.

La otra novela de Hudson, *Mansiones verdes*, como *Tristes trópicos* de Lévi-Strauss y *Los pasos perdidos* de Carpentier, puede ser mejor considerada como una alegoría que rastrea las huellas del pasaje de la naturaleza a la cultura. El escenario de las tres es la selva tropical, el domicilio legendario de las tribus y ciudades "perdidas" y de aberrantes posibilidades evolutivas. Hudson, que no había visitado nunca el trópico, podía describirlo con alguna verosimilitud gracias a la información recogida con dificultad de amigos y libros como el de Bates *Un naturalista en el río Amazonas*. Bates era correcto en particular en lo que respecta al canto de los pájaros de la selva, especialmente acerca de ciertas notas quejumbrosas que describía con gran detalle.[52] Pero Hudson casi no necesitaba fuentes secundarias para su Rima, dado que los pájaros siempre lo habían atraído más que cualquier otra forma de vida y el canto de los pájaros había sido siempre para él fuente inigualada de deleite. Una combinación de pájaro y mujer era la encarnación de un tipo ideal —la belleza de la naturaleza sin su fealdad, la capacidad de expresar sentimientos sin la mediación del lenguaje. Su selva está pensada para ser una selva encantada, un lugar protegido misteriosamente de los destructivos cazadores indígenas que viven al borde de ella y habitada solamente por Rima y su abuelo Ñuflo. En otros escritores contemporáneos, tales lugares encantados constituyen casi siempre el espacio del arte, que, por sí solo, podía trascender los instintos. Sin embargo Hudson nunca habría de hacer una separación tan absoluta entre arte y naturaleza, creyendo que una forma superior de experiencia estética debería ser generada eventualmente a partir de la propia naturaleza y que el arte no era sino una forma temporaria e insatisfactoria de proveer a la necesidad estética humana. (*Una Cierva en...* pp. 334-35). Rima parece pensada para personificar este estadio superior en el cual arte y naturaleza se funden, en tanto Abel, el joven venezolano para quien ella representa el ideal inalcanzable, encarna la búsqueda por el hombre de la auto-trascendencia. Rima con sus ropas trémulas, su sexualidad, su lenguaje de expresividad pura, es el eslabón perdido entre la naturaleza y la

---

[52]Para otras posibles fuentes, véase A. E. Haymaker, *Desde las Pampas a los cercos y las colinas. Un estudio sobre W. H. Hudson. (From Pampas to Hedgerows and Downs. A Study of W. H. Hudson*, Nueva York, Bookman Associates, 1954), p. 331.

estética, y un modelo que ha evolucionado de modo diferente al del resto de la humanidad. Pero sus orígenes son oscuros, el resto de su tribu ha desaparecido o perecido. Aunque viaja con Ñuflo y Abel a la búsqueda de sus perdidos orígenes en Riolama, descubre sólo la caverna vacía dado que los "pasos perdidos" no pueden volver a rastrearse. Como la comunidad de *Una era de cristal,* Rima está condenada y su especie no volverá a reproducirse nunca.

Para la imaginación moderna Rima es un ideal intolerable, pues representa el espacio imposible de reconciliación entre naturaleza y arte. En ella, la naturaleza está divorciada de la sexualidad y se convierte en un objeto puramente estético, una mujer pájaro sin deseo ni crueldad y cuyo lenguaje es pura expresividad. Además —y esta es la mayor de todas las contradicciones— sólo se puede explicar su naturaleza singular como resultado de un proceso evolutivo, como una trascendencia gradual, generación tras generación, del instinto destructivo. Y habiendo evolucionado, ella se convierte en presa de las fuerzas destructivas que pertenecen a un estadio más primitivo que el suyo de la evolución.

LA ARGENTINA. DEPENDENCIA Y ALTERIDAD

Como muchos escritores del siglo diecinueve, Hudson se desligaba de las metas del capitalismo y contrarrestaba su crítica con el ideal de plenitud asociado con anteriores formas de vida pastoriles. Al hacerlo, en particular cuando asociaba este ideal con su juventud en la Argentina, se encontraba enfrentando el problema de la "barbarie" y la "violencia" de las sociedades atrasadas. Si lo de pastoril implicaba un regreso a formas más sencillas de vida, entonces implicaba también la aceptación del rigor y el hambre, la injusticia y el machismo. Y aun así, dada una explicación evolucionista y genética del progreso humano ¿cómo era posible volver atrás, excepto con la memoria, a la vida del pastor o a la del gaucho? Lo pastoril debe alojarse en el pasado o bien ser una proyección de algún futuro muy lejano. Pero en este punto llegamos al aspecto más revelador de las comunidades y tipos ideales de Hudson: su esterilidad. El destino de la comunidad imaginaria de *Una era de cristal,* el destino de Rima, son paralelos al de las comunidades reales como la de pastores de Wiltshire, que desapareció cuando sus tierras fueron tomadas por los cultivadores de trigo, más productivos, o la de los gauchos y habitantes del campo en la región del Plata, cuando el modo pastoril de vida y el paraíso de los pájaros fueron barridos por la industrialización en la explotación de las carnes. La esterilidad y la muerte son características notables de los cuentos de la pampa y de la gente de *Allá lejos y hace tiempo:* Dardo arrastrado a la muerte en el ejército, Angelita que muere siendo niña, la destrucción de la Casa Antigua, el destino de la abandonada Demetria. Aunque en realidad la destrucción de los modos pastoriles de vida no era el proceso natural y evolutivo que Hudson describía, sino el resultado de la integración al capitalismo de las sociedades rurales. Estas zonas se convirtieron en satélites que producían para las masas metropolitanas. Y del mismo modo en que Hudson se rehusaba a reconocer la sexualidad reprimida, también se negaba a reconocer las fuerzas ocultas del capitalismo inglés.

En cambio trataba de aferrarse simultáneamente a la esperanza de la transformación genética de la humanidad, y a una naturaleza idealizada.

A este respecto, su estrategia difiere considerablemente de la de muchos de sus contemporáneos que habían comenzado a ubicar sus deseos utópicos en el arte mismo. El proyecto modernista era indiferente para Hudson —tenía una postura muy crítica hacia Ezra Pound y Virginia Woolf, cuyo *Voyage out* consideraba pura charla y totalmente divorciado del entorno sudamericano en el que, según se daba a entender, estaba ambientada la narración.[53] Sus propios puntos de vista acerca del arte eran casi platónicos, dado que creía que se trataba de un simulacro y para nada comparable con la cosa real. "Los placeres y dolores del libro impreso no son reales," declaraba, "y son a la realidad lo mismo que las flores japonesas hechas con trocitos de papel de seda de colores a las vívidas y fragantes flores que florecen hoy y perecen mañana; son un simulacro, una burla, y nos presentan un mundo pálido y fantasmagórico, poblado por hombres y mujeres sin sangre que conversan sobre cosas insignificantes y ríen sin alegría". (*Pájaro de la ciudad y la aldea*, p. 195). No sorprende que tienda constantemente a menospreciar sus propios escritos. Sólo la experiencia contaba, experiencia de la vida orgánica y estacional de la naturaleza y del éxtasis que nace del tipo de observación en la cual el observador se pierde en la cosa observada. Pero el propio ojo no es inocente y el lugar de Hudson es la literatura argentina debe ser reconsiderado. Porque su escritura no es simplemente un reflejo del discurso del poeta ni tampoco puede proclamársele precursor desprejuiciado del nacionalismo argentino. Más bien su obra textualiza la esterilidad de un contexto dependiente en el cual el progreso queda reservado sólo a la metrópoli. Todavía, además de su lugar dentro de la tradición de la cultura metropolitana, en la cual su "allá lejos y hace tiempo" es el último lugar posible de exilio para el utopista, los escritos de Hudson tienen otra historia dentro de la misma cultura argentina.

Adolfo Prieto argumentó una vez que el interés por el paisaje de la Argentina se desarrolló en su mayor parte después que la inmigración en gran escala alteró la composición racial del país.[54] En este punto, tener raíces en las provincias (como Lugones) se convirtió en una señal del verdadero criollo como opuesto al intruso. La historia de las peripecias de Hudson en la Argentina comienzan realmente con el artículo de Borges sobre *La tierra purpúrea* publicado en una época en que estaba promoviendo el criollismo. Sin embargo, el período más significativo para los estudios sobre Hudson se produjo entre

[53]*Cartas a Garnett,* p. 130.
[54]Adolfo Prieto, *Literatura autobiográfica argentina,* Buenos Aires, Ed. Jorge Alvarez, 1966, p. 172-3.

la publicación de la *Antología* de V. S. Pritchett en 1941 y el año 1951, cuando Ezequiel Martínez Estrada publicó *El mundo maravilloso de Guillermo Enrique Hudson,* período que es precisamente aquel en que Perón llegó al poder y, en consecuencia, coincide con la emergencia de las masas como fuerza política en la vida argentina. No es necesario atribuir las traducciones de Hudson que aparecieron en esta época a una reacción conservadora frente a estos acontecimientos, si bien, dado el empuje ideológico de los escritos de Hudson y en particular, sus actitudes hacia la naturaleza y la barbarie, hay algún significado en ese énfasis. Para los críticos, se convirtió en el verdadero cronista de una Argentina anterior a la inmigración, de una edad de oro de vida rural y, en consecuencia, la fuente genealógica ideal para una cultura nacional incontaminada por las masas urbanas. El valor de su cuidadosa observación de la vida de las aves, la pampa y los habitantes rurales, es incuestionable. Aun así, estas observaciones están cargadas de los dilemas de la dependencia: la oposición campo-ciudad, barbarie-civilización, periferia-metrópolis, fuerzas oscuras de los instintos-racionalidad, modos idealizados de vida-reificación. Estos no son conflictos que puedan resolverse, sino más bien las relaciones imaginarias generadas por fuerzas productivas que Hudson no percibía mayormente. Nunca reconoció que el nacionalismo y el evolucionismo (aplicados a las sociedades) eran aspectos esenciales de un discurso de poder más que fenómenos objetivos. Un enfoque nacionalista de su escritura, que lo reclame para la literatura argentina o la inglesa, en consecuencia, sólo aumenta las dificultades para evaluar su obra, buena parte de la cual puede leerse como un intento de autentificar su propio pasado marginalizado y su infancia, convirtiéndolos en pastoriles. Es precisamente este dilema real el que hace interesante su escritura, por sintomática, porque fue, después de todo, uno de los pocos escritores del siglo pasado que siquiera conocía la existencia de América del Sur como problema y no como mero teatro para heroicos europeos y tragedia indígena.

JEAN FRANCO

LA TIERRA PURPUREA

PROLOGO A LA EDICION DE 1904

Esta obra fue publicada por primera vez en 1885, por los editores Sampson Low, en dos delgados volúmenes, con el título más largo y, para la mayor parte de las personas, enigmático de La Tierra Purpúrea que Inglaterra perdió. *Casi en cualquier región del globo puede encontrarse una tierra purpúrea, y de lo que debemos llevar cuentas es de lo que ganamos, no de lo que perdemos. En los diarios aparecieron unas pocas notas sobre el libro; uno o dos de los más serios periódicos literarios la reseñaron (no favorablemente) bajo el encabezamiento de "Viajes y Geografía"; pero el público lector no se preocupó por comprarla, y muy pronto cayó en el olvido. Allí pudo quedar por el lapso de los siguientes diecinueve años, o por siempre, ya que el sueño de un libro tiene mucha propensión a ser de esos sueños de los que no se despierta, si no hubiera sido por algunos hombres de letras que lo encontraron entre un montón de libros olvidados y a quienes les gustó a pesar de sus faltas, o precisamente por ellas, y se interesaron por revivirlo.*

Se dice a menudo que un autor nunca pierde totalmente su afecto por su primer libro, y ese sentimiento ha sido comparado (más de una vez) con el de un padre hacia su primer hijo. Yo no lo he dicho, pero al consentir en que se hiciera esta nueva edición, he considerado que la obra temprana, o que pasó inadvertida, de un escritor puede ser despedazada cuando él no esté presente para hacer correcciones. Puede haberse ausentado en un viaje del que no se espera que regrese. De ahí que me pareciera mejor que yo mismo supervisara una nueva edición, ya que esto me permitiría eliminar unos pocos de los numerosos granos y manchas que decoraban el ingenuo talante del libro, antes de entregárselo a la posteridad.

Aparte de muchas pequeñas correcciones y de cambios verbales, de la eliminación de algunos párrafos y de la inclusión de unos pocos nuevos, he omitido un capítulo entero, el que contiene La historia de un overo, *recientemente reeditada en otro libro titulado* El ombú.

3

También he dejado caer la tediosa introducción a la anterior edición, conservando sólo, como un apéndice, la parte histórica, pensando en aquellos de mis lectores a quienes pudiera gustarles conocer unos pocos hechos acerca de la tierra que Inglaterra perdió.

Setiembre de 1904

G. E. H.

Capítulo I

VAGABUNDEOS POR LA MODERNA TROYA[1]

TRES CAPÍTULOS de la historia de mi vida —tres períodos distintos y bien definidos, aunque consecutivos— que comienzan cuando yo no había cumplido aún los veinticinco años y que terminan antes de los treinta, se revelarán probablemente como los más ricos en acontecimientos. Hasta mi último día volverán a mi memoria más a menudo que cualesquiera otros y me parecerán más vívidos que todo el resto de los años de mi existencia —los veinticuatro que ya había vivido, y los, digamos, cuarenta o cuarenta y cinco (espero que sean cincuenta o hasta sesenta) que me quedan por vivir. Porque ¡qué alma en este maravilloso y variado mundo desearía partir antes de los noventa! Sus sombras tanto como sus luces, su dulzura y su amargura, me hacen amarlo—.

Del primero de esos tres sólo hay que decir unas pocas palabras. Fue el período de mi noviazgo y de mi matrimonio; y, aunque entonces la experiencia me pareció la cosa más excepcional y extraña del mundo, debe sin duda haber sido semejante a la de otros hombres, ya que todos los hombres se casan. Y el último período, que fue el más prolongado de los tres, pues llenó tres años enteros, no podría ser contado. Todo él fue un negro desastre. Tres años de forzada separación y de los más extremados sufrimientos que la cruel ley del país permitía a un furioso padre infligir a su hija y al hombre que había osado casarse con ella contra la voluntad de aquél. La injusticia puede llevar a la locura al hombre más prudente —y yo nunca fui prudente, sino que vivía y me dejé llevar por las pasiones y las ilusiones y la ilimitada confianza de la juventud— ¡qué no habrá significado, pues, para mí, cuando fuimos cruelmente

[1] Así fue llamada la ciudad de Montevideo por haber sufrido diez años de sitio.

5

arrancados el uno del otro; cuando fui arrojado en prisión y encerrado por largos meses en compañía de criminales, pensando siempre en ella que estaba también desolada, y destrozando su corazón! Pero eso ya ha terminado —la aborrecible coerción, el desasosiego, el rumiar mil esquemas posibles e imposibles de venganza—. Si en algo me sirviera de consuelo saber que al destrozarle el corazón él, al mismo tiempo, destrozó el suyo propio y se apresuró a reunirse con ella en aquel silencioso lugar, estoy consolado. ¡Ah, no! No es un consuelo para mí, porque no puedo dejar de pensar que antes que él hiciera pedazos mi vida yo había hecho pedazos la suya despojándolo de aquella que era su ídolo. Estamos, pues, iguales, y hasta podría decir: "¡Que descanse en paz!" Pero no lo hubiera podido decir entonces en medio de mi locura y de mi dolor ni podrían decirse esas palabras en aquel fatal país en el que había vivido desde mi niñez y que me había enseñado a quererlo como al mío propio, y que había esperado no tener que dejar nunca. Se había vuelto odioso para mí y, huyendo de él, me encontré una vez más en aquella Tierra Purpúrea donde antes nos habíamos refugiado juntos, y que ahora parecía a mi mente perturbada un lugar de recuerdos agradables y apacibles.

Durante los meses de calma después de la tormenta, que pasé en su mayor parte en solitarios vagabundeos por la costa, esos recuerdos me acompañaban cada vez más. A veces, sentado en la cima de aquel gran cerro soiltario, que da su nombre a la ciudad,[2] contemplaba por horas enteras el amplio panorama hacia el interior del país, como si pudiera ver sin cansarme nunca de verlo todo lo que se extendía más allá —llanuras y ríos y montes y cerros, y ranchos donde había dormido, y muchos cordiales rostros humanos—. Y más que nada pensaba en aquel querido río, el inolvidable Yi, la blanca casa sombreada al borde del pequeño pueblo, y la triste y hermosa imagen de aquella a la que yo ¡ay! había hecho desdichada.

Tanto ocupaba mis pensamientos hacia el fin de aquel período de ocio con esas remembranzas que recuerdo cómo había tenido, antes de dejar esas playas, la idea de que durante algún lapso tranquilo de mi vida volvería de nuevo sobre todo aquello y escribiría la historia de mis andanzas para que otros la leyeran en el futuro. Pero no lo intenté entonces ni hasta muchos años después. Porque no bien había empezado a jugar con esa idea, cuando algo vino a sacarme del estado en que estaba, durante el cual yo había sido como uno que sobrevivió a sus actividades y no es ya capaz de una nueva emoción sino que se alimenta exclusivamente del pasado. Y este algo nuevo, que me afectó de tal modo que de inmediato fui otra vez yo mismo, dispuesto a levantarme y a actuar, fue nada más que una palabra casual, venida de lejos, el grito de un corazón solitario que llegó por azar a mis oídos; y, al escucharlo, fui como quien abriendo sus ojos después de un inquieto sopor, inesperadamente ve la estrella de la mañana en su esplendor sobrenatural sobre la ancha y oscura llanura donde lo encontró la noche —la estrella del día y de la eter-

---

[2] Se refiere a la supuesta etimología de *Montevideo*: la exclamación "Monte vidi" puesta en labios del primer español que divisó el cerro.

na esperanza, de la pasión y de la lucha, de los trabajos y del descanso, y de la felicidad—.

No es preciso que me detenga en los acontecimientos que nos llevaron a la Banda:[3] nuestra huida nocturna de la casa de verano de Paquita en la pampa; el casamiento oculto y clandestino en la ciudad y la subsiguiente fuga hacia el norte, a la provincia de Santa Fe; los siete a ocho meses de un tanto inquieta felicidad que tuvimos allí; y, finalmente, el retorno secreto a Buenos Aires en busca de un barco que nos sacara del país. ¡Inquieta felicidad! Ah, sí, y mi mayor inquietud era cuando la miraba a ella, la compañera de mi vida, cuando ella parecía más adorable, tan pequeña, tan exquisita, con sus oscuros ojos azules que eran como violetas y su sedoso cabello negro y su tierno cutis sonrosado y oliváceo —¡tan frágil en apariencia!—. Y yo se la había quitado —robado— a sus protectores naturales, al hogar donde había sido adorada; yo, uno de otra raza y de otra religión, sin medios de vida, y, por haberla robado, un delincuente. Pero basta de esto. Comienzo mi itinerario donde, a salvo en nuestro pequeño barco, con los campanarios de Buenos Aires borrándose hacia el oeste, empezamos a sentirnos libres de nuestra aprensión y a entregarnos a la contemplación de la dicha que nos esperaba. Los vientos y las olas interrumpieron nuestros raptos pues Paquita demostró ser muy mala marinera, de modo que por algunas horas pasamos muy malos ratos. Al día siguiente se levantó una brisa favorable del noroeste que nos llevó volando como pájaros sobre aquellas desagradables olas rojas, y por la noche desembarcamos en Montevideo, la ciudad de nuestro refugio. Nos dirigimos a un hotel, donde durante varios días vivimos muy felices, encantados con nuestra mutua compañía; y cuando nos paseábamos a lo largo de la playa para contemplar la puesta del sol, que encendía con su fuego místico el cielo, el agua y el gran cerro que da nombre a la ciudad, y recordábamos que estábamos mirando hacia las costas de Buenos Aires, era agradable pensar que el río más ancho del mundo corría entre nosotros y aquellos que verosímilmente se sentían ofendidos por lo que habíamos hecho.

Ese encantador estado de cosas llegó a la larga a su fin de muy curiosa manera. Una noche, cuando aún no habíamos vivido un mes en el hotel, yo estaba acostado completamente despierto. Era tarde; ya había oído bajo mi ventana la plañidera voz del sereno anunciando: "La una y media, y nublado".

Gil Blas cuenta en su biografía que una noche, mientras estaba acostado y despierto, se puso a practicar una pequeña introspección, cosa nada habitual en él, y la conclusión a que llegó fue que él no era muy buena persona. Yo estaba pasando por una experiencia en cierto modo similar esa noche, cuando en medio de mis pensamientos poco lisonjeros para mí, un profundo suspiro de Paquita me hizo notar que también ella estaba completamente

---

[3] A falta de un nombre propio, y entre otras designaciones, el territorio que después sería llamado República Oriental del Uruguay fue llamado la Banda Norte del Plata o la Banda Oriental del Uruguay, según el río al cual se la refiriera. Esta última denominación se redujo a Banda Oriental, y fue la más duradera.

despierta y, con toda seguridad, rumiando sus pensamientos. Cuando la interrogué acerca de ese suspiro, trató en vano de ocultarme que estaba comenzando a sentirse desdichada. ¡Qué rudo golpe fue para mí ese descubrimiento! ¡Y habiéndonos casado tan recientemente! Es justo decir que Paquita hubiera sido aun más desdichada si no me hubiera casado con ella. Sólo que la pobre niña no podía evitar pensar en su padre y en su madre; anhelaba reconciliarse con ellos, y su presente aflicción surgía de su seguridad de que ellos nunca, nunca, nunca la perdonarían. Yo traté, con toda la elocuencia de que era capaz, de disipar esas ideas sombrías, pero ella tenía la firme convicción que, precisamente, porque la habían querido tanto, nunca le perdonarían esta primera grave falta. Mi pobre querida debía haber estado leyendo *Cristabel,* pensé cuando me dijo que el corazón guarda la amargura más grande hacia aquellos a quienes ha amado más profundamente. Y, para ilustrarlo, me contó una riña entre su madre y una hermana hasta entonces entrañablemente querida. Eso había pasado muchos años atrás, cuando ella, Paquita, no era más que una niña; con todo, las hermanas nunca se habían perdonado.

—¿Y dónde, —pregunté— está esa tía tuya de la que nunca había oído hablar hasta este momento?

—Oh, —contestó Paquita, con la mayor inocencia imaginable— ella dejó el país hace años, muchos años, y nunca oíste hablar de ella porque en casa ni siquiera se nos permitía mencionar su nombre. Se fue a vivir a Montevideo, y creo que todavía está allí porque hace varios años oí contar a alguien que ella había comprado una casa en esa ciudad.

—¡Alma de mi vida!, —le dije— ¡en tu corazón nunca te alejaste de Buenos Aires, ni para acompañar a tu pobre marido! Con todo, yo sé, Paquita, que corporalmente estás aquí en Montevideo conversando conmigo en este mismo momento.

—Es cierto, —dijo Paquita—. En cierto momento olvidé que estábamos en Montevideo. Mis pensamientos estaban divagando... tal vez es que estoy soñolienta.

—Te juro, Paquita, —le respondí—, que verás a esa tía tuya mañana, antes de que se ponga el sol; y estoy seguro, queridísima, que estará encantada de recibir a una parienta tan preciosa y tan próxima. Qué contenta se pondrá de tener una oportunidad de contar aquella antigua querella y de ventilar sus polvorientos agravios! Conozco a esas viejas señoras: son todas iguales.

Al principio a Paquita no le gustó la idea, pero cuando le aseguré que nuestro dinero se estaba terminando, y que su tía podría encaminarme en lo que se refería a obtener un empleo, consintió, como la obediente mujercita que era.

Al día siguiente encontré a su parienta sin muchas dificultades, ya que Montevideo no era una ciudad grande. Hallamos a Doña Isidora —que tal era el nombre de la señora— viviendo en una casa de aspecto algo mezquino, en el extremo este de la ciudad, lo más lejos del río. Había un aire de pobreza en el lugar, porque la buena señora, aunque en buena posición económica, cuidaba su oro como las niñas de sus ojos. De todos modos nos recibió

8

muy amablemente cuando nos presentamos y relatamos nuestra triste y romántica historia; inmediatamente prepararon una habitación para recibirnos, y me hizo, incluso, algunas vagas promesas de ayuda. Al conocer más íntimamente a nuestra anfitriona vi que no había errado mucho al juzgar su carácter. Durante varios días no pudo hablar de otra cosa que de su inmemorial querella con su hermana y con el marido de su hermana, y nos veíamos obligados a escuchar atentamente y a simpatizar con ella, porque esa era la única retribución que podíamos darle por su hospitalidad. Paquita tuvo que soportar la mayor parte del asunto pero no por ello quedó más enterada en cuanto al origen de esa querella de tan larga vigencia; porque, aunque Doña Isidora había estado evidentemente alimentando su enojo todos esos años para mantenerlo vivo, no pudo, ni que la mataran, recordar cómo se había originado la querella.

Cada mañana después del desayuno le daba un beso y la dejaba a los tiernos cuidados de su Isidora, para seguir mis infructuosas recorridas por la ciudad. Al principio procedí solamente como un extranjero bien informado que andaba mirando los edificios públicos y coleccionando curiosidades: piedras con extrañas marcas, y unos pocos botones militares de bronce, desprendidos hacía tiempo de las prendas a las que una vez dieron lustre; balas achatadas y herrumbrosas, recuerdos de los inmortales nueve o diez años de sitio que ganaron para Montevideo el triste nombre de la Nueva Troya. Cuando hube examinado plenamente desde fuera, el escenario de mis futuros triunfos —pues ahora había resuelto radicarme y hacer fortuna en Montevideo— empecé a buscar empleo seriamente. Visité por turno cada uno de los mayores establecimientos mercantiles de plaza, y de hecho, cada casa donde pensé que pudiera haber una posibilidad de toparme con alguna ocupación. Era preciso comenzar por algo, y no hubiera hecho ascos a nada, por poco que fuera, tanto me repelía verme pobre, desocupado y dependiendo de otros. Nada pude encontrar. En una de las casas se me dijo que la ciudad no se había recuperado aún de los efectos de la última revolución, y que en consecuencia, los negocios estaban en un completo estado de parálisis; en otra, que la ciudad estaba en vísperas de una revolución y que, en consecuencia, los negocios estaban en un completo estado de parálisis. Y en todas partes encontraba la misma historia: la situación política hacía imposible para mí ganar un peso honradamente.

Sintiéndome descorazonado en extremo, y con las suelas de mis botines casi gastadas, me senté en un banco, frente al mar, o río —pues unos le llaman una cosa y otros, la otra y el color turbio y la frescura del agua, y los términos indecisos de los geógrafos lo dejan a uno en la duda sobre si Montevideo está situada en las costas del Atlántico, o sólo cerca del Atlántico, o en la costa de un río que en su desembocadura tiene ciento cincuenta millas de ancho—. Eso no me preocupaba; tenía otras cosas en qué pensar que me concernían más de cerca. Tenía una querella con esta nación oriental, y eso significaba para mí más que el verdor o la salinidad del vasto estuario que lava los sucios pies de su reina —porque esta moderna Troya, esta ciudad de guerra,

9

de crímenes y de muertes repentinas, también se llama a sí misma La reina del Plata—. Estaba muy seguro de que era una querella justa de mi parte. Ahora bien, para mí siempre fue un principio de acción cobrar las cuentas a cualquier ser humano que me tratara mal. No se diga que es un principio anticristiano; porque cuando he sido golpeado en la mejilla derecha o en la izquierda (el dolor es el mismo en ambos casos), antes de que yo esté preparado para devolver el golpe, ha pasado tanto tiempo que todas las intenciones de cólera o de venganza se han agotado. Golpeo, en tal caso, más para el bien público que para mi propia satisfacción, y tengo por lo tanto derecho a decir que mi motivo es un principio de acción, y no un impulso. Y además es valioso, infinitamente más efectivo que el fantástico código del duelista, que favorece a la persona que inflige la injuria, concediéndole la oportunidad de asesinar o de mutilar a la persona injuriada. Es un arma inventada para nosotros por la Naturaleza, mucho antes de que hubiera existido el Coronel Colt, y tiene la ventaja de que se le puede llevar tanto en las comunidades más respetuosas de la ley como en las trincheras o en la selva. Si la gente inofensiva tuviera alguna vez que desecharla, entonces los malvados tendrían cuanto se les antojara y harían la vida intolerable. Afortunadamente, los malhechores tienen siempre ante sí el temor de ese intangible revólver; saludable sentimiento, que los inhibe más que la razón o que los tribunales de justicia, y al cual debemos que a los mansos les sea posible heredar la tierra. Pero esta querella mía era con toda una nación, aunque no ciertamente con una muy grande, puesto que la población de la Banda Oriental llega sólo a un cuarto de millón. ¡Y, sin embargo, en este país escasamente poblado, con su suelo generoso y su amable clima, no había aparentemente lugar para mí, un joven musculoso y lo suficientemente inteligente, que sólo pedía que se le permitiera trabajar para vivir! Pero ¿cómo hacerles pagar esa injusticia? Yo no podía tomar el escorpión que me daban cuando pedía un huevo, y hacer que picara a cada uno de los individuos que componían la nación. Me sentía impotente, completamente impotente para castigarlos, y por lo tanto lo único que me quedaba por hacer era maldecirlos.

Mirando a mi alrededor, mis ojos se posaron en la famosa colina, al otro lado de la bahía, y de inmediato resolví subir hasta la cima y, mirando desde esa altura la Banda Oriental, pronunciar mi imprecación de la manera más solemne e imponente.

La expedición al Cerro, como se le llama, resultó bastante agradable. A pesar del calor que por entonces hacía, gran cantidad de flores silvestres hacían eclosión en sus laderas, lo que lo transformaba en un perfecto jardín. Cuando llegué a la vieja fortaleza ruinosa que corona la cima, me trepé sobre un muro y descansé durante media hora, abanicado por una fresca brisa que venía del río y disfrutando el panorama que tenía ante mis ojos. No había perdido de vista la grave finalidad de mi visita a aquel lugar dominante, y sólo deseaba que la maldición que estaba por proferir pudiera bajar rodando en forma de una tremenda roca que, suelta, fuera rebotando montaña abajo y, saltando limpiamente por sobre la bahía, se estrellara contra la inicua ciudad que estaba al otro lado, colmándola de asombro y de ruina.

Hacia cualquier parte que me vuelva, —me dije—, veo ante mis ojos una de las más hermosas moradas que Dios hizo para el hombre: grandes llanuras sonriendo con eterna primavera, antiguos bosques, ríos rápidos y hermosos, filas de colinas azules que se alargan hasta el horizonte brumoso. Y más allá de esas hermosas laderas, ¿cuántas leguas de agradables regiones desiertas están durmiendo al sol, donde las flores silvestres desperdician su dulzura y no hay un arado que dé vuelta a la tierra fructífera, donde el venado y el avestruz vagan sin miedo al cazador, mientras sobre todo ello se extiende un cielo azul cuya exquisita belleza no es manchada por ninguna nube? Y aquellos que habitan en esa ciudad, —la llave de un continente— son los poseedores de todo eso. ¿Qué han hecho de esto que era su heredad? ¿Qué están haciendo incluso ahora? Están sentados abatidos en sus casas, o de pie en sus puertas con los brazos cruzados y los rostros inquietos. Porque un cambio se aproxima; están en vísperas de una tempestad. No será ningún cambio atmosférico; ningún simún arrasará sus campos ni ninguna erupción volcánica oscurecerá su cielo de cristal. Nunca conocieron y nunca conocerán los terremotos que sacuden las ciudades de los Andes hasta sus fundamentos. El cambio y la tempestad esperados serán políticos. El complot está maduro, las dagas afiladas, alquilado el contingente de asesinos, el túmulo de cráneos humanos que en su horrible sentido del humor levantan como sillón presidencial está por ser asaltado. Hace tiempo, semanas o hasta meses, tal vez, desde que la última ola, con su cresta de sanguinaria espuma, arrasó el país con su inundación desoladora; ya es tiempo, por lo tanto, de que todos los hombres se preparen para el golpe de la ola siguiente. Y nosotros consideramos correcto arrancar de raíz espinas y cardos, agotar los pantanos infectados de malaria, extirpar ratas y víboras; pero sería inmoral, supongo, aniquilar a esta gente porque sus corruptas naturalezas están revestidas de forma humana; ¡este pueblo que en crímenes ha sobrepasado a todos los demás, antiguos y modernos, hasta que a causa de ellos el nombre de todo un continente se ha convertido en un mote de sarcasmo y de reproche en toda la tierra, y apesta en las narices de todos los hombres!

Juro que yo, también, me volveré conspirador si me quedo mucho en esta tierra. Oh, ¡qué no daría por tener aquí conmigo mil jóvenes de Devon y de Somerset, cada uno con un cerebro encendido de pensamientos como los míos! ¡Qué gloriosa hazaña se haría para la humanidad! ¡Qué grandiosos víctores exhalaríamos por la gloria de la antigua Inglaterra que se está muriendo! Correría la sangre por las calles como nunca corrió antes, o, diría, como sólo una vez corrió antes en ellas, y eso fue cuando fueron barridas por las bayonetas británicas. Y después habría paz, y el pasto sería más verde y las flores más brillantes por esa lluvia escarlata.

¡No es, pues, amargo como el ajenjo y la hiel pensar que sobre esas cúpulas y campanarios que veo bajo mis pies, flameó, no hace más de medio siglo, la santa cruz de San Jorge! Porque nunca se emprendió una cruzada más santa, nunca se planeó una más noble conquista que aquella que tuvo por objeto arrancar esta hermosa tierra de manos que no la merecían, para hacer de ella para siempre parte del Gran Imperio Británico! ¿Qué hubieran llegado a ser esta tierra brillante y sin invierno, y esta ciudad que domina la entrada del río más grande del mundo? Y pensar que fue ganada por Inglaterra, no traicioneramente ni comprada por oro, sino a la vieja manera sajona, con golpes duros y trepando sobre los montones de sus defensores muertos; y pensar que, después de haber sido ganada así, fue perdida —¿podrá creerse?— ¡no luchando, sino cediéndola sin dar un golpe por despreciables cobardes indignos del nombre de británicos! Aquí, sentado solo en este monte, mi rostro arde como fuego cuando pienso en eso ¡esa gloriosa oportunidad perdida para siempre! —Os ofrecemos vuestras leyes, vuestra religión y propiedades, bajo la protección del Imperio Británico, —proclamaron orgullosamente los invasores: Generales Beresford, Achmuty, Whitelocke y sus compañeros—; y, en seguida, después de sufrir un revés, ellos (o uno de ellos) se desanimaron y cambiaron el país que habían empapado en sangre, y que habían conquistado, por un par de miles de soldados británicos hechos prisioneros en Buenos Aires, al otro lado del río; y luego, metiéndose de nuevo en sus barcos ¡se hicieron a la vela alejándose del Plata para siempre! Esta transacción, que debe haber hecho rechinar de indignación los huesos de nuestros antecesores vikingos en sus tumbas, fue olvidada más adelante cuando nos apoderamos de las ricas Falklands. ¡Una espléndida conquista y una hermosa compensación por nuestra pérdida! Cuando esta ciudad reina estaba en nuestro poder, y la regeneración, y posiblemente la posesión definitiva, de este verde mundo, en nuestras manos, nuestros corazones flaquearon y el precio cayó de nuestras manos temblorosas. Abandonamos el asoleado continente por la guarida solitaria de las focas y de los pingüinos; y ahora, ¡que todos cuantos en esta parte del globo aspiren a vivir bajo esa "protección británica" que Achmuty exaltó tan estentóreamente en las puertas de esta capital, se trasladen a aquellas solitarias islas antárticas, a escuchar el trueno de las olas sobre las costas grises y a estremecerse en los gélidos vientos que soplan desde el sur congelado!

Después de despachar esta conminatoria arenga me sentí aliviado en grado sumo, volví a casa en un estado de ánimo excelente para la cena, que esa noche consistía en cogote de oveja, hervido con zapallo, batatas y choclos tiernos, plato que no venía nada mal para un hombre hambriento.

Capítulo II

HOGARES Y CORAZONES PAISANOS

Pasaron varios días y la suela de mi segundo par de botines fue cambiada dos veces antes de que las maquinaciones de doña Isidora para mejorar mi fortuna hubieran comenzado a tomar forma. Tal vez ella había comenzado a considerarnos un peso para su algo tacaña hacienda; sea como fuere, al oír que mis preferencias se inclinaban por la vida del campo, me dio una carta con cuatro líneas de presentación dirigida al capataz de una lejana estancia [4] pidiéndole que complaciera a la firmante dando a su *sobrino* —como me llamaba— algún empleo en la estancia. Probablemente sabía que esa carta no iba a conducir realmente a nada, y me la daba con el único propósito de hacerme alejar hacia el interior del país, para tener a Paquita por un tiempo indefinido para ella, pues se había encariñado en extremo con su hermosa sobrina. La estancia estaba en los límites del departamento de Paysandú, a no menos de unas setenta leguas de Montevideo. Era un largo viaje y se me aconsejó que no lo emprendiera sin una tropilla o tropa de caballos. Pero cuando un gaucho le dice a uno que no puede viajar doscientas millas —setenta leguas— sin una docena de caballos, sólo quiere decir que no se puede recorrer esa distancia en dos días; porque para él es difícil creer que uno pueda conformarse con hacer menos de unas treinta leguas diarias. Yo viajé con un caballo y, por lo tanto, el viaje me llevó varios días. Antes de llegar a mi destino, la Estancia de la Virgen de los Desamparados, me sucedieron algunas aventuras dignas de ser contadas, y comencé a sentirme con los orientales tan en mi casa como durante mucho tiempo no me había sentido con los argentinos.

Afortunadamente, después que salí de la ciudad, un viento oeste sopló durante todo el día, trayendo con él cantidad de ligeras nubecillas que mitigaban el sol, de modo que pude hacer un buen número de leguas antes de la noche. Emprendí mi camino con rumbo al norte, a través del departamento de Canelones y ya me había internado bastante en el departamento de Florida cuando me detuve a pasar la noche en el solitario rancho de barro de un viejo pastor, que vivía de una manera muy primitiva con su mujer y sus hijos. Cuando dirigí mi caballo hacia la casa, salieron a atacarme varios perrazos: uno se prendió a la cola de mi caballo, arrastrando a la pobre bestia de acá para allá, de tal modo que se tambaleaba y apenas podía mantenerse sobre sus patas; otro cogió las riendas con su boca; mientras que un tercero clavó sus colmillos en el talón de una de mis botas. Después de observarme unos minutos, el canoso pastor que llevaba en el cinto un cuchillo de una vara de largo, vino a mi rescate. Gritó a los perros, y viendo que no le obedecían, se adelantó de un salto y con unos pocos golpes diestros propinados con el pesado cabo de su rebenque, los hizo apartarse aullando de rabia y de dolor. Luego me recibió con gran cortesía, y, tan pronto como desensillé y solté mi caballo para que paciera, nos sentamos juntos disfrutando del aire fresco de la noche y tomando el mate amargo y refrescante que su mujer nos servía. Mientras conversábamos observé las innumerables luciérnagas que revoloteaban alrededor; nunca las había visto tan numerosas, y ofrecían un espectáculo en-

---

[4]Establecimiento de campo dedicado exclusivamente, o casi, a la cría de ganado y que comprende una extensión considerable de tierra —que incluye galpones, corrales y demás— y una casa de estancia, grande y generalmente ubicada en uno de los puntos altos del terreno.

cantador. De pronto, uno de los niños, un avispado muchachito de siete u ocho años, vino corriendo hacia nosotros con uno de los chispeantes insectos en su mano, y gritó: —Mire, Tatita, cacé una linterna. ¡Mire qué brillante es!

—Que los Santos te perdonen m'hijo, —dijo el padre—; vaya hijito, y póngala de vuelta en el pasto, porque si llegara a lastimarla, las ánimas se enojarían con usted, porque andan por ahí de noche y les gusta que las linternas les hagan compañía.

Qué linda superstición, —pensé—; y qué corazón tan manso y compasivo debe tener este viejo pastor oriental para mostrar tanta ternura hacia una de las diminutas criaturas de Dios. Me congratulé de mi buena fortuna al haberme topado con una persona así en un lugar solitario.

Los perros, después de su ruda conducta hacia mí y del duro castigo que a raíz de ella habían sufrido, habían vuelto y estaban ahora echados en el suelo a nuestro alrededor. Noté allí, y no por primera vez, que los perros de estos lugares solitarios no son ni por asomo tan dados a que se les preste atención y se les acaricie como los de distritos más populosos y civilizados. Cuando traté de pasar la mano por la cabeza de uno de esos ariscos brutos, me mostró los dientes y me rugió salvajemente. Con todo, este animal, aunque de carácter tan feroz y que no busca caricias de su amo, es tan fiel al hombre como su hermano más bien educado de las regiones más pobladas. Hablé sobre ese punto con mi amable pastor.

—Eso es verdad, —replicó—, recuerdo que una vez, durante el sitio de Montevideo, cuando yo estaba con un pequeño destacamento enviado a espiar los movimientos del General Rivera, atrapamos un día a un hombre que montaba un caballo muy cansado. Nuestro oficial, sospechando que era un espía, ordenó que lo matáramos y, después de degollarlo, dejamos su cuerpo tirado en el campo a unas tres cuadras de un pequeño curso de agua. Con él estaba un perro, y cuando seguimos cabalgando lo llamamos para que nos siguiera, pero no se movió de junto a su amo muerto.

Tres días después volvimos al mismo sitio, y encontramos el cadáver donde lo habíamos dejado. Los zorros y los pájaros no lo habían tocado, porque el perro estaba allí defendiéndolo. Había muchos buitres cerca, esperando la oportunidad de empezar el festín. Nos apeamos para refrescarnos en el arroyo, y luego nos quedamos allí una media hora observando al perro. Parecía medio muerto de sed, y se acercaba al arroyo para beber; pero antes de que estuviera a medio camino, los buitres, de a dos o tres, comenzaban a avanzar, y él se precipitaba de vuelta y los echaba con sus ladridos. Después de descansar unos pocos minutos junto al cadáver, volvía de nuevo hacia el arroyo, hasta que, viendo a los tres hambrientos avanzar de nuevo, de vuelta se precipitaba contra ellos ladrando furiosamente y echando espuma por la boca. Esto lo vimos repetirse muchas veces y, al fin, cuando nos fuimos, tratamos una vez más de incitar al perro a seguirnos, pero no quiso. Dos días después tuvimos ocasión de pasar de nuevo por aquel lugar, y allí vimos al perro muerto echado junto a su muerto amo.

—¡Dios santo, —exclamé—. Qué horrible impresión habrán experimentado usted y sus compañeros ante aquel espectáculo!

—No, señor, para nada, —replicó el viejo—. "Vaya, señor, yo mismo abrí con mi cuchillo el cuello de aquel hombre. Porque en este mundo, si un hombre no se acostumbra a derramar sangre, su vida sería una carga para él."

¡Qué viejo inhumano y asesino! pensé. Y le pregunté si alguna vez en su vida había sufrido remordimientos por derramar sangre.

—Sí— respondió—, cuando era muy joven, y nunca antes había hundido un arma en sangre humana; eso fue cuando comenzó el sitio. Me enviaron con media docena de hombres en persecución de un hábil espía, que había pasado las líneas con cartas para los sitiados. Llegamos a una casa donde, según se había informado a nuestro oficial, aquél había estado escondido. El dueño de casa era un hombre joven, de alrededor de veintidós años. No quiso confesar nada. Al verlo, tan terco, nuestro oficial se puso furioso, y nos ordenó que lo lanceáramos. Galopamos una media cuadra, alejándonos, y luego dimos vuelta. El estaba silencioso, de pie, con los brazos cruzados sobre el pecho, una sonrisa en los labios. Sin un grito, sin un gemido, con aquella sonrisa aún en los labios, cayó atravesado por nuestras lanzas. Durante muchos días tuve siempre presente su rostro. No podía comer. La comida se me atragantaba. Cuando me llevaba un jarro de agua a los labios veía claramente, señor, sus ojos que me miraban desde el agua. Cuando me acostaba a dormir, veía de nuevo su rostro ante mí, siempre con aquella sonrisa en los labios que parecía burlarse de mí. Yo no podía comprenderlo. Me dijeron que eran remordimientos, y que pronto se me pasarían, porque no hay mal que el tiempo no cure. Decían la verdad, y cuando ese sentimiento me abandonó pude hacer cualquier cosa.

La historia del viejo me repugnó de tal manera que poco apetito tuve para cenar, y pasé una mala noche, pensando, despierto o dormido, en aquel joven que en ese oscuro rincón del mundo cruzó sus brazos y sonrió a sus asesinos mientras éstos lo asesinaban. A la mañana siguiente muy temprano, me despedí de mi anfitrión, agradeciéndole su hospitalidad, y esperando sinceramente no volver a ver nunca su detestable rostro.

Aquel día hice pocos progresos, ya que el tiempo se presentó caluroso, y mi caballo anduvo más perezoso que nunca. Después de cabalgar unas cinco leguas descansé un par de horas, y luego seguí otra vez al trotecito hasta que, a la mitad de la tarde, desmonté frente a una pulpería —o almacén de ramos generales y hostería al mismo tiempo— donde varios gauchos estaban bebiendo caña y conversando. Ante ellos estaba de pie un viejo de aspecto vivaz —viejo, digo, porque tenía una piel oscura y seca, pese a que su cabello y su bigote eran negros como el azabache— que detuvo un momento la disertación que parecía estar dirigiendo a los otros, para saludarme; luego, tras dedicarme una mirada indagadora de sus oscuros ojos de lince, continuó su charla. Después de pedir caña y agua, para no desentonar, me senté en un banco y, encendiendo un cigarrillo, me dispuse a escucharlo. Vestía ropas de gaucho bas-

15

tantes raídas —camisa de algodón, chaqueta corta, amplios calzoncillos de algodón, y chiripá, una prenda como un chal atada a la cintura con un cinto y que bajaba hasta medio camino entre las rodillas y los tobillos. En lugar de sombrero llevaba un pañuelo de algodón atado de manera descuidada alrededor de la cabeza; su pie izquierdo estaba desnudo mientras que el derecho estaba forrado por una especie de media de piel de potro, llamada *bota de potro,* y este distinguido pie llevaba ajustada una gran espuela de hierro cuyas puntas tenían cinco centímetros de largo. Una espuela de ese tipo, me imagino, puede sacar de un caballo toda la energía de que es capaz. Cuando entré, él estaba desarrollando el harto gastado tema del destino enfrentado al libre albedrío; sus argumentos no eran, sin embargo, los secos argumentos filosóficos de costumbre, sino que tomaban la forma del ejemplo, principalmente de reminiscencias personales y de extraños incidentes de las vidas de gentes que había conocido, y eran tan vívidas y detalladas sus descripciones —chispeantes de pasión, de sátira, de humor, de patetismo, y tan dramáticos sus gestos, mientras una maravillosa historia seguía a la otra— que yo estaba completamente atónito, y declaraba que este viejo orador de pulpería era un genio nato.

Terminadas sus argumentaciones, fijó en mí sus ojos penetrantes y dijo:

—Amigo, veo que es un viajero de Montevideo: ¿puedo preguntarle qué novedades trae de aquella ciudad?

—¿Qué noticias quiere que haya? —le dije; luego empecé a pensar que no era muy propio que me limitara a meros lugares comunes en mi respuesta a aquel curioso pájaro oriental de tan raído plumaje pero cuyos montaraces trinos gauchos poseían tal encanto—. ¡No es más que la vieja historia que se repite de nuevo! —continué—. Dicen que habrá una revolución un día de estos. Alguna gente ya se ha encerrado en sus casas después de escribir en la puerta de calle con tiza y en grandes letras: "Por favor, entre en esta casa y haga el bien de degollar a su dueño, así él podrá descansar en paz, sin tener miedo por lo que pueda ocurrir." Otros han trepado a sus azoteas y se ocupan allí de mirar a la luna a través de sus largavistas, creyendo que los conspiradores están escondidos en esa luminaria, y que sólo esperan que una nube la cubra para descender a la ciudad sin ser vistos.

—¡Oigan eso! —gritó el viejo, golpeteando encantado su aplauso con el vaso vacío sobre el mostrador.

—¿Qué bebe, amigo? —le pregunté, considerando que su viva apreciación de mi grotesco discurso merecía un trago, y queriendo sondearle un poco más.

—Caña, amigo; gracias. Dicen que calienta en invierno y que refresca en verano... ¿qué más se puede pedir?

—Dígame, —le pregunté, una vez que el pulpero hubo llenado su vaso—, ¿Qué diré cuando vuelva a Montevideo y me pregunten qué novedades hay en el campo?

Los ojos del viejo chisperaron, mientras los demás hombres dejaban de hablar y lo miraban anticipando algo bueno en respuesta a mi pregunta.

—Dígales, —me contestó—, que se encontró con un viejo —un domador de

16

caballos llamado Lucero— y que él le contó esta fábula para que usted se la repitiera a los puebleros: Había una vez un gran árbol llamado Montevideo que crecía en este país, y en cuyas ramas vivía una colonia de monos. Un día uno de los monos bajó del árbol y muy excitado corrió por la llanura primero gateando como un hombre en cuatro patas, luego erecto como un perro corriendo sobre sus patas traseras, mientras su cola, al no tener dónde prenderse, se retorcía como una víbora cuando uno le pisa la cabeza. Llegó a un lugar donde estaba pastando cierto número de bueyes y algunos caballos, avestruces, venados, cabras y cerdos: —Hermanos, —gritó el mono, mostrando sus dientes en una mueca, como una calavera y mirándolos con ojos redondos como dólares—, ¡Grandes novedades! ¡Grandes novedades! Vengo a decirles que muy pronto habrá una revolución. —¿Dónde? —preguntó un buey—. —En el árbol, ¿dónde va a ser? —repuso el mono—. —Eso no nos importa, —dijo el buey—. —¡Oh, sí, les importa! —exclamó el mono—, porque en seguida se va a extender por todo el país y todos ustedes serán degollados. Entonces el buey replicó, —Márchate, mono, y no nos molestes con tus noticias, porque podemos enojarnos e ir a poner sitio a ese árbol, como lo hemos hecho a menudo desde la creación del mundo; y entonces tú y todos los demás monos tendrán que bajar y los haremos saltar por el aire con nuestros cuernos.

Este apólogo sonó muy bien, tan admirablemente nos pintó el viejo con su voz y sus gestos el parloteo excitado del mono y el majestuoso aplomo del buey.

—Señor, —continuó, después que las risas se acallaron—, no quiero que ninguno de mis amigos y vecinos aquí presentes se apresuren a concluir que yo haya dicho nada ofensivo. Si hubiera visto en usted a un montevideano no habría hablado de monos. Pero, señor, aunque usted habla como nosotros, hay sin embargo en la sal y pimienta de su habla un cierto aroma extranjero.

—Está en lo cierto —dije—; soy un extranjero.

—Un extranjero en algunas cosas, amigo, porque sin duda usted nació bajo otros cielos; pero con una condición principal que, según creemos, el Creador nos la dio a nosotros y no a la gente de otras tierras: la habilidad de congeniar con los hombres con quienes se encuentra, ya estén vestidos de terciopelo o de cuero de oveja... en eso usted es uno de nosotros, un puro oriental.

Sonreí ante su sutil halago, que posiblemente quisiera ser una manera de pagar la caña con que le había invitado, pero no por eso me causó menos placer, y ahora me sentía inclinado a agregar a sus otros rasgos mentales una maravillosa perspicacia para leer el carácter.

Después de un rato me invitó a pasar la noche bajo su techo. —Su caballo es gordo y perezoso, —me dijo con razón—, y a menos que usted sea un pariente de la familia de las lechuzas, no puede ir muy lejos antes de mañana. Mi casa es humilde, pero allí el cordero es jugoso, el fuego caliente y el agua fresca, como en cualquier otra parte.

De buena gana acepté su invitación, deseando ver tanto como pudiera de un personaje tan original, y antes de partir compré una botella de caña, que hizo relucir sus ojos, de tal modo, que pensé que su nombre —Lucero— era bas-

17

tante adecuado. Su rancho estaba a una media legua del almacén, y nuestro viaje hasta allá fue uno de los más extraños que haya hecho nunca. Lucero era domador, y la bestia que montaba era aún indómita, y lo más mañera que se pueda pedir. Entre el caballo y el hombre se trabó, durante todo el camino, una fiera lucha por el predominio; el caballo empinándose, encabritándose, corcoveando y poniendo en práctica todas las mañas imaginables para librarse de su carga; mientras Lucero le propinaba rebenque y espuela con extremada energía mientras vertía torrentes de extraños adjetivos. En un momento entraba en colisión con mi viejo y tranquilo caballo, y al siguiente, podía haber cincuenta metros de terreno entre nosotros; con todo, Lucero no paraba de hablar, porque al partir había comenzado un cuento muy interesante y se aferraba a su narración a través de cuanto pasaba, retomando el hilo, después de cada tormenta de maldiciones que descargaba sobre su caballo, y levantando la voz casi hasta el grito cuando estábamos muy apartados. La capacidad de aguante del viejo era realmente extraordinaria, y cuando llegamos a la casa saltó ágilmente al suelo y pareció lo más fresco y tranquilo que pueda imaginarse.

En la cocina había varias persona tomando mate: los hijos y los nietos de Lucero, también su mujer, una vieja dama de cabellos grises y de ojos de mirada empañada. Pero, después de todo, mi anfitrión era también añoso, sólo que, como Ulises, poseía aún el inextinguible fuego y la energía de la juventud en su alma, mientras que el tiempo había colmado de enfermedades y arrugas y canas a su compañera.

Me presentó a ella de un modo que hizo subir a mis mejillas la llama del pudor. De pie delante de ella, dijo que me había encontrado en la pulpería y que me había hecho la pregunta que un simple paisano viejo debe hacer a cada viajero que viene de Montevideo: ¿Qué noticias había? Luego, adoptando un tono jocoso y satírico, que años de práctica no me permitirían imitar, procedió a contar mi fantástica respuesta, adornada con mucho material original de su cosecha.

—Señora, —dije cuando hubo terminado—, no debe acreditarme a mí cuanto ha escuchado a su marido. Yo sólo le di la lana en bruto, y él la ha tejido, para deleitarla, en una hermosa tela.

—¡Oigale! ¿No te dije que tenías que prepararte para escucharle, Juana? —exclamó el viejo—, con lo que me hizo sonrojar aún más. Entonces nos pusimos a tomar mate y a conversar tranquilamente. Sentado en la cocina sobre un cráneo de caballo —una parte del moblaje corriente en los ranchos orientales—, estaba un chico de unos doce años, uno de los nietos de Lucero, con un rostro muy hermoso. Sus pies estaban descalzos y sus ropas eran muy pobres, pero sus suaves ojos oscuros y su cara aceitunada tenían esa tierna semimelancólica expresión que se ve a menudo en niños de origen español y que tiene siempre un encanto tan singular.

—¿Dónde está tu guitarra, Cipriano?, —dijo su abuelo dirigiéndose a él—, sobre lo cual el muchacho se levantó y trajo una guitarra que cortésmente me ofreció a mí primero.

18

Cuando yo decliné su ofrecimiento, se sentó de nuevo en su pulido cráneo de caballo y comenzó a tocar y a cantar. Tenía una dulce voz de muchacho, y una de sus canciones me gustó tanto que hice que me repitiera la letra mientras yo la anotaba en mi libreta, lo que plugo enormemente a Lucero, que se mostraba orgulloso del éxito del muchacho.

He aquí la letra de la canción, traducida casi literalmente; por lo tanto, sin rimas, y sólo lamento no poder darla a mis lectores aficionados a la música con el aire quejumbroso, de exquisito arcaísmo con que fue cantada:

Oh, déjame que vaya...déjame,
a donde altos, por entre los cerros,
nacen los ríos que alegran el sur
que entre los pastos del vasto desierto
en los que sacia su sed el venado,
se apuran hacia el grande y verde océano.

Las colinas de piedra...las colinas
con claveles del aire entre los riscos
y el ganado que a nadie pertenece;
el rey de la manada no parece
más grande que mi mano mientras vaga
entre las cumbres altas y escarpadas.

Y los conozco bien...yo los conozco
a esos cerros de Dios, y ellos a mí.
cuando allá voy están serenos, pero,
si algún extraño los visita, negros
nubarrones de lluvia los rodean
y en la tierra ya estalla la tormenta.

Entonces no me digas...no me digas
que es triste vivir solo. Acorralado
mi corazón dentro de la ciudad
tiene ansias de desierto y libertad.
La calle tinta en sangre... El miedo pone
pálido el rostro triste de las jóvenes.

Oh, llévame lejos...llévame lejos,
con tu andar raudo y firme, fiel corcel.
No quiero el cementerio; el sueño largo
lo haré en el llano entre los altos pastos
que ondulan verdes, y sobre mi sueño
ha de pastar el ganado sin dueño.

Capítulo III

MATERIALES PARA UNA PASTORAL

Dejando el rancho del elocuente viejo, a la mañana siguiente temprano seguí cabalgando tranquilamente, al trotecito, durante todo el día y, dejando atrás el departamento de Florida, me interné en el de Durazno. Allí interrumpí mi viaje parando en una estancia donde tuve una excelente oportunidad de estudiar los modales y las costumbres de los orientales, y donde, además, sobrellevé experiencias de diversos caracteres y aumenté en gran medida mi conocimiento del mundo de los insectos. Esta casa, a la que llegué una hora antes de la puesta del sol para pedir albergue ("permiso para desensillar" es la expresión que emplean los viajeros) era una construcción baja y larga, de techo de totora. Pero las paredes bajas y enormemente anchas estaban construidas con piedras de las sierras vecinas, en fragmentos de todos los tamaños y formas, y presentaban exteriormente el aspecto áspero de una empalizada de piedra. Cómo aquellas piedras rudamente apiladas, sin cemento que las uniera, no se habían derrumbado, era un misterio para mí; y más difícil todavía era imaginar por qué el áspero interior con sus innumerables intersticios y sus huecos polvorientos, nunca había sido revocado.

Fui recibido amablemente por una familia muy numerosa, que consistía en el dueño de casa, su vieja suegra, blanca en canas, su mujer, sus tres hijos y cinco hijas, todos crecidos. Había también varios niños, hijos, creo, de las hijas, pese al hecho de que no estuvieran casadas. Me asombró en grado sumo oír el nombre de uno de estos jovenzuelos. Nombres tales como Trinidad, Corazón de Jesús, Natividad, Juan de Dios, Concepción, Ascención, Encarnación, son bastante comunes, pero ellos no me habían preparado para encontrarme con un prójimo llamado... bueno, ¡Circuncisión! Además de la gente, había perros, gatos, pavos, patos, gansos e innumerables aves. Como si todas esas aves y bestias domésticas no fueran suficiente, tenían también una cotorra horrible y chillona, a la que la vieja hablaba incansablemente, explicando a los demás, todo el tiempo y en pequeños apartes, lo que el pájaro decía o pretendía decir, o, más bien, lo que ella se imaginaba que quería decir. Había también varios jóvenes avestruces domesticados, rondando siempre por la gran cocina, o sala, buscando algún dedal de bronce o una cuchara de acero, o cualquier otro pequeño bocado para tragárselo cuando nadie los veía. Una mulita[5] domesticada estuvo toda la noche trotando hacia dentro y hacia fuera, dentro y fuera, y una gaviota renga se mantenía posada en el umbral de la puerta, molestando el paso de todo el mundo y chillando constantemente por algo que comer; fue el mendigo más insistente que encontré en mi vida.

La gente era muy jovial y más bien industriosa para un país tan indolente. La tierra era de su propiedad; los hombres atendían el ganado, del que pare-

[5]Especie de armadillo o tatú.

20

cían tener un gran número, mientras que las mujeres hacían queso, levantándose antes del alba para ordeñar las vacas.

Durante la noche dos o tres jóvenes —vecinos, me imagino, que hacían la corte a las mujeres jóvenes de la casa— cayeron de visita; y, después de una abundante cena, tuvimos cantos y baile con música de guitarra, instrumento que todos los miembros de la familia, excepto los pequeños, podían tocar un poco.

Alrededor de las once me retiré a descansar, y tendido en el suelo sobre mi lecho de mantas, en una habitación lindera con la cocina, bendije a esas gentes simples y hospitalarias. Santo cielo, pensé, ¡qué glorioso campo está esperando aquí por algún nuevo Teócrito! ¡Qué indeciblemente trillada y artificial parece toda la poesía llamada pastoril escrita nunca, cuando uno se sienta a cenar y se une a los graciosos Cielos o al Pericón en una de estas remotas y semibárbaras estancias sudamericanas! Juro que yo mismo me volveré poeta algún día para dejar atónita a la vieja Europa *blasé* con algo tan... tan... ¿Qué demonios fue eso? Mi soñoliento soliloquio llegó de pronto a un muy arruinado e impotente final, porque había oído un sonido aterrador —el inconfundible zz-zzing de las alas de un insecto. Era la odiosa vinchuca. Allí estaba un enemigo contra el cual el ánimo británico y los revólveres no sirven de nada, y en cuya presencia uno comienza a experimentar impresiones que habitualmente se supone que no caben en el pecho de un hombre valiente. Los naturalistas nos dicen que se trata del *Connorhinus infestans,* pero, como esa información deja algo que desear, procederé a describir en pocas palabras esa bestia. Habita los territorios enteros de Chile, de Argentina y de la Banda Oriental, y para todos los habitantes de esta vasta región es conocido como la vinchuca, ya que, como a unos pocos volcanes, víboras mortíferas, cataratas, y otros sublimes objetos naturales, se les ha permitido conservar el antiguo nombre que le dieron los aborígenes. Es todo él de un color negruzco marrón, ancho como la uña pulgar de un hombre, y chato como la hoja de un cuchillo de mesa —cuando está en ayunas—. De día se esconde, como las chinches, en huecos y grietas, pero tan pronto se apagan las velas, ahí sale en busca de lo que pueda devorar; porque, como la peste, camina en la oscuridad. Puede volar, y en un cuarto oscuro sabe donde uno está, y puede encontrarlo. Después de seleccionar una linda parte tierna, atraviesa la piel con su pico u hocico y chupa vigorosamente durante dos o tres minutos, y, aunque parezca extraño, uno no siente la operación, aunque esté completamente despierto. Por entonces, el bicho, antes tan enjuto, ha asumido la figura, el tamaño y la apariencia general de una grosella madura, tanta es la sangre que ha sacado de nuestras venas. En cuanto se retira, esa parte comienza a hincharse y a arder como pinchada por las ortigas. El hecho de que el dolor venga después y no durante la operación es un arreglo muy ventajoso para la vinchuca, y tengo muchas dudas de que la naturaleza haya favorecido tanto en este aspecto a ningún otro parásito chupador.

¡Hay que imaginarse, pues, mis impresiones cuando oí el sonido no de uno, sino de dos o tres pares de alas! Traté de olvidar el sonido y de dormirme. Traté de olvidar esas viejas paredes ásperas y llenas de intersticios —tenían cien años, según me había informado mi anfitrión. Muy interesante vieja casa, pensé; y entonces, y muy de repente, una fiera picazón se apoderó del pulgar de mi pie. ¡Allí está! me dije: sangre caliente, cena tardía, baile y todo eso. Casi me puedo imaginar que algo me picó realmente, cuando, por supuesto, nada de eso ha pasado. Entonces, mientras estaba frotándolo y rascándolo furiosamente, sintiendo una disposición de hurón a roerlo con los dientes, mi brazo izquierdo fue pinchado con agujas al rojo vivo. Mis atenciones fueron rápidamente transferidas a esa parte; pero pronto mis ocupadas manos fueron llamadas a otro sitio, como un par de atareados doctores en un pueblo atacado por una epidemia; y así, todo a lo largo de la noche, robando sólo ocasionales momentos de miserable sueño, ya que la lucha seguía.

Me levanté temprano, y yendo hasta un ancho arroyo, que corría a unas cinco cuadras de la casa, me zambullí en él, lo que me refrescó mucho y me dio fuerzas para ir en busca de mi caballo. ¡Pobre animal! Había pensado darle un día de descanso, tan agradable y hospitalaria se había mostrado aquella gente; pero ahora me estremecía al pensar en pasar otra noche en semejante purgatorio. Lo encontré tan cojo que apenas podía caminar, de modo que volvía a la casa a pie y muy desanimado. Mi anfitrión me consoló asegurándome que podía dormir tanto mejor la siesta por haber sido molestado en la noche por esas "cositas que andan por ahí", porque con este indulgente lenguaje describía mis padecimientos. Después del almuerzo, a mediodía, actuando según sus recomendaciones, llevé mi manta a la sombra de un árbol y, acostándome, caí en seguida en un profundo sueño que duró hasta muy avanzada la tarde.

Esa noche de nuevo vinieron visitantes y tuvimos una repetición de los cantos, las danzas y otras diversiones campesinas, hasta cerca de la medianoche; entonces, pensando engañar a mis compañeros de la noche anterior, hice mi simple cama en la cocina. Pero también allí las asquerosas vinchucas me encontraron, y hubo, además, docenas de pulgas que sostuvieron contra mí una especie de guerra de guerrillas toda la noche y de tal modo que agotaron mis fuerzas y distrajeron mi atención, mientras el adversario más temible ocupaba sus posiciones. Mis sufrimientos eran tan grandes que antes que amaneciera tomé mis mantas y salí a cierta distancia de la casa para acostarme en el campo raso, pero llevaba conmigo un cuerpo que escocía y apenas pude descansar. Cuando llegó la mañana encontré que mi caballo no se había recobrado aún de su cojera.

—No se apure a dejarnos, —dijo mi anfitrión, cuando le hablé de ello—; Veo que los animalitos de nuevo le dieron guerra y lo derrotaron. No se preocupe por eso; con el tiempo, ya se irá acostumbrando a ellos.

Cómo *ellos* lograban soportarlo, o incluso existir, era un enigma para mí; pero posiblemente las vinchucas los respetaban, y sólo cenaban cuando, como el gigante de la canción infantil, "olían la sangre de un inglés".

De nuevo gocé de una larga siesta, y cuando vino la noche resolví ponerme fuera del alcance de esos vampiros, y así, después de cenar, me fui a dormir al campo. Pero, a eso de la medianoche, una súbita tormenta de viento y de lluvia me llevó de vuelta al abrigo de la casa, y a la mañana siguiente me levanté en tan deplorable estado que con toda deliberación traje y ensillé mi caballo, aunque la pobre bestia apenas podía apoyar un pie en el suelo. Mis amigos se rieron cordialmente cuando me vieron haciendo esos resueltos preparativos para mi partida. Después de compartir el mate amargo, me levanté y les agradecí su hospitalidad.

—Seguramente usted no piensa dejarnos montado en ese animal, —dijo mi anfitrión—. No está en condiciones de llevarlo.

—No tengo otro, —repliqué—, y estoy ansioso por llegar a mi destino.

—Si hubiera sabido eso le hubiera ofrecido antes un caballo, —contestó—. Y luego mandó a uno de sus hijos que condujera los caballos de la estancia al corral.

Eligiendo un animal de buena presencia entre la caballada, me lo regaló, y como yo no tenía dinero para comprar un nuevo caballo cuando lo necesitara, acepté el regalo con mucha alegría. La silla fue rápidamente transferida a mi nueva adquisición y, agradeciendo una vez más a esa buena gente y despidiéndome, continué mi viaje.

Cuando, antes de irme, le di la mano a la más joven y también, a mi parecer, a la más linda de las cinco hijas de la casa, en vez de sonreírme agradablemente deseándome un feliz viaje, como todos los demás, se quedó en silencio y me clavó una mirada que parecía decir: Váyase, señor; usted me ha tratado mal, y me ha insultado al tenderme la mano; si la tomé no es porque me sienta dispuesta a perdonarlo, sino sólo para salvar las apariencias.

Al mismo tiempo que me dedicaba esa mirada que decía tanto, una mirada de inteligencia pasaba por los rostros de la demás gente que estaba en la habitación. Todo ello me revelaba que yo acababa de perder un hermoso e idílico pequeño *flirt*, vivido en circunstancias novelescas. El amor brota como una flor, y los hombres y las encantadoras mujeres naturalmente flirtean cuando entran en contacto. Con todo, es difícil imaginar cómo podría yo haber comenzado un flirt llevándolo hasta su punto culminante en aquella sala pública, con todos aquellos ojos puestos en mí; con perros, nenes y gatos enredados en mis pies; con los avestruces mirando codiciosamente mis botones con grandes ojos vacíos; y esa insoportable cotorra recitando perpetuamente "Cómo bajan las aguas en Lodore", con su propio chillón, pajaresco, picudesco lenguaje organillero de cotorra. Tiernas miradas, palabras susurradas, manos que se encuentran, y mil otras pequeñas atenciones personales que demuestran hacia dónde tienden las emociones, difícilmente hubieran sido practicables en tal lugar y en tales condiciones, y habría que haber inventado nuevos signos y símbolos para expresar los sentimientos del corazón. Y, sin duda, estos orientales, viviendo todos juntos en una gran sala, con sus hijos y sus animales mimados, como nuestros muy lejanos antecesores, los pastores arios, poseen ese lenguaje. Y ese hermoso lenguaje yo debí haberlo aprendido de la maestra mejor dispuesta a hacerlo, si aquellas odiosas vinchucas no hubieran embotado mi cerebro con sus persecuciones, y no me hubieran cegado a un asunto que no había escapado ni a la observación de los espectadores más indiferentes. Mientras cabalgaba alejándome de la estancia, el sentimiento que experimentaba por haber escapado finalmente a esas execrables "cositas que andan por ahí" no era uno de satisfacción pura y sin mezcla.

Capítulo IV

REFUGIO DE VAGABUNDOS

Siguiendo mi viaje a través del distrito de Durazno y después de vadear el lindo río Yi, entré en el departamento de Tacuarembó, que es inmensamente largo, extendiéndose hasta la frontera brasileña. Lo atravesé por su parte más angosta, que tiene sólo unas ocho leguas de ancho; cruzando luego dos ríos de nombres curiosos: el Salsipuedes chico y el Salsipuedes grande, llegué al fin al término de mi viaje en la provincia o departamento de Paysandú. La *Estancia de la Virgen de los desamparados* o, para decirlo más brevemente, el *Refugio de los vagabundos,* era una casa cuadrada de buen tamaño, construida en un terreno muy alto, que dominaba una inmensa extensión herbosa de campos ondulados.

No había ningún plantío en las proximidades de la casa, ni siquiera un árbol de sombra ni ninguna planta cultivada, sino, solamente, algunos amplios corrales para el ganado del que había en el campo seis o siete mil cabezas. La ausencia de sombra y de follaje daba al lugar un aspecto desolado, poco atractivo, pero si un día yo llegara a tener alguna autoridad allí, eso cambiaría muy pronto. El administrador, don Policarpio Santierra de Peñalosa, resultó ser una persona muy simpática y afable. Me recibió con esa tranquila cortesía oriental, que nunca es fría y nunca es efusiva, y después leyó con cuidado la carta de doña Isidora. Finalmente me dijo: —Con mucho gusto, amigo, le procuraré todas las comodidades que se puedan lograr en estas alturas; y, en cuanto al resto, sin duda usted sabe lo que puedo decirle. A buen entendedor, pocas palabras. Sin embargo, aquí no le faltará un buen churrasco y, para decirlo pronto y bien, usted me hará un gran favor considerando como suya esta casa y cuanto hay en ella, mientras que nos honre permaneciendo en ella.

Luego de emitir tan amables sentimientos, que me dejaron más bien a oscuras con respecto a mis perspectivas, montó en su caballo y se alejó, probablemente para ocuparse de algún importante asunto, pues por varios días no lo volví a ver.

Procedí en seguida a instalarme en la cocina. Nadie de la casa pareció haber hecho nunca ni siquiera una visita casual a ninguna otra de las habitaciones. Esta cocina era vasta como un granero, de no menos de trece o catorce metros de largo y proporcionalmente ancha; el techo era de totora, y el hogar, ubicado en el centro del piso, era una plataforma de arcilla cercada con tibias de vaca, enterradas a medias verticalmente. Algunos trébedes y calderos de hierro esta-

24

ban dispersos alrededor y de la viga central, que sostenía el techo, se había suspendido una cadena con un gancho del cual colgaba una enorme olla de hierro. Había otro objeto, una vara de hierro de unos dos metros de largo para asar la carne, que completaba la lista de utensilios de cocina. No había sillas, mesas, cuchillos ni tenedores; cada uno llevaba su propio cuchillo, y a la hora de la comida la carne hervida era echada en una gran fuente de lata, mientras que cada uno comía el asado del propio asador tomando la carne con sus dedos y cortando su tajada. Los asientos eran troncos de árboles y cráneos de caballos. Las gentes de la casa eran una mujer, una vieja negra, horriblemente fea, de cabellos grises, de unos setenta años, y dieciocho o diecinueve hombres de todos los tamaños y edades, y de todos los colores, desde el pergamino blanco hasta el cuero curtido y muy viejo. Había un capataz, o mayoral, y siete u ocho peones a sueldo, siendo todos los otros "agregados", es decir, supernumerarios sin sueldo o, para decirlo claramente, vagabundos que se incorporan como perros errantes a establecimientos de esta clase, atraídos por la abundancia de carne, y que ocasionalmente ayudan en su trabajo a los peones regulares, y que también juegan y roban un poco, tanto como para tener algún dinero suelto. Al romper las luces del día todo el mundo estaba despierto y sentado alrededor del hogar, tomando mate amargo y fumando cigarrillos; antes de que el sol saliera todos estaban a caballo juntando el ganado; al mediodía estaban de vuelta para el almuerzo. El consumo y el derroche de carne eran algo aterrador. Frecuentemente, después del almuerzo, hasta diez o quince kilos de carne hervida o asada eran echados en una carretilla y llevados al basurero, donde servían para alimentar veintenas de buitres, halcones y gaviotas, además de los perros.

Por supuesto, yo era sólo un agregado, que no tenía salario ni ocupación regular. Pensando, no obstante, que esto sería sólo por un tiempo, estaba bien dispuesto a poner buena cara al asunto, y pronto hice una rápida amistad con mis compañeros agregados, uniéndome de buena gana a todas sus diversiones y a sus tareas voluntarias.

A los pocos días estaba muy aburrido de vivir exclusivamente de carne, porque ni una galleta "se podía obtener en estas alturas"; y en cuanto a una papa, hubiera sido lo mismo que pedir budín inglés. Al fin se me ocurrió que, con tantas vacas, sería posible conseguir algo de leche e introducir un pequeño cambio en nuestra dieta. Por la noche mencioné el asunto, proponiendo que al día siguiente enlazáramos una vaca y la amansáramos. Algunos de los hombres aprobaron la sugerencia, observando que nunca se les había ocurrido la idea; pero la vieja negra, que siendo la única representante del bello sexo presente, era escuchada siempre con toda la deferencia debida a su posición, se puso con inmenso ardor en la oposición. Afirmó que ninguna vaca había sido ordeñada en ese establecimiento desde que su dueño lo había visitado con su joven esposa hacía doce años. Tuvieron entonces una vaca lechera, y el consumir una gran cantidad de leche "antes de romper su ayuno", produjo a la señora tal indigestión que tuvieron que darle polvo de hígado de avestruz, y finalmente enviarla, muy enferma, en una carreta de bueyes, a Paysandú y, desde allí, por el río hasta Montevideo. El dueño ordenó que se soltara la vaca, y nunca más, según su positivo conocimiento, había sido ordeñada una vaca en *La virgen de los Desamparados.*

Estos graznidos de mal agüero no me produjeron el menor efecto, y el próximo día volví a hablar del asunto. Yo no poseía un lazo, de modo que no podía intentar la captura de una vaca semi-salvaje sin ayuda. Al fin, uno de mis compañeros agregados se ofreció a ayudarme, explicando que hacía varios años que no probaba la leche y que se sentía inclinado a renovar su relación con esa singular poción. Este amigo recién hallado en un momento de apuro merece ser presentado formalmente al lector. Su nombre era Epifanio Claro. Era alto y delgado y su larga y enjuta faz tenía una expresión tonta. Sus mejillas eran inocentes de barba, y el cabello lacio y negro, partido al medio, caía sobre sus hombros, encerrando su angosta cara entre un par de alas de cuervo. Tenía ojos muy grandes, de color claro y de mirada ovejuna, y sus cejas subían como un par de arcos góticos, dejando sobre ellos una angosta faja que constituía la mínima excusa en cuanto a poseer una frente. Esa peculiaridad facial le había ganado el sobrenombre de Cejas, por el cual le conocían sus íntimos. Pasaba la mayor parte del tiempo rasgueando una vieja y estropeada guitarra de voces destempladas, y cantando canciones amorosas en un lúgubre y quejoso falseto que me hacía acordar bastante de aquella hambrienta y pedigüeña gaviota que había encontrado en la estancia de Durazno. Porque, aunque el pobre Epifanio tenía una pasión absorbente por la música, la naturaleza, descortésmente, le había privado del poder de expresarla de una manera agradable para los demás. Debo confesar, con todo, haciéndole justicia, que daba preferencia a canciones o composiciones de carácter meditativo, por no decir metafísico. Me tomé el trabajo de traducir la letra de una de ellas, y aquí está:

Ayer se abrió mi sentido
a un toc toc de la Razón,
inspirando uan intención
que nunca había tenido.
Viendo que había vivido
cada día igual que hoy
al despertar dije: voy
a ser hoy como fui ayer;
la misma cosa he de ser
pues siempre fui lo que soy.

Esto es muy poco para abrir juicio siendo no más que una cuarta parte de su cantar; pero es un buen ejemplo, y el resto no es más claro. Por supuesto, no hay que suponer que Epifanio Claro, un analfabeto, comprendiera cabalmente la filosofía de esos versos; con todo, es posible que uno o dos rayos sutiles de su profundo significado forzaran su intelecto, para hacer de él un hombre más sensato y más triste.

Acompañado por este extraño individuo, y con la grave anuencia del capataz, quien declinaba empero, en palabras de muchas sílabas, toda responsabilidad en el asunto, salimos a los campos de pastoreo en busca de una vaca de aspecto prometedor. Muy pronto encontramos una que nos gustaba. La seguía un ternerito de no más de una semana, y sus hinchadas ubres prometían una generosa ración de leche; pero desgraciadamente era un animal bravo y sus cuernos eran afilados como agujas.

—Ya se los cortaremos, —gritó Cejas.

Enlazó entonces a la vaca, y yo capturé al ternero, y levantándolo lo puse delante de mí, sobre el recado, y emprendí el camino de regreso. La vaca me seguía con furioso andar, y detrás venía Claro a todo galope. Es posible que él se confiara un poco por demás, y descuidadamente dejó que su cautiva arrancara el lazo que la retenía; sea como fuere, ella se volvió repentinamente y cargó sobre él con furia impresionante, ensartando uno de sus terribles cuernos en el vientre de su caballo. El estuvo, con todo, a la altura de la situación: primero le asestó un buen golpe en el hocico que la hizo retroceder momentáneamente; luego cortó el lazo con su cuchillo y, gritándome que dejara caer el ternero, escapó. Tan pronto como estuvimos a prudente distancia refrenamos los caballos, y Claro observó fríamente que el lazo era prestado y que el caballo pertenecía a la estancia, de modo que no habíamos perdido nada. Se apeó, y dio unas puntadas al gran desgarrón que presentaba el vientre del pobre bruto, usando como hilo unas pocas cerdas arrancadas a la cola de éste. Era una tarea difícil, o así lo hubiera sido para mí, puesto que tuvo que abrir agujeros con la punta de su cuchillo en ambos labios de la herida; pero parecía ser muy fácil para él. Recurriendo al pedazo de lazo que quedaba, ató una pata trasera y una delantera del caballo, y con un violento empujón lo arrojó al suelo; luego, manteniéndolo bien sujeto allí, realizó la operación de coser la herida en un par de minutos.

—¿Vivirá? —le pregunté.

—Qué sé yo, —respondió con indiferencia—. Sólo sé que ahora me podrá llevar hasta la casa; si después se muere, ¿qué importa?

Montamos entonces y trotando tranquilamente volvimos a la casa. Por supuesto que se mofaron de nosotros implacablemente, en especial la vieja negra, que en todo momento había previsto, nos dijo, lo que iba a suceder. Oyendo hablar a la vieja se hubiera pensado que para ella ordeñar leche era uno de los más grandes pecados de que un hombre podría hacerse culpable, y que en este caso la Providencia se había interpuesto milagrosamente para impedirnos satisfacer nuestros depravados apetitos.

Cejas tomó todo eso fríamente.

—No les hagas caso, —me dijo—; el lazo no era nuestro, el caballo no era nuestro. ¿Qué importa lo que digan?

El dueño del lazo, que nos lo había prestado gustosamente, al oír esto montó en cólera. Era un hombre de gran tamaño, de aspecto rudo, cuya cara estaba cubierta por una inmensa y erizada barba negra. Yo lo había tomado antes por

27

un espécimen del gigante simpático, pero ahora cambié de opinión cuando su enojo comenzó a crecer. Blas o Barbudo, como llamábamos al gigante, estaba sentado sobre un tronco tomando mate.

—Tal vez me toman por una oveja, señores, porque me ven envuelto en cueros, —observó—; pero permítanme decirles esto: el lazo que les presté tendrá que serme devuelto.

—Esas palabras no son para nosotros, —dijo Cejas dirigiéndose a mí—, sino a la vaca que se llevó su lazo en los cuernos... ¡malditos sean por tener tanto filo!

—No, señor, —replicó Barbudo—, no se equivoque; no son para la vaca, sino para el estúpido que enlazó la vaca. Y te prometo, Epifanio, que, si no me lo devuelven, el ancho de este techo que nos cubre, no será suficiente para cobijarnos a los dos.

—Me alegro de oír eso, —dijo el otro—, porque andamos escasos de asientos; y cuando nos dejes, ése que estás aplastando con tu corpachón será ocupado por alguna persona de más merecimiento.

—Podrás decir lo que quieras, porque nadie te puso todavía un candado en los labios, —dijo Barbudo, levantando su voz hasta gritar—; pero no me vas a robar; y, si no se me devuelve mi lazo, entonces juro que voy a hacerme uno de cuero humano.

—Entonces, —dijo Cejas—, cuanto antes consigas un cuero para hacerlo, mejor, porque no te devolveré el lazo; ¿quién soy yo para luchar contra la Providencia, que me lo sacó de las manos?

A esto Barbudo contestó furioso:

—Entonces se lo sacaré a este miserable forastero muerto de hambre, que vino aquí a comer carne y que quiere ponerse a la par de los hombres. Evidentemente lo destetaron demasiado pronto; pero si el muerto de hambre tiene tantas ganas de comer alimento para nenes, de ahora en adelante tendrá que ordeñar a los gatos que se calientan junto al fuego, y que se pueden cazar sin lazo, ¡hasta por un francés!

No pude soportar más los insultos del bruto, y salté de mi asiento. Tenía por casualidad en mi mano un largo cuchillo, porque nos preparábamos a asaltar un costillar de vaca que estaba asándose, y mi primer impulso fue tirarlo al suelo y darle un puñetazo. Si lo hubiera intentado, probablemente hubiera pagado muy cara mi temeridad. En cuanto me levanté, Barbudo estaba sobre mí, cuchillo en mano. Me dirigió un golpe feroz que afortunadamente no me alcanzó, y en el mismo momento lo golpée, y él retrocedió tambaleándose con un terrible tajo en la cara. Todo sucedió en un segundo, y antes que los otros pudieran interponerse; un momento después nos habían desarmado, y se habían puesto a lavar la herida del bárbaro. Mientras duró la operación que sin duda fue muy dolorosa, porque la vieja negra insistió en que la herida se bañara con caña y no con agua, el bruto blasfemó violentamente, jurando que me iba a arrancar el corazón y a comérselo guisado con cebollas y sazonado con comino y con varios otros condimentos.

He pensado a menudo, desde entonces, en aquella sublime concepción culinaria del bárbaro Blas. Debe haber habido una chispa de salvaje genio oriental en su cerebro bovino.

Cuando el agotamiento que le causaron la rabia, el dolor y la pérdida de sangre lo redujeron, a la larga, al silencio, la vieja negra se volvió contra él, gritándole que había recibido un merecido castigo, puesto que, a pesar de sus oportunas advertencias, ¿no había prestado su lazo para permitir que esos dos hejes (porque eso nos llamó) capturaran una vaca? Bueno, había perdido su lazo; luego sus amigos, con la única gratitud que se podía esperar de bebedores de leche, se habían vuelto contra él y casi lo habían matado.

Después de la cena el capataz me llamó aparte, y con modales excesivamente amistosos, y con muchos rodeos, me aconsejó que dejara la estancia, porque no estaría seguro si me quedara allí. Le repliqué que no se me podía culpar puesto que había herido al hombre en defensa propia; agregué también que había sido enviado a la estancia por una persona amiga del administrador, y que estaba decidido a verle y a darle mi versión del asunto.

El capataz se encogió de hombros y encendió un cigarrillo.

Finalmente volvió don Policarpio, y cuando le conté mi historia, soltó una risita, pero no dijo nada. Por la noche le recordé el asunto de la carta que había traído de Montevideo, preguntándole si era su intención darme algún empleo en la estancia.

—Vea, amigo, —replicó—, emplearlo ahora sería inútil, por muy valiosos que puedan ser sus servicios, porque a esta altura las autoridades ya estarán informadas de su pelea con Blas. Puede estar seguro que en el curso de unos pocos días estarán aquí para hacer averiguaciones sobre ese asunto y es probable que ambos, usted y Blas, sean arrestados.

—¿Qué me aconseja, pues, hacer? —le pregunté—. Su respuesta fue que, cuando el avestruz le preguntó al venado qué le aconsejaba hacer cuando aparecieron los cazadores, la respuesta del venado fue: "Escapar".

Me reí al escuchar su bonito apólogo, y respondí que no pensaba que las autoridades se fueran a molestar por mí... y también que no era aficionado a escapar.

Cejas, que hasta entonces se había inclinado más bien a patronizarme, tomándome bajo su protección, me dio ahora muestras de una amistad más cálida, que estaba, no obstante, condimentada con un aire de deferencia cuando ambos estábamos solos; en cambio, estando en compañía, era amigo de hacer exhibición de su familiaridad conmigo. Yo no comprendí al principio este cambio en su trato, pero a poco me llevó aparte con aire misterioso y se volvió extremadamente confidencial.

—No te preocupes por Barbudo, —me dijo—. Nunca más presumirá de levantarte la mano; y con que sólo condescendieras a hablarle amablemente, sería tu humilde esclavo, y se sentiría orgulloso de que te limpiaras tus dedos grasientos en su barba. No tengas en cuenta lo que dice el administrador; él también te tiene miedo. Si las autoridades te arrestan, será sólo para ver qué te pueden sacar: no te detendrán mucho tiempo porque siendo extranjero no podrás servir en el ejército. Pero cuando estés de nuevo en libertad tendrás que matar a alguien.

Muy sorprendido, le pregunté por qué.

—Mira, —replicó—, ahora tu reputación de valiente ya está establecida en este departamento, y no hay nada que los hombres envidien más. Es como en nuestro viejo juego de *El pato,* en el que quien se lleva el pato es perseguido por todos los demás, y antes de que ellos abandonen la persecución debe demostrar que puede conservar lo que tomó. Hay varios valientes que no conociste aún y que han resuelto buscarte camorra para probar tu pujanza. En tu próxima pelea no tendrás que herir; tendrás que matar, o no te dejarán en paz.

Esta consecuencia de mi victoria accidental sobre el barbudo Blas me inquietó en extremo, y no aprecié en absoluto la clase de grandeza que mi oficioso amigo Claro parecía tan decidido a echar sobre mis espaldas. Era por cierto muy halagador saber que ya había establecido mi reputación como un valiente de marca en un departamento tan belicoso como el de Paysandú, pero, bueno, las consecuencias que eso imponía eran desagradables, por no decir nada peor. Y así, aunque agradeciendo a Cejas por su amistosa sugestión, resolví dejar la estancia en seguida. No huía de las autoridades, puesto que no era un malhechor; pero ciertamente me alejaría de la necesidad de matar gente para conservar la paz y la tranquilidad. Y a la mañana siguiente, temprano, para intenso disgusto de mi amigo y sin confiar a nadie mis planes, monté a caballo y abandoné *El refugio de los vagabundos* para proseguir mis aventuras en otra parte.

Capítulo V

UNA COLONIA DE CABALLEROS INGLESES

Mi fe en la estancia como campo de actividades para mí había sido débil desde el primer momento; las palabras del administrador, a su regreso, la habían extinguido totalmente. Después de oír aquella parábola del avestruz sólo me había quedado por motivos de amor propio. Ahora me decidí a volver a Montevideo, no, empero, por el camino por donde había venido, sino haciendo un amplio rodeo por el interior del país, donde podría explorar un nuevo campo y, tal vez, encontrar ocupación en alguna de las estancias del camino. Cabalgando en dirección sudoeste, hacia el río Malo, en el departamento de Tacuarembó, pronto dejé atrás las llanuras de Paysandú, y, ansioso por alejarme lo más posible de una vecindad donde se esperaba que matara a alguien, no descansé hasta haber hecho unas ocho leguas. Al mediodía me detuve para tomar algún refrigerio en una pequeña pulpería a un lado del camino. Era un lugar de aspecto miserable, y detrás de las rejas de hierro que protegían el interior y le daban el aspecto de una jaula para bestias salvajes, holgazaneaba el pulpero fumando un cigarro. Fuera de las rejas había dos hombres con caras de ingleses. Uno era un tipo joven y bien parecido, cuyo rostro bronceado tenía algo de gastado, de disipado; estaba recostado contra el mostrador, un cigarro entre los labios; parecía un tanto ebrio, pensé, y llevaba un gran revólver colgando ostentosamente del cinto. Su compañero era un hombre grande y pesado, con enormes patillas salpicadas de gris, que estaba evidentemente muy borracho, porque estaba acostado cuan largo era sobre un banco, con la cara roja e hinchada, roncando sonoramente. Pedí pan, sardinas y vino, y preocupándome por atenerme a la costumbre del país en que me hallaba, invité debidamente al joven ebrio a compartir mi colación. Una omisión de tal cortesía entre estos orgullosos y susceptibles orientales, podría envolver a uno en una riña sangrienta, y de riñas yo acababa de tener más que suficiente.

El declinó la invitación, agradeciendo, y entró en conversación conmigo; el rápido descubrimiento de que éramos compatriotas nos dio a ambos un gran placer. De inmediato ofreció llevarme a su casa, y me hizo un relato deslumbrante de la vida libre y jovial que llevaba en compañía de varios otros ingleses —hijos todos ellos de caballeros, me aseguró— que habían comprado un campo y se habían instalado para dedicarse a la cría de ovejas en ese solitario paraje. Acepté con alegría la invitación y cuando hubimos terminado nuestros vasos nos pusimos a despertar al dormido.

—Hola, vamos, despierta, Capitán, viejo, —gritó mi nuevo amigo—. Es hora de irnos a casa, sabes. Muy bien... arriba. Ahora permíteme que te presente a Mr. Lamb. Estoy seguro de que es toda una adquisición. ¡Qué, dormido de nuevo! Qué diablos, viejo Cloud, esto es un disparate, por no decir otra cosa peor.

A la larga, después de mucho gritar y sacudirlo, conseguió levantar a su borracho compañero, que se tambaleaba y me miraba con una expresión imbécil.

—Ahora permíteme que te presente, —dijo el otro—. Mr. Lamb. Mi amigo, el capitán Cloudesley Wriothesley. ¡Bravo! Firme, gallo viejo... ahora dale la mano.

El capitán no me dijo nada, pero tomó mi mano, inclinándose hacia delante, como si fuera a abrazarme. Entonces, con considerables dificultades conseguimos subirlo a su caballo y cabalgamos juntos, llevándolo entre nosotros para evitar que se fuera a caer. Anduvimos media hora para llegar a la casa de mi anfitrión. Mr. Winchcombe. Yo me había imaginado una encantadora casita, enterrada bajo las flores y el fresco verdor, y llena de agradables recuerdos de la vieja y querida Inglaterra; por lo tanto, tuve una dolorosa decepción al ver que su "hogar" no era más que un rancho de aspecto pobre, con un zanjón alrededor que protegía un terreno dado vuelta o arado en el que no crecía ninguna cosa verde. Pero Mr. Winchcombe explicó que todavía no había tenido tiempo de cultivar gran cosa. "Sólo vegetales y cosas así, sabe", me dijo.

—No los veo, —repuse.

31

—Bueno, no; tuvimos una cantidad de orugas, langostas y cosas así, y se comieron todo, sabe, —dijo.

La habitación a la que me hizo pasar no tenía otros muebles que una gran mesa de pino y algunas sillas, además de un aparador, una gran repisa y algunos estantes contra las paredes. En todos los lugares disponibles había pipas, tabaqueras, revólveres, cajas de cartuchos y botellas vacías. Sobre la mesa había unas copas, una azucarera, una monumental tetera de estaño y una damajuana que según pronto me cercioré estaba llena hasta la mitad de caña. En torno de la mesa estaban sentados cinco hombres fumando, bebiendo té y caña y hablando acaloradamente, todos ellos más o menos intoxicados. Me dieron una cordial bienvenida, haciéndome sentar con ellos a la mesa, sirviéndome caña y té y alcanzándome generosamente pipas y tabaqueras.

—Vea, —me dijo Mr. Winchcombe, para explicar esa escena jovial—, somos diez, en total, que nos hemos establecido aquí con miras de criar ovejas y cosas por el estilo. Cuatro ya hemos construido casa y comprado ovejas y caballos. Los otros seis amigos viven con nosotros, de una casa a la otra, sabe. Bueno, hemos hecho un arreglo muy divertido... —el viejo Cloud, el capitán Cloud, sabe, fue el primero en sugerirlo— y consiste en que cada día uno de los cuatro —los Gloriosos Cuatro se nos llama— mantenga casa abierta, y se considera que lo correcto, por parte de los otros nueve compañeros, es que caigan por allí en algún momento del día, nada más que para animarlo un poquito. Bueno, pronto hicimos el descubrimiento —el viejo Cloud, creo, lo hizo— que lo mejor para estas ocasiones eran el té y la caña. Hoy es mi día, y mañana será el de algún otro, sabe. Y, por Jove, ¡qué suerte tuve al encontrarlo en la pulpería! Ahora va a ser mucho más divertido.

No había tropezado con un pequeño y encantador paraíso inglés en esta desolada tierra oriental y, como siempre me molesta encontrar gente joven que se da a la bebida y hace burradas como norma, no estaba extasiado con el sistema "del viejo Cloud". Con todo, me alegraba encontrarme con ingleses en esta lejana tierra, y al fin de cuentas logré sentirme tolerablemente feliz. Les plugo sobremanera descubrir que cantaba y cuando, algo excitado por los efectos del fuerte tabaco *cavendish,* y de la caña con té negro, yo rugía:

> *Y ojalá esté descansando*
> *allá en el cielo divino*
> *el alma del que inventó*
> *la sin par bota de vino...*

todos se levantaron y bebieron a mi salud en las grandes copas y declararon que nunca me permitirían abandonar la colonia.

Antes de que cayera la noche todos los huéspedes partieron, menos el capitán. Este se había sentado a la mesa con nosotros, pero había ido demasiado lejos en sus tragos para poder tomar parte en la conversación o en el ruidoso jolgorio. Cada cinco minutos había rogado con voz ronca a alguno que le diera fuego para su pipa; luego, después de dos o tres chupadas ineficaces, la dejaba apagar de nuevo. Dos o tres veces había también intentado unirse al coro de una canción, pero pronto había recaído en su imbécil estado.

Al día siguiente, sin embargo, cuando refrescado por una noche de sueño me senté a desayunar, me resultó un sujeto muy agradable. Todavía no tenía casa propia, porque no le había llegado su dinero, según me informó confidencialmente, pero vivía por ahí, almorzando en una casa, cenando en la otra y durmiendo en una tercera. —No importa, —decía—, un día de estos será mi turno; entonces los recibiré todos los días durante seis semanas para compensarlos.

Ninguno de los colonos hacía trabajo alguno, sino que todos pasaban su tiempo haraganeando por ahí y visitándose los unos a los otros, tratando de hacer soportable su aburrida existencia fumando y tomando té con caña perpetuamente. Habían intentado, me contaron, cazar avestruces, visitar a sus vecinos nativos, tirar a las perdices y correr carreras de caballos; pero las perdices eran demasiado mansas para ellos, nunca pudieron alcanzar un avestruz, los nativos no los comprendían, y finalmente había abandonado todas esas llamadas diversiones. En cada casa había un peón para ocuparse de las ovejas y para cocinar, y como las ovejas parecían cuidarse solas, y cocinar significaba meramente asar un pedazo de carne pinchada en un asador, los hombres contratados tenían muy poco que hacer.

—¿Por qué no hacen eso ustedes mismos? —pregunté inocentemente.

—Supongo que eso no sería lo correcto, sabe, —me dijo Mr. Winchcombe.

—No, dijo el capitán gravemente—, aún no hemos caído tan bajo.

Me sorprendió en extremo oírlos decir eso. Había visto en otras partes a ingleses pasar trabajos conscientemente. Pero el altanero orgullo de esos diez caballeros bebedores de caña era una experiencia totalmente nueva para mí.

Después de pasar una mañana que no tuvo mayor interés, fui invitado a acompañarlos a la casa de Mr. Bingley, uno de los Gloriosos Cuatro. Mr. Bingley era un joven realmente muy agradable, que vivía en una casa mucho más digna de ese nombre que el desaliñado rancho habitado por su vecino Winchcombe. Era el favorito entre los colonos, pues tenía más dinero que los demás y en su casa había dos sirvientes. En sus días de recibo siempre tenía para servir a sus huéspedes pan caliente y manteca fresca, así como la tetera y la botella de caña infaltables. De tal modo, sucedía que, cuando le tocaba tener casa abierta, ninguno de los otros nueve colonos faltaba a su mesa.

Después de nuestro arribo a la casa de Bengley, pronto comenzaron a aparecer los demás; cada uno, en cuanto entraba, se sentaba a la hospitalaria mesa y añadía otra nube al denso volumen de humo de tabaco que oscurecía la habitación. Hubo una buena dosis de alegre conversación; se cantaron canciones, y se consumió una gran cantidad de té, caña, pan con manteca y tabaco; pero fue una reunión fatigosa, y, cuando la cosa acabó, me sentí realmente asqueado de esa clase de vida.

Antes de separarnos, después que se cantó *John Peel* con gran entusiasmo, alguno propuso que organizáramos una caza del zorro al verdadero estilo inglés. Todos estuvieron de acuerdo, contentos, supongo, de cualquier cosa que rompiera la monotonía de tal existencia, y al día siguiente salimos a caballo, seguidos por unos veinte perros de diferentes razas y tamaños que provenían de todas las casas. Después de andar un rato buscando en los lugares que parecían más posibles, levantamos al fin un zorro de su lecho en unos oscuros matorrales de *mío-mío*. Se lanzó en línea recta hacia unas colinas que se levantaban alrededor de una legua de distancia, y atravesamos una llanura hermosamente pareja, de modo que teníamos una muy buena posibilidad de alcanzarlo. Dos de los cazadores se habían provisto de cuernos de caza en los que soplaban incesantemente, mientras que todos los demás gritaban con toda la fuerza de sus pulmones, de modo que nuestra partida era realmente ruidosa. El zorro parecía darse cuenta del peligro y saber que su única posibilidad de escapar consistía en conservar sus fuerzas hasta alcanzar el refugio de las colinas. De pronto, sin embargo, cambió la dirección de su carrera, dándonos así una gran ventaja, porque cortando un breve trecho estábamos en seguida sobre sus talones, con nada más que la vasta y pareja llanura ante nosotros. Pero don zorro tenía sus razones para hacer lo que hizo; había divisado una manada de vacas, y en pocos momentos las alcanzó y se mezcló con ellas. Las vacas, aterrorizadas por nuestros gritos y por el sonido de nuestros cuernos, se dispersaron instantáneamente y huyeron en todas direcciones, de modo que pudimos mantener aún nuestra presa a la vista. Mucho antes de que llegáramos, el pánico se trasmitía de rebaño en rebaño, rápido como la luz y a cuadras de distancia podíamos ver los animales huyendo de nosotros, mientras que el viento traía débilmente hasta nuestros oídos sus roncos mugidos y el ruido atronador de sus pisadas. Nuestros perros, gordos y perezosos, no corrían más rápidamente que nuestros caballos pero, con todo, se esforzaban, animados por los gritos incesantes, y, finalmente, dieron por tierra con el primer zorro cazado como es debido en la Banda Oriental.

La caza, que nos había llevado muy lejos de nuestro hogar, terminó cerca de la casa de una gran estancia, y mientras estábamos mirando cómo los perros desgarraban su víctima hasta matarla, el capataz del establecimiento, acompañado por tres hombres, se acercó a caballo para averiguar quiénes éramos y qué estábamos haciendo. Era un nativo moreno y pequeño, que llevaba un atuendo muy pintoresco y que se dirigió a nosotros con extremada cortesía.

—¿Podrían decirme, señores, qué extraño animal han capturado? —preguntó.

—¡Un zorro! —gritó Mr. Bingley, agitando triunfalmente por sobre su cabeza la cola que acababa de cortar—. En nuestro país, en Inglaterra, cazamos el zorro con perros, y hemos estado cazando al estilo de nuestro país.

El capataz sonrió, y replicó que, si estábamos dispuestos a reunirnos a él, tendría mucho gusto en mostrarnos una caza al estilo de la Banda Oriental.

Aceptamos alegremente y, montando nuestros caballos, partimos al galope tras el capataz y sus hombres. Pronto llegamos a donde estaba una pequeña manada de vacas; el capataz se precipitó sobre ellas, y aflojándole primero las vueltas, arrojó su lazo diestramente sobre los cuernos de una vaquillona gorda que había elegido, y luego se dirigió a la casa a formidable velocidad. La vaca, acuciada por los hombres, que la seguían de cerca y la aguijoneaban con sus cuchillos, acometía, mugiendo de rabia y de dolor, tratando de alcanzar al capataz que se mantenía justamente fuera del alcance de sus cuernos; y de este modo llegamos rápidamente a la casa. Uno de los hombres arrojó entonces su lazo y trabó una de las patas traseras de la bestia; al tirarse de ella en dos direcciones opuestas, en seguida quedó inmovilizada; los otros hombres desmontando, primero la desjarretaron y luego hundieron un largo cuchillo en su garganta. Sin quitarle el cuero, descuartizaron en seguida el cuerpo, y echaron los mejores pedazos a un gran fuego de leña que uno de los hombres había preparado.

Una hora después nos sentábamos todos a disfrutar de un banquete de *asado con cuero,* es decir, de carne asada con su cuero, jugosa, tierna y de exquisito valor. Debo decir al lector inglés, acostumbrado a comer carne y caza que han sido conservadas hasta que se ponen tiernas, que antes de alcanzar el punto en que está tierna, se le ha permitido ponerse rígida. La carne, inclusive la de caza, nunca es tan tierna ni de tan delicioso sabor como cuando es cocinada y comida en seguida de ser muerto el animal. Comparada con carne en cualquier estado posterior, es como un huevo recién puesto o como un salmón fresco, comparados con un huevo o un salmón que tienen una semana.

Disfrutamos inmensamente aquella comilona, aunque el capitán Cloud se lamentaba con amargura de que no tuviéramos caña ni té con qué bajarla. Cuando habíamos agradecido a nuestro anfitrión y estábamos a punto de volver grupas para dirigirnos a casa, el cortés capataz se volvió a adelantar dirigiéndose a nosotros.

—Caballeros, —dijo—. Cada vez que se sientan dispuestos a cazar, vengan a verme y entonces enlazaremos una vaca para hacer un asado con cuero. Es el mejor plato que la república puede ofrecer al extranjero, y yo tendré un gran placer en convidarlos; pero les ruego que no cacen más zorros en los campos de esta estancia, porque han provocado una conmoción tan enorme en los animales que están a mi cuidado, que va llevar a mis hombres dos o tres días traerlos de vuelta.

Prometimos lo que se nos pedía, viendo claramente que la caza del zorro al estilo inglés no es un deporte que se adapte a la tierra oriental. Cabalgamos de vuelta y pasamos las restantes horas del día en casa de Mr. Girling, de los Gloriosos Cuatro, bebiendo caña y té, fumando innumerables pipas de *cavendish,* y hablando acerca de nuestra experiencia de caza.

Capítulo VI

NUBES SOBRE LA COLONIA

Pasé varios días en la colonia, y supongo que la vida que allí llevaba tuvo sobre mí un efecto desmoralizador porque, desagradable como era, cada día me sentía menos inclinado a apartarme de ella e, incluso, pensé a veces seriamente en instalarme allí yo mismo. Esta loca idea, sin embargo, generalmente me asaltaba hacia el fin del día, después de haber cedido a un gran consumo de caña con té, mezcla que en poco tiempo podría volver loco a cualquier hombre.

Una tarde, en una de nuestras joviales reuniones, se resolvió hacer una visita al pequeño poblado de Tolosa, a unas seis leguas al este de la colonia. Al otro día nos pusimos en marcha, llevando cada hombre un revólver al cinto y provistos todos de pesados ponchos para cubrirse; porque era costumbre de los colonos pasar la noche en Tolosa cuando la visitaban. Nos instalamos en una amplia posada en el centro del miserable caserío, donde había alojamiento para los hombres y para las bestias, siendo siempre éstas mejor alimentadas que aquéllos. Pronto descubrí que el principal objeto de nuestra visita consistía en variar el pasatiempo de beber caña y fumar en la colonia, por beber caña y fumar en Tolosa. La batalla del beberaje siguió en todo su furor hasta la hora de acostarse, cuando el único miembro sobrio de la fiesta era yo; pues había pasado la mayor parte de la tarde caminando y hablando con la gente del pueblo, en la esperanza de pescar alguna información que me fuera útil en mi búsqueda de trabajo. Pero las mujeres y los viejos que encontré no me animaron mucho. Parecía ser una comunidad bastante indolente la de Tolosa, y cuando les pregunté de qué se ocupaban para vivir, me dijeron que estaban *esperando*. Mis compatriotas y su visita al pueblo eran el principal tópico de conversación. Veían a sus vecinos ingleses como criaturas extrañas y peligrosas, que no tomaban comida sólida, sino que subsistían con una mezcla de caña y pólvora (lo que era cierto), y que estaban armados con máquinas mortíferas llamadas revólveres, inventadas especialmente para ellos por su padre el diablo. La experiencia de ese día me convenció de que la colonia inglesa tenía ciertas excusas para existir, puesto que esas periódicas visitas daban a las buenas gentes de Tolosa una pequeña y edificante excitación durante los estancados intervalos entre las revoluciones.

Por la noche nos fuimos todos a una gran habitación con piso de arcilla, en la que no había un solo mueble. Nuestros cojinillos, ponchos y monturas habían sido amontonados en un rincón, y quien quisiera dormir debería hacerse una cama con sus propios recados y ponchos lo mejor que pudiera. La experiencia no era nada nuevo para mí, de modo que pronto me hice un confortable nido en el suelo, y, arrancándome las botas me arrollé como una zarigüeya que no conoce nada mejor que eso y que tiene buenas relaciones con las pulgas. Mis amigos, sin embargo, estaban dispuestos a disfrutar la noche y se habían cuidado de proveerse de tres o cuatro botellas de caña. Después de pasar un rato conversando, con algún canto ocasional, uno de ellos —un tal Mr. Chillingworth— se puso de pie y reclamó silencio.

—Caballeros, —dijo, avanzando hacia el centro del salón, donde, abriendo sus brazos de vez en cuando para mantener el equilibrio, consiguió mantenerse en una posición tolerablemente erecta—; voy a hacer una cómo se llama.

El anuncio fue saludado con furiosos gritos de aliento, mientras que uno de los oyentes, arrastrado por su entusiasmo ante la perspectiva de escuchar el discurso de su amigo, descargó su revólver hacia el techo, sembrando la confusión entre una legión de arañas de largas patas que ocupaban las polvorientas telas que pendían sobre nuestras cabezas.

Yo tenía miedo de que todo el pueblo se pusiera en contra de nuestras prácticas, pero ellos me aseguraron que ya habían hecho fuego con sus revólveres en esa habitación y que nadie se les acercaba, puesto que eran muy bien conocidos en el pueblo.

—Caballeros, —continuó Mr. Chillingworth, cuando al fin se restauró el orden—, he estado pensando; eso es lo que he estado haciendo. Ahora bien: pasemos revista a la situación. Aquí estamos, una colonia de caballeros ingleses; aquí nos hallamos, lejos de nuestros hogares y de nuestro país y de todo ese tipo de cosas. ¿Cómo dijo el poeta? Yo aseguraría que algunos de ustedes, amigos, recuerdan el pasaje. ¡Pero, para qué, me pregunto! ¿Cuál es, caballeros, el objeto de estar aquí? Esto es precisamente lo que voy a decir, saben. Nosotros estamos aquí caballeros, para infundir un poco de nuestra energía anglosajona, y todo ese tipo de cosas, en esta lata vieja de nación.

Aquí el orador fue animado por una salva de aplausos.

—Ahora bien, caballeros, —continuó—, ¿no es duro, duro como el diablo, saben, que se haga tan poco caso de nosotros? Yo lo siento... yo lo siento, señores; nuestras vidas están siendo desperdiciadas. No sé, amigos, si todos lo sienten así. Ustedes ven que no somos un grupo melancólico. Somos una gloriosa combinación contra la hipocondría, eso es lo que somos. Sólo que a veces siento, saben, que toda la caña del lugar no puede terminar con ella del todo. No puedo evitar pensar en los festivos días al otro lado del agua. Bueno, ahora, amigos no me miren como si estuviera por ponerme a llorar. No voy a hacer el asno de esa manera, saben. Pero lo que quiero que me digan es esto: Vamos a seguir todas nuestras vidas portándonos como bestias, emborrachándonos con caña... Yo... yo pido excusas, caballeros. No quise decir eso, de veras. La caña es casi la única cosa decente de este lugar. La caña nos mantiene vivos. Si algún hombre dice algo contra la caña, lo llamaré un burro de todos los demonios. Yo quise decir el país, caballeros... este podrido país, saben. Nada de cricket, nada de sociedad, nada de cerveza Bass, nada de nada. Suponiendo que nos hubiéramos ido al Canadá con nuestro... nuestro capital y nuestras energías ¿no nos hubieran recibido con los brazos abiertos? ¿Y qué recepción tuvimos aquí? Ahora bien, caballeros, lo que yo propongo es esto: protestemos. Hagamos una cómo se llama contra la cosa que ellos llaman gobierno. Plantearemos nuestro caso a esa cosa, caballeros, e insistiremos en ello con mucha firmeza; eso es lo que haremos, saben. ¿Vamos a vivir entre estos miserables monos y a darles el beneficio de nuestro... nuestro... sí, caballeros, de nuestro capital y nuestras energías, y no obtener nada en cambio? No, no; debemos hacerles saber que no estamos satisfechos, que nos vamos a enojar de veras con ellos. Esto es, más o menos, todo lo que tengo que decir, caballeros.

A continuación hubo fuertes aplausos durante los cuales el orador se sentó más bien de golpe en el suelo. Luego siguieron con *Rule, Britannia,* contribuyendo cada uno de ellos con toda la fuerza de sus pulmones a convertir la noche en un horror.

Cuando el canto terminó los fuertes ronquidos del capitán Wriothesley se hicieron audibles. El había comenzado a extender algunas mantas para acostarse, pero habiéndose enredado sin remedio con sus cinchas, estriberas y riendas, se había quedado dormido con los pies en la montura y la cabeza en el suelo.

—Hola, ¡esto no puede ser! —gritó uno de los compañeros—. Despertemos al viejo Cloud disparando a la pared por encima de él para que caiga un poco de revoque sobre su cabeza. Va a ser horriblemente divertido, saben.

Todo el mundo estaba encantado con la proposición, excepto el pobre Chillingworth quien después de haber pronunciado su discurso, había reptado a cuatro patas hacia un rincón, donde estaba sentado solo, y luciendo muy pálido y desdichado.

Entonces comenzó el tiroteo; y la mayor parte de las balas golpeaban la pared sólo a pocas pulgadas de la cabeza del reclinado capitán, sembrando polvo y pedazos de revoque sobre su rostro purpúreo. Yo salté alarmado y corrí entre ellos diciéndoles en mi precipitación que estaban demasiado borrachos para manejar propiamente los revólveres, y que iban a matar a su amigo. Mi interferencia levantó una protesta ruidosa y colérica, en medio de la cual el capitán, que estaba acostado en una posición sumamente inconfortable, se despertó y, pugnando hasta conseguir sentarse, nos miraba estúpidamente, con sus riendas y cinchas envueltas alrededor de sus brazos y de su cuello como serpientes.

—¿Por qué este bochinche? —preguntó roncamente—. Armando una revolushión, m'imagino. Moy bien. Lo único que se puede hacer en este paish. Con tal que no me pidan que sea presidente. Ni muy bueno. Buasnoches, muchachos; no vayan a degüellarme po'equivocación. Diosh losh bendiga.

—No, no, no te vuelvas a dormir, Cloud, —gritaron—. Lamb es el causante de todo esto. Dice que estamos borrachos... Así es como paga Lamb nuestra hospitalidad. Estábamos tirando para despertarte, viejo capi, para tomar una copa...

—Una copa... sí, —asintió el capitán con voz ronca.

—Y Lamb tenía miedo de que te hiciéramos daño. Dile, viejo Cloud, si tienes miedo de tus amigos. Dile a Lamb lo que piensas de su proceder.

—Sí, se lo voy a decir, —replicó el capitán, con su voz espesa—. Lamb no va a interferir, caballeros. Pero bien sabe que fueron ustedes quienes lo trajeron, ¿no? ¿Y cuál era mi opinión sobre él? No era correcto por parte de ustedes, amigos; ¿o era, eh? El no podía ser uno de nosotros, saben; ¿o acaso podría? Yo dejo el asunto en vuestras manos, caballeros; ¿no les dije que el tipo era un ordinario? Les diré lo que voy a hacer con Lamb: le voy a dar un puñetazo en su maldita nariz, saben.

Y aquí el galante caballero intentó levantarse, pero sus piernas rehusaron cooperar y, tumbado de nuevo contra la pared, sólo era capaz de mirarme ferozmente con sus ojos llorosos.

Me levanté y fui hacia él con la intención, supongo, de darle un puñetazo en *su* nariz, pero cambiando repentinamente de idea, me limité a levantar mi montura y mis cosas y abandoné la habitación con una cordial maldición para el capitán Cloudesley Wriothesley, el genio malo, borracho o sobrio, de la colonia de caballeros ingleses.

Tendí mis mantas fuera de la puerta y monologué hasta que llegó el sueño. Y así termina, —me dije—, fijando mis ojos bastante soñolientos en la constelación de Orión—, la aventura número dos, veintidós —poco importa el número exacto, ya que todas terminan en humo... humo de revólver— o en relucir de cuchillos y sacudiendo el polvo bajo mis pies y, tal vez en este mismo momento, Paquita es despertada de su ligero sueño por el monótono grito del sereno bajo su ventana, y me tiende los brazos suspirando al encontrar mi lugar aún vacío. ¿Qué debo decirle? Que debo cambiar mi nombre por el de Hernández, Fernández, Blas o chas, o Sandariaga, o Gorostiaga, o Madariaga, o cualquier otro *aga,* y conspirar para derrumbar el orden de cosas existente. No me queda otra cosa por hacer, ya que este mundo oriental es, sin duda, una ostra que sólo un cuchillo afilado podría abrir. En cuanto a armas y ejércitos y entrenamiento militar, todo eso es completamente innecesario. Uno no tiene más que juntar unos pocos hombres rabiosos e insatisfechos, y, montando a caballo, cargar en desorden sobre esa pobre lata vieja dilapidada de Mr. Chillingworth. Me siento casi como ese desdichado caballero estaba esta noche, pronto a lloriquear. Aunque, después de todo, mi posición no es tan sin esperanzas como la suya: yo no tengo a ningún británico embrutecido, de nariz roja, sentándose como una pesadilla sobre mi pecho, estrujándome la vida.

Los gritos y los coros de los juerguistas se volvieron más débiles y escasos, y casi habían cesado cuando me sumí en el sueño, arrullado por una solitaria voz de borracho que rezongaba en tono monótono:

Y nadie volverá a... casha,
hasta shegar la mañana.

Capítulo VII

EL AMOR POR LO BELLO

A la mañana siguiente dejé temprano Tolosa y viajé el día entero en dirección sudeste. No me apresuré sino que desmonté frecuentemente para que mi caballo tomara algún sorbo de agua clara y algunos bocados de hierba verde. También visité durante el día tres o cuatro estancias, pero no oí nada que me conviniera. De este modo cubrí unas doce leguas, dirigiéndome siempre hacia el este del departamento de Florida, en el corazón del país. Alrededor de una hora antes de la puesta del sol resolví que por ese día no iría más lejos; y no hubiera podido encontrar un lugar de descanso mejor que el que estaba ante mí... un limpio rancho con un amplio corredor sostenido por pilares de madera, ubicado bajo una enramada de viejos y hermosos sauces llorones. Era un atardecer calmo y soleado, en que la paz y la tranquilidad reinaban sobre todas las cosas, hasta sobre los pájaros y los insectos, que estaban callados, o emitían sólo sonidos suaves y apagados; y aquella modesta vivienda, con sus rudas paredes de piedra y su techo de totora, parecían estar en armonía con todo eso. Daba la impresión de ser el hogar de gente sencilla y pastoral, que tenía por todo universo la llanura cubierta de hierba, bañada por varios claros cursos de agua, ceñida por todas partes por el lejano entero anillo del horizonte, y sobre la cual se arqueaba el cielo azul, estrellado por las noches y lleno durante el día de la dulce luz del sol.

Al aproximarme a la casa recibí un agradable chasco al no encontrar una jauría de perros ladradores y feroces que se abalanzaran para hacer pedazos al presuntuoso extranjero, algo que uno siempre espera. Los únicos signos de vida eran un anciano de cabellos blancos que estaba sentado en el corredor, fumando, y a pocos pasos de allí estaba una muchacha bajo un sauce llorón. Nunca había contemplado nada tan exquisitamente hermoso. No era ese tipo de belleza tan común en estas tierras, que irrumpe sobre uno como el repentino viento sudoeste llamado *pampero,* que casi nos deja sin aliento, y luego, pasando con la misma rapidez, nos deja con el pelo revuelto y con la boca llena de polvo. Su acción era más semejante a la del viento de primavera, que sopla suavemente, abanicando apenas nuestras mejillas y que, sin embargo, infunde en todo nuestro ser una mágica y deliciosa sensación como... como ninguna otra cosa en el cielo o en la tierra. Tenía, me imagino, unos catorce años, y era de figura delgada y grácil, y poseía una maravillosa piel blanca y transparente en la que el brillante sol oriental no había pintado una sola peca. Sus rasgos eran, creo, los más perfectos que he visto nunca en un ser humano, y su cabello de un oro oscuro colgaba sobre sus espaldas en dos pesadas trenzas, casi hasta las rodillas. Al aproximarme, levantó hacia mí la mirada de sus dulces ojos de color azul-gris; había en ellos una pudorosa sonrisa, pero ella no se movió ni habló. En la rama del sauce que quedaba sobre su cabeza había dos pichones nuevecitos de paloma; eran, parecía, sus regalones, incapaces aún de volar, y ella los había puesto allí. Las cositas habían reptado fuera de su alcance, y ella estaba tratando de alcanzarlas tirando de la rama de modo que bajara hasta ella.

Dejando mi caballo me acerqué a su lado.

—Yo soy alto, señorita, —le dije—, y tal vez pueda alcanzarlos.

Me observó con ansioso interés mientras yo, suavemente, sacaba las aves de su percha y las transfería a sus manos. Entonces las besó, contenta, y con una actitud de gentil hesitación me hizo pasar.

En el corredor fui presentado a su abuelo, el anciano canoso, una persona con quien me pareció fácil llevarme bien, porque asentía prestamente a cuanto le decía. En verdad, aún antes de que yo pudiera terminar de exponer una observación, él comenzaba a asentir con vehemencia. Allí conocí también a la madre de la chica, que era en nada semejante a la belleza de su hija, sino que tenía ojos y cabellos negros y piel morena, como la mayor parte de las mujeres hispanoamericanas. Evidentemente el padre es el de piel blanca y cabello dorado, pensé. Cuando al rato entró el hermano de la muchacha, desensilló mi caballo y lo echó al potrero; este muchacho era también moreno, incluso más moreno que su madre.

La simple y espontánea afabilidad con que me trató esa gente tenía una cualidad cuyo par raramente he encontrado en otra parte. No era la hospitalidad común, la que habitualmente se ofrece a un extranjero, sino un afecto natural y sin inhibiciones, como el que podría esperarse que mostrara a un querido hijo o hermano que los hubiera dejado por la mañana y que ahora regresaba.

Algo después llegó el padre de la chica, y me sorprendió en extremo ver que era un espécimen pequeño, arrugado y moreno, con ojos como cuentas, negros como el azabache y una nariz ancha y chata, que mostraba muy claramente que tenía más de una gota de sangre de los aborígenes charrúas en sus venas. Esto trastornaba mi teoría acerca de la piel clara y los ojos azules de la jovencita; de todos modos, el pequeño hombre moreno era de tan buen carácter como los demás, puesto que vino, se sentó y se unió a la conversación, tal como si yo fuera uno de la familia que él hubiera esperado encontrar allí. Mientras hablaba con esa buena gente de simples asuntos del campo, toda la perversidad de los orientales —la guerra de degüello entre los *blancos* y los *colorados,* y las indecibles crueldades de los diez años de sitio— fueron completamente olvidadas. Deseé haber nacido entre ellos y ser uno de ellos, en vez de un inglés fatigado y vagabundo y sobrellevar el peso de las armas y de las armaduras de la civilización, tambaleándome como Atlas, llevando sobre los hombros el peso de un reino sobre el cual el sol no se pone nunca.

En cierto momento este buen hombre cuyo nombre nunca descubrí, pues su mujer lo llamaba simplemente Batata (es decir, papa dulce), mirando críticamente a su bonita hija, observó: —¿Por qué te has engalanado así, hija, si hoy no es el santo[6] de nadie?

6La costumbre de tomar los nombres propios del Santoral hizo que el día del cumpleaños

—¡Su hija, vaya! —exclamé para mis adentros—; ella parece más bien la hija del lucero de la tarde que de tal hombre. Pero sus palabras eran, por lo menos, absurdas; porque la dulce niña, cuyo nombre era Margarita, aunque calzaba zapatos, no llevaba medias, mientras que su vestido —muy limpio, por cierto— era de un algodón estampado tan descolorido que su dibujo se había vuelto casi completamente indescifrable. Lo único que tenía algunas pretensiones de gala era un angosto trozo de cinta azul alrededor de su blanco cuello de lirio. Y, sin embargo, aunque hubiera llevado las más ricas sedas y costosas gemas, no se habría sonrojado y sonreído con más encantadora confusión.

—Esta noche esperamos a tío Anselmo, papito, —replicó.

—Deja a la niña, Batata, —dijo la madre—. Ya sabes qué locura tiene con Anselmo; cuando viene, ella siempre se prepara como una reina para recibirlo.

Esto fue realmente casi demasiado para mí, y tuve una poderosa tentación de saltar y abrazar allí mismo a la familia entera. ¡Qué dulce era esta primitiva sencillez de espíritu. Aquí, sin duda, estaba el único lugar en el vasto mundo donde la edad de oro aún subsistía, semejante a los últimos rayos del sol poniente iluminando algún punto elevado, cuando en todas partes las cosas están sumidas en las sombras. Ah, ¿por qué el destino me había llevado a esa dulce Arcadia, ya que debía abandonarla en seguida para volver al aburrido mundo de luchas y trabajos,

La lucha vana y baja que enloquece a los hombres,
el forcejeo en pos de riqueza y poder,
la pasión, los conflictos que marchitan la vida,
desperdiciando así su breve suceder?

Si no hubiera sido porque pensaba en Paquita, que me estaba esperando allá en Montevideo, podría haber dicho: ¡Oh, mi buen amigo Batata, y mis buenos amigos todos, permitidme quedarme para siempre con vosotros bajo este techo, compartiendo vuestros sencillos placeres, y, no deseando nada mejor, olvidar ese gran mundo atestado de gente donde los hombres viven luchando para conquistar la naturaleza y la muerte y para ganar la fortuna; hasta que, habiendo derrochado sus miserables vidas en sus intentos vanos, caen por fin y la pala echa tierra sobre ellos.

Poco después de la puesta del sol llegó el esperado Anselmo para pasar la noche con sus parientes, y no había acabado de bajar de su caballo cuando ya Margarita estaba a su lado para pedirle su bendición de tío, al tiempo que levantaba la mano de Anselmo hasta sus delicados labios. El le dio su bendición, tocando sus dorados cabellos; entonces ella levantó su rostro iluminado por una nueva felicidad.

Anselmo era un hermoso ejemplar de gaucho oriental, de piel morena y de buenos rasgos, de cabello y bigote renegridos. Llevaba ropas costosas, y

correspondiera en general al del santo respectivo; de ahí que el *santo* correspondiera al *cumpleaños.*

el cabo de su rebenque y la vaina de su largo facón, y otros elementos que llevaba sobre su persona eran de plata maciza. También eran de plata sus pesadas espuelas, el cabezal de su recado, los estribos y la cabezada del freno. Era un gran conversador; nunca, realmente, en todo el curso de mi variada experiencia, encontré a nadie que pudiera verter tal incesante chorro de conversación acerca de pequeñeces como ese hombre. Nos sentamos todos en la cocina, ese punto de reunión social, a tomar mate; yo casi no tomaba parte en la conversación, que se ocupaba nada más que de caballos, escuchando apenas lo que los demás decían. Reclinado contra la pared, estaba agradablemente dedicado a observar el dulce rostro de Margarita, cuya feliz excitación lo había cubierto de un delicado color rosa. Siempre he sentido un gran amor por lo bello; las puestas de sol, y las flores silvestres, especialmente las verbenas —tan lindamente llamadas "margaritas" en este país—, y, por sobre todo, el arco iris tendido a través de los vastos cielos sombríos con su arco verde y violeta, cuando los nubarrones pasan hacia el este sobre la tierra húmeda y teñida de rosa por el sol. Todas esas cosas tienen para mi alma una singular fascinación. Pero cuando la belleza se presenta en forma humana es algo aún más grande que todo eso. Hay en ella un poder magnético que atrae mi corazón; un algo que no es amor, pues ¿puede acaso un hombre casado sentir un sentimiento tal por alguien que no sea su esposa? No, no es amor, sino una etérea y sagrada forma del afecto, que se parece al amor sólo como la fragancia de las violetas se parece al sabor de la miel y al panal.

Al cabo, algún tiempo después de la cena, Margarita, para mi desconsuelo, se levantó para retirarse, aunque no sin pedir primero, una vez más la bendición de su tío. Después que se fue de la cocina, percatándome de aquella inextinguible máquina de hablar de Anselmo proseguía tan fresca como al principio, encendí un cigarro y me dispuse a escuchar.

Capítulo VIII

MANUEL, LLAMADO TAMBIEN EL ZORRO

Cuando empecé a escuchar, fue una sorpresa enterarme que la conversación ya no recaía sobre el favorito asunto de la raza caballar, que se había mantenido invicto toda la noche. El tío Anselmo estaba ahora extendiéndose sobre los méritos de la ginebra por la cual manifestaba tener una afición muy particular.

—La ginebra es, sin duda, —decía—, la flor de todas las bebidas fuertes. Siempre he sostenido que ninguna se le compara. Y por esta razón tengo siempre un poco en casa, en un porrón; pues, cuando por la mañana he tomado mis mates y, después, uno, dos o tres tragos de ginebra, ensillo mi caballo y salgo con el estómago tranquilo, sintiéndome en paz con el mundo entero. Bien, señores, resulta que en la mañana a que me refiero me di cuenta de que en el porrón quedaba muy poca ginebra; porque, aunque no podía ver cuánta contenía, por ser de barro, no de vidrio, lo calculé por el modo en que tuve que empinarlo para beber. Hice un nudo en mi pañuelo para recordar que a la vuelta tenía que traer un poco; luego, montando mi caballo, marché hacia el lado donde el sol se pone, sin imaginar en lo más mínimo que aquel día me iba a suceder nada excepcional. Pero así pasa a menudo; porque no hay hombre, por instruido que sea y aunque sepa leer el almanaque, que pueda predecir lo que un día cualquiera va a traer.

Anselmo era tan atrozmente prolijo que me sentí poderosamente inclinado a irme a la cama a soñar con la hermosa Margarita; pero la cortesía lo prohibía, y además estaba también un tanto curioso por saber qué cosa tan extraordinaria le había pasado en aquel día tan memorable.

—Afortunadamente aconteció, —prosiguió Anselmo—, que aquella mañana yo había ensillado el mejor de mis malacaras; porque sobre ese caballo puedo decir, sin temor a que nadie me contradiga, que estoy montado y no a pie. Lo llamaba Chingolo, un nombre que Manuel, también llamado el Zorro, le puso, porque era un potro prometedor, capaz de volar con su jinete. Manuel tenía nueve caballos, —todos ellos malacaras— y cómo pasaron a ser míos siendo de Manuel voy a contarlo ahora. El pobre hombre, acababa de perder todo su dinero a las cartas —tal vez el dinero que perdió no fuera mucho, pero cómo llegó a tener siquiera un poco era un misterio para muchos—. Para mí, sin embargo, no era ningún misterio, y cuando mataban mi ganado por la noche y lo cuereaban, tal vez yo hubiera podido acudir a la Justicia —que buscando como un ciego, busca algo donde no está— y haberla dirigido en dirección de la casa del malhechor; pero cuando el hablar está en nuestro poder, sabiendo al mismo tiempo que nuestras palabras caerán como un rayo que baja del cielo azul sobre la vivienda de un vecino, reduciéndola a cenizas y matando cuanto hay dentro de ella, bueno, señores, en ese caso el buen cristiano prefiere no decir nada. Porque, ¿qué tiene un hombre más que otro para que se ponga en lugar de la Providencia? Todos somos de carne y hueso. Es cierto que algunos de nosotros no somos más que carne de perro, buena para nada; pero a todos nos duele el rebencazo, y allí donde cae brotará sangre. Esto lo digo; pero, recuerden bien, no digo que Manuel el Zorro me robaba, porque yo no ensuciaría la reputación de ningún hombre, ni siquiera la de un ladrón, ni haría sufrir a nadie por mi causa. Bueno, señores, para volver a lo que estaba diciendo, Manuel perdió todo; y entonces su mujer cayó enferma con fiebre; ¿y qué le quedaba por hacer sino convertir en dinero sus caballos? Fue así que aconteció que yo le comprara sus malacaras y que le pagase cincuenta pesos por ellos. Es verdad que los caballos eran jóvenes y sanos; con todo, era un precio alto, y lo pagué no sin antes sopesar el asunto en mi propia cabeza. Porque en cuestiones de esta laya, si una persona no hace sus cálculos por anticipado ¿a dónde, señores, me pregunto, iría a parar al cabo de un año? El demonio se lo llevaría, y con él todo el ganado que hubiera heredado de sus padres, o que hubiera logrado reunir por sus propias habilidades y capacidad. Porque ustedes verán que la cuestión es esta. Yo tengo muy poca cabeza para los números; todos los demás conocimientos se me hacen fáciles, pero cómo calcular rápidamente es algo que aún no ha conseguido entrar en mi cabeza. Al mismo tiempo, cuando me resulta imposible hacer mis cálculos, o decidir lo que debo hacer, no tengo más que llevarme el asunto a la cama y consultarlo con la almohada. Cuando lo hago, me despierto a la mañana siguiente sintiéndome fresco y despejado como un hombre que acaba de comerse una sandía; pues lo que tengo que hacer y cómo debo hacerlo es tan claro a mis ojos como este mate que tengo en la mano. En esta dificultad resolví, por lo tanto, llevarme el asunto de los caballos a la cama, y decir: "Aquí te tengo y no te escaparás". Pero a eso de la hora de la cena vino Manuel a incomodarme, y se sentó en la cocina con una cara triste, como la de un prisionero condenado a muerte.

—Si la Providencia está enojada contra toda la raza humana, —dijo—, y está ansiosa por hacer un ejemplo, no sé por qué razón habría de elegir a una persona tan inofensiva y oscura como yo.

—¿Qué le vas hacer, Manuel? —le repliqué—. Dicen los sabios que la Providencia nos envía las desgracias para nuestro bien.

—Es cierto, y estoy de acuerdo contigo, —dijo—. No soy quién para dudar de eso, porque ¿qué puede decirse del soldado que encuentra fallas en las medidas que toma su comandante? Pero tú sabes, Anselmo, qué hombre soy yo, y es amargo que estas adversidades tengan que caer sobre uno que nunca ha hecho nada malo, salvo ser siempre pobre.

—El cuervo, —dije—, siempre hace presa de los débiles y de los enfermos.

—Primero perdí todo, —continuó—; después esta mujer tiene que caer enferma con fiebre; y ahora estoy obligado a creer que hasta mi crédito he perdido, ya que no puedo conseguir prestado el dinero que necesito. Los que mejor me conocen de pronto se han vuelto extraños.

—Cuando un hombre cae, —dije—, hasta los perros le echan tierra encima.

—Es cierto, —dijo Manuel—; y desde que estas calamidades me han caído encima ¿qué se ha hecho de tantas amistades como tenía? Porque nada tiene un olor más feo o hiede peor que la pobreza, y así es que todos los hombres, cuando la ven, se cubren la cara o huyen de esa peste.

—Estás diciendo la pura verdad, Manuel, —le contesté—, pero no digas todos los hombres, porque quién sabe —habiendo tantas almas en el mundo— si no le estás haciendo una injusticia a alguien.

—No lo digo por ti, —replicó—. Al contrario: si alguna persona ha tenido compasión de mí fuiste tú; y esto no sólo lo digo en tu presencia, sino que lo proclamo delante de todos los hombres.

—Esas no eran más que palabras. Y ahora, —continuó—, las cartas que se me han dado me obligan a separarme de mis caballos por dinero; por eso vengo esta noche para conocer tu decisión.

—Manuel, —le dije—, soy hombre de pocas palabras, como bien sabes, y derecho; por lo tanto no necesitabas venir con cumplimientos, ni decir tantas cosas antes de hablar de esto; en eso no me has tratado como un amigo.

—Bien dicho, —replicó—, pero no me gusta desmontar antes de frenar el caballo y sacar mis dedos de los estribos.

—Así es como debe ser, —dije—, sin embargo, cuando vienes a la casa de un amigo, no necesitas bajarte a tanta distancia de la portera.[7]

—Agradezco tus palabras, —contestó—. Mis defectos son más numerosos que las manchas del gato montés, pero entre ellos no está el ser atropellado.

—Eso es lo que aprecio, —dije—; porque no me gusta ir por ahí como un borracho abrazando a extraños. Pero nuestra relación no es de ayer, pues nos hemos visto y conocido el uno al otro hasta las tripas y hasta las médulas de los huesos. Bueno, pues, ¿deberíamos tratarnos como extraños, cuando nunca hemos tenido una diferencia ni ocasión de hablar mal el uno del otro?

—¿Y cómo habríamos de hablar mal, —replicó Manuel—, cuando nunca se le ha ocurrido a ninguno de los dos, ni siquiera en sueños, hacer un daño al otro? Algunos hay que, queriéndome mal, te inflarían la cabeza como un globo con mentiras, si pudieran, diciendo no sé qué cosas contra mí, cuando —el cielo lo sabe— ellos mismos son tal vez los autores de todo eso de que me echan las culpas.

—Si estás hablando, —le dije—, del ganado que he perdido, no te preocupes por semejantes pequeñeces; porque si aquellos que hablan mal de ti, sólo porque ellos mismos son malos, estuvieran escuchando, podrían decir: este hombre comienza a defenderse cuando nadie tiene la menor idea de acusarle.

—Cierto, no hay nada que no digan de mí, —dijo Manuel—, por eso mismo seré mudo, porque nada gano con hablar. Ellos ya me han juzgado, y a ningún hombre le gusta que lo hagan pasar por mentiroso.

—En lo que a mí se refiere, —dije—, nunca dudé de ti, sabiendo que eres un hombre honesto, sobrio y diligente. Si en algo me hubieras ofendido te lo habría dicho, porque soy muy franco con todos los hombres.

—Creo firmemente todo lo que me dices, —contestó—, porque sé que no eres de los que llevan una máscara, como otros. Por eso, confiando en tu mucha franqueza en todas las cosas, vengo a hablarte de esos caballos; porque no me gusta tratar con los que por cada grano de cereal te dan un quintal de paja.

—Pero Manuel, —dije—, bien sabes que yo no estoy hecho de oro y que no me dejaron como herencia las minas del Perú. Pides un precio muy alto por tus caballos.

—No lo niego, —replicó—. Pero tú no eres de esos que cierran los oídos a la razón y a la pobreza cuando ellas hablan. Mis caballos son mi única riqueza y toda mi felicidad; no tengo más gloria que ellos.

[7]Portón de escasas dimensiones que interrumpe un alambrado.

—Entonces, francamente, —contesté—, mañana te diré sí o no.

Después de lo cual Manuel montó en su caballo y se fue. Estaba oscuro y lluvioso, pero él nunca había necesitado luna ni farol para encontrar lo que buscaba por la noche, fuera su propia casa, o una vaca gorda —también suya, tal vez—. Entonces me fui a la cama. La primera pregunta que me hice en cuanto apagué la vela, fue: ¿Habrá suficientes capones gordos en mi majada para pagar los malacaras? Luego me pregunté: ¿Cuántos capones gordos serán, al precio que Don Sebastián —un miserable tramposo, dicho sea de paso— me ofrece por cabeza, para conseguir la cantidad que necesito? Esa era la cosa; pero vean, amigos, yo no podía contestarla. A la larga, a eso de la medianoche, me resolví a encender la vela para buscar una mazorca de maíz; porque poniendo los granos en montoncitos, cada montón el precio de un capón, y contando luego el total, iba a poder saber lo que quería. La idea era buena. Estaba buscando los fósforos debajo de la almohada para encender la vela, cuando de repente me acordé de que todo el grano se le había dado a las gallinas. No importa, me dije, me ahorré el trabajo de levantarme de la cama para nada. Caramba, dije, si fue ayer nomás que Pascuala, la cocinera, mientras ponía la cena delante de mí, me dijo: "Señor, ¿cuándo va a comprar grano para las aves? ¿Cómo puede pretender que la sopa quede bien cuando no hay siquiera un huevo para ponerle? Además, está el problema del gallo negro con el dedo torcido —uno de la segunda pollada que sacó la gallina bataraza el verano pasado, aunque los zorros se llevaron, por lo menos, tres gallinas de los propios matorrales donde estaba empollando—; ese gallo ha estado dando vueltas todo el día con las alas caídas, así que creo ciertamente que le va a dar el moquillo. Y si aparece alguna epidemia entre las aves, como hubo el año antes pasado en lo de la vecina Gumersinda, puede estar seguro que sólo será por falta de grano. Y lo más raro de todo —y es la pura verdad, aunque usted no lo vaya a creer, porque la vecina Gumersinda me lo dijo ayer nomás cuando vino a pedirme un poco de perejil, porque, como usted bien sabe, el suyo se lo arrancaron los cerdos cuando se metieron en su quinta en octubre pasado—; bueno, señor, ella dice que la epidemia que le llevó veintisiete de sus mejores aves, comenzó por un gallo negro con un dedo roto, justo como el nuestro, que empezó a arrastrar las alas como si tuviera moquillo".

—¡Que todos los diablos se lleven a esta mujer! —grité tirando al suelo la cuchara que había estado usando—, con su parloteo acerca de huevos, de moquillo, de su vecina Gumersinda y de no sé cuántas cosas más! ¿Creerá que no tengo otra cosa que hacer que galopar por todos lados buscando maíz, cuando en esta época del año no se le encuentra ni a peso de oro, sólo porque es posible que una bataraza enferma vaya a tener el moquillo?

—No he dicho semejante cosa, —replicó mordazmente Pascuala, levantando su voz como hacen las mujeres—. O usted no está poniendo atención a lo que digo o se hace el que no me comprende. Porque yo nunca dije que era posible que la bataraza fuera a tener el moquillo; y si esa es la gallina más gorda de todo este vecindario, puede agradecérmelo a mí, después de a la Virgen, como dice a menudo la vecina Gumersinda, porque nunca dejo de darle carne picada tres veces por día; y por eso nunca sale de la cocina, y hasta los gatos tienen miedo de venir a la casa porque ella les salta a la cara como una furia. Pero usted siempre está tomando mis palabras con las patas para arriba; y si algo hablé de moquillo, no fue por la gallina bataraza sino que dije que era posible que le fuera a venir al gallo negro con el dedo torcido.

—¡Que tu gallo y tu gallina se vayan al diablo! —grité, levantándome aprisa de mi silla, porque había perdido la paciencia y la mujer me estaba volviendo loco con su historia de un dedo torcido y de lo que decía la vecina Gumersinda—.

—Y maldita sea esa mujer, que siempre está tan llena como una gaceta de los asuntos de sus vecinos! Sé muy bien cuál es el perejil que viene a buscar en mi quinta. No es suficiente con que ande por todas partes dando importancia a las coplitas que le canté a la hija de Montenegro, cuando bailé con ella en el baile del primo Teodoro, después de la yerra, cuando, como el cielo sabe, nunca me he preocupado por esa muchacha ni un tanto así. Pero ¡lindos estamos cuando ni siquiera un pollo con el dedo roto puede enfermarse en esta casa sin que la vecina Gumersinda meta su pico en el asunto!

—Sentía tanto enojo por Pascuala, cuando recordaba esas cosas, y algunas otras, porque esa mujer cuando se pone a hablar no termina nunca, que le hubiera tirado el plato de carne por la cabeza. Y entonces, mientras estaba ocupado en esos pensamientos, me quedé dormido. A la mañana siguiente, me levanté, y, sin calentarme más la cabeza, compré los caballos y pagué su precio a Manuel. Porque yo tengo ese don excelente: cuando estoy preocupado y tengo dudas acerca de algo, la noche me lo aclara todo, y me levanto fresco y con una decisión tomada.

Aquí terminó la historia de Anselmo, sin que hubiera dicho una sola palabra acerca de esos portentosos hechos que se había dispuesto a contar. Habían sido olvidados por completo. Empezó a armar un cigarrillo, y, temiendo que estuviera por acometer algún asunto, di de prisa las buenas noches y me refugié en mi lecho.

Capítulo IX

EL BOTANICO Y EL TOSCO PAISANO

A la mañana siguiente, temprano, Anselmo se despidió y partió; yo estuve levantado a tiempo para decir adiós al ilustre narrador de interminables cuentos sin pies ni cabeza que no conducían a ninguna parte. En efecto, ya estaba realizando mis abluciones matinales en un gran balde de madera bajo los sauces, cuando él montó su caballo; en seguida, después de arreglar cuidadosamente los paños de sus pintorescas prendas, se marchó andando al trotecito, la viva estampa de un hombre con el estómago tranquilo y en paz con el mundo entero, incluida hasta la vecina Gumersinda.

Yo había pasado una noche inquieta, aunque parezca raro decirlo porque mi hospitalaria anfitriona me había proporcionado una cama deliciosamente blanda, un lujo realmente inusitado en la Banda Oriental, y cuando me hundí en ella no había allí hambrientos compañeros de cama esperando mi llegada entre sus misteriosos pliegues. Mis pensamientos giraron alrededor de la simplicidad de la vida y del carácter de la buena gente que se entregaba al sueño cerca de mí; y las inconsecuentes historias de Anselmo acerca de Manuel y de Pascuala me hicieron reír varias veces.

Finalmente mis pensamientos, que habían andado errantes de un modo vago, incierto, como cornejas "empujadas de un lado a otro por los cielos ventosos", se detuvieron en la consideración de esa bella anomalía, en ese misterio de los misterios, en esa Margarita de rostro tan blanco. ¿Pues, cómo, en nombre de las leyes de la herencia, fue a dar allí? ¿De dónde venían aquel cutis perlado y aquellas formas flexibles; la boca dulce y orgullosa, la nariz que Fidias hubiera podido tomar como modelo; los claros y espirituales ojos de zafiro, y la opulencia de su pelo sedoso que, suelto, la hubiera cubierto como una vestidura de insuperable belleza? Con ese problema acosando su curioso cerebro, ¿cómo hubiera podido dormir un filósofo?

Cuando Batata me vio hacer los preparativos para mi partida, insistió calurosamente en que me quedara a desayunar. En seguida acepté, pues, después de todo, cuanto más pausadamente hace uno una cosa, más pronto se cumple —especialmente en la Banda Oriental—. Aquí se desayuna a mediodía, de modo que tuve tiempo de ver y de renovar mi placer de ver, a la linda Margarita.

En el curso de la mañana tuvimos un visitante; un viajero que llegó con un caballo cansado y a quien mi anfitrión conocía un poco por haber visitado la casa, según se me dijo, en anteriores ocasiones. Su nombre era Marcos Marcó; un individuo alto, de rostro cetrino, de unos cincuenta años, un poco canoso, muy sucio y que llevaba prendas gauchas raídas. Tenía una actitud y un andar desmañados y en su rostro una expresión animal, paciente, servicial y codiciosa. Sus ojos eran muy, muy agudos y lo pesqué varias veces observándome estrechamente.

Dejé a este vagabundo oriental conversando con Batata, quien, con una consideración fuera de lugar, le había ofrecido proveerlo de un caballo fresco, salí a dar un paseo antes del desayuno. Durante mi caminata, a lo largo de un pequeño curso de agua que corría al pie de la colina sobre la cual se había levantado la casa, encontré una preciosa flor de campanilla de un delicado color rosa. La arranqué cuidadosamente y me la llevé conmigo, pensando que tal vez habría alguna posibilidad de dársela a Margarita si llegaba a encontrarme con ella. Al volver a la casa encontré al viajero sentado solo en el corredor, ocupado en zurcir alguna parte de sus gastados arneses, y me senté a conversar un rato con él. Una abeja inteligente siempre podrá extraer bastante miel de cualquier flor como para compensar su esfuerzo, de modo que no vacilé en abordar a ese sujeto muy poco prometedor.

—Así que usted es un inglés, —señaló, después que conversamos un poco—; y yo, naturalmente, repliqué afirmativamente.

—¡Qué cosa rara! —dijo—. ¿Y es aficionado a recoger flores bonitas?, —continuó echando una mirada a mi tesoro.

—Todas las flores son bonitas, —repliqué.

—Pero sin duda, señor, algunas son más lindas que otras. ¿Tal vez ha observado una particularmente linda que crece en estos lugares... La margarita blanca?

Margarita es en la Banda el nombre vernáculo de la verbena; la fragante variedad blanca y perfumada es muy común en este país; de modo que estaba justificada mi ignorancia del sentido bastante descarado de las palabras del individuo. Asumiendo una expresión tan estúpida como pude, repliqué: —sí, a menudo he observado la flor de que usted habla; es olorosa y, a mi parecer, supera en belleza a las variedades escarlata y púrpura. Pero debe saber, amigo, que soy botánico, es decir, un estudioso de las plantas, y todas ellas me interesan por igual.

Esto lo dejó atónito; y complacido por el interés que parecía tomar en el asunto, le expliqué, en un lenguaje accesible, los principios en que se funda la clasificación de las plantas, diciéndole algo de esa *lingua franca* por medio de la cual todos los botánicos del mundo, de cualquier nación que sean, pueden conversar unos con otros acerca de las plantas. Después de este asunto algo árido, acometí el más fascinante de la fisiología de las plantas. —Ahora fíjese en esto, —continué—. Y con mi cortaplumas disequé cuidadosamente la flor que tenía en la mano puesto que era evidente que ahora no podría dársela a Margarita sin exponerme a alguna observación. Procedí entonces a explicarle la hermosa y compleja estructura por medio de la cual esta campánula se fertiliza a sí misma.

Me escuchó maravillado, agotando todas las expresiones españolas y orientales en el sentido de "¡Pero mire!" "¡Qué extraordinario!" "¡Dios me perdone!" "¡No me diga!" Terminé mi conferencia, convencido de que mi superior intelecto había desconcertado a aquella ruda criatura; luego, arrojando al suelo los fragmentos de la flor que había sacrificado, reintegré el cortaplumas a mi bolsillo.

—Esas son cosas que no oímos a menudo en la Banda Oriental, —dijo—. Pero los ingleses saben todas las cosas... hasta los secretos de una flor. Tienen también la capacidad de hacer la mayor parte de las cosas. ¿Alguna vez, señor botánico, actuó en una comedia?

¡Después de todo, yo había desperdiciado mi flor y mis conocimientos científicos en aquel animal para nada! —Sí, actué! —repliqué bastante enojado; y luego, recordando de pronto las enseñanzas de Cejas, agregué: —y en tragedias también.

—¿Ah, sí? —exclamó—. ¡Cómo deben haberse divertido los espectadores! Bueno, ahora nomás podremos todos hartarnos de pelear, porque veo venir hacia aquí a la *Blanca Flor* para decirnos que está pronto el desayuno. El asado de Batata va a dar ocupación a nuestros cuchillos; sólo desearía que tuviéramos una de sus harinosas tocayas para comerla con el asado.

Tragué mi resentimiento y, cuando Margarita llegó a nuestro lado, miré su rostro incomparable con una sonrisa, y luego me levanté para seguirla a la cocina.

Capítulo X

ASUNTOS CONCERNIENTES A LA REPUBLICA

Después del almuerzo dije adiós a mi pesar a mis amables anfitriones, eché una última, demorada y codiciosa mirada a la adorable Margarita, y monté a caballo. Casi no había aún tocado la montura cuando Marcos Marcó, que estaba también por proseguir su camino en el caballo fresco que le habían prestado, observó:

—Usted se dirige a Montevideo, amigo; también yo voy en esa dirección, y lo llevaré por la vía más corta.

—El camino mismo me llevará, —respondí bruscamente.

—El camino, —dijo—, es como un pleito: un rodeo lleno de pozos y de trampas y largo de recorrer. Está hecho para que lo usen sólo los viejos medio ciegos y los carreteros.

Vacilé en aceptar que me guiara este extraño individuo, que parecía tener un ingenio agudo bajo su pesado y desmañado aspecto. La mezcla de desprecio y de humildad que había en sus palabras cada vez que se dirigía a mí me producía cierta incomodidad; además, su apariencia miserable y sus furtivas miradas me llenaban de sospechas. Miré a mi anfitrión, que estaba cerca de nosotros, pensando que me guiaría por la expresión de su cara; pero era sólo una estólida cara oriental que no revelaba nada. Una antigua regla del *whist* indica que cuando se está en duda se debe jugar triunfo; ahora bien: mi norma, cuando tengo que elegir entre dos maneras de actuar y estoy en duda, es decidirme por la más osada. Actuando según ese principio, me decidí a ir con Marcos y, por consiguiente, juntos nos marchamos.

Mi guía pronto cortó camino a través del campo apartándome mucho de la carretera, a través de lugares tan solitarios que, a la larga comencé a sospechar que tuviera algún designio siniestro hacia mi persona, puesto que yo no tenía nada de mi propiedad que valiera la pena robar. Pronto me sorprendió diciéndome:

—Tuvo razón, mi joven amigo, en desechar vanos temores cuando aceptó mi compañía. ¿Por qué deja que vuelvan a turbar su tranquilidad? Ningún

51

hombre de su raza me ha infligido nunca injurias que clamen venganza. ¿Puedo recobrar mi juventud derramando su sangre, o habría para mí algún provecho en cambiar estos andrajos que llevo por sus prendas, que también están polvorientas y gastadas? No, no, señor inglés, estas ropas de paciencia, de sufrimiento y de exilio, que son mis vestidos de día y mi lecho de noche, pronto serán cambiados por prendas más lucientes que las que usted lleva puestas.

Esas palabras me aliviaron notablemente, y sonreí al ambicioso sueño del pobre diablo de vestir una grasienta chaqueta roja de soldado; pues eso supuse que significaban sus palabras. Con todo, su "camino más corto" a Montevideo seguía intrigándome considerablemente. Por dos o tres horas habíamos estado cabalgando casi paralelamente a una cadena de colinas, o cuchillas, que se extendía a nuestra izquierda en dirección sudeste. Pero gradualmente nos íbamos acercando a ellas, y, aparentemente, nos estábamos apartando a propósito de nuestro camino sólo para atravesar una región sumamente solitaria y difícil. Las pocas casas de estancia que habíamos pasado, colgadas de los puntos más altos de la vasta extensión de aquella especie de páramo que se extendía a nuestra derecha, parecían quedar muy lejos. Por donde íbamos no había viviendas, ni siquiera una choza de pastor; el suelo seco y pedregoso estaba cubierto por un monte de árboles enanos y espinosos, y por exiguos pastos quemados por los calores del verano hasta quedar de un color óxido; y desde esa árida región se elevaban las colinas, con sus laderas marrones y sin árboles que se veían extrañamente torvas y desoladas bajo el violento sol del mediodía.

Señalando el campo abierto, a nuestra derecha, donde era visible el centelleo azul de un río, le dije: —Amigo, le aseguro que no temo nada, pero no puedo comprender por qué se mantiene cerca de esas cuchillas cuando aquel valle hubiera sido más placentero para nosotros y más llevadero para nuestros caballos.

—Yo no hago nada sin tener una razón para hacerlo, —me dijo con una extraña sonrisa—. El agua que usted ve allá es el Río de las Canas, y los que bajan a su valle se vuelven viejos antes de tiempo.[8]

Hablando ocasionalmente, pero más a menudo silenciosos, trotamos despacio hasta eso de las tres de la tarde, cuando, de pronto, mientras bordeábamos un áspero montecito, emergió de él una tropa de seis hombres armados, que dieron vuelta y vinieron directamente hacia nosotros. Una mirada fue suficiente para decirnos que eran soldados, o policía montada, que batían la región en busca de reclutas o, en otras palabras, de desertores, matreros y vagabundos de cualquier clase. Yo nada tenía que temer de ellos, pero de los labios de mi compañero escapó una exclamación de rabia, y volviéndome hacia él vi que su cara tenía el color de la ceniza. Me reí, porque la venganza es dulce, y todavía me escocía un poco su despectivo tratamiento de unas horas antes.

—¿Tiene tanto miedo? —le pregunté—.

---

[8]Parece ser uno de los diversos nombres que Hudson anotó erróneamente. Se trataría del Río de las Cañas, y por lo tanto no se justificaría la inferencia de Marcos Marcó.

—¡No sabe lo que dice, muchacho! —respondió con fiereza—. Cuando haya pasado por el fuego del infierno como yo he pasado, y haya descansado tan tranquilamente con un cadáver por almohada, aprenderá a sujetar su lengua impertinente cuando se dirige a un hombre.

Tenía en los labios una respuesta colérica, pero una mirada a su rostro me aconsejó no hacerla... Tenía en su cara la expresión de un animal salvaje acorralado por los perros.

Un momento después los hombres habían llegado al galope hasta nosotros, y uno, el jefe, se dirigió hacia mí y me exigió que le mostrara mi pasaporte.

—No llevo pasaporte, —repliqué—. Mi nacionalidad es una protección suficiente, porque soy inglés, como usted puede ver.

—En cuanto a eso, sólo tenemos su palabra, —dijo el hombre—. Hay un cónsul inglés en la capital que proporciona pasaportes a los súbditos ingleses para su protección en este país. Si no lo tiene, tendrá que sufrir las consecuencias, y nadie más que usted tiene la culpa. Yo no veo en usted más que un hombre joven, entero, con todos sus miembros, y la república está necesitada de ellos. Además usted habla como uno que vino al mundo bajo este cielo. Tiene que venir con nosotros.

—No haré tal cosa, —contesté.

—No diga eso, patrón, —dijo Marcos, asombrándome con el cambio que se produjo en su tono y en su actitud—. Ya sabe que un mes atrás le previne que era imprudente dejar Montevideo sin nuestros pasaportes. Este oficial no hace más que obedecer órdenes recibidas; con todo, él podría ver que somos nada más que lo que reprentamos ser.

—¡Oh! —exclamó el oficial, volviéndose hacia Marcos—, ¿usted también es un inglés sin pasaporte, supongo? Por lo menos podría haberse conseguido un par de ojos azules falsos y una barba rubia, para mayor seguridad.

—Yo soy sólo un pobre hijo de este pueblo, —dijo Marcos humildemente—. Este joven inglés está buscando una estancia que quiere comprar, y yo vine con él como su asistente desde la capital. Fuimos muy descuidados al no conseguir los pasaportes antes de partir.

—Entonces, por supuesto, este joven tiene cantidad de dinero en sus bolsillos, —dijo el oficial.

A mí no me gustaban las mentiras que Marcos se había encargado de contar a mi respecto, pero no sabía cuáles podrían ser las consecuencias de contradecirlas. Por lo tanto repliqué que no era tan atolondrado como para viajar por un país como la Banda Oriental con dinero encima. —Sólo llevo lo suficiente como para pagar por pan con queso hasta que llegue a mi destino, —agregué.

—El gobierno de este país es muy generoso, —dijo el oficial sarcásticamente—, y pagará por todo el pan con queso que necesite. También le proporcionará carne. Deben venir conmigo hasta el juzgado de Las Cuevas, los dos.

Viendo que no había más remedio, acompañamos a nuestros captores al galope por unos campos escabrosos y ondulados, y alrededor de una hora y media más tarde llegamos a Las Cuevas, un pueblo sucio, de aspecto miserable, compuesto por unos pocos ranchos, construidos alrededor de una plaza grande cubierta de yuyos. A un lado estaba la iglesia; al otro, un edificio cuadrado, de piedra, con un asta de bandera delante. Este era el edificio oficial del Juez de Paz, o magistrado rural; en ese momento, sin embargo, estaba cerrado, y sin ningún signo de vida alrededor, salvo un viejo con aspecto de cadáver sentado contra la puerta cerrada, con sus desnudas piernas color caoba estiradas bajo los rayos del sol ardiente.

—¡Esto sí que es lindo! —exclamó el oficial con una maldición—. Tengo bastantes ganas de soltar a estos hombres.

—No va a perder nada, si lo hace, salvo tal vez un dolor de cabeza, —dijo Marcos.

—¡Cállese la boca hasta que le pidan su opinión! —replicó el oficial completamente fuera de sus casillas.

—Enciérrelos en el calabozo hasta que el juez venga mañana, teniente, —sugirió el viejo recostado a la puerta, hablando a través de una espesa barba blanca y de una nube de humo de tabaco.

—¿No sabes que la puerta del calabozo está rota, viejo idiota? —dijo el oficial—. ¡Enciérrelos! Aquí estoy, descuidando mis propios asuntos para servir al estado, y así se me trata. Tenemos que llevarlos ante el juez a su propia casa, y que él se ocupe de ellos. Vamos, muchachos.

Fuimos entonces conducidos a las afueras de Las Cuevas, a una distancia de una media legua, donde el señor juez residía en el seno de su familia. Su residencia privada era una muy sucia casa de estancia, de aspecto descuidado, con una gran cantidad de perros, aves de corral y niños por todas partes. Desmontamos y en seguida fuimos llevados a una amplia habitación, donde el magistrado estaba sentado a una mesa sobre la cual había un gran número de papeles... que quién sabe de qué tratarían. El juez era un hombrecillo de cara afilada, con unas patillas grises y cerdosas, enhiestas como los bigotes de un gato y ojos coléricos o, más bien, con un ojo colérico, porque sobre el otro estaba atado un pañuelo de algodón. Apenas habíamos terminado de entrar cuando una gallina, a la cabeza de su cría de unos doce pollitos, se precipitó dentro de la habitación tras de nosotros, distribuyéndose en seguida los pollos por el piso en busca de migajas, en tanto que la madre, más ambiciosa, voló a la mesa, esparciendo los papeles a izquierda y derecha con el revuelo que creó.

—¡Que mil demonios se lleven a estas aves! —gritó el juez, montando en cólera—. Hombre, busca a tu patrona y tráela aquí ahora mismo. Le ordeno que venga.

La orden fue obedecida por la persona que nos había hecho pasar, un individuo de apariencia pringosa, de cara morena, vestido con raídas ropas mi- litares, que en dos o tres minutos volvió seguido por una mujer sumamente gorda y desaliñada que parecía, sin embargo, de muy buen carácter, que inmediatamente se desplomó, completamente exhausta, sobre una silla.

—¿Qué pasa, Fernando? —jadeó.

—¿Qué pasa? ¿Cómo puedes tener el coraje de hacer semejante pregunta, Toribia? Mira la confusión que tus pestosas aves están creando entre mis papeles... ¡papeles que conciernen a la seguridad de la República! Mujer, ¿qué medida vas a tomar para detener esto antes de que haga matar a todas tus gallinas aquí mismo?

—¿Qué puedo hacer, Fernando?... estarán hambrientas, supongo. Pensé que querías pedirme consejo con respecto a estos prisioneros... ¡pobres hombres! y tú me sales con tus gallinas.

Sus modales plácidos actuaron como aceite sobre el fuego de su ira. Se paseó furioso por la habitación dando puntapiés a las sillas y arrojando violentamente reglas y pisapapeles a las aves, aparentemente con las intenciones más asesinas pero con una puntería extremadamente mala, gritando, sacudiendo el puño a su mujer, y hasta amenazándola con acusarla de contumacia cuando ella se reía. Al fin, después de muchas dificultades, todas las aves fueron expulsadas, y el sirviente fue puesto de guardia en la puerta, con órdenes estrictas de decapitar al primer pollo que intentara entrar a perturbar los procedimientos.

Restaurado el orden, el juez encendió un cigarrillo y comenzó a alisar sus encrespadas plumas. —Proceda, —le dijo al oficial desde su sillón tras de la mesa.

—Señor, —dijo el oficial—, en cumplimiento de mi deber he detenido a estos dos extranjeros, que están desprovistos de pasaportes y de documentos de ninguna clase para corroborar sus afirmaciones. Según lo que cuentan, el joven es un millonario que va por el país comprando tierras, mientras que el otro es su sirviente. Hay veinticinco razones para no creer en esa historia, pero ahora no tengo tiempo suficiente como para contársela a usted. Como encontré cerradas las puertas del Juzgado, he traído aquí a estos hombres, con mucha molestia para mí; y aquí estoy ahora esperando tan sólo que este asunto se despache sin más tardanzas, de manera que pueda reservarme un poco de tiempo para dedicarlo a mis asuntos privados.

—¡No se dirija a mí con ese tono imperativo, señor oficial!, —exclamó el juez, inflamado de nuevo el fuego de su enojo—. ¿Usted se imagina, señor, que yo no tengo intereses privados; que el estado alimenta y viste a mi mujer y a mis hijos? No, señor, soy el sirviente de la república pero no su esclavo; y le ruego que recuerde que los asuntos oficiales deben ser tramitados durante el horario que corresponde y en el lugar que corresponde.

—Señor juez, —dijo el oficial—, es mi opinión que un magistrado civil nunca debería actuar en asuntos que caen más apropiadamente bajo la autoridad militar. Con todo, puesto que las cosas están dispuestas de otra manera, me veo compelido a venir en primer lugar ante usted con mis informes. Aquí estoy para saber, sin entrar en discusiones concernientes a su posición en la república, qué se debe hacer con estos dos prisioneros que traje ante usted.

—¡Qué se debe hacer con ellos! ¡Mándelos al diablo! Degüéllelos; déjelos ir; haga lo que quiera, ya que usted es responsable de ellos y yo no. Y tenga la certeza, oficial, que no dejaré de informar a sus superiores sobre su lenguaje insubordinado.

—Sus amenazas no me alarman, —dijo el oficial—; porque uno no puede ser culpable de insubordinación frente a una persona a quien no está obligado a obedecer.—Y ahora, señores, —agregó volviéndose hacia nosotros—, me han aconsejado que los suelte; están en libertad de continuar su viaje.

Marcos se levantó con presteza.

—¡Siéntese, hombre! —vociferó el iracundo magistrado, y el pobre Marcos, completamente chasqueado, se sentó de nuevo—. Señor teniente, —continuó el feroz viejo—, está relevado de todo servicio en este lugar. La república que usted afirma servir tal vez estaría mejor sin su valiosa ayuda. Vaya a atender, señor, sus asuntos privados, y deje a sus hombres aquí para ejecutar mis órdenes.

El oficial se levantó y, luego de hacer una profunda y sarcástica reverencia, giró sobre sus talones y abandonó la habitación.

—Lleven a esos dos prisioneros al cepo, —continuó el pequeño déspota—. Los interrogaré mañana.

Marcos fue el primero en ser llevado de la habitación por dos de los soldados; pues resultó que fuera de la casa, un galpón estaba provisto del habitual instrumento de madera para asegurar a los prisioneros durante la noche. Pero, cuando los otros hombres me tomaron de los brazos, me recobré del asombro que la orden del juez había producido en mí, y de un sacudón los hice a un lado. —Señor Juez, —dije, dirigiéndome a él—, permita que le ruegue considerar lo que está haciendo. Seguramente mi acento es suficiente para satisfacer a cualquier persona razonable de que no soy un nativo de este país. Estoy dispuesto a permanecer bajo su custodia, o a ir adonde usted quiera, pero sus hombres tendrán que hacerme pedazos antes de hacerme sufrir la ignominia del cepo. Si usted me maltrata de cualquier modo que sea, le advierto que el gobierno al que usted sirve sólo tendrá censuras para usted, y tal vez lo arruinará, por su celo imprudente.

Antes que él pudiese replicar, su gorda esposa, a quien aparentemente yo le había caído en gracia, se interpuso en mi favor, y persuadió al pequeño salvaje de que me ahorrara aquella humillación.

—Muy bien, —dijo—, considérese por el momento un huésped de mi casa; si usted está diciendo la verdad acerca de sí mismo, un día de detención no le hará daño.

Mi amable defensora me condujo entonces a la cocina, donde nos sentamos a compartir el mate y a conversar hasta que nos pusimos todos de buen humor.

Yo empecé a sentirme bastante afligido por Marcos, pues hasta un vago inútil, como parecía ser aquél, se vuelve objeto de compasión cuando le sobrevie-

56

ne una desgracia, y pedí permiso para verlo. Este fue concedido en seguida. Lo encontré confinado en una habitación grande construida aparte de la casa; le habían provisto de mate y de una caldera de agua caliente, y estaba tomando su amargo brebaje con un aire de estoica indiferencia. Sus piernas, encerradas en el cepo, estaban estiradas delante de él, pero supuse que estaba acostumbrado a posiciones tan inconfortables, porque no parecía importarle mucho. Después de manifestarle mi simpatía en términos generales, le pregunté si podría realmente dormir en esa posición.

—No, —replicó con indiferencia—. Pero, sabe, no me importa que me hayan apresado. Me enviarán a la comandancia, supongo, y después de unos días me dejarán en libertad. A caballo soy un buen trabajador, y no faltará algún estanciero necesitado de gente que me saque. ¿Quiere hacerme un pequeño servicio, amigo, antes de irse a la cama?

—Sí, seguramente, si puedo, —contesté.

Se rio apenas y me miró con un brillo extraño y penetrante en sus ojos; luego, tomando mi mano, me dio un fuerte apretón. —No, no, amigo, no voy a molestarlo pidiéndole que haga nada por mí, —dijo—. Tengo un carácter del diablo, y hoy, en un momento de rabia, lo insulté. De modo que me sorprendió cuando vino aquí y me habló amablemente. Deseaba saber si ese sentimiento era sólo algo superficial, ya que los hombres que uno encuentra son a menudo como el ganado vacuno. Cuando uno cae, sus compañeros de pastoreo sólo recuerdan las ofensas pasadas, y se apresuran a cornearlo.

Su actitud me sorprendió; ahora no se parecía al Marcos Marcó con quien había viajado aquel día. Conmovido por sus palabras, me senté en el cepo frente a él, y le rogué que me dijera qué podía hacer por él.

—Bueno, amigo, —me dijo—, ya ve que el cepo está cerrado con un candado. Si usted consigue la llave y me suelta, podré dormir bien; luego, de mañana, antes que el viejo tuerto y lunático se levante, usted puede venir y cerrarlo con llave de nuevo. Nadie se dará cuenta.

—¿Y usted no estará pensando en escaparse? —le pregunté.

—No tengo ni el menor deseo de escaparme, —replicó.

—No podría escapar aunque lo quisiera, —le dije—, porque el cuarto quedará cerrado con llave, por supuesto. Pero, si yo estuviera dispuesto a hacer lo que me pide, ¿cómo podría conseguir la llave?

—Esa es cosa fácil, —dijo Marcos—. Pídale a la buena señora que se la preste. Acaso no me fijé en que sus ojos se demoraban amorosamente en su rostro —porque, sin duda, usted le recuerda a algún pariente ausente, tal vez algún sobrino querido—. Ella no le negaría a usted nada razonable; y, amigo, hacer un favor, aun al hombre más pobre, no es un acto malgastado.

—Voy a pensarlo, —le dije—. Y poco después lo dejé.

Fue una noche sofocante, y cuando la atmósfera cerrada y ahumada de la cocina se volvió insoportable, salí y me senté fuera, sobre un tronco. Allí el viejo juez, en su calidad de amable anfitrión, vino a reunírseme y discurseó durante una media hora de encumbrados asuntos concernientes a la república. A poco salió su mujer y, declarando que el aire de la noche tendría un efecto dañino sobre su ojo inflamado lo convenció de que debía entrar en la casa. Luego se desplomó a mi lado, sobre el asiento, y comenzó a hablarme acerca del terrible temperamento de Fernando y de las muchas preocupaciones de su vida.

—Qué joven tan serio es usted, —observó, cambiando de tono de manera un tanto abrupta—. ¿Acaso reserva todas sus palabras alegres y agradables para las señoritas jóvenes y bonitas?

—Ah, señora, usted es a mis ojos joven y hermosa, —repliqué—; pero no tengo ánimo para estar alegre cuando mi pobre compañero de viaje está aprisionado en el cepo, donde su cruel marido también me habría confinado si no hubiera sido por su oportuna intervención. Usted, que tiene un corazón tan bondadoso, ¿no puede hacer que suelten sus pobres piernas cansadas para que pueda dormir como es debido esta noche?

—Ah, amiguito, —rspondió—, no puedo intentar tal cosa, Fernando es un monstruo de crueldad, e inmediatamente me sacaría los ojos sin sentir el menor remordimiento. ¡Pobre de mí, lo que tengo que soportar! —Y aquí puso su gorda mano sobre la mía.

Yo retiré la mano de manera un tanto distraída. Un diplomático nato no hubiera manejado mejor la cosa.

—Señora, —le dije—, usted está burlándose de mí. ¿Después de haberme hecho un favor tan grande me va a negar esta pequeñez? Si su marido es un déspota tan temible, ¡seguramente usted puede hacer esto sin que él lo sepa! Déjeme sacar a mi pobre Marcos del cepo, y le doy mi palabra de honor que el juez nunca se enterará, porque me levantaré temprano para volver a pasar la llave, antes de que él deje la cama.

—¿Y cuál será mi recompensa? —preguntó, poniendo de nuevo su mano sobre la mía.

—La profunda gratitud y la devoción de mi corazón, —respondí, esta vez sin retirar la mano.

—¿Acaso puedo negar algo a mi querido muchacho? —dijo—. Después de la cena le pasaré la llave; ahora voy a sacarla de su cuarto. Antes que Fernando se retire, pídale permiso para ver a Marcos, para llevarle una manta, o un poco de tabaco, o alguna cosa por el estilo; y no deje que el sirviente vea lo que hace, porque se quedará en la puerta esperando para cerrar cuando usted salga.

Después de la cena la prometida llave me fue transferida secretamente, y no tuve la menor dificultad en liberar a mi amigo en desgracia. Afortunadamente, el hombre que me condujo a donde estaba Marcos nos dejó solos un rato y le conté a este último mi conversación con la gorda.

El saltó y, tomando mi mano, me la estrujó hasta que casi grité de dolor.

—Mi buen amigo, —dijo,— usted tiene un alma noble y generosa, y me ha hecho el servicio más grande que un hombre puede hacer a otro. De hecho, me ha puesto ahora en una posición en que puedo... disfrutar de una noche de descanso. Buenas noches, ¡y que los ángeles del cielo me permitan recompensarlo alguna vez!

El hombre estaba exagerando un poco, pensé; luego, una vez que lo vi encerrado, a buen recaudo por el resto de la noche, volví a la cocina a pasos lentos y muy pensativo.

Capítulo XI

LA MUJER Y LA SERPIENTE

Volví pensativo porque, después de hacer ese insignificante servicio a Marcos, comencé a experimentar diversos escrúpulos de conciencia e íntimas dudas en cuanto a la estricta moralidad de todo aquel procedimiento. Concediendo que había hecho algo bondadoso y caritativo, y enteramente encomiable al conseguir sacar los infortunados pies del pobre hombre del cepo, ¿justificaba eso todo el engatusamiento que había llevado a la práctica para lograr mi objeto? O, para plantearlo brevemente según el viejo esquema familiar: ¿justifica el fin los medios? Seguramente los justifica en algunos casos, muy fáciles de imaginar. Supongamos que a un amigo querido —una persona enferma, con un organismo nervioso y delicado— se le hubiera metido en la cabeza que iba a morir cuando sonaran las doce de determinada noche. Sin necesidad de consultar a las autoridades en asuntos éticos, yo me movería por la habitación manipulando secretamente sus relojes hasta que los hubiera adelantado todos una hora, y entonces, justamente antes de sonar la media noche, sacaría triunfalmente mi reloj y le informaría que su muerte no había acudido a la cita. Una mentira llevada a cabo de ese modo no pesaría en absoluto sobre la conciencia de ningún hombre. El quid del asunto está en que las circunstancias deben ser siempre tenidas en cuenta y en que cada caso debe ser juzgado por sus propios méritos particulares. Ahora bien, este asunto de obtener así la llave no era de los que podía juzgar yo, puesto que había sido el principal actor del mismo, sino que debería hacerlo algún casuista agudo e ilustrado. Hice por lo tanto una nota mental del caso con la intención de someterlo imparcialmente a la primera persona con esas condiciones que encontrara. Una vez que me hube sacado de encima de ese modo un problema perturbador, sentí mi espíritu aliviado y retorné a la cocina una vez más. Sin embargo, apenas me había sentado cuando encontré que aún debía enfrentar una desagradable consecuencia de mi conducta —la gorda señora que reclamaba mi eterna devoción y mi gratitud—. Ella saludó mi entrada con una sonrisa efusiva; y las más dulces sonrisas de alguna gente con quien uno se encuentra son menos soportables que sus más negras miradas.

En defensa propia adopté una expresión tan amodorrada y vacía como pude forzar al momento sobre mi cara, que por naturaleza es casi demasiado ingenua. Pretendí no oír o comprender mal todo lo que se decía; finalmente me puse tan adormilado que varias veces estuve a punto de caerme de la silla; luego, después de cada extravagante cabeceo, volvía a incorporarme precipitadamente y a mirar estúpidamente a mi alrededor. Mi torvo y pequeño anfitrión casi no podía esconder una tranquila sonrisa porque nunca había visto antes a una persona tan atrozmente vencida por el sueño. Al fin, observó misericordiosamente que yo parecía fatigado y me aconsejó que me retirara. Hice mi salida muy contento, seguido en mi retirada por un par de ojos tristes y llenos de reproches.

Dormí profundamente en el confortable lecho que mi obesa Gulnara me había preparado, hasta que los numerosos gallos del establecimiento me despertaron con sus cacareos poco después de romper el día. Recordando que tenía que asegurar a Marcos en el cepo antes que el irascible pequeño magistrado apareciera en escena, me levanté y me vestí de prisa. Encontré al hombre grasiento con los botones de bronce ya en la cocina, tomando su mate amargo matinal, y le pedí que me pasara la llave del galpón del prisionero; porque esas fueron las instrucciones que me dio la señora. Se levantó y fue conmigo para abrir él mismo la puerta, guardándose muy bien, supongo, de confiarme la llave. Cuando abrió la puerta de un empujón nos quedamos en silencio mirando un rato la habitación vacía. El prisionero se había desvanecido y un gran agujero cortado en la paja del techo mostraba cómo y por dónde había escapado. Me sentí muy exasperado por el vil ardid que el hombre nos había jugado, especialmente a mí, pues en cierta medida yo era responsable por él. Afortunadamente, el hombre que me abrió la puerta no sospechó en ningún momento que yo fuera cómplice, sino que meramente observó que, evidentemente, el cepo había sido dejado sin llave la tarde anterior por los soldados, de modo que no era raro que el prisionero hubiera huido.

Cuando los demás habitantes de la casa se levantaron, el asunto fue discutido con poca excitación, ni siquiera con interés, y pronto llegué a la conclusión de que el asunto quedaría entre la señora de la casa y yo. Ella buscó una oportunidad de hablarme a solas, y entonces, sacudiéndome su gordo índice con juguetón enojo, me susurró: —Ah, engañador, ¡usted planeó todo con él anoche, y a mí me usó nomás que como un instrumento!

—Señora, —protesté con dignidad—, le aseguro, y es la palabra de honor de un inglés, que nunca sospeché que él tuviera la menor intención de escapar. Lo sucedido me ha enojado mucho.

—¿Usted cree que me preocupa algo su huida? —replicó risueñamente—. Por usted, querido amigo, yo abriría de buena gana las puertas de todas las prisiones de la Banda, si estuviera en mi poder hacerlo.

—Ah, ¡qué halagadora es usted! Pero ahora debo ir a ver a su esposo para enterarme de lo que piensa hacer con el prisionero que no intentó escapar.

Con esta excusa me alejé de ella.

El ruin juececito, cuando le hablé, me salió con una serie de frases vagas y

60

vacías acerca de la responsabilidad de su posición, de la peculiar naturaleza de sus funciones y del inestable estado de la república —¡como si ésta hubiera conocido alguna vez o tuviera alguna posibilidad de conocer algún otro estado! Montó luego su caballo y se dirigió a Las Cuevas, dejándome con aquella horrible mujer; y creo realmente que, al hacerlo, no hacía más que cumplir las instrucciones privadas de aquélla. El único consuelo que me dio fue la promesa que me hizo antes de irse de que una comunicación a mi respecto sería dirigida al comandante del distrito en el curso del día, que problemamente tendría como resultado que yo fuera transferido a dicho funcionario. Mientras tanto, me rogaba que usara libremente de su casa y de cuanto contenía. Por supuesto, el pobre infeliz no tenía la intención de arrojarme a su gorda mujer por la cabeza; yo no tenía la menor duda de que fue ella quien inspiró esas frases de cumplimiento, diciéndole tal vez, que no perdería nada dando un tratamiento cortés al "inglés millonario".

Cuando se alejó, me dejó sentado en el portón de entrada, sintiéndome muy disgustado, y casi deseando haberme escapado durante la noche, como Marcos Marcó. Nunca había sentido un disgusto tan fulminante y violento hacia nada como el que entonces sentí por esa estancia, donde era un honrado aunque obligado huésped. El sol cálido y brillante de la mañana brillaba sobre el descolorido techo de totora y sobre las paredes revocadas con barro del sórdido edificio, mientras que todo alrededor, dondequiera que pusiera mis ojos, éstos se posaban sobre yuyos, huesos viejos, botellas rotas, y otros desperdicios, elocuentes testigos del carácter sucio, desaliñado y manirroto de sus moradores.

Mientras tanto mi dulce y angelical mujer-niña, con sus ojos violetas empañados por las lágrimas, estaría esperándome allá lejos, en Montevideo, preguntándose el porqué de mi larga ausencia, ¡y tal vez, en este mismo momento, haciendo pantalla con su mano de lirio, para mirar el camino blanco y polvoriento oteando mi llegada! Y aquí estaba yo, obligado a quedarme sentado, meneando ociosamente mis piernas en esta portera, ¡porque aquella abominable gorda se había encaprichado en mantenerme a su lado! Loco de indignación, de pronto me bajé de un salto de la portera con una exclamación que no era para oídos bien educados, haciendo que mi anfitriona también se sobresaltara y lanzara un grito; porque allí estaba ella (¡maldita sea!) de pie, justamente detrás de mí. ¡Qué los Santos me protejan! —exclamó recobrándose y riendo—; ¿Qué lo hizo sobresaltarme así?

Me excusé por la fuerte expresión que había empleado; luego agregué: —Señora, soy un hombre joven, lleno de energía y acostumbrado a hacer una gran cantidad de ejercicios todos los días, y me estoy poniendo muy impaciente, sentado aquí cociéndome al sol, como una tortuga en un banco de barro.

—¿Pues, por qué no se va a dar un paseo? —preguntó ella con amable preocupación.

Dije que lo haría con mucho gusto, y le agradecí por el permiso que me daba; y entonces, inmediatamente, se ofreció a acompañarme. Declaré, con muy poca galantería, que yo caminaba con mucha rapidez, y le recordé que el sol era excesivamente cálido, y me hubiera gustado agregar, también, que ella era excesivamente gorda. Replicó que no importaba; una persona tan cortés como yo sabría acompasar su paso al de su acompañante. En la imposibilidad de sacármela de encima, comencé mi caminata bastante malhumorado y con la corpulenta dama junto a mí, transpirando abundantemente. Nuestro camino nos llevó a una pequeña cañada, una hondonada cuyo suelo era húmedo y estaba cubierto por numerosas y bonitas flores y plumosos pastos, muy refrescantes a la mirada después de abandonar los quemados pastos amarillos que rodeaban la casa de la estancia.

—Parece ser muy aficionado a las flores, —observó mi compañera—. Permítame ayudarle a recogerlas. ¿A quién le va a dar su ramillete cuando esté hecho?

—Señora, —le repliqué, exasperado por su frívolo parloteo—, se lo voy a dar al... Iba a decir al diablo, cuando el agudo grito que lanzó cortó las rudas palabras que asomaban a mis labios.

Su susto había sido provocado por una linda culebrita, de un medio metro de largo, que había visto deslizarse a sus pies. Y no es de extrañar que se deslizara alejándose de ella a toda la velocidad de que era capaz, pues ¡qué monstruo gigantesco y deforme le debe haber parecido aquella mujer! El terror de un niñito tímido a la vista de un hipopótamo vestido con flotantes cortinas y caminando erecto sobre sus patas traseras, hubiera sido comparable al pánico que se apoderó del pequeño cerebro de la pobre criatura moteada cuando aquella enorme mujer vino a zancadas hacia ella.

Primero me reí, pero luego, viendo que ella estaba por arrojarse sobre mí como una montaña de carne en busca de protección, me volví y corrí tras de la culebra —porque había observado que pertenecía a una variedad inofensiva, una de las inocuas Coronella Genus... y tenía verdaderos deseos de molestar a la mujer. La capturé en un momento; luego, con la pobre criatura asustada luchando en mi mano y enroscándose en mi muñeca, caminé hacia ella.

—¿Vio alguna vez colores tan preciosos? —exclamé—. Mire ese delicado color amarillo-rojizo de su cuello que se oscurece hasta un vívido carmesí en el vientre. ¡Qué me van a hablar de flores y de mariposas! Y sus ojos son brillantes como dos diamantitos... mírelos de cerca, señora, porque bien vale la pena que usted los admire.

Pero al acercarme yo todo lo que hizo fue volverse y apartarse gritando y, al fin, viendo que no la obedecía dejando caer aquel horrible reptil, me dejó, presa de una violenta rabia, y se volvió sola a la casa.

Después de lo cual continué mi paseo en paz entre las flores; pero mi pequeña y moteada cautiva me había servido tan bien que no la solté. Se me ocurrió que si la conservaba sobre mi persona podría servirme como una especie de talismán para protegerme de las desagradables atenciones de la señora. Viendo que era una culebrita muy astuta y —como Marcos Marcó en cautiverio— llena de sutiles argucias, la puse en mi sombrero, el cual encasquetado firmemente sobre mi cabeza, no dejaba ninguna abertura para que la cabecita lanceolada se asomara por ella. Después de pasar dos o tres horas botanizando en la cañada volví a la casa. Estaba en la cocina reanimándome con un mate amargo, cuando mi anfitriona entró sonriendo radiante, porque, supongo que a esta altura ya me había perdonado. Yo me levanté cortésmente y me quité el sombrero. Infortunadamente me había olvidado de la culebra, cuando he aquí que ésta cae al suelo; a ello siguieron gritos, confusión, y corridas de madame, de los niños y de los sirvientes que huían de la cocina. Después de eso fui obligado a llevar la culebra fuera de la casa, devolviéndole su libertad, la que sin duda tuvo para ella un sabor muy dulce después de sufrir tan estrecho confinamiento. Cuando volví a la casa, una de las sirvientas me informó que la señora estaba demasiado ofendida para volver a sentarse en la misma habitación que yo, de modo que me vi obligado a tomar mi almuerzo a solas; y por el resto del tiempo en que estuve prisionero fui evitado por todos (excepto por Botones de Bronce, que parecía indiferente a todo lo de esta tierra), como si hubiera sido un leproso o un peligroso lunático. Tal vez pensaban que tenía aún otros reptiles escondidos sobre mi persona.

Por supuesto, uno espera siempre encontrar un prejuicio cruel e irracional contra las serpientes entre las gentes ignorantes, pero nunca antes supe hasta qué punto ridículo podía llevarlas. Ese prejuicio me hace enojar, pero en aquella ocasión tuvo una utilidad, porque me permitió pasar el día sin que me molestaran.

Por la noche volvió el juez, y pronto le oí alzar la voz en una tormentosa discusión con su mujer. Tal vez ella quería que me decapitaran. Cómo terminó no puedo decirlo; pero cuando lo vi su actitud hacia mí era helada, y se retiró a dormir sin darme la oportunidad de hablarle.

A la mañana siguiente me levanté resuelto a no ser hecho a un lado por más tiempo. Algo debía hacerse, o yo tenía que saber qué razones había para no hacerlo. Al salir fuera me sorprendió mucho ver que mi caballo esperaba ensillado en la portera del campo. Fui a la cocina y le pregunté a Botones de Bronce, la única persona que estaba levantada, qué significaba eso.

—¿Quién sabe? —contestó, dándome un mate—. Tal vez el juez desea que usted deje la casa antes de que él se levante.

—¿Qué dijo? —pregunté.

—¿Decir? Nada... ¿qué iba a decir?

—Pero usted ensilló el caballo, supongo.

—Seguro. ¿Quién más iba a hacerlo?

—¿El juez le dijo que lo hiciera?

—¿Decirme? ¿Por qué iba decírmelo?

—¿Cómo sé yo, pues, si él desea que yo deje su hermosa casa? —pregunté, encolerizándome.

—¡Qué pregunta! —repuso, encogiéndose de hombros— ¿Cómo sabe uno cuándo va a llover?

Viendo que no iba a sacar nada más de ese hombre, terminé de tomar mate, encendí un cigarro, y dejé la casa. Era una hermosa mañana, sin una nube, y el abundante rocío brillaba sobre el pasto como gotas de lluvia. ¡Qué cosa agradable era poder cabalgar de nuevo, libre de ir donde yo quisiera!

Y así termina mi historia de la serpiente, que tal vez no es muy interesante, pero que es verdadera, y por lo tanto tiene una ventaja sobre todas las demás historias de serpientes contadas por los viajeros.

Capítulo XII

MUCHACHOS EN EL MONTE

Antes de dejar la estancia del magistrado, ya había decidido volver por el camino más corto, y tan rápidamente como fuera posible, a Montevideo; y aquella mañana, montando un caballo bien descansado, cubrí un trecho considerable. A eso de las doce, cuando me detuve para dar un descanso a mi caballo y comer algo en una pulpería que daba sobre el camino, había hecho alrededor de unas ocho leguas. Esto era andar a un ritmo imprudente, no cabe duda; pero en la Banda Oriental es tan fácil conseguir un caballo fresco que uno se vuelve un tanto descuidado. Aquella mañana mi viaje me había llevado por la parte oriental del departamento de Durazno, y por dondequiera me encantaba la belleza de la región, aunque todo estaba aún muy seco y el pasto de las tierras altas estaba quemado hasta alcanzar matices varios del amarillo y del marrón. Ahora, con todo, los calores del verano habían pasado, porque estábamos acercándonos al final de febrero; la temperatura, sin ser sofocante, era deliciosamente cálida, de modo que viajar a caballo era una delicia. Podría llenar docenas de páginas con descripciones de hermosos tramos de esa región por los cuales pasé aquel día, pero debo declararme culpable de una insuperable aversión por ese tipo de escritura. Después de esta cándida confesión, espero que el lector no se querelle conmigo por la omisión; además, quienquiera que guste de esas descripciones, y que sepa hasta qué punto son evanescentes las impresiones que los cuadros verbales dejan en la memoria, puede navegar por los mares y galopar alrededor del mundo para ver todo eso por sí mismo. Sin embargo, no cualquier vagamundo inglés —me avergüenza decirlo— es capaz de familiarizarse con los hábitos caseros, y con las maneras de pensar y de hablar de un pueblo distante. Háganme discursear sobre valles profundos, encumbradas alturas, sobre tierras áridas, o bosques umbríos, o frescos cursos de agua donde bebí y me refresqué; pero todos esos lugares, agradables o lóbregos, deben pertenecer al reino llamado corazón.

Después de obtener algunas informaciones acerca de la región que tenía que atravesar de boca del pulpero, quien me dijo que probablemente alcanzaría el río Yi antes de la noche, continué mi camino. A eso de las cuatro de la tarde llegué a un extenso monte de espinos, del cual me había hablado el pulpero, y, de acuerdo con sus instrucciones, lo orillé por su costado oriental. Los árboles no eran grandes, pero había algo salvaje y atractivo en esa floresta, llena del musical parloteo de los pájaros, que me incitó a bajarme del caballo y a descansar una hora en la sombra. Le saqué el freno de la boca para que pudiera pastar, y me tiré en el pasto seco bajo un grupo de umbrosos espinos, y durante media hora miré la luz centelleante del sol que pasaba a través del follaje extendido sobre mi cabeza, y escuché a la gente alada que me rodeó gorjeando ruidosamente, y que parecía curiosa por saber con qué objeto había llegado a su querencia. Luego empecé a pensar en toda la gente con que había estado mezclado recientemente: el colérico magistrado y su gorda esposa —¡horrible mujer!— y Marcos Marcó, aquel pícaro andrajoso, surgieron ante mí para pasar rápidamente, y una vez más estuve cara a cara con Margarita, ese adorable misterio. Imaginé que extendía mis manos para tomar las suyas, acercándola a mí para mirar más de cerca sus ojos, interrogándolos en vano por su puro matiz de zafiro. Luego imaginé, o soñé, que con dedos temblorosos soltaba sus cabellos para dejarlos caer como un espléndido manto de oro sobre su pobre vestido, y que le preguntaba cómo había llegado a poseer ese glorioso ropaje. Los labios infantiles, dulces y graves, sonrieron pero no me dieron una respuesta. Entonces me pareció que un rostro más indefinido tomaba forma vagamente contra la verde cortina del follaje, y, asomando por sobre el hombro de la niña rubia, me miraba tristemente a los ojos. Era la cara de Paquita. ¡Ah, dulce esposa; no dejes nunca que el monstruo de ojos verdes perturbe la paz de tu corazón! Sabe que la práctica mente sajona de tu marido está intrigada por un problema puramente filosófico, que esa criatura extremadamente rubia me interesa sólo por serlo y porque ello parece trastornar todas las leyes fisiológicas. Estaba, justamente en ese momento, por sumirme en el sueño, cuando la nota estridente de una trompeta tocada a corta distancia y seguida por fuertes gritos de voces diversas me hizo saltar sobre mis pies instantáneamente. En seguida sonó de nuevo la trompeta, cosa que me alarmó en grado sumo. Mi primer impulso fue saltar sobre mi caballo y salir al galope como alma que lleva el diablo; pero, pensándolo mejor llegué a la conclusión de que sería más seguro permanecer escondido entre los árboles, pues huyendo no haría más que revelar mi presencia a los ladrones o rebeldes, o lo que fueran. Embridé mi caballo de modo de estar pronto para huir, y lo llevé luego hasta la cercana espesura de unos matorrales de hojas oscuras, y allí lo até. El silencio que había caído sobre el monte continuaba y, al fin, incapaz de soportar el suspenso por más tiempo, empecé a abrirme camino con muchas precauciones, revólver en mano, hacia el punto de donde habían procedido los sonidos. Deslizándome silenciosamente a través de los matorrales y de los árboles por donde crecían más tupidos, llegué al fin a avistar un claro en el monte, de unos doscientos o trescientos metros de ancho y cubierto por el pasto. A un lado, cerca de su borde, se veía un grupo de una docena de muchachos cuyas edades se escalonaban entre los diez y los quince años, todos de pie y perfectamente inmóviles. Uno de ellos sostenía en su mano una trompeta, y todos ellos llevaban, ciñendo sus cabezas, pañuelos o tiras de trapos rojos. De pronto, mientras yo los observaba agachado entre el follaje, una nota estridente sonó del lado opuesto del claro, y otra tropa de muchachos llevando insignias blancas en sus cabezas, salió de entre los árboles y avanzó con fuertes gritos de *vivas* y *mueras* hacia el centro del claro. De nuevo los rojos hicieron sonar la trompeta y salieron en grupo al encuentro de los recién llegados. Mientras que los dos bandos se aproximaban uno al otro, cada uno liderado por un muchachón que a intervalos se volvía y arengaba con gestos fogosos a sus seguidores, aparentemente para darles coraje, me asombró ver que, repentinamente, todos sacaban largos cuchillos, tales como los que llevan habitualmente los gauchos, y se arremetían furiosamente. Un momento después estaban mezclados en una lucha desesperada, lanzando los más horribles aullidos, con sus largas armas brillando al sol cuando las blandían a uno y otro lado. Peleaban con tal furia que en pocos momentos todos los combatientes yacían tendidos en el pasto, excepto tres muchachos que llevaban insignias rojas. Uno de esos jóvenes villanos sedientos de sangre agarró entonces al trompeta e hizo sonar un toque de victoria, mientras los otros dos chillaban un acompañamiento de *vivas* y *mueras*. Cuando estaban ocupados de esa manera uno de los muchachos cabezas-blancas se puso de pie penosamente y, sacando su cuchillo, cargó contra los tres colorados con temerario coraje. Si yo no hubiera estado tan absolutamente paralizado de asombro por lo que había presenciado, hubiera corrido a ayudar al muchacho en su desesperado intento; pero en un instante sus tres enemigos se echaron sobre él y lo tiraron al suelo. Dos de ellos, rápidamente, le sujetaron piernas y brazos, y el tercero levantó su largo cuchillo y estaba a punto de hundirlo en el pecho del cautivo que se debatía, cuando lanzando un fuerte grito, salté y me precipité sobre ellos. Al instante salieron corriendo hacia los árboles presas del mayor terror; y entonces —y fue lo más maravilloso de todo— los muchachos muertos revivieron, y, poniéndose de pie, escaparon de mí tras de los otros. Esto hizo que me detuviera, cuando, viendo que uno de los muchachos renqueaba penosamente tras de sus compañeros, saltando sobre un solo pie, arremetí de golpe y lo capturé antes que pudiera llegar al refugio de los árboles.

—¡Oh, señor, no me mate! —suplicó rompiendo en llanto.

—No tengo ningún deseo de matarte, bandido de todos los demonios, pero pienso que debería darte una paliza, —le respondí—, porque, aunque enormemente aliviado por el giro que habían tomado los acontecimientos, estaba muy fastidiado porque me habían hecho experimentar todas esas impresiones de un horror que me helara la sangre para nada.

—Sólo estábamos jugando a Blancos y Colorados, —adujo.

Entonces hice que se sentara y que me contara cómo era ese juego singular.

—Ninguno de los muchachos vivía muy cerca, —me dijo—; algunos venían de varias leguas de distancia, y habían elegido ese lugar para sus juegos a causa de su aislamiento, porque no querían ser vistos. Su juego imitaba la guerra entre los Blancos y los Colorados, con sus maniobras, sorpresas, escaramuzas, degüellos y todo.

Tuve lástima, al fin, del joven patriota, porque se había torcido feamente el tobillo y apenas podía caminar, de modo que lo ayudé a llegar hasta el lugar donde estaba escondido su caballo; luego, después de haberlo ayudado a montar y de darle el cigarrillo que tuvo el descaro de pedirme, le dije adiós risueñamente. Después de eso volví a buscar mi propio caballo muy divertido por todo aquel asunto; pero ¡ay! mi corcel había desaparecido. Los jóvenes bandidos me lo habían robado, para vengarse de mí, supongo, por perturbar su juego; y para aliviarme de cualquier duda sobre la cosa, habían dejado dos pedazos de trapo, uno blanco y otro colorado, colgados de las ramas donde yo había atado las bridas. Vagué por algún tiempo por el monte, y hasta lancé algunos gritos con la insensata esperanza de que los jóvenes demonios no fueran a llevar las cosas tan lejos como para dejarme sin caballo en aquel lugar solitario. Nada pude ver u oír de ellos, sin embargo, y, como se estaba haciendo tarde, y me estaba sintiendo desesperadamente hambriento y sediento, resolví ir en busca de algún lugar habitado.

Al salir del bosque encontré la llanura inmediata cubierta de ganado que pacía tranquilamente. Cualquier intento de pasar a través de la majada hubiera sido una muerte casi segura, porque esas bestias casi totalmente salvajes siempre se vengan de su amo el hombre cuando lo encuentran desmontado y a campo raso. Como venían subiendo desde el río, e iban lentamente orillando el monte, resolví esperar que pasaran antes de dejar los árboles que me ocultaban. Me senté y traté de tener paciencia, pero los brutos no tenían ningún apuro e iban bordeando el bosque a paso de tortuga. Eran cerca de las seis de la tarde cuando los últimos rezagados se alejaron, y entonces me aventuré a salir de mi escondrijo, hambriento como un lobo y con miedo de que sobreviniera la noche sin que yo hubiera encontrado ninguna vivienda humana. Me había alejado unas diez cuadras de los árboles e iba caminando rápidamente en dirección al valle del Yi, cuando, habiendo pasado una loma, me encontré de pronto a la vista de un toro que descansaba sobre el pasto mientras rumiaba tranquilamente. Por desgracia, la bestia me vio al mismo tiempo e inmediatamente se levantó. Tenía, creo, unos tres o cuatro años, y un toro de esa edad es aún más peligroso que uno más viejo; porque es tan feroz como el otro pero, por lejos, mucho más ágil. No había cerca refugio de ninguna clase, y yo sabía muy bien que tratar de escapar corriendo sólo hubiera aumentado el peligro que corría, de modo que, después de mirarlo unos instantes, adopté una actitud natural e indiferente y seguí caminando; pero él no iba a dejarse engañar de esa manera, y comenzó a seguirme. Entonces, por primera vez —y devotamente espero que por última— en mi vida, me vi obligado a recurrir al sistema de los gauchos y, echándome boca abajo en la tierra, me quedé allí tirado haciéndome el muerto. Es un expediente menguado y peligroso pero, en las circunstancias en que me encontraba, era el único que me ofrecía una posibilidad de escapar a una muerte terrible. Al cabo de unos instantes sentí sus pesadas pisadas; luego sentí que me olfateaba por todos lados. Después de eso trató inútilmente de darme vuelta boca arriba, para examinar mi cara, supongo. Era horrible soportar las cornadas que me daba y seguir yaciendo inmóvil, pero después de un rato se fue quedando más quieto y se contentó con vigilarme, simplemente, oliéndome de vez en cuando la cabeza, y dándose vuelta luego para olfatearme los pies. Probablemente su teoría, si tenía alguna, era que yo me había desmayado al verlo y que pronto me recobraría, pero no estaba muy seguro acerca de en cuál extremo de mi persona se manifestaría primero mi retorno a la vida. Más o menos cada cinco minutos parecía impacientarse, y entonces me pateaba con su pesada pezuña, lanzando un mugido bajo y ronco y salpicándome con la espuma de su boca; pero como no mostrara intenciones de irse, resolví al final intentar un experimento sumamente temerario, porque mi situación se estaba volviendo insoportable. Esperé hasta que la cabeza del bruto se volvió hacia otro lado y, entonces, fui bajando mi mano con grandes precauciones hasta mi revólver; pero antes de que lo hubiera desenfundado por completo, él notó el movimiento y giró rápidamente sobre sus patas, golpeándome las piernas al hacerlo. Justamente cuando acercaba su cabeza a la mía, descargué el arma en su hocico, y la súbita explosión lo espantó de tal manera que volvió grupas y salió volando, sin aminorar en ningún momento su pesado galope hasta que se perdió de vista. Fue una gloriosa victoria; y, aunque al principio apenas pude ponerme de pie —tan entumecido y machucado sentía todo mi cuerpo—, me reí alegremente, y hasta disparé otra bala que silbó tras el monstruo en retirada, y acompañé aquella descarga con un salvaje grito de triunfo.

Después de eso seguí mi camino sin más interrupciones, y, si no hubiera estado tan vorazmente hambriento y tan dolorido en los lugares en donde el toro me había pisoteado o donde me había hincado sus cuernos, la caminata hubiera sido muy disfrutable, porque ahora me iba aproximando al Yi. El suelo se volvía húmedo y verde, y abundaban las flores, muchas de ellas nuevas para mí y tan encantadoras y fragantes que, admirándolas, casi olvidé mis dolores. El sol se puso sin que apareciera ninguna casa a la vista. Hacia el oeste llameaban en el cielo los brillantes matices del resplandor crepuscular, y de los largos pastos subía la triste y monótona vibración de algún insecto nocturno. Bandadas de gaviotas de copete pasaron volando cerca de mí en su camino hacia el mar, después de haber abandonado los lugares en que se alimentaron, lanzando sus largos gritos roncos que parecían risas. Qué animadas y felices parecían, volando con sus estómagos llenos hacia su lugar de descanso, mientras yo, a pie y sin cenar, me arrastraba penosamente como una gaviota que hubiera sido dejada atrás con un ala quebrada. Entonces, a través de los colores púrpuras y azafranados del cielo del oeste, apareció el lucero de la noche, grande y luminoso, heraldo de la oscuridad que llega con pasos rápidos; y entonces, cansado, lastimado, hambriento, frustrado y abatido, me senté a meditar en mi desesperada situación.

Capítulo XIII

PERROS QUE LADRAN Y REBELDES QUE GRITAN

Me senté allí hasta que se puso muy oscuro, y cuanto más rato pasaba más frío y entumecido me iba quedando, pero, con todo, no me sentía en disposición de dar un paso más. Al fin, una lechuza de gran tamaño, aleteando cerca de mi cabeza, lanzó un prolongado silbido al que siguió un penetrante chasquido, terminando con un grito fuerte y repentino que parecía una risa. Su proximidad me sobresaltó y, al levantar la vista, vi una luz amarilla y parpadeante que destelló un momento a través de la ancha y negra llanura; en seguida desapareció. Unas pocas luciérnagas revoloteaban por el pasto, pero yo estaba seguro que el resplandor que acababa de ver procedía de un fuego; y después de tratar en vano de volver a percibirlo desde el lugar en que estaba sentado en el suelo, me levanté y seguí caminando, conservando ante mí determinada estrella que brillaba directamente sobre el lugar donde aquella pasajera y trémula luz había aparecido. Un momento después, para mi gran alegría, la avisté de nuevo en el mismo lugar, y me convencí de que era el resplandor de un fuego que brillaba a través de la puerta abierta o de la ventana de algún rancho o de una casa de estancia. Con esperanzas y energías renovadas me apresuré, y la luz aumentaba su brillo a medida que yo progresaba; y, después de media hora de enérgica caminata, me encontré próximo a alguna forma de vivienda humana. Pude distinguir una oscura masa de árboles y de arbustos, una larga casa baja y, más cerca, un corral para el ganado hecho de altos postes rectos. Sin embargo, ahora, cuando el refugio parecía tan próximo, me hacía vacilar el miedo de los perros terribles y salvajes que la mayoría de estos establecimientos para la cría de ganado mantienen. A menos que quisiera correr el riesgo de que me balearan, tenía que gritar a viva voz para hacer saber que me acercaba; y, sin embargo, al gritar iba a atraer, inevitablemente, sobre mí a una jauría de perros enormes y furiosos; y los cuernos del toro enojado con que me había topado eran menos terribles de mirar que las fauces de esos brutos poderosos y temibles. Me senté en el suelo a considerar la situación, y al poco rato escuché el resonar de cascos que se aproximaban. Inmediatamente después tres hombres a caballo pasaron junto a mí, pero no me vieron porque estaba agachado detrás de unos matorrales achaparrados. Cuando los hombres se acercaron a la casa los perros salieorn corriendo a atacarlos, y sus ladridos fuertes y feroces, y los gritos atronadores de alguna persona de la casa que los llamaba, eran más que suficientes para poner nervioso a un hombre que andaba a pie. Con todo, esta era mi única posibilidad, e incorporándome, avancé a toda prisa hacia aquellos ruidos. En cuanto pasé el corral los brutos notaron mi presencia, e instantáneamente volvieron su atención hacia mí. Grité desesperadamente "Ave María", y luego, revólver en mano, me detuve esperando el ataque; pero cuando estuvieron lo bastante cerca como para ver que la jauría estaba compuesta por ocho o diez enormes brutos amarillos del tipo de los mastines, el coraje me faltó, y volé hacia el corral, donde, con una agilidad sorprendente que sobrepasaba la de un gato montés —tan grande era mi terror—, me trepé a un poste, poniéndome así fuera de su alcance. Con los perros ladrando furiosamente abajo, renové mis gritos de "Ave María" —lo que se debe hacer cuando uno se acerca a una casa en estas piadosas latitudes—. Pasado un lapso los hombres se acercaron —cuatro de ellos— y me preguntaron quién era y qué hacía allí. Les informé acerca de mí y les pregunté después si no correría peligro si bajaba del poste. El dueño de casa aceptó la sugerencia y alejó a sus fieles protectores, después de lo cual descendí de mi incómoda percha.

Era un gaucho alto, de buena figura pero de aspecto bastante feroz, con incisivos ojos negros, y una espesa barba negra. Parecía sospechar de mí —cosa muy poco habitual en la casa de un paisano—, y me hizo numerosas preguntas indagatorias; finalmente, aunque todavía con cierta renuencia en su actitud, me invitó a pasar a la cocina. Allí encontré un gran fuego llameando alegremente en el fogón de barro levantado en el centro de la espaciosa habitación, junto al cual estaban sentadas una vieja de cabellos canosos, y una dama de mediana edad, de piel cetrina y vestida de rojo —que era la mujer de mi anfitrión—, una joven pálida y bonita de unos dieciséis años, y una niña. Una vez que me senté mi anfitrión comenzó de nuevo a interrogarme; pero pidió disculpas por hacerlo, diciendo que mi llegada a pie parecía una cosa en extremo extraordinaria. Le conté cómo había perdido el caballo, la silla y el poncho en el monte, y luego conté mi encuentro con el toro. Ellos escucharon todo eso con rostros graves, pero estoy seguro que para ellos el relato era tan divertido como asistir a una comedia. Don Sinforiano Alday, el dueño del lugar y mi interrogador, me hizo entonces quitar la chaqueta para mostrarles las magulladuras que las pezuñas del toro me habían infligido en los brazos y en los hombros. Aún después de mostrárselas seguía ansioso por saber más de mí, y, para satisfacerlo, le hice un breve resumen de algunas de mis aventuras en la región, comenzando por mi arresto con Marcos Marcó, y cómo este plausible caballero se escapó de la casa del magistrado. Esto los hizo reír a todos, y los tres hombres que yo había visto llegar, y que parecían ser visitantes casuales, comenzaron a tratarme muy amistosamente, pasándome frecuentemente la botella de caña de la que estaban provistos.

Luego de tomar mate y caña durante una media hora, nos sentamos a catar una abundante cena compuesta de asado y de carne hervida de vaca y de cordero, con grandes tazones de caldo bien sazonado para ayudar a bajar la carne. Por mi parte, consumí una asombrosa cantidad de carne; tanta, de hecho, como cualquier otro de los gauchos que estaban allí; y comer tanto como uno de esos hombres es una hazaña de la que bien puede jactarse un inglés. Terminada la cena, encendí un cigarrillo y me recosté contra la pared disfrutando de un conjunto de deliciosas sensaciones a la vez: calor, descanso, hambre satisfecha, y la sutil fragancia de ese amigo y confortador, el divino tabaco. Mientras tanto, al otro lado de la habitación, mi anfitrión estaba hablando a los otros hombres en voz baja. Las miradas que de vez en cuando lanzaban en mi dirección pare-

70

cían mostrar que aún abrigaban algunas sospechas a mi respecto, o que tenían que hablar de algunos graves asuntos que no debían ser escuchados por un extraño.

Al fin, Alday se levantó y se dirigió a mí: —Señor, si está listo para irse a dormir lo voy a llevar a otro cuarto, donde encontrará algunas mantas y ponchos para hacerse una cama con ellos.

—Si mi presencia aquí no es inconveniente, —respondí—, preferiría quedarme y fumar junto al fuego.

—Vea, señor, —dijo—, yo combiné un encuentro aquí con algunos amigos y vecinos, que llegarán para discutir algunos asuntos de importancia. Estoy esperando su llegada, y la presencia de un extraño difícilmente nos permitiría hablar con libertad de nuestros asuntos.

—Puesto que usted así lo desea, iré a cualquier parte de la casa que usted considere conveniente, —repliqué.

Me levanté, no de muy buena gana, debo confesarlo, de mi confortable asiento junto al fuego, para seguirle fuera, cuando el resonar de los cascos de caballos al galope llegó hasta nuestros oídos.

—Sígame por aquí... pronto, —exclamó mi impaciente guía—; pero justamente cuando llegábamos a la puerta, alrededor de una docena de hombres a caballo se agolparon junto a nosotros y prorrumpieron en una verdadera tempestad de gritos. Instantáneamente, todos los que estaban en la cocina se pusieron de pie de un salto llenos de excitación y lanzaron fuertes exclamaciones. Entonces partió de los hombres a caballo otro atronador estallido cuando todos ellos gritaron a una: "¡Viva el General Santa Coloma... Vi...va!"

Los otros tres hombres se precipitaron entonces fuera de la cocina y con voces agitadas comenzaron a preguntar si algo nuevo había sucedido. Mientras tanto, me habían dejado de pie junto a la puerta, solo. Las mujeres parecían casi tan excitadas como los hombres, excepto la muchacha, que me había mirado con tímida compasión en sus grandes ojos oscuros cuando me había levantado de mi asiento junto al fuego. Aprovechando la conmoción general, pagué ahora aquella amable mirada con otra de admiración. Era una muchacha tranquila, tímida, con su pálido rostro coronado por una profusión de cabellos negros; y mientras estaba allí de pie, aparentemente despreocupada de la batahola que venía del exterior, lucía extrañamente bonita, con su vestido de algodón, de hechura casera, de material escaso y flexible, tan estrechamente ajustado a sus caderas que mostraba sus formas gráciles y livianas bajo su mejor aspecto. Pronto, viendo que la miraba, se acercó y, tocando mi brazo al pasar, me dijo en su susurro que volviera a mi asiento junto al fuego. Le obedecí contento, porque a esa altura mi curiosidad estaba totalmente alerta, y deseaba conocer el significado de aquel clamoreo que había arrojado a esos flemáticos gauchos a un estado de exaltación tan frenético. Daban más bien la impresión de un levantamiento político —pero nunca había oído hablar del general Santa Coloma, y me parecía curioso que un nombre tan poco conocido fuera a ser la consigna de un grupo de revolucionarios.

71

Pocos minutos después todos los hombres habían afluido de nuevo hacia la cocina. Entonces el dueño de casa, Alday, con el rostro encendido por la emoción, se lanzó al centro del grupo.

—Muchachos, ¡están locos! —gritó—. ¿No ven que aquí hay un extraño? ¿Qué significado tiene este griterío si no ha sucedido nada nuevo?

Un rugido de risas de los recién llegados respondió a este arranque, seguido por la explosión de otro clamoreo de "¡Viva Santa Coloma!"

Alday se puso furioso. —¡Hablen, locos! —gritó—; díganme, en nombre de Dios, qué ha pasado, ¿o quieren arruinar todo con esta imprudencia?

—Oye, Alday, —replicó uno de los hombres—, y entérate de lo poco que debemos temer la presencia de un extraño: Santa Coloma, la esperanza del Uruguay, el salvador de este país, el que pronto nos va a liberar del poder de los Colorados —asesinos y piratas—, ¡Santa Coloma ha llegado! ¡Está aquí entre nosotros; ha tomado El Molino del Yi, y ha levantado el estandarte de la revuelta contra el infame gobierno de Montevideo! ¡Viva Santa Coloma!

Alday arrojó su sombrero y, cayendo de rodillas, permaneció algunos momentos entregado a una silenciosa plegaria, con las manos unidas ante sí. Todos los demás se arrancaron los sombreros y permanecieron en silencio, agrupados alrededor de Alday. Este, luego, se puso de pie, y todos juntos se unieron en un *viva*, que sobrepasó por lejos en su fuerza ensordecedora todos sus previos logros.

Mi anfitrión parecía ahora estar fuera de sí, tal era su exaltación.

—¡Cómo, —exclamó—, mi general ha llegado! ¿Me están diciendo que Santa Coloma ha llegado? Ah, amigos, ¡Dios al fin se ha acordado de nuestro sufriente país! Se ha cansado de mirar la injusticia de los hombres, las persecuciones, el derramamiento de sangre, las crueldades que casi nos han enloquecido. ¡No puedo creerlo! Déjenme ir donde mi general, para que estos ojos que tanto han aguaitado su llegada puedan verlo y alegrarse mirándolo. No puedo esperar a que amanezca; tengo que ir esta misma noche hasta El Molino para poder verlo y tocarlo con mis manos, y saber que no estoy soñando.

Sus palabras fueron recibidas con una salva de aplausos, y todos los demás hombres anunciaron de inmediato su intención de acompañarlo hasta El Molino, un pequeño pueblo sobre el Yi, a pocas leguas de distancia.

Algunos de los hombres salieron entonces a enlazar caballos frescos, mientras Alday se ocupaba de sacar de su escondite en algún otro lugar de la casa un acopio de espadones y carabinas. Los hombres, conversando animadamente se ocupaban de limpiar y afilar las armas mohosas, mientras que las mujeres cocían una nueva provisión de carne para los recién llegados; y en el ínterin se me permitió permanecer fumando apaciblemente junto al fuego, sin que nadie me tomara en cuenta.

Capítulo XIV

DONCELLAS DE LA IMAGINACION: DONCELLAS DEL YI

La joven que he mencionado, cuyo nombre era Mónica, y la niña, llamada Anita, fueron las únicas personas, aparte de mí, a quienes no arrastró el entusiasmo guerrero del momento. Mónica, silenciosa, pálida, más bien apática, estaba ocupada cebando mate a los numerosos huéspedes; mientras que la niña, cuando el griterío y la exaltación culminaron, parecía estar tremendamente atemorizada, y se aferraba a la mujer de Alday temblando y llorando de un modo que daba lástima. Nadie se fijó en la pobrecita que, al fin, se escabulló hasta un rincón para esconderse detrás de un montón de leña. Su escondrijo estaba próximo a mi asiento y, después de rogarle varias veces, la induje a que lo abandonara y viniera conmigo. Era una pobrecita muy infeliz, con una carita blanca y delgada, y unos ojos patéticos, grandes y oscuros. Su mezquino vestidito de algodón sólo le llegaba a las rodillas, y sus piernecitas y sus pies estaban desnudos. Tenía unos siete u ocho años; era huérfana, y la mujer de Alday, no teniendo hijos propios, estaba criándola o, más bien, le permitía vivir bajo su techo. La atraje hacia mí y traté de calmar sus temores y de hacerla hablar. Poco a poco, cobró confianza y comenzó a contestar a mis preguntas; entonces me enteré de que, pese a ser tan niña, era una pastorcita, y que pasaba la mayor parte de cada día siguiendo los desplazamientos de la manada de ovejas montada en su petiso.[9] El petiso y la joven Mónica, con quien tenía algún parentesco —prima, la llamaba la niña—, eran los dos seres por los que parecía sentir más afecto.

—Y cuando te resbalas, ¿cómo te montas de nuevo? —le pregunté.

—El petisito es manso, y nunca me caigo, —dijo—. A veces bajo, y después me trepo de nuevo.

—¿Y qué haces a todo lo largo del día... hablar y jugar?

—Hablo con mi muñeca; la pongo sobre el petiso cuando me voy con las ovejas.

—¿Es linda tu muñeca, Anita?

No hubo respuesta.

—¿Me vas a dejar ver tu muñeca, Anita? Sé que me va a gustar, porque tú me gustas.

Me dirigió una mirada ansiosa. Evidentemente la muñeca era un ser precioso y no había sido debidamente apreciada. Después de unos momentos de nerviosa inquietud me dejó y se deslizó fuera de la habitación; casi en seguida volvió, tratando aparentemente de esconder algo a las miradas vulgares en su corto vestidito. Era su maravillosa muñeca... la querida compañera de sus andanzas y cabalgatas. Con miedo, temblorosa, me permitió tomarla en mis manos. Era, o consistía en, la parte inferior de una pata de oveja, hasta la altura de la rodilla; sobre el tope de la rodilla una pequeña pelota de madera envuelta en un trapo

---

[9]Caballo pequeño, de patas cortas y poca alzada.

73

blanco representaba la cabeza, y estaba vestida con un pedazo de franela roja. . . una muñeca-sátiro, con una sola pierna peluda y el pie hendido. Yo alabé su agradable semblante, su lindo vestido y sus elegantes zapatitos; todo lo que le dije sonaba como algo precioso para Anita, colmándola con emociones del más vivo placer.

—¿Y nunca juegas con los perros y los gatos, y con los corderitos? —pregunté.

—Con los perros y los gatos, no. Cuando veo un corderito dormido, bajo y voy suavecito, suavecito, y lo agarro. El trata de escaparse; entonces le pongo un dedo en la boca, y chupa y chupa; después, se escapa.

—¿Y qué te gusta más para comer?

—El azúcar. Cuando tío compra azúcar, tía me da un terrón. Hago comer un poco a la muñeca, y arranco con los dientes un pedacito para ponerle en la boca al petiso.

—¿Qué preferirías tener, Anita: un montón de terrones de azúcar, o un hermoso collar de cuentas, o una niñita para jugar con ella?

La pregunta fue más bien excesiva para su desatendido pequeño cerebro, que se había alimentado con alimentos muy simples; de modo que me vi obligado a hacer la pregunta de maneras diversas y, al fin, cuando comprendió que sólo podía elegir una de las tres cosas, se decidió a favor de una niñita para jugar con ella.

Después le pregunté si le gustaba que le contaran cuentos; esto también la intrigó y, después de interrogarla un poco, descubrí que nunca había oído un cuento, y que no sabía lo que eso quería decir.

—Escucha, Anita, y te voy a contar un cuento, —le dije—. ¿Has visto por la mañana sobre el Yi, una niebla blanca. . . una niebla ligera que se desvanece en cuanto el sol comienza a calentar?

—Sí—; ella había visto a menudo por la mañana la niebla blanca, me dijo.

—Entonces te contaré una historia acerca de la niebla blanca y de una niñita llamada Alma.

—La pequeña Alma vivía junto al río Yi, pero lejos, lejos de aquí, más allá de los árboles y más allá de las colinas azules, porque el Yi es un río muy largo. Ella vivía con su abuela y con seis tíos, todos hombres grandes y altos, de barbas largas; ellos siempre hablaban de guerras y del ganado y de carreras de caballos, y de muchas otras cosas importantes que Alma no podía comprender. No había nadie que hablara con Alma ni alguien con quien ella pudiera hablar o jugar. Y, cuando salía de la casa donde toda la gente grande estaba hablando, oía que los gallos cantaban, que los perros ladraban, que las ovejas balaban y que las hojas de los árboles susurraban sobre su cabeza, y ella no podía comprender una palabra de lo que decían. Al fin, como no tenía a nadie con quién jugar ni a quién hablar, se sentó y comenzó a llorar. Ahora bien, resulta que cerca del lugar donde ella se había sentado estaba una vieja negra que llevaba un chal rojo juntando leña para el fuego, y le preguntó a Alma por qué lloraba.

—Porque no tengo nadie con quién hablar o con quién jugar, —dijo Alma—.

Entonces la vieja negra sacó un largo alfiler de bronce de su chal y pinchó la lengua de Alma, porque había hecho que ésta sacara la lengua para que se la pinchara.

—Ahora, —dijo la vieja—, puedes ir y jugar y hablar con los perros, los gatos los pájaros y los árboles, porque comprenderás todo lo que dicen y ellos comprenderán todo lo que tú digas.

Alma se quedó muy contenta, y corrió a su casa lo más rápidamente que pudo para hablar con el gato.

—Vamos, gato, vamos a hablar y a jugar juntos, —le dijo.

—Oh, no, —dijo el gato—. Estoy muy ocupado vigilando un pajarito, así que debes irte y jugar con Nieblecita, allá en el río. Y el gato se escapó entre las malezas y la dejó. Los perros se negaron también a jugar cuando fue a buscarlos, porque ellos tenían que vigilar la casa y ladrar a los extraños. También ellos le dijeron que fuera a jugar con Nieblecita, allá en el río. Entonces Alma corrió a tomar entre sus manos un patito, una cosita suave, que parecía una pelota de algodón amarillo, y dijo:

—Ahora, patito, vamos a hablar y a jugar. Pero el patito no hizo otra cosa que luchar para escaparse, gritando: —¡Oh, mama, mama, ven y líbrame de Alma! Entonces la pata vieja vino corriendo y dijo:

—Alma, deja en paz al chico; y si quieres jugar, juega con Niebla, allá en el río. ¡Linda cosa eso de tomar a mi patito con tus manos! Yo quisiera saber qué más se te va a ocurrir ahora... De modo que soltó el patito, y al fin dijo:

—Sí, ahora iré a jugar con Niebla allá en el río. Esperó hasta que vio la niebla blanca, y entonces cubrió corriendo toda la distancia que la separaba del Yi, y allí se detuvo, inmóvil sobre el verde banco de tierra junto al agua con la blanca niebla rodeándola por todas partes. De pronto vio a una hermosa niñita que venía volando hacia ella en la niebla blanca. La niña llegó, se detuvo en el verde banco, y miró a Alma. Era muy bonita; llevaba un vestido blanco —más blanco que la leche, más blanco que la espuma— y todo bordado de flores color púrpura; tenía además medias de seda blanca y zapatos color escarlata brillantes como margaritas rojas. Su cabello era largo y ondulado, y brillaba como el oro, y alrededor de su cuello llevaba un collar de grandes cuentas de oro. Entonces Alma dijo: —Oh, hermosa niñita, ¿cómo te llamas—, a lo que la niña respondió:

—Niebla.

—¿Querrías hablar y jugar conmigo? —preguntó Alma.

—Oh, no, —dijo Niebla—, ¿cómo podría jugar con una niñita vestida como tú y con los pies desnudos?

—Porque sabrás que la pobre Alma sólo llevaba un viejo vestidito que apenas le llegaba a las rodillas y que no tenía zapatos ni medias. Entonces Nieblecita subió y flotó alejándose, alejándose del banco en que estaban, río abajo, y, al fin, cuando casi se había perdido de vista entre la niebla blanca, Alma comenzó a llorar. Cuando el día se puso muy caluroso fue y se sentó, llorando todavía, bajo los árboles; había dos grandes sauces llorones que crecían junto al río. En eso, las hojas fueron movidas por la brisa y los árboles comenzaron a hablar entre sí, y Alma comprendió cuanto decían.

—Va a llover, ¿no te parece? —dijo un árbol.

—Sí, creo que sí... algún día, —dijo el otro.

—No hay nubes, —dijo el primer árbol.

—No, hoy no hay nubes, pero hubo algunas antes de ayer, —dijo el otro.

—¿Tienes algún nido en tus ramas?, —preguntó el primero.

—Sí, uno, —dijo el otro—. Lo hizo un pajarito amarillo, y dentro de él hay cinco huevos moteados.

—Entonces el primer árbol dijo: —Esa que está allí sentada a nuestra sombra es Almita; ¿sabes por qué está llorando, vecino?

—El otro árbol contestó: —Sí, llora porque no tiene con quién jugar. Nieblecita la del río rehusó jugar con ella porque no está vestida bellamente.

—Entonces el primer árbol dijo: —Ah, ella debería ir a pedirle a la zorra algunas lindas ropas que ponerse. La zorra siempre guarda una cantidad de cosas lindas en su cueva.

Alma había escuchado cada palabra de esa conversación. Se acordaba de que una zorra vivía en la falda del cerro, no muy lejos; a menudo la había visto echada al sol con sus pequeños que jugaban a su alrededor y que tiraban de la cola de su madre para divertirse. De modo que Alma corrió hasta que encontró la cueva, y, asomando allí su cabeza, gritó: —¡Zorra! ¡Zorra!—. Pero la zorra parecía estar de mal humor y sólo contestó sin salir de la cueva: —Vete, Alma, a hablar con Nieblecita. Estoy ocupada preparando la comida para mis hijos y no tengo tiempo para hablar contigo.

—Entonces Alma gritó: —Oh, Zorra, Niebla no quiere jugar conmigo porque no tengo cosas lindas que ponerme. Oh Zorra, ¿no me darías un lindo vestido, y zapatos y medias, y un collar de cuentas?

Después de un ratito la zorra salió de su cueva con un gran bulto atado con un pañuelo de algodón rojo, y le dijo: —Aquí están las cosas, Alma, y espero que te queden bien. Pero sabes, Alma, realmente, no debes venir a esta hora, porque estoy muy ocupada haciendo la comida: un armadillo asado y un par de perdices estofadas con arroz, y una tortilla de huevos de pava. Quiero decir de huevos de chorlito, naturalmente; jamás pruebo los huevos de pava.

Alma dijo que sentía mucho darle tanto trabajo.

—Oh, no importa, —dijo la zorra—. ¿Cómo está tu abuela?

—Está muy bien, gracias, —dijo Alma—, pero tiene un gran dolor de cabeza.

—Lo siento mucho, —dijo la zorra—. Dile que se ponga en las sienes dos hojas de lampazo fresco, que beba una tacita de té centinodia, y que por ningún motivo se exponga al calor del sol. Me gustaría ir a verla, pero no me gustan esos perros que andan siempre alrededor de la casa. Dale mis mejores recuerdos. Y ahora corre a casa, Alma, y pruébate esas prendas; y cuando pases por aquí tráeme de vuelta el pañuelo porque siempre me ato la cara con él cuando me duelen las muelas.

—Alma agradeció mucho a la zorra y corrió a su casa lo más rápido que pudo, y cuando abrió el atado encontró en él un hermoso vestido blanco bordado con flores púrpura, un par de zapatos de color escarlata, medias de seda y un collar de cuentas de oro. Todo le quedaba muy bien y, al día siguiente, cuando la niebla blanca se extendía sobre el Yi, se vistió con sus hermosas ropas y bajó al río. Al rato vino volando Nieblecita, y cuando vio a Alma se acercó a ella, la besó y la tomó de la mano. Toda la mañana jugaron y conversaron, recogiendo flores y corriendo carreras por el verde césped; y al fin Niebla le dijo adiós y se alejó volando, porque toda la neblina blanca iba volando río abajo. Pero, en adelante, todos los días Alma encontraba a su compañerita junto al Yi, y era muy feliz, porque ahora tenía alguien con quién hablar y jugar.

Cuando terminé el cuento, Anita continuó mirando mi rostro con una expresión absorta en sus grandes ojos anhelantes. Parecía en parte asustada y en parte deleitada por lo que había oído; pero en seguida, antes de que la pequeña hubiera dicho una palabra, Mónica, que desde hacía un rato nos había estado dirigiendo miradas curiosas, se acercó y, tomándola de la mano, la llevó a la cama.

Como me estaba viniendo sueño, y como el vocerío y los aprestos bélicos no mostraban señales de disminuir, me alegré de que me condujeran a otra habitación, donde me dieron algunas pieles de oveja, unas mantas y un par de ponchos para que me hiciera una cama.

Durante la noche todos los hombres partieron, porque por la mañana, cuando fui a la cocina, sólo encontré a la vieja y a la mujer de Alday tomando mate amargo. La niña, según me informaron, había desaparecido de la casa una hora antes, y Mónica había salido a buscarla. La mujer de Alday estaba muy indignada por la escapada de la pequeña, porque hacía ya mucho rato que Anita debía haber salido con la majada. Después de tomar mate salí, y mirando hacia el Yi velado por una neblina plateada, divisé a Mónica que traía de la mano a la culpable, y fui a su encuentro. ¡Pobrecita Anita! Con su rostro manchado por las lágrimas, sus menudos pies y sus piernas cubiertos de barro y arañados en cincuenta lugares por los filosos juncos, y su vestido empapado por la espesa bruma, era algo muy lastimoso de ver.

—¿Dónde la encontró? —pregunté a la muchacha, comenzando a temer que yo había sido la causa indirecta de las desdichas de la pobrecita.

—Allá abajo, en el río, buscando a la pequeña Niebla. Yo sabía que estaría allá cuando esta mañana noté que faltaba.

—¿Cómo lo sabía? —pregunté—. Usted no oyó la historia que le conté.

—Anoche hice que me la repitiera, —dijo Mónica.

Después de esto, Anita fue reprendida, sacudida, lavada y secada; luego le dieron el desayuno y, finalmente, la subieron a su petiso y la enviaron a cuidar las ovejas. Mientras soportaba este tratamiento ella mantuvo un profundo silencio, aunque su carita se fruncía en pucheros que presagiaban lágrimas. Sin embargo, éstas no eran para el público, y sólo después que estuvo sobre su petiso con las riendas en sus diminutas manos y sus espaldas vueltas hacia nosotros, dio rienda suelta a su pena y a su desilusión por haber fracasado al no encontrar a la bella hija de la bruma.

Yo estaba asombrado al ver que había tomado el pequeño cuento fantástico inventado para entretenerla, como la verdad; pero la pobre nena nunca había leído libros ni escuchado historias, y aquel cuento de fantasías había sido demasiado para su pequeña y atrofiada imaginación.

Recuerdo que una vez, en otra ocasión, conté la patética historia de una niña perdida en un gran desierto a una niñita de aproximadamente su misma edad, y tan poco acostumbrada como ella a esa clase de alimento mental. A la mañana siguiente su madre me enteró de que mi pequeña oyente había pasado la mitad de la noche llorando y pidiendo que la dejasen ir a buscar a esa criatura perdida de que le había hablado.

Al enterarme de que Alday no volvería hasta la noche o hasta el día siguiente, pedí a su mujer que me prestara o me diera un caballo para proseguir mi viaje. Pero esto era algo que no podía hacer; luego agregó, muy cortésmente, que puesto que todos los hombres estaban fuera mi presencia en la casa sería una ayuda para ella, ya que un hombre era siempre una gran protección. Ese arreglo no resultaba ventajoso para mí, pero como no podía viajar a Montevideo a pie, me vi obligado a quedarme tranquilo esperando el retorno de Alday.

Hablar con esas dos mujeres en la cocina fue una tarea pesada. Ambas eran grandes conversadoras, y evidentemente habían llegado a un tácito acuerdo en cuanto a compartir imparcialmente entre ellas a su único oyente, pues primero la una y luego la otra habrían de hablar con enloquecedora monotonía. La mujer de Alday tenía seis palabras favoritas, que sonaban elegantes: *elementos, superior, división, prolongación, justificación* y *desproporción*. De alguna manera se las arreglaba para encajar una de ellas en cada frase, y a veces conseguía hasta introducir dos. Cada vez que esto sucedía, la hazaña la llenaba de orgullo hasta tal punto que con la más deliberada sangre fría repetía la frase otra vez, palabra por palabra. El fuerte de la vieja radicaba en las fechas. No había suceso que mencionara, ya estuviera relacionado con algún gran acontecimiento público, ya con algún trivial incidente doméstico en su propio rancho del cual no diera el año, el mes y el día en que sucedió. El dueto entre esos dos condenados organillos —una dando matraca con su retórica, y la otra con su cronología—, siguió durante toda la mañana, y a menudo me volví hacia Mónica, que estaba sentada ocupada en su costura, con la esperanza de oír una canción diferente en ese instrumento más melodioso, pero fue en vano, porque en ningún momento salió una palabra de sus labios silenciosos. Ocasionalmente, sus oscuros ojos luminosos se levantaban por un momento, sólo para hundirse de nuevo, avergonzados, cuando es encontraban con los míos.

Después del almuerzo salí a dar un paseo por el lado del río, donde pasé varias horas buscando flores y fósiles, y distrayéndome como mejor pude. Había allí legiones de ánades, gallaretas, espátulas y cisnes de cuello negro retozando en el agua, y agradecí sinceramente no llevar un arma conmigo, ya que así no me vi tentado a sobresaltarlos con ruidos groseros, enviando alguno de ellos a languidecer herido entre los juncos. Al fin, después de haber disfrutado un buen rato nadando, emprendí el camino de regreso a la estancia.

Cuando aún estaba a unas veinte cuadras de la casa, mientras iba caminando, balanceando mi bastón y cantando a toda voz con el corazón contento, pasé junto a un grupo de sauces, y al levantar la vista vi debajo de ellos a Mónica, observándome. Estaba de pie y perfectamente inmóvil, y cuando la divisé bajó recatadamente los ojos, en apariencia para contemplar sus pies desnudos, que parecían muy blancos entre el verde profundo del pasto. En una mano tenía un haz de tallos de las grandes azucenas rojas de otoño que entonces comenzaban a florecer. Mi canto cesó repentinamente, y me detuve por algunos momentos mirando con admiración a la tímida y rústica beldad.

—¡Qué lejos ha ido a juntar azucenas, Mónica! —le dije, aproximándome a ella—. ¿No me daría uno de esos tallos?

—Los recogí para la Virgen, así que no puedo dar ninguno de éstos, —replicó—. Si usted quiere esperar aquí, debajo de los árboles, iré a buscar uno para usted.

Acepté esperarla; así que, colocando sobre el pasto el ramo que había reunido, se alejó. Antes de mucho volvió con un tallo, redondo, pulido, delgado como el tubo de una pipa, coronado por un ramo de tres espléndidas flores carmesíes.

Cuando le hube agradecido lo suficiente demostrándole mi admiración por las flores, le pregunté: —¿Qué gracia le va a pedir a la Virgen, Mónica, cuando le ofrezca estas flores... que guarde a su novio de los peligros de la guerra?

—No, señor; no tengo ninguna ofrenda que hacer ni ninguna gracia que pedir. Son para mi tía; me ofrecí a recogerlas para ella, porque... quería encontrarlo a usted aquí.

—¿Quería encontrarse conmigo, Mónica... ¿para qué?

—Para pedirle que me cuente un cuento, —replicó ruborizándose y mirándome tímidamente a la cara.

—Ah, ya hemos tenido demasiados cuentos, —dije—. Recuerde a la pobre Anita escapándose esta mañana para buscar una compañera de juegos en la humedad de la bruma.

—Ella es una niña; yo soy una mujer.

—Entonces, Mónica, debe tener un novio que se pondrá celoso si usted escucha cuentos de los labios de un extraño en este lugar solitario.

—Nadie sabrá nunca que me encontré aquí con usted, —replicó, tan vergonzosa y, sin embargo, tan insistentemente.

—Me he olvidado de todos mis cuentos, —dije.

—Entonces, señor, iré a buscar otro ramo de azucenas mientras usted recuerda alguno para contármelo.

—No, —dije—, no debe buscar más azucenas para mí. Mire, le devuelvo las que me dio. Y, diciendo esto, las aseguré en su pelo negro donde, por contraste, lucían espléndidas, dando a la joven una gracia nueva. —Ah, Mónica, la ponen demasiado bonita... deje que se las quite.

Pero ella no se las dejó quitar. —Lo dejaré ahora para que piense un cuento para mí, —dijo, ruborizándose y volviéndose.

Entonces tomé sus manos e hice que se volviera hacia mí. —Escúcheme, Mónica, —dije—. ¿Sabe que esas azucenas están llenas de una extraña magia? Mire qué rojas son; ese es el color de la pasión, porque fueron maceradas en la pasión, y han encendido mi corazón. Si me trae más azucenas, Mónica, le contaré una historia que la hará temblar de miedo... temblar como las hojas del sauce y ponerse pálida como las nieblas del Yi.

Al oír mis palabras, sonrió; fue como si un rayo de sol atravesando el follaje cayera sobre su rostro. Luego, con una voz que era casi un susurro, preguntó: —¿De qué tratará esa historia, señor? Dígamelo, y entonces sabré si juntaré azucenas para usted o no.

Será acerca de un forastero que encuentra a una dulce y pálida muchacha esperándolo bajo los árboles con sus oscuros ojos bajos y azucenas rojas en la mano; y de cómo ella le pide que le cuente un cuento, pero él no puede hablarle sino de amor, de amor, de amor.

Cuando terminé de hablar, ella retiró gentilmente sus manos de las mías y se alejó entre los árboles, sin duda para huir de mí, temblorosa por lo que acababa de oír, como un joven gamo que huye del cazador.

Eso pensé por un momento. Pero no, allí estaban a mis pies las azucenas recogidas para una ofrenda religiosa, y no hubo ningún reproche en los tímidos ojos oscuros cuando se volvieron por un momento a mirarme; porque, a pesar de mis palabras de advertencia, sólo se había alejado para buscar más de esas peligrosas flores púrpuras, para mí.

No entonces, mientras esperaba su regreso con el corazón palpitante, sino después, en momentos más serenos, y cuando Mónica se había convertido en una hermosa imagen del pasado, compuse los siguientes versos. No soy tan vanidoso como para creer que poseen algún mérito poético, y los dejo aquí principalmente para que el lector sepa cómo pronunciar el lindo nombre de ese río oriental que aún conserva en recuerdo de una raza desaparecida.

Con el rostro muy pálido, inmóvil y callada,
linda de ver y pálida,
estaba entre los sauces esperando por mí,
igual a un sauce grácil,
sonriente, temblorosa, tímida y sonrojada,
la doncella del Yi.

Como tiemblan los sauces ella temblando estaba,
y aunque había bajado
sus ojos de paloma, ella no huyó de mí.
Sus ojos entre el césped
buscaban sus pies blancos; sus blancos pies miraba
la doncella del Yi.

Sus manos sostenían azucenas en ramos;
tres rojas azucenas
entre las negras trenzas de su pelo prendí.
¡Y lucían espléndidas!
Alza tus ojos negros, porque, oye, te amo,
¡Oh, doncella del Yi!

Capítulo XV

CUANDO SUENA LA TROMPA GUERRERA

Por la noche Alday volvió con un par de amigos y, en cuanto se ofreció la oportunidad, lo llevé aparte y le rogué que me facilitara un caballo para continuar mi viaje a Montevideo. Respondió con evasivas, diciendo que probablemente el caballo que yo había perdido en el monte vecino sería recobrado en el curso de dos o tres días. Le repliqué que, si él me cedía un caballo, el que yo había perdido, con su montura, su poncho, y demás, podría ser reclamado por él cuando apareciera. Dijo entonces que no podría darme un caballo "con montura y riendas, además". Parecía que quería retenerme en su casa por algún propósito que sólo él conocía, y esto me determinó más aún a irme inmediatamente, pese a las tiernas miradas de reproche que Mónica me lanzaba por debajo de sus largas pestañas bajas. Le dije que si no podía conseguir un caballo dejaría su estancia a pie. Esto, en cierto modo, lo puso en un apuro; porque en este país, donde robar caballos y trampear en el juego son mirados como pecados veniales, permitir que un hombre deje una estancia a pie es considerado como algo muy deshonroso. Estuvo reflexionando sobre mi declaración algunos minutos y luego, después de conferenciar con sus amigos, prometió proveerme de todo lo requerido al día siguiente. No había oído más nada acerca de la revolución, pero después de la cena Alday es puso de pronto muy confidencial, y dijo que en el curso de los próximos días el país entero estaría en armas, y que sería sumamente peligroso para mí intentar viajar solo a la capital. Se extendió sobre el inmenso prestigio del general Santa Coloma, que acababa de alzarse en armas contra el partido colorado entonces en el poder, y concluyó diciendo que el plan más seguro para mí sería unirme a los rebeldes y acompañarlos en su marcha sobre Montevideo, que empezaría casi inmediatamente. Le repliqué que no tenía interés en las disensiones de la Banda Oriental y que no deseaba comprometerme uniéndome a una expedición militar de ninguna clase. Encogió los hombros, y renovando su promesa de darme un caballo al día siguiente, se retiró a descansar.

Al levantarme por la mañana vi que los otros ya estaban en pie. Los caballos estaban en la puerta, ensillados, y Alday, señalando un animal de muy buen aspecto, me informó que había sido ensillado para mí, y agregó después que él y sus amigos cabalgarían una o dos leguas conmigo para dejarme en la ruta a Montevideo. Se había puesto de pronto casi demasiado amable, pero, en la simplicidad de mi corazón, creí que sólo estaba disculpándose por la escasa hospitalidad del día anterior.

Después de compartir el mate amargo, agradecí a mis anfitriones, miré por última vez a los tristes ojos oscuros de Mónica alzados por un momento hacia los míos, y besé la patética carita de Anita, llenando de asombro a la niña y causando considerable diversión a los demás miembros de la familia. Después de cabalgar algo más de una legua siguiendo una dirección casi paralela al río, me di cuenta de que no estábamos yendo en la dirección correcta —correcta para mí, en todo caso—. Por lo tanto, paré mi caballo y dije a mis compañeros que no los molestaría haciéndolos seguir conmigo más allá.

—Amigo, —dijo Alday acercándose a mí—, si usted nos deja ahora, caerá indefectiblemente en manos de alguna partida, que, al ver que usted no tiene pasaporte, lo prenderá y lo llevará a El Molino, o a alguna otra población. Aunque si tuviera pasaporte eso no haría ninguna diferencia, porque se limitarían a hacerlo pedazos y lo prenderían de todos modos. En estas circunstancias su plan más seguro es ir con nosotros a El Molino, donde el general Santa Coloma está reuniendo sus fuerzas, y entonces podrá explicarle su situación.

—Me rehúso a ir a El Molino, —dije airadamente, exasperado por su traición—.

—En ese caso nos va a obligar a llevarlo allá por la fuerza, —respondió.

Yo no tenía ganas de convertirme de nuevo en un prisionero tan pronto, y viendo que para conservar mi libertad se hacía necesario un audaz golpe de mano, frené el caballo súbitametne y saqué el revólver. —Amigos, —dije—, el camino de ustedes queda en aquella dirección; el mío, en ésta. Tengan ustedes muy buenos días.

Apenas había terminado de hablar, cuando el golpe del pesado cabo de un rebenque cayó sobre mi antebrazo como para quebrarlo, derribándome del caballo, mientras que mi revólver rodaba a unos metros de distancia. El golpe me había sido propinado por uno de los dos que venían con Alday, que se había quedado un poco rezagado, y el bandido había demostrado sin duda maravillosa rapidez y destreza para incapacitarme.

Enfurecido de rabia y de dolor, me puse de pie como pude, y sacando mi cuchillo, amenacé con dar de puñaladas al primero que se me acercase; y luego, con palabras descomedidas, insulté a Alday por su cobardía y su brutalidad. Se limitó a sonreírse y replicó que tenía en cuenta mi juventud, y que por lo tanto no me guardaba rencor por emplear palabras tan destempladas.

—Y ahora, amigo, —continuó, después de recoger mi revólver y volver a montar a caballo—, no perdamos más tiempo y marchemos de prisa hacia El Molino, donde usted podrá exponer su caso ante el general.

Como no deseaba que me ataran al caballo y me llevaran de esa manera desagradable e ignominiosa, tuve que obedecer. Después de haberme trepado a la silla con alguna dificultad, emprendimos la marcha al galope hacia el pueblo de El Molino. El agitado movimiento del caballo que montaba aumentó el dolor de mi brazo hasta volverlo intolerable; entonces uno de los hombres se compadeció de mí y me lo ató al cuello con un pañuelo, después de lo cual pude viajar más confortablemente, aunque sufriendo aún bastante.

El día era excesivamente caluroso, y no llegamos a nuestro destino hasta eso de las tres de la tarde. Justamente antes de entrar al pueblo, pasamos a través de un pequeño ejército de gauchos acampados en la llanura contigua. Algunos de ellos estaban ocupados en asar carne; otros, ensillaban caballos, mientras los demás, en grupos de veinte o treinta hombres estaban haciendo maniobras de caballería, de modo que el conjunto resultaba una escena prodigiosamente animada. Casi todos los hombres llevaban las ropas habituales del gaucho, y los que estaban de ejercicios llevaban lanzas, a las que habían atado tremolantes banderines blancos. Una vez que pasamos el campamento atronamos con nuestros cascos el pueblo, compuesto por unas setenta u ochenta casas de piedra o de adobe, algunas quinchadas, otras con techos de tejas, todas las cuales poseían un gran jardín. En el edificio público que quedaba sobre la plaza, se estacionaba una guardia de diez hombres armados con carabinas. Desmontamos y entramos al edificio, sólo para enterarnos de que el general acababa de dejar el pueblo, y que no se esperaba que estuviera de vuelta hasta el día siguiente.

Alday habló con un oficial que estaba sentado a una mesa en la habitación a donde se nos había hecho pasar, dirigiéndose a él con el título de mayor. Era un hombre delgado, de cierta edad, de tranquilos ojos grises y rostro pálido, que parecía un caballero. Después de escuchar por unos momentos a Alday, se volvió hacia mí y dijo cortésmente que lamentaba informarme que tendría que quedarme en El Molino hasta la vuelta del general, circunstancia en que yo podría informarle sobre mi situación.

—Nosotros no queremos, —me dijo finalmente—, obligar a ningún extranjero, ni siquiera a ningún oriental, a unirse a nuestras fuerzas; pero, naturalmente, los extraños despiertan nuestras sospechas, y ya hemos prendido a tres espías en los alrededores. Por desdicha usted no está provisto de pasaporte, y lo mejor es que el general lo vea.

—Señor oficial, —repliqué—, el maltrato y la detención de un inglés no van a hacer ningún bien a su causa.

Respondió que lamentaba que su gente hubiera considerado necesario tratarme con rudeza, porque lo puso en esos moderados términos. Fuera de ponerme en libertad, dijo, se haría todo lo necesario para que mi estadía en El Molino fuera agradable.

—Si es preciso que el general me vea para que pueda ser puesto en libertad, le ruego que haga que estos hombres me lleven en seguida a su presencia, —dije.

—Aún no ha dejado El Molino, —dijo un ordenanza que estaba en la puerta—. Está en la Casa Blanca, a la salida del pueblo, y no se irá hasta las tres y media.

—Ya es casi la hora, —dijo el oficial, consultando su reloj—. Llévelo en seguida a la presencia del general, teniente Alday.

Agradecí al oficial, que hablaba y aparentaba ser algo tan diferente a un bandido revolucionario, y tan pronto como pude trepar a mi caballo, una vez más nos lanzamos al galope por la calle principal. Frenamos ante una gran casa de piedra, de aspecto antiguo, al extremo del pueblo, que quedaba bastante retirada del camino y oculta tras una doble hilera de álamos de Lombardía. El fondo de la casa daba al camino, y dando la vuelta hasta su frente, después de dejar nuestros caballos en la portera, entramos a un patio espacioso. Al frente de la vivienda corría un corredor ancho, sostenido por pilares de madera y pintado de blanco, mientras que todo el patio estaba cubierto por una inmensa parra. Era, evidentemente, una de las mejores casas del lugar y, viniendo directamente del sol deslumbrante y del blanco camino polvoriento, el patio sombreado de parra y el corredor resultaban deliciosamente frescos y atrayentes. Un alegre grupo de doce o quince personas estaba reunido en el corredor, algunos tomando mate, y otros comiendo uvas; y cuando entramos en escena una joven estaba terminando de cantar una canción. En seguida distinguí al general Santa Coloma, sentado junto a la joven de la guitarra: un hombre alto, imponente, con rasgos algo irregulares y un rostro bronceado y curtido por la intemperie. Estaba de botas y espuelas y sobre su uniforme llevaba un poncho de seda blanca con el borde morado. Por su semblante juzgué que no era un hombre torvo y temible, como podría esperarse que fuera un caudillo —un jefe revolucionario— de la Banda Oriental; y recordando que en unos pocos minutos dejaría la casa, estaba ansioso por adelantarme y exponerle mi situación. Los otros, con todo, me lo impidieron porque el general acababa de entablar una vivaz conversación con la joven dama sentada a su lado. Una vez que hube mirado atentamente a esa muchacha no tuve ojos para ningún otro rostro. Era de tipo español, y yo nunca había visto un rostro más perfecto en su tipo; una abundante mata de cabello negro-azulado sombreaba la frente baja y espaciosa, la nariz recta, los ojos oscuros y luminosos, y el mohín de sus labios carmesíes. Era alta, tan perfecta de figura como de rostro, y llevaba un vestido blanco con una rosa de un rojo profundo sobre el pecho como único adorno. Permanecí allí, inadvertido, en el fondo del corredor, y la contemplaba con una especie de fascinación, escuchando el ligero murmullo de su risa y de su conversación vivaz, observando sus gestos graciosos, sus ojos chispeantes y sus mejillas de damasco que la animación encendía. Esta es una mujer, pensé con un suspiro —sentí una leve punzada provocada por ese suspiro desleal— que yo podría haber adorado. Ella estaba obligando al general a tomar la guitarra.

—Usted prometió cantarme una canción antes de irse, y no voy a perdonárselo, —exclamó.

Al fin él tomó el instrumento, protestando que su voz era mala; luego, rasgueando las cuerdas, comenzó a cantar aquel hermoso y viejo canto español de amor y de guerra:

Cuando suena la trompa guerrera...

Era una voz no educada y algo áspera, pero la ejecución tenía mucho fuego y expresividad y fue aplaudida con entusiasmo.

En cuanto terminó la canción le devolvió la guitarra y poniéndose de pie a toda prisa, se despidió de la gente, y se volvió para partir.

Adelantándome, me puse ante él y comencé a hablar.

—Estoy con el tiempo contado y no puedo escucharlo ahora, —me dijo rápidamente, sin apenas mirarme—. Usted es un prisionero... herido, veo; bueno, cuando regrese...

De pronto se interrumpió, me tomó por el brazo lastimado, y preguntó:

—¿Cómo lo hirieron? Dígamelo rápidamente.

Su actitud cortante e impaciente, y la vista de veinte personas de pie, alrededor, que me miraban, me perturbó, y sólo pude balbucear unas pocas palabras ininteligibles, sintiendo que mi rostro se ruborizaba poniéndose escarlata hasta las raíces del cabello.

—Permítame contarle, mi general, —dijo Alday, adelantándose.

—No, no, —dijo el general—; él hablará.

El ver a Alday tan ansioso por dar antes su versión del asunto me devolvió mi enojo, y con él recuperé el habla y las demás facultades que por un momento había perdido.

—Señor general, todo lo que tengo que decir es esto, —dije—: llegué a la casa de este hombre de noche, como un forastero perdido y a pie, porque me habían robado mi caballo. Le pedí abrigo en la creencia de que por lo menos la virtud de la hospitalidad sobrevivía aún en este país. El, asistido por esos dos hombres, traicioneramente me incapacitó golpeándome el brazo y me arrastró hasta aquí, prisionero.

—Mi buen amigo, —dijo el general—, lamento en extremo que haya sido lastimado en un exceso de celo por parte de uno de los míos. Pero no puedo decir que lamente este incidente, por penoso que parezca, ya que me permite asegurarle que, además de la hospitalidad, hay otra virtud que sobrevive aún en la Banda Oriental: hablo de la gratitud.

—No lo comprendo, —dije.

—Nosotros fuimos compañeros de infortunio hace muy poco tiempo, —respondió—. ¿Se ha olvidado del servicio que me hizo entonces?

Me quedé mirándole, atónito por lo que oía; y mientras miraba su rostro, de pronto aquella escena en la estancia del magistrado, cuando fui con la llave a sacar a mi compañero de viaje del cepo, y él saltó y tomó mi mano, me cruzó como un relámpago. Aún no estaba completamente seguro, y medio susurré tentativamente: —Cómo, ¿Marcos Marcó?

—Sí, —respondió, sonriendo—, ese era mi nombre en aquel momento. Amigos, —continuó, poniendo una mano sobre mi hombro y hablando a los demás—, me he encontrado antes con este joven inglés. Hace unos días, cuando estaba en camino hacia aquí, fui arrestado en Las Cuevas en compañía suya; mediante su ayuda conseguí escaparme. El hizo esa buena acción, creyendo en aquel momento que estaba ayudando a un pobre paisano, y sin esperar ninguna recompensa.

Podría haberle recordado que sólo consentí en sacar sus piernas del cepo después que me hubo asegurado solemnemente que no pensaba intentar escaparse. Pero, como él creyó conveniente olvidar esa parte del asunto, yo no iba a hacérsela recordar.

Hubo muchas exclamaciones de sorpresa entre los presentes, y al mirar a aquella hermosa muchacha, que ahora se había acercado junto con los demás, encontré sus ojos oscuros fijos en mi rostro con una expresión de ternura y de simpatía que hizo que se me agolpara la sangre en el corazón.

—Me temo que lo han lastimado bastante, —dijo el general, dirigiéndose de nuevo a mí—. Continuar su viaje ahora sería imprudente. Permítame rogarle que permanezca donde está, en esta casa, hasta que su brazo mejore. —Luego, volviéndose a la joven, dijo: —Dolores, ¿querrían tu madre y tú hacerse cargo de mi joven amigo hasta mi regreso y ver que su brazo lastimado reciba atención?

—Mi general, nos hará muy felices dejándolo a nuestro cuidado, —replicó ella con una brillante sonrisa.

El me presentó entonces solamente como Don Ricardo, puesto que no conocía mi apellido, a la encantadora señorita, Dolores Zelaya; después de lo cual se despidió de nuevo y partió apresuradamente.

Cuando se fue, Alday avanzó con el sombrero en la mano, y me devolvió mi revólver, del que me había olvidado completamente. Lo tomé con mi mano izquierda y lo puse en mi bolsillo. Se disculpó entonces por haberme tratado rudamente —el mayor le había enseñado esa expresión— pero sin el más mínimo rastro de servilismo en sus palabras o en su actitud; y después me tendió su mano.

—¿Cuál quiere que le dé —le pregunté—, la mano que usted me lastimó o la izquierda?

Inmediatamente dejó caer su mano, y luego, inclinándose, me dijo que esperaría que yo hubiera recobrado el uso de mi mano derecha. Al darse vuelta para retirarse, agregó con una sonrisa que esperaba que la herida curara pronto, así yo estaría en condiciones de empuñar una espada para defender la causa de mi amigo Santa Coloma.

Su actitud, pensé, era un poco demasiado altanera. —Por favor, llévese su caballo de vuelta ahora, —le dije—, ya que no lo necesito más, y acepte mi agradecimiento por acompañarme tan lejos en mi viaje.

—De nada, —replicó, con un majestuoso ademán de su mano—; me alegro de haber podido hacerle este pequeño servicio.

Capítulo XVI

ROMANCE DE LA BLANCA FLOR

Cuando Alday nos hubo dejado, la encantadora señorita a cuyo cuidado me complacía encontrarme, me condujo a una habitación fresca, espaciosa y en penumbra, escasamente amueblada y con un piso de baldosas rojas. Fue un gran alivio dejarme caer en un sofá que allí había porque entonces me sentía fatigado y sufría fuertes dolores en el brazo. En pocos momentos tuve a la señorita, a su madre, Doña Mercedes, y a una vieja sirvienta a mi alrededor. Quitándome con cuidado la chaqueta, sometieron mi brazo lastimado a un minucioso examen; y las compasivas yemas de sus dedos —especialmente las de la adorable Dolores— sobre la parte dolorida e inflamada que se había puesto completamente cárdena, parecían como una suave lluvia refrescante.

—¡Ah, qué bárbaros fueron al lastimarlo de esta manera! ¡Y a un amigo de nuestro general! —exclamó mi bella enfermera; lo que me hizo pensar que me había asociado involuntariamente con el apropiado partido político.

Frotaron mi brazo con aceite de comer; mientras tanto, la vieja sirvienta trajo del jardín un ramo de ruda, el cual, machacado en un mortero, llenó la habitación de un fresco olor aromático. Con esta hierba fragante hizo una cataplasma refrescante. Una vez curado el brazo, me lo pusieron en cabestrillo, y luego me trajeron un ligero poncho indio para que lo usara en vez de mi chaqueta.

—Me parece que tiene fiebre, —dijo Doña Mercedes, tomándome el pulso—. Debemos mandar a buscar al doctor; tenemos un doctor en nuestro pequeño pueblo; un hombre de mucha experiencia.

—Tengo poca fe en los doctores, señora, —dije— y, en cambio, tengo una gran fe en las mujeres y en las uvas. Si me da un racimo de su parra para refrescar mi sangre, le prometo que muy pronto estaré bien.

Dolores se rio de buena gana, y abandonó la habitación, sólo para regresar a los pocos minutos con un plato lleno de rojos racimos maduros. Eran deliciosos, y de veras parecieron aliviar la fiebre que sentía, la que probablemente era consecuencia tanto del enojo que me provocaron como del golpe que había recibido.

Cuando me recliné regaladamente, chupando mis uvas, las dos damas se sentaron una a cada lado mío, ostensiblemente abanicándose ellas, pero sólo, creo, para refrescarme el aire. Y ciertamente lo volvieron muy fresco y agradable, pero las gentiles atenciones eran tales que podrían crear al mismo tiempo una fiebre más sutil en las venas de un hombre... una enfermedad que no podría ser curada por frutos, abanicos, ni por la flebotomía.

—¡Quién no sufriría golpes por una compensación como esta! —dije.

—¡No diga eso! —exclamó la señorita con pasmosa vivacidad—. ¡Acaso no rindió un gran servicio a nuestro querido general... a nuestro amado país! Si estuviera en nuestro poder darle cuanto pudiera desear su corazón, eso no sería nada, nada. Debemos ser sus deudores para siempre.

Me sonreí al escuchar sus palabras desmedidas, que no por eso eran menos dulces de oír.

—Su ardiente amor por su país es un hermoso sentimiento, —observé con cierta indiscreción—, pero ¿es tan necesario el general Santa Coloma para su felicidad?

Pareció ofenderse y no replicó. —Usted es un forastero en nuestra tierra, señor, y no comprende del todo estas cosas, —dijo la madre gentilmente—. Dolores no debe olvidarse de eso. Usted no sabe nada de las crueles guerras que nosotros hemos visto ni de cómo nuestros enemigos sólo han triunfado llamando en su ayuda a ejércitos extranjeros. ¡Ah, señor, el derramamiento de sangre, las proscripciones, las infamias que han traído a esta tierra! Pero hay un hombre al que nunca consiguieron aplastar; siempre, desde que era un muchacho, fue el primero en la batalla, desafiando las balas, y no se dejó corromper nunca por el oro brasileño. ¿Es extraño que ese ser signifique tanto para nosotros, que hemos perdido a todos nuestros parientes, y que hemos sufrido muchas persecuciones, viéndonos privadas de casi todos nuestros medios de subsistencia para que pudieran enriquecerse mercenarios y traidores con nuestras propiedades? Para nosotros, en esta casa, él es más que para otros. Fue amigo de mi marido y su compañero de armas. Nos ha hecho mil favores y, si algún día consigue derribar este infame gobierno, ha de restaurarnos todas las propiedades que perdimos. Pero ¡ay de mí! no veo aún que la liberación esté cercana.

—¡Mamita, no digas eso! —exclamó su hija—. ¿Vas a empezar a desesperar ahora, cuando hay más razones para esperar?

—Hija, ¿qué puede hacer con ese puñado de hombres mal armados? —respondió la madre tristemente—. El levantó la bandera con bravura, pero la gente no acude. Ah, cuando esta rebelión sea aplastada como tantas otras, nosotras, las pobres mujeres, sólo tendremos que afligirnos por más amigos asesinados y por nuevas persecuciones. Y, al decir, esto se cubrió los ojos con su pañuelo.

Dolores echó la cabeza hacia atrás e hizo un brusco gesto de impaciencia.

—¿Esperabas acaso ver formado un gran ejército antes de que se secara la tinta de la proclama del general? Cuando Santa Coloma era un fugitivo sin un solo partidario, tú tenías esperanzas; y ahora que está con nosotros, y preparándose efectivamente para una marcha sobre la capital, comienzas a desanimarte... ¡No puedo comprenderlo!

Doña Mercedes se levantó sin replicar, y abandonó la habitación. La encantadora entusiasta dejó caer la cabeza en su mano, y se quedó en silencio, sin prestarme atención, con el semblante ensombrecido por una nube de pena.

—Señorita, —dije—, no es necesario que usted permanezca por más tiempo aquí. Solamente le pido que antes de irse me diga que me perdona, porque me aflige mucho pensar que he podido ofenderla.

Se volvió hacia mí con una brillante sonrisa y me tendió la mano.

—Ah, es usted quien debe perdonarme por sentirme ofendida tan fácilmente por unas palabras sin importancia. No debo permitir que nada que usted diga en lo futuro deteriore mi gratitud. Sabe, creo que usted es de aquellos a quienes les gusta reírse de la mayor parte de las cosas, señor... no, permítame que lo llame Ricardo, y usted me llamará Dolores, porque seremos amigos para siempre. Hagamos un pacto, así nos será imposible pelearnos. Usted tendrá libertad de dudar, de cuestionar, de reírse de todo, excepto de una sola cosa: mi fe en Santa Coloma.

—Sí, con mucho gusto aceptaré ese convenio, —repliqué—. Será una nueva especie de paraíso, y del fruto de todos los árboles podré comer, excepto del de ese único árbol.

Rio alegremente.

—Ahora lo dejaré, —dijo—. Usted tiene dolores y está muy cansado. Tal vez pueda dormir un poco.

Mientras hablaba trajo un segundo almohadón para mi cabeza; luego se fue, y antes de mucho caí en un ligero sueño que me restauró las fuerzas.

Pasé tres días de ocio forzoso en la Casa Blanca, antes de que llegara Santa Coloma, y después de las duras experiencias por las que había pasado, durante cuyo transcurso había subsistido con una dieta de carne no mitigada por pan ni verduras, fueron para mí días pasados en el paraíso. Después volvió el general. Yo estaba solo, sentado en el jardín, cuando llegó y, encaminándose hacia donde estaba, me saludó cordialmente.

—Mucho me temía, por mis experiencias anteriores de lo impaciente que se pone cuando lo coartan, que nos hubiera abandonado.

—En realidad, no hubiera podido hacerlo hasta no tener un caballo en qué marcharme, —respondí.

—Bueno, justamente vengo a decirle que deseo obsequiarle un caballo con sus arreos. El caballo está ahora atado en la tranquera, creo; pero si sólo está esperando tener un caballo para dejarnos, me arrepentiré de haber hecho este presente. No se dé prisa; aún tiene muchos años de vida para realizar todo cuanto desea hacer; déjenos tener el placer de su compañía unos días más. Doña Mercedes y su hija no tienen otro deseo que conservarlo con ellas.

Prometí que no me apresuraría a partir inmediatamente, una promesa que no me costó mucho hacer; luego fuimos a examinar mi caballo, que probó ser un bayo de muy linda figura, ensillado con un vistoso recado gaucho.

—Venga conmigo a probarlo, —me dijo—; voy a cabalgar hasta el Cerro Solo.

La cabalgata me resultó muy agradable, ya que no había montado a caballo hacía varios días, y había estado deseando sazonar mis horas ociosas con un poco de actividad estimulante. Marchamos al galope tendido sobre la verde llanura, y durante todo el tiempo el general discurseaba libremente sobre sus planes y sobre las brillantes posibilidades que esperaban a todos aquellos individuos sensatos que supieran unir a tiempo sus fortunas a la suya en esta etapa temprana de la campaña.

El Cerro, que distaba unas tres leguas de El Molino, era una colina alta y cónica que se elevaba completamente solitaria permitiendo observar hasta una gran distancia las regiones circundantes. Unos pocos hombres bien montados estaban estacionados en la colina, haciendo guardia; después de haber hablado un rato con ellos, el general me condujo a un lugar, a unos cien metros de allí, donde había un gran terraplén de piedras y arena a donde, con bastante dificultad, hicimos subir a nuestros caballos. Cuando estuvimos allí él me fue señalando los puntos notables de la extensión que nos rodeaba, diciéndome los nombres de las estancias, de los ríos, de las colinas distantes, y muchas otras cosas. Toda la región que nos rodeaba parecía serle sumamente familiar. Al fin dejó de hablar, pero siguió mirando el vasto panorama soleado con una extraña mirada que se perdía a lo lejos. De pronto, dejando caer las riendas sobre el cuello de su caballo, extendió los brazos hacia el sur y comenzó a murmurar palabras que yo no alcanzaba a oír, mientras que una expresión en que se mezclaban la exaltación y la furia, transformaba su rostro. Eso pasó tan repentinamente como había comenzado. Entonces desmontó, e inclinándose hasta que su rodilla tocó el suelo, besó la roca que estaba ante él, luego de lo cual se sentó y, tranquilamente, me invitó a sentarme a su lado. Retomando el asunto de que había hablado durante nuestra cabalgata, comenzó a presionarme abiertamente para que me uniera a su marcha sobre Montevideo, la cual, dijo, empezaría casi de inmediato, e infaliblemente concluiría con una victoria, luego de la cual él me recompensaría por el incalculable servicio que le había hecho al ayudarlo a escapar del juez de Las Cuevas. Me sentí obligado a rechazar esas tentadoras ofertas, que en otras circunstancias hubieran encendido mi ánimo —de haber sido soltero, quiero decir—, aunque no di mis razones para hacerlo. El se encogió de hombros en esa elocuente manera propia de los orientales, haciendo notar que no le sorprendería que mi resolución se viera alterada al cabo de unos pocos días.

"¡Nunca!" profirió mi mente.

Luego recordó nuestro primer encuentro, y me habló de Margarita, aquella niña maravillosamente hermosa, preguntándome si no me había resultado extraño que tan hermosa flor hubiera surgido del rústico tallo de una "batata". Respondí que al principio eso me había sorprendido pero que había dejado de creer que fuera hija de Batata o de cualquier otro de su linaje. Entonces se ofreció a contarme la historia de Margarita; y no me sorprendí al escuchar que él la conociera.

—Le debo esto, —dijo—, como reparación de algunas observaciones ofensivas que le dirigí aquel día con respecto a la muchacha. Pero debe recordar que yo era entonces sólo Marcos Marcó, un paisano, y, teniendo algunas nociones de cómo representar mi personaje, es natural que mi lenguaje fuera, como usted puede observarlo en nuestra gente común, algo rudo e irónico. Hace muchos años vivía en este país un tal Basilio de la Barca, un hombre de tan nobles figura y semblante que para todos quienes lo conocieron llegó a ser el prototipo de la perfecta belleza masculina, de modo que "un Basilio de la Barca" se convirtió en una expresión proverbial en la sociedad montevideana cuando se hablaba de algún hombre extraordinariamente hermoso. Aunque tenía una disposición alegre y despreocupada, y amaba los placeres de la vida social, la admiración que su belleza despertaba no lo había echado a perder. Siguió siendo siempre sencillo y modesto; tal vez no era capaz de sentir ninguna pasión poderosa porque, aunque conquistó sin proponérselo los corazones de muchas mujeres hermosas, no se casó. Podría haberse casado con alguna mujer rica para mejorar su posición, si se lo hubiese propuesto, pero en este asunto, como en todo el resto de su vida, parecía ser incapaz de emprender nada para hacer prosperar su propia fortuna. Los De la Barca habían poseído una vez en este país una gran riqueza en tierra, y, según he oído, descendían de una antigua familia noble de España. Durante las largas guerras desastrosas que sufrió este país cuando, por turno, fue conquistado por Inglaterra, Portugal, España, Brasil y Argentina, la familia se empobreció, y finalmente pareció irse extinguiendo. El último De la Barca era Basilio y la negra suerte que había perseguido a todos los de ese nombre por tantas generaciones no le fue ahorrada. Toda su vida fue una serie de calamidades. Cuando joven entró en el ejército, pero en su primer encuentro recibió una terrible herida que lo incapacitó de por vida y lo obligó a abandonar la carrera militar. Después de eso embarcó el total de su pequeña fortuna en el comercio y fue arruinado por un socio deshonesto. Al final, cuando estaba reducido a la mayor pobreza, teniendo entonces unos cuarenta años, se casó con una mujer mayor que él por pura gratitud por lo bondadosa que había sido para con él; y se fue a vivir con ella a la costa del mar, a algunas leguas al este del cabo Santa María. Allí, en un pequeño rancho, en un lugar llamado La Barranca del Peregrino, y con unas pocas ovejas y vacas para subsistir, pasó el resto de su vida. Su mujer, aunque vieja, le dio una niña, una hija llamada Tránsito,[10] No le enseñaron nada, porque en todos los aspectos vivían como paisanos y habían olvidado el empleo de los libros. La ubicación de su rancho era, además, salvaje y solitaria, y rara vez veían una cara extraña. Tránsito pasaba su infancia vagabundeando por las dunas de aquella costa solitaria, teniendo como compañeros de juegos nada más que las flores silvestres, los pájaros y las olas del océano. Un día, cuando tenía unos once años, estaba dedicada a sus habituales pasatiempos, con su cabello dorado flotando, al viento, su vestido corto y sus piernas desnudas mojadas por la espuma, persiguiendo las olas cuando se retiraban, o huyendo de ellas con gritos alegres cuando aquéllas se apresuraban a volver a la orilla echando una nube de espuma sobre su figura que huía, cuando un joven, un muchacho de quince años, llegó a caballo y la vio allí. Andaba cazando avestruces, cuando, habiendo perdido de vista a sus compañe-

[10]Hudson dice Transita. Se trata, sin duda, de Tránsito, otro de los extraños nombres de mujer que los españoles tomaron del vocabulario religioso.

ros, y encontrándose cerca del océano, cabalgó hasta la costa para ver la subida de la marea.

—Sí, yo era aquel muchacho, Ricardo... usted es rápido para sacar conclusiones. —Dijo esto no en respuesta a ninguna observación que yo hubiera hecho, sino a mis pensamientos, que con frecuencia había adivinado sin equivocarse.

—La impresión que esa exquisita criatura hizo sobre mí sería imposible de expresar con palabras. Yo había vivido mucho en la capital, había sido educado en nuestro mejor colegio, y estaba acostumbrado a la compañía de mujeres bonitas. Incluso había cruzado el río y había visto lo que más admiración merecía en las ciudades argentinas. Y recuerde que, entre nosotros, un joven de quince años ya conoce algo de la vida. Esa niña jugando con las olas no se parecía a nada que yo hubiera visto antes. La miraba no como a una mera criatura humana; me parecía más bien como algún ser de no sé qué región celestial que se hubiera perdido en la tierra, así como a veces un pájaro de plumaje blanco y azul, desconocido en nuestros bosques, aparece empujado hacia aquí por el viento desde algún país o alguna isla tropical, llenando a quienes lo ven de asombro y de encanto. Imagínese, si puede, a Margarita con sus brillantes cabellos sueltos al viento, ágil y graciosa en sus movimientos como las olas con que juega, con sus ojos de zafiro destellando como los rayos del sol sobre las aguas y los tiernos matices de las conchas marinas en su rostro cambiante, con una risa que parecía un eco de la silvestre melodía del batitú.[11] Margarita ha heredado la forma, no el espíritu, de Tránsito. Tránsito, con rasgos igualmente graciosos y colores tan perfectos como los suyos, había captado el espíritu del viento y de la luz del sol, y era toda ella libertad, movimiento, fuego; era un ser semi humano y semi angélico. Fue verla y amarla; lo que inspiraba no era una pasión corriente. La adoraba, y ansiaba tenerla contra mi pecho; pero me retraje entonces y por largo tiempo prohibiéndome suspirar el cálido aliento del amor sobre una flor tan tierna y celestial. Fui a ver a sus padres y les abrí mi corazón. Como mi familia era muy conocida por Basilio, obtuve su consentimiento para visitar su rancho solitario cuando quisiera, y yo, por mi parte, prometí no hablar de amor a Tránsito hasta que cumpliera dieciséis años. Tres años después de mi encuentro con Tránsito, se me destinó a un lugar distante, porque por entonces estaba yo en el ejército, y temiendo que no me fuera posible visitarlos por largo tiempo, persuadí a Basilio para que me permitiera hablar a su hija, que tenía catorce años. Por entonces, ella me había cobrado un enorme cariño, y siempre esperaba con deleite mis visitas, durante las cuales nos pasábamos vagabundeando juntos por la costa, o sentados en alguna altura que dominaba el mar, conversando de las simples cosas que ella conocía, y de esa maravillosa y lejana ciudad de la que nunca se cansaba de oír hablar. Cuando le abrí mi corazón, se asustó al principio de esas extrañas emociones de que le hablaba. Pronto, sin embargo, me llenó de feli-

[11] Pájaro autóctono no domesticable.

cidad ver que su temor disminuía. En un día dejó de ser una niña; su rica sangre cubría sus mejillas para dejarla, un momento después, pálida y trémula; sus tiernos labios estaban jugando con el borde de la copa de miel. Antes de separarnos me había prometido su mano e incluso, al partir, se abrazaba de mí con sus hermosos ojos llenos de lágrimas.

—Pasaron tres años antes de que volviera a buscarla. Durante ese tiempo le envié veintenas de cartas a Basilio, pero no recibí respuesta. Dos veces fui herido en batalla, una de ellas gravemente. También fui hecho prisionero y así permanecí durante varios meses. Al fin me escapé y, volviendo a Montevideo, obtuve permiso para ausentarme. Entonces, con el corazón encendido por dulces preocupaciones, busqué una vez más aquella solitaria costa, sólo para encontrar las malezas creciendo en el lugar donde había estado el rancho de Basilio. En la vecindad me enteré de que éste había muerto dos años antes, y que después de su muerte la viuda había vuelto con Tránsito a Montevideo. Después de largas averiguaciones en esta ciudad, descubrí que la viuda no había sobrevivido mucho tiempo a su esposo, y que una señora extranjera se había llevado del país a Tránsito, nadie sabía a dónde. Su pérdida arrojó una gran sombra sobre mi vida. Un acerbo dolor no puede durar para siempre, ni siquiera por mucho tiempo; sólo el recuerdo del dolor perdura. A ese recuerdo, que no se desvanece, se debe tal vez que en un aspecto, al menos, yo no sea como los demás hombres. Me siento incapaz de concebir una pasión por ninguna mujer. No, aunque una nueva Lucrecia Borgia se cruzara en mi camino, sembrando las ardientes semillas de la pasión sobre todos los hombres, ellas no podrían dar flores de amor en este árido corazón. Desde que perdí a Tránsito sólo tengo un pensamiento, un amor, una religión, y todo eso está encerrado en una sola palabra: *Patria.*

—Los años pasaron. Yo era capitán del ejército del general Oribe en el sitio de mi propia ciudad. Un día fue capturado en nuestras líneas un chico, y estuvo muy cerca de ser fusilado por espía. Venía de Montevideo y estaba buscándome. Había sido enviado, decía, por Tránsito de la Barca, que yacía enferma en la ciudad y quería hablar conmigo antes de morir. Pedí y obtuve permiso de nuestro general, con quien me unía una fuerte amistad personal, para penetrar en la ciudad. Esto, por supuesto, era peligroso, y tal vez aun más para mí de lo que hubiera sido para muchos de mis hermanos oficiales, porque yo era muy bien conocido por los sitiados. Conseguí, con todo, persuadir a un oficial de una corbeta francesa de guerra estacionada en la bahía para que me ayudara. Estos extranjeros, en ese tiempo, tenían relaciones amistosas con los oficiales, de ambos ejércitos, y tres de ellos habían visitado una vez a nuestro general para pedirle que les permitiera cazar avestruces en el interior del territorio. El me los remitió y, llevándolos a mi propia estancia, fueron mis huéspedes y cacé con ellos por espacio de varios días. Se había mostrado muy agradecido por esa hospitalidad, invitándome repetidamente a visitarlos a bordo, y afirmando también que los haría muy felices hacerme cualquier servicio personal en la ciudad que visitaban constantemente. Yo no quería a los franceses, porque pensaba que eran los más vanos y egoístas —y en consecuencia los menos caballerescos— de los hombres; pero esos oficiales estaban en deuda conmigo, y resolví pedirles ayuda. Encubiertamente, fui una noche a bordo de su barco; les conté mi historia y les pedí que me llevaran a tierra consigo, vestido como uno de ellos. Consintieron con cierta dificultad, y así pude estar al día siguiente en Montevideo y con mi Tránsito, perdida hacía tanto tiempo. La encontré acostada en su cama, demacrada, y blanca como la muerte, en la última fase de una fatal enfermedad pulmonar. Sobre el lecho, a su lado, se hallaba una niña de dos o tres años, sobremanera hermosa, como su madre, ya que una mirada fue suficiente para decirme que era hija de Tránsito. Abrumado por el dolor al encontrarla en ese lamentable estado, sólo pude arrodillarme a su lado derramando las últimas lágrimas tiernas que han caído de estos ojos. Nosotros, los orientales, no somos hombres sin lágrimas, y yo he llorado algunas veces desde entonces, pero sólo de rabia y de odio. Mis últimas lágrimas de ternura fueron volcadas sobre mi desdichada y agonizante Tránsito.

—Me contó brevemente su historia. Basilio no recibió nunca ninguna de mis cartas; se supuso que yo había caído en combate, o que mi corazón había cambiado. Cuando su madre estaba muriéndose en Montevideo, recibió la visita de una opulenta dama argentina llamada Romero, que había oído hablar de la singular belleza de Tránsito, y que deseaba verla por simple curiosidad. La joven la encantó de tal manera, que ofreció llevarla con ella y educarla como su propia hija, a lo que la madre, que estaba reducida a la mayor pobreza y muriéndose, dio su consentimiento de buena gana. De este modo Tránsito fue llevada a Buenos Aires, donde tuvo maestros que la instruyeron y vivió en el mayor esplendor. La novedad de esa vida la sedujo por un tiempo; los placeres de una gran ciudad y la admiración universal que despertaba su belleza, ocupaban sus pensamientos y la hacían feliz. Cuando tuvo diecisiete años la señora de Romero concedió su mano a un joven de esa ciudad, llamado Andrada, una persona de fortuna. Era un hombre de moda, un jugador, un sibarita, y, habiendo concebido una violenta pasión por la joven, consiguió convencer a la señora y ésta apoyó su demanda. Antes de casarse, Tránsito le dijo francamente que se sentía incapaz de sentir por él un gran afecto; pero eso no le preocupaba en absoluto, pues sólo quería, como el animal que era, poseerla por su belleza. A poco del casamiento la llevó a Europa, sabiendo bien que un hombre con la bolsa llena, y cuyo espíritu es un compuesto de cerdo y de chivo, encuentra la vida más placentera en París que en el Plata.[12] En París Tránsito vivió una vida festiva pero desdichada. La pasión de su esposo por ella pasó pronto, y fue seguida por el abandono y los insultos. Después de tres años miserables la abandonó del todo para vivir con otra mujer, y entonces, con la salud quebrantada, volvió con su hija a su propio país. Después de vivir varios meses en Montevideo, oyó ca-

12 "Mar dulce" lo llamó Solís, su descubridor; "Río de Solís" se le llamó después. Finalmente se impuso Río de la Plata, nombre nacido —como Argentina— de los codiciosos sueños de los conquistadores.

sualmente que yo estaba aún con vida y en el ejército sitiador; y en la ansiedad de impartir a un amigo sus últimas voluntades, había enviado a buscarme.

¿Podría usted, amigo, podría alguien, adivinar la naturaleza de la súplica que, agonizante, quería hacerme Tránsito?

Señalando a su hija, me dijo: ¿No ves que Margarita hereda el don fatal de esa belleza que logró para mí una vida de esplendor, con extrema amargura del corazón y una muerte temprana? Pronto, tal vez antes de que muera, no faltará una nueva señora de Romero que se encargue de ella y que al final la venda a algún hombre rico y cruel, como yo fui vendida; porque ¿cómo puede esconderse por mucho tiempo su belleza? Fue con muy diferentes propósitos para su futuro que dejé secretamente París y volví aquí. Durante todos los años miserables que pasé allá, pensé cada vez más en mi niñez en aquella costa solitaria, hasta que, cuando caí enferma, resolví volver allá a pasar mis últimos días en aquel lugar amado donde fui tan feliz. Mi intención era encontrar allá alguna familia paisana que quisiera tomar a su cargo a Margarita y criarla como la hija de un paisano, sin que supiera cuál era la posición de su padre ni la vida que la gente lleva en las ciudades. El sitio de la ciudad y mi desfalleciente salud me hicieron imposible llevar adelante aquel proyecto. Tengo que morir aquí, querido amigo, y nunca he de ver aquella costa solitaria donde tan a menudo nos sentamos contemplando las olas. Pero ahora sólo pienso en mi pobre Margarita, tan pequeña, y que pronto será una huérfana: ¿no querríais ayudarme a salvarla? Prométeme que la llevarás a algún lugar distante, donde crezca como la hija de un campesino, y donde su padre nunca la encuentre. Si me prometes eso, te la entregaré ahora mismo, y enfrentaré la muerte sin tener siquiera el consuelo de verla a mi lado hasta el fin.

Prometí que cumpliría sus deseos; y también que vería a la niña tan a menudo como las circunstancias me lo permitieran, y que, cuando creciera, le buscaría un buen marido. Pero no la quise privar de su hija en aquel momento. Le dije que, si ella moría, Margarita sería conducida al barco francés que estaba en la bahía y, en seguida, a mí, y que yo sabía dónde ubicarla con paisanos sencillos y de buen corazón, que me querían y que obedecerían mis deseos en todo.

Eso la conformó y yo la dejé para hacer los arreglos necesarios para llevar adelante mis planes. Unas semanas después Tránsito murió, y me trajeron la niña. Entonces la envié a casa de Batata, donde, ignorando el secreto de su nacimiento, ha sido criada como su madre deseaba que lo fuera. Ojalá que nunca caiga, como la desdichada Tránsito, en poder de una bestia rapaz con forma humana.

—¡Amén! —exclamé—. Pero seguramente, si esta niña tiene algún día derecho a una fortuna, lo correcto será que entre en posesión de ella.

—En este país no adoramos el oro, —replicó—. Entre nosotros los pobres son tan felices como los ricos, puesto que sus necesidades son muy pocas y muy fácilmente satisfechas. Sería excesivo decir que amo a esta niña más que a cualquier otro ser; sólo pienso en los deseos de Tránsito; eso es lo único que realmente me importa. Si no los hubiera cumplido al pie de la letra, hubiera experimentado un gran remordimiento. Posiblemente algún día llegue a encontrarme con Andrada y lo atraviese con mi espada; eso no me provocará ningún remordimiento.

Después de algunos momentos de silencio, levantó los ojos y me dijo: —Ricardo, usted admiró y amó a esa hermosa niña cuando la conoció. Escúcheme, si usted lo desea, ella será su esposa. Es una criatura sencilla, ignorante de las cosas mundanas, afectuosa, y, si se le dice que ame, amará. La familia de Batata obedecerá mis deseos en todo.

Sacudí la cabeza, sonriendo con alguna pena al pensar que los acontecimientos de los pocos días pasados habían borrado ya casi de mi mente la bella imagen de Margarita. Esta inesperada propuesta me había obligado a comprobar, con repentino sobresalto, que, cumplido el acto del matrimonio, un hombre ha agotado para siempre el más glorioso privilegio de su sexo —me refiero, por supuesto, a aquellos países donde sólo le es permitido tener una esposa—. Ya no estaba en mi poder decir a ninguna mujer, por encantadora que pudiera parecerme: "Sé mi esposa." Pero no expliqué todo esto al general.

—Ah, usted está pensando en que habrá condiciones, —dijo—. No habrá ninguna.

—No, por una vez se ha equivocado, —respondí—. La muchacha es todo cuanto usted dice; nunca he visto un ser más hermoso, y nunca he oído una historia más romántica que la que usted me acaba de contar acerca de su nacimiento. Sólo puedo hacer eco de su plegaria de que ella no tenga que sufrir como sufrió su madre. Por su nombre ella no es una De la Barca y tal vez por eso el destino quiera eximirla.

Me miró con una mirada escrutadora y sonrió. —Tal vez ahora usted está más preocupado por Dolores que por Margarita, —dijo—. Permítame prevenirle del peligro que corre en ese asunto, mi joven amigo: ella está ya comprometida con otro.

Por muy absurdo e irracional que pueda parecer, sentí una punzada de celos al enterarme; pero, bueno, por supuesto, *no* somos seres razonables, digan lo que digan los filósofos.

Me reí, sin mucha alegría, debo confesarlo, y respondí que no había necesidad de prevenirme a ese respecto, puesto que Dolores nunca sería para mí más que una amiga muy querida.

Aun entonces no le dije que estaba casado; porque a menudo en la Banda Oriental no estaba muy seguro de cómo mezclar mis mentiras y mis verdades, de ahí que prefiriera callarme la boca. En esta instancia, como lo probaron los hechos subsiguientes, me callé demasiado bien aunque no muy atinadamente. El hombre franco, que no esconde ningún secreto, evita a menudo desastres que alcanzan al muy discreto, que actúa según el viejo adagio que dice que las palabras fueron dadas al hombre para ocultar sus pensamientos.

Capítulo XVII

PASION versus PATRIOTISMO

Con un caballo para viajar, y mi brazo tan mejorado que usaba el sostén del cabestrillo más como adorno que por su utilidad, no había nada, excepto aquella promesa de no escapar inmediatamente, que me retuviera por más tiempo en el agradable retiro de la Casa Blanca; es decir, nada, si yo hubiera sido un hombre de gutapercha o de hierro fundido; siendo sólo una criatura de arcilla —de una arcilla muy impresionable, como era el caso— no podía persuadirme de que estaba lo suficientemente bien como para lanzarme a ese largo viaje a caballo por un país revuelto. Además, mi ausencia de Montevideo ya había durado tanto que unos pocos días más no iban a hacer mucha diferencia en un sentido u otro; de esta manera sucedió que me quedara gozando de la compañía de mis nuevos amigos, mientras que cada día, en realidad cada hora que pasaba me hacía sentir menos capaz de soportar el pensamiento de arrancarme de junto a Dolores.

Gran parte de mi tiempo transcurría en el agradable huerto contiguo a la casa. Allí, creciendo en una irregularidad pintoresca, había cincuenta o sesenta viejos duraznos, damascos, ciruelos y cerezos, cuyos troncos doblaban el grueso del muslo de un hombre; nunca habían sido desfigurados por la tijera de podar o por el serrucho, y su enorme tamaño y su tosca corteza recubierta de liquen gris les daba una apariencia de gran antigüedad. Por todo el terreno se enredaban en una linda confusión muchas de aquellas queridas y familiares flores del Viejo Mundo que crecen alrededor de la morada del hombre blanco en todas las regiones templadas de la tierra. Allí estaban los inmemoriales alelíes dobles, los sencillos, las caléndulas, la alta malvarosa, las alegres amapolas y el aciano y, también, medio escondidos entre los pastos, los pensamientos y los nomeolvides. La espuela de caballero, roja, blanca y azul, se ostentaba por todas partes; y allí estaba también el inolvidable clavel, luciendo tan brillante y aterciopelado como siempre y, sin embargo, no obstante su brillantez y su duro y envarado cuello verde, mostrando la misma vieja expresión de vergüenza, como si se sintiera un poco avergonzado de su propio lindo nombre.[13] Esas flores no eran cultivadas sino que crecían espontáneamente de las semillas que ellas mismas sembraban cada año en aquel suelo; el jardinero no hacía nada por ellas más que arrancar las malas hierbas y hacerles la gracia de un poco de agua en los días calurosos. Pasados ahora los calores del solsticio, durante los cuales las flores en Europa dejan de florecer por una estación, éstas vestían de nuevo sus más alegres libreas para saludar la larga segunda primavera del otoño, que dura de febrero hasta mayo. En el extremo más alejado de esa selva de flores y de frutos, había un cerco de áloes, que cubrían una extensión de veinte o treinta metros con sus enormes y desordenadas hojas en forma de lanzas. Esta

---

[13]Sweet William, en inglés.

cerca era como una franja de naturaleza salvaje ubicada al borde de una parcela de naturaleza cultivada por el hombre; y allí, como serpientes que perseguidas huyeran del campo abierto, buscaban refugio los yuyos y las malezas a los que no se permitía mezclarse con las flores. Protegida por aquel rudo bastión de espigones, la cicuta abría allí sus plumosos ramilletes de hojas oscuras y de blancuzcas umbelas dondequiera pudiera alcanzar la luz del sol. Allí crecían también la mora y otras plantas solanáceas, cargando sus pequeños racimos de bayas verdes y moradas, y la avena salvaje, la hierba carnicera y las ortigas. La cerca le daba abrigo, pero no humedad, de modo que todos esos yuyos y hierbas tenían una apariencia más bien desdichada y famélica, trepando con largos vástagos fibrosos entre los poderosos áloes. La cerca era también rica en vida animal. Vivían allí ratones, carpinchos y lagartijas huidizas; bajo sus ramas cantaban todo el día las chicharras, mientras que en cada espacio abierto las verdes epeiras tendían sus geométricas telarañas. Esa riqueza en arañas, convertía aquello en un coto de caza favorito de esos insectos terribles, las avispas coloradas, que revoloteaban zumbando ruidosamente con sus espléndidos uniformes de oro y escarlata. También había allí muchos, tímidos pajaritos, y mi preferido era el reyezuelo porque por su aspecto y por sus modos rezongones, espasmódicos y gesticuladores es precisamente como el nuestro, aunque su canto es más rico y poderoso que el del pájaro inglés. Al otro lado del cerco estaba el potrero, o dehesa, donde se guardaban una vaca lechera y dos o tres caballos. El criado, cuyo nombre era Nepomuceno,[14] regía sobre el huerto y el potrero y también, en cierta medida, sobre todo el establecimiento. Nepomuceno era un negro de raza pura, un hombre pequeño, viejo, de cabeza redonda, de ojos nublados, de alrededor de un metro sesenta de altura, con la corta, apelotonada lana de su cabeza completamente gris; era lento en sus palabras y en sus movimientos, y sus viejos dedos negros o achocolatados, de articulaciones envaradas y deformados, apuntaban espontáneamente en diferentes direcciones.

No he visto nunca en la criatura humana nada que igualara la dignidad de Nepomuceno; la profunda gravedad de su porte y de su expresión por fuerza lo hacían a uno pensar en un búho. Aparentemente había llegado a considerarse como el jefe absoluto y el amo del establecimiento, y el sentido de su responsabilidad había hecho algo más que darle aplomo. La propensión del negro a explosiones de risa frecuentes y sin fundamento no era de esperar en persona de tan grave talante; pero Nepomuceno era, me parece, un poco demasiado serio para ser un negro, porque, aunque en los días calurosos su rostro brillaba como ébano pulido, él no sonreía. Todos los de la casa conspiraban para mantener la ficción de la importancia de Nepomuceno; habían, de hecho, conspirado durante tanto tiempo y tan bien, que casi había cesado de ser una ficción. Todos se dirigían a él con gran respeto. Nunca se omitía ni una sílaba de su largo nombre. No podría decir cuáles hubieran sido las consecuencias de llamarle Nepo, o Ceno, o Cenito, los afectuosos diminutivos, porque nunca tuve el coraje

[14]Nepomucino, escribe Hudson.

de intentar la experiencia. A menudo me divertía oír a doña Mercedes llamándolo desde la casa, poniendo todo el acento en la última sílaba en un largo y penetrante crescendo: "Ne-po-mu-ce-no-o". A veces, cuando me sentaba en el huerto, sucedía que se allegaba y, poniéndose ante mí, discurseaba gravemente acerca de las cosas en general, cortando las palabras y sustituyendo la *r* por la *l* a la manera de los negros, lo que me hacía difícil contener una sonrisa. Después de dar fin a su discurso con algunas apropiadas reflexiones morales, terminaba afirmando: —Porque aunque soy negro en la superficie, señor, mi corazón es blanco—; y entonces, con un gesto solemne, apoyaba uno de sus viejos dedos torcidos en la parte donde se suponía que estaba aquella curiosidad fisiológica. No le gustaba que se le mandara cumplir tareas domésticas, prefiriendo anticiparse a todos los requerimientos de esa índole y hacer lo que fuera necesario a hurtadillas. A veces yo me olvidaba de esta peculiaridad del viejo negro, y le decía que quería que me lustrara las botas. En tal caso, él ignoraba totalmente el pedido, y hablaba un rato de asuntos políticos o de la inseguridad de todas las cosas de este mundo, y de pronto, como quien no quiere la cosa, mirando mis botas, observaba incidentalmente que necesitaban que se las lustrase, y ofrecía con un poco de énfasis, hacérmelas lustrar. Nada le hubiera hecho admitir que él mismo hacía esas cosas. Cierta vez traté de divertir a Dolores imitando su manera de hablar, pero ella me hizo callar en seguida, diciendo que quería a Nepomuceno demasiado bien como para permitir reírse de él ni siquiera a su mejor amigo. Nepomuceno había nacido cuando los negros eran esclavos al servicio de su familia, la había llevado en sus brazos cuando era pequeña, y había visto cómo las guerras entre blancos y colorados arrasaban con todos los miembros masculinos de la casa de los Zelaya; y en los días de adversidad su afecto fiel como el de un perro nunca les había fallado. Era hermoso ver cómo ella lo trataba. Si quería una rosa para su cabello o para su vestido, ella nunca la cortaría o me permitiría que fuera a buscarla para ella, sino que debía pedírsele a Nepomuceno que la trajera. Además, ella encontraba tiempo todos los días para sentarse con él en el jardín para contarle extensamente todas las noticias del pueblo y del país, discutiendo con él la situación, y pidiéndole su consejo con respecto a todos los de la casa.

Dentro o fuera de la casa, yo tenía generalmente la compañía de Dolores y, ciertamente, no hubiera podido tener otra más encantadora. La guerra civil —pese a que el pequeño amago del Yi difícilmente merecía ya ese nombre— era su tema inagotable. Nunca se cansaba de entonar loas a su héroe Santa Coloma: su coraje intrépido y su manera de sobrellevar la derrota; sus extrañas y románticas aventuras, los incontables disfraces y estratagemas de que echó mano cuando había andado dando vueltas por su propio país donde se había puesto precio a su cabeza; sus esfuerzos para infundir nuevo valor a sus derrotados y descorazonados partidarios. Que el partido gobernante tuviera algún derecho a estar en el poder o que poseyera cualquier virtud de cualquier clase, o que fuera, en realidad, cualquier otra cosa que un íncubo y una maldición para la Banda Oriental, ella no lo admitiría ni por un momento. A su parecer su país siempre aparecía como Andrómeda atada a la roca y abandonada allí sollozante y desolada para ser presa del aborrecido monstruo Colorado; mientras que, para liberar a ese ser adorable, venía su glorioso Perseo, raudo como los vientos del cielo, con ojos en que relampagueaban los rayos de la terrible venganza y con el poder de los inmortales en su fuerte y justo brazo. A menudo trataba de persuadirme de que me uniera a ese romántico aventurero, y era difícil, muy difícil, resistir sus elocuentes exhortaciones, y tal vez se volvía más duro cada día a medida que la influencia de su apasionada belleza se hacía más fuerte en mi corazón. Invariablemente me refugiaba en el argumento de que yo era un forastero que amaba a mi país con un ardor igual al suyo y que, al tomar las armas en la Banda Oriental debía, en el mismo acto, desposeerme de todos los derechos y privilegios que son patrimonio de un inglés. Ella apenas tenía paciencia para escuchar ese argumento, tan trivial le parecía, y, cuando me pedía otras razones mejores, yo no podía ofrecerle ninguna otra. No me animaba a citarle las palabras del enfadado Aquiles:

Los lejanos troyanos nunca me hicieron daño,

porque este argumento le hubiera parecido aun más débil que el primero. Nunca había leído a Homero en ninguna lengua, por supuesto, pero inmediatamente me hubiera hecho contarle acerca de Aquiles y, cuando llegara el final con el desdichado Héctor arrastrado por tres veces alrededor de los muros de la sitiada Troya —Montevideo, ella lo sabía, era llamada la Moderna Troya— hubiera vuelto el argumento contra mí y me hubiera incitado a ir y cumplir con el presidente uruguayo como Aquiles cumplió con Héctor. Al ver que me callaba volvía el rostro indignada; pero sólo por un momento; pronto iba a volver su brillante sonrisa y ella habría de exclamar: —No, no, Ricardo, no olvidaré mi promesa, aunque a veces pienso que usted trata de obligarme a hacerlo.

Era el mediodía: la casa estaba tranquila, porque doña Mercedes se había retirado después del almuerzo a dormir su infalible siesta, dejándonos entregados a nuestra conversación. En aquel cuarto fresco y espacioso, donde yo había descansado por primera vez en la casa, me recostaba ahora en el sofá fumando un cigarrillo. Dolores, sentándose cerca de mí con la guitarra, dijo: —Ahora lo haré dormir cantándole algo muy suave—. Pero, cuanto más tocaba y cantaba, más me alejaba yo de aquel innecesario sueño.

—¡Cómo es eso, Ricardo, aún no se ha dormido! —me decía ella con una pequeña risa después de cada canción.

—Todavía no, Dolores, —replicaba yo, pretendiendo que me iba adormilando—. Pero los párpados ya me están pesando. Una canción más va a enviarme a la región de los sueños. Cántame esa linda favorita mía: *Desde aquel doloroso momento.*

Al fin, viendo que toda mi somnolencia era fingida, se rehusó a cantar nada más, y en seguida nos vimos arrastrados, una vez más, al tema de siempre.

—Ah, sí, —replicó a aquel argumento referente a mi nacionalidad, que era mi único recurso—, siempre se me enseñó a ver en los extranjeros una especie diferente de gente, fría, práctica, calculadora... tan diferente de nosotros. Usted nunca me pareció un forastero; ah, Ricardo, ¡por qué quiere hacerme recordar que no es uno de nosotros! Dígame, querido amigo, si una hermosa mujer lo llamara a gritos para que la librara de alguna gran desgracia o de un peligro, ¿se detendría usted a preguntarle cuál es su nacionalidad antes de ir a rescatarla?

—No, Dolores; bien sabe que si usted, por ejemplo, estuviera en apuros o en peligro, volaría a su lado y arriesgaría mi vida para salvarla.

—Le creo, Ricardo. Pero dígame, ¿es menos noble ayudar a un pueblo sufriente, cruelmente oprimido por hombres perversos que por medio de crímenes y traiciones y de la ayuda extranjera han conseguido encaramarse en el poder? ¿Va a decirme que ningún inglés ha sacado nunca su espada para ayudar a una causa como esta? Oh, amigo, ¿mi madre patria no es más hermosa y más merecedora de ser ayudada que cualquier mujer? ¿No le ha dado Dios ojos espirituales que derraman lágrimas y buscan consuelo; labios más dulces que los de ninguna mujer que cada día claman amargamente por su liberación? ¿Puede mirar esos cielos azules que lo cubren y caminar sobre los pastos donde las flores blancas y purpúreas le sonríen, y ser ciego y sordo a su belleza y a su situación tan apremiante? ¡Oh, no, no, es imposible!

—Ah, Dolores, si usted fuese hombre, ¡qué llama encendería en los corazones de sus compatriotas!

—Sí, ¡si yo fuera un hombre! —exclamó, poniéndose de pie—; entonces serviría a mi patria no sólo con palabras; entonces mataría y daría mi sangre por ella... ¡y con toda mi alma! Como no soy más que una débil mujer, daría la sangre de mi corazón para ganar un brazo que vaya en ayuda de la sagrada causa.

Estaba ante mí con los ojos relampagueantes, el rostro encendido de entusiasmo; entonces yo también me puse de pie y tomé sus manos en las mías, porque estaba intoxicado por su hermosura y casi dispuesto a arrojar por la ventana todo freno.

—Dolores, —le dije—. ¿No son algo exageradas sus palabras? ¿Pondré a prueba su sinceridad? Dígame, ¿usted daría siquiera un beso de sus dulces labios para ganar un brazo fuerte para su país?

Su rostro se ruborizó, y bajó los ojos; luego, recobrándose rápidamente, respondió:

—¿Qué significan sus palabras? Hable claro, Ricardo.

—No puedo hablar más claramente, Dolores. Perdóneme si la he ofendido una vez más. Su gracia y su belleza y su elocuencia me han hecho excederme.

Sus manos estaban húmedas y temblaban en las mías, pero con todo no las retiraba.

—No, no estoy ofendida, —respondió en tono extraordinariamente bajo—. Póngame a prueba, Ricardo. ¿Quiere hacerme creer de verdad que a cambio de un favor como ese usted se uniría a nosotros?

—No puedo afirmarlo, —repliqué, tratando aún de ser prudente, pese a que mi corazón ardía y a que mis palabras, cuando hablaba, parecían ahogarme—. ¿Pero, Dolores, si usted estuviera dispuesta a derramar su sangre para ganar un brazo fuerte para su causa, le parecería demasiado concederme el favor de que le hablé con la esperanza de conquistar un nuevo brazo?

Ella estaba callada. Entonces, atrayéndola más cerca de mí toqué sus labios con los míos. ¿Pero alguien se satisfizo alguna vez con ese único roce de los labios de que el corazón estaba hambriento? Aquello fue como el contacto con un extraño fuego celestial que instantáneamente inflamó mi amor hasta la locura. La volví a besar una y otra vez; oprimí sus labios hasta que se pusieron secos y quemantes como el fuego; luego besé sus mejillas, su frente, sus cabellos, y envolviéndola en mis brazos la estreché contra mi pecho en un largo abrazo apasionado; después pasó la violencia del paroxismo y, con una punzada de remordimiento, me separé. Ella temblaba: su rostro estaba más blanco que el alabastro, y cubriéndolo con las manos se dejó caer en el sofá. Me senté a su lado y puse su cabeza sobre mi pecho, aunque permanecimos en silencio y sólo nuestros corazones latían muy de prisa. Pronto ella se apartó de mí, y sin dirigirme ni una mirada, se levantó y salió de la habitación.

No tardé mucho en comenzar a reprocharme amargamente por ese imprudente arrebato. No me animaba a esperar que en adelante fuéramos a seguir en el mismo pie de confianza. Una mujer de tanto temple y tan sensitiva como Dolores no podría ser inducida a olvidar o a perdonar mi conducta. Ella no me había rechazado, había incluso consentido tácitamente en aquel primer beso, y por lo tanto debía, en parte, culparse a sí misma; pero su palidez extrema, su silencio y su fría actitud me habían mostrado claramente que la había herido. Mi pasión me había arrebatado, y sentía que me había comprometido. Por aquel primer beso yo había prometido realizar cierta cosa, y no hacerla ahora resultaría muy deshonroso, por mucho que yo retrocediera ante la idea de unirme a los rebeldes blancos. Yo mismo había propuesto la cosa; ella silenciosamente, había consentido en la estipulación. Yo había tomado mi beso y mucho más y, habiendo ahora vivido mi delirante y evanescente dicha, no podía soportar la idea de rehuir el cuerpo como un miserable sin pagar el precio.

Salí lleno de preocupación y caminé de arriba abajo en el huerto por dos o tres horas, en la esperanza de que Dolores pudiera venir, pero aquel día no la volví a ver para nada. A la hora de la cena doña Mercedes estuvo sumamente amable, mostrando claramente que su hija no le había hecho confidencias. Me informó ¡bendita sea! que Dolores tenía un atroz dolor de cabeza provocado por un vaso de clarete tomado en el almuerzo en seguida de comer una tajada de sandía, una imprudencia contra la cual no dejó de prevenirme.

Aquella noche, mientras estaba acostado en mi cama, aunque despierto porque el pensamiento de que había apenado y ofendido a Dolores me hacía imposible dormir, resolví unirme a Santa Coloma de inmediato. Sólo ese acto pondría a salvo mi conciencia, y sólo esperaba que sirviera para volver a ganar la amistad y la estima de la mujer que había aprendido a amar demasiado bien. Apenas me decidí a dar ese paso cuando empecé a ver en él tantas ventajas que resultaba extraño que no lo hubiera dado antes; pero perdemos la mitad de nuestras oportunidades en la vida por ser demasiado cautos. Unos pocos días más de aventuras, más placenteros por estar sazonados con el peligro, y me encontraría de nuevo en Montevideo, con una hueste de grandes y agradecidos amigos que me ayudarían a iniciarme en cualquier profesión en el país. Sí, me dije a mí mismo, entusiasmándome, una vez que este opresivo, escandaloso y fatuo gobierno colorado sea barrido del país a fuego y acero, como por supuesto lo será, iré ante Santa Coloma a deponer mi espada, reasumiendo por ese acto mi propia nacionalidad, y a pedirle, como única recompensa por mi caballeresca conducta al ayudar a la rebelión, que se preocupara por encontrarme una ubicación, digamos, al frente de alguna gran estancia en el interior del país. Allí posiblemente en uno de sus propios establecimientos, yo estaría en mi elemento y feliz, cazando avestruces, comiendo asado con cuero, dueño de una tropilla de veinte caballos bayos[15] para mi uso personal, y labrándome una modesta fortuna con cueros, astas, cebo, y otros frutos del país. Al romper el día me levanté y ensillé mi caballo; luego, al encontrarme con el digno Nepomuceno, que era el pájaro tempranero del establecimiento, le dije que informara a su ama que me iba a pasar el día con el general Santa Coloma. Después de tomar unos mates que me alcanzó el viejo, monté y galopé hasta el pueblo de El Molino.

Llegado al campamento, que había sido trasladado a una distancia de una legua larga de El Molino, encontré a Santa Coloma en el momento en que se disponía a montar a caballo para emprender una expedición a un pequeño pueblo a unas ocho o nueve leguas de allí. Al momento me pidió que fuera con él, y señaló que estaba muy complacido, aunque no sorprendido, de que yo hubiera cambiado de parecer en cuanto a unirme a sus fuerzas. No regresamos hasta altas horas de la noche y todo el día siguiente se empleó en monótonas maniobras de caballería. Luego fui a ver al general y le pedí permiso para visitar la Casa Blanca para despedirme allí de mis amigos. Me informó que él mismo pensaba ir a El Molino a la mañana siguiente y que me llevaría con él. Lo primero que hizo cuando llegamos al pueblo fue enviarme al principal tendero del lugar, un hombre que tenía fe en el jefe blanco, y que estaba colocando rápidamente un amplio surtido de mercaderías con una espléndida ganancia, recibiendo en pago diversos pedacitos de papel firmados por Santa Coloma. Ese buen señor, que mezclaba la política con los negocios, me proveyó de un equipo completo, y que andaba necesitando mucho, que incluía un traje de buen paño, un sombrero marrón de fieltro con alas bastantes anchas, botas largas y un poncho. Una vez que estuve de vuelta en el edificio del cuartel general, en la plaza, recibí mi espada, que no armonizaba muy bien con el traje civil que llevaba; pero en ese aspecto yo no estaba peor que cuarenta y ocho de cada cincuenta de los hombres de nuestro pequeño ejército.

Por la tarde fuimos juntos a ver a las señoras, y el general tuvo una muy

---

[15]Pequeña tropa, tropilla, de caballos del mismo pelo, que a menudo se conservan juntos por obra de una "yegua madrina", de la que no se separan.

cordial bienvenida de parte de ambas, como también yo de doña Mercedes, mientras que Dolores me recibió con la más absoluta indiferencia, no expresando la menor sorpresa o satisfacción por verme llevando una espada por la causa que ella había manifestado abrazar con tanto fervor. Esto fue una dolorosa desilusión, y también me sentí vejado por su manera de tratarme. Después de la cena, tras de la cual nos quedamos conversando durante un rato, el general nos dejó, diciéndome antes de hacerlo que me reuniera con él en la plaza a las cinco de la mañana. Traté entonces de lograr una oportunidad de hablar con Dolores a solas, pero ella me evitó deliberadamente, y por la noche hubo varios visitantes —señoras del pueblo y tres o cuatro oficiales del campamento, y, bailando y cantando, allí estuvimos hasta la medianoche. Viendo que no podría hablar con ella, y preocupado por cumplir mi compromiso para de las cinco de la mañana, me retiré al final desconsolado y frustrado a mi dormitorio. Sin desvestirme me tiré en la cama, y, como estaba fatigado en extremo por haber cabalgado tanto, pronto me quedé dormido. Cuando me desperté, la brillante luz de la luna que alumbraba por la puerta abierta y por la ventana, me hizo imaginar que ya era de día, y rápidamente salté de la cama. No tenía manera de saber la hora, como no fuera yendo al salón grande, donde había un viejo reloj de péndulo. Me encaminé hacia allí y, al entrar, me quedé pasmado al ver a Dolores con su vestido blanco sentada junto a la ventana abierta en actitud abatida. Se sobresaltó cuando entré y se puso de pie, aumentada la extrema palidez de su rostro por el contraste con su largo cabello negro como ala de cuervo suelto sobre los hombros.

—Dolores, ¿la encuentro aquí a esta hora? —exclamé.

—Sí, —me respondió friamente volviéndose a sentar—. ¿Lo encuentra muy extraño, Ricardo?

—Perdóneme por perturbarla, —dije—; vine aquí a mirar el reloj para saber qué hora es.

—Son las dos. ¿Es eso todo lo que vino a hacer? ¿Se imagina que me podría retirar a dormir sin saber primero qué motivo tuvo para volver a esta casa? ¿Se ha olvidado, pues, de todo?

Me acerqué a ella y me senté junto a la ventana antes de hablar.

—No, Dolores, —dije—; si me hubiera olvidado usted no me hubiera visto aquí enrolado en una causa que yo miraba sólo como su causa.

—¡Ah, entonces usted ha honrado la Casa Blanca con esta visita no para hablar conmigo —eso usted lo consideraba innecesario— sino simplemente para exhibirse luciendo una espada!

Me lastimó la extrema amargura de su tono.

—Es injusta conmigo, —dije—. Desde aquel fatal momento en que mi pasión me dominó no he dejado de pensar en usted por haberla ofendido. No, no vine a exhibir esta espada, que no llevo como adorno; vine sólo para hablar con usted, Dolores, y usted, muy deliberadamente, me evitó.

—No sin razón, —respondió de inmediato—. ¿No me quedé sentada tranquilamente junto a usted, después que procedió de esa manera conmigo, esperando que hablara... que se explicara, y usted se quedó callado? Bien, señor, aquí estoy ahora, esperando de nuevo.

—En ese caso, esto es lo que tengo que decir, —repliqué—. Después de lo que pasó me consideré obligado por mi honor a unirme a su causa, Dolores. ¿Qué más puedo decir sino que imploro su perdón? Créame, querida amiga, en ese momento de pasión olvidé todo... olvidé que yo... olvidé que su mano ya había sido prometida a otro.

—¿Prometida a otro? ¿Qué quiere decir, Ricardo? ¿Quién le dijo eso?

—El general Santa Coloma.

—¿El general? ¿Qué derecho tiene él a ocuparse de mis asuntos? Ese es un asunto que sólo me concierne a mí misma, y es un atrevimiento de su parte interferir.

—¿Habla así de su héroe, Dolores? Recuerde que él sólo me advirtió del peligro que corría por pura amistad. Pero esa advertencia fue echada a un lado; mi desdichada pasión, la contemplación de su encanto, sus propias palabras incautas, fueron demasiado para mi corazón.

Ella dejó caer el rostro entre sus manos y se quedó en silencio.

—He sufrido por mi falta, y he de sufrir aún más. ¿No me quiere decir que me perdona, Dolores?, —le dije, ofreciéndole mi mano.

Ella la tomó, pero siguió callada.

—Dígame, querida amiga, que me perdona, que nos separamos como amigos.

—¿Oh, Ricardo, debemos, pues, separarnos? —murmuró.

—Sí... ahora, Dolores; porque, antes de que usted se levante, yo debo estar a caballo y en camino para reunirme con las tropas. La marcha sobre Montevideo comenzará probablemente casi de inmediato.

—¡Oh, no puedo soportarlo! —exclamó de pronto, tomando mi mano entre las suyas—. Deje que ahora le abra mi corazón. Perdóneme, Ricardo, por enojarme de esa manera con usted, pero no sabía que el general había dicho semejante cosa. Créame, él se imagina más de lo que sabe. Cuando usted me tomó en sus brazos y me oprimió contra su pecho, eso fue una revelación para mí, yo no puedo amar ni conceder mi mano a ningún otro hombre. Ahora usted es todo en el mundo para mí, Ricardo; ¿tiene que dejarme para mezclarse en esa cruel guerra civil en la que han perecido todos mis parientes y mis amigos más queridos?

Ella había hecho su revelación; ahora yo tenía que hacer la mía, y ésta era excesivamente amarga. Temblaba al sólo pensar en confesarle mi secreto, ahora, cuando tan inconfundiblemente correspondía a la pasión que yo, locamente, le había revelado.

Repentinamente alzó hacia los míos sus oscuros ojos luminosos, mientras el enojo y la vergüenza luchaban por adueñarse de su rostro pálido.

—¡Hable, Ricardo! —exclamó—. En este momento su silencio es un insulto para mí.

—Por el amor de Dios, tenga piedad de mí, Dolores —dije—. No soy libre... tengo una esposa.

Por unos momentos se quedó sentada mirándome fijamente; luego, arrojando mi mano de sí, se cubrió el rostro. En seguida lo descubrió de nuevo, porque su vergüenza fue superada por su cólera. Se levantó y se quedó de pie ante mí con el rostro muy blanco.

—Usted tiene una esposa... ¡una esposa cuya existencia me ocultó hasta este momento! —dijo—. ¡Ahora me pide piedad cuando su secreto le ha sido arrancado! ¡Es casado, y ha osado tomarme en sus brazos, para excusarse después con el pretexto de la pasión! Pasión... ¿acaso sabe lo que eso significa, traidor? Ah, no; un pecho como el suyo no puede conocer ninguna emoción grande o generosa. ¿Se hubiera animado a mirarme a la cara de nuevo si siquiera hubiera sido capaz de sentir vergüenza? Y creyó que mi corazón era tan hueco como el suyo propio ¡y después de tratarme de ese modo hasta pensó en conquistar mi perdón luciéndose ante mí con una espada! Déjeme sola; no puedo sentir más que desprecio por usted. Váyase; ¡usted es una deshonra para la causa que ha abrazado!

Yo me había quedado sentado, completamente aplastado y humillado, sin osar siquiera levantar mis ojos a su rostro, porque sentía que habían sido mis propias execrables debilidad y locura las que habían traído sobre mí esta tempestad. Pero la paciencia tiene un límite, aun cuando uno se encuentre en el estado de ánimo más sumiso; y, cuando aquél fue sobrepasado, entonces mi enojo ardió con tanto más fuego, por toda la humildad de penitente que había mantenido durante toda la entrevista. Sus palabras, desde el principio, habían sido como los tajos de un latigazo, haciéndome retorcer por el dolor que infligían; pero ese último insulto me hirió más allá de cuanto se puede soportar. ¡A mí, a un inglés, decirle que era una deshonra para la causa de los blancos, a la que me había unido, contra mi mejor opinión, por pura devoción romántica hacia esta misma mujer! Yo también estaba ahora de pie, y allí, cara a cara, estuvimos por algunos momentos, callados y temblando. Al final recobré el habla.

—¿Esto lo dice, —exclamé—, la mujer que ayer estaba dispuesta a derramar la sangre de su corazón para ganar un fuerte brazo para su país? He renunciado a todo, me he aliado con abominables ladrones y degolladores, sólo para enterarme ahora de que su deseo es todo para ella, y su divino, hermoso país no es nada. ¡Desearía que un hombre me hubiera hablado en esos términos, Dolores, así habría podido dar a esta espada de que me habla un uso antes de romperla y arrojarla lejos de mí como la cosa vil que es! ¡Quisiera Dios que la tierra se abriera y se tragara este país para siempre, aunque me hundiera en el infierno con él por el crimen detestable de tomar parte en sus guerras piratescas!

Ella se quedó absolutamente quieta, mirándome con ojos enormemente dilatados, mientras aparecía una nueva expresión en su rostro; entonces, cuando hice una pausa para que ella hablara, no esperando más que un nuevo arrebato de sarcasmos y de amargura, una extraña y triste sonrisa aleteó sobre sus labios y, acercándose a mí, me puso una mano sobre el hombro.

—¡Oh!, —dijo—, ¡qué capacidad de pasión hay en usted, Ricardo! Perdóneme, porque yo lo he perdonado. Ah, estábamos hechos el uno para el otro, y no puede ser, nunca podrá ser.

Con un gesto de abatimiento dejó caer la cabeza sobre mi hombro. Mi enojo se desvaneció al escuchar esas tristes palabras; sólo amor quedaba... Amor mezclado con la más profunda compasión y con el remordimiento por el sufrimiento que había infligido. Sosteniéndola con mi brazo, acaricié tiernamente sus cabellos oscuros, e inclinándome oprimí mis labios contra ellos.

—¿Me quieres mucho, Dolores, —pregunté—, lo suficiente para llegar a perdonar las palabras crueles y amargas que acabo de pronunciar? Oh, estaba loco... loco, para decirte semejantes palabras ¡y de esto me arrepentiré toda mi vida! ¡Qué cruelmente te he herido con mi amor y con mi cólera! Dime, mi queridísima Dolores, ¿podrás perdonarme?

—Sí, Ricardo; todo. ¿Hay alguna palabra que puedas decir, alguna acción que puedas realizar, que yo no perdone? ¿Tu mujer te quiere así...? ¿Es posible que la ames como me amas a mí? ¡Qué cruel es para nosotros el destino! Ah, mi país amado, estaba dispuesta a derramar mi sangre por ti... sólo para ganar un brazo fuerte que luchara por tu bien, pero no soñé que éste sería el sacrificio que se me exigiera. Mira, pronto será hora de que te vayas... No podemos dormir ahora, Ricardo. Siéntate aquí conmigo, y pasemos juntos esta última hora con mis manos en las tuyas, porque nunca, nunca, nunca, nos volveremos a encontrar de nuevo.

Y así, sentados allí, con las manos juntas, esperamos el amanecer, diciéndonos muchas cosas tiernas y tristes; y al final, cuando nos separamos, la estreché de nuevo, sin que ella se resistiera, contra mi pecho, pensando, como ella, que la nuestra iba a ser una separación eterna.

Capítulo XVIII

¡ANDROMEDA, QUEDATE EN TU ROCA!

Poco tengo que contar de los agitados acontecimientos de los días siguientes, y ningún lector que haya padecido del mal de amor en su forma más aguda se va a extrañar de ello. Durante esos días me confundí con una multitud de aventureros, de hombres que habían vuelto del exilio, de criminales y de descontentos, cada uno de los cuales valía la pena de ser estudiado; las horas de luz las pasábamos en ejercicios de caballería o en largas expediciones por la región, mientras que todas las noches, junto al fuego del campamento, oía contar cuentos románticos suficientes como para llenar un volumen. Pero la imagen de Dolores estaba siempre en mi recuerdo, de tal modo que todo ese período atestado de actividad, que duró nueve o diez días, pasó por mí como una fantasmagoría, o como un sueño inquieto, dejando en mi mente sólo una impresión muy confusa. Yo no me afligía solamente por la pena que le había ocasionado sino que me dolía también que mi propio corazón me hubiera traicionado de manera tan terrible, de tal modo que, por el momento, la hermosa muchacha a quien había persuadido para que abandonara a sus padres y su hogar, prometiéndole mi afecto imperecedero, había dejado de ser para mí lo que había sido, tan grande era esta nueva pasión inoportuna. El general me había ofrecido un cargo en su zarrapastrosa congregación, pero como yo no tenía conocimiento en asuntos militares, prudentemente lo había declinado, reclamando únicamente y como un favor especial, que me enviara constantemente en las expediciones que enviaba por los alrededores para reclutar gente, secuestrar armas, ganado y caballos, y destituir a las autoridades locales menores poniendo gente suya en su lugar. Mi pedido había sido otorgado, de modo que yo estaba siempre, mañana, tarde y noche, a caballo.

Una noche estaba en el campamento sentado junto a un gran fuego, y mirando fija y melancólicamente las llamas, cuando los otros hombres, que estaban ocupados jugando a las cartas o tomando mate, se pusieron de pie apresuradamente, haciendo el saludo militar. Entonces vi al general cerca de mí mirándome fijamente. Con un gesto indicó a los hombres que siguieran jugando a las cartas, y se sentó a mi lado.

—¿Qué le pasa? —preguntó—. He notado que desde que se unió a nosotros parece otra persona. ¿Lamenta el paso que dio?

—No, —contesté, y luego me quedé callado, no sabiendo qué otra cosa decir.

Me miró escrutadoramente. Sin duda había en su mente alguna sospecha de la verdad; porque había ido conmigo a la Casa Blanca, y era muy poco probable que sus ojos penetrantes hubieran dejado de advertir la fría recepción que en esa oportunidad me había brindado Dolores. Con todo, él no tocó ese asunto.

—Dígame, —me dijo al cabo—: ¿qué puedo hacer por usted?

Me reí. —¿Qué puede usted hacer como no sea llevarme a Montevideo? —le repliqué.

—¿Por qué dice eso? —preguntó de inmediato.

—Ya no somos simplemente amigos, como éramos antes de que me uniera a sus fuerzas, —dije—. Usted es mi general y yo soy simplemente uno de sus hombres.

—La amistad sigue siendo exactamente la misma, Ricardo. Y puesto que ahora ha cambiado de repente el curso de la conversación en este sentido, dígame francamente: ¿qué piensa de esta campaña?

Hubo un leve aguijón en sus palabras, pero yo, tal vez, me lo había merecido. —Ya que me exhortó a hablar de esto, —le dije—, yo, por mi parte, me siento muy decepcionado por los escasos progresos que estamos haciendo. Me parece que antes de que usted esté en situación de atacar se habrán desvanecido el entusiasmo y el coraje de su gente. Usted no puede lograr reunir nada que se parezca a un ejército decoroso, y los pocos hombres que tiene están mal armados y son indisciplinados. ¿No está claro que en estas condiciones una marcha sobre Montevideo es imposible, y que usted se verá obligado a retirarse a lugares lejanos y de difícil acceso para librar una guerra de guerrillas?

—No, —respondió—; no habrá guerra de guerrillas. Los colorados consiguieron que los orientales no quieran ni oír hablar de ella, desde que el architraidor y jefe de degolladores, el general Rivera, asoló la Banda Oriental durante diez años. Pronto marcharemos hacia Montevideo. En cuanto al carácter de mis tropas, es asunto que tal vez sería inconducente discutir, mi joven amigo. Si yo pudiera importar de Europa un ejército bien equipado y disciplinado para que librara mis combates, lo haría. El agricultor oriental, que no puede encargar una segadora a Inglaterra, se ve obligado a salir a juntar por la llanura sus yeguas cimarronas para trillar su trigo, y yo, del mismo modo, no teniendo más que unos pocos ranchos dispersos de dónde sacar mis soldados, debo considerarme satisfecho haciendo lo que puedo con ellos. Y ahora dígame ¿está ansioso por ver que se haga algo en seguida...? ¿un combate, por ejemplo, en el que posiblemente salgamos derrotados?

—Sí, eso sería mejor que seguir inmovilizados. Si usted es fuerte, lo mejor que puede hacer es mostrar su fuerza.

Se rio. —Ricardo, usted fue hecho con la pasta de un oriental, —me dijo—, sólo que la naturaleza lo dejó caer por error en otro país. Usted es bravo hasta la temeridad, aborrece todo freno, ama a las mujeres, es despreocupado; la gravedad castellana que ha asumido recientemente es, me imagino, sólo un estado de ánimo pasajero.

—Sus palabras son halagadoras en grado sumo y me llenan de orgullo, —contesté—, pero no alcanzo a ver qué relación tienen con el objeto de nuestra conversación.

—Y, sin embargo, hay una relación, —me respondió amablemente—. Aunque usted rechazó el puesto que le ofrecí, estoy tan convencido de que en su corazón usted es uno de nosotros, que voy a confiarme en usted y a contarle algo sólo conocido aquí por media docena de hombres de mi confianza. Usted dijo muy bien que si tuviéramos fuerza deberíamos mostrarla al país. Esto es lo que estamos por hacer ahora. Han enviado contra nosotros un cuerpo de caballería y, antes de que pasen dos días, entraremos en combate con ella. Por lo que sé, las fuerzas van a estar balanceadas muy parejamente, aunque, por supuesto, nuestros enemigos van a estar mejor pertrechados. Nosotros elegiremos nuestro propio terreno; y, si nos atacaran fatigados por la larga marcha o si entre ellos hubiera algún descontento, la victoria será nuestra, y después de eso cada espada blanca de la Banda se desenvainará para apoyar nuestra causa. No necesito repetirle que en la hora de mi triunfo, si llega alguna vez, no me olvidaré de mi deuda para con usted; mi deseo es ligar a usted en cuerpo y alma a esta tierra oriental. Es posible, con todo, que yo sea derrotado y, si dentro de dos días estamos todos dispersos a los cuatro vientos, permítame aconsejarle qué hacer. No trate de volver de inmediato a Montevideo, porque podría ser peligroso. Dé la vuelta por Minas hacia la costa del sur; y cuando llegue al departamento de Rocha, pregunte por el pequeño caserío de Lomas de Rocha que queda a unas tres leguas al oeste del lago. Allí encontrará a un pulpero, un tal Florentino Blanco, que es también un blanco de corazón. Dígale que yo lo envío y pídale que le consiga un pasaporte inglés en la capital; después de tenerlo usted podrá viajar seguro a Montevideo. Si en algún momento fuera identificado como uno de mis partidarios, puede inventar alguna historia que explique su presencia en mi ejército. Cuando recuerdo aquella conferencia sobre botánica que una vez me impartió, además de algunos otros asuntos, estoy convencido de que usted no está desprovisto de imaginación.

Después de darme algunos otros amables consejos, me dio las buenas noches, dejando en mi espíritu la extrañamente desagradable convicción de que por el momento habíamos cambiado los personajes, y de que yo había estado tan poco hábil en mi nuevo papel como antes lo había estado en el antiguo. El había sido la sinceridad misma, mientras que yo, tomando la desechada máscara, me la había puesto, probablemente, patas para arriba, porque me había hecho sentir sumamente incómodo durante nuestra entrevista. Para empeorar las cosas, estaba además seguro de que no había logrado ocultar mi estado de ánimo, y que él sabía tan bien como yo cuál era el verdadero motivo del cambio que había notado en mí.

Estas molestas reflexiones no me perturbaron por mucho tiempo, y entonces empecé a sentirme considerablemente excitado ante la perspectiva de una escaramuza con las tropas gubernamentales. Mis pensamientos me mantuvieron despierto casi toda la noche; de todos modos, a la mañana siguiente, cuando la trompeta sonó muy cerca de mí su diana estridente, me levanté de prisa y en un estado de ánimo mucho más animado de cuanto había experimentado en los últimos tiempos. Empecé a sentir que estaba logrando superar aquella loca pasión por Dolores que nos había hecho tan desdichados a ambos, y, cuando estuvimos una vez más a caballo, la "gravedad castellana" a que el general había aludido irónicamente, se había desvanecido completamente.

Aquel día no se enviaron expediciones; después que hubimos marchado unas cuatro leguas hacia el este aproximándonos a la inmensa cadena de la Cuchilla Grande, acampamos, y después de la comida del mediodía pasamos la tarde en ejercicios de caballería.

Al día siguiente se produjo el gran acontecimiento para el que nos habíamos estado preparando, y puedo afirmar sin lugar a dudas que con el calamitoso material que tenía bajo su mando ningún hombre hubiera podido hacer más que Santa Coloma, aunque ¡ay! todos sus esfuerzos terminaron en un desastre. Ay, digo, no porque hubiera tomado —ni siquiera entonces— ningún interés serio en la política oriental, sino porque hubiera sido una considerable ventaja para mí si las cosas hubieran salido de otro modo. Además, una cantidad de pobres diablos que por un tiempo desmedido habían estado desterrados o despojados hubieran llegado al poder, y los ruines colorados, a su vez, se hubieran visto obligados a comer el "amargo pan" de la proscripción. Aquí, posiblemente, se le haga presente al lector la fábula del zorro y las moscas; yo, sin embargo, prefiero recordar la fábula de Lucero sobre el árbol llamado Montevideo, con la charlatana colonia entre sus ramas, y verme a mí mismo como un integrante del majestuoso ejército bovino que iba a sitiar a los monos y a castigarlos por su perversa conducta. Por la mañana muy temprano desayunamos y después se ordenó a cada hombre que ensillara su mejor caballo; porque cada uno de nosotros era dueño de dos o tres corceles. Yo, por supuesto, ensillé el caballo que me había dado el general y que había reservado para alguna tarea especial. Montamos, y nos dirigimos al trotecito a través de campos ásperos y quebrados en dirección a la Cuchilla Grande. A eso del mediodía llegaron a caballo algunos exploradores e informaron que el enemigo estaba casi encima de nosotros. Después de un alto de media hora, seguimos de nuevo al mismo trote suave hasta las dos de la tarde, cuando cruzamos la Cañada de San Paulo, un profundo valle después del cual la llanura subía hasta una altura de unos cincuenta metros. Nos detuvimos en la Cañada para abrevar a nuestros caballos, y allí supimos que el enemigo avanzaba a marchas forzadas, esperando, evidentemente, cortar nuestra supuesta retirada hacia la Cuchilla. Después de cruzar la angosta corriente del San Paulo, comenzamos a ascender lentamente la inclinada planicie hasta que alcanzamos su punto más alto; entonces, nos dimos vuelta y vimos debajo de nosotros al enemigo, que sumaba alrededor de setecientos hombres desplegados en una línea de extraordinaria extensión. Desde el valle subían hacia nosotros a buen trote. Rápidamente, nos dispusimos en tres columnas; la del centro contaba con unos doscientos cincuenta hombres; las otras, con alrededor de doscientos cada una. Yo estaba en una de las columnas externas, separado por tres o cuatro hombres de la primera línea. Mis compañeros, que hasta entonces se habían mostrado despreocupados y conversadores, se pusieron graves y silenciosos. A uno de mis lados había un muchacho pillo e incorregible, de unos dieciocho años, un individuo pequeño y morocho, con cara de mono y una débil voz de falsete que parecía la de una mujer muy vieja. Observé que sacaba un cuchillito afilado y, sin mirar hacia abajo, lo pasaba tres o cuatro veces por la parte superior de su encimera;[16] pero evidentemente sólo, lo hizo como ensayo, porque no cortó el cuero. Viendo que lo observaba, se sonrió misteriosamente e hizo con la cabeza y los hombros un gesto, inclinándose hacia delante, como imitando a una persona huyendo a caballo a toda velocidad, después de lo cual reintegró el cuchillito a su vaina.

—¿Estás pensando en cortar la encimera y escaparte, pequeño cobarde? —pregunté.

—¿Y usted qué va hacer? —preguntó a su vez.

—Luchar, —dije.

—Es lo mejor que puede hacer, señor francés, —dijo sonriéndose.

—Oye, —le dije—, cuando el combate termine te voy a buscar para darte una buena tunda por tu impertinencia de llamarme francés.

16Parte de la montura del caballo; es una pieza de cuero de la que salen dos correas anchas que sirven como cinchas.

—¡Después del combate! —exclamó con una mueca cómica—. ¿Quiere decir el año que viene? Antes de que llegue ese día lejano, algún colorado se enamorará de usted y... y... y...

Aquí se explicó sin palabras pasando el canto de su mano por su garganta con rápido movimiento, cerrando después los ojos y haciendo gorgoteos como los que se supone hace una persona que pasa por la dolorosa operación de ser degollada.

Nuestro coloquio fue mantenido en voz baja, pero su pantomima atrajo la atención de nuestros vecinos sobre nosotros, y ahora él miró en torno para informarlos con una sonrisa sarcástica y un cabeceo que su astucia oriental iba ganando la partida. Yo estaba determinado a no dejarme humillar por él, y golpeé mi revólver con la mano para llamarle la atención hacia él.

—Mira esto, tú, joven malandrín, —le dije—. ¿No sabes que yo y otros muchos de esta columna hemos recibido orden del general de abatir de un balazo a cualquiera que trate de escaparse?

Estas palabras lo hicieron callar efectivamente. Se puso tan pálido como su piel oscura lo permitía y miró a su alrededor como un animal perseguido que busca un hueco donde ocultarse.

Al otro lado tenía yo un viejo gaucho de barba gris, vestido con prendas bastantes andrajosas, que encendió un cigarrillo y olvidado de todo, menos de la estimulante fragancia del más fuerte de los tabacos negros, llenó sus pulmones con largas inspiraciones para después arrojar nubes de humo azul al rostro de sus vecinos, expandiendo el confortante perfume sobre una tercera parte del ejército.

Santa Coloma se puso a la altura de la situación; cabalgando raudamente de una a otra columna, se dirigió por turno a cada una de ellas y, empleando la primorosa y expresiva fraseología de los gauchos, que conocía tan bien, derramaba sus denuncias sobre los colorados con suma furia y con una elocuencia que hacía afluir un golpe de sangre a las mejillas de muchos de sus partidairos. Eran traidores, saqueadores y asesinos, gritaba; habían cometido un millón de crímenes, pero todo eso no era nada comparado con aquel negro crimen de que ningún otro partido político había sido culpable. Con la ayuda del oro y de las bayonetas brasileñas habían llegado al poder; eran los infames pensionistas del imperio de esclavos. Los comparaba con el hombre que se casa con una mujer hermosa y la vende a algún hombre rico para vivir lujosamente de las rentas de su propio deshonor. La sucia mancha que habían echado sobre el honor de la Banda Oriental sólo podía ser lavada con su propia sangre. Señalando a las tropas que avanzaban, dijo que cuando esos miserables mercenarios hubieran sido esparcidos como las semillas voladoras del cardo son esparcidas por el viento, el país entero estaría con él, y la Banda Oriental, después de medio siglo de degradación, estaría libre al fin y para siempre de la maldición brasileña.

Blandiendo su espada, galopó de vuelta para ponerse al frente de su columna saludado por una tormenta de *vivas*.

Después de eso, cayó un gran silencio sobre nuestras filas; en tanto, cuesta arriba, con sus trompetas sonando alegremente, trotaba el enemigo, hasta que hubo cubierto unos trescientos metros de la cuesta, amenazando rodearnos en un inmenso círculo, cuando repentinamente se dio la orden de atacar, y con Santa Coloma al frente nos lanzamos atronadoramente sobre ellos por el declive.

Los soldados que lean esta relación simple y sin retoques de una batalla oriental podrán sentirse inclinados a criticar las tácticas de Santa Coloma; porque sus hombres eran como los árabes, hombres de a caballo y poco más; por otra parte, estaban armados con lanzas y sables, armas que requieren un espacio amplio para ser empleadas con eficacia. Sin embargo, teniendo en cuenta todas las circunstancias, estoy seguro que hizo lo correcto. Sabía que era demasiado débil para enfrentar al enemigo de la manera habitual, echando hombre contra hombre; sabía también que si no daba combate, su pasajero prestigio se desvanecería como humo y la rebelión sufriría un colapso. Habiendo decidido jugar el todo por el todo, y sabiendo que en la lucha cuerpo a cuerpo sería batido infaliblemente, su único plan posible era mostrar al enemigo un frente audaz, agrupar a sus débiles hombres en columnas y arrojarlos contra el enemigo, esperando por este medio provocar el pánico entre sus oponentes y arrebatar así la victoria.

La descarga de carabinas con que fuimos recibidos no nos causó daños. Yo, por lo menos, no vi cerca de mí caballos sin jinetes, y en pocos momentos más estábamos arrollando las líneas enemigas de avanzada. Un grito de triunfo salió de los labios de nuestros hombres, pues nuestros cobardes enemigos estaban huyendo en todas direcciones. Y seguimos cabalgando en triunfo hasta que alcanzamos el pie de la colina, donde hicimos alto porque ante nosotros estaba la corriente del San Paulo, y pareció que no valía la pena perseguir a los pocos hombres esparcidos que lo habían cruzado e iban corriendo como avestruces perseguidas. De improviso, con un gran alarido, un numeroso cuerpo de colorados se precipitó atronadoramente colina abajo sobre nuestra retaguardia y nuestros flancos y el desaliento se apoderó de nosotros. Los débiles esfuerzos que hicieron algunos de nuestros oficiales para que nos volviéramos y los enfrentáramos resultaron infructuosos. Soy completamente incapaz de dar un informe claro de lo que sucedió inmediatamente después porque, por algunos momentos, estuvimos todos, amigos y enemigos, entreverados en la más desatinada confusión; y cómo fue posible que yo saliera de todo aquello sin un arañazo es para mí un misterio. Más de una vez tuve violentos choques con colorados, que se distinguían de los nuestros por sus uniformes, y me fueron dirigidos furiosos y repetidos golpes con espadas y con lanzas, pero, de algún modo, escapé a todos ellos. Yo vacié los seis tiros de mi Colt pero, si mis balas mataron a alguien o no, no podría decirlo. Al fin me encontré rodeado por cuatro de nuestros hombres que iban espoleando furiosamente a sus caballos para alejarse del combate.

—Dele látigo, Capitán, venga por aquí con nosotros, —me gritó uno de ellos que me conocía, y que siempre insistía en darme un título al que no tenía derecho.

Mientras nos alejábamos, orillando la colina hacia el sur, me aseguró que todo estaba perdido, señalando como prueba de sus palabras los grupos de nuestros hombres que huían del campo de batalla esparciéndose en todas direcciones. Sí, estábamos derrotados; era evidente, y no necesité que mis compañeros de huida me exhortaran mucho para clavar las espuelas a mi caballo hasta que alcanzó su máxima velocidad. Si los ojos de halcón de Santa Coloma se hubieran posado sobre mí en aquel momento, hubiera agregado a la lista de rasgos orientales que me atribuyó la nada inglesa facultad de saber cuando estaba vencido. Estaba tan ansioso de salvar el pellejo —de salvar el pescuezo, decimos en la Banda Oriental— como cualquier otro jinete de aquellos, sin hacer siquiera excepción del muchacho con cara de mono y voz chillona.

Si el lector curioso, con sed de saber, consultara las Historias del Uruguay, estoy seguro de que encontraría una descripción de la batalla de San Paulo más científica que la que yo he sido capaz de hacer. Sírvame de excusa que esa fue la única batalla —campal o de cualquier clase— en la que yo haya hecho acto de presencia, y, también, que mi posición en el ejército blanco era muy humilde. En resumen, no estoy demasiado orgulloso de mis hazañas soldadescas; con todo, como no lo hice peor que Federico el Grande de Prusia, que huyó de su primera batalla, no considero que deba ruborizarme furiosamente. Mis compañeros tomaron la derrota con la habitual resignación oriental.

—Usted ve, —me dijo uno de ellos para explicar su actitud—, en cada batalla siempre tiene que haber un bando que pierda; en caso de que hubiéramos ganado esta jornada los colorados la hubieran perdido.

En esa observación había una filosofía sana y práctica; no podía ser controvertida, no cargaba nuestros cerebros con nada nuevo, y nos reconfortaba a todos. Para mí, la cosa no tenía mucha importancia, pero no podía dejar de pensar constantemente en Dolores, que tendría ahora una nueva pena para aumentar sus pesares.

Galopamos velozmente por espacio de una legua o algo más; luego, en la falda de la Cuchilla, nos detuvimos para dar un respiro a nuestros caballos y, desmontando, nos volvimos a contemplar un rato el amplio paisaje que se tendía ante nosotros. Tras de nosotros se levantaban las gigantes paredes verdes y marrones de las sierras cuya cadena se extendía a uno y otro lado en masas de color violeta o azul profundo. A nuestros pies yacía la llanura ondulante, verde y amarillenta, vasta como un océano y surcada por innumerables corrientes de agua, mientras que una mancha negra en una ladera lejana nos mostraba que nuestros enemigos estaban acampados en el propio lugar donde nos habían vencido. No se veía una sola nube en los inmensos cielos; sólo allá, en el este, vapores de color rosa y púrpura estaban comenzando a tomar forma, manchando aquel cielo azul intenso por el lado del poniente. Sobre todo ello reinaba un profundo silencio; hasta que, súbitamente, una bandada de oropéndolas coloreadas de naranja y fuego y con las alas negras, se abatió sobre

114

un montón de arbustos muy cercanos y derramó un torrente de música salviaje y gozosa. ¡Extraño concierto! una gritería de notas que parecían gritar de jubilosa alegría a un cielo que las escuchaba, y notas abruptas y guturales, que se mezclaban con otras más claras y estremecedoras que las que nunca sacaron labios humanos del metal o de la madera. Pronto terminó; se alzaron los vocalistas como una fuente de fuego y se alejaron volando hacia sus nidos entre las colinas, y el silencio reinó de nuevo. ¡Qué brillantes matices, qué alegre música fantástica! ¿Eran de veras pájaros, o eran los felices habitantes alados de una región mística parecida a la tierra, pero más dulce que la tierra y nunca visitada por la muerte, sobre cuyo umbral yo había tropezado? Entonces, mientras que la última rica inundación de luz solar llegaba a la tierra desde aquella eterna urna roja que descansaba sobre el lejano horizonte, yo hubiera podido, de estar solo, haberme arrojado al suelo para adorar al gran Dios de la naturaleza, que me había dado ese precioso momento de vida. Pues aquí la religión, que languidece en las ciudades atestadas, o que se escabulle con el rostro avergonzado para esconderse en sombrías iglesias, florece grandiosamente, llenando el alma de una alegría solemne. Cara a cara con la naturaleza sobre las vastas colinas a la caída de la noche, ¿quién no se siente cerca del Invisible?

> De su alma nunca Dios se habrá alejado;
> su imagen está impresa en cada pasto.

Mis camaradas, ansiosos de pasar al otro lado de la Cuchilla, estaban ya a caballo gritándome que montara. Dejé aún una mirada más demorándose sobre aquel amplio panorama, amplio, y sin embargo ¡qué pequeña porción de los más de ciento ochenta mil kilómetros cuadrados de eterno verdor bañados por innumerables y hermosos cursos de agua! De nuevo el recuerdo de Dolores arrasó mi corazón como un viento doliente. Por este rico premio, su hermosa tierra, ¡qué débilmente y con qué endebles manos nos habíamos esforzado! ¿Dónde estaba ahora su héroe, el glorioso libertador Perseo? Tal vez yacía, muerto, bañado en su propia sangre, en aquel páramo lejano que se iba envolviendo en sombras. Todavía el monstruo colorado no había sido dominado. "¡Andrómeda, quédate en tu roca!" murmuré tristemente; luego salté sobre mi caballo y galopé tras de mis compañeros en retirada que se alejaban y que ya habían bajado cerca de un kilómetro y medio por el oscuro paso de la montaña.

Capítulo XIX

CUENTOS DE LA TIERRA PURPUREA

No hacía mucho que había caído la noche cuando cruzamos la Cuchilla y nos encontramos en el departamento de Minas. Nada pasó hasta cerca de la medianoche, cuando nuestros caballos comenzaron a dar señales de extremo cansancio. Mis compañeros esperaban llegar antes de la mañana a una estancia, distante aún muchas leguas, donde los conocían y les permitirían permanecer escondidos unos días hasta que la tormenta hubiera pasado; porque, generalmente, poco después de una revuelta, se proclamaba un *indulto,* o perdón general, después del cual todos aquellos que se habían alzado contra el gobierno constituido, podían volver sin peligro a sus casas. Por el momento éramos, por supuesto, gente fuera de la ley, y estábamos expuestos a ser degollados en cualquier momento. Al fin nuestros pobres caballos no fueron ya capaces ni de trotar y, desmontando, seguimos a pie, conduciéndolos por las riendas.

Aproximadamente a la medianoche nos aproximamos a un curso de agua, la parte superior del río Barriga Negra y, al irnos acercando, atrajo nuestra atención el repiqueteo de un cencerro. En la Banda Oriental es corriente que cada hombre tenga en su tropilla una yegua llamada *madrina;* la madrina siempre lleva una campanita atada al pescuezo, y lo habitual es que por la noche sus patas delanteras sean maneadas para evitar que se aleje de la casa; los caballos, que siempre le tienen mucho apego, no se separan de ella.

Después de escuchar unos momentos, resolvimos que el sonido provenía del cencerro de una madrina, que estaba maneada, porque el tintineo llegaba en violentas sacudidas como si fuera provocado por un animal que se movía con dificultad, dando brincos. Marchando hacia el lugar de donde provenía, encontramos una tropilla de once o doce caballos zainos que pastaban junto al río. Arreándolos con cuidado hacia la orilla, donde un agudo recodo del río nos permitió acorralarlos, nos dimos a la tarea de atrapar caballos frescos. Afortunadamente no eran ariscos con los extraños, y después que atrapamos y aseguramos a la yegua madrina, se agruparon relinchando en torno de ella, y no nos llevó mucho tiempo seleccionar los zainos de mejor aspecto de la manada.

—Amigos, yo llamo a esto robar, —dije, aunque en ese preciso instante estaba ocupado transfiriendo apresuradamente mi recado al animal de que me había adueñado.

—Es una información muy interesante, —dijo uno de mis camaradas.

—Un caballo robado siempre lo lleva bien a uno, —dijo otro.

—Si no puede robar un caballo sin afligirse, usted no ha sido educado como se debe —exclamó un tercero.

—En la Banda Oriental, —dijo el cuarto—, usted no es tenido por hombre honesto a menos que robe.

Entonces cruzamos el río y nos lanzamos a un rápido galope que mantuvimos hasta la mañana, llegando a nuestro destino un poco antes de la salida del Sol. Había allí una hermosa arboleda no lejos de la casa, rodeada por un zanjón profundo y por un cerco de tunas, y, después de tomar mate en la casa, donde la gente nos recibió amablemente, y de desayunar, nos ocupamos de esconder los caballos y de escondernos nosotros mismos en la arboleda. Encontramos un pequeño y confortable claro cubierto de pasto, sombreado en parte por los árboles que nos rodeaban, y allí tendimos nuestras mantas, y, fatigados por los apuros pasados, pronto caímos en un sueño profundo que duró casi todo el resto del día. Fue un día agradable para mí, porque pasaba despierto algunos ratos, durante los cuales experimentaba esa impresión de absoluto descanso de mente y cuerpo que es tan extraordinariamente agradable después de un largo período de trabajos y de ansiedad. Durante mis momentos de vigilia fumé algunos cigarrillos y presté oídos a los quejosos píos de una bandada de pichones de cabecitas negras que volaban cerca, de árbol en árbol, tras de sus padres pidiendo que se les diera de comer. En ocasiones sonaba entre el follaje el largo y claro grito del benteveo, un pájaro color limón con cabeza negra y un pico largo como el del martín pescador; o una bandada de pechos amarillos, pájaros de color castaño oliváceo con brillantes chalecos amarillos, visitaba los árboles emitiendo un confuso coro de notas alegres.

No pensé mucho en Santa Coloma. Probablemente habría escapado, y era una vez más un vagabundo disfrazado con las humildes prendas de un paisano; pero eso no habría de ser ninguna experiencia nueva para él. El pan amargo del exilio había sido, aparentemente, su alimento habitual, y sus periódicas incursiones en su país habían terminado siempre en desastres; tenía aún un objetivo por el cual vivir. Pero cuando recordaba a Dolores que estaría lamentando su causa perdida y su imposible paz espiritual, entonces, pese a la brillante luz del sol que moteaba la hierba, pese al suave viento cálido que abanicaba mi rostro y susurraba en lo alto entre el follaje, y a los pájaros de gozosa garganta que me visitaban, sentía una punzada de angustia en el corazón, y las lágrimas se me agolpaban en los ojos.

Cuando llegó la noche, todos estábamos completamente despiertos y nos quedamos sentados hasta muy tarde alrededor del fuego, tomando mate y conversando. Todos estábamos conversadores aquella noche, y una vez que hubimos agotado todos los habituales temas de conversación de la Banda Oriental, derivamos hacia asuntos extraordinarios —criaturas salvajes de apariencia y de costumbres extrañas, apariciones, y aventuras maravillosas.

—La manera como la lampalagua captura a su presa es muy curiosa, —dijo uno del grupo, llamado Rivarola, un hombre fornido, con una inmensa barba negra y un bigote de aspecto feroz pero de mansa mirada, y que tenía una voz gentil y arrulladora.

Todos habían oído hablar de la lampalagua, una especie de boa que se encuentra en estos países, de cuerpo muy grueso y de movimientos extraordinariamente lentos. Su presa son los roedores de mayor tamaño, y los captura, según creo, siguiéndolos hasta sus madrigueras, donde, acorralados, no pueden escapar a sus mandíbulas.

—Voy a contarles lo que una vez presencié, porque jamás he visto una cosa más extraña, —continuó Rivarola—. Iba un día a caballo cruzando un monte, cuando vi ante mí, a cierta distancia, un zorro sentado en el pasto observando cómo me acercaba. De pronto vi que daba un gran salto en el aire, lanzando un tremendo aullido de terror y cayendo de nuevo en tierra, donde se quedó por un rato gruñendo, luchando y mordiendo como si estuviera enfrascado en una lucha mortal con algún enemigo invisible. Poco después empezó a alejarse a través del bosque, aunque con suma lentitud, y todavía luchando frenéticamente. Parecía que se iba quedando exhausto; arrastraba la cola, su boca echaba espuma y le colgaba la lengua, mientras seguía moviéndose como arrastrado por una cuerda invisible. Lo seguí muy de cerca, pero no se fijó en mí. A veces hundía sus uñas en la tierra o se agarraba de algún tallo o de alguna raíz con los dientes, y allí se quedaba descansando algunos momentos, hasta que la raíz cedía, y entonces el zorro se revolcaba sobre el suelo, lanzando fuertes gañidos, pero siempre arrastrado hacia delante. En seguida vi, en el lugar hacia donde nos estábamos dirigiendo, una enorme serpiente, gruesa como el muslo de un hombre, con la cabeza levantada por encima del pasto, e inmóvil como una serpiente de piedra. Su boca de color rojo sangre y cavernosa estaba abierta de par en par, y su ojos estaban fijos en el zorro que se debatía. Cuando estuvo a unos veinte pasos de la serpiente, el zorro comenzó a moverse muy rápidamente sobre el suelo, luchando más débilmente a cada momento, hasta que pareció volar por el aire, y en un instante estuvo en la boca de la serpiente. Entonces el reptil bajó la cabeza y comenzó lentamente a tragarse su presa.

—¿Y usted mismo lo presenció, realmente? —le pregunté.

—Con estos ojos, —respondió, señalando las órbitas en cuestión con la bombilla del mate que tenía en la mano—. Esa fue la única ocasión en que realmente vi cómo la lampalagua cazaba su presa, pero su manera de hacerlo es bien conocida, de oídas, por todos. Mire, arrastra el animal hacia ella con su poder de succión. A veces, cuando el animal atacado es muy fuerte o está muy lejos —digamos a una media legua— la serpiente se pone tan inflada con la cantidad de aire que inhala mientras arrastra la víctima hacia ella...

—¿Que revienta? —sugerí.

—Que se ve obligada a dejar de arrastrarlo para echar el aire. Cuando esto sucede, el animal, al verse libre de la fuerza que lo arrastraba, huye instantáneamente a toda velocidad. ¡Vano esfuerzo! La serpiente, apenas ha echado el aire acumulado, con un ruido parecido al de un cañón...

—¡No, no, al de un mosquete! Yo mismo lo he escuchado, —interrumpió Blas Arias, uno de los oyentes.

—Al de un mosquete; entonces de nuevo aplica todo su poder de succión; y de este modo continúa la lidia hasta que la víctima es finalmente arrastrada hasta las fauces del monstruo. Es bien sabido que la lampalagua es la más fuerte de todas las criaturas de Dios, y que si un hombre, completamente desnudo, combate con una y la domina por la simple fuerza de sus músculos, el poder de la serpiente se traslada a él, después de lo cual es invencible.

Me reí al escuchar esa fábula, y recibí una severa reprimenda por mi ligereza.

—Voy a contarle la cosa más extraña que me sucedió jamás, —dijo Blas Arias—. Sucedió que yo estaba viajando solo —por ciertas razones— hacia

118

la frontera norteña. Crucé el río Yaguarón hacia el territorio brasileño, y todo un día cabalgué por una gran llanura pantanosa, donde los juncos estaban secos y amarillos, y el agua reducida a algunos pozos cenagosos. Era un lugar como para hacer que un hombre se sintiera hastiado de la vida. Cuando el Sol comenzaba a bajar y yo comenzaba a desesperar de llegar al final de aquella desolación, descubrí una choza baja, hecha de barro y techada con juncos. Tenía unos quince pasos de largo y solamente una pequeña puerta; parecía estar deshabitada, porque nadie respondió cuando di vueltas alrededor de ella a caballo llamando a gritos. Oí dentro gruñidos y chillidos y, en eso, salió un chancha seguida por una camada de lechoncitos; me miró, y se volvió de nuevo para dentro. Hubiera seguido viaje, pero mis caballos estaban cansados; además, se acercaba una gran tormenta con truenos y relámpagos y no aparecía ningún otro refugio a la vista. Por lo tanto, desensillé, solté mis caballos para que pastaran, y llevé mis cosas dentro de la cabaña. El cuarto en que entré era tan pequeño que la chancha y sus crías ocupaban todo el piso; había sin embargo, otro cuarto y, abriendo la puerta que estaba cerrada, entré y vi que era mucho más grande que el primero; vi también que en una esquina había un sucio camastro hecho de cueros, mientras que en el suelo había un montón de cenizas y una olla negra. No había nada más salvo huesos viejos, alguna leña, y otras basuras que cubrían el piso. Temiendo que el dueño de aquella asquerosa pocilga me fuera a tomar desprevenido, y como no encontraba allí nada de comer, volví a la primera habitación, eché los chanchos fuera y me senté en mi recado a esperar. Estaba empezando a ponerse oscuro cuando una mujer, trayendo una brazada de leña, apareció de repente en la puerta. Nunca, señores, he visto una cosa más asquerosa y horrible que aquella persona. Su rostro era duro, oscuro y áspero como la corteza del ñandubay,[17] y los cabellos, que cubrían su cabeza y sus hombros como una masa enmarañada, eran del color de la tierra seca. Su cuerpo era grueso y largo, y, sin embargo, parecía enana porque apenas tenía piernas: sólo enormes rodillas y pies; y sus ropas eran unas viejas y andrajosas mantas de caballo atadas alrededor de su cuerpo con tiras de cuero. Me miró con un par de pequeños ojos de rata, y luego, dejando en el suelo su carga, me preguntó qué quería. Le contesté que era un viajero cansado, y quería resguardo y comida. —Resguardarse puede; comida no hay ninguna, —dijo—; y luego, recogiendo sus leños, pasó al cuarto interior y cerró la puerta pasándole el cerrojo. No era como para enamorarse de ella, y había poco peligro de que yo tratara de molestarla entrando allí. Era una noche negra y tormentosa, y muy pronto la lluvia comenzó a caer a raudales. Varias veces la chancha con sus chanchitos que chillaban, vino a buscar refugio, y tuve que levantarme y echarlos a golpes con mi rebenque. Más tarde, a través del tabique de barro que separaba ambas habitaciones, escuché el chisporroteo del fuego que estaba encendiendo la repugnante mujer, y antes de mucho, a través de las grietas, me llegó el sabroso

[17] Arbol del género de las acacias, de madera rojiza, dura y pesada, no corruptible por el agua, por lo que fue muy empleada para postes de alambrado.

olor de la carne asada. Eso me sorprendió sobremanera, porque yo había revisado la habitación y no había podido encontrar en ella nada que comer. Saqué en conclusión que la mujer había traído la carne oculta bajo sus ropas, pero de dónde la había sacado, era para mí un misterio. Al final empecé a dormitar. Mis oídos captaban muchos ruidos, como los que hacían los truenos, el viento, los chanchos gruñendo a la puerta, y el crepitar del fuego en el cuarto de la bruja. Pero pronto otros sonidos parecieron mezclarse con aquellos: las voces de varias personas hablando, riendo y cantando. Al cabo me desperté completamente, y noté que aquellas voces procedían del cuarto de al lado. Alguien estaba tocando la guitarra y cantando. Traté de atisbar por las hendijas de la puerta y del tabique, pero a través de ellos no podía ver nada. En medio de la pared, pero muy alta, había una gran rajadura por la cual estaba seguro de que podría ver el interior, dada la gran mancha de luz rojiza que fluía por ella. Puse contra el tabique mi montura y sobre ella todas mis mantas dobladas varias veces, colocándolas unas sobre otras, hasta que la pila llegó a la altura de mis rodillas. Empinándome sobre ellas en puntas de pie y aferrándome con las uñas a la pared con todo cuidado, conseguí poner mis ojos al nivel de la rajadura, y espiar por ella. La otra habitación estaba brillantemente iluminada por un gran fuego de leña que ardía en un extremo, y sobre el piso se extendía un amplio paño rojo, sobre el cual estaba sentada la gente que yo había oído y que tenía ante sí frutas y botellas de vino. Allí estaba la asquerosa bruja que parecía tan alta sentada como cuando estaba de pie; estaba tocando la guitarra y cantando en portugués. Delante de ella, sobre el paño, estaba tendida una negra alta y bien formada, que llevaba por todo vestido una angosta tela blanca en torno de su cintura, y anchas pulseras de plata en sus redondos brazos negros. Estaba comiendo una banana, y contra sus rodillas, que estaban recogidas, se recostaba una hermosa muchacha de unos quince años, con una pálida cara morena. Estaba vestida de blanco, con los brazos desnudos, y en torno de su cabeza llevaba una banda de oro que mantenía echados hacia atrás sus cabellos negros, que caían sueltos sobre sus espaldas. Ante ella, arrodillado sobre el paño rojo, se hallaba un viejo de rostro marrón y arrugado como una nuez, y la barba blanca como el vilano del cardo. Con una de sus manos sostenía el brazo de la muchacha, y con la otra le ofrecía un vaso de vino. Todo esto lo vi en una mirada; en seguida, todos ellos a la vez, volvieron los ojos hacia la rajadura, como si supieran que alguien los estaba observando. Retrocedí asustado, y caí con estrépito al suelo. Oí entonces que se reían a carcajadas, pero no me animé a tratar de reanudar mi observación. Llevé mis mantas al otro lado del cuarto, y me senté a esperar la mañana. La conversación y las risas continuaron alrededor de dos horas; después, gradualmente, se silenciaron, la luz que entraba por las hendiduras se apagó, y todo fue oscuridad y silencio. Nadie salió; y, al fin, dominado por la somnolencia, me quedé dormido. Cuando desperté era de día. Me levanté, salí, y caminé alrededor de la choza, y, al encontrar una rajadura en la pared, espié el cuarto de la bruja. Estaba tal cual lo había visto el día anterior; allí estaban la olla y la pila de cenizas y, en el rincón, la bestial vieja yacía dormida sobre sus cueros. Después de eso, fui a buscar mi caballo y me alejé de allí. Ojalá nunca vuelva a tener una experiencia como la de esa noche. Algo dijeron los otros sobre brujería, manteniendo todos un aire muy solemne.

—Usted estaba hambriento y cansado aquella noche, —me aventuré a sugerir—, y tal vez después que la mujer cerró la puerta se quedó dormido y soñó todo aquello acerca de gente que comía frutas y tocaba la guitarra.

—Ayer nuestros caballos estaban cansados y nosotros volábamos para salvar la vida —replicó Blas desdeñosamente—. Tal vez eso nos hizo soñar que capturamos cinco caballos para seguir huyendo.

—Cuando una persona es incrédula, es inútil discutir con ella —dijo Mariano, un hombre pequeño, de cabellos grises—. Yo voy a contarles ahora una extraña aventura que me sucedió cuando era joven; pero tengan en cuenta que no voy a poner un trabuco en el pecho de ningún hombre para obligarlo a que me crea. Porque lo que es, es; y que aquel que no crea sacuda la cabeza hasta que se la arranque y caiga al suelo como un coco cae del árbol.

—Después que me casé vendí mis caballos y, echando mano a todo el dinero que tenía compré dos carros con sus correspondientes yuntas de bueyes, con el propósito de ganarme la vida transportando cargas. Yo conducía uno de los carros, y para guiar el otro empleé a un muchacho a quien llamaba Mula, aunque ese no era el nombre que sus padrinos le habían dado; lo llamaba así porque el muchacho era porfiado y malhumorado como una mula. Su madre era una pobre viuda que vivía cerca de mi casa, y cuando oyó que había comprado los carros vino a verme con su hijo y me habló así: —Vecino Mariano, por su madre se lo pido, tome a mi hijo y enséñele a ganarse el pan, porque es un muchacho a quien no le gusta hacer nada—. Así fue que tomé a Mula a mi servicio y al cabo de cada jornada le pagaba a la viuda por la tarea realizada. Cuando no había carga que transportar, iba a veces a las lagunas a cortar juncos para venderlos a quienes los requerían para techar sus ranchos. A Mula este trabajo no le gustaba. A menudo, cuando nos pasábamos todo el día vadeando, con el agua hasta los muslos, cortando los juncos bien abajo, junto a sus raíces, y llevándolos después en grandes haces sobre nuestros hombros hasta la tierra firme, era habitual que se pusiera a llorar, quejándose amargamente de su dura suerte. A veces le daba unos sacudones, porque me enojaba que un muchacho pobre fuera tan fastidioso; en esos casos él me maldecía y se jactaba de que algún día iba a vengarse. —Cuando me muera, —me decía a menudo—, mi fantasma se le va a aparecer y lo va asustar, por todos los golpes que me ha dado. —Esto siempre me hacía reír.

—Al fin, un día, mientras cruzábamos un arroyo muy hondo y crecido a causa de las lluvias, mi pobre Mula se cayó de su asiento sobre la vara del carro, fue arrastrado por la corriente hasta aguas profundas y se ahogó. Bueno, señores, como un año después de ese acontecimiento, andaba yo buscando una yunta de bueyes extraviados, cuando la noche me tomó a una larga distan-

121

cia de mi hogar. Entre ese lugar y mi casa se extendía una cadena de colinas que corría descendiendo hasta un río, pero tan próxima a él que sólo había un angosto paso, y, hasta una distancia muy larga no había ningún otro pasaje. Cuando llegué a ese paso me encontré en un angosto sendero a cuyos lados crecían árboles y arbustos. Allí, repentinamente, salió de entre los árboles la figura de un joven que se puso ante mí. Estaba todo de blanco: el poncho; el chiripá,[18] los calzoncillos,[19] y hasta las botas, y, sobre la cabeza, llevaba un sombrero de paja de alas anchas. Mi caballo se detuvo temblando; yo no estaba menos asustado y en mi cabeza el cabello se levantó como las cerdas del lomo de un chancho; el sudor caía por mi cara como gotas de lluvia. La figura no dijo una palabra; solamente se quedó allí, inmóvil, con los brazos cruzados sobre el pecho, impidiéndome pasar. Entonces exclamé:
—En nombre del Cielo ¿quién es usted, y qué quiere de Mariano Montes de Oca, para cerrarle así el paso?— Al oír mis palabras se rio; luego preguntó:
—Cómo, ¿mi viejo amo no me conoce? Soy Mula; ¿no le dije a menudo que algún día volvería para pagarle todas las palizas que me dio? ¡Ah, señor Mariano, ya ve que cumplí mi promesa! —Y empezó a reírse de nuevo. —¡Que diez mil maldiciones caigan sobre tu cabeza!, —grité—. Si quieres mi vida, Mula, tómala y que te condenes para siempre; si no, déjame pasar, y vuélvete con Satanás, tu amo, y dile de mi parte que mantenga una guardia más estricta sobre tus desplazamientos; pues ¡por qué habría de llegar a mis narices el hedor del Purgatorio antes de tiempo! Y ahora, espectro odioso, ¿qué más tienes que decirme?— Al acabar mi discurso, el fantasma estalló en grandes carcajadas, golpeándose los muslos, y doblándose de risa. Al final, cuando pudo hablar, dijo: —Basta de estas tonterías, Mariano. No pensaba asustarlo tanto; y no tiene gran importancia que yo me haya reído ahora un poco de usted, porque a menudo usted me hizo llorar. Lo detuve porque tenía algo importante que decirle. Vaya a ver a mi madre y dígale que me ha visto y ha hablado conmigo; dígale que pague otra misa por el descanso de mi alma, porque sólo después de eso podré salir del Purgatorio. Si no tiene dinero, préstele unos pocos pesos para la misa, y yo se lo devolveré, viejo, en el otro mundo.
—Dijo esto y desapareció. Levanté mi rebenque pero no necesité golpear al caballo, porque ni un pájaro que tiene alas podría volar más velozmente de lo que aquél voló llevándome sobre su lomo. No había un sendero ante mí, ni sabía yo a dónde íbamos. A través de juncales y a través de malezas, sobre madrigueras de animales salvajes, sobre piedras, ríos y pantanos, volamos como si todos los demonios que andan sobre la tierra y debajo de ella, estuvieran sobre nuestros talones; y cuando el caballo se paró ante mi propia puer-

---

[18]Pieza de tela rectangular que el gaucho envolvía alrededor de su cintura, asegurándola con una faja, y que lo más a menudo era recogida entre las piernas, de atrás hacia delante, de modo que hacía las veces de pantalón.
[19]Calzones largos, de tela liviana, de bajos anchos y a veces bordados, que asomaban por debajo del chiripá.

ta, no me detuve a desensillarlo sino que, cortando la encimera con el cuchillo, lo dejé que se sacudiera la montura; entonces empecé a dar fuertes golpes con el freno en la puerta, gritándole a mi mujer que abriera. Oí que buscaba a tientas el yesquero.[20] —Por el amor de Dios, mujer, no enciendas luz, —exclamé—. ¡Santa Bárbara bendita! ¿viste un fantasma? —preguntó—, abriéndome la puerta. —Sí, —le repliqué, entrando como una exhalación y cerrando la puerta con el pasador—, y si hubieras encendido la luz, a esta hora serías viuda.

—Porque es así, señores: el hombre que después de haber visto un fantasma es enfrentado inmediatamente con una luz, cae muerto allí mismo.

No hice ninguna observación escéptica, y ni siquiera sacudí la cabeza. Las circunstancias del encuentro fueron descritas por Mariano con tal fuerza gráfica y con tanta minucia que era imposible no creer en su historia. Con todo, había en ella algunas cosas que después me resultaron bastante absurdas; por ejemplo, ese sombrero de paja, y también parecía raro que una persona del carácter de Mula, hubiera mejorado tanto su temperamento por su estadía en un lugar más caliente.

—Hablando de fantasmas, —dijo Laralde, el otro hombre, pero no siguió más allá, porque yo lo interrumpí. Laralde era un hombre bajo, ancho de pecho, con las piernas combadas y espesas patillas grises; sus allegados lo llamaban Lechuza a causa de sus inmensos y redondos ojos leonados, que tenían una enorme fuerza en su mirada fija.

Yo pensaba que a esta altura ya habíamos tenido bastante de cosas sobrenaturales.

—Amigo, —le dije—, perdóneme por interrumpirle; pero no habrá quien duerma esta noche si seguimos con historias de espíritus del otro mundo.

—Hablando de fantasmas, —dijo Lechuza retomando el hilo, sin darse por enterado de mi observación, lo que me picó, de modo que lo interrumpí una vez más—: —Yo protesto, —dije—, porque ya hemos oído más de lo suficiente acerca de ellos. Esta conversación iba a tratar solamente de cosas raras y curiosas. Ahora bien, los visitantes del otro mundo son muy comunes. Yo les pregunto, amigos, ¿no han visto todos ustedes muchos más fantasmas que lampalaguas arrastrando zorros con su aliento?

—Eso lo he visto una sola vez, —dijo Rivarola gravemente—. Fantasmas he visto a menudo.

Los otros también confesaron haber visto más de un fantasma.

Lechuza estaba sentado, sin prestar atención, fumando su cigarrillo, y cuando todos terminamos de hablar, comenzó de nuevo:

—Hablando de fantasmas...

Esta vez nadie lo interrumpió, aunque él pareció esperarlo, porque hizo una pausa larga y deliberada.

—Hablando de fantasmas, —repitió, mirando a su alrededor triunfalmen-

---

[20]Naturalmente, se trata del yesquero primitivo, de yesca, la que se conservaba guardada en un estuche, o cosa parecida, de hueso o de guampa.

te—, yo tuve una vez un encuentro con un ser extraño que *no* era un fantasma. Yo era entonces un hombre joven —un joven lleno del fuego, de la fuerza y del coraje de la juventud—, porque lo que ahora voy a relatar sucedió hace más de veinte años. Había estado jugando a las cartas en casa de un amigo, y salí de allí a medianoche para dirigirme a la casa de mi padre, que quedaba a unas cinco leguas. Aquella noche había tenido un altercado, y me iba habiendo perdido dinero y ardiendo de rabia con el hombre que me había trampeado e insultado y con quien no se me había permitido pelear. Jurando vengarme de él, me alejé galopando rápidamente; la noche estaba serena, y casi tan clara como el día, porque aún había Luna llena. De pronto vi ante mí un hombre enorme montado en un caballo blanco, que estaba perfectamente inmóvil y justamente en mi camino. Seguí avanzando hasta que llegué cerca de él, y entonces grité con fuerza: —Fuera de mi camino, amigo, si no quiere que me lo lleve por delante; porque aún tenía el corazón lleno de rabia.

—Viendo que no hacía caso de mis palabras, hundí mis espuelas en el caballo y me lancé contra él; luego, en el mismo momento en que mi caballo chocó con el suyo con un tremendo golpe, bajé el mango de acero del rebenque con toda la fuerza que tenía sobre su cabeza. El golpe sonó como si hubiera golpeado sobre un yunque, y, en el mismo momento, él, sin siquiera ladearse, agarró mi poncho con ambas manos. Pude sentir que eran unas manos duras, huesudas, que terminaban en uñas largas y encorvadas como las de un águila, que atravesaron el poncho y se me hundieron en la carne. Soltando mi rebenque, tomé su garganta, que parecía escamosa y dura, entre mis manos, y así, abrazados estrechamente en una lucha mortal, nos ladeábamos de aquí para allá, tratando cada uno de arrastrar al otro de su asiento hasta que caímos juntos con estrépito sobre la tierra. En un instante estábamos separados y de pie. Rápido como el rayo sacó su largo y agudo facón y, viendo que ya era demasiado tarde para sacar el mío me arrojé contra él, tomando su mano armada entre mis dos manos antes de que pudiera herirme. Por unos pocos momentos se quedó quieto, mirándome con un par de ojos que brillaban como carbones ardientes; luego, loco de rabia, me levantó en el aire, haciéndome girar como una pelota atada a un hilo, y luego me arrojó como con una honda a una distancia de unos cien metros, tan grande era su fuerza. Fui a dar con un tremendo impacto en medio de unos arbustos espinosos, pero no me había recobrado aún del golpe cuando, con un grito de rabia, salté y me arrojé de nuevo contra él. Porque, no lo podrán creer, señores, pero por alguna rara casualidad me había llevado conmigo su arma firmemente apretada entre mis manos. Era una pesada daga de doble filo, filosa como una aguja, y al tenerla asida por el cabo sentí en mí la fuerza y la furia de mil luchadores. A medida que avanzaba, él retrocedía ante mí, hasta que tomando las ramas altas de una gran mata de espino tiró de ellas y la arrancó de raíz. Revoleando la mata con la rapidez de un torbellino alrededor de su cabeza, avanzó contra mí y asestó un golpe que me hubiera aplastado de haber caído sobre mí; pero cayó demasiado lejos, porque yo me había escabullido debajo de ella para acercarme a él, y le asesté una puñalada con tal

124

fuerza que el largo cuchillo se le enterró en el pecho hasta el mango. El lanzó un aullido ensordecedor, y en el mismo momento arrojó un torrente de sangre que quemó mi cara como agua caliente, y empapó mis ropas hasta la piel. Por un momento enceguecí; pero cuando limpié la sangre que cubría mis ojos y miré alrededor, él había desaparecido, con caballo y todo.

—Entonces, montando a caballo, galopé hasta casa y conté a todos lo que había sucedido, mostrándoles el cuchillo, que aún llevaba en la mano. Al día siguiente, todos los vecinos se reunieron en mi casa y cabalgamos en grupo hacia el sitio donde la lucha había tenido lugar. Encontramos allí la mata arrancada de cuajo, y a su alrededor, donde habíamos luchado, toda la tierra removida. El suelo estaba también teñido con sangre en varios metros a la redonda, y, donde había caído sangre, el pasto estaba quemado hasta las raíces, como calcinado con fuego. También recogimos un puñado de cabellos —largos, ásperos, retorcidos, y con las puntas como anzuelos—; y además tres o cuatro escamas como de pescado, pero más rugosas y grandes como doblones. El sitio, donde tuvo lugar la lucha es llamado ahora *La cañada del Diablo,* y he oído decir que, desde entonces, el diablo jamás ha vuelto a aparecer corporizado para pelear con ningún hombre en la Banda Oriental.

La narración de Lechuza provocó gran satisfacción. Yo no dije nada, sintiéndome pasmado de asombro, porque aparentemente el hombre lo contó con la absoluta convicción de que era cierto, en tanto que los demás escuchas parecían aceptar cada palabra del cuento con la más implícita fe. Comencé a sentirme muy afligido porque, evidentemente, esperaban ahora algo de mí, y no se me ocurría qué podía contarles. Iba contra mi conciencia ser el único mentiroso entre esos orientales extraordinariamente *veraces* y, por lo tanto, no podía pensar en inventar nada.

—Amigos, —comencé al fin—, yo soy sólo un hombre joven; soy al mismo tiempo nativo de un país donde no suceden a menudo cosas maravillosas, de modo que no puedo relatarles nada que iguale en interés a las narraciones que escuché. Sólo puedo contarles un pequeño incidente que me sucedió en mi propio país antes de partir. Tal vez es trivial, pero me permitirá referirles algo de Londres, esa gran ciudad de la que todos habrán oído hablar.

—Sí, hemos oído hablar de Londres; es en Inglaterra, creo. Cuéntenos esa historia acerca de Londres, —dijo Blas, alentándome.

—Yo era muy joven, sólo tenía catorce años, —continué halagado porque mi modesta introducción no había dejado de hacer su efecto—, cuando una noche fui desde mi casa a Londres. Era en enero, en pleno invierno, y el país entero estaba cubierto de nieve.

—Perdóneme, capitán, —dijo Blas—, pero usted ha tomado el rábano por las hojas. Nosotros decimos que en enero es verano.

—No en mi país, donde las estaciones están invertidas, —dije—. Cuando me levanté, a la mañana siguiente, estaba tan oscuro como la noche, porque una niebla negra había caído sobre la ciudad.

—¡Una niebla negra! —exclamó Lechuza.

—Sí, una niebla negra que habría de durar el día entero, haciéndolo tan negro como la noche, porque, aunque las lámparas estaban encendidas en las calles, no iluminaban.

—¡Demonios! —exclamó Rivarola—; no hay agua en el balde. Tengo que ir a buscar un poco al pozo o no tendremos nada para beber esta noche.

—Podría esperar hasta que termine, —le dije.

—No, no, capitán, —replicó—. Siga con su cuento; no podemos quedarnos sin agua—. Y tomando el balde se marchó a pie.

—Viendo que iba a estar oscuro todo el día, —continué—, decidí ir hasta un lugar que quedaba a poca distancia de allí, sin salir de Londres, comprenden, sino sólo a unas tres leguas de mi hotel, hasta una gran colina, donde pensé que no estaría tan oscuro, y donde se levanta un palacio de vidrio.

—¡Un palacio de vidrio! —repitió Lechuza, muy serio, con sus inmensos ojos redondos fijos en mí.

—Sí, un palacio de vidrio... ¿acaso es algo tan maravilloso?

—¿Tiene un poco de tabaco en su bolsa, Mariano? —preguntó Blas—. Perdón, capitán, por interrumpirle, pero las cosas que nos está contando requieren un cigarrillo, y mi bolsa está vacía.

—Muy bien, señores, tal vez ahora me van a permitir que continúe, —dije yo, que empezaba a estar bastante molesto por sus repetidas interrupciones—. Un palacio de vidrio lo suficientemente grande como para contener dentro de él toda la gente de este país.

—¡Dios libre y guarde! Su tabaco está tan seco como la ceniza, Mariano, —exclamó Blas.

—No es raro, —dijo el otro—, porque hace tres días que lo llevo en mi bolsillo. Prosiga, capitán. Un palacio de vidrio lo bastante grande como para contener toda la gente del mundo. ¿Y después?

—No, no seguiré, —repliqué, perdiendo los estribos—. Se ve claramente que no desean oír mi historia. Con todo, señores, por cortesía, podrían haber disimulado su falta de interés en lo que estaba por contar; yo había oído decir que los orientales eran un pueblo cortés.

—Eso es mucho decir, amigo, —interrumpió Lechuza—. Recuerde que nosotros estábamos hablando de experiencias verdaderas, no inventando historias de nieblas negras, de palacios de vidrio, de hombres que caminan sobre sus cabezas, y no sé de cuántas otras maravillas.

—¿Ustedes creen que lo que les estoy contando no es verdad? —pregunté indignado.

—Seguramente, amigo, usted no nos considera a los de la Banda Oriental tan simples como para que no podamos distinguir lo que es verdad de las fábulas.

¡Y tenía que escuchar esto del individuo que acababa de contarnos su dramático encuentro con Apollyon, un cuento fantástico que hacía sombra a la propia narrativa de Bunyan! Era inútil hablar; mi irritación dio paso a la hilaridad, y tirándome sobre el pasto empecé a reírme a carcajadas. Cuando más pensaba en la severa reprimenda de Lechuza, más fuerte me reía, hasta que aullaba de risa, golpeándome los muslos y doblándome de la misma manera que lo había hecho el divertido visitante de Mariano, venido del Purgatorio. Mis compañeros ni siquiera se sonrieron. Rivarola volvió con el balde de agua y después de mirarme un rato, dijo: —Si las lágrimas, como dicen, siempre siguen a la risa, vienen en la misma medida, entonces esta noche vamos a dormir mojados.

Esto aumentó mi hilaridad.

—Si el país entero ha de ser enterado de dónde está nuestro escondrijo, —dijo Blas el tímido—, nos tomamos un trabajo inútil al escaparnos de San Paulo.

Nuevos estallidos de risa saludaron su protesta.

—Una vez conocí un hombre, —dijo Mariano—, que tenía una risa realmente extraordinaria; se le podía oír desde una legua de distancia, tan fuerte era. Su nombre era Aniceto, pero le llamábamos El Burro, a causa de su risa, que sonaba como el rebuzno de un asno. Bueno, señores, un día se puso a reír como ahora el capitán, de nada, y cayó muerto. Vean, el pobre hombre tenía aneurisma al corazón.

Al oír esto yo casi aullaba; luego, sintiéndome completamente exhausto, miré aprensivamente a Lechuza, porque este importante miembro del cuarteto aún no había hablado.

Con sus ojos inmensos e indescriptiblemente serios fijos en mí, observó tranquilamente: —¡Y éste, amigos, es el hombre que decía que está mal robar caballos!

Pero ahora yo ni podía plañir. Ni siquiera este rico espécimen de dislate moral de la Banda Oriental pudo arrancarme más que un débil gorgoteo, mientras rodaba por el pasto con los costados doliéndome como si hubiera recibido una buena paliza.

Capítulo XX

UN REGALO MACABRO

Estaba apenas amaneciendo cuando me levanté y me reuní con Mariano junto al fuego que ya había preparado para calentar el agua para su mate tempranero. No me gustaba la idea de quedarme ahí escondido entre los árboles por tiempo indefinido como un nimal acosado; es más, Santa Coloma me había aconsejado que me dirigiera directamente a las Lomas de Rocha, sobre la costa sur, en la eventualidad de una derrota, y ahora esto me parecía lo mejor que podía hacer. Había sido muy agradable estar allí "bajo los árboles frondosos", al tiempo que aquellas veraces historias de brujas, de lampalaguas y de apariciones habían demostrado ser entretenidas en grado sumo; pero no podía pensarse en una larga temporada, tal vez en un mes etnero, de aquella vida; y, si no llegaba a Rocha ahora, antes de que la policía rural emprendiese la caza de los rebeldes dispersos, tal vez sería imposible hacerlo más tarde. Me decidí, por lo tanto, a seguir mi propio camino y, después de tomar unos mates amargos, fui a buscar al zaino y lo ensillé. Realmente, yo no había merecido la censura que Lechuza me había dirigido la noche anterior con referencia al robo de caballos, porque yo había tomado el zaino con un remordimiento no mucho mayor del que se acostumbra a sentir en Inglaterra cuando se toma "prestado" un paraguas en un día lluvioso. Para todo el mundo, en todas partes de la tierra, llega un día en que apropiarse de los bienes del vecino es no sólo justificado sino hasta meritorio, como lo fue para los israelitas en Egipto, como lo es para los ingleses bajo un nubarrón en su propia húmeda isla, y para los orientales en fuga después de una batalla. Al conservar el zaino en mi posesión, había adquirido una especie de derecho prescriptivo sobre él, y ahora comenzaba a mirarlo como si fuera mío propio; la posterior experiencia de su aguante y de otras buenas cualidades me permitió endosar el dicho oriental de que "un caballo robado siempre lo lleva bien a uno".

Despidiéndome de mis compañeros en la derrota, a quienes ciertamente el susto no había privado de su imaginación, partí a caballo, justamente cuando estaba empezando a aclarar. Evité cuidadosamente los caminos y las casas, galopando suavemente, lo que me llevó a unas tres leguas por hora, hasta el mediodía; descansé entonces en un pequeño rancho, donde hice comer y beber al caballo y recuperé mis propias energías con asado y mate amargo. Luego seguí hasta que empezó a oscurecer; por entonces había hecho alrededor de trece leguas y comenzaba a sentirme a la vez sediento y cansado. Había pasado por varios ranchos y casas de estancia pero me atemorizaba pedir alojamiento en cualquiera de ellos, y fue así que cambié lo malo por lo peor. Cuando el breve anochecer estaba dando paso a la noche, di con una ancha carretera que, supuse, llevaba desde el este del país hacia Montevideo, y viendo cerca un rancho largo y bajo que reconocí como una pulpería por el asta de bandera plantada a su frente, resolví tomar allí algún refrigerio, y cabalgar luego alguna legua más para pasar la noche bajo las estrellas —un techo seguro y a la vez bien ventilado—. Atando el caballo a la tranquera, entré a una especie de porche ubicado al final del rancho que, según vi, estaba separado del interior por el mostrador, con su habitual reja de gruesas barras de hierro para proteger los tesoros de gin, ron y comestibles, de la avidez de los borrachos o de los clientes pendencieros. Tan pronto como entré al porche empecé a arrepentirme de haber bajado en ese lugar, porque contra el mostrador, fumando y bebiendo, había como una docena de hombres de mala traza. Desgraciadamente para mí, habían atado sus caballos a la sombra de un grupo de árboles a cierta distancia de la tranquera, y por eso no los vi cuando llegué. Pero una vez que estuve entre ellos mi único plan era disimular mi inquietud, ser muy cortés, tomar mi refrigerio, y tratar luego de escapar lo más rápidamente posible. Me miraron con bastante hostilidad, pero contestaron cortésmente mi saludo; me fui entonces a un rincón libre del mostrador, apoyé en él mi codo izquierdo, y pedí pan, una lata de sardinas y una botella de vino.

—Si ustedes quieren acompañarme, señores, la mesa está puesta, —dije; pero todos declinaron mi invitación agradeciendo, y yo empecé a comer mi pan con sardinas.

Parecían ser todos vecinos de las inmediaciones, porque hablaban entre sí con familiaridad y estaban conversando sobre temas amorosos. Uno de ellos, sin embargo, pronto dejó caer la conversación y, apartándose a cierta distancia de los otros, se quedó recostado contra la pared en la parte del porche más alejada de mí. Empecé a fijarme muy particularmente en ese hombre, porque era evidente que yo había excitado su interés de manera no ordinaria, y no me gustaba nada el escrutinio a que me sometía.

Era, sin excepciones, el bribón de aspecto más sanguinario que yo había tenido nunca la desgracia de encontrar: esa fue la ponderada opinión a que arribé antes de entablar un conocimiento más íntimo con él. Era un hombre de mediana edad, de pecho ancho y de aspecto poderoso; mantenía las manos escondidas bajo el amplio poncho que llevaba, y tenía puesto un gacho que apenas permitía que se vieran sus ojos bajo el ala. Eran unos temibles ojos verde-amarillentos que vuelta a vuelta parecían tornarse fogosos, apagados, fogosos, pero que ni por un solo instante se apartaban de mi cara. Su cabello negro colgaba sobre sus hombros y tenía un hirsuto mostacho que no escondía su boca brutal; tampoco ocultaba ni una sombra de barba sus anchos y atezados carrillos. Su quijada era la única parte de su persona que tenía algún movimiento, mientras se estaba allí, inmóvil como una estatua de bronce, observándome. Por momentos hacía rechinar los dientes, después de lo cual chasqueaba los labios dos o tres veces, mientras que una espuma babosa, repugnante de ver, se juntaba en las comisuras de su boca.

—Gándara, usted no bebe, —dijo uno de los gauchos volviéndose hacia él. El movió apenas la cabeza, sin hablar y sin quitar los ojos de mi rostro; ante eso, el hombre que había hablado sonrió y prosiguió su conversación con los otros.

El largo, intenso y exasperante escrutinio a que me había sometido aquel brutal bellaco llegó a un repentino final. Rápido como el rayo sacó el cuchillo ancho y largo que escondía bajo el poncho y, con un salto felino, se puso ante mí, con la punta de su terrible arma tocándome el poncho, justo sobre la boca del estómago.

—No te muevas, rebelde, —dijo con voz ronca—. De moverte el ancho de un pelo, en ese momento morirás.

Los otros hombres cesaron de hablar y nos miraron con cierto interés, pero no ofrecieron ayuda ni hicieron ninguna observación.

Por un instante sentí como si una corriente eléctrica hubiera pasado por mi cuerpo; y luego, instantáneamente, me calmé —nunca me había sentido más sereno y sosegado que en aquel terrible momento—. Es un bendito instinto de conservación con que nos ha dotado la naturaleza; los hombres endebles y tímidos y lo comparten con los fuertes y bravos, así como los animales débiles y perseguidos lo poseen en el mismo grado que los fieros y sanguinarios. Es la calma que sobreviene sin que se la llame cuando la muerte, repentina e inesperadamente, se alza para mirarnos a la cara; ella nos dice que existe una débil posibilidad que podría ser destruida por un intento prematuro de escapar o, incluso, por la más leve agitación.

—No tengo ningún deseo de moverme, amigo, —le dije—, pero tengo curiosidad de saber por qué me ataca.

—Porque es un rebelde. Lo he visto antes: usted es uno de los oficiales de Santa Coloma. Aquí se va a quedar con la punta del cuchillo tocándolo hasta que lo arresten, o, si no, con el cuchillo dentro hasta que se muera.

—Usted está en un error, —le dije.

—Vecinos, —dijo, hablando a los otros pero sin apartar sus ojos de mi rostro—, ¿quieren atar a este hombre de pies y manos mientras yo me quedo delante de él para evitar que saque cualquier arma que pueda esconder bajo el poncho?

—No hemos venido aquí para arrestar viajeros, —replicó uno de los hombres—. Si es un rebelde no es asunto nuestro. Tal vez usted esté equivocado, Gándara.

—No, no, no estoy equivocado, —respondió—. No se ha de escapar. Yo lo vi en San Paulo con estos ojos que nunca me engañaron. Si se niegan a ayudarme, que vaya alguno a casa del Alcalde a decirle que venga sin demora, mientras yo hago la guardia aquí.

Después de una pequeña discusión, uno de los hombres se ofreció a ir a informar al alcalde. Cuando se fue pregunté a Gándara: —¿Amigo, puedo terminar de comer? Tengo hambre y acababa de empezar a comer cuando usted me amenazó con su cuchillo.

Sí; coma, —dijo—; pero mantenga sus manos bien altas para que pueda vérselas. Tal vez tenga un arma en el cinto.

—No tengo, —le dije—, porque soy una persona inofensiva, y no necesito armas.

—Las lenguas se hicieron para mentir, —respondió, bastante acertadamente—. Si veo caer su mano por debajo del mostrador lo parto al medio. Entonces podremos ver si digiere bien o no.

Empecé a tomar vino y a comer, siempre con sus ojos brutales clavados en mi rostro y la aguda punta del cuchillo apoyada en mi poncho. Había ahora en su cara un horrible aire de excitación, en tanto que sus demostraciones de rechinamiento de dientes se repitieron más a menudo y la espuma babosa caía continuamente de las comisuras de los labios a su pecho. No me animaba a mirar el cuchillo porque constantemente me asaltaba un terrible impulso de arrancárselo de las manos. Era casi demasiado fuerte para lograr dominarlo, y sin embargo yo sabía que hasta el más mínimo intento de escapar habría de ser fatal para mí; porque, evidentemente, el individuo estaba sediento de mi sangre y sólo deseaba tener una excusa cualquiera para atravesarme de lado a lado. Pero, pensaba, ¿y si se cansara de esperar y arrastrado por sus instintos asesinos hundiera el facón en mi cuerpo? En ese caso yo moriría como un perro, sin haber aprovechado mi única posibilidad de huir por exceso de precaución. Esos pensamientos eran enloquecedores, pese a que mientras se sucedían me esforzaba en conservar exteriormente una actitud serena.

Mi cena terminó. Comencé a sentirme extraordinariamente débil y nervioso. Tenía los labios secos; estaba terriblemente sediento y me moría por tomar un poco más de vino, y no me animaba, sin embargo, a tomar más por miedo de que, en mi estado de excitación, incluso en cantidad moderada, el alcohol pudiera nublar mi cerebro.

—¿Cuánto tiempo le llevará a su amigo regresar con el Alcalde? —pregunté al fin.

Gándara no replicó. —Mucho tiempo, —dijo uno de los otros hombres—. Yo, por mi parte, no puedo esperar hasta que venga—, y dicho eso se marchó. Uno por uno empezaron a retirarse hasta que sólo dos hombres —además de Gándara— quedaron en el porche. Aquel bandido sanguinario, se mantenía ante mí como un tigre que vigila su presa o, más bien, como un jabalí salvaje que rechina los dientes y echa espuma por la boca, dispuesto a destripar a su adversario con su horrendo colmillo.

Al cabo me decidí a apelar a él, porque empecé a desesperar de que el Alcalde viniera a liberarme. —Amigo, —le dije—, si me permite que le hable, lo podré convencer de que está equivocado. Yo soy un forastero, y no sé nada de Santa Coloma.

—No, no, —me interrumpió, oprimiendo, como advertencia, la punta del cuchillo contra mi estómago, y retirándolo luego como para hundírmelo—. Yo sé que es un rebelde. Si creyera que el Alcalde no fuera a venir, lo atravesaría de lado a lado y después lo degollaría. Es un mérito matar a un blanco traidor, y si usted no sale de aquí atado de pies y manos, entonces saldrá muerto. ¡Qué! ¿Se atreve a decir que no lo vi en San Paulo, que no es un oficial de Santa Coloma? Mire, rebelde, voy a jurar por esta cruz que lo vi allá.

Y acordando la acción con la palabra, levantó la empuñadura del arma hasta sus labios para besar la cruz que forma la guarnición con el mango. Esa piadosa acción fue el primer traspiés que dio, y me proporcionó la primera oportunidad que se me presentó durante toda aquella terrible entrevista. Antes de que hubiera terminado de hablar, la convicción de que mi momento había llegado pasó como un relámpago por mi cerebro. Justamente cuando sus labios babosos besaban la empuñadura, mi mano derecha cayó a mi costado y tomó la culata del revólver debajo mi poncho. El vio el movimiento, y velozmente volvió a tomar su cuchillo por el cabo. En un instante más me hubiera atravesado aquella hoja; pero ese segundo fue todo lo que yo ahora necesitaba. Directamente desde la cintura, y desde bajo el poncho, hice fuego. Su cuchillo cayó al suelo resonando; él medio se volvió y luego cayó hacia atrás dando un pesado golpe contra el suelo. Salté por sobre su cuerpo que caía y, casi antes de que hubiera tocado el suelo, yo estaba a varios metros de él; entonces, volviéndome, vi que los otros dos hombres corrían detrás de mí.

—¡Atrás! —grité, cubriendo al que estaba más próximo con mi revólver. Instantáneamente se quedaron inmóviles.

—No lo estamos persiguiendo, amigo, —dijo uno de ellos—, sólo queremos salir de este lugar.

—¡Atrás o disparo! —repetí, y entonces ambos retrocedieron hasta el porche. Ellos habían permanecido indiferentes mientras que su amigo degollador, Gándara, amenazaba mi vida, de modo que, naturalmente, estaba furioso con ellos. Salté sobre mi caballo, pero en vez de alejarme en seguida me quedé por unos momentos en la tranquera vigilando a los dos hombres. Estaban hincados junto a Gándara, abriendo uno sus ropas para observar la herida y sosteniendo el otro una vela encendida sobre su ceniciento rostro cadavérico.

—¿Está muerto? —pregunté.

Uno de los hombres levantó la cabeza y contestó: —Así parece.

—Entonces, —repliqué—, les hago el obsequio de su carroña.

Y, después, hincando las espuelas a mi caballo, me alejé al galope.

Algunos lectores podrán pensar, después de lo que acabo de contarles, que mi estadía en la Tierra Purpúrea me había brutalizado completamente; me complace enterarlos de que no fue así. Cualquiera pueda ser el carácter individual de un hombre, siempre hay en él una fuerte inclinación a repeler un ataque con el mismo ánimo en que aquél le ha sido hecho. No llamamos "sepulcro blanqueado" o "miserable truhán" a la persona que, bromeando, ridiculiza alguna de nuestras flaquezas, y el mismo principio se aplica cuando se trata del propio enfrentamiento físico. Si un caballero francés llegara a desafiarme, no tengo la menor duda de que iría a su encuentro retorciéndome el bigote, haciendo reverencias hasta el suelo, todo sonrisas y cumplidos, y de que elegiría mi estoque con un sentimiento más bien agradable, como el que experimentaría el satírico que se dispusiera a escribir un brillante artículo y estuviera eligiendo una pluma de punta adecuada. Por el contrario, si un bruto sanguinario con ojos espantosos y dientes rechinantes intentara destriparme con un cuchillo de carnicero, el instinto de conservación aparecería en mí con toda su antigua ferocidad original, inspirando al corazón tal implacable furia que, después de derramar su sangre, yo podría dar de puntapiés a su aborrecible cadáver. Y no me asombro de mi propia actitud por estar diciendo estas palabras salvajes. Parecía seguro que el hombre estaba ahora más allá de todo posible retorno, y, sin embargo, no sentía ni una sombra de arrepentimiento por su muerte. Un sentimiento de alegría por la terrible retribución que había sido capaz de infligir a aquel miserable sediento de sangre, era la única emoción que experimentaba mientras me alejaba al galope en la oscuridad... una alegría tal que podría haber cantado y gritado con toda mi voz si no hubiera resultado imprudente entregarme entonces a tales manifestaciones.

Capítulo XXI

LIBERTAD Y MUGRE

Aquella noche, después de mi terrible aventura, no descansé muy mal que digamos, si bien dormí con el estómago hambriento (las sardinas, prácticamente, no contaban) y bajo el vasto cielo vacío, empolvado de innumerables estrellas. Y, cuando al día siguiente proseguí mi viaje, la *luz de Dios,* como llaman los piadosos orientales a la primera ola de gloria con que el Sol naciente inunda el mundo, nunca había sido tan agradable a mis ojos, ni la tierra había nunca lucido más fresca y atractiva, con sus pastos y sus arbustos de los que colgaban por todas partes, destellando con las infinitas gemas del rocío, los estrellados encajes que las epeiras habían tejido durante la noche. La vida me parecía muy dulce aquella mañana, enterneciendo de tal modo mi corazón que, cuando recordaba al bandido sanguinario que la había puesto en peligro, casi lamentaba que él ahora estuviera probablemente ciego y sordo a los dulces ministerios de la naturaleza.

Antes del mediodía llegué a una casa grande, de techo de quincha, cerca de la cual crecían grupos de árboles umbrosos, y rodeada por cercos de arbustos y por corrales de ovinos y bovinos.

El humo azul que subía de la chimenea enroscándose apaciblemente, y el blanco fulgor de los muros a través de la sombra de los árboles —porque este rancho lucía efectivamente una chimenea y muros blanqueados— resultaban irresistiblemente atrayentes para mis ojos fatigados. ¡Qué agradable hubiera sido un buen almuerzo seguido por una larga siesta a la sombra! pensé; pero ¡ay! ¿no me perseguían los espantosos fantasmas de la venganza política? Mientras dudaba entre presentarme o no, mi caballo se dirigía al trote corto directamente a la casa, porque un caballo siempre sabe cuando su jinete está en duda y en esos casos nunca deja de darle su consejo. Fue afortunado para mí que en esta ocasión yo condescendiera a aceptarlo. "En todo caso, pediré un vaso de agua y veré qué tal es la gente", pensé, y a los pocos minutos me detenía en la tranquera, siendo aparentemente objeto de gran interés para una media docena de muchachitos que iban de los dos a los trece años, y que me miraban todos con ojos desmesurados. Tenían las caras sucias, y el más pequeño, también las piernas sucias, porque él, o ella, no llevaba más que una camisita. El que seguía en tamaño llevaba una camisa complementada por una especie de pantalones que le llegaban a las rodillas; y así sucesiva y progresivamente, hasta el mayor, que llevaba las descartadas ropas paternas, de modo que, en vez de tener encima demasiado poco, estaba, por así decirlo, vestido en demasía. Le pedí a aquel jovenzuelo una lata de agua para apagar mi sed y un tizón para encender mi cigarro. Corrió a la cocina, o sala, y de inmediato salió de nuevo sin agua ni fuego. —Papito quiere que usted pase a tomar mate, —dijo.

Cuando desmonté y, con el aire despreocupado de una persona intachable, que no se ocupa de política, entré a largos pasos en la espaciosa cocina, donde un inmenso caldero de grasa estaba hirviendo sobre un gran fuego, en la chimenea; junto a ella, cucharón en mano, se sentaba una sudorosa mujer de aspecto grasiento, de alrededor de treinta años. Estaba ocupada espumando la grasa y arrojando las impurezas al fuego, que hacían que éste llameara con furiosa alegría y que pidiera más a gritos, con voz crepitante; estaba, de la cabeza a los pies, estrictamente bañada en grasa —era indudablemente la persona más grasienta que yo hubiera visto nunca—. En tales circunstancias no era fácil decir cuál era el color de su piel, pero tenía grandes y hermosos ojos de Juno, y su boca era indudablemente bien humorada cuando sonrió respondiendo a mi saludo. Su marido estaba sentado contra la pared, sobre el piso de arcilla, con los pies desnudos estirados ante sí, mientras que sobre su falda se extendía una enorme sobrecincha[21] de, por lo menos, medio metro de ancho, de un cuero blanco, sin curtir; y sobre él estaba trazado laboriosamente un dibujo que representaba la caza del avestruz, con hebras de cuero negro. Era un hombre bajo, de hombros anchos, de cabello rojizo que se iba agrisando, con barbas y bigotes encrespados del mismo color, penetrantes ojos azules y una nariz decididamente respingada.

Tenía un pañuelo rojo de algodón atado a la cabeza, una camisa a cuadros azules, y una especie de amplio chal que envolvía su cuerpo en lugar del chiripá que habitualmente usan los paisanos de la Banda Oriental. Me lanzó un "Buen día" breve y rápido como un ladrido, y me invitó a que me sentara.

—El agua fría a esta hora es mala para el organismo, —me dijo—. Vamos a tomar mate.

Había en su hablar una manera tal de pronunciar la erre que en seguida decidí que era un extranjero, o que provenía de algún departamento de la Banda, correspondiente a nuestros distritos de Durham o de Northumberland.

—Gracias, —le dije—, un mate es siempre bienvenido. Yo soy un oriental en ese aspecto, aunque no lo sea en ningún otro—. Porque quería hacer saber a cada persona que encontrara que yo no era un nativo.

—Correcto, mi amigo, —exclamó—. El mate es lo mejor de este país. En cuanto a las gentes, no valen un comino.

—Cómo puede decir semejante cosa, —repliqué—. Usted es un extranjero, supongo, pero su mujer seguramente es una oriental.

La Juno del caldero de grasa sonrió y arrojó un cucharón de grasa al fuego para hacerlo rugir; posiblemente lo hizo como una forma de aplaudir.

El desaprobó con un gesto de la mano en la que tenía aún el punzón que estaba empleando para trabajar.

—Cierto, amigo, ella es oriental, —replicó—. Las mujeres, como el ganado vacuno, son muy semejantes en todas partes del mundo. Ellas tienen su valor donde quiera se las encuentre: en América, en Europa, en Asia. Ya lo sabemos. Hablo de los hombres.

—Poca justicia hace a las mujeres...

[21]Faja que ciñe el vientre del caballo y que sirve para sujetar la montura.

134

La mujer es un ángel del cielo,

respondí, citando la antigua canción española.

El ladró su breve risita.

—Eso va muy bien para cantarlo con una guitarra, —dijo.

—Hablando de guitarras, —dijo la mujer, dirigiéndose a mí por primera vez—; mientras esperamos el mate, tal vez usted nos cante una canción. La guitarra está allí, justo detrás de usted.

—Señora, no toco la guitarra, —contesté. Un inglés no tiene ese deseo común a la gente de otras naciones de hacerse agradable a aquellos que pueda encontrar en su camino; por eso no aprende a tocar ningún instrumento.

El hombrecito se quedó mirándome; luego, desembarazándose de la sobrecincha, de las hebras y de los demás implementos, se levantó, avanzó hacia mí, y me tendió la mano.

Su grave continente casi me hizo reír. Tomando su mano en la mía, le pregunté:

—¿Qué tengo que hacer con esto, mi amigo?

—Apriétela, —replicó—. Somos compatriotas.

Nos dimos entonces un vigoroso apretón de manos por unos momentos, en silencio, mientras que su mujer nos miraba con una sonrisa y revolvía la grasa.

—Mujer, —dijo él, volviéndose hacia ella—, deja tu grasa para mañana. Hay que pensar en el almuerzo. ¿Hay algo de cordero en la casa?

—Eso alcanzará para una comida, —dijo él—. Oye, Teófilo, corre a decirle a Anselmo que agarre dos pollos, y que sean gordos. Que los desplume en seguida. Tú puedes buscar una media docena de huevos frescos para que tu madre lo ponga en el guiso. Y, Felipe, ve a buscar a Cosme y dile que ensille el rosillo para ir al almacén en seguida. Veamos, mujer, qué se necesita: arroz, azúcar, vinagre, sal, clavos de olor, comino, vino, coñac...

—Espere un poco, —exclamé—. Si usted cree traer provisiones como para un ejército para darme de almorzar, debo decirle que yo tacho el coñac. Nunca lo bebo... en este país.

Me dio un nuevo apretón de manos.

—Tiene razón, —dijo—. Hay que atenerse a la bebida nativa, dondequiera se encuentre uno, aunque se trate de cerveza negra. Whisky en Escocia; en la Banda Oriental, caña... esa es mi norma.

La casa estaba ahora en plena conmoción: los niños ensillaban los petisos, gritaban tras de los pollos, y mi enérgico anfitrión daba órdenes a su mujer.

Después que el muchacho fue enviado a buscar las cosas y que se ocuparon de mi caballo, nos sentamos en la cocina tomando mate y conversando muy agradablemente. Luego el dueño de casa me llevó fuera, al jardín que estaba detrás de la casa, para salir del camino de su mujer mientras se ocupaba de preparar el almuerzo, y estando allí comenzó a hablarme en inglés.

—Veinticinco años he estado en este continente, —dijo —contándome su historia—, y dieciocho de ellos en la Banda Oriental.

—Bueno, no se ha olvidado de su lengua, —le dije—. Supongo que lee.

—¡Leer! ¡Bah! Sería como si se me ocurriera usar pantalones. No, no, amigo, nunca lea. No se meta en política. Cuando alguien le moleste, péguele un tiro. Esas son mis normas. Yo nací en Edimburgo. Tuve demasiadas lecturas cuando era un muchacho; escuché cantar demasiados salmos; vi demasiados fregados y limpiezas como para que me duren toda la vida. Mi padre era un librero de Hugh Street, cerca de Cowgate... ¡fíjese! Mi madre era una mujer devota... Todos ellos eran devotos. Mi tío, un clérigo, vivía con nosotros. Yo fui educado en la High School... con la intención de que fuera clérigo... ¡ja, ja! Mi único placer era conseguir algún libro que tratase de viajes por algún país salvaje, encerrarme en mi habitación, arrancarme los botines, encender una pipa y tirarme en el suelo a leer... fuera del alcance de todos. Los domingos hacía exactamente lo mismo. Decían que era un pecador y que me iba a ir directamente al infierno. Era mi manera de ser. Ellos no comprendían... y se pasaban machacando mis oídos. Siempre limpiando y fregando... usted podría haber comido sobre el suelo; siempre cantando salmos... rezando... regañando. No lo pude soportar; a los quince años me escapé, y desde entonces no volví a saber una palabra de mi casa. ¿Qué pasó? Me vine aquí, trabajé, ahorré, compré tierras y ganado, me casé... viví como quería vivir... soy feliz. Ahí está mi mujer, madre de seis hijos, usted mismo la ha visto: nada de regaños y de miradas severas, de fregados de lunes a sábado... usted no podría comer sobre el piso de *mi* cocina. Ahí están mis hijos, seis entre varones y chicas, saludables, sucios hasta donde les dé la gana, felices el día entero; y aquí estoy yo, John Carrickfergus —Don Juan en toda esta región; ningún nativo puede pronunciar mi nombre—, respetado, temido, amado; un hombre en quien su vecino puede confiar para que le haga un favor; uno que jamás vacila en meter una bala en cualquier buitre, gato montés, o asesino que se cruce en su camino. Ahora usted lo sabe todo.

—Es una historia extraordinaria, —le dije—, pero supongo que a sus hijos les enseñará algo.

—No les enseño nada, —me contestó con énfasis—. En nuestra vieja tierra no pensamos más que en libros, limpieza, ropas, en todo lo que sea bueno para el alma, el cerebro, el estómago; y los hacemos desgraciados. Libertad para todos... esa es mi norma. Los niños sucios son niños sanos y felices. En Inglaterra, si una abeja lo pica a uno se le aplica tierra fresca para curar el dolor. Aquí curamos toda clase de dolores con tierra. Si un hijo mío se enferma, yo saco una palada de humus fresco y lo froto bien. No soy religioso, pero recuerdo un milagro. El Salvador escupió en el suelo e hizo barro con la saliva para ungir los ojos del ciego. Lo hizo ver inmediatamente. ¿Qué significa eso? Un remedio común de la región, por supuesto. *El* no necesitaba el barro, pero siguió la costumbre, lo mismo que en los demás milagros. En Escocia todo lo que tiene que ver con la suciedad es impiedad... ¿Cómo reconcilian eso con las Escrituras? No digo con la *Naturaleza,* fíjese, digo con las *Escrituras,* pues la Biblia es el libro por el que juran, aunque ellos no lo hayan escrito.

—Pensaré sobre lo que me dice acerca de los niños y de la mejor manera de criarlos, —le respondí—. No necesito decidir de apuro, porque todavía no tengo ninguno.

Ladró su corta risa y me llevó de vuelta a la casa, donde los aprestos para el almuerzo ya se habían completado. Los niños comieron en la cocina; nosotros almorzamos en una habitación contigua, fresca y amplia. Había allí una pequeña mesa tendida con un impecable mantel blanco, y platos de verdadera loza y cuchillos y tenedores verdaderos. Había también verdaderos vasos de vidrio, botellas de vino español, y pan criollo blanco como la nieve. Evidentemente, mi anfitriona había empleado bien su tiempo. Ella vino inmediatamente después que nos sentamos, y apenas pude reconocerla; porque ahora no sólo estaba limpia, sino también bonita, con el rico color oliva de su rostro ovalado, su pelo negro bien arreglado, y sus oscuros ojos llenos de una luz tierna y cariñosa. Se había puesto ahora un vestido blanco de paño merino con un raro dibujo castaño, y un pañuelo blanco de seda, prendido en su cuello con broche de oro. Era agradable de ver y, notando mis miradas de admiración, se sonrojó al sentarse, y luego se rio. El almuerzo fue excelente: cordero asado para empezar, luego un plato de pollo guisado con arroz, agradablemente sazonado y coloreado con rojo pimentón español. Un ave asada o hervida, como la comemos en Inglaterra es un desperdicio, comparada con este delicioso guiso de pollo que uno puede encontrar en un rancho cualquiera de la Banda Oriental. Después de la comida estuvimos por espacio de una hora cascando nueces, tomando vino, fumando cigarrillos y contando historias divertidas; y dudo que en todo el Uruguay hubiera aquella mañana tres personas más contentas que el escocés desescocesado, John Carrickfergus, su no regañona mujer nativa, y su huésped, que había matado a un hombre de un tiro la noche anterior.

Después del almuerzo tendí mi poncho sobre el pasto seco debajo de un árbol, para dormir la siesta. Mi tranquilo sueño duró mucho y, cuando me desperté, me sorprendí al encontrar a mi anfitrión y a su mujer sentados sobre el pasto cerca de mí, ocupado él en bordar su sobrecincha, y ella con el mate en la mano y una caldera de agua caliente a su lado. Se estaba secando los ojos, me pareció, cuando abrí los míos.

—¡Por fin se despertó! —exclamó don Juan complacido—. Venga a tomar mate. Mire, la mujer ha estado llorando hace un momento.

Ella le hizo señas para que no dijera nada.

—¿Por qué no hablar de ello, Candelaria? —dijo él—. ¿Qué tiene de malo? Mire, mi mujer piensa que usted ha estado en la guerra... que es un hombre de Santa Coloma huyendo para salvar el pescuezo.

—¿Cómo se dio cuenta? —pregunté algo confuso y muy sorprendido.

—¡Cómo! ¿No conoce a las mujeres! Usted no dijo nada acerca de dónde venía: prudencia. Este es un punto. Pareció perturbado cuando hablamos de la revolución; no dijo ni una palabra al respecto. Más evidencia. Su poncho, tendido allí, muestra dos grandes cortes. Desgarrado por los espinos, dije yo. Tajeado por espadas, dijo ella. Estábamos discutiendo eso cuando usted se despertó.

—Ella acertó, —dije—, y estoy avergonzado de mí mismo por no habérselos dicho antes. Pero ¿por qué habría de llorar su esposa?

—Cosas de mujer... cosas de mujer, —contestó él, agitando su mano—. Siempre dispuestas a llorar sobre el caído... eso es lo único que saben de política.

—¿No dije yo que la mujer es un ángel del cielo? —repliqué; luego tomé la mano de Candelaria y la besé. Esta es la primera vez que beso la mano de una mujer casada, pero el marido de una mujer como ésta debe saber que no tiene por qué ponerse celoso.

—Celoso... ¡ja, ja! —se rio—. Me hubiera sentido más orgulloso si la hubiera besado en la mejilla.

—Juan... ¡linda cosa de decir! —exclamó su mujer, dándole tiernamente una palmada en la mano.

Entonces, mientras tomábamos mate, les conté la historia de mi campaña, aunque me pareció conveniente, cuando explicaba mis motivos para unirme a los rebeldes, hacer algunos pequeños desvíos de la más estricta forma de la verdad. El estuvo de acuerdo en que mi mejor plan era seguir hacia Rocha para esperar allí mi pasaporte antes de seguir viaje a Montevideo. Pero no me permitieron que los dejara aquel día; y mientras conversábamos tomando mate, Candelaria zurció diestramente los delatores tajos de mi poncho.

Pasé la tarde haciendo amistad con los niños que demostraron ser unos pilluelos muy inteligentes y divertidos, contándoles algunos cuentos disparatados que inventé, y escuchando sus aventuras de cazadores de mulitas y de buscadores de nidos. Luego tuvimos una cena tardía, después de la cual los chicos dijeron sus oraciones y se retiraron a dormir, y entonces fumamos y cantamos canciones sin acompañamiento, y terminé un día feliz durmiendo hundido en una cama blanda y limpia.

Había comunicado mi intención de partir a la mañana siguiente al amanecer, y cuando me desperté y vi que ya estaba claro, me vestí apresuradamente y, al salir, encontré mi caballo ya ensillado junto a la tranquera, al lado de otros tres caballos prontos. En la cocina encontré a don Juan, a su mujer y a sus dos hijos mayores tomando sus mates tempraneros. Don Juan me dijo que hacía ya una hora que estaba levantado y que sólo había esperado para desearme un feliz viaje, antes de irse a juntar su ganado. En seguida me deseó que me fuera bien y, con sus dos hijos, partió, dejándome para que compartiera con ella unos huevos pasados por agua y café... un desayuno muy inglés.

Después me levanté y agradecí a la buena señora por su hospitalidad.

—Un momento, —me dijo, cuando le tendía mi mano y, sacando una bolsita de seda de su seno, me la ofreció—. Mi marido me dio permiso para hacerle este presente en su partida. Es sólo un pequeño obsequio pero, mientras usted se encuentre en esta situación difícil y lejos de todos sus amigos, tal vez pueda serle útil.

Yo no quería aceptar dinero de ella, después del tratamiento tan amable que había recibido, y por eso dejé que la bolsa quedara en mi mano abierta donde ella la había puesto.

—Y si yo no pudiera aceptarlo... —comencé.

—Entonces me lastimaría de veras, —replicó—. ¿Podría hacer eso después de las amables palabras que dijo ayer?

No me pude rehusar pero, después de guardar la bolsita, tomé su mano y la besé.

—Adiós, Candelaria, —le dije—; usted me ha hecho amar a su país y arrepentirme de cualquier palabra ruda que alguna vez haya dicho contra él.

Su mano permanecía en la mía; y ella se estaba allí, sonriendo, y no parecía pensar que hubiéramos dicho aún la última palabra. Entonces, viéndola tan dulce y afectuosa, y recordando las palabras que su marido había dicho el día anterior, me acerqué y besé sus mejillas y sus labios.

—Adiós, amigo mío, y que Dios lo acompañe, —dijo.

Creo que había lágrimas en sus ojos cuando la dejé, pero no pude verlo claramente, porque también los míos se habían empañado de pronto.

¡Y pensar que sólo el día anterior me había divertido el espectáculo de esta mujer sentada, acalorada y grasienta, dedicada a su tarea, y la había llamado la Juno del caldero de grasa! Ahora, después de tratarla unas dieciocho horas, acababa de besarla... ¡a una señora, madre de seis hijos, diciéndole adiós con la voz temblorosa y los ojos húmedos!

Sé que nunca podré olvidar aquellos ojos, llenos de dulce y puro afecto, y de tierna simpatía, mirándose en los míos; toda mi vida pensaré en Candelaria, queriéndola como a una hermana. En mi propio ultracivilizado y excesivamente limpio país ¿podría alguna mujer haberme inspirado un sentimiento como ese en tan poco tiempo? Pienso que no. Oh civilización, con tu millón de convencionalismos, con la gazmoñería que marchita el alma y el cuerpo, la vana educación de los pequeños, las idas a la iglesia con las mejores ropas negras, el desnaturalizado fervor por la limpieza, el afiebrado esfuerzo tras de un confort que no conforta el corazón, ¿serás un completo error? Candelaria y aquel cordial tránsfuga, John Carrickfergus, me lo hicieron creer así. Oh sí, todos vamos buscando vanamente la felicidad por un camino equivocado. Una vez estuvo entre nosotros y fue nuestra, pero la despreciamos porque no era más que la vieja felicidad común que la Naturaleza da a todos sus hijos, y nos alejamos de ella en busca de otra clase de felicidad más grande que algún soñador —Bacon u otro— nos aseguró que habríamos de encontrar. No teníamos más que conquistar la Naturaleza, descubrir sus secretos, hacer de ella nuestra obediente esclava, y entonces la tierra sería un Edén, y cada hombre Adán, y cada mujer Eva. Aún seguimos marchando valientemente, conquistando la Naturaleza, pero ¡qué cansados y tristes nos estamos volviendo! La antigua alegría de la vida y la alegría del corazón se han desvanecido, aunque a veces nos detengamos unos pocos momentos en nuestra larga marcha forzada para observar los trabajos de algún pálido técnico que anda tras la búsqueda del movimiento perpetuo, y nos concedamos una breve carcajada burlona a sus expensas.

Capítulo XXII

UNA CORONA DE ORTIGAS

Después de dejar el hogar de libertad y amor de John y Candelaria, no me sucedió ninguna cosa de que valiera la pena dejar constancia hasta que casi había alcanzado el deseado puerto de las Lomas de Rocha, un lugar que, al fin y al cabo, estaba destinado a no ver nunca, salvo desde una gran distancia. Llegaba a su fin un día excepcionalmente brillante, aun para aquel clima claro, faltando unas horas para la puesta del Sol, cuando me desvié de mi camino para subir a un cerro de cima muy larga y escarpada, uno de cuyos extremos caía en pendiente, como si fuera la última sierra de una cadena en ese punto donde muere al nivel de la llanura; sólo que en este caso la tal cadena no existía. El solitario cerro estaba cubierto por cortos penachos de pastos duros y amarillos y algunos escasos arbustos, y cerca de la cima asomaban apenas sobre la superficie del suelo grandes bloques de piedra arenisca, que parecían las tumbas del cementerio de alguna vieja aldea, con todas sus inscripciones borradas por el tiempo y la intemperie. Quería, desde aquella altura que se elevaba unos treinta o cuarenta metros sobre la llanura, reconocer la región que se extendía ante mí, porque estaba cansado y hambriento, lo mismo que mi caballo, y deseando encontrar un lugar de descanso antes de que cayera la noche. Ante mí el terreno se extendía en vastas ondulaciones hacia el océano que, sin embargo, no estaba a la vista. Ni la menor mancha de vapor aparecía sobre la inmensa y cristalina cúpula del cielo, en tanto que la quietud y la transparencia de la atmósfera parecían casi sobrenaturales. Un centelleo azul de agua, al sudeste de donde me encontraba y distante muchas leguas, debía ser, supuse, la laguna de Rocha; hacia el oeste se veían sobre el horizonte masas de un azul desvaído y con las cimas nacaradas. Pero no eran nubes, sino las sierras de la cadena extrañamente llamada Cuchilla de las Animas, es decir alturas habitadas por espectros. Al cabo, como quien pone sus binoculares en el bolsillo y comienza a mirar a su alrededor, retraje la mirada de sus vagabundeos por aquel ilimitado espacio para examinar lo que tenía a mano. Sobre la cuesta del cerro, a unos sesenta metros de donde yo estaba, había algunos arbustos enanos de un color verde oscuro y en aquella luz aún brillante del sol cada arbusto parecía como si hubiera sido recortado de un bloque de malaquita; y sobre las flores de un rojo claro que los cubrían estaban libando algunas humildes abejas. Fue el zumbido de las abejas que llegaba claramente a mis oídos, lo que primero atrajo mi atención hacia aquellos matorrales; pues tan inmóvil estaba el aire que aun a aquella distancia de sesenta metros dos personas podrían haber conversado fácilmente sin levantar la voz. Mucho más bajo y más lejos, a unos doscientos metros de los matorrales, un gavilán estaba posado sobre el suelo, arrancando pedazos de algo que había capturado, comiendo de esa manera salvaje y recelosa habitual en los gavilanes, haciendo largas pausas entre un picotazo y otro. Sobre el ave de rapiña se cernía un carancho marrón,[22] un pájaro semejante a otras aves de presa por sus costumbres, pero que vive picoteando desechos despreciables. Envidioso de la buena suerte del otro, o tal vez temiendo que ni siquiera fueran a quedar para él las migajas o las plumas del festín, andaba tras el gavilán precipitándose a intervalos sobre él con un furioso graznido y dándole un aletazo. El gavilán, metódicamente, hundía la cabeza cada vez que su atormentador arremetía, después de lo cual seguía desgarrando su presa a su incómoda manera. Más lejos aún, en el valle que corría paralelamente al pie del cerro, serpenteaba un arroyito tan cubierto de juncos y de plantas acuáticas que el agua quedaba casi escondida, y su curso parecía una culebra de un verde vívido, de varias leguas de largo que yacía allí descansando al sol. En el extremo más cercano del arroyo estaba un viejo sentado en el suelo que, aparentemente procedía a lavarse, porque se inclinaba sobre un pequeño pozo de agua, mientras que tras él estaba su caballo, con su paciente cabeza caída, espantándose, de rato en rato, las moscas con la cola. Unas cuadras más lejos había una vivienda, que me pareció una vieja casa de estancia, rodeada por grandes árboles de sombra que crecían aislados o en grupos irregulares. Era la única casa cercana, pero después de observarla un buen rato llegué a la conclusión de que estaba deshabitada. Porque aun a esa distancia podía ver claramente que no había seres humanos moviéndose a su alrededor, ni había cerca de ella ningún caballo u otro animal doméstico y, sin duda, no existían cercos ni corrales de ninguna clase.

Bajé el cerro lentamente, dirigiéndome hacia el viejo que estaba sentado junto al arroyo. Lo encontré ocupado en la operación aparentemente difícil de desenredar su exuberante mata de cabellos muy largos que, de alguna manera, —tal vez por la falta de cuidado— se había enmarañado terriblemente. Había metido la cabeza en el agua y, con un viejo peine que ostentaba unos siete u ocho dientes, estaba separando laboriosamente y con infinita paciencia los largos cabellos unos pocos por vez. Después de saludarlo, encendí un cigarrillo y, apoyado en el pescuezo de mi caballo, observé durante un rato sus esfuerzos con enorme interés. Peinaba en silencio cinco o seis minutos, luego hundía de nuevo la cabeza en el pozo, y mientras escurría cuidadosamente el agua que los empapaba, observó que mi caballo parecía cansado.

—Sí, —le respondí—; y también lo está el jinete. ¿Me puede decir quién vive en aquella estancia?

—Mi patrón, —replicó lacónicamente.

—¿Es un hombre de buen corazón, que daría alojamiento a un forastero? —pregunté.

---

[22]Gallinazo, zopilote, aura. Ave de rapiña de color oscuro que se alimenta de insectos y reptiles y, a menudo, de cadáveres.

Se tomó un tiempo muy largo para contestarme, y entonces dijo: —El no tiene nada que ver con esas cosas.

—¿Es un inválido? —propuse.

Otra larga pausa; después sacudió su cabeza y se golpeó la frente de manera significativa; luego ranudó su tarea de sirena.

—¿Loco? —pregunté.

Levantó entonces una ceja y se encogió de hombros, pero no dijo nada.

Después de un largo silencio, porque me preocupaba no irritarle con mis continuas interrogaciones, me aventuré a preguntar:

—Bueno, ¿no me echará los perros, eh?

Mostró los dientes y dijo que era una estancia sin perros.

Le pagué su información con un cigarrillo, que tomó con mucha prisa, y pareció considerar que fumar era un agradable alivio después de tanto ocuparse en desenredar.

—Una estancia sin perros, y donde el dueño no tiene nada que opinar... resulta algo raro, —observé buscando hacerle hablar, pero él seguía pitando en silencio.

—¿Cómo se llama la casa? —pregunté, una vez que volví a montar a caballo.

—Es una casa sin nombre, —replicó; y después de esta entrevista bastante insatisfactoria lo dejé y marché lentamente hacia la estancia.

Al acercarme a la casa vi que detrás de ella había habido primitivamente una gran plantación, de la que ahora sólo quedaban unos pocos troncos muertos; los zanjones que la habían rodeado estaban ahora casi cegados. El lugar estaba en ruinas y cubierto de yuyos. Desmonté, y conduje el caballo por un angosto sendero que corría entre un campo totalmente salvaje, cubierto de mirasoles silvestres, de marrubios, de amapolas y de estramonios, y que conducía hasta unos álamos que se levantaban donde una vez hubo una tranquera, de la que sólo dos o tres postes quedaban en pie. Desde la vieja tranquera el sendero seguía, siempre entre yuyos, hasta la puerta de la casa, la que estaba construida en parte de piedra y en parte de ladrillo rojo, y que tenía un techo de tejas muy alto e inclinado. Junto a la ruinosa tranquera,[23] recostada contra un poste, con el cálido sol del atardecer brillando sobre su cabeza descubierta, estaba una mujer con un enmohecido vestido negro. Tenía unos veintiséis o veintisiete años, y una indecible expresión de fatiga y desaliento en el rostro, que era tan falto de color como el mármol, excepto por las manchas moradas que se veían debajo de sus grandes ojos oscuros. No se movió cuando me acerqué a ella, aunque levantó sus ojos dolientes hasta los míos, sintiendo aparentemente muy poco interés por mi llegada.

Me saqué el sombrero para saludarla, y le dije:

—Señora, mi caballo está cansado, y yo estoy buscando un lugar dónde dormir; ¿podría darme abrigo bajo su techo?

---

[23]Portón grande, de trancas, que generalmente está a la entrada de un campo.

—Sí, caballero; ¿por qué no? —respondió con una voz aún más cargada de pena que su rostro.

Le agradecí, y esperé que me indicara el camino; pero ella seguía aún de pie, ante mí, con los ojos bajos y el rostro turbado.

—Señora, —comencé a decir—, si la presencia de un extraño en la casa resulta inconveniente. . .

—No, no, señor, no es eso, —me interrumpió precipitadamente. Luego, bajando la voz hasta convertirla en un susurro, me preguntó: —Dígame, señor, ¿usted viene del departamento de Florida? ¿Estuvo. . . estuvo en San Paulo?

Vacilé un momento, y luego contesté que sí, que había estado.

—¿De qué lado? —preguntó en seguida, con una extraña ansiedad en la voz.

—Ah, señora, —respondí—, ¿por qué hacerme a mí, no más que un pobre viajero que viene buscando abrigo por una noche, semejante pregunta?

—¿Por qué? Tal vez por su bien, señor. Recuerde que las mujeres no somos como los hombres. . . implacables. Tendrá un techo, señor; pero sería mejor que yo supiera.

—Tiene razón, —respondí—, perdóneme por no contestarle en seguida. Estuve con Santa Coloma, el rebelde.

Ella me tendió su mano, pero antes de que pudiera tomarla, la retiró y, cubriendo su rostro, comenzó a llorar. Se repuso en seguida y, volviéndose hacia la casa, me pidió que la siguiera.

Sus gestos y sus lágrimas me habían dicho elocuentemente que ella también pertenecía al desdichado partido blanco.

—¿Perdió algún pariente en ese combate, señora? —le pregunté.

—No, señor, —replicó—; pero si nuestro partido hubiera triunfado tal vez hubiera llegado el momento de mi liberación. Ah, no; hace mucho tiempo que perdí mis parientes. . . todos, excepto mi padre. Ya se va a dar cuenta en seguida, cuando lo vea, por qué nuestros crueles enemigos se han abstenido de derramar *su* sangre.

Por entonces habíamos llegado a la casa. Una vez había tenido una galería, pero hacía mucho tiempo que ésta se había venido abajo, dejando las puertas y ventanas expuestas al sol y la lluvia. Los líquenes cubrían las paredes de piedra, y en las grietas y sobre el techo de tejas habían brotado los yuyos y los pastos; pero esa vegetación se había secado con los calores del verano y estaba ahora seca y amarilla. Me llevó a una habitación espaciosa, tan escasamente alumbrada por la puerta baja y por una pequeña ventana que casi parecía estar a oscuras para mí, que venía de la brillante luz del sol. Me detuve unos momentos tratando de que mis ojos se acostumbraran a la oscuridad, mientras ella, caminando hasta el centro de la habitación, se inclinó para hablar con un hombre anciano sentado en un sillón tapizado de cuero.

—Papá, le he traído a un joven forastero que ha pedido abrigo bajo nuestro techo. Dele la bienvenida, papá.

143

Se irguió entonces, y ubicándose detrás de la silla se quedó apoyada en ella, frente a mí.

—Tenga usted muy buenos días, señor, —le dije, adelantándome con alguna vacilación.

Allí, ante mí, se hallaba sentado un viejo alto y encorvado, consumido hasta parecer un esqueleto, con una cara gris y desolada, cabellos largos y la barba de una blancura de plata. Estaba envuelto en un poncho de color claro, y en la cabeza tenía puesto un gorro negro. Cuando hablé se echó hacia atrás en su asiento y comenzó a escudriñar mi rostro con una avidez extrañamente intensa en sus ojos, mientras retorcía sus largos dedos flacos entrecruzándolos de manera nerviosa y excitada.

—Cómo es eso, Calixto, —exclamó al fin—, ¿es esta la manera de presentarte ante mí? ¡Ja, creíste que no te iba reconocer! ¡Abajo, abajo, muchacho; de rodillas!

Miré a su hija que seguía detrás de él; ella estaba mirando mi rostro ansiosamente, e hizo una leve inclinación de cabeza.

Interpretando su gesto como una exhortación a obedecer las órdenes del viejo, caí de rodillas, y toqué con mis labios la mano que me tendía.

—Que Dios te bendiga, hijo, —dijo con voz trémula. Luego siguió diciendo—: Qué es eso, ¿acaso esperabas encontrar ciego a tu viejo padre? Te reconocería entre miles, Calixto. Ah, hijo, hijo, ¿por qué estuviste ausente tanto tiempo? De pies, hijo, y deja que te abrace.

Tambaleándose se levantó del sillón y me rodeó con sus brazos; luego, después de mirar mi rostro por algunos momentos, me besó con deliberación en ambas mejillas.

—Ja, Calixto, —continuó, poniendo sus manos temblorosas sobre mis hombros y mirando mi rostro con sus ojos hundidos y alocados—. Acaso es necesario que te pregunte dónde has estado? ¿Dónde iba a estar un Peralta sino en el fragor de la batalla, en medio de la carnicería, luchando por la Banda Oriental? No me he quejado por tu ausencia, Calixto; Demetria te dirá lo paciente que fui durante todos estos años, porque sabía que al fin volverías a mí llevando la corona de laurel de la victoria. Y yo, Calixto, ¿qué he llevado sentado aquí? ¡Una corona de ortigas! Sí, la he llevado a lo largo de cien años; tú eres testigo, hija mía, Demetria, de que he llevado esta corona de atormentadoras ortigas durante cien años.

Se recostó, aparentemente exhausto, en su sillón, y yo lancé un suspiro de alivio, pensando que la entrevista había terminado. Pero me equivocaba. Su hija puso junto a él una silla para mí. —Siéntese aquí, señor, y converse con mi padre, mientras hago que se ocupen de su caballo, —susurró, y luego se deslizó rápidamente fuera de la pieza. Esto era bastante duro para mí, pensé; pero mientras me susurraba esas pocas palabras, ella tocó mi mano ligeramente y volvió hacia los míos sus ojos anhelantes con una mirada agradecida, y me alegré por ella de no haber actuado erradamente.

En seguida el viejo se reanimó y comenzó a hablar ansiosamente, haciéndome cientos de preguntas locas, que me veía obligado a contestar, tratando siempre de seguir interpretando el papel del hijo perdido hacía tanto tiempo y que acababa de volver victorioso de la guerra.

—Cuéntame dónde has luchado y vencido al enemigo, —exclamó levantando su voz casi hasta el grito—. ¿Dónde fueron a dar escapando de ti como paja que lleva el viento? ¿Dónde los pisoteaste con los cascos de tu caballo? Dime cuáles fueron los lugares y las batallas, Calixto.

En ese momento tuve unas terribles ganas de saltar y de salir corriendo de aquel cuarto, de tal modo habían sido puestos a prueba mis nervios durante aquella conversación loca; pero me acordé de la blanca y patética cara de su hija Demetria, y contuve el impulso. Luego, de puro desesperado, comencé a hablar tan locamente como el mismo viejo. Creo que lo harté de los asuntos guerreros. Por todas partes, exclamé, hemos derrotado, asesinado y repartido a los cuatro vientos a los infames colorados. Desde el mar hasta la frontera del Brasil la victoria fue nuestra. Con espadas, lanzas y bayonetas hemos tomado por asalto y dominado todas las ciudades, desde Tacuarembó a Montevideo. Todos los ríos, desde el Yaguarón hasta el Uruguay se enrojecieron con la sangre de los colorados. En los montes y en las sierras los hemos perseguido cuando huían de nosotros como bestias salvajes; los hemos capturado por miles, sólo para degollarlos, crucificarlos, dispararlos de los cañones, descuartizarlos atándolos a potros salvajes.

No hacía más que echar aceite sobre el fuego llameante de su demencia.

—¡Ahá'! —gritó, con los ojos centelleantes mientras oprimía furiosamente mi brazo con sus manos huesudas como garras—. ¿Acaso no lo sabía yo? ¿No lo había dicho? ¿No luché por espacio de cien años, vadeando a través de ríos de sangre cada día, y luego, al final, no te envié allá para que terminaras la batalla? Y todos los días nuestros enemigos venían y gritaban en mis oídos: ¡Victoria, victoria! Me dijeron que habías muerto, Calixto, que te habían atravesado con sus armas, que habían arrojado tu carne para que la devoraran los perros cimarrones. Y yo gritaba de risa al oirlos. Me reía en sus caras y golpeaba las manos y gritaba: ¡Preparen sus gargantas para la espada, traidores, esclavos, asesinos, porque un Peralta —aunque sea Calixto devorado por los perros—, se acerca para tomar venganza! ¡Cómo no va a dejar Dios un fuerte brazo para herir el pecho del tirano... un solo Peralta en toda esta tierra! ¡Huyan, impíos! ¡Mueran, miserables! El se ha levantado de la tumba, él ha vuelto del infierno, animado por el fuego infernal para hacer arder sus pueblos hasta no dejar más que las cenizas, para extinguirlos, para extirparlos completamente de la faz de la tierra!

Su voz trémula y débil se había alzado hacia el final de su delirante discurso hasta un delgado grito agudo que sonaba a través de tranquila casa que se iba oscureciendo como el largo chillido estridente de algún ave acuática que se escucha por la noche en las desoladas marismas.

Entonces aflojó la mano con que apretaba mi brazo y se dejó caer hacia atrás, gimiendo y estremeciéndose. Tenía los ojos cerrados, su cuerpo entero temblaba y parecía una persona que está por recobrarse de un ataque epiléptico; luego pareció sumirse en el sueño. Ahora se estaba poniendo completamente oscuro porque el sol se había puesto hacía algún tiempo, y sentía un gran alivio al ver a doña Demetria deslizándose como un fantasma dentro de la habitación. Me tocó el brazo y musitó: —Venga, señor; ahora duerme.

La seguí fuera, al aire fresco, que nunca me había parecido antes tan fresco; luego, volviéndose hacia mí me susurró de prisa: —Recuerde, señor, que lo que me ha dicho es un secreto. No diga un palabra de eso a ninguna otra persona de aquí.

Capítulo XXIII

LA BANDERA ROJA DE LA VICTORIA

Entonces me condujo a la cocina al extremo de la casa. Era una de esas espaciosas cocinas anticuadas que todavía se encuentran en unas pocas casas de estancia construidas en tiempos de la colonia, en las que el fogón, que se levantaba alrededor de un medio metro del suelo, se extendía todo a lo ancho de la habitación. Esta era ancha y mal iluminada, con las paredes y las vigas negras por un siglo de humo, y abundantemente festoneadas con telarañas cubiertas de hollín; pero un fuego grande y cordial llameaba en el hogar, ante el cual estaba de pie una mujer alta y flaca que se ocupaba de preparar la cena y de servir el mate. Era Ramona, una vieja sirvienta de la estancia. Estaba allí, también, mi amigo de la cabellera enredada que, evidentemente, había conseguido dejarla bien peinada, pues ahora colgaba lisa sobre su epalda y tan larga como una cabellera de mujer. Había otro individuo sentado cerca del fuego, cuya edad hubiera podido ser cualquiera entre los veinticinco y los cuarentaicinco, porque tenía, supongo, mezcla de sangre india en las venas, y una de esas caras suaves, secas y oscuras que apenas cambian con la edad. Era un hombre bastante bajo, enjuto, con un pequeño bigote de un negro intenso pero sin patillas ni barba. Parecía ser una persona de cierta importancia en la casa, y cuando mi guía me lo presentó como *don Hilario,* se puso de pie y me recibió con una profunda inclinación. Pese a su excesiva cortesía concebí por él, desde el momento en que lo vi, un sentimiento de profunda desconfianza; y fue a causa de sus pequeños ojos vigilantes que continuamente estaban posados en mi cara de manera furtiva, para apartarse rápidamente y mirar hacia otro lado cada vez que yo lo miraba; porque el hombre parecía ser completamente incapaz de mirar a otra persona a los ojos. Tomamos mate y conversamos un poco, pero no éramos un grupo muy animado. Doña Demetria, aunque se sentó con nosotros, apenas contribuyó con alguna palabra a la conversación; en tanto el hombre de los cabellos largos —de nombre Santos y el único peón del establecimiento—, fumaba su cigarrillo y tomaba su mate en absoluto silencio.

146

La huesuda y vieja Ramona sirvió al fin la cena en una fuente y la llevó fuera de la cocina; la seguimos hasta la larga sala en que yo había estado antes y nos reunimos alrededor de una pequeña mesa; porque esta gente, aunque en apariencia era muy pobre, hacía sus comidas según las costumbres de los seres civilizados. A la cabecera de la mesa se sentaba el hombre fiero, viejo y canoso, mirándonos con sus ojos hundidos mientras entrábamos. Levantóse a medias de su asiento, me indicó que tomara asiento en la silla que estaba a su lado y, luego, dirigiéndose a don Hilario, que se sentaba enfrente, le dijo:

—Este es mi hijo Calixto que acaba de volver de la guerra, donde, como usted sabe, se ha distinguido sobremanera.

Don Hilario se levantó y se inclinó gravemente. Demetria se sentó al otro extremo de la mesa, mientras que Santos y Ramona ocuparon los dos asientos restantes.

Me alivió en grado sumo ver que la actitud del viejo había cambiado; no hubo más estallidos delirantes como los que había presenciado más temprano; sólo ocasionalmente fijaba en mí sus extraños ojos ardientes de una manera que me hacía sentir extraordinariamente incómodo. Comenzamos la cena con un caldo que terminamos en silencio; y, mientras comíamos, las rápidas miradas de don Hilario volaban incesantemente de una cara a la otra; Demetria, pálida y evidentemente incómoda, mantenía sus ojos bajos todo el tiempo.

—¿No hay vino esta noche, Ramona? —preguntó el viejo en tono de queja cuando la mujer se levantó para llevarse los tazones de caldo.

—El *patrón* no me ha ordenado poner vino en la mesa, —replicó con aspereza y enfatizando con fuerza la detestable palabra.

—¿Qué significa esto, don Hilario? —dijo el viejo, volviéndose hacia su vecino—. Mi hijo acaba de volver después de una larga ausencia; ¿acaso no vamos a tomar vino en una ocasión como esta?

Don Hilario con una débil sonrisa en los labios sacó una llave de su bolsillo y se la pasó en silencio a Ramona. Esta se levantó, murmurando, de la mesa y procedió a abrir un armario, de donde sacó una botella de vino. Luego, dando la vuelta a la mesa, sirvió medio vaso a cada persona, exceptuados ella y Santos, quien, a juzgar por su estólida expresión, no esperaba que le sirvieran nada.

—No, no, —dijo el viejo Peralta—, dale vino a Santos, y sírvete también tú un vaso, Ramona. Ustedes han sido unos buenos y fieles amigos para mí, y criaron a Calixto cuando era un niño. Está bien que beban un vaso a su salud, y que se alegren con nosotros por su regreso.

Ella obedeció con presteza, y el rostro de madera del viejo Santos casi se aflojó en una sonrisa cuando recibió su parte del rojo fluido (me costaría llamarlo jugo) que pone alegre el corazón del hombre.

En seguida el viejo Peralta levantó su vaso y fijó en mí sus fieros ojos insanos. —Calixto, hijo mío, vamos a beber a tu salud, —dijo—, y que la maldición del Topoderoso caiga sobre nuestros enemigos; que sus cuerpos queden donde cayeron hasta que los gavilanes consuman sus carnes, y sus huesos sean

147

convertidos en polvo por las pezuñas del ganado; y que sus almas sean atormentadas por el fuego eterno.

Silenciosamente todos llevaron sus vasos a los labios, pero cuando los apoyaron de nuevo sobre la mesa, las puntas del bigote de don Hilario estaban levantadas como por una sonrisa; Santos, por su parte, chasqueaba sus labios como una demostración de placer.

Después de ese espantoso brindis nadie dijo nada más durante el transcurso de la cena. En un silencio opreviso consumimos el asado y la carne hervida que se nos sirvió; yo no me animé a aventurar la observación más inofensiva por miedo de depertar una loca erupción en mi volcánico anfitrión. Cuando terminamos de comer, Demetria se levantó y trajo un cigarrillo a su padre. Era la señal de que la cena había terminado; e inmediatamente ella dejó la habitación seguida por los dos sirvientes. Don Hilario me ofreció, cortésmente, un cigarrillo y encendió uno para sí. Durante un rato fumamos en silencio, hasta que el anciano, poco a poco, se fue quedando dormido en su sillón, después de lo cual nos levantamos y volvimos a la cocina. Aun aquel lugar sombrío parecía ahora animado después del silencio y de la oscuridad de la sala. En seguida don Hilario se levantó y, con muchas excusas por dejarme, explicando que había sido invitado a concurrir a un baile en una estancia vecina, se retiró. Poco después, aunque no eran más que las nueve de la noche, se me mostró una habitación donde me habían preparado una cama. Era un aposento grande, con olor a moho, casi vacío, donde no había más que mi cama y que unas pocas sillas altas y rectas, tapizadas de cuero y negras de vejez. El piso era de ladrillos y el techo estaba cubierto por un polvoriento palio de telarañas, en que florecía una numerosa colonia de arañas de patas largas, de las que son corrientes en las casas. Yo no tenía ganas de dormir a una hora tan temprana, y hasta envidié a don Hilario, lejos, divirtiéndose con las bellezas rochenses. Mi puerta, que daba al frente, había quedado abierta de par en par; la luna llena acababa de levantarse e iba llenando la noche con su místico esplendor. Apagando mi vela, pues la casa estaba ahora completamente oscura y silenciosa, salí sin ruido para dar unas vueltas. No lejos de allí, bajo un grupo de árboles, encontré un viejo banco rústico, y allí me senté, porque el lugar era un terreno rústico en que las malezas se entremezclaban de tal modo que caminar resultaba casi impracticable y bastante incómodo.

La vieja casa ruinosa en medio de aquella fosca desolación comenzó a tomar, a la luz de la luna, una apariencia singularmente misteriosa y fantasmal. Cerca de mí, a un costado, había una hilera irregular de álamos, y la luna arrojaba sus oscuras sombras alargadas sobre un ancho espacio abierto donde brotaba feraz y predominante el estramonio. En los espacios que quedaban entre las anchas bandas que hacían las sombras de los álamos, el follaje aparecía de un azul nevado, borroso, nevado, cubierto de estrellas por las blancas flores de estos yuyos que florecen de noche. Alrededor de esas flores se cernían algunas grandes mariposas grises, que aparecían de pronto entre las negras sombras, y que cuando se las miraba, se desvanecían de nuevo a su manera misteriosa y espectral. Ni un sonido perturbaba el silencio, excepto el débil y melancólico chillido de una pequeña cigarra nochera que sonaba en algún lugar muy cercano con voz tenue, etérea, que parecía vagar perdida en el espacio infinito, elevándose y flotando solitaria, mientras que la tierra escuchaba, sumida en una quietud que no parecía natural. De pronto, un gran lechuzón pasó volando sin ruido y, colgándose en una de las ramas más altas de un árbol vecino, comenzó a gritar una sucesión de notas monótonas, que sonaban como los ladridos de un sabueso oído a una gran distancia. A poco, otra lechuza le respondió desde algún punto lejano, y el melancólico dueto se mantuvo durante media hora. Cuando uno de los pájaros cesaba su solemne bu-bu-bu-bu-bu, yo me descubría conteniendo el aliento y aguzando mis sentidos para aprehender las notas que respondían, y temiendo moverme para no perder ninguna de ellas. Un resplandor fosforecente pasó rozando mi rostro, sobresaltándome con su súbita aparición, y luego se perdió, trazando una débil línea de luz sobre las malezas sombrías. La pasajera luciérnaga me recordó que no estaba fumando, y se me ocurrió entonces que un cigarrillo podría servir para librarme de ese extraño, indefinible sentimiento de depresión que me había ido dominando. Llevé la mano al bolsillo y saqué un cigarro, y le mordí la punta, pero, cuando estaba por frotar un fósforo contra la caja, me estremecí y dejé caer la mano.

El solo pensar en frotarlo provocando una fuerte detonación [24] me resultaba insoportable, tan extrañamente nervioso me sentía. O, tal vez, había caído en un estado de ánimo supersticioso. Me parecía en ese momento que de algún modo había sido arrastrado a una región misteriosa, poblada sólo por seres extraterrenos y fantásticos. Las gentes con las que había cenado no me parecían criaturas de carne y hueso. La pequeña y morena figura de don Hilario con sus miradas subrepticias y su sonrisa mefistofélica, la cara pálida y triste de Demetria, y los hundidos ojos insanos de su anciano y canoso padre, estaban a mi alrededor a la luz de la luna y entre la enmarañada vegetación. No me animaba a moverme; apenas respiraba; las propias malezas, con sus follajes entre pálidos y sombríos, eran como cosas que poseían una vida espectral. Y, en tanto me encontraba en aquella mórbida situación anímica, poseído por un miedo irracional que por momentos iba aumentando, vi a una distancia de treinta pasos un objeto oscuro, que parecía moverse de manera insegura, vacilando, hacia mí. Ahora yo lo miraba atentamente, pero se había quedado inmóvil y parecía otra informe sombra negra entre las sombras de los árboles. De pronto volvió a dirigirse hacia mí, y, al pasar por el claro de luna, se reveló como una figura humana. Se deslizó rápidamente a través del brillante espacio y se perdió en la sombra de otros árboles; pero seguía aproximándose: una fluctuante, ondulante figura, avanzando y desviándose, pero aproximándose más cada vez. La sangre se me heló en las venas; sentí que mis cabellos se ponían de punta, hasta que, incapaz de soportar por más tiempo el

---

[24] En aquel yesquero primitivo la producción de la chispa que encendía la yesca debía provocar un considerable estruendo.

terrible suspenso, salté de mi asiento. Una fuerte exclamación de terror que partió de aquella figura llegó a mis oídos y entonces vi que se trataba de Demetria. Balbucí una disculpa por asustarla con mi sobresalto y, viendo que la había reconocido, avanzó hacia mí.

—Ah, señor, no está durmiendo, —dijo tranquilamente—. Desde mi ventana lo vi salir aquí hace más de una hora. Viendo que no volvía comenzó a dominarme la ansiedad, y pensé que, cansado por su viaje, se había quedado dormido aquí. Vine a despertarlo y advertirle que es muy peligroso dormirse con el rostro expuesto a la luna llena.

Le expliqué que me había sentido inquieto y sin ganas de dormir; lamenté haberle causado esa inquietud y le agradecí por su consideración y su amabilidad.

En vez de dejarme entonces, se sentó con toda tranquilidad sobre el banco.

—Señor, —me dijo—, si su intención es continuar mañana su viaje, permítame aconsejarle que no lo haga. Usted puede quedarse aquí, a salvo, unos pocos días, pues en esta casa no tenemos visitantes.

Le dije que, actuando según los consejos que Santa Coloma me diera antes del combate, iba a seguir hasta las Lomas de Rocha para ver en dicho lugar a un hombre llamado Florentino Blanco, que probablemente podría procurarme un pasaporte para viajar hacia Montevideo.

—¡Qué suerte que me haya dicho eso! —replicó—. Cada forastero que entra ahora en Lomas de Rocha es rigurosamente indagado, y si usted va a allá no va poder evitar que lo arresten. Quédese con nosotros, señor; es una casa pobre, pero nosotros estamos bien dispuestos hacia usted. Mañana Santos llevará una carta suya a don Florentino, que siempre está dispuesto a hacernos un favor, y él hará lo que usted desea sin verlo.

Le agradecí calurosamente y acepté la idea de refugiarme en su casa. En cierto modo me sorprendió que siguiera sentada en el banco. De pronto dijo:

—Es natural, señor, que usted no se alegre de quedarse en una casa tan triste. Pero lo que tuvo que soportar la primera vez que entró a ella no se repetirá. Cada vez que mi padre ve a un hombre joven, a alguno que le es extranjero, lo recibe como lo recibió hoy a usted, tomándolo por su hijo. Después del primer día, sin embargo, pierde todo interés en el nuevo rostro, y se vuelve indiferente, olvidándose de cuanto ha dicho o imaginado.

Esa información fue un alivio para mí, y comenté que suponía que la pérdida de su hijo había sido la causa de la enfermedad.

—Es como usted dice; permítame contarle lo que sucedió, —me respondió—. Porque esta estancia debe parecerle un lugar diferente a todas las otras estancias del mundo, y es natural que un forastero desee conocer las razones de su triste condición. Sé que puedo hablar sin temor de estas cosas con alguien que es amigo de Santa Coloma.

—Y suyo, señorita; así lo espero, —dije.

—Gracias, señor. He pasado aquí toda mi vida. Cuando era una niña mi hermano entró al ejército; luego mi madre murió, y quedé aquí sola, porque el sitio de Montevideo había comenzado y yo no podía ir allá. Un día mi padre recibió en acción una terrible herida y fue traído aquí a morir, según creímos. Durante meses yació en su cama con la vida oscilando en la balanza. Finalmente triunfaron nuestros enemigos; el sitio terminó, los jefes blancos estaban muertos o se habían visto obligados a exiliarse. Mi padre había sido uno de los oficiales más bravos de los ejércitos blancos, y no se podía esperar que escapara a la persecución general. Ellos sólo aguardaban que se recobrara para arrestarlo y remitirlo a la capital donde, sin duda, hubiera sido fusilado. Mientras estaba postrado en esa precaria situación todas las injusticias e indignidades imaginables fueron acumuladas sobre nosotros. El comandante del departamento se apoderó de nuestros caballos, nuestro ganado fue sacrificado o llevado para vender, en tanto nuestra casa era registrada en busca de armas y visitada todas las semanas por un oficial que venía a informarse sobre la salud de mi padre. Una razón para tanta animosidad era que Calixto, mi hermano, había escapado y sostenía una guerra de guerrillas contra el gobierno en la frontera del Brasil. A la larga mi padre se recuperó de sus heridas lo suficiente como para poder arrastrarse fuera una hora por día apoyándose en alguien; entonces enviaron dos hombres armados, que estaban aquí de guardia para evitar que huyera. Vivíamos de ese modo en un miedo continuo, cuando un día llegó un oficial y presentó una orden escrita de parte del comandante. No me la leyó a mí sino que era una orden para que todas las personas del departamento de Rocha izaran una bandera roja en su casa como muestra de regocijo por una victoria obtenida por las tropas del gobierno. Le dije que no deseábamos desobedecer las órdenes del comandante, pero que no había en la casa ninguna bandera roja para izar. Me respondió que con ese motivo había traído una con él. La desenrolló y ató a un mástil; luego, trepando al techo de la casa, lo levantó y lo aseguró allí. No satisfecho con esos insultos, me ordenó que despertara a mi padre, que estaba durmiendo, para que también él pudiera ver la bandera flameando sobre su casa. Mi padre salió apoyándose en mi hombro, y cuando levantó los ojos y vio la bandera roja se volvió y maldijo al oficial. —Vuélvase, —le gritó—, con el perro de su amo, y dígale que el coronel Peralta sigue siendo un blanco a pesar de la deshonrosa bandera de ustedes. Dígale a ese insolente esclavo del Brasil que, cuando yo quedé incapacitado, pasé mi espada a mi hijo Calixto, que sabe cómo emplearla luchando por la independencia de su país—. El oficial, que a esa altura ya había montado a caballo, se rio y, arrojando la orden del comandante a nuestros pies, se inclinó sarcásticamente y partió al galope. Mi padre levantó el papel y leyó estas palabras: ¡Despliéguese sobre cada casa del departamento una bandera roja, como muestra de alegría por la feliz noticia de la victoria obtenida por las tropas del gobierno, en la que aquel desleal hijo de la República, el infame asesino y traidor Calixto Peralta fue muerto! Ay, señor, mi pobre padre que amaba a su hijo por sobre todas las cosas, y que esperaba tanto de él, debilitado por sus largos sufrimientos, no pudo resistir aquel golpe. Desde aquel cruel momento perdió la razón; y esa calamidad nos valió que no lo hayan condenado a muerte y que nuestros enemigos hayan dejado de perseguirnos.

Demetria derramó algunas lágrimas mientras me contaba esa trágica historia. La pobre mujer había dicho poco, o más bien nada, de sí misma, y sin embargo, qué grande, qué difícil de sobrellevar debe haber sido su pena; me conmovió profundamente, y tomando su mano le dije de qué honda manera me había apenado su triste historia. Entonces se levantó y me dio las buenas noches con una triste sonrisa... triste, pero era la primera sonrisa que se había mostrado en el sombrío dolor de su semblante desde que la viera por primera vez. Pude imaginarme muy bien que hasta la simpatía de un extraño debe haberle resultado consoladora en aquel horrible aislamiento.

Después que me dejó encendí mi cigarrillo. La noche había perdido su carácter espectral y mis fantásticas supersticiones se habían desvanecido. Estaba otra vez de vuelta en el mundo de los hombres y las mujeres, y sólo podía pensar en la inhumanidad del hombre contra el hombre, y en el infinito dolor soportado silenciosamente por tantos corazones en la Tierra Purpúrea. El único misterio que aún quedaba por resolver en aquella ruinosa estancia era don Hilario, que guardaba el vino bajo llave y era llamado *patrón* con amarga ironía por Ramona y que había considerado necesario excusarse ante mí por privarme esa noche de su preciosa compañía.

Capítulo XXIV

EL MISTERIO DE LA MARIPOSA VERDE

Pasé varios días con los Peralta en su establecimiento desolado y desprovisto de ganado, que era conocido en la región simplemente como la *Estancia* o los *Campos de Peralta*. Tan tediosos resultaron para mí aquellos días, y tan ansioso me estaba poniendo por Paquita allá lejos en Montevideo, que más de una vez estuve a punto de renunciar a la espera del pasaporte que don Florentino había prometido conseguirme, y aventurarme sin siquiera aquella hoja de parra, abierta y osadamente. Con todo, los prudentes consejos de Demetria prevalecieron de modo que mi partida fue pospuesta días tras día. El único placer que experimentaba estando en la casa surgía de mi confianza en que mi visita había abierto una agradable brecha en la vida de mi gentil anfitriona. Su trágica historia había movido mi corazón a una muy honda piedad por ella y, a medida que la conocía mejor, la iba apreciando cada día más; estimándola por su propio carácter puro, gentil, sacrificado. Pese a la triste reclusión en que había vivido, sin cultivar amistades, y con sólo esos dos viejos sirvientes de costumbres primitivas por toda compañía, no había la menor traza de rusticidad en sus modales. Esto, con todo, no es mucho decir acerca de Demetria, ya que en muchas damas —casi podría decir en la mayor parte de las mujeres— de origen español hay una gracia natural y una dignidad de modales que en nuestro propio país uno sólo espera encontrar en mujeres socialmente mejor ubicadas. Cuando estábamos todos juntos a la hora de las comidas, o tomando mate en la cocina, ella estaba invariablemente silenciosa, siempre con aquella sombra de alguna escondida preocupación en su rostro; pero cuando estaba sola conmigo, o cuando sólo el viejo Santos o Ramona estaban presentes, la nube sombría se retiraba, sus ojos se iluminaban y aquella rara sonrisa venía más frecuentemente a sus labios. Entonces, a veces, su conversación se hacía casi animada, y escuchaba con vivo interés cuanto yo le contaba acerca del gran mundo del que ella era tan ignorante, riendo también de su propia ignorancia de cosas que sabía cualquier chico criado en la ciudad. Cuando esas agradables conversaciones tenían lugar en la cocina, los dos viejos sirvientes se sentaban mirando el rostro de su ama colmados sin duda de admiración. Evidentemente ellos la veían como el ser más perfecto que hubiera sido creado; pero, aunque su simple idolatría tenía su lado cómico, dejó de asombrarme cuando comencé a conocer mejor a Demetria. Me hacían pensar en dos fieles perros siempre atentos al rostro de un amo querido y que mostraban en sus ojos, alegres o conmovidos, de qué manera simpatizaban con todos sus estado de ánimo. En cuanto al viejo coronel Peralta, no hizo ninguna otra cosa que me pusiera en una situación incómoda; después del primer día nunca me volvió a hablar, y apenas daba muestras de notar mi presencia, salvo para saludarme ceremoniosamente cuando nos encontrábamos durante las comidas. El pasaba el día entre su sillón en la casa y el banco rústico bajo los árboles, donde se sentaba durante horas apoyándose hacia delante sobre su bastón, con sus ojos preternaturalmente brillantes, mirando aparentemente todas las cosas con un agudo interés inteligente. Pero no hablaba. Estaba esperando a su hijo, pensando sus fieros pensamientos para sí mismo. Como un pájaro empujado a lo lejos sobre un mar tumultuoso y que vagabundea perdido, su espíritu pasaba revista a aquel salvaje y turbulento pasado... aquel medio siglo de fieras pasiones y de sangrientas operaciones militares en las que había tenido un papel descollante. Y tal vez estaba a menudo más bien en el futuro que en el pasado... aquel glorioso futuro en que Calixto, que yacía a lo lejos en algún paso de montaña o en alguna llanura cenagosa con las plantas rastreras cubriendo sus huesos, volvería victorioso de la guerra.

Mis conversaciones con Demetria no eran frecuentes y antes de mucho cesaron completamente; porque don Hilario, que no armonizaba con nosotros, estaba siempre allí, sumiso, vigilante, pero en ningún momento como alguien ante quien uno pudiera abrir su corazón. Cuanto más veía de él menos me gustaba; y aunque yo no tengo prejuicios contra las víboras, como el lector bien lo sabe —por considerar que una antigua tradición nos ha hecho sumamente injustos para con esos interesantes hijos de nuestra madre tierra—, no puedo pensar en otro abjetivo que no sea *viperino* para describir a este hombre. Cada vez que yo andaba por allí él tenía una manera de allegárseme, como si viniera deslizándose sobre su vientre a través de los yuyos, apareciendo imprevistamente ante mí; al mismo tiempo que algo en su actitud sugería una sutil naturaleza venenosa de sangre fría. Esas miradas que hincaba y que perpetuamente iban y venían con tal rapidez que lo dejaban a uno perplejo, me recordaban no la inmóvil y pétrea mirada de los ojos sin párpados de la serpiente, sino su titilante lengüecita bifurcada que titila, titila, desaparece, titila de nuevo, y que nunca, ni por un momento, descansa. ¿Quién era ese hombre y qué hacía allí? ¿Por qué, aunque evidentemente no querido por ninguno era el amo absoluto de la estancia? Nunca me hizo una pregunta acerca de mí mismo, porque no estaba en su manera de ser hacer preguntas, pero evidentemente se había formado algunas desagradables sospechas acerca de mí que lo hacían mirarme como a un posible enemigo. Después que pasé unos días en la casa dejó de salir y a donde quiera que yo fuera estaba siempre dispuesto a acompañarme, o, cuando me encontraba con Demetria y empezaba a conversar con ella, allí estaba él para tomar parte en la conversación.

A la larga, el pedazo de papel tan largamente esperado vino de Lomas de Rocha, y con aquel sagrado documento que atestiguaba que yo era súbdito de su Majestad Británica, la reina Victoria, todos los miedos y las dudas fueron descartados de mi espíritu y me preparé para partir hacia Montevideo.

Desde el momento en que don Hilario se enteró de que yo estaba por dejar la estancia, su actitud hacia mí cambió; de un momento para otro se volvió excesivamente amistoso, presionándome para que continuara mi visita y también para que le aceptara un caballo de regalo; diciendo además muchas cosas amables acerca de los gratos momentos que había pasado en mi compañía. Invirtió completamente el antiguo proverbio que aconseja recibir bien al huésped que llega, y apurar al que se va; pero yo sabía bien que estaba ansioso por dejar de verme para siempre.

Después de la cena, en la víspera de mi partida, ensilló su caballo y partió para asistir a un baile o a una especie de reunión en una estancia vecina, porque ahora que se habían calmado sus sospechas, estaba ansioso de retomar los placeres de la vida social con los que mi presencia había interferido. Salí a fumar un cigarro entre los árboles, ya que era una encantadora noche de otoño, con una clara luna nueva sin nubes que suavizaba la oscuridad. Estaba caminando de arriba a abajo por un angosto sendero entre los yuyos, pensando en mi cada vez más próximo encuentro con Paquita, cuando el viejo Santos salió a buscarme y misteriosamente me informó que doña Demetria quería verme. Me condujo a través de la amplia sala donde siempre comíamos, y luego a través de un angosto corredor apenas iluminado, a otra habitación donde nunca había estado antes. Aunque el resto de la casa estaba sumido en la oscuridad, ya que el viejo coronel se había retirado a dormir, allí estaba muy iluminado, habiéndose colocado una media docena de velas por todo el cuarto. En el centro, con su viejo rostro resplandeciente de deleitada admiración, estaba de pie Ramona mirando a otra persona que se sentaba en el sofá. Y a esa persona también yo me quedé mirándola en silencio por algunos momentos; porque, aunque en ella reconocí a Demetria, estaba tan cambiada que el asombro me impedía hablar. La mohosa y torpe oruga se había convertido en una espléndida mariposa verde y oro. Se había puesto un vestido de seda verde pasto, hecho según un estilo que yo no había visto antes: era extremadamente alto de cintura, abullonado en los hombros y con unas enormes mangas en forma de campana que le llegaban hasta los codos, y toda la prenda estaba abundantemente guarnecida con encaje color crema muy fino. Su largo y espeso cabello, que siempre hasta entonces había llevado en pesadas trenzas sobre su espalda, estaba ahora apilado en grandes rodetes sobre su cabeza, y coronado por una peineta de carey de por lo menos un pie de alto, que parecía como una inmensa cresta sobre su cabello. En las orejas llevaba unos curiosos pendientes de filigrana de oro que llegaban hasta sus hombros desnudos; se había puesto además un collar de medios doblones[25] ligados por una cadena y, en sus brazos, pesadas pulseras de oro. Todo era extremadamente primoroso. Posiblemente esos lujos habían pertenecido a su abuela cien años antes; y me animaría a decir que aquel verde brillante no era el tinte más adecuado para el cutis pálido de Demetria; con todo debo confesar, a riesgo de ser tomado por un bárbaro en materia de gusto, que me dio placer verla. Ella vio que estaba muy sorprendido, y un sonrojo de confusión se extendió sobre su rostro; luego, recobrando su habitual actitud tranquila y dueña de sí misma, me invitó a sentarme en el sofá junto a ella. Tomé su mano y le hice elogios sobre su apariencia. Se rio con una pequeña risa tímida, y luego dijo que, como yo la iba a dejar al día siguiente, no quería que la recordara sólo como a una mujer vestida de negro mohoso. Le repliqué que siempre iba a recordarla, no por el color y la hechura de sus prendas, sino por sus grandes e inmerecidos infortunios, por su virtuoso corazón y por la afabilidad que me había demostrado. Mis palabras evidentemente le causaron placer, y mientras estábamos sentados conversando agradablemente, delante de nosotros se hallaban Ramona y Santos, una de pie y el otro sentado, ambos regalando sus ojos sobre su ama vestida con aquel brillante aderezo. Su deleite era completamente franco e infantil y daba un sabor adicional al placer que yo sentía. Demetria parecía complacida pensando que lucía bien y estaba más alegre de lo que la había visto nunca antes. Aquellos lujos antiguos, que hubieran parecido risibles en otra mujer, de algún modo parecían apropiados para ella; posiblemente porque la extraña candidez y la ignorancia del mundo que había desplegado en su conversación y aquella dignidad de trato que le era natural habían evitado que pudiera parecer ridícula en cualquier atuendo.

A la larga, después que hubimos compartido el mate cebado por Ramona, los viejos sirvientes se retiraron de la habitación no sin echar repetidas y largas miradas vehementes a su metamorfoseada patrona. Luego, de alguna manera, nuestra conversación comenzó a languidecer; Demetria se puso cohibida mientras que aquella inquieta sombra con la que yo me había familiarizado cayó de nuevo como una nube sobre su rostro. Pensando que era tiempo de retirarme,

[25] Antiguas monedas de oro.

me levanté para irme y le agradecí la agradable noche que había pasado, expresando el deseo de que su futuro sería más brillante de lo que su vida había sido hasta entonces.

—Gracias, Ricardo, —respondió, con sus ojos bajos, y dejando que su mano permaneciera entre las mías—. ¿Pero tiene que dejarme tan pronto?... Hay tantas cosas que quisiera decirle.

—Con mucho gusto me quedaré para oirlas, —le dije, sentándome a su lado de nuevo.

—Mi pasado ha sido muy triste, como ya le dije, Ricardo, pero usted no lo sabe todo, —y aquí ella se llevó su pañuelo a los ojos. Había, me fijé, varios hermosos anillos en sus dedos, y el pañuelo que sostuvo contra sus ojos era una encantadora cosita bordada con un borde de encaje; porque todo en su arreglo estaba completo y en concordancia aquella noche. Incluso los raros zapatitos que llevaba estaban bordados con hilos de plata y tenían grandes rosetas. Después de quitar el pañuelo de su rostro continuó callada y con los ojos bajos, luciendo muy pálida y turbada.

—Demetria, —le dije—, dígame en qué puedo servirla. No puedo sospechar la naturaleza del problema de que me habla, pero si es tal que yo puedo ayudarla a salir de él, hábleme sin reservas.

—Tal vez usted pueda ayudarme, Ricardo. Era de ese asunto que quería hablarle esta noche. Pero ahora... ¿cómo hablar de eso?

—¿Ni siquiera con uno que es su amigo, Demetria? Desearía que usted pensara que el espíritu de su perdido hermano Calixto está aquí, en mí, porque estoy tan dispuesto a ayudarla como él lo hubiera estado; y yo sé, Demetria, que usted le era muy querida.

Su rostro se ruborizó, y por un momento sus ojos se encontraron con los míos; luego, bajándolos de nuevo, replicó tristemente: —¡Es imposible! No puedo decirle ahora nada más. Mi corazón me oprime de tal manera que mis labios se rehúsan a hablar. Mañana, tal vez.

—Mañana de mañana la dejaré, y ya no tendremos oportunidad de hablar, —le dije—. Don Hilario estará allí, observándola, y pese a que él tiene tanta importancia en la casa, no puedo creer que usted confíe en él.

Se sobresaltó al oír el nombre de don Hilario, y lloró un poco en silencio; luego, repentinamente, se levantó y me tendió su mano deseándome buenas noches. —Usted sabrá todo mañana, Ricardo, —dijo—. Entonces sabrá hasta qué punto confío en usted y qué poco confío en él. No puedo hablar yo misma, pero puedo confiar en Santos, que sabe todo y que le contará todo.

Había en sus ojos una mirada triste y pensativa cuando nos separamos que me obsesionó por varias horas. Al llegar a la cocina interrumpí a Ramona y a Santos que estaban sumidos en un susurrado coloquio. Se sobresaltaron y parecieron un tanto confundidos; entonces, cuando hube encendido un cigarro y me volví para salir, ellos se levantaron y volvieron junto a su señora.

Mientras fumaba meditaba acerca de la extraña noche que había pasado, interrogándome sobre cuál podría ser el secreto dilema de Demetria. "El misterio

156

de la mariposa verde", lo llamé; pero todo ello era demasiado triste hasta para hacer una broma mental, aunque una pequeña risa a tiempo es a menudo la mejor arma para enfrentar un problema, y a veces tiene un efecto como el de una alegre sombrilla que se abre repentinamente ante la cara de un toro enojado. Incapaz de resolver el enigma, me retiré a mi cuarto para dormir mi último sueño bajo el melancólico techo de los Peralta.

Capítulo XXV

¡LIBRAME DE MI ENEMIGO!

A eso de las ocho de la mañana siguiente dije adiós a los Peralta, y emprendí mi tan postergado viaje, montando aún aquel corcel deshonestamente adquirido que me había servido tan bien, ya que había declinado la oferta de un caballo que me había hecho el buen Hilario. Pese a todas mis fatigas, a mis peregrinajes y a mis diversos servicios a la causa de la libertad (o a aquello —fuera lo que fuese— por lo que la gente peleaba en la Banda Oriental) no había ganado un cobre;[26] me confortaba pensar que la inolvidable generosidad de Candelaria me había salvado de estar sin un centavo; de hecho, estaba volviendo a Paquita bien vestido, con un espléndido caballo, y con dólares suficientes en el bolsillo como para permitirnos salir confortablemente del país. Santos cabalgó conmigo, ostensible para ponerme en el correcto camino hacia Montevideo; pero yo sabía, por supuesto, que era portador de una importante comunicación de parte de Demetria. Cuando llevábamos hecha una media legua sin que por su parte abordara el asunto, pese a las diversas insinuaciones que le había hecho, le pregunté claramente si tenía algún mensaje para mí.

Después de haber sopesado la pregunta por tanto tiempo como le hubiera llevado resolver un problema matemático más bien difícil, me contestó que sí.

—En ese caso, —le dije—, comuníquemelo.

Hizo una mueca. —¿Usted cree, —dijo—, que se trata de algo que se puede decir en una media docena de palabras? No he recorrido toda esta distancia simplemente para decirle que la luna se hizo sin agua,[27] o que ayer, por ser viernes, doña Demetria no probó la carne. Es una larga historia, señor.

—¿Cuántas leguas de larga? ¿Considera que durará todo el viaje hasta Montevideo? Cuanto más larga sea más pronto debería comenzar con ella.

—Hay cosas fáciles de decir, y otras que no son fáciles, —respondió Santos—. Pero en cuanto a explicar algo a caballo, ¿quién podría hacerlo?

—¿Por qué no?

—¡Qué pregunta! —dijo—. ¿No se ha fijado que cuando se vierte licor de

[26]Antigua moneda de cobre que tenía un valor mínimo.
[27]De acuerdo a la sabiduría popular, según la luna se haga con o sin lluvia, habrá tiempo lluvioso o seco durante toda esa luna o, por lo menos, durante esa fase lugar.

su tonel —ya sea vino, o jugo de naranjas amargas para hacer limonada, o aun el ron, que por su propia naturaleza es blanco y claro— se enturbia si el tonel es sacudido? Lo mismo pasa con nosotros, señor; nuestro cerebro es el tonel del que se vierten todas las cosas que decimos.

—Y la espita...

—Así es, —me interrumpió, por mi rápida comprensión—; la boca es la espita.

—Hubiera pensado que la nariz se parece más a la espita, —le repliqué.

—No, —contestó gravemente—. Usted puede hacer un fuerte ruido con la nariz cuando ronca o cuando se suena en un pañuelo; pero ella no tiene puerta de comunicación con el cerebro. Las cosas que están en el cerebro salen por la boca.

—Muy bien, —dije, impacientándome—; llámele a la boca espita, canilla o lo que quiera, y a la nariz meramente un adorno del tonel. El asunto es este: doña Demetria le ha confiado cierto licor para que me lo pase; pues bien, pásemelo ahora, turbio o claro.

—Turbio no, —respondió testarudo.

—Muy bien; claro, pues, —grité.

—Para entregárselo claro debo dárselo en tierra y no a caballo; sentado tranquilo y no moviéndome.

Ansioso por terminar con aquello sin continuar andando por las ramas, frené mi caballo, salté y me senté en el pasto sin decir una palabra más. El siguió mi ejemplo y, después de sentarse en una posición confortable, sacó con parsimonia su tabaquera y comenzó a armar un cigarrillo. No podía querellarme con él por esta nueva postergación, porque sin el reconfortante y estimulante cigarrillo a un oriental le resulta difícil ordenar sus pensamientos. Permitiéndole que cumpliera sus instrucciones a su propia y complicada manera, desahogué mi irritación sobre el pasto, arrancándolo a puñados.

—¿Por qué hace eso? —me preguntó con una mueca burlona.

—¿Arrancar pastos? ¡Qué pregunta! Cuando una persona se sienta sobre el pasto ¿qué es lo primero que hace?

—Arma un cigarrillo, —respondió.

—En mi país comienza a arrancar pasto, —le dije.

—En la Banda Oriental dejamos el pasto para que lo coma el ganado, —dijo.

Dejé en seguida de tironear de los pastos pues, evidentemente, eso lo distraía y, encendiendo un cigarrillo, comencé a fumar tan plácidamente como pude.

Al final comenzó: —No hay en toda la Banda Oriental una persona peor para expresarse que yo.

—Está diciendo la pura verdad, —le dije.

—Pero ¿qué se va a hacer? —continuó, mirando fijamente ante sí y prestando tan poca atención a mis palabras como un cazador que está por saltar una valla espesa prestaría a una observación acerca del estado del tiempo.

—Cuando un hombre no puede conseguir un cuchillo, rompe en dos un viejo par de tijeras de esquilar y con una de las hojas se hace un implemento que ha de servirle de cuchillo. Así pasó con doña Demetria; no tiene más que al pobre Santos para hablar por ella. Si me hubiera pedido que expusiera mi vida para servirla, lo hubiera podido hacer con más facilidad; pero hablar de ella a un hombre que puede leer el almanaque y que sabe los nombres de todas las estrellas del cielo, eso me mata, señor. Y ¿quién sabe esto mejor que mi señora, que me ha conocido muy de cerca desde su infancia, cuando a menudo la llevaba en mis brazos? Sólo puedo decir esto, señor: cuando hablo, recuerde mi pobreza, y que mi señora no tiene otros instrumentos que mi pobre lengua para comunicarle lo que desea. Ella me dijo muchas palabras para que se las repitiera a usted pero mi demonio de memoria las ha perdido todas. ¿Qué debo hacer en esta situación? Si quisiera comprar el caballo de mi vecino y fuera a visitarlo, y le dijera: Véndame su caballo, vecino, porque me he enamorado de él y mi corazón está enfermo de deseo, de modo que debo tenerlo a cualquier precio ¿no sería eso una locura, señor? Con todo, debo hacer lo mismo que esa persona tan imprudente. He venido a hablar con usted de algo, pero todas sus expresiones, que eran como flores extrañas elegidas en un jardín, las he perdido por el camino. Por lo tanto, sólo puedo decirle lo que quiere mi señora poniéndolo en mis propias palabras brutas, que son como flores silvestres que yo mismo recogí en el campo, y que no tienen perfume ni belleza que las acrediten.

Este curioso preámbulo no avanzó mucho las cosas, pero tuvo por efecto despertar mi interés y convencerme de que el mensaje confiado a Santos era un mensaje de suma importancia. Había terminado su primer cigarrillo y ahora comenzaba lentamente a liarse un segundo; pero esperé pacientemente que comenzara a hablar, ya que mi irritación se había desvanecido, y que aquellas "flores silvestres" suyas no dejaban de tener su belleza; su amor y su devoción por su infortunada señora les había conferido una dulce fragancia.

Luego retomó la palabra: —Señor, usted le ha dicho a mi ama que es un hombre pobre; que considera esta vida en el campo como una vida libre y feliz; que querría, por sobre todas las cosas, poseer una estancia donde criar ganado y caballos de carrera y cazar avestruces. Ella ha estado dando vueltas a todo eso en su cabeza, y como está en su poder ofrecerle las cosas que desea, le pide ahora que usted la ayude en sus dificultades. Y ahora, señor, permítame decirle esto: la propiedad de los Peralta se extiende hasta la laguna de Rocha; cinco leguas de tierra, y no la hay mejor en todo el departamento. Anteriormente estuvo muy bien provista de hacienda. Había miles de cabezas de ganado y de yeguas; porque entonces gobernaba el país el partido de mi patrón; los colorados estaban encerrados en Montevideo, y ese degollador de Frutos Rivera nunca había aparecido por estos lados. Del ganado sólo queda un resto, pero la tierra es una fortuna para cualquier hombre, y, cuando mi viejo patrón muera, doña Demetria heredará todo. Incluso ahora es de ella, ya que su padre, como usted ha visto, ha perdido el seso. Permítame ahora que le cuente lo que pasó hace ya muchos años. Don Hilario era primeramente un peón... un pobre muchacho a quien el coronel protegía. Cuando creció lo hizo capataz, y luego, administrador. Don Calixto fue muerto y el coronel perdió la razón, entonces don

Hilario se hizo todopoderoso, haciendo lo que quería con su patrón, y haciendo a un lado la autoridad de doña Demetria. ¿Protegió los intereses de la estancia? Al contrario, se alió con nuestros enemigos, y cuando éstos vinieron como perros por nuestro ganado y nuestros caballos, él estaba detrás de ellos. Eso lo hizo para quedar bien con el partido gobernante, cuando los blancos lo habían perdido todo. Ahora quiere casarse con doña Demetria para convertirse en el propietario de la tierra. Don Calixto está muerto ¿y quién queda para ponerle el cascabel al gato? Ahora mismo actúa como si fuera el dueño absoluto; compra y vende, y el dinero es para él. Mi señora apenas tiene ropas que ponerse; no tiene un caballo en que trasladarse y es una prisionera en su propia casa. El la vigila como vigila un gato a un pájaro encerrado en una habitación; si sospechara que tiene intención de escapar, la asesinaría. Ha jurado que, a menos que se case con él, la matará. ¿No es una desgracia? Señor, ella le pide que la libre de ese hombre. Me he olvidado de sus palabras, pero imagínese que la ve ante usted, suplicándole de rodillas, y que usted sabe lo que le está pidiendo y ve moverse sus labios, aunque no oiga sus palabras.

—¡Dígame cómo puedo liberarla! —le dije, sintiéndome muy conmovido por lo que había escuchado.

—¡Cómo! Llevándosela por la fuerza... ¿comprende? ¿No le sería posible volver dentro de unos pocos días con dos o tres amigos para hacerlo? Debe venir disfrazado y armado. Si estoy en el camino haré todo lo que pueda por protegerla, pero usted puede fácilmente derribarme y aturdirme, ¿comprende? Don Hilario no debe saber que estamos en el complot. De él no tiene nada que temer, porque, aunque es muy bravo cuando se trata de amenazar de muerte a una mujer, frente a hombres armados es como un perro cuando oye tronar. Usted puede llevársela a Montevideo y esconderla allá. El resto será fácil. Don Hilario no podrá encontrarla; Ramona y yo cuidaremos del coronel, y es posible que, cuando pierda de vista a su hija, la olvide. Entonces, señor, no habrá problemas con respecto a la propiedad; porque nadie puede negarse a acatar una reclamación legal.

—No lo comprendo bien, Santos, —dije—. Si Demetria quiere que haga lo que usted me dice, y no hay otro modo de salvarla de las persecuciones de don Hilario, lo haré. Haré lo que sea necesario; yo no tengo miedo de ese perro de Hilario. Pero, una vez que la haya puesto a buen resguardo, ¿quién se ocupará de su causa para evitar que la defrauden en sus derechos, en Montevideo, donde no tiene un solo amigo? Yo puedo conseguir su libertad, pero eso será todo.

La propiedad será como si fuera suya, cuando se case con ella, —dijo.

En ningún momento había sospechado que se preparaba eso y, al oírlo, quedé atónito.

—¿Usted me quiere decir, Santos, —le pregunté—, que Demetria le mandó que me dijera esto? ¿Ella cree que sólo casándome con ella podré liberarla de ese ladrón y salvar su propiedad?

—A no dudarlo, no hay otra manera, —me dijo—. Si pudiera hacerse por otros medios, ¿no se lo hubiera dicho ella misma anoche, explicándole todo?

Fíjese, señor, que toda esta gran propiedad será suya. Si este departamento no le gusta, ella venderá todo para comprar una estancia en otra parte, o para hacer cualquier otra cosa que usted desee. Y le pregunto esto señor: ¿podría un hombre casarse con una mujer mejor que ella?

—No, —dije—; pero, Santos, yo no me puedo casar con tu señora.

Recordé entonces, con cierta tristeza, que casi no le había dicho nada acerca de mí mismo. Y ella, viéndome tan joven, vagabundeando sin hogar por el país, me había tomado, naturalmente, por soltero; y, pensando tal vez que le había tomado cariño, se había visto, llevada por su desesperación a hacerme esta propuesta. Pobre Demetria ¡no debía, después de todo, haber liberación para ella!

—Amigo, —dijo Santos, dejando caer su ceremonioso *señor* en su ansiedad por la suerte de su ama—, nunca hable sin tomar en consideración todas las cosas. Si usted no la ama ahora, la amará cuando la conozca mejor. Ya la vio la noche pasada con un vestido de seda verde, y con una peineta de carey y alhajas de oro... ¿no le pareció elegante, señor? No apareció a sus ojos como una mujer adecuada para casarse con ella? Usted anduvo por todas partes y ha visto muchas mujeres, y tal vez en algún lugar lejano haya encontrado una más bella que mi ama. ¡Pero considere qué vida ha llevado! El dolor la volvió pálida y delgada, manchando su rostro con ese color morado debajo de sus ojos. ¿Pueden salir las risas y los cantos de un corazón donde se asienta el miedo? Una vida diferente cambiará todo; será una flor entre las mujeres.

¡Pobre viejo y cándido Santos! Había cometido una gran injusticia consigo mismo; su amor por su señora le había inspirado una elocuencia que me llegó al corazón. Y pobre Demetria ¡llevada por su tediosa y desolada vida y sus miedos torturantes a hacer en vano esta propuesta nada femenina a un extraño! Aunque después de todo, no era poco femenina; porque en todos aquellos países en que las mujeres no son esclavas abyectas, les es lícito, en algunas circunstancias, proponer matrimonio. Hasta en Inglaterra, donde la sociedad es como una inmensa Estación Clapham, con las criaturas humanas moviéndose como vagones y furgones sobre convencionales rieles de hierro, que sólo pueden abandonar a riesgo de una destructiva colisión, es así. Y una proporción de esta clase nunca estuvo más justificada que en este caso. Excluida de la vista de los hombres en su triste reclusión, obsesionada por temores sin nombre, su oferta consistía en ofrecer su mano junto con una vasta propiedad a un aventurero que no tenía un céntimo. Tampoco lo había hecho antes de aprender a quererme y de llegar a pensar, tal vez, que el sentimiento era correspondido. Había esperado, además, hasta el mismísimo último momento, haciendo su oferta sólo cuando desesperó de verla surgir de mí. Esto explicaba la recepción de la noche anterior; el antiguo y espléndido atavío que se había puesto para tratar de aparecer favorecida a mis ojos; la tímida y ansiosa expresión de sus ojos, aquella vacilación a la que no pudo sobreponerse. Cuando me hube recobrado del primer efecto de la sorpresa, sólo pude sentir el respeto y la comprensión más grandes por ella, lamentando amargamente no haberle contado toda mi historia anterior para así haberle ahorrado la vergüenza y la aflicción que ahora se vería obligada a soportar. Estos tristes pensamientos pasaban por mi mente mientras Santos se extendía sobre las ventajas de la propuesta alianza, hasta que lo interrumpí.

—No diga más, —le dije—; porque le juro, Santos, que, de ser posible, gustosamente tomaría a Demetria por esposa, tanto es lo que la estimo y la admiro. Pero soy casado. Mire: este es el retrato de mi mujer; —y sacando de mi pecho la miniatura que siempre llevo colgada, se la tendí. Se quedó unos momentos mirándome con callada estupefacción, y luego tomó el retrato en su mano; mientras la miraba con admiración, yo deliberé acerca de lo que había oído. No podía pensar ahora en dejar a esta pobre mujer que se había ofrecido a mí con toda su herencia sin hacer algún intento por sacarla de su triste situación. Me había dado refugio cuando yo estaba con problemas y en peligro, y el llamado que acababa de hacerme, acompañado por una prueba tan convincente de su confianza y de su afecto, hubiera llegado al corazón del hombre más insensible que pueda existir, para convertirlo, contra su propia naturaleza, en su devoto paladín.

Al fin, Santos me devolvió la miniatura con un suspiro. —Mis ojos nunca vieron una cara como esta, —observó—. No hay más nada que decir.

—Hay muchísimo más que decir, —le respondí—. He pensado en un plan fácil para ayudar a su ama. Cuando le haya comunicado esta conversación, dígale que recuerde el ofrecimiento de ayuda que le hice anoche. Le dije que sería un hermano para ella, y guardaré mi promesa. Ustedes tres no pudieron pensar en ningún plan mejor que el que usted me trasmitió para salvar a Demetria pero, considerándolo bien, es un plan muy pobre, lleno de dificultades y de peligros para ella. Yo tengo un plan más simple y más seguro. Dígale que esta noche, a medianoche, después que la luna se ponga, salga para encontrarse conmigo bajo los árboles que están detrás de la casa. Yo estaré allí esperando con un caballo para ella, y la llevaré a ocultarse en algún lugar seguro donde don Hilario nunca podrá encontrarla. Una vez que ella esté fuera de su poder habrá tiempo suficiente para pensar en algún modo de echarlo de la estancia y de arreglar las cosas. Procure que no deje de ir a mi encuentro, y haga que lleve consigo unas pocas ropas y algún dinero, si tiene alguno; también sus joyas, porque no sería seguro dejarlas en la casa con don Hilario.

Santos quedó encantado con mi plan, que era mucho más práctico, aunque menos romántico que el que habían maquinado aquellos tres cándidos conspiradores. Estaba a punto de separarse de mí con el corazón lleno de esperanzas, cuando de pronto exclamó:

—Pero, señor, ¿cómo conseguirá un caballo y una silla de mujer para doña Demetria?

—Déjelo todo por mi cuenta, —le dije; entonces nos separamos: él para retornar junto a su señora, que sin duda estaría esperándolo ansiosamente para conocer el resultado de nuestra conversación; yo para arreglármelas durante las próximas quince horas del mejor modo que pudiera.

Capítulo XXVI

LLAVE Y PASADOR Y TRES PECADORES

Después de dejar a Santos, seguí a caballo hasta una franja de monte a unas veinte cuadras al este del camino y, atravesándola, estudié los campos que quedaban al otro lado. La única vivienda cercana era un solitario rancho de pastor, ubicado en una llanura descampada y cubierta de pastos amarillos, sobre la que estaban pastando un esparcido rebaño de ovejas y unos pocos caballos. Decidí quedarme en el bosque hasta cerca del mediodía, y luego proseguir hasta el rancho para almorzar, y para comenzar mi búsqueda por la vecindad de un caballo y una silla de mujer. Después de desensillar el caballo y atarlo a un árbol que tenía unas briznas de pasto y algunos hierbajos alrededor de sus raíces, encendí un cigarro y me acomodé a la sombra sobre mis mantas. Pronto tuve visitas bajo la forma de una bandada de urracas, o cotorras —como se las llama en la lengua vernácula—, o cuclillos de Guira; se trata de un pájaro gracioso y locuaz, parecido a una cotorra, con la diferencia de una cola más larga y de un pico rojo y atrevido. Estos pájaros mal educados me acecharon por entre las ramas que me cubrían todo el tiempo que permanecí en el monte, regañándome tan incesantemente con sus voces intolerablemente altas, enojadas y escandalosas, alternando ocasionalmente con silbidos chillones y quejidos, que apenas hubiera podido oír lo que pensaba. Pronto consiguieron atraer al lugar a todos los otros pájaros que estaban al alcance de su voz para tomar parte en la demostración. Eso era muy poco razonable —es lo menos que se puede decir— por parte de las cotorras, porque ya había pasado hacía tiempo la época de la cría, de modo que no podían aducir la solicitud maternal como excusa de su grosera conducta. Los otros —tangarás, pinzones y tiranos, rojos, blancos, azules, grises, amarillos y de colores mezclados— eran, debo confesarlo, menos fastidiosos pues, luego de andar dando saltitos por ahí durante un rato, gritando, chirriando y gorjeando, emprendieron vuelo, muy sensatamente, pensando sin duda que sus amigas las cotorras estaban haciendo un escándalo desproporcionado. Mi único visitante mamífero fue una mulita, que vino con mucha prisa hacia mí, y que, curiosamente, se parecía a un pequeño y encorvado caballero vestido con un chaquetón de un color negro arratonado, trotando vivamente por ahí ocupado en algún importante negocio; llegó hasta menos de tres metros de mis pies, y luego se detuvo y pareció asombrado más allá de toda medida por mi presencia, mientras me miraba con sus legañosos ojillos parpadeantes, pareciendo más que nunca un raído viejo caballero. Entonces se alejó trotando entre los árboles, para volver en seguida para una segunda inspección; y en adelante siguió yendo y viniendo hasta que indavertidamente me eché a reír, tras de lo cual apretó a correr sumamente alarmado y no volvió más. Sentí haber asustado al pobre tipo, que era tan divertido, porque me sentía en ese estado de ánimo despreocupado en que nuestro júbilo está listo para desbordarse a la más leve provocación. Y, sin embargo, aquella misma mañana el pedido de la

163

pobre Demetria había conmovido profundamente mi corazón, ¡y yo estaba ahora embarcado en una aventura de lo más quijotesca y tal vez peligrosa! Probablemente el propio hecho de tener por delante esa aventura había producido un efecto estimulante sobre mi espíritu, haciendo imposible que me sintiera triste o que al menos guardara una compostura razonable.

Después de pasar un par de horas a la grata sombra del monte, el humo azul que subía desde el rancho que tenía ante mí, me informó que se aproximaba la hora del almuerzo; de modo que, ensillando el caballo, me fui a hacer mi visita matinal, mientras las cotorras saludaban mi partida con gritos agudos y burlones y lanzando silbidos, destinados a informar a todos sus plumíferos amigos de que, al fin, habían logrado hacer que su querencia se volviera intolerable para mí.

En el rancho fui recibido por un hombre joven, de aspecto un tanto arisco, de cabellos largos e intensamente negros, como su bigote, y que llevaba en lugar de sombrero un pañuelo colorado de algodón atado en torno de su cabeza. No pareció demasiado complacido por mi visita, y me invitó con bastante desgano a que desmontara, si me parecía bien. Lo seguí a la cocina, donde su morena mujercita estaba preparando el almuerzo, y, después de verla, me imaginé que su lindura era la causa de la actitud poco hospitalaria de su marido hacia un forastero. Era singularmente bonita, con una seductora piel canela, labios llenos y maduros de un rico color púrpura y, cuando se reía, cosa que pasaba muy frecuentemente, sus dientes relucían como perlas. El crespo cabello negro caía suelto y desordenado, porque parecía ser una pequeña beldad bastante descuidada; pero cuando me vio entrar, se ruborizó, echó sus rizos hacia atrás, y luego tocó cuidadosamente los pendientes que colgaban de sus orejas como para asegurarse de que estaban en su sitio, o posiblemente, para atraer mi atención hacia ellos. Las frecuentes miradas que me arrojaban sus rientes ojos oscuros pronto me convencieron de que era una de esas encantadoras mujercitas —es decir, encantadoras cuando son las mujeres de otros— que no están satisfechas con la sola admiración de su marido.

Yo había calculado bien el momento de mi llegada, porque, sobre las brasas, el cordero asado estaba ya tomando un hermoso dorado oscuro y soltaba la más deliciosa fragancia. Durante la comida que siguió a mis oyentes y a mí mismo, inventando algunas inocentes mentiras, y comencé por decir que venía de Montevideo, de vuelta hacia Rocha.

El pastor observó, con aire de sospecha, que ese no era el camino.

Le respondí que lo sabía; luego seguí contándole que la noche anterior había sufrido un percance que a la larga me había apartado del camino. Hacía pocos días que me había casado, continué, y ante esta declaración mi anfitrión pareció aliviado, mientras que la gitanita pareció perder de golpe todo interés en mí.

—Mi esposa, —les dije—, estaba encaprichada en tener una silla de montar de mujer, ya que le gustaba mucho andar a caballo; de modo que, cuando unos negocios me llevaron a la ciudad, le compré allí una, y volvía con la silla puesta en un caballo que traía —el caballo de mi mujer, desgraciadamente— cuando anoche me detuve a tomar algo en una pulpería del camino. Mientras comía un poco de pan con salchichón, un borracho que andaba por ahí comenzó, imprudentemente, a hacer estallar cohetes, lo que aterrorizó de tal modo a los caballos atados a la tranquera que varios de ellos se soltaron y escaparon. El caballo de mi mujer con su silla escapó con ellos; montando el mío propio me lancé entonces en su persecución, pero no logré alcanzar al fugitivo. Finalmente se unió a una tropilla de yeguas, y éstas se espantaron, huyendo de mí, haciéndome perseguirlas durante varias leguas, hasta que las perdí de vista en la oscuridad.

—Si su mujer tiene un carácter parecido al de la mía, amigo, —me dijo con una sonrisa un tanto desconsolada—, usted debería haber seguido corriendo a aquel animal que huía con su silla hasta el fin del mundo.

—Puedo decirle esto, —respondió con toda seriedad—, sin una silla de mujer, buena o mala, no me voy a presentar ante ella. Pienso indagar en cada casa que encuentre en el camino a Lomas de Rocha hasta que sepa de alguna que está en venta.

—¿Cuánto daría por una? —preguntó, cobrando interés.

—Eso dependerá del estado en que esté. Si está como nueva daré lo que costó más dos pesos de ganancia.

—Sé de una silla de mujer que costó diez pesos hace un año, pero que nunca ha sido usada. Pertenece a una vecina que vive a tres leguas de aquí, y que la vendería, creo.

—Muéstreme la casa, —dije—, e iré inmediatamente y le ofreceré doce pesos por ella.

—¿Estás hablando de la silla de doña Petrona, Antonio? —preguntó la mujercita—. Ella la vendería por lo que le costó; tal vez por ocho pesos. Ah, cabeza de zapallo, ¿por qué no piensas en hacer toda esa ganancia para ti? Entonces yo podría comprame zapatillas y mil cosas más.

—Nunca estás conforme, Cleta, —le replicó—. ¿No tienes puestas unas zapatillas?

Ella levantó un lindo pie y lo exhibió calzado con una zapatilla bastante raída. Luego, riendo, la arrojó hacia él con el pie. —Ahí la tienes, —exclamó—, póntela en el pecho y consérvala... ¡es algo precioso! Y algún día cuando vayas a Montevideo y quieras lucir elegante ante todo el mundo, úsala en el dedo gordo del pie.

—¿Quién puede esperar que una mujer razone? —dijo Antonio encogiéndose de hombros.

—¡Razonar! Tú no tienes más sesos que un pato, Antonio. Podrías haber hecho tú toda esa ganancia, pero nunca sabes hacer dinero, como otros hombres, y por eso serás siempre más pobre que las arañas. Esto ya te lo he dicho antes muy a menudo y espero que no lo olvides, porque en el futuro pienso hablar de otras cosas.

—¿De dónde iba yo a sacar diez pesos para pagarle la silla a doña Petrona? —replicó él mordazmente, perdiendo la paciencia.

—Amigo, —le dije—, si se puede conseguir la silla es muy justo que usted tenga su ganancia, Tome diez pesos y, si me la compra, le pagaré dos pesos más.

Esta proposición le produjo verdadero placer, mientras que Cleta, la voluble, aplaudía con deleite. Mientras Antonio se preparaba para ir a lo de su vecina por la silla, fui hasta un solitario algarrobo que estaba a poca distancia del rancho y, tendiendo el poncho a la sombra, me recosté a dormir la siesta.

No hacía mucho que el pastor se había ido cuando oí fuertes ruidos en la casa, como si golpearan puertas y vajillas de cobre, pero no hice caso, suponiendo que provenían de Cleta, ocupada en alguna ocupación doméstica particularmente ruidosa. Al final, escuché una voz que me llamaba:

—¡Señor! ¡Señor!

Me levanté y fui hasta la cocina, pero allí no había nadie. De pronto dieron un fuerte golpe en la puerta que comunicaba con la segunda habitación.

—Ah amigo, —gritaba la voz de Cleta detrás de ella—, el bandido de mi marido me ha encerrado... ¿me puede sacar de aquí, le parece?

—¿Por qué la ha encerrado? —pregunté.

—¡Vaya pregunta! porque es un bruto, por supuesto. Siempre lo hace cuando sale. ¿No es horrible?

—Eso sólo demuestra hasta qué punto la quiere, —le respondí.

—¿Usted es tan pérfido como para defenderlo? Y yo pensaba que era un hombre de buen corazón... ¡tan buen mozo como es, además! Cuando lo vi llegar me dije: ¡Ah, si me hubiera casado con este hombre, qué feliz sería mi vida!

—Gracias por su buena opinión, —le dije—. Lamento mucho que esté encerrada porque eso me impide ver su bonita cara.

—Oh, ¿le parece bonita? Entonces *debe* dejarme salir. Ahora me he peinado el cabello, y luzco más bonita que cuando usted me vio.

—Lucía más bonita con el pelo suelto, —respondí.

—Ahí va, ¡ya está suelto de nuevo, pues! —exclamó. Sí, tiene razón, me queda mejor así. Si parece de seda... Ya lo tocará cuando me libere.

—Eso es algo que no puede hacerse, Cletita mía. Antonio se ha llevado la llave.

—Ah, ¡qué hombre cruel! No me dejó agua y me estoy muriendo de sed. ¿Qué voy a hacer? Mire, voy a poner mi mano por debajo de la fuerta para que la toque y sienta qué caliente está; me consumen la sed y el calor en este horno.

Un momento después su pequeña mano morena apareció a mis pies, pues había suficiente espacio entre el piso y la madera para que pasara por ahí. Me agaché y la tomé entre las mías, y me encontré con su pequeña mano caliente y húmeda, con un pulso que latía rápidamente.

—¡Pobre niña! —dije—, pondré un poco de agua en un plato y se lo pasaré por debajo de la puerta.

—Ah, ¡qué malo debe ser para insultarme de esa manera! —exclamó. ¿Acaso soy un gato para tomar agua de plato? Voy a llorar hasta que se me caigan los ojos. —Aquí siguieron unos sonidos como de sollozos—. —Además, —prosiguió de pronto, —es aire fresco, no agua, lo que necesito. Estoy sofocada, no

166

puedo respirar. Oh, querido amigo, no deje que me desmaye. Empuje la puerta hasta que salte el cerrojo.

—No, no, Cleta; eso no puede hacerse.

—Cómo, ¡con la fuerza que tiene! Yo misma casi lo podría hacer con mis pobres y pequeñas manos. Abra, abra, abra, antes que me desmaye.

Evidentemente se había dejado caer al suelo sollozando, después de hacer aquella práctica sugerencia; y buscando a mi alrededor algunos elementos rapiñeros para ayudarme, encontré el asador y un pedazo de madera dura en forma de cuña. Inserté uno de ellos por sobre el cerrojo, y el otro por debajo y, forzando la puerta para separarla de su marco, pronto tuve la satisfacción de ver que el pestillo resbalaba del picaporte.

Fuera saltó Cleta, encendida, llorosa, con el cabello todo desordenado, pero riendo de puro contenta por haber recuperado su libertad.

—¡Oh, mi querido amigo, pensé que iba a dejarme allí! —exclamó—. Qué agitada estoy... siento cómo late mi corazón. No importa; ahora puedo pagarle a ese miserable. ¿No es cierto que la venganza es dulce, dulce, dulce?

—Ahora, Cleta, —le dije—, tome unas bocanadas de aire fresco y un vaso de agua, y después déjeme que la vuelva a encerrar.

Se rio burlonamente, y sacudió sus cabellos como un joven potro salvaje.

—Ah, no lo dice en serio... ¿cree que no le sé? —exclamó—. Sus ojos lo delatan. Además, usted no podría volver a encerrarme, aunque lo intentara.

—Y entonces se arrojó repentinamente hacia la puerta, pero la pesqué y la tuve estrechamente aprisionada.

—Suélteme, monstruo... Oh, no, monstruo no, querido, dulce amigo, tan hermoso como... la luna, el sol, las estrellas. Me muero por un poco de aire fresco. Volveré al horno antes de que él vuelva. Si me pescara fuera ¡qué paliza! Venga, sentémonos juntos debajo del árbol.

—Eso sería desobedecer a su marido, dije, tratando de mirarla con severidad.

—No importa, le confesaré todo al cura un día de estos, y después será como si nunca hubiese sucedido. Con semejante marido... ¡puuf! Si usted no fuera un hombre casado... ¿está casado? ¡Qué lástima! Dígame de nuevo ¿soy bonita?

—Dígame primero esto, Cleta: ¿tiene un caballo que pueda montar una mujer y, si lo tiene, me lo venderá?

—Oh, sí, el mejor caballo de la Banda Oriental. Dicen que vale seis pesos... ¿me lo comprará por seis pesos? No, no se lo venderé... No le diré si tengo un caballo hasta que me responda. ¿Soy bonita, señor extranjero?

—Respóndame primero acerca del caballo; después pregúnteme lo que quiera.

—No le voy a decir nada más... ni una palabra. Sí, le diré todo. Oiga: cuando vuelva Antonio pídale que le venda un caballo para que lo monte su mujer. El tratará de venderle uno de los suyos, un demonio lleno de defectos, como su dueño; es manco, derrengado, roncador, viejo como el viento sur. Recuerde:

es un overo. Usted propóngale comprar un ruano malacara. Ese es mi caballo. Ofrézcale seis pesos. Ahora dígame: ¿soy bonita?

—Ah, hermosa, Cleta; sus ojos son estrellas, su boca es un capullo de rosa y mil veces más dulce que la miel.

—Ahora habla como un hombre sensato, —rio; y entonces tirando de mi mano, me llevó hasta el árbol y se sentó a mi lado sobre el poncho.

—¿Y qué edad tienes, pequeña? —pregunté.

—Catorce... ¿eso es ser muy vieja? Ah, qué tonta, decirle mi verdadera edad... ninguna mujer hace eso. ¿Por qué no dije trece? Y hace seis meses que estoy casada ¡tanto tiempo! Estoy segura de que ya me están saliendo cabellos verdes, azules y amarillos y grises. ¿Y qué me dice de mi cabello, señor, que nunca me habló de él? ¿No me lo solté para usted? ¿No es suave y lindo? Dígame, señor, ¿qué le parece mi cabello?

—De veras que es suave y hermoso, Cleta, y te cubre como una nube oscura.

—¿No es cierto? Mire, me cubriré el rostro con él. Ahora estoy escondida como la luna entre las nubes y, ahora, mire, de nuevo sale la luna! Tengo un gran respeto por la luna. Dígame, santo padre, ¿soy como la luna?

—Dime labiecitos dulces, ¿por qué me llamas santo padre?

—Dígame primero, santo padre, ¿soy como la luna?

—No, Cleta, no eres como la luna, aunque las dos sean mujeres casadas; tú estás casada con Antonio...

—¡Pobre de mí!

—Y la luna está casada con el sol.

—¡Dichosa la luna, que está lejos de él!

—La luna es una mujer tranquila, pero tú parloteas como un loro.

—¿Y no soy yo también capaz de quedarme tranquila, monje? Me quedaré quieta como la luna... ni una palabra... ni un aliento.

Entonces se recostó sobre el poncho, fingiendo dormir, con los brazos sobre la cabeza, el cabello esparcido en todas direcciones, con sólo un bucle o dos sombreando en parte su rostro sonrojado y su redondo y jadeante pecho que no se aquietaba. Había en sus labios una apenas burlona sonrisita, y apenas un pequeño brillo de ojos risueños bajo las pestañas caídas, porque ella no podía dejar de observar mi rostro en busca de admiración. En esa actitud la pequeña hechicera podría haber hecho hervir la sangre tibia de un asceta.

Dos o tres horas volaron así raudamente mientras escuchaba su parloteo vivaz que, como el canto de las alondras, apenas conocía alguna pausa, después que su intento de permanecer quieta e imitar a la luna terminó en un perfecto fiasco. Al fin, haciendo mohines con sus bonitos labios y quejándose de su dura suerte, dijo que era tiempo de volver a su prisión, pero durante todo el tiempo que me llevó volver a forzar el cerrojo a su lugar charló sin pausa.

—Adiós, Sol, esposo de la luna, —me dijo—. ¡Adiós, querido, querido amigo, comprador de sillas de mujer! Eran todas mentiras las que contó... ya sé, ya sé. Quiere un caballo y una silla para llevarse a alguna muchacha esta noche. ¡Feliz de ella! Ahora debo sentarme en la oscuridad sola, sola, sola, hasta que

Antonio, el pérfido, venga a liberarme con su vieja llave de hierro... ¡Ah, qué estúpido!

Antes de que yo hubiera pasado mucho rato solo debajo de mi árbol, apareció Antonio, trayendo triunfalmente la silla de mujer delante de sí, sobre su caballo. Después de ir a soltar a su mujer salió a invitarme a tomar mate. Entonces mencioné mi deseo de comprar un buen caballo; él tenía simplemente las mejores ganas de vender, y al cabo de pocos momentos me trajo sus caballos para que los inspeccionara. Me ofreció en primer término el overo negro, un animal muy hermoso, de aspecto tranquilo, aparentemente sano y fuerte. El malacara, me fijé, era un bruto huesudo, alargado, de ojos adormilados y un cuello que parecía de oveja. ¿Podría ser posible que la tramposa hechicerita hubiera querido engañarme? Pero al cabo de un momento deseché aquella sospecha con el sarcasmo que merecía. Por muy falsa que sea una mujer, y por muy capaz que sea de engañar a su marido cuanto se le antoje, siempre será, comparada con el hombre que le quiere vender a uno un caballo, la franqueza y la verdad personificadas. Examiné al overo críticamente, haciéndolo dar vueltas caminando y trotando; le miré la boca, luego los cascos y las articulaciones, tan propicias a las agallas; miré fijamente sus ojos con atención, y le propiné repentinamente un golpe seco en el lomo.

—No le va a encontrar un punto débil, señor, —dijo Antonio el mentiroso, que era sin duda el mayor de los tres pecadores reunidos en aquel lugar—. Es mi mejor caballo, de sólo cuatro años, manso como un cordero y sano como una campana. De andar seguro, señor, como no hay otro; y de paso tan suave que usted lo puede llevar al galope con un vaso de agua en la mano sin que se derrame una gota. Se lo doy por diez pesos, porque usted fue generoso con respecto a la silla de montar y estoy ansioso por servirlo.

—Gracias, amigo, —le dije—. Su overo tiene quince años, está derrengado, le falta el resuello y tiene más defectos que cualquier otro caballo de la Banda Oriental. No voy a permitir que mi mujer monte una bestia tan peligrosa, porque, como le dije, hace poco que estoy casado.

Antonio compuso su rostro para que expresara su asombro y su virtud indignada; luego, con la punta del cuchillo, hizo una cruz sobre el suelo, y estaba por jurar solemnemente sobre ella que yo estaba insignemente equivocado, que su bestia era una especie de ángel equino, o por lo menos, un Pegaso, cuando intervine para detenerlo.

—Diga tantas mentiras como quiera, —le dije—, y yo las escucharé con el mayor interés; pero no jure por la señal de la cruz lo que es falso, porque entonces los cuatro o cinco pesos de ganancia que sacó de la silla de montar difícilmente le van a alcanzar para comprarse la absolución por semejante pecado.

Se encogió de hombros y devolvió el sacrílego cuchillo a su vaina.

—Ahí hay más caballos, —dijo con tono agraviado—. Son una clase de animal acerca de los cuales usted parece conocer mucho; elija uno y engáñese. Yo

169

he tratado de servirlo; pero hay alguna gente que no sabe reconocer a un amigo cuando lo tiene delante.

Examiné entonces detalladamente todos los caballos y, finalmente, terminé la farsa apartando al malacara, y me alegró observar la expresión contrariada de mi buen pastor.

Sus caballos no me convienen, —le dije—, de modo que no podría comprarle uno. Con todo, le voy a adquirir esta vaca vieja, porque es el único animal de los que hay aquí al que le confiaría mi mujer. Puedo darle siete pesos por él —ni un cobre más— porque, como el emperador de la China, tengo una sola palabra.

Se arrancó la vincha y se rascó su renegrida cabeza; luego me llevó de vuelta a la cocina para consultar a su mujer. —Porque, señor, por quién sabe qué fatalidad, usted eligió el caballo de Cleta.

Cuando ella oyó que le había ofrecido siete pesos por el ruano, se rio alegremente.

—Oh, Antonio, ¡si no vale más que seis pesos! Sí señor, puede quedarse con él pero págueme los seis pesos a mí. No a mi esposo. ¿Quién puede decir ahora que no sé ganar plata? Y ahora que no tengo ningún caballo para montar, Antonio, puedes darme el bayo de patas blancas.

—Ni sueñes con semejante cosa, —exclamó su marido.

Después de tomar mate los dejé para que arreglaran sus asuntos sin que me quedara duda alguna acerca de cuál de ellos saldría mejor de una prueba de sagacidad. Cuando tuve a la vista los árboles de Peralta, desensillé y até los caballos; luego me estiré sobre mis mantas. Después de los placeres y de las excitaciones de aquel día, que me habían robado la siesta, caí rápidamente en un sueño profundo.

Capítulo XXVII

NOCHE Y FUGA

Cuando me desperté no recordé por algunos momentos dónde estaba. Tanteando a mi alrededor mi mano entró en contacto con el pasto húmedo de rocío. Estaba muy oscuro; solamente en el cielo, contra el horizonte, un pálido fulgor prometía, imaginé, la llegada del día. Luego, en un relámpago, recordé, y me puse de pie de un salto, alarmado, sólo para descubrir con indecible alivio que la luz que había observado estaba al oeste y no al este, y que procedía de la luna nueva que se estaba hundiendo tras el horizonte. Ensillando expeditivamente mis dos animales, marché hacia la estancia de Peralta y, al llegar allí, llevé cautelosamente los caballos a la sombra de un grupo de árboles, que crecían sobre los bordes del antiguo y casi cegado zanjón. Luego me arrojé al suelo de manera de escuchar mejor los pasos que pudieran aproximarse, y comencé a esperar a Demetria. Era pasada la medianoche: ni un sonido llegaba a mí excepto, a intervalos, la luctuosa y lejana nota delgada y aguda del pequeño grillo nocturno que parecía estar siempre allí lamentando la perdida fortuna de la casa de los Peralta. Durante más de media hora permanecí echado en el suelo, poniéndome más inquieto a cada momento y temiendo que Demetria fuera a fallarme, cuando capté un sonido que parecía un susurro humano. Escuché con atención y supe que pronunciaba mi nombre y que procedía de unas matas de altos estramonios a algunos pasos de distancia.

—¿Quién habla? —pregunté.

La figura alta y flaca de Ramona se desprendió de los matorrales y se aproximó con cautela. Estaba temblando de excitación nerviosa, y no se había arriesgado a acercarse antes sin hablar por miedo de que la tomara por un enemigo y le pegara un tiro.

—¡Madre del cielo! —exclamó tan pronto como el castañeteo de sus dientes le permitió hablar—. ¡He estado tan inquieta toda la noche! Oh, señor, ¿qué vamos a hacer ahora? Su plan era tan bueno; cuando oí los detalles supe que un ángel había bajado del cielo para susurrárselo al oído. ¡Y ahora mi señora no quiere moverse! Todas sus cosas están prontas —ropas, dinero, joyas—; y durante toda esta última hora la hemos estado apremiando para que salga, pero no hay manera. No quiere verlo, señor.

—¿Está don Hilario en la casa?

—No, salió... ¿podría haber sido todo mejor? Pero es inútil, se ha descorazonado y no vendrá. No hace más que llorar sentada en su cuarto, diciendo que no podrá mirarlo a la cara de nuevo.

—Vaya a decirle que estoy aquí con los caballos esperando por ella, —le dije.

—Señor, ella sabe que está aquí. Santos vigilaba esperándolo y se apresuró a informarla de su llegada. Ahora ella me ha enviado a verlo sólo para decirle que no puede encontrarse con usted, que le agradece todo lo que ha hecho, y le ruega que se vaya y la deje.

No me sorprendió mucho la renuencia de Demetria a encontrarse conmigo en el último momento, pero estaba decidido a no irme de allí sin antes verla y tratar de cambiar su actitud. Atando los caballos a un árbol, fui con Ramona hasta la casa. Deslizándonos dentro en puntas de pie, encontramos a Demetria en aquella habitación donde me había recibido la noche anterior envuelta en sus extraños lujos, echada en el sofá, mientras que el viejo Santos estaba de pie junto a ella como la mismísima imagen de la desgracia. En cuanto me vio entrar, Demetria se cubrió el rostro con las manos y se volvió de espaldas. Sin embargo, un mirada fue suficiente para mostrarme que con o sin su consentimiento todo había sido preparado para su huida. Sobre una silla, junto a ella, había unas alforjas en las que habían sido apretadas sus escasas pertenencias; una mantilla cubría a medias su cabeza, y a su lado había un amplio chal de lana, con vistas, evidentemente, a protegerla del aire nocturno.

—Santos, —dije—, vaya a donde están los caballos, bajo los árboles y espérenos allí; y usted, Ramona, diga adiós a su señora, y luego déjenos solos; en cualquier momento ella recobrará su coraje y se irá conmigo.

Cuando Santos, que parecía inmensamente aliviado y agradecido, aunque un poco sorprendido por mi tono confiado, se apresuraba a salir, le señalé las alforjas. Asintió, sonrió con su sonrisa socarrona y, recogiéndolas, dejó la habitación.

La pobre vieja Ramona se echó de rodillas, sollozando y derramando bendiciones de despedida sobre su ama, besando sus manos y sus cabellos con desconsolada devoción.

Cuando nos dejó me senté al lado de Demetria, pero no había modo de que apartara las manos que cubrían su rostro o de que hablara y, cuando le dirigía la palabra lloraba histéricamente. Conseguí, al fin, tomar una de sus manos entre las mías, y luego atraje su cabeza suavemente hasta que descansó en mi hombro. Cuando sus sollozos comenzaron a apaciguarse, le dije:

—Dígame, mi querida Demetria, ¿ha perdido la fe en mí y por eso teme ahora confiarme su suerte?

—No, no, Ricardo, no es eso, —balbuceó.— Pero no puedo volver a mirarlo a la cara: si siente alguna compasión por mí váyase ahora.

—Cómo, dejarla, Demetria, mi hermana, en manos de ese hombre... ¿puede imaginar una cosa semejante? Dígame, dónde está don Hilario... ¿va a volver esta noche?

—No sé nada. Puede volver en cualquier momento. Déjeme, Ricardo; cada minuto que permanece aquí aumenta el peligro para usted.

Entonces intentó apartarse de mí, pero no la solté.

—Si teme que regrese esta noche, entonces es hora de que se vaya conmigo, —respondí.

—No, no, no puedo. Todo ha cambiado ahora. Me moriría de vergüenza si lo mirara de nuevo a la cara.

—La va a mirar de nuevo muchas veces, Demetria. ¿Se imagina que después de haber venido a rescatarla de los colmillos de esa serpiente me voy a ir dejándola aquí porque se siente un poco tímida? Escúcheme, Demetria, esta noche voy a salvarla de ese demonio aun cuando tenga que llevármela en brazos. Después podemos considerar todo lo que se deba hacer por su padre y por esta propiedad. Tal vez cuando el coronel sea sacado de esta triste atmósfera su salud, y tal vez su razón, mejoren.

—Oh, Ricardo, ¿no me está engañando? —exclamó dejando caer de pronto sus manos y mirándome de frente a los ojos.

—No, no la estoy engañando. Y ahora, Demetria, va a perder todos sus miedos, pues me ha mirado a la cara y no se ha convertido en piedra.

De inmediato enrojeció; pero no trató de cubrirse el rostro de nuevo, porque justamente entonces se oyó el resonar de cascos que se aproximaban a la casa.

—¡Madre del Cielo, sálvanos! —exclamó presa del terror—. ¡Es don Hilario!

Rápidamente soplé la única vela que ardía débilmente en la habitación.

—No tema nada, —le dije—. Cuando todo esté tranquilo después que se haya ido a su cuarto, nosotros emprenderemos la fuga.

Ella estaba temblando de miedo y se refugiaba contra mí; en tanto ambos escuchábamos con todos nuestros sentidos y oíamos que don Hilario desensillaba su caballo y luego se dirigía sin ruido, silbando para sí, hacia su habitación.

—Ahora ha cerrado su puerta, —le dije—, y en unos pocos minutos se dormirá. Cuando piensa en ese hombre cuyas persecuciones convirtieron su vida en una pesada carga de tal modo que tiembla cuando se le aproxima, ¿no se siente feliz de que yo haya venido para llevármela de aquí?

—Ricardo, yo podría ir de muy buena gana con usted esta noche si no fuera por una cosa. ¿Usted cree que después de lo que ha pasado yo podría enfrentar a su esposa?

—Ella no sabrá nada de lo pasado, Demetria. Sería poco honorable de mi parte y una cruel injusticia para usted hablarle de eso. Ella la recibirá como a una querida hermana y la querrá tanto como yo la quiero. Todos esos miedos y dudas que la perturban son inconsistentes y pueden ser aventados como el escardillo al viento. Y ahora que me ha confesado tantas cosas, Demetria, quiero confesarle a mi vez la única cosa que turba mi corazón.

—¿Qué es, Ricardo, dígame? —me preguntó muy gentilmente.

—Créame, Demetria, nunca tuve sospechas de que usted estuviera enamorada de mí. Su actitud no lo demostraba; de otro modo le hubiera contado hace mucho todo lo referente a mi vida. Sólo sabía que usted veía en mí a un amigo, a alguien en quien podía confiar. Si estuve engañado hasta ahora, Demetria, si usted ha sentido realmente alentar una pasión en su pecho, entonces lamentaré amargamente haber sido la causa de una perdurable aflicción para usted. ¿No querría abrirme más su corazón y decirme con franqueza qué siente realmente?

Acarició mi mano en silencio por unos momentos y luego respondió: —Creo que usted tenía razón, Ricardo. Tal vez no soy capaz de una pasión como otras mujeres. Sentía, sabía que usted era mi amigo. Estar cerca de usted era como estar sentada a la sombra de un árbol verde en algún lugar ardiente y desolado. Pensé que sería agradable estar sentada allí por siempre, olvidando los días amargos. Pero, Ricardo, si usted va a ser siempre mi amigo —mi hermano— estaré más que contenta, y mi vida me parecerá diferente.

—Demetria, ¡qué feliz me ha hecho! Vamos, ahora la serpiente está dormida; escapemos sin ruido y dejémoslo abandonado a sus malos sueños. ¡Dios quiera que yo pueda volver un día a aplastar su cabeza bajo mi taco!

Luego, envolviéndola en el chal, la conduje fuera, pisando suavemente, y en pocos momentos estábamos con Santos, que montaba guardia pacientemente junto a los caballos.

De buena gana lo dejé que ayudara a Demetria a montar a caballo, porque

173

ese sería tal vez el último servicio personal que él podría hacerle. El pobre viejo estaba llorando, creo, a juzgar por lo ronco de su voz. Antes de partir le di un pedazo de papel con mi dirección en Montevideo, y le pedí que se lo llevara a don Florentino Blanco, pidiéndole que me escribiera una carta en el curso de los dos o tres días siguientes para informarme acerca de los movimientos de don Hilario. Luego nos alejamos trotando suavemente sobre el pasto, y al cabo de media hora dimos con el camino que llevaba de Rocha a Montevideo. Por él seguimos hasta que fue de día, deteniéndonos apenas una vez en nuestro raudo galope, y, durante aquella oscura cabalgata sobre un territorio completamente desconocido para mí, bendije cien veces a la hechicerita de Cleta; porque nunca hubo una bestia más firme y de andar más seguro que el espantoso ruano que llevaba a mi compañera y, cuando sofrenamos los caballos a la pálida luz de la mañana, parecía tan fresco como cuando habíamos partido. Dejamos entonces el camino y marchamos cortando campo en dirección noroeste por un tramo de alrededor de tres leguas, porque me preocupaba por andar lejos de los caminos y de la gente entrometida y chalatana que los usa. Esa mañana, alrededor de las once, nos detuvimos a almorzar en un rancho y luego seguimos andando hasta que llegamos a un monte de algarrobos que crecían en las laderas de una cuchilla. Era un lugar salvaje y apartado, con agua y buena pastura para los caballos y una sombra agradable para que pastaran, nos sentamos a descansar debajo de un gran árbol con nuestras espaldas contra su grueso tronco. Desde nuestro sombreado retiro dominábamos una espléndida vista de los campos por los cuales habíamos estado cabalgando toda la mañana y que se extendían por muchas leguas que habíamos dejado atrás, y mientras yo fumaba mi cigarro, hablaba con mi compañera, llamándole la atención sobre la belleza de aquel ancho panorama bañado de sol.

—Sabe, Demetria, —le dije—, cuando lleguen las largas noches de invierno, y yo tenga mucho tiempo de ocio, pienso escribir una narración de mis vagabundeos por la Banda Oriental, y voy a llamar a mi libro *La tierra purpúrea;* porque ¿qué nombre más conveniente puede encontrarse para un país tan manchado con la sangre de sus hijos? Usted nunca va a leerlo, por supuesto, porque lo escribiré en inglés y pensando sólo en el placer que va a dar a mis propios hijos —si alguna vez los tengo— en algún tiempo lejano, cuando sus pequeños estómagos morales e intelectuales estén listos para otro alimento que no sea la leche. Y usted tendrá un lugar muy importante en mi narración, Demetria, porque durante estos últimos días hemos sido mucho el uno para el otro. Y tal vez el mismísimo último capítulo contará esta loca cabalgata de nosotros dos, huyendo de aquel genio perverso de Hilario hacia algún bendito refugio lejano, más allá de las colinas y de los bosques y de la línea azul del horizonte. Porque cuando lleguemos a la capital yo creo... pienso... de hecho, sé...

Vacilé en decirle que probablemente iba a ser necesario para mí dejar el país sin tardanza, pero ella no me alentó a continuar, y, volviéndome a mirarla, descubrí que se había quedado profundamente dormida.

Pobre Demetria, había estado terriblemente nerviosa toda la noche y con miedo de detenerse para descansar donde fuera, pero ahora la fatiga la había dominado. Su posición contra el árbol era incómoda e insegura, de modo que atrayendo su cabeza muy suavemente hasta que descansó en mi hombro y, haciendo sombra a sus ojos con la mantilla, la dejé dormir. Su rostro lucía extrañamente agotado y pálido en aquella penetrante luz del mediodía y, mientras dormitaba, y recordando todos los negros años de pesares y de ansiedad que había soportado hasta llegar a aquel último dolor del que yo había sido la causa involuntaria, sentí que los ojos se me nublaban de compasión.

Después de dormir alrededor de dos horas se despertó sobresaltada y se sintió muy afligida al saber que había estado sosteniéndola todo ese rato. Pero después de aquel sueño reparador parecía haberse producido un cambio en ella. No sólo su fatiga tan grande sino también la aprensión que la atormentaba se habían desvanecido casi completamente. De la ortiga Peligro ella había arrancado la flor Seguridad, y ahora podía regocijarse con su posesión y estaba colmada de nueva vida y de nuevo ánimo. La libertad a la que no estaba acostumbrada y el ejercicio con un cambio constante de escena, habían tenido también un efecto estimulante sobre su mente y su cuerpo. Un nuevo color cubría sus pálidas mejillas; las manchas moradas que hablaban de días de ansiedad y de noches sin sueño se borraron; sonreía brillantemente y estaba llena de animación, de modo que en aquel largo viaje, ya fuera descansando en la sombra, al mediodía, o galopando raudamente sobre el verde pasto, no hubiera podido tener una compañía más agradable que la de Demetria. El cambio producido en ella me hizo recordar a menudo las palabras patéticas de Santos cuando me hablaba de los estragos de la pena, y decía que otra vida hubiera convertido a su ama en "una flor entre las mujeres". Era un consuelo que su afecto por mí hubiera sido, sin duda, solamente afecto. Pero ¿qué iba a hacer yo con ella en definitiva? Porque sabía que mi mujer estaba extremadamente ansiosa por volver sin más dilaciones a su propio país; y sin embargo me parecía que sería muy duro dejar a la pobre Demetria atrás, entre extraños. Viendo que su ánimo había mejorado tanto, me aventuré al fin a hablarle sobre el asunto. Al principio se sintió deprimida, pero en seguida, recobrando su coraje, me rogó que le permitiera ir con nosotros a Buenos Aires. La perspectiva de que la dejáramos sola le resultaba insoportable, porque en Montevideo no tenía amigos personales, mientras que los amigos políticos de su familia estaban todos fuera del país o vivían muy retirados. Del otro lado del río ella estaría con amigos y a salvo por un tiempo de su temido enemigo. Esta proposición me pareció muy sensata y alivió mucho mi espíritu, aunque sólo servía para descartar las dificultades por un tiempo.

En el departamento de Canelones, a unas seis leguas de Montevideo, encontraré la casa de un compatriota llamado Barker, que hacía muchos años vivía en el país y estaba casado y con hijos. Llegamos por la tarde a su estan-

175

cia y, viendo que Demetria estaba muy exhausta con nuestro largo viaje, le pedí a Mr. Barker que nos diera abrigo por esa noche. Nuestro anfitrión fue muy amable y amistoso con nosotros y no hizo preguntas desagradables, y después de unas pocas horas de trato, en las que intimamos mucho, lo llevé aparte y le conté la historia de Demetria, y entonces, como el hombre de buen corazón que era, me ofreció en seguida hospedarla en su casa hasta que las cosas pudieran arreglarse en Montevideo, oferta que fue aceptada con alegría.

Capítulo XXVIII

ADIOS A LA TIERRA PURPUREA

Después de esto pronto estuve de vuelta en Montevideo. Cuando dije adiós a Demetria pareció que le costaba separarse de mí, y retuvo mi mano en las suyas por un rato inusitadamente largo. Probablemente por primera vez en su vida estaba por quedarse sola en compañía de gentes que le eran enteramente extrañas, y por muchos días habíamos estado tanto juntos, que era muy natural que se aferrara un poco a mí cuando tuvimos que separarnos. Una vez más oprimí su mano y la exhorté a tener coraje, recordándole que en unos pocos días todos los problemas y los peligros se habrían terminado; todavía, empero, no me soltaba la mano. Esa tierna renuncia a separarse de mí era conmovedora y también halagadora, pero un tanto inoportuna, porque estaba ansioso por montar a caballo y partir. De pronto me dijo, echando una mirada a sus ropas raídas: —Ricardo, si tengo que quedarme escondida aquí hasta que me reúna con ustedes en el barco, voy a tener que presentarme ante su esposa vestida con estos pobres trapos.

—Oh, es *eso* lo que la está preocupando, Demetria! —exclamé.

En seguida llamé a nuestro amable anfitrión y, cuando se le explicó este grave asunto, inmediatamente se ofreció a ir a Montevideo a procurarle las ropas necesarias, algo en que yo no había pensado para nada, pero que evidentemente había estado pesando sobre el espíritu de Demetria.

Cuando al fin llegué al pequeño retiro suburbano de mi tía política, Paquita y yo actuamos por algún tiempo como dos dementes, tan excesiva era nuestra alegría al encontrarnos después de nuestra larga separación. Yo no había recibido cartas de ella y sólo dos o tres de la veintena que le había escrito yo habían llegado a destino, de modo que teníamos mil preguntas que hacernos y que respondernos. No podía saciarse de mirarme ni acabar de admirar mi piel bronceada y el respetable bigote que me había dejado crecer; mientras ella ¡mi pobre querida! lucía excepcionalmente pálida, aunque con todo tan hermosa que me maravillaba a mí mismo por haber considerado a ninguna otra mujer siquiera pasablemente bonita después de poseerla; le hice un de-

176

tallado relato de mis aventuras, omitiendo sólo algunas pocas cosas que mi honor me obligaba a no revelar.

Así, cuando le conté la historia de mi estadía en la estancia Peralta, no dije nada que traicionara la confianza de Demetria; ni consideré necesario mencionar el episodio de aquel diablito de Cleta; a resultas de lo cual ella se sintió complacida por la caballeresca conducta que yo había mostrado durante todo aquel asunto, y estaba dispuesta a dar un lugar a Demetria en su corazón.

No había estado veinticuatro horas en Montevideo cuando me llegó una carta del pulpero de Lomas de Rocha que justificó mi precaución al haber dejado a Demetria a cierta distancia de la ciudad. La carta me informaba que don Hilario en seguida había sospechado que yo me había llevado a la hija de su infortunado patrón, y que no quedaron dudas en su mente cuando descubrió que el mismo día que dejé la estancia una persona que correspondía a mi descripción en todos los detalles había comprado un caballo y una silla de montar de mujer y se había dirigido hacia la estancia por la noche. Mi corresponsal me previno que don Hilario llegaría a Montevideo aun antes que su carta; que además de alguna manera había descubierto mis relaciones con la pasada rebelión, y que seguramente pondría el asunto en manos del gobierno, de manera de hacerme arrestar, después de lo cual tendría pocas dificultades para obligar a Demetria a regresar a la estancia.

Por un momento enterarme de todo esto me anonadó. Afortunadamente Paquita no estaba en casa cuando llegó la carta, y temiendo que pudiera volver y sorprenderme en aquel estado de perturbación, salí rápidamente; entonces, deslizándome por callejuelas oscuras y por angostas sendas, mirando a todos lados con cautela por miedo de encontrarme con los esbirros de la ley, me escapé de la ciudad. Mi único deseo en aquel momento era huir a algún lugar seguro donde pudiera pensar con tranquilidad sobre la situación y, de ser posible, idear algún plan para derrotar a don Hilario, que había sido un poco demasiado rápido para mí. De los muchos planes que surgieron en mi mente, mientras estuve sentado a la sombra de un cerco de cactus a una media legua de la ciudad, decidí fiinalmente, de acuerdo con mi vieja y bien probada norma, adoptar el más osado, que consistía en volver sin rodeos hacia Montevideo y reclamar la protección de mi país. El único problema era que en mi camino hacia allá podía ser capturado, y entonces Paquita estaría en una terrible angustia por mí, y tal vez la huida de Demetria pudiera ser impedida. Mientras estaba dedicado a estos pensamientos vi pasar un coche cerrado que guiaba hacia la ciudad un cochero que parecía borracho. Saliendo de mi escondite conseguí detenerlo y ofrecerle dos pesos para que me llevara al consulado británico. Se trataba de un carruaje privado, pero los dos pesos tentaron al hombre, de modo que después de cobrar su precio por adelantado, me permitió subir, y entonces, cerrando las ventanillas, me recliné contra los almohadones, y fui conducido rápida y confortablemente a aquella casa de asilo. Me presenté al cónsul, y le conté una historia urdida para la ocasión, una prudente mezcla de verdades y mentiras, en cuanto a que yo había sido capturado ilegalmente y por la fuerza y compelido a servir en el ejército blanco y que, después de haber escapado de los rebeldes y logrado llegar a Montevideo, me había quedado pasmado al oír que el gobierno se proponía arrestarme. Me hizo unas pocas preguntas, miró el pasaporte que él mismo me había enviado unos pocos días antes, y luego, riéndose bienhumoradamente, se puso el sombrero y me invitó a acompañarlo al Ministerio de Guerra, que quedaba allí al lado. El secretario, el coronel Arocena, según me informó, era un amigo personal suyo, y si podía hablar con él todo se arreglaría muy bien. Caminando a su lado me sentí completamente a salvo e intrépido de nuevo, porque iba, por decirlo así, caminando con la mano apoyada sobre la soberbia melena del León Británico, cuyo rugido no podía ser provocado impunemente. En el Ministerio de Guerra el cónsul me presentó a su amigo, el coornel Arocena, un viejo caballero cordial, con la cabeza calva y un cigarrillo entre los labios. Escuchó con cierto interés y una sonrisa, levemente incrédula según me pareció, la triste historia de los malos tratos a que había sido sometido por los rebeldes bandidos de Santa Coloma. Cuando hube terminado, empujó hacia mí una hoja de papel en la que había garabateado unas pocas palabras diciéndome:

—Aquí está; tenga esto, mi joven amigo, hemos tenido noticias de sus andanzas en Florida, y también en Rocha, pero no nos proponemos ir a la guerra con Inglaterra por causa suya.

Su discurso nos hizo reír a todos; luego, cuando guardé el papel que llevaba el sagrado sello del Ministerio de Guerra en el margen y solicitaba a todas las personas que se abstuvieran de molestar al portador en sus idas y venidas legales, agradecí al agradable viejo coronel, y me retiré. Pasé una media hora vagabundeando por ahí con el cónsul, y luego nos separamos. Había observado mientras estábamos juntos la presencia de dos hombres en uniforme militar que se mantenían a cierta distancia; ahora, mientras volvía a casa ví que me estaban siguiendo. En cierto momento me alcanzaron y cortésmente me comunicaron su intención de llevarme detenido. Sonreí, y sacando mi papel protector del Ministerio de Guerra, lo entregué a los hombres. Parecieron sorprendidos, y me lo devolvieron, pidiendo disculpas por haberme molestado; luego me dejaron seguir mi camino en paz.

Yo había sido muy afortunado, por supuesto, en el transcurso de esta aventura; con todo no quería atribuir enteramente mi fácil escapada a la suerte, puesto que había contribuido a ella en buena medida, pensé, por mi presteza en actuar y en inventar una historia plausible sobre la marcha.

Me sentía muy alborozado, mientras andaba a lo largo de las calles soleadas, moviendo alegremente mi bastón, cuando, al volver una esquina próxima a la casa de doña Isidora, repentinamente me encontré frente a frente con don Hilario. Este encuentro inesperado nos tomó a ambos desprevenidos; él retrocedió dos o tres pasos, poniéndose tan pálido como la naturaleza y el color de su piel lo permitían. Yo me recobré antes del sobresalto. Hasta entonces había sido capaz de desconcertarlo y, lo que es más, sabía muchas cosas que él ingnoraba; con todo, aquí estaba él en la ciudad, conmigo, y tenía que vérmelas con él; resolví rápidamente ir a su encuentro y tratarlo como a un amigo, simulando una completa ignorancia acerca del objeto de su presencia en Montevideo.

—¡Don Hilario... usted por aquí! ¡Felices los ojos que lo ven! exclamé estrechando su mano y sacudiéndola, pretendiendo estar loco de contento por nuestro encuentro.

En un momento recuperó su autodominio habitual, y cuando le pregunté por doña Demetria respondió tras un momento de hesitación que estaba muy bien.

—Vamos, don Hilario, —le dije—, estamos a un paso de la casa de mi tía Isidora, donde estoy parando, y me dará un gran placer presentarle a mi esposa, que estará encantada de poder agradecerle por las amabilidades que tuvo para conmigo en la estancia.

—¡Su esposa, don Ricardo! ¿Me quiere decir que está casado? —exclamó atónito, pensando probablemente que yo era ya el marido de Demetria.

—¡Cómo, no se lo había dicho ya! —dije—. Ah, me acuerdo de haber hablado del asunto con doña Demetria. Es raro que ella no se lo haya mencionado. Sí, me casé antes de venir a este país; mi esposa es argentina. Venga conmigo y verá una hermosa mujer, si eso es un aliciente.

Sin duda estaba asombrado y perplejo, pero había recuperado su máscara, y se mostraba ahora cortés, alerta y dueño de sí.

Cuando entramos a la casa le presenté a doña Isidora, que se cruzó en nuestro camino y los dejé para que le diera un poco de conversación. Me alegró hacerlo, sabiendo que él aprovecharía la oportunidad para tratar de descubrir algo de boca de la conversadora anciana, y que no descubriría nada, puesto que ella no estaba enterada de nuestros secretos.

Encontré a Paquita durmiendo la siesta en su habitación; mientras, a mi expreso pedido, se adornaba con sus mejores galas —un vestido de terciopelo negro que hacía destacar su belleza sin tacha mejor que ningún otro—, le dije cómo quería que tratara a don Hilario. Ella sabía todo acerca de él, por supuesto, y lo aborrecía de todo corazón, viendo en él a una especie de genio malo de cuyo castillo había yo arrancado a la desdichada Demetria; pero le hice comprender que nuestro plan más atinado sería el de tratarlo con toda cortesía. En seguida estuvo de acuerdo, porque la mujer argentina puede ser más encantadoramente cortés que cualquier otra mujer del globo, y a la gente le gusta que se le pida hacer aquello que hace bien.

La sutil cautela de nuestro viperino huésped no sirvió para esconder a mis ojos atentos que quedó muy sorprendido cuando la vio. Ella se sentó cerca de él y le habló en su tono más dulce y natural del placer que le había causado mi retorno, y de la gratitud que había sentido hacia él y hacia todos los de la estancia de Peralta por el tratamiento hospitalario que yo había recibido allá. Como lo había previsto él quedó completamente arrebatado por su exquisita belleza y por el encanto de su actitud hacia él. Se sintió halagado e hizo lo posible por hacerse agradable, pero al mismo tiempo estaba intrigado

179

en extremo. La expresión de desconcierto de su rostro era a cada momento más evidente; asestaba sus inquietas miradas que iban de aquí para allá por toda la habitación pero que siempre retornaban, como la polilla condenada vuelve a la vela, a aquellos brillantes ojos violetas rebosantes de hipócrita amabilidad. La actuación de Paquita me deleitó, y tuve la esperanza de que él sufriera por mucho tiempo los efectos del sutil veneno que ella le estaba infiltrando. Cuando se levantó para irse, estuvo seguro que la desaparición de Demetria era para él un misterio más grande que nunca; y como un tiro de gracia lo invité cordialmente a que viniera a vernos a menudo mientras permaneciera en la capital, ofreciéndole, incluso, una cama en nuestra casa; mientras Paquita, para no quedarse atrás, porque había entrado completamente en el juego y se estaba divirtiendo, le confiaba un afectuoso y muy bien formulado mensaje para Demetria, a quien ella ya quería y esperaba conocer algún día.

Dos días después de este acontecimiento supe que don Hilario había dejado Montevideo. Estaba seguro de que no había descubierto nada; era posible, con todo, que hubiera dejado a alguna persona para que vigilara la casa, y, como Paquita estaba ahora ansiosa por volver a su país, decidí no retrasar más nuestra partida.

Bajando al puerto encontré al capitán de una pequeña goleta que traficaba entre Montevideo y Buenos Aires y, al enterarme de que pensaba partir para este último puerto tres días después, hice un arreglo con él para que nos llevara, y conseguí también que consintiera en recibir a Demetria a bordo en seguida. Envié entonces un mensaje a Mr. Barker, pidiéndole que trajera a su huésped a la ciudad y la pusiera a bordo de la goleta sin venir a verme antes. Dos días después, por la mañana temprano, me enteraron de que estaba segura a bordo; y habiendo así frustrado al pillo de Hilario, sobre cuyo cráneo de ofidio hubiera puesto mi taco con mucho gusto, y teniendo aún un día de ocio ante mí, fui a visitar una vez más el cerro, para echar desde su cima una última mirada a la Tierra Purpúrea donde había pasado tantos días memorables.

Cuando me iba acercando a la cumbre del gran cerro solitario, no miré con admiración el magnífico panorama que se abría ante mis ojos; tampoco el viento que soplaba fresco desde el amado Atlántico pareció animarme. Mis ojos miraban al suelo y arrastraba los pies como si estuviera fatigado. Y sin embargo no estaba cansado, pero empezaba a recordar que en una ocasión anterior sobre ese monte había dicho muchas cosas vanas y alocadas con respecto a un pueblo acerca de cuyo carácter y de cuya historia era entonces muy ignorante. Recordé también con suma amargura que mi visita a esa tierra había sido la causa de un grande y tal vez duradero sufrimiento para un noble corazón.

Cuántas veces, me dije, me he arrepentido de aquellas crueles y sarcásticas palabras que dirigí a Dolores en nuestra última entrevista, y ahora, una vez más "vengo a recoger las ásperas bayas agrias" del arrepentimiento y de la expiación, a humillar mi orgullo insular hasta el polvo y a desdecirme de todas las cosas injustas que dije antes hablando apresuradamente.

No es una característica exclusivamente británica el mirar a las gentes de otras nacionalidades con una cierta dosis de desprecio, pero es posible que entre nosotros ese sentimiento sea más fuerte que en otros pueblos, o, por lo menos, que se le exprese con menor reserva. Permítaseme ahora, al fin, deshacerme de ese error, que es inofensivo y tal vez aconsejable para aquellos que se quedan en casa, y que hasta tal vez sea natural, puesto que forma parte de nuestra irracional naturaleza desconfiar y no gustar de las cosas muy lejanas y poco familiares. Permítaseme, en fin, despojarme de esos viejos anteojos ingleses, con montura de madera y lentes de cuerno, para enterrarlos en este monte, que por medio siglo y más ha contemplado las luchas de un pueblo joven y débil contra la agresión extranjera y los enemigos caseros, y allí donde unos pocos meses antes yo cantaba los elogios de la civilización británica lamentando que ella sólo hubiera sido implantada aquí y regada abundantemente con sangre, para ser arrancada de nuevo y arrojada al mar. Después de mis vagabundeos por el interior del país, por donde sólo llevé conmigo un pálido resto de aquella anticuada y blasonada superstición para evitar que coartara la más perfecta simpatía entre los naturales del país con los cuales hube de mezclarme y yo, no puedo decir que mantenga ahora aquella opinión. No puedo creer que si este país hubiera sido conquistado y recolonizado por Inglaterra, y si cuanto en él está torcido hubiera sido enderezado de acuerdo con nuestras ideas, mi relación con la gente hubiera tenido el aroma silvestre y delicioso que encontré en ella. Y si ese aroma característico no pudiera poseerse al mismo tiempo que la prosperidad material resultante de la energía anglosajona, yo expresaría el deseo de que esta tierra nunca conozca tal prosperidad. No deseo ser asesinado; ningún hombre lo desea; sin embargo, antes de ver que el avestruz y el venado sean ahuyentados más allá del horizonte y el flamenco y el cisne de cuello negro sacrificados sobre los lagos azules, y el pastor enviado a puntear su romántica guitarra al Hades como tarea preliminar para conseguir la seguridad personal, prefiero andar por ahí preparado para defender mi vida en cualquier momento contra el súbito asalto de un asesino.

No sólo de pan vive el hombre; y la ocupación británica no da al corazón todo aquello por lo que éste suspira. Las bendiciones pueden transformarse en maldiciones cuando el gigantesco poder que nos las concede espanta de nuestro seno los tímidos espíritus de la Belleza y de la Poesía. Pero tampoco es sólo porque inspire en nosotros sentimientos poéticos que este país se ha hecho caro a mi corazón. Es la perfecta república: el sentimiento de emancipación que en él experimenta el caminante del Viejo Mundo es indescriptiblemente fresco y novedoso. Aun en nuestra ultracivilizada situación, en nuestro país, periódicamente retrocedemos escapándonos hacia la naturaleza; y, respirando el aire puro de la montaña y tendiendo la mirada sobre vastas extensiones de océano o de tierra, nos percatamos que ella está aún, y mucho, con nosotros. Es algo más que esas sensaciones corporales lo que experimentamos cuando por primera vez nos mezclamos con nuestros prójimos en un lugar donde todos los hombres son absolutamente libres e iguales como aquí. Me imagino que escucho clamar a alguna persona sensata:

—¡No, no, no! Su Tierra Purpúrea sólo de nombre es una república; su constitución es un inútil pedazo de papel, su gobierno es una oligarquía bien templada por el asesinato y la revolución.

Es cierto; pero el grupo de gobernantes ambiciosos que se esfuerzan por despojarse unos a otros no tiene fuerza como para hacer miserable a la gente. La constitución no escrita, más importante que la escrita, está en el corazón de cada hombre para hacer de él, pese a todo, un republicano y un hombre libre con una libertad que sería difícil de igualar en cualquier otra parte del globo. El propio beduino no es tan libre, ya que rinde una casi supersticiosa reverencia a su jeque. Aquí el dueño de muchas leguas de tierra y de innumerables ganados se sienta a hablar con el pastor a sueldo, un pobre tipo descalzo, en su rancho lleno de humo, y ninguna diferencia de casta o de clase los separa, ninguna conciencia de sus posiciones tan abismalmente diferentes enfría la cálida corriente de simpatía entre dos corazones humanos. ¡Qué refrescante es encontrarse con esta perfecta libertad de relación, moderada sólo por aquella innata cortesía y aquella gracia natural de modales propia de los hispanoamericanos! ¡Qué cambio para una persona que viene de países en que hay clases altas y bajas, cada una de ellas con sus odiosas subdivisiones... para uno que aspira a no mezclarse con la clase que está por sobre él y que, sin embargo, se estremece ante el desaliñado porte y la abyecta conducta de la clase que está por debajo suyo! Si esta absoluta igualdad es incompatible con un perfecto orden político, en lo que a mí se refiere, yo lamentaría ver establecerse ese orden. Es más: de ninguna manera es verdad que las comunidades que más a menudo nos alarman con crímenes de desorden y de violencia son moralmente peores que las otras. Una comunidad en la que no se cometen muchos crímenes no puede ser sana moralmente. Prácticamente *no* había crímenes en Perú bajo la dinastía de los incas; era algo extraordinario que una persona cometiera en aquel imperio una ofensa cualquiera contra la ley. Y la razón de ese estado de cosas antinatural en alto grado era ésta: el sistema incaico de gobierno estaba fundado sobre aquella extremadamente inicua y desastrosa doctrina según la cual el individuo tiene la misma relación con el estado que un niño con sus padres, y su vida, desde la cuna hasta la tumba, debe serle regulada por una fuerza que se le enseña a considerar como omnisciente —un poder prácticamente omnipresente y todopoderoso—. En un estado así no puede haber voluntad individual, ni un saludable juego de pasiones y, en consecuencia, no puede haber crímenes. ¡No es de extrañar que un sistema tan indeciblemente repugnante para un ser que siente que su voluntad es una divinidad que actúa dentro de él, haya caído en pedazos al primer golpe de una invasión extranjera, o que no haya dejado vestigios de su perniciosa existencia sobre el continente que había dominado! Porque el estado estaba, por así decirlo, podrido aún antes de su disolución, y cuando cayó se mezcló con el polvo y fue olvidado. Polonia, que antes de ser conquistada por Rusia, era un país mal gobernado y desordenado, como la Banda Oriental, no se confundió así con el polvo cuando cayó —el implacable despotismo del zar fue impotente para aplastar su fiero espíritu—; su voluntad sobrevivía aún para dorar la terrible opresión con sueños sagrados, para hacerla empuñar con una terrible alegría la daga que llevaba escondida en el pecho. Pero no hay necesidad de alejarse de este Verde Continente para ilustrar la verdad de lo que he dicho. La gente que habla y escribe sobre las desorganizadas repúblicas sudamericanas, es amiga de señalar el Brasil, ese imperio grande, pacífico y progresista, como un ejemplo que debería ser seguido. Es un país ordenado, sí, ¡pero la gente que en él vive está metida hasta los dientes en cada uno de los más abominables vicios! Comparados con esos afeminados hijos del ecuador, los orientales son los hidalgos de la naturaleza.

Puedo muy bien imaginar a alguna persona proba en exceso diciendo:

—Ay, pobre alma ilusa, ¡qué poca importancia podemos conceder a tus aparentemente plausibles apologías de ese pueblo, cuando tu propia narrativa personal demuestra que la atmósfera moral que estuviste respirando te ha corrompido completamente! Repasa tus propias páginas y verás que, según nuestros ideales, has pecado de varias maneras y en diversas ocasiones, y que te falta incluso la gracia de arrepentirte de todas las cosas malas que has pensado, dicho y hecho.

Yo no he leído muchos libros de filosofía, porque cuando traté de filosofar "la felicidad siempre se estaba poniendo en el camino", como ha dicho alguien; también porque siempre me gustó estudiar más bien a los hombres que a los libros; pero dentro de lo poco que he leído hay un pasaje que recuerdo bien, y lo citaré como respuesta mía a cualquiera que pueda calificarme como una persona inmoral porque mis pasiones no siempre han permanecido aquietadas, como perros de caza —para citar el símil de un poeta sudamericano— dormitando a los pies del cazador que descansa al mediodía contra una roca. "Debemos considerar las perturbaciones de la mente", dice Spinoza, "no como vicios de la naturaleza humana, sino como caracteres tan pertinentes a ella como lo son el calor, las tormentas, los truenos, y demás, a la naturaleza de la atmósfera, fenómenos que aunque sean inconvenientes son, sin embargo, necesarios, y tienen causas determinadas por intermedio de las cuales tratamos de comprender su naturaleza, y la mente experimenta tanto placer en entenderlas correctamente como en conocer cosas como las que halagan los sentidos." Permítaseme poseer los fenómenos que son inconvenientes así como las cosas que halagan los sentidos, y lo más posible es que mi vida sea más saludable y más feliz que la de quien pasa su tiempo en las nubes, sonrojándose ante las perversidades de la naturaleza.

Se ha dicho a menudo que un estado ideal —una utopía donde no haya locuras ni crímenes ni sufrimientos —tiene una singular fascinación para el espíritu. Ahora bien, cuando me encuentro con una falsedad, no me preocupa quiénes son los importantes personajes que puedan proclamarla, no trato de que me guste, o de creerla, o de imitar las charlas mundanas de moda acerca de la misma. Aborrezco todos los sueños de paz perpetua, todas las maravillosas ciudades del sol donde la gente consume sus monótonos años sin alegría en místicas contemplaciones, o encuentra su deleite como monjes budistas que miran las cenizas de muertas generaciones de devotos beatos. Ese estado es antinatural e indeciblemente repugnante: el dormir sin sueños de la tumba es más tolerable para la mente activa y saludable que una tal existencia. Si el Signior Gaudentio di Lucca, que aún se conserva vivo por medio de sus maravillosos conocimientos de los secretos de la naturaleza, fuera a aparecer ante mí, ahora, en este monte, para informarme que la sagrada comunidad con la que reside en el Africa Central no es un mero sueño, y me ofreciera conducirme a ella, me negaría a ir con él. Preferiría quedarme en la Banda Oriental, aun si haciéndolo debiera al final llegar a ser tan malo como cualquiera de sus habitantes, y estar dispuesto a "vadear a través de una carnicería" hasta el sillón presidencial. Porque incluso en mi propio país, Inglaterra, que no es tan perfecto como el viejo Perú, o como el país de Pophar en el Africa Central, he vivido separado de la naturaleza, y ahora, en este país oriental cuyos delitos políticos son tan escandalosos para la pura Inglaterra como para el impuro Brasil, me he reunido con ella. Por esta razón amo a este país con todas sus faltas. Aquí quiero, como Santa Coloma, hincar la rodilla en tierra y besar esta tierra como un niño podría besar el pecho que lo alimenta; aquí, sin miedo a la tierra, como John Carrickfergus, meteré mis manos en el suelto suelo marrón para oprimir, diría, las manos de la querida Madre Naturaleza después de nuestra larga separación.

Adiós, hermosa tierra de sol y de tormentas, de virtud y de crimen; ojalá que a tus invasores del futuro les vaya como a los del pasado, y te dejen al final librada a tus propias inclinaciones; ¡ojalá que los caballerescos instintos de Santa Coloma, la pasión de Dolores, la amorosa gentileza de Candelaria sigan viviendo en tus hijos para iluminar sus vidas con romance y belleza; ojalá que el resplandor de nuestra civilización superior nunca caiga sobre tus flores silvestres ni caiga tampoco el yugo de nuestro progreso sobre tu pastor —descuidado, airoso, amante de la música como los pájaros— para hacerlo como el malhumorado y abyecto paisano del Viejo Mundo!

Capítulo XXIX

DE VUELTA EN BUENOS AIRES

El encuentro con mis compañeros de viaje tuvo lugar el día siguiente a bordo del barco, donde nosotros tres éramos los únicos pasajeros que viajaban en cabina. Al bajar al pequeño salón encontré a Demetria que esperaba por nosotros, considerablemente mejorada en su apariencia por su nuevo vestido, pero que se veía pálida y ansiosa, porque probablemente para ella este encuentro fuese una verdadera prueba. Las dos mujeres se miraron una a otra seriamente, pero Demetria, supongo que para ocultar su nerviosidad, había impuesto a su rostro la antigua expresión impasible y casi fría que llevaba cuando la conocí, y Paquita se sintió rechazada por ella; de modo que después de un saludo algo frío, se sentaron e intercambiaron lugares comunes. Hubiera sido difícil encontrar dos mujeres más diferentes entre sí en apariencia, carácter, educación e inclinaciones; pese a todo había esperado que pudiesen hacer amistad, y me sentí profundamente decepcionado por el resultado de su primer encuentro. Después de pasar un rato incómodo todos nos pusimos de pie. Yo iba a dirigirme a cubierta, y ellas a sus respectivas cabinas, cuando Paquita, sin que hubiera habido ninguna advertencia de lo que se venía, rompió súbitamente en lágrimas y echó sus brazos al cuello de Demetria.

—¡Oh, mi querida Demetria, qué vida tan triste ha sido la suya! —exclamó.

Esto era muy suyo, ¡tan impulsivo y con un tan certero instinto que la llevaba a hacer siempre lo que más convenía!

Demetria correspondió a su abrazo con alegría, y yo me retiré de prisa y las dejé besándose y mezclando sus lágrimas.

Cuando salí a cubierta vi que ya habíamos partido a toda vela, y un viento fresco nos llevaba raudamente a través del agua de un verde apagado. Había cinco pasajeros de proa, tipos mal entrazados, de poncho y gacho, holgazaneando por la cubierta y fumando; pero cuando salimos de la bahía y el barco comenzó a menearse un poco pronto dejaron caer su cigarro y comenzaron a escurrirse ignominiosamente fuera de la vista de los marineros que sonreían burlones. Sólo quedaba uno de ellos, un viejo gaucho de barba gris y de aspecto rudo, que se mantenía firmemente en su asiento a popa, como si estuviera decidido a ver hasta el fin "El Monte" como es llamada la linda ciudad a los pies del monte de Magallanes por los ingleses de la región.

Para asegurarme que ninguno de esos individuos había sido enviado en persecución de Demetria, le pregunté a nuestro capitán italiano quiénes eran y cuánto hacía que estaba a bordo, y me tranquilizó que me dijera que eran fugitivos —probablemente rebeldes— y que durante los últimos tres o cuatro días habían estado, todos ellos, escondidos en el barco esperando su partida para escapar de Montevideo.

Al anochecer el tiempo se puso muy malo, el viento viró hacia el sur y comenzó a soplar un ventarrón, un viento favorable, de hecho, para ayudarnos a cruzar ese desagradable "Mar de plata", como los poetas del Plata insisten en llamarlo, con sus perversas, agitadas olas color ladrillo, tan inconvenientes para los malos marineros. Paquita y Demetria sufrieron horrores, de modo que me vi obligado a estar con ellas la mayor parte del tiempo. Con mucha imprudencia les dije que no debían alarmarse, que no era nada —sólo un mareo— y creo realmente que a raíz de eso ambas me odiaron por un rato de todo corazón.

Afortunadamente había previsto esas horripilantes escenas y me había provisto de una botella de champán para la ocasión; y, después que hube consumido dos o tres vasos para alentarlas, mostrándoles lo fácil que era de tomar esa medicina, conseguí convencerlas de que bebieran el resto de la botella.

Al fin, a eso de las diez de la noche, comenzaron a sospechar que su enfermedad no iba a resultar fatal y, viendo que estaban mucho mejor, subí a cubierta a tomar un poco de aire. Allí, a popa, seguía sentado el estoico gaucho viejo que tenía un aspecto de suma desdicha.

—Buenas noches, viejo camarada, —le dije—, ¿quieres un cigarro?

—Patroncito, usted parece ser de buen corazón, —respondió negando con la cabeza el ofrecido cigarro—, por amor de Dios, hágame un favor, consígame un poco de caña. Me muero por algo para calentarme por dentro y para que mi cabeza pare de dar vueltas como un trompo, pero no puedo conseguir nada de esos brutos extranjeros chapurreadores de a bordo.

—Sí, cómo no, mi viejo amigo, —le dije, y dirigiéndome al capitán pude conseguir un medio litro de caña en una botella.

El viejo la agarró con ávido deleite y tomó un largo trago. —¡Ah!, —dijo—, dando unas palmadas primero a la botella, y luego a su estómago, ¡esto hace revivir a un hombre! ¿Nunca terminará este viaje, patrón? Cuando ando a caballo puedo olvidarme de que soy viejo, pero estas malditas olas me recuerdan que ya he vivido muchos años.

—Ah, para ustedes, los extranjeros, es exactamente igual el agua que la tierra, —continuó—. Usted hasta puede fumar; ¡qué cabeza calma y qué estómago tranquilo debe tener! Pero lo que me intriga es esto, señor: cómo usted, un extranjero, viene viajando con dos mujeres del país. Ahí está esa hermosa joven señora con los ojos violetas, ¿quién puede ser?

—Es mi mujer, viejo, —le dije riendo, un poco divertido por su curiosidad.

—Ah, ¿está casado pues... tan joven? Ella es hermosa, graciosa, bien educada, sin duda hija de padres ricos, pero es delicada, delicada, señor; y algún día, un día no muy lejano... pero por qué tendría yo que anunciar penas a un alegre corazón. Pero su rostro, señor, me resulta extraño; no me recuerda los rasgos de ninguna familia oriental que conozca.

—Eso se explica fácilmente, —le dije, sorprendido por su agudeza—, ella es argentina no oriental.

—Ah, eso lo explica, —dijo, tomando otro largo trago de la botella—. En cuanto a la otra señora que lo acompaña no necesito preguntarle quién es.

—¿Por qué, quién es?, —pregunté.

—Una Peralta, si alguna vez hubo una, —me respondió confidencialmente.

Su respuesta me perturbó, y no poco, porque después de todas mis precauciones tal vez este viejo había sido enviado para seguir a Demetria.

—Sí, —continuó, con un orgullo evidente de su conocimiento de las familias y de los rostros que contribuyó a aplacar mis sospechas—; una Peralta y no una Madariaga ni una Sánchez ni una Zelaya ni una Ibarra. ¿No voy a conocer a una Peralta cuando la veo? Y se rio burlándose de lo absurdo de la idea.

—Dígame, —le pregunté—, ¿cómo conoce a una Peralta?.

—¡Qué pregunta! —exclamó—. Usted es un francés o un alemán venido del otro lado del mar, y no comprende estas cosas. ¡Habré hecho la guerra durante cuarenta años al servicio de mi país para no conocer a un Peralta! En la tierra están conmigo; si voy al cielo me los encuentro allí, y si voy al infierno allí los veré; ¿porque cuándo, al cargar en lo más fiero del combate, no me he encontrado delante de mí un Peralta? Pero estoy hablando del pasado, señor; porque ahora yo también soy como ésos que han quedado olvidados en el campo de batalla, dejados para los cuervos y los zorros. Usted ya no los encontrará caminando sobre la tierra; sólo encontrará sus huesos allí donde los hombres han cargado juntos sable en mano. ¡Ah, amigo!— Y aquí, abrumado por sus tristes recuerdos, el viejo guerrero tomó otro trago de su botella.

—No pueden estar todos muertos, —le dije—, si, como usted se imagina, la señora que viaja conmigo es una Peralta.

—¡Como yo me imagino! —replicó sarcásticamente—. ¿No sé acaso de qué estoy hablando, mi joven señor? Están muertos, le digo, muertos como el pasado, muertos como la independencia y el honor orientales. ¿No cabalgué en el combate de Gil de los Médanos con el último de los Peralta, Calixto, cuando recibió su bautismo de sangre? Quince años tenía, señor, sólo quince años cuando metió su caballo en medio de la pelea, porque tenía el corazón ligero, el espíritu bravo, y la mano veloz para matar de un Peralta. Y después de la lucha nuestro coronel Santa Coloma, que fue muerto el otro día en San Paulo, abrazó al muchacho delante de todo el ejército. Está muerto, señor, y con Calixto murió la casa de los Peralta.

—¿Así que conoció a Santa Coloma? —le pregunté—. Pero está equivocado; no lo mataron en San Paulo, se escapó.

—Eso dicen... los que no saben, —replicó—. Pero está muerto, porque amaba a su país, y todos cuanto sentían así fueron asesinados. ¿Cómo iba a escaparse?

—Le digo que no está muerto, —repetía, molesto por su terca persistencia—. Yo también lo conocí, viejo, y estuve con él en San Paulo.

Me miró largamente y luego tomó otro largo trago de su botella.

—Señor, este es un asunto sobre el que no me gusta bromear, —dijo—. Hablemos de otras cosas. Lo que quiero saber es esto: ¿qué está haciendo aquí la hermana de Calixto? ¿Por qué ha dejado su país?

Al no recibir respuesta a esa pregunta, prosiguió: —¿No tiene una propiedad? Sí, una gran estancia, empobrecida, arruinada, si se quiere, pero que de todos modos sigue siendo una gran extensión de tierra. Cuando los enemigos dejan de temerlo a uno dejan de perseguirlo. Un viejo quebrantado, privado de su razón... ¡seguramente no lo han de molestar! No, no, ella está dejando su país por otras razones. Sí, hay algún complot privado contra ella, alguna intriga, tal vez, para despojarla, o, incluso, para deshacerse de ella y entrar en posesión de su propiedad. Naturalmente, si ese fuera el caso, ella huiría a Buenos Aires, donde hay uno que lleva su misma sangre en las venas que puede proteger su persona y su propiedad.

Quedé atónito al escucharlo, pero sus últimas palabras fueron un misterio para mí.

—No hay nadie en Buenos Aires que la proteja, —le dije—; sólo yo estaría allí para protegerla, y si, como usted piensa, ella tiene un enemigo, éste tendrá que vérselas conmigo, con uno que, como ese Calixto de que usted habla, tiene una mano rápida para asestar el golpe.

—¡Está hablando el corazón de un blanco! —exclamó, oprimiéndome el brazo, y casi arrastrándome al suelo porque el barco en ese momento dio un bandazo, en sus esfuerzos por recuperar el equilibrio.

Después de otro trago de caña, siguió: —Pero ¿quién es usted, mi joven señor, si esta no es una pregunta impertinente? ¿Posee dinero, influencia, amigos poderosos para que tome sobre sí el cuidado de esta señorita? ¿Está en su poder frustrar y aplastar a su enemigo o enemigos, para proteger no sólo su persona sino también su propiedad que, en su ausencia, será presa de los ladrones?

—¿Y quién es usted, viejo? —repliqué, incapaz de dar respuesta satisfactorias a ninguna de sus indagadoras preguntas—, ¿y por qué me pregunta esas cosas? ¿Y quién es esa poderosa persona de Buenos Aires de quien me habla que tiene algo de su sangre en las venas, pero cuya existencia ella ignora?

El sacudió la cabeza en silencio, y luego, con toda deliberación, procedió a sacar y encender un cigarrillo. Fumó con una gozosa placidez que me hizo pensar que su rechazo de mi cigarro y sus amargas quejas acerca de los efectos que le hacía el movimiento del barco tuvieron por único objeto hacer que le consiguiera la botella de caña. Era evidentemente un veterano en más de un sentido, y ahora, viendo que no le contaría más secretos, se rehusaba a contestar preguntas. Temiendo que imprudentemente ya le hubiera dicho demasiado, lo dejé al fin y me retiré a mi camarote.

A la mañana siguiente llegamos a Buenos Aires, y echaron el ancla a unas dos millas de la costa, porque eso era lo más que nos podíamos acercar a tierra. En seguida fuimos abordados por un oficial de la Aduana, y por algún tiempo más estuve ocupado en conseguir nuestros equipajes y en llegar a un trato con el capitán para que nos llevase a tierra. Cuando hube completado esos arreglos me sorprendió mucho ver al sagaz viejo soldado con quien había hablado la noche anterior, sentado en el bote de la Aduana, que en ese momento se separaba del barco. Demetria había estado mirando cuando aquel anciano dejaba el barco, y ahora venía hacia mí dando muestras de agitación.

—Ricardo, —me dijo—, ¿se fijó en ese hombre que viajaba con nosotros y que acaba de irse en el bote? Es Santa Coloma.

—¡Qué absurdo! —exclamé—. Anoche hablé por espacio de una hora con ese viejo... un viejo gaucho de barba gris, y no más parecido a Santa Coloma que ese marinero.

—Sé que estoy en lo cierto, —me respondió—. El general ha visitado a mi padre en la estancia y lo conozco bien. Está disfrazado ahora y se ha vestido como un paisano, pero cuando pasaba del barco al bote me miró de frente a la cara; lo conocí y me sobresalté; entonces sonrió porque vio que lo había reconocido.

El propio hecho de que este viejo de aspecto vulgar hubiera ido a tierra en el bote de la Aduana probaba que se trataba de una persona importante disfrazada, y no pude dudar de que Demetria estuviera en lo cierto. Me sentí sumamente fastidiado conmigo mismo por no haberle sabido reconocer tras su disfraz; porque algo de la manera de hablar del viejo Marcos Marcó podría haberme revelado su identidad, con sólo haber estado yo más alerta. También estaba preocupado a causa de Demetria porque me parecía que había dejado de averiguar para ella algo que hubiera sido muy ventajoso saber. Me daba vergüenza informarla de aquella conversación acerca de un pariente suyo en Buenos Aires, pero secretamente decidí tratar de encontrar a Santa Coloma para hacer que me dijera lo que sabía.

Después de desembarcar pusimos nuestro pequeño equipaje en un coche que nos llevó a un hotel de la calle Lima, un lugar no céntrico, propiedad de un alemán; yo sabía que la casa era tranquila y respetable y de precios muy moderados.

A eso de las cinco de la tarde estábamos juntos en la sala del primer piso mirando por la ventana hacia la calle, cuando un coche bien equipado en el que venían dos jovencitas y un caballero se detuvo ante la puerta.

—Oh, Ricardo, —exclamó Paquita sumamente agitada—, ¡es don Pantaleón Villaverde con sus hijas y están bajando del coche!

—¿Quién es Villaverde? —pregunté.

—¿Cómo, no sabes? Es un juez de Primera Instancia y sus hijas son mis amigas más queridas. ¿No es extraño encontrarnos con ellos así? ¡Oh, debo verlas para preguntarles por papá y por mamita! —Y comenzó a llorar.

El mozo subió con una tarjeta del señor Villaverde pidiendo una entrevista con la señorita Peralta.

Demetria, que había estado tratando de aplacar la intensa inquietud de Paquita y de infundirle un poco de valor, quedó demasiado asombrada para hablar; y un momento después nuestros visitantes estaban en la habitación. Paquita se levantó llorosa y temblando; entonces sus dos jóvenes amigas, después de mirarla unos instantes, exhalaron un grito de asombro y se arrojaron en sus brazos, y las tres permanecieron apretadas por un rato en ese abrazo triangular.

Cuando se aquietó la excitación de ese tempestuoso encuentro, el señor Villaverde, que estaba de pie mirando con un rostro grave e impasible, se dirigió a Demetria, diciéndole que su viejo amigo, el general Santa Coloma, le acaba de informar de su llegada a Buenos Aires y del hotel en que paraba. Probablemente ella no supiera quién era él, dijo; era pariente suyo; su madre era una Peralta, prima hermana de su desdichado padre, el coronel Peralta. Había venido con sus hijas a invitarla a hacer de su casa su hogar mientras permaneciera en Buenos Aires. También quería ayudarla en sus asuntos que, según el general le había informado, estaban algo trastornados. Para concluir dijo que tenía muchos amigos influyentes en la ciudad hermana, que estarían dispuestos a servirlo arreglando los asuntos de Demetria.

Esta, recobrándose de la nerviosidad que había experimentado al ver que los grandes amigos de Paquita eran sus visitantes, le agradeció cálidamente y aceptó el ofrecimiento de su hogar y de su ayuda; luego, con una tranquila dignidad y un autodominio que difícilmente se esperaría encontrar en una muchacha que por primera vez en su vida se veía entre gente distinguida, saludó a su recién encontrados parientes y les agradeció la visita.

Como insistieron en llevarse a Demetria con ellos en seguida, ella nos dejó para hacer sus preparativos, mientras Paquita seguía conversando con sus amigas, teniendo como tenía tantas preguntas que hacerles. La consumía la ansiedad por saber cómo su familia y especialmente su padre, que hacía las leyes en el hogar, veían ahora, después de tantos meses, su fuga y su casamiento conmigo. Sus amigas, no obstante, no sabían nada o no quisieron decirle lo que sabían.

¡Pobre Demetria! Sin tiempo para reflexionar, había tomado la sabia decisión de aceptar de inmediato el ofrecimiento de su influyente y extremadamente digno pariente; pero era duro para ella dejar a sus amigos de manera tan brusca y, cuando volvió preparada para partir, la separación fue una severa prueba para ella. Con lágrimas en los ojos dijo adiós a Paquita, pero cuando tomó mis manos en las suyas por unos momentos sus labios temblorosos se rehusaron a hablar. Dominando sus emociones con un gran esfuerzo, dijo al fin, dirigiéndose a sus visitantes: —Estoy en deuda con este joven amigo que ha sido un hermano para mí, porque hizo posible que me evadiera de una situación triste y peligrosa y que tenga ahora el placer de verme entre parientes.

El señor Villaverde escuchó y se inclinó hacia mí, pero no se suavizó su rostro calmo y severo, mientras que sus fríos ojos grises parecían mirar rectamente a través de mí hacia algo que estuviera detrás mío. Esa actitud hacia mí me hizo sentir una especie de desesperación, porque ¡qué intensa debe haber sido su desaprobación por mi conducta al huir con la hija de su amigo... qué grande su indignación contra mí, cuando no le permitieron concederme una sonrisa ni una palabra amable por todo lo que había hecho por su parienta! Y esto era sólo el reflejo de la indignación de mi suegro.

Fuimos hasta el coche para despedirlo, y entonces, viéndome por un momento junto a una de las jóvenes traté de saber algo por su intermedio.

—Por favor, dígame, señorita, —le dije—, qué sabe acerca de mis suegros. Si es algo demasiado malo le prometo que mi esposa no sabrá una palabra de ello; pero es mejor que yo sepa la verdad antes de encontrarme con él.

Una nube cayó sobre su rostro radiante y expresivo en tanto miraba ansiosamente a Paquita; luego, inclinándose hacia mí me susurró:

—¡Ah, amigo mío, es implacable! Lo siento tanto por Paquita. —Y luego, con una sonrisa de irreprimible coquetería, agregó—: y por usted.

El coche se alejó y los ojos de Demetria que se volvía a mirarme estaban llenos de lágrimas, pero en los ojos del señor Villaverde, que también se volvió, había una expresión que no presagiaba nada bueno para mi futuro. Era natural que sintiera así, ya que era padre de dos bonitas muchachas.

Implacable, ¡y ahora ya no estaba separado de él por ningún mar plateado o de color ladrillo! Por el hecho de regresar yo me hacía responsable ante las leyes que había quebrantado casándome con una joven que no tenía la edad requerida sin el consentimiento de su padre. En Inglaterra aquel que se escapa con una menor bajo tutela no es un criminal más grande ante la ley de lo que era yo. Ahora estaba en su poder hacerme castigar, arrojarme a prisión por un tiempo indefinido, y podrías si no quebrantar mi espíritu, por lo menos, partir el corazón de su desdichada hija. Aquellos días salvajes y turbulentos pasados en la Banda Oriental me parecían ahora días apacibles y felices; los días amargos y despojados de todo poder sólo estaban por empezar. ¡Implacable!

De pronto levanté la mirada y encontré los ojos violetas de Paquita llenos de tristes interrogaciones clavados en mi rostro.

—Dime la verdad, Ricardo, ¿qué has oído? —preguntó.

Forcé una sonrisa, y tomándola de la mano le aseguré que nada había oído que pudiera causarle ninguna inquietud. —Vamos, —le dije—, vamos a prepararnos para dejar mañana la ciudad. Volveremos al punto de donde partimos: la estancia de tu padre, porque cuanto antes se realice ese encuentro en que están pensando tan ansiosamente, será mejor para todos.

Apéndice

HISTORIA DE LA BANDA ORIENTAL[28]

El país llamado en esta obra la Tierra Purpúrea fue descubierto en el año de 1500 por Magallanes, quien llamó al cerro o montaña que da su nombre a la capital "Monte Vidi". Lo describió como una montaña con forma de sombrero; y es probable que, hace cuatro siglos, el alto sombrero cónico que usan hasta hoy las mujeres en Gales del Sur, fuera una forma de sombrero común en España y en Portugal.

A su debido tiempo se formaron algunas poblaciones pero los colonos de esos días amaban por sobre todo el oro y la aventura, y como no los encontraron en la Banda, no la estimaron en mucho. Durante dos siglos fue descuidada por sus poseedores blancos, mientras que el ganado que habían importado seguía multiplicándose, y volvía a una vida salvaje, recorriendo el país en cantidades asombrosas.

El período heroico de la historia de Sudamérica pasó. El Dorado, la Nueva Jerusalén de los españoles, se había transformado en bajíos de vahos de malaria y en una nube de mosquitos. Amazonas, gigantes, pigmeos,

> *Los Antropófagos, y los hombres cuyas cabezas*
> *salían de entre sus hombros,*

cuando fueron mirados de cerca, resultaron ser indios de un tipo que variaba

---

[28]Esta "historia", aunque esquemática, es con todo aceptable, porque no se aparta mucho de los acontecimientos ni de las fechas.

muy poco a través de todo el vasto continente. Los viajeros venidos del Viejo Mundo se cansaron de buscar los trópicos sólo para hundirse en floridas tumbas. Dieron la espalda, asqueados, a la gran desolación donde el espléndido imperio de los Hijos del Sol había florecido tan recientemente. Los tesoros acumulados habían sido disipados. La cruel cruzada de los Paulistas contra las Misiones Jesuitas había cesado, porque los inhumanos cazadores de esclavos habían destruido completamente los sonrientes jardines convirtiéndolos en tierra inculta. Un resto de los conversos que escaparon había vuelto a hacer una vida salvaje en los bosques, y los Padres, que habían hecho tan bien el trabajo de su Señor, derivaron a otras partes para mezclarse en otros escenarios o murieron con el corazón destrozado. Luego, en el sobrio siglo XVIII, cuando la desilusión era total, España despertó al hecho de que en la parte templada del continente, que compartía con Portugal, poseía una nueva y brillante pequeña España que valía la pena cultivar. Por la misma época, Portugal descubrió que la adquisición de este hermoso país, con su encantador clima lusitano, redondearía lindamente sus vastas posesiones por el lado del sur. De inmediato esas dos grandes potencias coloniales empezaron a luchar por la Banda, donde no había templos de oro batido ni míticas razas de hombres ni fuentes de eterna juventud. La querella hubiera continuado hasta el fin de los tiempos —tan lánguidamente era conducida por ambas partes—, si grandes acontecimientos no hubieran aparecido para tragarse a los pequeños.

A comienzos del siglo XIX la invasión inglesa se abatió como una terrible tormenta sobre la región. Montevideo al este y Buenos Aires al oeste del río como mar fueron capturadas y perdidas de nuevo. La tormenta pasó pronto, pero tuvo como efecto precipitar la revolución de 1810, que a poco terminó con la pérdida para España de todas sus posesiones americanas. Esos cambios añadieron sólo nuevas guerras y calamidades a los largos sufrimientos de la Banda. El antiguo pleito entre España y Portugal pasó al nuevo Imperio Brasileño y a la nueva Confederación Argentina, y estos pretendientes lucharon por el país hasta 1828, cuando finalmente se pusieron de acuerdo en dejarla gobernarse a su propia manera. Después de adquirir así su independencia, la pequeña Bélgica del Nuevo Mundo desechó su lindo pero odiado nombre de Cisplatina y retomó su antiguo y gozoso nombre de Banda Oriental. Con corazón ligero las gentes se dividieron entonces en dos partidos políticos: *blancos* y *colorados*. Siguieron luchas sin fin por el predominio, en las cuales los argentinos y los brasileños, olvidando su pacto solemne, estaban siempre tomando partido. Pero de esas guerras entre cuervos y cornejas sería ocioso decir más, ya que después de haberse continuado por tres cuartos de siglo todavía no han terminado del todo. Las andanzas y aventuras descritas en este libro nos llevan a los fines de la década del sesenta o a los primeros años de la del setenta del siglo pasado, cuando el país estaba todavía en la misma situación en la que había permanecido desde los días coloniales, cuando el sitio de Montevideo, que duró diez años, no era todavía un acontecimiento remoto y mucha de la gente con que uno se encontraba había tomado parte en él.

ALLA LEJOS Y HACE TIEMPO

CAPITULO I

LOS PRIMEROS RECUERDOS

Preámbulo. La casa donde nací. Un árbol singular: el ombú. Un árbol sin nombre. La llanura. El fantasma de un esclavo asesinado. Nuestro compañero de juegos el viejo perro ovejero. Primera clase de equitación. El ganado vacuno: escena vespertina. Mi madre. El capitán Scott. El ermitaño y su tremenda penitencia

NUNCA FUE mi intención escribir una autobiografía. Desde que en mi edad adulta me puse a escribir he relatado, de vez en cuando, algunos incidentes de mis años de muchacho, que están contenidos en varios capítulos de *Un naturalista en el Plata*, de *Los pájaros y el hombre*, de *Aventuras entre los pájaros*, y de otras obras, como también en dos o tres artículos de revistas. Si hubiera considerado la idea de un libro como este todo ese material hubiera sido retenido. Cuando hace pocos años mis amigos me preguntaban por qué no escribía la historia de mis tempranos días en la pampa, mi respuesta era que ya había contado en aquellos libros todo lo que valía la pena de ser contado. Y realmente creía que era así, pues cuando una persona se empeña en evocar la totalidad de su infancia se da cuenta de que no es posible; le sucede como a quien sube a una loma para observar el panorama que se extiende ante él en un día nublado y sombrío y ve a la distancia, aquí y allá, alguna forma del paisaje —colina o bosque o torre o aguja de una iglesia— alcanzada y puesta en evidencia por un rayo de sol pasajero mientras que todo el resto permanece en la oscuridad. Las escenas, las gentes, los hechos que podemos convocar mediante un esfuerzo no se nos presentan en orden; no hay un orden, una ilación o una progresión regular... nada, en concreto; sólo puntos o parajes aislados, brillantemente iluminados y vistos vívidamente, entre la niebla de un vasto paisaje mental envuelto en su sudario.

Es fácil caer en la ilusión de que las pocas cosas que así se recuerdan y visualizan distintamente son precisamente aquellas que fueron las más importantes de nuestras vidas y que por eso fueron salvadas por la memoria mientras que todo el resto fue borrado permanentemente. Así es, a no dudarlo, cómo nuestra memoria nos sirve y nos engaña, porque en algún momento de la vida de un hombre —por lo menos de algunas vidas— en algún raro estado de la mente, le es revelado de pronto, como por un milagro, que nada se borra nunca.

Fue al caer en uno de esos estados, durante el cual tuve una visión maravillosamente clara y continua del pasado, que me vi tentado —forzado, podría decir— a escribir esta relación de mis primeros años. Relataré el caso, pues imagino que el lector que sea psicólogo encontrará en este incidente tanto que pueda interesarle como en cualquiera otra cosa de las que contiene el libro.

Me sentía débil y deprimido cuando en un anochecer de noviembre bajé de Londres a la costa del sur; el mar, el cielo claro, los últimos esplendores del crepúsculo me retuvieron demasiado tiempo en la costa, con un viento del este; y en esa pobre condición, y, como resultado, estuve en cama durante seis semanas seriamente enfermo. Y, sin embargo, cuando todo eso pasó ¡consideré esas seis semanas como una temporada feliz! Nunca me había preocupado tan poco el dolor físico. Nunca sentí menos el encierro —¡yo, que cuando pierdo de vista el pasto que vive y crece, y cuando dejo de oír las voces de los pájaros y todos los ruidos del campo siento que no estoy realmente vivo!

En el segundo día de mi enfermedad, durante un intervalo de relativa calma, di en recordar pasajes de mi niñez, y entonces tuve de nuevo conmigo aquel lejano, aquel olvidado pasado como nunca lo había tenido antes. No era ese estado mental conocido para la mayoría de las personas, en que un color o un sonido o, más frecuentemente, el perfume de alguna flor, asociados con nuestros primeros años, restauran el pasado súbita y tan vívidamente que casi es una ilusión. Es un estado intensamente emocional y se desvanece tan rápidamente como llega. Esto fue diferente. Para volver al símil y a la metáfora usados al comienzo, fue como si las sombras y las brumas de las nubes se hubieran disipado y se hubiera vuelto claramente visible el íntegro amplio panorama que yacía a mis pies. Podía recorrerlo todo con mis ojos a voluntad eligiendo este o aquel punto para detenerme en él, para examinarlo en todos sus detalles; o, en el caso de alguna persona que hubiera conocido de niño, seguir su vida hasta el fin o hasta que se hubiera perdido de vista; y regresar luego al mismo punto para repetir el proceso con otras vidas y reanudar mis vagabundeos por las viejas querencias familiares.

¡Qué felicidad sería, pensé, a pesar de las molestias, el dolor y el peligro, si esta visión continuara! No era de esperar; y, sin embargo, no se desvaneció, y al segundo día me propuse salvarla del olvido que en cualquier momento podía cubrirla de nuevo. Apoyado sobre almohadas, provisto de un lápiz y de un cartapacio, me puse a anotarlo con cierto orden, y seguí haciéndolo a intervalos durante mis seis semanas de confinamiento, y de este modo produje el primer bosquejo del libro.

Y durante todo el tiempo nunca dejé de maravillarme de mi propio estado mental; pensaba en eso cuando, rápidamente cansado, mis dedos temblorosos dejaban caer el lápiz; o cuando al despertarme de un sueño desasosegado encontraba la visión todavía ante mí, invitándome, llamándome insistentemente para que reanudara mis vagabundeos y aventuras infantiles de otrora en aquel mundo extraño en que por vez primera vi la luz.

Fue para mí una maravillosa experiencia: encontrarme aquí apoyado en las almohadas, en una habitación alumbrada a media luz, con la enfermera nocturna dormitando perezosamente junto al fuego; en mis oídos el ruido del viento incesante que aullaba fuera y que arrojaba la lluvia como granizo contra los vidrios de la ventana; estar despierto a todo esto, afiebrado, enfermo, dolorido, consciente asimismo de mi peligroso estado, y al mismo tiempo, estar a miles de leguas, al aire libre, al sol y al viento, regocijándome con otros espectáculos y sonidos, ¡feliz de nuevo con aquella vieja fecilidad perdida hacía tanto tiempo y ahora recuperada!

Durante los tres años que fueron pasando desde que tuve esa extraña experiencia, he vuelto al libro de tiempo en tiempo, cuando me he sentido en disposición de ánimo, y he tenido que cortar mucho y que reorganizarlo, puesto que su primer borrador hubiera resultado una historia demasiado larga e informe.

La casa en que nací, en la pampa sudamericana, era llamada, curiosamente, *Los veinticinco ombúes* porque había allí exactamente veinticinco de esos árboles indígenas de tamaño gigantesco y que estaban plantados bien separados en una hilera de alrededor de cuatrocientos metros de largo. El ombú es, sin duda, un árbol muy singular; y dado que es el único representante de la vegetación arbórea aborigen del suelo en aquellas grandes y parejas llanuras, y que existen también muchas supersticiones curiosas a su respecto, es en sí mismo un romance. Pertenece a la rara familia de las *phitolacas,* y tiene una inmensa circunferencia —de dieciocho o veinte metros en algunos casos—; y al mismo tiempo su madera es tan blanda y esponjosa que puede cortarse con un cuchillo, y es totalmente inútil para leña, ya que cuando se la corta se niega a secarse, y simplemente se pudre como una sandía madura. Además, crece lentamente, y sus hojas anchas, lustrosas y de un verde profundo, como las del laurel rosa, son venenosas; y a causa de su inutilidad probablemente se extinguirá como el gracioso pasto pampeano de la misma región. En esta época práctica en exceso los hombres en seguida meten hacha a la raíz de cuanto, a su modo de ver, no hace más que estorbar; pero antes de que otros árboles hubieran sido plantados el ombú arcaico e imponente tuvo sus usos: servía en la gran llanura monótona como un gran mojón, y también concedía sombra refrescante para el hombre y el caballo en verano; en tanto que el médico nativo o yuyero le arrancaba a veces algunas hojas para el paciente que requiriera un remedio violento para su malestar. Nuestros árboles tenían alrededor de un siglo y eran muy grandes, y, como estaban sobre una altura, podían ser vistos fácilmente desde una distancia de tres leguas. Al mediodía, en verano, el ganado vacuno y las ovejas, que teníamos en gran número, acostumbraban a descansar a su sombra; uno de los más grandes nos procuraba una espléndida casa de juegos, y solíamos llevar hasta allí una cantidad de tablones para tender puentes seguros entre las ramas, y, después del mediodía, cuando nuestros mayores estaban durmiendo la siesta, nos entregábamos a nuestros juegos arbóreos sin ser molestados.

Además de los famosos veinticinco, había otro árbol de diferente especie, que crecía junto a la casa y que era conocido en toda la vecindad como "El árbol", habiéndosele otorgado tan orgulloso nombre porque era el único de su clase que se conocía en aquella parte del país; nuestros vecinos criollos afirmaban siempre que era único en el mundo. Era un árbol viejo, grande y hermoso, de corteza blanca, de largas y suaves espinas blancas y follaje permanente verde oscuro. Florecía en noviembre —un mes casi tan cálido como el julio inglés— y entonces quedaba cubierto por borlas de diminutas flores que parecían de cera, de un color paja pálido, y de una maravillosa fragancia, que el suave viento de verano llevaba en sus alas a varias leguas. Y de tal manera nuestros vecinos se enteraban de que había llegado el momento de florecer el árbol que admiraban tanto, y venían a pedirnos una rama para llevarla a sus hogares y perfumar así las humildes casas.

La pampa es, en la mayor parte de su extensión, lisa como una mesa de billar; pero justamente donde nosotros vivíamos el terreno era ondulado, y nuestra casa se levantaba en la cumbre de una de las mayores elevaciones. Ante la casa se extendía una amplia llanura cubierta de hierba, pareja hasta el horizonte, mientras que detrás de ella el terreno bajaba abruptamente hasta un ancho y profundo curso de agua que se volcaba en el Río de la Plata, unas dos leguas hacia el este. Este arroyo, con sus tres viejos sauces colorados que crecían en las orillas, era para nosotros una fuente de placer sin fin. Cuando quiera que bajásemos a jugar en sus orillas, el fresco y penetrante aroma de la tierra húmeda tenía un efecto extrañamente estimulante, que nos llenaba de salvaje alegría. Me es posible evocar ahora esas sensaciones y creer que el sentido del olfato, que disminuye a medida que vamos envejeciendo hasta convertirse en algo que casi no merece el nombre de sentido, es casi tan agudo en los niños como en los animales inferiores, y, cuando viven en medio de la naturaleza, contribuye tanto a su placer como la vista o el oído. A menudo he observado que los niños pequeños, cuando son llevados desde un nivel alto a un suelo bajo y húmedo, dan rienda suelta a una repentina y espontánea alegría, corriendo y gritando y rodando sobre el pasto igual que los perritos, y no tengo la menor duda de que el fresco olor de la tierra es la causa de su gozosa exaltación.

Nuestra casa era una construcción larga y baja, de ladrillos, y, siendo muy vieja, tenía naturalmente la reputación de estar embrujada. Un antiguo propietario, medio siglo antes de que yo naciera, tenía entre sus esclavos a un joven negro muy buen mozo que, debido a su belleza y a su amabilidad, era el especial favorito de su ama. Esa predilección llenó su pobre cerebro tonto de sueños y aspiraciones, y, engañado por su trato benévolo, se aventuró un día, en ausencia de su amo, a acercarse a ella y le habló de sus sentimientos. Ella no pudo perdonar tan terrible insulto a su orgullo y, cuando volvió su marido, fue a él, blanca de indignación, y le contó cómo ese miserable esclavo había abusado de su gentileza. El marido tenía un corazón implacable, y dio órdenes de que el ofensor fuera suspendido por las muñecas de una rama baja y horizontal de "El árbol", y allí, a la vista de su amo y de su señora, fue azotado hasta morir por sus compañeros esclavos. Su cuerpo maltrecho fue bajado y enterrado en un profundo foso a corta distancia del último de la larga hilera de ombúes. Era el espíritu de aquel pobre negro, cuyo castigo había sido tanto más duro que lo que parecía su ofensa, el que, según se suponía, se aparecía en aquel lugar. No era, sin embargo, un fantasma convencional, que vagara por ahí envuelto en una sábana blanca; quienes lo habían visto aseguraban que invariablemente se levantaba en el lugar donde el cadáver había sido enterrado, como una exhalación pálida y luminosa de la tierra y, adoptando forma humana, flotaba lentamente hacia la casa y andaba errante entre los grandes árboles, o, sentándose en una vieja raíz saliente, permanecía horas enteras en una actitud melancólica. Yo nunca lo vi.

En aquellos días nuestro constante acompañante, y compañero de juegos, era un perro, cuya imagen nunca se borró de mi memoria porque era un perro con rasgos y con una personalidad que se imprimían de una manera profunda en la mente. Llegó a casa de una manera bastante misteriosa. Un atardecer de verano el pastor galopaba alrededor del rebaño tratando de inducir con sus gritos a las ovejas perezosas a que se movieran hacia las casas. Un extraño perro rengo apareció repentinamente en escena, como si hubiera caído de las nubes, y, cojeando activamente detrás de las asombradas y asustadas ovejas, las dirigió directamente hacia las casas y hasta dentro del corral; y, después de haberse ganado así la cena, y de haber demostrado de qué pasta estaba hecho, se estableció en la casa, donde fue bien recibido. Era un animal de buen tamaño, de cuerpo muy largo, con un suave manto negro, de patas, hocico y "anteojos" tostados, y que tenía un hocico extraordinariamente largo, lo que le daba una profunda expresión de mono sabio. Una de sus patas traseras había estado quebrada o lastimada de alguna otra manera, de modo que rengueaba arrastrando la pata y ladeándose de una manera peculiar; no tenía cola y sus orejas habían sido cortadas al ras de su cabeza; en conjunto era como un viejo soldado de vuelta de la guerra, donde hubiera recibido muchos duros golpes, además de sufrir que le arrancaran a tiros diversas partes de su anatomía.

No se pudo encontrar ningún nombre que conviniera a nuestro singular visitante canino, aunque respondió rápidamente a la palabra pichicho, que se emplea para llamar a cualquier cachorro, así como micifuz es para llamar a cualquier gato. De tal modo resultó que esa palabra *pichicho* le quedó como único nombre hasta el fin; y el fin fue que, después de pasar algunos años con nosotros, desapareció misteriosamente.

Muy pronto nos demostró que comprendía a los niños tan bien como a las ovejas; en todo caso, les permitía incomodarlo y tironearlo de la manera más despiadada, y en realidad parecía que le gustaba. Nuestras primeras lecciones de equitación las recibimos sobre su lomo; pero el viejo Pichicho cometió casualmente un error, después del cual fue relevado de la tarea de cargar con nosotros. Cuando yo tenía unos cuatro años, mis dos hermanos mayores, en su carácter de maestros de equitación, me montaron sobre él, y, para poner a prueba mi capacidad de sostenerme en mi lugar bajo circunstancias difíciles, se alejaron corriendo y llamándolo. El viejo perro, contagiado por su pretendida excitación, saltó tras ellos, y yo fui arrojado al suelo rompiéndome una pierna, porque, según dice el poeta:

> Los niños son pequeñitos;
> frágiles sus huesesitos.

Afortunadamente sus frágiles huesesitos se sueldan rápidamente y no tardé mucho en recobrarme de los efectos de aquel contratiempo.

No hay duda de que mi corcel canino quedó tan disgustado como cualquiera de nosotros por el accidente. Me parece ver ahora a mi sabio compañero, sentado en aquella curiosa posición ladeada que había adoptado como para hacer descansar su pierna renga, con la boca abierta en una especie de inmensa sonrisa, y sus ojos marrones y benevolentes mirándonos con exactamente la misma expresión que vemos en una fiel negra vieja al cuidado de una bandada de revoltosos niños blancos... ¡tan orgullosa y feliz de tener a su cargo los pequeños de una raza superior!

Todo lo que recuerdo de mis primeros años en aquel lugar se ubica en la edad que va de los tres o cuatro a los cinco años; un período que, a los ojos del recuerdo aparece como una ancha llanura que una niebla baja ha vuelto borrosa, y de la que emergen aquí y allá un grupo de árboles, una casa, una colina, o cualquier otro objeto de grandes proporciones, sobresaliendo en el aire claro con maravillosa nitidez. El cuadro que más a menudo se me presenta es el del ganado volviendo a las casas a la tardecita: la verde llanura tranquila extendiéndose desde la tranquera hasta el horizonte; el cielo del oeste encendido con los matices del poniente, y el rebaño de cuatrocientos o quinientos animales trotando de vuelta a las casas con fuertes mugidos y bramidos, levantando una nube de polvo con sus pezuñas, mientras que detrás galopaban los peones apurándolos con sus gritos salvajes. Otro cuadro es el de mi madre al ponerse el día, cuando nosotros, los niños, después de nuestra merienda de pan y leche, nos reuníamos en un último momento de esparcimiento sobre el césped, delante de la casa. La veo sentada junto a la puerta vigilando nuestros juegos con una sonrisa, el libro abandonado sobre la falda, y los últimos rayos del sol iluminándole el rostro.

Cuando pienso en ella recuerdo con gratitud que nuestros padres raramente o nunca nos castigaban, y nunca, a no ser que hubiéramos ido demasiado lejos en nuestras rencillas domésticas o en nuestras travesuras, nos retaban siquiera. Esta, estoy convencido, es la correcta actitud que los padres deben adoptar: admitir modestamente que la naturaleza es más sabia que ellos, y permitir a sus pequeños seguir, tan lejos como sea posible, las inclinaciones de sus propios espíritus, o lo que fuere sea que ellos tienen en lugar de sus espíritus. Es la actitud de la sensata gallina hacia sus polluelos de pato, cuando tiene la reiterada experiencia de sus costumbres incongruentes, y se convence de que ellos saben mejor lo que es bueno para ellos; aunque, por supuesto, sus costumbres le parezcan peculiares, y de ningún modo pueda simpatizar enteramente con su capricho de meterse en el agua. No es necesario que se me recuerde que la gallina, después de todo, es sólo una madrastra para sus patitos, puesto que estoy sosteniendo que la mujer civilizada —el producto artificial de nuestras propias imposiciones— no puede tener con su criatura la misma relación que la mujer no civilizada tiene realmente con la suya. La comparación, por lo tanto, se mantiene, puesto que la madre es para nosotros, prácticamente, una madrastra para niños de otra raza; y si ella es razonable y se pliega a las enseñanzas de la naturaleza, atribuirá sus modales y apetitos en apariencia inconvenientes a la causa correcta, y no a una hipotética perversidad o a una inherente depravación del corazón, acerca de las cuales muchos autores les habrán hablado en muchos libros:

Pero aunque lo escribieron de memoria
no lo escribieron bien.

De toda la gente que conocí en aquellos días que quedaba fuera del círculo doméstico, sólo recuerdo distintamente a dos individuos. Seguramente fueron pintados por la memoria con fuertes colores indelebles, de tal manera que ahora parecen alzarse como hombres vivos entre un grupo de pálidas apariciones fantasmales. Esto se debe probablemente a la circunstancia de que eran considerablemente más grotescos en su apariencia que los demás, como lo era el viejo Pichicho entre nuestros perros, hoy todos olvidados menos él.

Uno era un inglés llamado Capitán Scott, que acostumbraba a visitarnos ocasionalmente para pescar o cazar durante una semana, pues era un gran deportista. Nosotros le teníamos todos un gran afecto, porque era uno de esos hombres sencillos que quieren a los niños y simpatizan con ellos; además solía venir desde algún lugar maravilloso y distante donde se hacían las ciruelas abrillantadas, y para nuestros saludables apetitos, no acostumbrados a dulces de ninguna clase, esas cosas sabían como a alguna clase de alimento angelical. Era un hombre inmenso, con una gran cara redonda de color rojo purpúreo, como el Sol cuando se pone en toda su gloria, y rodeado por una orla de cabello y patillas de un blanco plateado, erectos como los pétalos en torno al disco del mirasol. Siempre era un gran momento cuando llegaba el Capitán Scott, y, mientras bajaba del caballo, lo rodeábamos con sonoras demostraciones de bienvenida, impacientes por los tesoros que abultaban sus bolsillos por todos lados. Cuando salía a cazar siempre se acordaba de bajar para nosotros un halcón o algún pájaro de extraños colores; mejor era cuando iba a pescar, porque entonces nos llevaba con él, y mientras él se estaba inmóvil en la orilla, caña en mano, y parecía, con el traje azul claro que siempre llevaba, una vasta columna azul coronada por aquella ancha cara roja, nosotros brincábamos sobre la hierba, y nos embriagábamos con la húmeda fragancia de la tierra y de los juncos.

No tengo la menor idea acerca de quién era el Capitán Scott, o de si alguna vez fue capitán, o de si fue la vida en climas cálidos o fueron las bebidas fuertes las que tiñeron su ancha fisonomía de aquel profundo rojo magenta, ni de cómo y cuándo terminó su carrera terrestre; porque cuando nos mudamos el enorme y extraño hombre de cara purpúrea desapareció para siempre de nuestras vidas; y, sin embargo, en mi imaginación ¡qué bella luce todavía su figura! Y hasta el día de hoy bendigo su memoria por todos los dulces que me dio, en una tierra donde los dulces eran escasos, y por la amistad con que me trató cuando yo era un niño muy pequeño.

El segundo individuo que recuerdo bien era también nada más que un visitante ocasional de nuestra casa, y era conocido en todos los alrededores como el Ermitaño, pues nunca se descubrió su nombre. Estaba en perpetuo desplazamiento, visitando por turno cada casa en un radio de entre quince y veinte leguas; y cada siete u ocho semanas, más o menos, nos visitaba para recibir unos pocos artículos alimenticios: lo suficiente para la consumición de un día. En cuanto al dinero, siempre lo rechazaba con gestos de intenso disgusto, y también se negaba a aceptar la carne cocida o el pan partido. Cuando se le daban galletas, las examinaba cuidadosamente, y si una resultaba estar partida o rajada la devolvía señalando el defecto y pidiendo a cambio una entera. Tenía una cara pequeña y tostada por el sol y largos cabellos plateados; pero sus rasgos eran hermosos, sus dientes parejos y blancos, sus ojos gris claro y tan agudos como los de un halcón. Había siempre impresa en su rostro una expresión de angustia, intensificada, tal vez por un toque de insania, que hacía penoso mirarlo. Como nunca aceptaba dinero ni nada que no fuera comida, se hacía, por supuesto, sus propias ropas... ¡y qué ropas aquellas! Hace muchos años yo solía ver, vagabundeando por St. James's Park, a un hombre grande y peludo, que llevaba un garrote en la mano, y que se vestía con una piel de oso a la que estaban unidas la cabeza y las garras. Es posible que aquel excéntrico individuo sea recordado por algunos de mis lectores, pero les aseguro que era todo un dandy de St. James's Park comparado con mi ermitaño. Usaba un par de zapatos gigantescos, de casi un pie de ancho en la parte de los dedos, hechos de grueso cuero de vaca que conservaba el pelo; y en la cabeza llevaba un alto sombrero de grueso cuero de vaca, con la forma de una maceta de flores invertida. Con todo, lo más extraordinario era lo que recubría su cuerpo: el vestido exterior —si vestido podía llamársele— se parecía a un colchón muy grande, por su tamaño y su forma, con su funda hecha de innumerables pedazos de cuero crudo cosidos entre sí. Tenía casi un pie de espesor y estaba relleno con palos, piedras, pedazos de arcilla, cuernos de carnero, huesos blanqueados, y otros objetos duros y pesados; eso estaba ajustado en torno suyo con tiras de cuero, y llegaba casi hasta el suelo. El aspecto que el hombre presentaba en esa envoltura era burdo y grotesco en grado sumo, y sus periódicas visitas solían ponernos en un estado de gran excitación. Y como si ese tremendo peso con que se cargaba —suficiente como para haber aplastado a un par cualquiera de hombres ordinarios— no fuera bastante, había recargado el pesado bastón que llevaba para afianzar sus pasos con una gran bola en la punta y, además, con un gran objeto circular que lo rodeaba hacia la mitad. Al llegar a la casa donde los perros, al verlo, se ponían frenéticos de terror y de rabia, se detenía y descansaba durante unos ocho o diez minutos; luego, en un extraño lenguaje —que podría haber sido hebreo o sánscrito, ya que no había en la región ninguna persona lo suficientemente instruida para comprenderlo—, hacía un largo discurso o plegaria con una voz clara y resonante, entonando sus palabras en una monótona salmodia. Acabado su discurso, pedía, en un español entrecortado, la caridad acostumbrada; y, después de recibirla, comenzaba otra alocución, que posiblemente invocaba bendiciones de todas clases para el donante, y que duraba un tiempo desmedido. Luego, después de un ceremonioso adiós, partía.

A causa del sonido de algunas expresiones recurrentes de sus recitados los niños lo llamábamos "Con-stair Lo-vair"; tal vez algún sabio erudito sea capaz de decirme lo que significan esas palabras —el único fragmento que retuvimos del misterioso lenguaje del Ermitaño. Era voz común que en alguna época de su vida había cometido algún crimen terrible, y que, perseguido por los fantasmas del remordimiento, había huido hasta esta región lejana, donde nunca sería encontrado ni denunciado por algún antiguo compañero, y que había adoptado su singular modo de vida como una forma de penitencia. Todo esto era, por supuesto, mera conjetura, pues nada podía serle sonsacado. Cuando se veía muy acosado por las preguntas, o cuando se interfería con él en cualquiera otra forma, entonces el viejo Con-stair Lo-vair mostraba que su larga y cruel penitencia no había logrado arrojar al diablo de su corazón. Una ira terrible desfiguraba su semblante y enardecía sus ojos con fuego demoníaco; y en tonos agudos y resonantes, que herían como golpes, volcaba un torrente de palabras en su desconocida lengua, invocando, sin duda, todas las maldiciones imaginables sobre su atormentador.

Después que lo conocí, en mi primera niñez, prosiguió por más de veinte años haciendo fielmente sus fatigosas rondas, expuesto al frío y a la lluvia en invierno y a los más insoportables calores en verano; hasta que al fin lo encontraron echado en la llanura, muerto, reducido por la vejez y el hambre a un mero esqueleto, y, aun en la muerte, todavía aplastado por aquel tremendo peso que había cargado por tantos años. Así, coherente hasta el fin, y sin revelar su secreto a ninguna comprensiva alma humana, pereció el pobre viejo Con-stair Lo-vair, el más extraño de todos los extraños seres que haya encontrado en mi viaje por la vida.

CAPITULO II

MI NUEVO HOGAR

Abandonamos nuestro antiguo hogar. Viaje de un día invernal. Aspectos de la región. Un prisionero en el granero. La plantación. Un paraíso de ratas. Escena vespertina. La gente de la casa. Un mendigo a caballo. Mr. Trigg, nuestro maestro de escuela. Su doble naturaleza. Representa el papel de un vieja. Leyendo a Dickens. Mr. Trigg degenera. Otra vez un vagabundo sin hogar en la vasta llanura

Los incidentes e impresiones anotados en el capítulo anterior se refieren, como ya he dicho, hasta uno o dos de los años que precedieron a mis cinco años en el lugar donde nací. Más atrás mi memoria se rehúsa a llevarme. Algunas personas prodigiosas retroceden hasta su segundo o hasta su primer año; yo no puedo, y sólo podría contar de oídas lo que hice hasta los tres años. Según todos los informes, las nubes de gloria que traje al mundo —una costumbre de sonreír a cada cosa que miraba y a cada persona que se me aproximaba— dejaron de manifestarse conspicuamente alrededor de esa edad; sólo me acuerdo de mí mismo como de un niño común —nada más que un animalito salvaje corriendo por ahí sobre sus patas traseras, pasmosamente interesado en el mundo en el cual se encontraba.

Aquí, pues, comienzo, con cinco años de edad, a horas tempranas de una brillante y fría mañana de junio —invierno en aquel país sureño de grandes llanuras o pampas—; esperando impacientemente que terminaran de cargar y de enganchar; siendo luego subido a lo alto con los otros pequeños —por ese entonces éramos cinco—; y, finalmente, el gran momento, cuando comenzó realmente la partida, con gritos y mucho ruido de cascos y resoplar de caballos y rechinar de cadenas. Tengo recuerdos bastante numerosos de ese largo viaje, que comenzó a la salida del Sol y terminó entre dos luces, un rato después de la puesta del Sol; porque era el primero para mí, y yo me encaminaba hacia lo desconocido. Recuerdo cómo, al pie de aquel declive en lo alto del cual estaba nuestro antiguo hogar, nos hundimos en el río, y allí hubo más ruidos y gritos y excitación hasta que con un violento esfuerzo los animales nos dejaron a salvo felizmente al otro lado. Ibamos mirando atrás, y el techo bajo de la casa se perdió de vista antes de mucho, pero los árboles, la hilera de veinticinco ombúes gigantes que dieron su nombre al lugar, eran visibles, azules en la distancia, hasta que hubimos hecho muchas leguas de camino.

El campo ondulado había quedado atrás; ante nosotros y a ambos lados la tierra, tan lejos como alcanzaba la vista, era absolutamente llana, totalmente verde debido a los pastos invernales pero, en esa estación, sin flores, y con un resplandor de agua sobre su total extensión. Había sido una estación de grandes lluvias, y buena parte de aquellos campos llanos se habían convertido en lagos superficiales. Eso era todo lo que había para ver, excepto los rebaños de ganado, las caballadas, y algún jinete ocasional que galopaba sobre la llanura, y, a gran distancia, un monte o pequeño grupo de árboles señalando la ubicación de una estancia, es decir, una hacienda para cría de ganado vacuno y bovino, apareciendo esos montecitos como islas en aquel llano como el mar. Al fin ese monótono paisaje se fue borrando y se desvaneció completamente, y los mugidos de los vacunos y los trémulos balidos de las ovejas se apagaron al quedar fuera del alcance de nuestros oídos, de modo que las últimas leguas fueron un vacío para mí, y sólo recobré mis sentidos cuando ya se había hecho oscuro y me bajaron a tierra, tan duro de frío y amodorrado que casi no podía tenerme sobre mis pies.

A la mañana siguiente me encontré en un mundo nuevo y extraño. La casa, ante mis ojos de niño, parecía ser de grandes proporciones: consistía en una larga sucesión de habitaciones de planta baja, construida de ladrillos, con pisos de ladrillo y techo de totora. Las habitaciones que quedaban en un extremo, de frente al camino, constituían un almacén, donde la gente de los alrededores venía a comprar y vender; y lo que traían para vender eran los "frutos del país" —cueros y lana y cebo en vejigas, bolsas de cerda y quesos del lugar. A cambio, podían comprar cualquier cosa que necesitaran —cuchillos, espuelas, argollas para los arreos, y ropa, yerba mate y azúcar y tabaco, aceite de castor, sal y pimienta, aceite y vinagre, y los utensilios que necesitaban en el hogar: calderos, asadores, sillas de mimbre y ataúdes. A poca distancia de la casa estaban la cocina, la panadería, el tambo, enormes galpones para almacenar los productos, y pilas de leña grandes como casas, leña que no era más que los tallos de los cardos o alcahuciles silvestres, que arden como papel, de modo que deben ser recolectados en inmensas cantidades para proveer de combustible a un establecimiento.

Dos de los más pequeños de nosotros fuimos puestos al cuidado de un vivaz chico criollo, de unos nueve o diez años, a quien se indicó que nos sacara del paso, para que no molestáramos, y que nos mantuviera entretenidos. El primer lugar a donde nos llevó fue al gran depósito, cuya puerta estaba abierta; se hallaba entonces casi vacío, y era el interior más grande que yo había visto nunca; no sé realmente cómo era de grande, pero a mí me parecía tan grande como el Olympia o el Agricultural Hall, o el Crystal Palace resultarían para cualquier chico corriente de Londres. No bien estuvimos dentro de aquel vasto lugar vimos una cosa extraña y sobrecogedora: un hombre sentado o acuclillado en el suelo, con las manos ante sí, los puños atados juntos, el cuerpo amarrado con tiras de cuero crudo a un gran poste que estaba en el centro del piso y que aguantaba las vigas del techo. Era un hombre joven, de no más de veinte años, tal vez, con los cabellos negros y una cara suave, pálida, cetrina. Tenía los ojos bajos, y no nos prestó atención mientras estuvimos allí, mirándolo; parecía sufrir o estar enfermo. Después de unos pocos momentos huí hacia la puerta y pregunté a nuestro conductor en un susurro

205

asustado por qué estaba el hombre allí, atado al poste. Nuestro chico criollo pareció muy complacido por el efecto que aquello nos había hecho, y respondió jovialmente que era un asesino —había cometido un asesinato en algún lugar, y había sido apresado la noche anterior, pero como era demasiado tarde para llevarlo a la cárcel del pueblo, que quedaba a mucha distancia, lo habían traído allí considerando que era el lugar más conveniente, y lo habían dejado amarrado en el depósito para tenerlo seguro. Más tarde vendrían y se lo llevarían.

Asesinato era en aquellos días una palabra corriente, pero yo no había tenido tiempo de captar su significado; no había visto cometer ninguno, ni visto tampoco a una persona muerta en una riña; sólo sabía que debía ser algo malvado y horrible. Con todo, la impresión que había recibido se desvaneció en el curso de aquella primera mañana en un nuevo mundo; pero no olvidé lo que había visto en el depósito: la imagen de aquel joven atado al poste, su cabeza caída y su mirada baja, su cara lívida y sus negros cabellos largos y lacios, todo eso es hoy para mí tan claro como si lo hubiera visto ayer.

Un poco más atrás de los edificios había jardines y varias hectáreas arboladas —tanto árboles de sombra como frutales—. Visto desde fuera el conjunto parecía una inmensa plantación de álamos, a causa de la doble fila de álamos de Lombardía plantada en sus lindes. Todo el terreno, incluidas las casas, estaba rodeado por un inmenso foso, o zanja.

Hasta entonces yo había vivido sn árboles, hecha excepción de aquellos veinticinco de que ya he hablado, que constituían un mojón para toda la región circundante; de modo que esta gran cantidad —cientos y miles— de árboles era una maravilla y un deleite. Pero la plantación y lo que significaba para mí será asunto de otro capítulo. Era un paraíso de ratas, como descubrí muy pronto. Nuestro pequeño guía e instructor lo sabía todo con respecto al asunto, y prometió llevarnos a ver las ratas con nuestros propios ojos tan pronto como el Sol bajase; esto terminaría ese día de raros espectáculos con el más extraño de todos.

De acuerdo con eso, cuando llegó la hora nos condujo hasta un lugar situado detrás del depósito y de las pilas de leña, donde diariamente eran arrojados todos los desechos de los animales sacrificados, los huesos y la carne que sobraban en la cocina, y toda la basura de un establecimiento manirroto y desordenado. Allí nos sentamos todos en fila sobre un tronco, entre los yuyos secos, al borde de aquel lugar maloliente, y él nos dijo que nos quedáramos quietos y que no dijéramos una palabra; pues, decía, a menos que nos moviéramos o que hiciéramos ruido, las ratas no nos prestarían atención; nos verían como a otras tantas imágenes de madera. Y así resultó, porque muy pronto después que el Sol se hubo puesto, empezamos a ver ratas saliendo furtivamente de la pila de leña y de los yuyos secos, por todos lados, convergiendo todas hacia aquel punto donde día a día se tendía una generosa mesa para ellas y para los cuervos que venían por la mañana. Ratas grandes, viejas, grises, con

206

colas largas, escamosas, otras más pequeñas, y más pequeñas aún, siendo las más chicas apenas más grandes que ratones, hasta que el lugar entero pululaba de ratas, todas diligentemente buscando su comida, comiendo, chillando, peleando y mordiendo. No tenía idea de que el mundo entero contuviese tantas ratas como veía entonces congregadas ante mí.

De pronto nuestro guía dio un salto y golpeó las manos con fuerza, lo que produjo un curioso efecto: un corto y agudo chillidito de terror de la ocupada multitud, seguido por la más absoluta inmovilidad —cada rata convertida en piedra—, lo que duró un segundo o dos; y en seguida una rápida carrera en todas direcciones, desapareciendo con un sonido crujiente entre los pastos secos y la leña.

Había sido un lindo espectáculo, y lo disfrutamos estupendamente; el *mus decumanus* ascendía en mi imaginación al rango de una bestia de inmensa importancia. Pronto se volverían aún más importantes de una manera desagradable, cuando descubrimos que las ratas eran tan abundantes dentro de la casa como fuera. Los ruidos diversos que hacían por la noche eran terroríficos; corrían sobre nuestras camas y a veces nos despertábamos y encontrábamos que una de ellas se había metido entre las sábanas y estaba tratando, frenéticamente, de salir. Entonces lanzábamos un alarido, y media casa se levantaba imaginándose alguna cosa espantosa. Pero cuando se enteraban de la causa, no hacían sino reírse de nosotros y regañarnos por ser unos pequeños cobardes.

¡Pero qué lugar sorprendente era ese al que habíamos llegado! ¡La gran casa y las diversas construcciones y la gente que allí habitaba; el foso y los árboles que nos encantaban; la suciedad y el desorden y las viles ratas y las pulgas y los insectos de todas clases! El lugar había estado durante algunos años en manos de una familia española o criolla —gente muy indolente, descuidada e imprevisora—. El marido y la mujer no estaban nunca de acuerdo acerca de nada durante cinco minutos seguidos, y de vez en cuando él se marchaba a la capital "por negocios" que lo mantenían allá varias semanas o hasta meses, cada vez. Y ella, con tres hijas crecidas y ligeras de cascos, quedaba sola para dirigir el establecimiento con media docena de hombres y mujeres a sueldo para ayudarla. La recuerdo bien, ya que permaneció unos pocos días con objeto de entregarnos el lugar —una mujer excesivamente gorda, inactiva, que se pasaba la mayor parte del tiempo sentada en un sillón de hamaca, rodeada por sus animalitos mimados: perros falderos, loros del Amazonas, y varias cotorras chillonas.

No tardó muchos días en irse con toda su ruidosa multitud de perros y pájaros e hijas. De los acontecimientos de los días que siguieron no queda nada en mi memoria, excepto una impresión extremadamente nítida: la primera vez que vi un mendigo a caballo. De ninguna manera era un espectáculo fuera de lo común en aquellos días cuando, como los gauchos acostumbraran a decir, un hombre sin caballo era un hombre sin piernas; pero lo era para mí cuando una mañana vi a un hombre alto sobre un alto caballo que llegaba a nuestra tranquera, acompañado por un chico de nueve a diez años que montaba un petiso. Me impresionó el singular aspecto del hombre, sentado derecho y rígido sobre su montura, mirando rectamente ante sí. Tenía largos cabellos y barba grises, y llevaba un alto sombrero de paja que tenía la forma de una maceta invertida, con un ala angosta —un sombrero que por entonces había pasado de moda entre los criollos pero que aún era usado por unos pocos. Sobre las ropas llevaba un capote rojo, o poncho, y en los pies pesadas espuelas de hierro encajadas en las botas de potro, especie de largas medias hechas de cuero de potrillo sin curtir.

Al llegar a la tranquera gritó *Ave María purísima,* con voz potente, y luego procedió a dar cuenta de sí mismo, informándonos de que era ciego y que por eso se veía obligado a subsistir de la caridad de los vecinos. A su vez, ellos, decía, al proveerlo de lo que requería, no hacían otra cosa que hacerse bien a sí mismos, puesto que aquellos que mostraban la compasión mayor hacia sus atribulados semejantes eran mirados con especial favor por los poderes de lo alto.

Después de comunicarnos todo eso y mucho más como si estuviera predicando un sermón, fue ayudado a bajar de su caballo y conducido de la mano hasta la puerta de entrada, después de lo cual el muchacho se retiró a cierta distancia y, cruzando los brazos sobre el pecho, nos dirigió una mirada altanera a nosotros, los niños, y a los demás que se habían congregado en el lugar. Evidentemente estaba orgulloso de su posición como paje o palafrenero o escudero de aquella importante persona de alto sombrero de paja, poncho rojo y espuelas de hierro, que galopaba por esos campos recogiendo el tributo de la gente y hablando altivamente de los Poderes de lo alto.

Al preguntársele qué solicitaba de nosotros, el mendigo replicó que quería yerba, azúcar, pan y algunas galletas de campo; también tabaco de picadura y papel para cigarrillos y algún tabaco de hoja para cigarros. Cuando se le hubo dado todas esas cosas, se le preguntó (y no irónicamente) si había algo más con que lo pudiéramos proveer. Sí, necesitaba también arroz, harina, fariña, alguna cebolla, una o dos cabezas de ajo, y también sal, pimienta y pimentón o pimienta colorada. Y cuando hubo recibido todos esos comestibles y los sintió a salvo guardados en las alforjas, agradeció lo recibido, nos dijo adiós en la más digna de las maneras, y fue conducido por el altanero muchachito hacia su alto caballo.

Llevábamos varios meses afincados en nuestro nuevo hogar, y yo estaba justamente a medio camino de mi sexto año, cuando una mañana durante el desayuno fuimos informados para nuestra completa consternación que no se nos podía seguir permitiendo que siguiéramos corriendo por ahí como completos salvajes; que se había contratado un maestro que viviría en casa y que nos tendría en el salón de clase durante las mañanas y parte de las tardes.

Aquel día quedamos con el corazón oprimido, mientras esperábamos con aprensión la llegada del hombre que iba a ejercer tan tremendo poder sobre nosotros, y que se interpondría entre nosotros y nuestros padres, especialmente nuestra madre, que siempre había sido nuestro escudo y nuestro refugio ante todo los problemas y congojas. Hasta ahora ellos habían procedido según el principio de que los niños estaban mejor si se los dejaba librados a sí mismos y que cuanta más libertad tuvieran mejor era para ellos. Ahora casi parecía que se estuvieran volviendo contra nosotros; pero sabíamos que no podía ser así; sabíamos que cada pena o dolor que nos alcanzaba era sentido más agudamente por nuestra madre que por nosotros mismos, y nos vimos compelidos a creerla cuando nos dijo que ellos también lamentaban la coerción a que iban a someternos, pero que sabían que eso iba a ser en definitiva para nuestro bien.

Y esa misma tarde llegó aquel hombre temido, llamado Mister Trigg. Era un inglés, un hombrecito bajo, fornido, casi gordo, de cabellos grises, rostro afeitado y tostado por el sol, con una nariz torcida que había sido rota o había nacido así, una boca inteligente y móvil, y ojos azul-grises que tenían una chispa de humor y patas de gallo. Sólo para nosotros, como pronto lo descubrimos, aquella cara bienhumorada y aquellos ojos que guiñaban eran capaces de una terrible severidad. En general era querido, creo, por los adultos, y mirado con sentimientos de naturaleza muy diferente por los niños. Porque era un maestro que odiaba enseñar tanto como los indómitos niños odiaban ser enseñados. Nos seguía enseñando porque todas las tareas le resultaban excesivamente tediosas, y, como algo tenía que hacer para ganarse la vida, ésta era la cosa más fácil que podía conseguir. Cómo un hombre así llegó nunca a encontrarse tan lejos de su hogar, en una región semicivilizada, era un misterio, pero ahí estaba él, un hombre soltero, sin hogar después de veinte o treinta años en la pampa, con poco o ningún dinero en el bolsillo, y ninguna pertenencia, excepto su caballo (nunca poseyó más de uno por vez), su pesado recado y las alforjas en que tenía todo su guardarropa y cualquiera otra cosa que pudiera poseer. No tenía cofre. A caballo, con sus alforjas detrás de sí, viajaba por todo el país, visitando a todos los ingleses, escoceses e irlandeses, que en su mayoría eran criadores de ovejas, y evitando cuidadosamente las casas de los criollos. Con éstos no podía congeniar y como no los conocía propiamente y era incapaz de comprenderlos, los miraba con secreto desagrado y con sospechas. Cada tanto encontraba una casa donde había niños bastante grandes como para que se les enseñara a leer y escribir, y Mr. Trigg era contratado por mes, como un peón, para enseñarles, pasando a vivir con la familia. Marchaba bien durante un tiempo, y sus defectos le eran perdonados por el bien de los pequeños; pero después de cierto lapso se producía una disputa y Mr. Trigg ensillaba su caballo, ataba sus alforjas, y cabalgaba hacia adelante sobre la ancha llanura en busca de un nuevo hogar. Con nosotros hizo una estadía desacostumbradamente larga; le gustaban, en general, la buena vida y la comodidad, y al mismo tiempo se interesaba por las cosas intelectuales, que no tenían cabida en la vida de los colonos británicos de aquella época; y he ahí que se encontraba en una casa muy confortable, donde había libros para leer y gentes con las cuales conversar que no eran como los rudos criadores de ovinos y vacunos con quienes estaba acostumbrado a convivir. Se comportaba lo mejor posible, y sin duda se esforzaba, y no sin éxito, para lograr vencer sus flaquezas. Se le miraba como una gran adquisición, y se le estimaba; en el salón de clase era un tirano, y como le habían prohibido que nos castigara pegándonos, se reprimía en momentos en que zurrarnos hubiera sido para él un inmenso solaz. Pero pellizcar no era pegar, y nos pellizcaba las orejas casi hasta hacerlas sangrar. Fuera de la escuela su carácter cambiaba como por arte de magia. Era entonces la vida de la casa, un delicioso conversador con un inextinguible caudal de buenas historias, tan buen actor como lector y mímico.

Una tarde tuvimos la visita de una extravagante vieja dama escocesa, con un vestido ridículo, sombrero de sol, y lentes, que se presentó como la esposa de Sandy Maclachlan, un criador de ovejas que vivía como a siete leguas de casa. No estaba bien, dijo, que vecinos tan próximos no se conocieran entre sí, de modo que había cabalgado esas pocas leguas para enterarse de cómo éramos. Instalada frente a la mesa del té, volcó un torrente de charla en un escocés con mucho acento, con su alta y cascada voz de vieja, y nos refirió la íntima historia doméstica de todos los residentes británicos del distrito. En todos los casos se trataba de lo agradables que eran, y de cómo hasta sus pequeñas debilidades —su amor por la botella, su mezquindad, su codicia o sus mañas —sólo servían para hacerlos más encantadores. ¡Nunca habíamos visto una vieja señora tan cómica, ni tan aficionada a los chismes, tan murmuradora! Luego se marchó, y en seguida los niños, todavía bajo su hechizo, nos deslizamos afuera para observar su partida desde la tranquera. Pero no estaba allí... se había desvanecido inexplicablemente; y pronto ¡cuáles habrán sido nuestro asombro y disgusto al oír que la vieja escocesa no era otra que nuestro propio Mr. Trigg! Que nuestros ojos agudos como agujas, concentrados durante una hora en su rostro, hubieran fracasado en detectar al maestro que nos era tan dolorosamente familiar, parecía algo así como un milagro.

Mr. Trigg confesó que actuar en teatro era una de las cosas que había hecho antes de dejar su país; pero era tan sólo una entre una o dos docenas de vocaciones a que se había entregado en diferentes épocas, para dejarlas caer en cuanto descubría que todas y cada una imponían meses y hasta años de duro trabajo si quería que alguna vez se cumplieran sus ambiciones de ser algo grande en el mundo. Como lector era admirable, sin duda, y cada noche, cuando las noches eran largas, hacía una lectura de dos horas para la gente de la casa. Dickens era entonces el escritor más popular del mundo, y él habitualmente leía a Dickens, para deleite de sus oyentes. Allí podía desplegar plenamente sus cualidades histriónicas. Personificaba a cada personaje del libro, dotándolo de voz, gestos, ademanes y expresiones que le ajustaban perfectamente. Era más bien una representación teatral que una lectura.

—¿Qué haríamos sin Mr. Trigg? —solían decir nuestros padres; pero nosotros, los chicos, recordando que no iba a ser el semblante benevolente de Mr. Trigg el que nos vigilaría a la mañana siguiente en el salón de clase, no deseábamos sino que Mr. Trigg estuviera lejos, muy lejos.

Tal vez ellos lo sobrestimaron: sea como fuere, dio en la costumbre de irse todos los sábados por la mañana no retornando hasta el lunes siguiente. Su visita de fin de semana era siempre a algún vecino inglés o escocés, algún criador de ovejas que viviera a cinco o seis leguas de distancia, y en cuya casa la botella o la damajuana de ron blanco brasileño estuviera siempre sobre la mesa; el único sustituto para el exiliado de su querido whisky perdido. En casa sólo había té o café para beber. De esas salidas volvía el lunes por la mañana, completamente sobrio y casi demasiado grave de modales, pero con los ojos inflamados y (en el salón de clase) con el humor de un demonio. En una de esas ocasiones, algo —nuestra estupidez, probablemente, o un dolor de cabeza excepcionalmente malo— lo puso a prueba más allá de lo que podía soportar, y tomando de la pared su rebenque, el látigo criollo hecho de cuero crudo, empezó enceguecido a descargar golpes a su alrededor con tan extraordinaria furia que pronto toda la habitación fue un pandemonium. Enseguida apareció mi madre, y la tempestad se apaciguó, aunque el maestro, con el látigo en la mano levantada, permaneció aún de pie, lanzándonos miradas de rabia. Ella se quedó callada por unos instantes con el rostro muy pálido, y luego habló: —"Niños, ahora pueden ir a jugar. La escuela se acabó"; y luego, por si el cabal alcance de sus palabras no hubiera sido comprendido, agregó: —Vuestro maestro nos va a dejar—.

Fue un alivio indecible, un momento de dicha; con todo, en aquel mismo día, y en el siguiente, antes de que se fuera a caballo, yo, yo mismo que había sido injusta y cruelmente golpeado con el rebenque, sentí mi corazoncito oprimido cuando vi el cambio que se había producido en su rostro —la mirada sombría, fija, cavilosa—, y supe que pensar en su fracaso y en la pérdida de su hogar era algo insoportable, excesivamente amargo para él. Mi madre sin duda también lo notó, y derramó unas pocas lágrimas de compasión por el pobre hombre, una vez más sin hogar por la gran llanura. Pero no se le podía conservar después de su insano estallido. Pegar a sus niños era para mis padres un crimen; eso les cambiaba su índole y era degradante, y Mr. Trigg no podía ser perdonado. Mr. Trigg, como he dicho antes, estuvo largo tiempo con nosotros, y la feliz liberación que he relatado no ocurrió hasta que yo andaba cerca de mis ocho años. En este punto de mi historia todavía no tengo seis, y el incidente que relato en el siguiente capítulo, en el cual figura Mr. Trigg, ocurrió cuando me faltaba un par de meses para completar mi sexto año.

CAPITULO III

MUERTE DE UN VIEJO PERRO

El viejo perro César. Su poderosa personalidad. Los últimos días y el fin. Entierro del viejo perro. Se me revela el hecho de la muerte. La angustia espiritual de un niño. Mi madre me consuela. Limitaciones de la mente infantil. Temor a la muerte. Presenciando la matanza de ganado. Un hombre en el foso. Margarita, la niñera. Su belleza y su dulzura. Su muerte. Me rehúso a verla muerta

Cuando me pongo a evocar las impresiones y las experiencias de aquel sexto año tan lleno de acontecimientos, el incidente que aparece con más relieve en mi memoria, por lo menos en la segunda mitad de ese año, es la muerte de César. No hay nada en el pasado que pueda recordar tan bien. Fue, sin duda, el acontecimiento de mi infancia, la primera cosa que trajo a mi joven vida una eterna nota de tristeza.

Fue en la temprana primavera, a mediados de agosto [1] y hasta puedo recordar que hacía un tiempo ventoso y terriblemente frío para esa época del año, cuando el viejo perro se iba aproximando a su fin.

César era un viejo perro muy estimado, aunque no fuera de buena raza; era nada más que un perro de campo, ordinario, de pelo corto, patas largas y hocico romo. Los perros ordinarios o cuzcos criollos tenían más o menos el tamaño de un pastor escocés; César era un tercio mayor, y se decía que sobrepasaba a todos los otros perros de la casa, que sumaban unos doce o catorce, tanto en inteligencia como en tamaño. Naturalmente era el jefe y el amo de toda la jauría, y cuando se incorporaba con un horrible gruñido descubriendo sus grandes dientes, y se abalanzaba sobre los otros para castigarlos por pelear o por cualquiera otra infracción a la ley canina, ellos se sometían, echándose. Era un perro negro, que ahora, en la vejez, tenía todo su cuerpo salpicado con pelos blancos; la cara y las patas se habían vuelto completamente grises. Cuando César se ponía furioso, o cuando vigilaba por la noche o cuando arreaba el ganado desde la pampa, era un ser terrible; con nosotros, los chicos, era manso y paciente, y nos dejaba cabalgar sobre su lomo, lo mismo que el viejo Pichicho, el ovejero descrito en el primer capítulo. Ahora, en su declinación, se había vuelto irritable y huraño, y había dejado de ser nuestro compañero de juegos. Los dos o tres últimos meses de su vida fueron muy tristes. Y cuando nos mortificaba ver que estaba tan flaco, con sus grandes costillas sobresaliendo a sus costados, y observar sus contracciones cuando dormitaba, mientras gruñía y resollaba, y notábamos

---

[1] Reiteradamente Hudson equivoca los meses que corresponden a cada estación en el hemisferio sur.

212

también qué penosos esfuerzos le costaba ponerse de pie, queríamos saber por qué pasaba eso... ¿por qué no podíamos darle algo para que se pusiera bien? Como respuesta le abrían su gran boca para mostrarnos sus dientes —los grandes caninos mochos y los viejos molares gastados hasta no ser más que muñones. Era la vejez lo que le aquejaba; tenía trece años, y eso me parecía realmente una edad avanzada, puesto que yo no tenía ni la mitad y, sin embargo, me parecía que había estado un tiempo muy muy largo en el mundo.

Nadie soñaba siquiera con poner fin a sus días —nunca se hizo la menor insinuación de semejante cosa—. No era costumbre en aquel país pegarle un tiro a un perro viejo porque ya no estaba en condiciones de trabajar. Recuerdo su último día, y cuán a menudo fuimos a verlo y a tratar de reconfortarlo con mantas calientes, ofreciéndole comida o bebida mientras estaba echado en un lugar abrigado, incapaz ya de ponerse de pie. Y esa noche murió; lo supimos por la mañana en cuanto nos levantamos. Luego, después del desayuno, durante el cual habíamos permanecido muy solemnes y quietos, nuestro maestro dijo: "Debemos enterrarlo hoy, al mediodía, cuando yo estoy desocupado, va a ser el mejor momento; los chicos pueden venir conmigo, y que el viejo Juan traiga la pala". Ese anuncio nos perturbó sobremanera, porque nunca habíamos visto enterrar a un perro, y nunca habíamos siquiera oído que se hiciera semejante cosa.

Aquel día, alrededor del mediodía, el viejo César, muerto y rígido, fue llevado por uno de los peones a un verde claro del monte entre los viejos duraznos, donde ya habían cavado su fosa. Seguimos a nuestro viejo maestro y miramos mientras el cadáver era descendido y se paleaba sobre él la tierra rojiza. La tumba era profunda, y Mr. Trigg ayudó a llenarla, resoplando continuamente mientras lo hacía, y deteniéndose a intervalos para enjugarse el rostro con su colorido pañuelo de algodón.

Entonces, cuando todo se hubo cumplido, mientras que nosotros seguíamos allí silenciosamente, a Mr. Trigg se le ocurrió aprovechar la ocasión. Adoptando la expresión que acostumbraba a adoptar en clase, echó en torno una mirada sobre nosotros y dijo solemnemente: —Este es el fin. A cada perro le llega su día, y lo mismo sucede a cada hombre; y el fin es el mismo para ambos. Nosotros morimos como el viejo César, y somos puestos en un hoyo, y sobre nosotros se palea la tierra.

Ahora bien, esas palabras simples y comunes me afectaron más que cualesquiera otras palabras que hubiera oído en mi vida, me traspasaron el corazón. Acababa de oír algo terrible —demasiado terrible para ser pensado, increíble, y, sin embargo... y sin embargo si no fuera así, ¿por qué lo había dicho? ¿Sólo porque nos odiaba, sólo porque éramos niños y él tenía que enseñarnos nuestras lecciones, y quería atormentarnos? ¡Ay! no; ¡no podía creerlo! ¿Era esa, pues, la horrible suerte que nos esperaba a todos? Había oído hablar de la muerte... sabía que tal cosa existía; sabía que todos los animales tenían que morir, y que también algunos hombres morían. Porque ¿cómo hubiera podido nadie, ni siquiera un chico de seis años, pasar por alto ese hecho, especialmente en mi país natal... una tierra de guerras, asesinatos y muertes repentinas? No me había olvidado del joven atado al poste del galpón, que había matado a alguien, y que, tal vez, según me había dicho, iba a ser muerto él mismo como castigo. Sabía, seguro, que en el mundo había mal y bien, hombres buenos y malos, y los hombres malos —los asesinos, los ladrones y los mentirosos— tendrían todos que morir, como los animales; pero acerca de que hubiera vida después de la muerte, yo nada sabía. Todos los demás, incluidos yo mismo y mi gente éramos buenos y nunca sufriríamos la muerte. Cómo sucedió que yo no hubiera ido más lejos en mi sistema o filosofía de la vida, no puedo decirlo; sólo puedo suponer que mi madre aún no había empezado a darme instrucción sobre tales asuntos a causa de mi tierna edad, o, si no, que sí lo había hecho y que yo lo había entendido a mi manera. Sin embargo, como lo descubrí más tarde, era una mujer religiosa, y desde la primera infancia me había enseñado a arrodillarme para decir cada noche una pequeña oración: "Voy a acostarme a dormir en mi cama; ruego al Señor que guarde mi alma"; pero sobre quién era el Señor o sobre qué era mi alma no tenía la menor idea. El mío era un mundo puramente material, y un mundo realmente maravilloso, pero cómo llegué a estar en él, no lo sabía; sólo sabía (o imaginaba) que estaría siempre en él, viendo cada día cosas nuevas y extrañas, sin cansarme nunca, nunca de él. En literatura sólo en Vaughan, Traherne, y otros místicos, he encontrado alguna expresión adecuada de ese perpetuo y extático deleite en la naturaleza y en mi propia existencia que experimentaba en aquel príodo.

¡Y ahora aquellas palabras como para no ser olvidadas nunca, dichas sobre la tumba de nuestro viejo perro habían venido a despertarme de aquel hermoso sueño de perpetua dicha!

Cuando recuerdo ese acontecimiento, más atónito que mi ignorancia me deja la intensidad del sentimiento que experimenté, la terrible sombra que echó sobre una mente tan joven. Pensamos, y de hecho sabemos, que la mente del niño es como la de los animales inferiores o, si es más elevada que la mente animal, no es tan alta como la del más simple salvaje. No puede concentrar su pensamieto; no puede pensar en absoluto; su conciencia está amaneciendo; disfruta de los colores, los olores; le provocan una viva emoción el tacto, el gusto, el sonido, y es como un cachorro de perro o un gatito bien alimentado jugando al sol sobre un verde césped. Siendo así, uno hubiera pensado que el dolor de la revelación que había recibido se habría desvanecido rápidamente —que las vívidas impresiones de las cosas externas lo hubieran borrado restaurando la armonía—. Pero no fue así; el dolor continuó y se acrecentó hasta que no fue ya más soportable; entonces busqué a mi madre, esperando primero encontrarla sola en su cuarto. Después, cuando estuve con ella, temía hablar, no fuera a ser que con una palabra ella me fuera a confirmar las espantosas nuevas. Al mirarme, se alarmó enseguida ante la expresión de mi rostro, y comenzó a interrogarme. Entonces, tratando de dominar mis lágrimas, le conté las palabras que se habían pronunciado en el entierro del viejo perro, y le pregunté si era verdad, si yo... si ella... si todos nosotros teníamos que morir y ser enterrados. Me contestó que eso no era totalmente cierto; que sólo era verdad en cierto modo, puesto que nuestros cuerpos tenían que morir y ser sepultados en la tierra, pero que nosotros teníamos una parte inmortal que no podía morir. Era verdad que el viejo César había sido un perro bueno y fiel, y que sentía y comprendía las cosas casi como un ser humano, y que la mayor parte de las personas cree que cuando un perro muere, muere totalmente y que no hay para él otra vida. Nosotros no podíamos saberlo; algunos muy grandes hombres, y muy buenos, habían pensado de otro modo: creían que los animales, como nosotros, seguirían viviendo otra vida. Esa era también su creencia... su gran esperanza; pero no lo podíamos saber con certeza, porque era algo que nunca nos había sido revelado. En cuanto a nosotros, sabíamos que no podíamos morir realmente, porque el propio Dios, que nos hizo a nosotros, y a todas las cosas, nos lo había dicho así, y nos había entregado su promesa de vida eterna en Su Libro: La Biblia.

Escuché todo eso y mucho más, temblando, con temeroso interés, y una vez que hube captado la idea de que cuando la muerte me llegara, como tenía que ser, me iba a dejar, después de todo, vivo... que, según me explicaba ella, la parte de mí que realmente importaba, yo mismo, el yo soy yo, que conocía, reflexionaba y consideraba las cosas, no iba a perecer nunca, experimenté un alivio inmenso. Cuando me alejé de su lado, tenía ganas de correr y de saltar de alegría y de hendir los aires como un pájaro. Porque había estado preso y había sufrido la tortura, y ahora estaba libre de nuevo... ¡la muerte no podría destruirme!

El haber descargado mi corazón a mi madre tuvo otro resultado. Ella quedó sobrecogida ante lo acerbo de los sentimientos que yo había puesto de manifiesto, y, haciéndose muchos reproches por haberme dejado durante un tiempo excesivo en aquel estado de ignorancia, comenzó a darme instrucción religiosa. Era demasiado pronto ya que a esa edad resultaba imposible para mí elevarme a la concepción de un mundo inmaterial. Esa capacidad, supongo, llega más tarde en el niño normal, a los diez o doce años. Decirle cuando tiene cinco o seis o siete que Dios está en todas partes al mismo tiempo, y que ve todas las cosas, sólo provoca en él la idea de una persona asombradamente activa y de ojos rápidos, ojos como los de un pájaro, capaz de ver lo que pasa todo a su alrededor. Hace poco leía la anécdota de una niña a quien su madre, al acostarla, le dijo que no tuviera miedo a la oscuridad, ya que Dios estaría allí para vigilarla y cuidarla mientras ella dormía. Luego, tomando la vela, la madre bajó las escaleras; pero en seguida su niña bajó también, en camisón, y, cuando la interrogó replicó: —Yo voy a quedarme aquí en la luz, mamá, y tú puedes subir a mi cuarto y quedarte a acompañar a Dios.— Mi propia idea de Dios en aquel tiempo no era mucho más elevada. Me quedaba despierto pensando en Él, que estaba allí en el cuarto, y me intrigaba el problema de cómo podría Él atender a todos sus numerosos asuntos, y pasar tanto tiempo preocupándose por mí. Acostado, con los ojos abiertos, no podía ver nada en la oscuridad; con todo, sabía que él estaba allí porque así se me había dicho, y eso me perturbaba. Pero no bien cerraba los ojos su imagen aparecía y permanecía erguida a una distancia de uno o dos metros de la cabecera de mi cama, en forma de una columna de más o menos unos dos metros de alto y de algo más de un metro de circunferencia. El color era azul, pero variaba en la profundidad y la intensidad del color; algunas noches era de un azul cielo pero, habitualmente, de un matiz más profundo, un azul puro, suave, hermoso como el de la gloria de la mañana o como el del geranio silvestre.

No me sorprendería enteramente de que muchas personas tienen alguna imagen material semejante o alguna representación de las entidades espirituales que deriva de aquello en que se nos enseña a creer a una edad demasiado tierna. Recientemente, comparando con un amigo nuestros recuerdos infantiles, me contó que también él había visto siempre a Dios como un objeto azul, pero sin una forma definida. Aquella columna azul me obsesionó por la noche durante muchos meses; no creo que se haya desvanecido del todo, para no ser más que un recuerdo, hasta que tuve siete años, una fecha bastante más avanzada de la que estamos viendo ahora.

Y volvamos a aquella segunda bendita revelación que recibí de mi madre. Por muy feliz que me haya hecho saber que la muerte no pondría fin a mi existencia, mi estado, después del primer alivio dichoso, no fue un estado de perfecta felicidad. Todo cuanto me dijo para consolarme y darme valor había producido su efecto: sabía ahora que la muerte no era sino un cambio, el paso a una felicidad aún mayor de la que pudiera alcanzar en esta vida. ¿Cómo hubiera podido yo, que no tenía aún seis años, pensar de otro modo como ella me había dicho que pensara, o siquiera tener una duda? Una madre es más para su tierno hijo de lo que cualquier otro ser, humano o divino, puede nunca ser para él durante el resto de su vida. Depende tanto de ella como cualquier pichón en el nido de sus padres... más aún, puesto que ella calienta su mente o su alma implumes tanto como su cuerpo.

No obstante todo esto, el miedo a la muerte volvió a apoderarse de mí pasado un corto período, y durante mucho tiempo me perturbó, especialmente cuando el hecho de la muerte se presentaba bruscamente ante mí. Estos recordatorios no eran sino demasiado frecuentes; raro era el día en que no veía que se mataba algo. Cuando la muerte se producía instantáneamente, como cuando se derribaba un pájaro de un tiro, y caía muerto como una piedra, no me perturbaba; no era sino un espectáculo extraño, excitante, pero no alcanzaba a hacerme evidente el hecho de la muerte. Era principalmente cuando se hacía la matanza de ganado que el terror volvía a apoderarse de mí con todas sus fuerzas. ¡Y no era de extrañarse! En aquel tiempo la costumbre criolla de matar una vaca o un buey era particularmente penosa. Ocasionalmente se le mataba fuera de nuestra vista, en la llanura, y el cuero y la carne eran traídos por los hombres, pero, como norma, el animal era llevado cerca de la casa para ahorrar trabajo. Uno de los dos o tres hombres a caballo ocupados en la operación le arrojaba su lazo por sobre los cuernos, y, alejándose al galope, ponía la soga tirante; un segundo peón descabalgaba entonces, y corriendo hasta alcanzar el animal, por detrás, desenvainaba su gran cuchillo y con dos golpes rápidos como el rayo le cortaba los tendones de ambas patas traseras. Instantáneamente la bestia caía sobre sus ancas, y el mismo hombre, cuchillo en mano, revoloteaba a su alrededor por el frente o por el costado, acechando su oportunidad, le hundía de golpe la larga hoja en el cuello, justo sobre el pecho, hundiéndolo hasta el mango y removiéndolo; cuando lo retiraba saltaba un gran torrente de sangre de la torturada bestia, que aún se sostenía sobre sus patas delanteras, mugiendo agónicamente todo el tiempo. En ese momento era frecuente que el matarife se lanzara con un ligero salto sobre su lomo, le clavara las espuelas en los costados y, empleando la parte plana de la hoja de su largo cuchillo como un rebenque, pretendiera estar corriendo una carrera, vociferando con diabólico regocijo. Los mugidos iban disminuyendo hasta unos profundos horribles sonidos como sollozos y toses; entonces, el jinete, viendo que el animal estaba por derrumbarse, se bajaba de un ágil salto. Caída la bestia, todos corrían hacia ella, y se echaban sobre su palpitante flanco como si fuera un colchón y allí comenzaban a armar y a encender sus cigarrillos. Matar una vaca era un gran deporte para ellos, y cuanto más activo y peligroso era el animal y más prolongada la lucha, más les gustaba; los excitaba con la misma alegría que les producía una pelea a cuchillo o la caza del avestruz. Para mí era una espantosa lección práctica que me mantenía fascinado por el terror. ¡Porque eso era la muerte! Los torrentes de sangre carmesí, los profundos gritos que parecían humanos, hacían que la bestia apareciera a mis ojos como algún hombre enorme y poderoso cogido en una trampa por adversarios pequeños, débiles pero astutos que lo torturaban por puro deleite, burlándose de él en su agonía.

Hubo por ese tiempo otros sucesos que mantuvieron vivos en mí la idea y el miedo de la muerte. Un día llegó a nuestra tranquera un viajero, y, después de desensillar su caballo, caminó unos cincuenta metros hasta un lugar sombreado donde se sentó sobre el verde talud del foso para refrescarse. Había estado cabalgando muchas horas bajo un sol ardiente, y buscaba el fresco. Llamó la atención de todos, a su llegada, por su aspecto: era un hombre de mediana edad, de buenos rasgos, y cabellos y barba ensortijados y castaños, pero grande —uno de los hombres más grandes que yo haya visto—; su peso no puede haber estado por debajo de los ciento quince kilos. Sentado o reclinado sobre el pasto, se quedó dormido, y, rodando por el talud, cayó con un tremendo chapuzón en el agua, que allí tenía una profundidad de alrededor de dos metros. Tan fuerte fue el golpe, que lo oyeron algunos de los hombres que estaban trabajando en el galpón, y cuando vinieron corriendo para averiguar la causa, se dieron cuenta de lo que había sucedido. El hombre se había ido al fondo y no se le encontraba; con mucho trabajo consiguieron sacarlo e izarlo con sogas hasta lo alto del borde. Yo lo miraba yaciendo allí, inmóvil, con todas las apariencias de estar completamente muerto... aquel hombre grande como un buey, que había visto hacía menos de una hora, cuando había despertado nuestro asombro por su gran tamaño y fuerza, y ahora estaba inmóvil en su muerte... ¡muerto como el viejo César bajo la tierra, y con el pasto creciendo sobre su cadáver! Mientras tanto los hombres que lo habían sacado del foso estaban atareados dándole vuelta y frotando su cuerpo y, después de unos doce o quince minutos hizo una brusca aspiración y dio señales de que volvía a la vida, y pronto abrió los ojos. El muerto estaba vivo de nuevo; el choque había sido para mí exactamente tan grande y el efecto tan perdurable como si hubiera estado realmente muerto.

Otro caso me traerá ahora hasta el fin de mi sexto año y a la conclusión de este capítulo. Por ese tiempo teníamos en la casa una muchacha cuyo dulce rostro forma parte de una pequeña media docena de rostros que recuerdo muy vívidamente. Era sobrina de la mujer de nuestro puestero, una mujer argentina casada con un inglés, y vino a casa para ocuparse de los niños pequeños. Tenía diecinueve años; era una muchacha pálida, delgada, bonita, con grandes ojos oscuros y abundantes cabellos negros. Margarita tenía la más dulce sonrisa imaginable, la voz más suave y los modales más gentiles, y era tan querida por todos los de la casa como si fuera de la familia. Desgraciadamente estaba tuberculosa, y después de unos pocos meses hubo que enviarla de nuevo a casa de su tía. El pequeño rancho de ellos quedaba sólo a alrededor de una cuadra de casa y mi madre la visitaba todos los días, haciendo todo lo que le era posible para aliviarla con los conocimientos y los remedios que poseía, y llevándole golosinas.

La chica no quiso que la visitara un sacerdote para prepararla a morir; adoraba a su señora, y quería ser de la misma confesión, y cuando llegó su fin murió como una renegada o como una conversa, según el punto de vista de unas u otras personas.

Al día siguiente de su muerte los chicos fuimos llevados a ver a nuestra querida Margarita por última vez; pero, cuando llegamos a la puerta, y los otros, siguiendo a mi madre, entraron, sólo yo me empeciné en no hacerlo. Ellos salieron y trataron de persuadirme, de hacerme entrar, incluso de arrastrarme dentro, y me describieron su aspecto para despertar mi curiosidad. Ella yacía toda vestida de blanco, con su negro cabello peinado y suelto, en su blanco lecho, con nuestras flores sobre el pecho y a sus lados, y lucía muy muy hermosa. Todo fue en vano. Mirar a Margarita muerta era más de lo que yo podía soportar. Se me dijo que sólo su cuerpo de barro estaba muerto... el bello cuerpo del cual habíamos venido a despedirnos; que su alma —ella misma, nuestra Margarita— estaba viva y feliz, lejos, más feliz de lo que ninguna persona podría estar nunca en esta tierra; que cuando se acercaba su fin había sonreído muy dulcemente, y les había asegurado que todo el temor a la muerte la había abandonado... que Dios se la llevaba consigo. Aun esto no fue suficiente para hacerme enfrentar el terrible espectáculo de Margarita muerta; el solo pensar en ello era un peso intolerable en mi corazón; pero no era la pena lo que me producía esa sensación, por mucho que sufriera; era únicamente mi miedo a la muerte.

CAPITULO IV

LA PLANTACION

Vivir entre los árboles. Violetas de invierno. Se hace habitable la casa. Los sauces colorados. Tijeretas y chimangos. Los álamos de Lombardía. Las acacias negras. Otros árboles. El foso o zanja. Las ratas. Una prueba de fuerza con un armadillo. Comadrejas que conviven con una serpiente. El campo de alfalfa y las mariposas. El cañaveral. Yuyos e hinojos. Los durazneros en flor. Cotorras. El canto del misto. Concierto de pájaros. El viejo John. El canto del tordo. Llegada de los inmigrantes veraniegos

Recuerdo —mejor que cualquier huerto, arboleda o bosque que haya visto o visitado— recuerdo, sí, aquel sombreado oasis de árboles de mi nuevo hogar en los ilimitados pastos de la llanura. Hasta entonces nunca había vivido con árboles, excepto aquellos veinticinco de que he hablado y aquel otro que era llamado *el árbol* porque era el único árbol de su clase en toda la región. Aquí había cientos, miles de árboles, y para mis ojos infantiles, desacostumbrados, era como una gran selva inexplorada. No había pinos, abetos ni eucaliptos (desconocidos entonces en el país), ni árboles perennes de ninguna clase; como eran todos árboles de follaje perecedero estaban entonces, en medio del invierno, sin hojas, pero aun así era para mí una deliciosa experiencia estar entre ellos, sentir y oler sus húmedas cortezas manchadas de verde por el musgo, y mirar el cielo azul a través de la trama de sus ramas entrelazadas. Y pronto la primavera con sus follajes y sus floraciones iba a estar con nosotros, en un mes o dos; aun ahora, en medio del invierno había un anticipo de ella, que llegó primero a nosotros como una deliciosa fragancia en el aire en un lugar junto a una hilera de viejos álamos de Lombardía —un olor que para el niño es como el vino que alegra el corazón del adulto—. Aquí, entre las raíces de los álamos, había un lecho o alfombra de hojas redondas que conocíamos muy bien, y, separando las matas con nuestras manos, ¡ah! ahí estaban las violetas ya abiertas —las sombrías, escondidas violetas azul-morado, las primeras, las más dulces, las flores más queridas entre todas por los niños de esa tierra, y sin duda de muchas otras tierras.

Había tiempo más que suficiente para que nosotros, los niños pequeños, nos recreáramos con las violetas y corriéramos libres por nuestra floresta; puesto que por varias semanas se nos alentó para que viviéramos al aire libre y nos mantuviéramos tan lejos como fuera posible de la casa donde no se nos quería ver. Porque precisamente entonces se estaban realizando varios arreglos para hacerla habitable: se estaban agregando varias habitaciones al nuevo edificio, se colocaban pisos de madera sobre los viejos ladrillos y tejuelas, y el techo de paja semipodrido, habitáculo de ra-

219

tas y hogar de ciempiés y de muchos otros sujetos rastreros que allí invernaban, estaba siendo arrancado para ser reemplazado por un limpio y saludable techo de madera. Para mí no era ningún castigo que me enviaran a hacer mi campo de juegos en aquel arbolado país de las maravillas. Los árboles, tanto los frutales como los de sombra, eran de muy diversas clases, y pertenecían a dos períodos ampliamente separados. Los primeros eran los viejos árboles plantados por algún propietario amante de los árboles un siglo o más antes de nuestra época, y los segundos, los demás, que habían sido puestos allí una generación o dos más tarde para llenar algunos claros y lugares libres y para obtener una mayor variedad.

El mayor de los viejos árboles, que voy a describir en primer término, era un sauce colorado que crecía solitario a unos cuarenta metros de la casa. Es un árbol nativo y deriva su nombre científico de *rubra,* lo mismo que su nombre vernáculo, del color rojizo de su áspera corteza. Alcanza un gran tamaño, como el del álamo negro, pero tiene largas hojas angostas como las del sauce llorón. En verano yo no me cansaba nunca de observar ese árbol, puesto que muy alto en una de sus ramas, que en aquellos días me parecía "tan próxima al cielo", tenía siempre su nido una tijereta, un pájaro de los tiránidos, y ese nido alto, abierto y expuesto, era una atención constante para el vulgar halcón carroñero llamado *chimango*: un halcón con los hábitos de la corneja de vagabundear constantemente por ahí en busca de huevos y pichones.

La tijereta es uno de los más corajudos de esa familia de los tiránidos, de temperamento violento y que odia a los halcones, y cada vez que aparecía un chimango, lo que sucedía unas cuantas veces por día, hacía una salida para atacarlo en pleno aire con asombrosa furia. Ahuyentado el merodeador, volvía al árbol para exhalar sus triunfales notas repiqueteantes como castañuelas y (a no dudarlo) para recibir las congratulaciones de su pareja; y para echarse de nuevo a vigilar en el cielo la aparición de un nuevo chimango.

Un segundo sauce colorado era el que le seguía en tamaño en la plantación, pero de este sauce tendré más que decir en el próximo capítulo.

Los altos álamos de Lombardía eran, entre los árboles más antiguos, los más numerosos, y crecían en filas dobles, formando paseos o avenidas, sobre tres lados de aquel campo totalmente cerrado. Había también una hilera transversal de álamos que dividía los jardines y las casas de la plantación, y esos eran los árboles favoritos para los nidos de dos de nuestros pájaros más queridos: el hermoso cabecita negra o jilguero, y el pájaro llamado leñatero (y también chinchiribí) por los criollos a causa de la enorme colección de palitos que forman su nido.

Entre el borde del camino de álamos y el foso exterior, crecía una hilera sencilla de árboles de muy diferente clase: la acacia negra, un árbol raro y singular, y entre todos nuestros árboles, éste hizo la más fuerte y penetrante impresión, tanto en mi mente como en mi cuerpo, hincando su imagen en mí, por así decirlo. Probablemente habían sido plantados por el temprano primer plantador, e, imagino, experimentalmente, como un posible progreso sobre el áloe, amplia y desordenamente extendido, favorito de los primeros colonos; pero es un árbol silvestre y desordenado y se negó a formar un cerco correcto. Algunas de esas acacias permanecieron pequeñas y quedaron como viejos y ásperos arbustos; algunas eran árboles enanos, mientras que otras se habían desarrollado como las estacas de las habas de la fábula, y eran tan altos como los álamos que crecían justamente al lado de ellos. Esos especímenes altos tenían troncos esbeltos y echaban sus esbeltas ramas horizontales de gran longitud hacia todos lados, desde las raíces hasta la copa, y las ramas y el propio tronco estaban armados con espinas de dos a cuatro pulgadas de largo, duras como el acero, negras o de color chocolate, pulidas y afiladas como agujas; y, para hacerse aún más formidables, cada larga espina tenía otras dos espinas más pequeñas que crecían junto a su base, de modo que su forma era como la de una daga circular y delgada con una cruz en la empuñadura. Era un árbol temible de trepar, y, sin embargo, siendo un poco mayor, tuve que treparlo mil veces, ya que ciertos pájaros hacían sus nidos en él, a menudo tan alto como podían, y algunos de ésos eran pájaros que ponían huevos hermosos, semejantes a los del pirincho, huevos del tamaño de los de una gallina, del más puro azul turquesa, veteados con manchas de un blanco de nieve.

Entre nuestros viejos o antiguos árboles el duraznero era el favorito de toda la casa a causa del fruto que nos daba en febrero y marzo, también más tarde, en el mes de mayo, cuando lo que llamábamos nuestros duraznos de invierno maduraban. Durazneros, membrillos y cerezos eran los tres árboles favoritos en los tiempos coloniales, y los tres podían encontrarse en las quintas o huertas de las viejas casas de las estancias. Nosotros teníamos una veintena de membrilleros, de gruesos troncos nudosos y de viejas ramas retorcidas como cuernos de ciervo, pero los durazneros sumaban entre cuatrocientos y quinientos y crecían bien apartados unos de los otros, y eran sin duda los más grandes que haya visto nunca. Su tamaño era igual al de los más viejos y grandes cerezos que pueden verse en algunos lugares favorecidos del sur de Inglaterra, donde no crecen en formación cerrada sino bien separados con amplio espacio para que las ramas se extiendan hacia todos lados.

Los árboles plantados por una generación posterior, tanto de sombra como frutales, eran más variados. Los más abundantes eran las moreras, de las que había varios cientos, la mayor parte de las cuales crecían en hileras formando sendas y aunque eran de la misma especie que nuestra mora inglesa, se distinguían de ésta por el gran tamaño y la aspereza de sus hojas y porque producían frutos de mucho menor tamaño. El gusto de la fruta era también menos sabroso. Raramente era comida por los mayores; nosotros, los niños pequeños, nos dábamos grandes banquetes con ellos, pero en su mayor parte eran para los pájaros. La morera era considerada como un árbol de sombra, no como un frutal. Los otros dos árboles de sombra más importantes en número eran la acacia blanca, o falsa acacia, y el paraíso, u "orgullo de la China". Había, además, un fila de ocho o diez ailanthus, o "árboles del cielo", como a veces se les llama, con un alto y suave tronco blanco coronado por un penacho de follaje semejante al de las palmeras. Había también un huerto más nuevo, que contenía perales, manzanos, ciruelos y cerezos.

La plantación entera, incluidas las casas, que comprendía una superficie de ocho o nueve hectáreas, estaba rodeada por un inmenso foso o zanja de alrededor de unos cuatro metros de profundidad y de ocho a diez metros de ancho. Era indudablemente muy antiguo y su anchura había aumentado debido a los derrumbes de la tierra a ambos lados. Esto, con el tiempo, lo hubiera llenado y casi eliminado, si no fuera porque a intervalos de dos o tres años, en la época en que se secaba, se extraían de su fondo grandes cantidades de tierra que se arrojaban sobre el terraplén. Tenía la apariencia de algo así como una formación prehistórica. En invierno lo corriente era que estuviera lleno de agua y era el habitáculo favorito, especialmente de noche, de bandadas de cercetas y también de patos de algunos otros tipos —el picazo, el barcino, el cuchara—. En verano se iba secando gradualmente, pero era habitual que quedaran unos pocos charcos de agua barrosa que eran frecuentados durante toda la estación calurosa por el solitario, o batitú, una de las muchas especies de gallinetas y de aves de esa familia que se criaban en el hemisferio norte, pero invernaban con nosotros, cuando aquí era verano. Una vez que el agua bajaba dentro del foso largos pastos y yuyos brotaban y florecían sobre ambos lados del declive, y las ratas y otros pequeños bichos volvían y lo cribaban con innumerables agujeros.

Las ratas eran matadas de tiempo en tiempo con la "máquina de humo" que bombeaba humo de sulfuro, de mal tabaco, y de otras sustancias mortíferas en sus agujeros y las sofocaban; y recuerdo dos curiosos incidentes durante aquellas operaciones. Un día estaba de pie sobre el terraplén junto al foso, a unos cuarenta metros del lugar donde los hombres estaban trabajando, cuando un armadillo saltó de pronto de bajo la tierra y corriendo hacia el propio lugar sobre el que yo estaba comenzó a cavar vigorosamente para escapar enterrándose en el suelo. Ni los hombres ni los perros lo habían visto y yo, de inmediato, decidí capturarlo sin ayuda de nadie e imaginé que resultaría ser una tarea fácil. Obrando en consecuencia agarré con ambas manos su negra cola envainada en hueso y comencé a tirar con fuerza para arrancarlo del suelo, pero no pude moverlo. Siguió cavando furiosa-mente, hundiéndose más y más profundamente en la tierra, y pronto comprobé que en vez de arrastrarlo fuera yo a él, él me estaba arrastrando tras de sí. Hirió mi orgullo de chico pensar que un animal no más grande que un gato fuera a vencerme en una prueba de fuerza, y eso hizo que me prendiera más tenazmente que nunca, tirando y esforzándome al máximo con mayor violencia, hasta que para no desprenderme de él, tuve que quedar de bruces sobre el suelo. Pero todo ello no sirvió de nada: primero mis manos, luego mis brazos doloridos fueron arrastrados dentro de la tierra, y me vi forzado a soltar mi presa y a levantarme para sacarme de encima la tierra que me había estado arrojando a la cara y que me había cubierto la cabeza, el cuello y los hombros.

En la otra ocasión, uno de mis hermanos mayores, viendo que los perros olfateaban y escarbaban a la entrada de una gran madriguera, tomó una pala y excavó la tierra un medio metro y encontró una comadreja adulta, blanca y negra, con ocho o nueve cachorros nuevecitos que yacían juntos en un nido de pasto seco, y, algo que puede parecer incríble: una larga serpiente venenosa enroscada entre ellos. La serpiente era la temible víbora de la cruz, como la llaman los gauchos, una víbora ponzoñosa de la misma familia de la mapanare y de la de cascabel. Medía como un metro de largo, era muy ancha en proporción, y tenía la cabeza ancha y la cola roma. Se adelantó silbando y golpeando a ciegas a izquierda y derecha mientras los perros iban arrancando las comadrejas, pero la mató un golpe de la pala sin que hubiera hecho daño a los perros.

Esa era la primera serpiente crucera que yo había visto, y el espectáculo de aquel cuerpo grueso y romo, de un color gris verdoso emparchado de negro sucio, y la ancha cabeza chata con sus ojos blanco piedra sin pestañas, me hizo estremecer de horror. En los años siguientes me familiaricé con ella y hasta llegué a atreverme a levantarla en el aire sin daño para mí, así como ahora en Inglaterra levanto la menos peligrosa culebra cuando me encuentro con una. Lo pasmoso para nosotros fue que esta serpiente en extremo irascible y venenosa estuviera viviendo en un mismo nido con una gran familia de comadrejas, ya que debe tenerse en cuenta que la comadreja es una bestia rapaz y de carácter en extremo salvaje.

Ese era, pues, el mundo en que yo me movía, en el que transcurría mi existencia, dentro de los límites del viejo foso que habitaban las ratas y en medio de los árboles encantados. Pero no eran sólo los árboles los que lo hacían tan fascinante; había espacios abiertos y otras formas de vegetación que eran también en extremo atractivos.

Había un campo de alfalfa de una extensión de casi media hectárea, que florecía tres veces al año, y durante la época de floración atraía a las mariposas de toda la planicie circundante con su deliciosa fragancia parecida a la de las arvejillas, hasta que el campo estaba lleno de mariposas rojas, negras amarillas, blancas, revoloteando en bandadas alrededor de cada espiga azul.

También las cañas, ocupando una gran porción de terreno, la "barrera", como la llamábamos, crecían en otros lugares; una planta graciosa de unos ocho metros de alto, diferente en su apariencia del bambú, puesto que sus largas hojas puntiagudas eran de un color glauco, azul-verde. Las cañas eran valiosas para nosotros porque sirvieron para pescar cuando tuvimos edad suficiente para ese deporte, y las empleábamos también como lanzas cuando cabalgábamos para enzarzarnos en ficticias batallas en la llanura. Pero también tenían su valor económico, puesto que eran usadas por los nativos cuando hacían sus techos de quincha como un sustituto de las cañas de bambú, que eran mucho más caras, puesto que debían ser importadas de otros países. De acuerdo con ello, al fin del verano, después que la caña había florecido, eran cortadas todas, despojadas de sus hojas, y transportadas en atados, y quedábamos privados, entonces, hasta la estación siguiente, del placer de darnos a la busca de las más altas y rectas, para cortarlas, quitarles las hojas de cortezas y fabricarnos hermosas varas verdes y pulidas para nuestros juegos.

Había otros claros cubiertos por una vegetación casi tan interesante como las cañas y los árboles: esto sucedía cuando se dejaba que lo que llamábamos la "maleza" floreciera. Allí estaban la manzanilla espinosa, el quenopodio, el cardo, la mostaza silvestre, el yuyo colorado, la lengua de vaca y otros, tanto autóctonos como implantados, en densos matorrales de más de un metro de altura. Era difícil abrirse paso a través de aquellas espesuras, y uno estaba siempre con el temor de pisar una víbora. Aparte, florecía sólo el hinojo, como si tuviera algún misterioso poder, tal vez su olor peculiar, que le permitía mantener a las otras plantas a discreta distancia. Formaba una apretada maleza y crecía hasta una altura de tres metros. Ese sitio era uno de mis lugares favoritos, porque estaba en una zona baldía en el punto más alejado de la casa, un sitio salvaje y solitario donde podía pasar horas solo observando los pájaros. Pero también me gustaba el hinojo por sí mismo, por su bello y plumoso follaje verde y el olor que tenía, y también por su sabor; de modo que, cada vez que visitaba aquel lugar apartado, frotaba sus hojas entre mis palmas y masticaba las pequeñas semillas para sentir su peculiar sabor.

El invierno traía un gran cambio a la plantación, ya que no sólo desnudaba los árboles de sus hojas, sino que barría todos aquellos exuberantes hierbajos, el hinojo incluido, permitiendo que el pasto volviera a crecer. Las grandes plantas anuales de lujurioso despliegue también desaparecían del jardín y de todo el entorno de la casa, los grandes arbustos del dondiego de noche, con sus tallos de un rojo oscuro y su abundancia de capullos carmesíes, y las enredaderas de dondiego de día, con sus grandes trompetas azules, trepando y cubriendo todo lugar posible con sus trepadoras masas de hojas y su abundante floración. Mi vida en la plantación en invierno era un constante vigilar la vuelta de la primavera. Mayo, junio y julio eran los meses sin hojas pero no totalmente sin cantos. En cualquier cordial día de sol sin viento, en pleno invierno, unas pocas golondrinas podían reaparecer; nadie hubiera podido saber desde dónde, a pasar las horas brillantes, revoloteando como vencejos alrededor de la casa, visitando sus viejos nidos huecos bajo los aleros, y emitiendo sus vivos trinos murmurantes, como de agua que corre por un arroyuelo pedregoso. Cuando el Sol declinaba, desaparecían, para no volver a ser vistas de nuevo hasta que tuviéramos otro perfecto día primaveral.

En días así, en julio o en cualquier suave mañana brumosa, de pie sobre el terraplén del foso, yo escuchaba los sonidos que venían de la anchurosa llanura abierta, y eran sonidos primaverales: el constante redoble y los rítmicos gritos de los teros de alas con espolones, ocupados en sus encuentros sociales y en sus "bailes", y el canto de la bisbita o cachirla remontándose

224

y derramando sus repetidos y prolongados acentos a medida que flotaba lentamente hacia la tierra.

En agosto florecía el duraznero. Los grandes y viejos árboles bien separados sobre su alfombra de pasto, tocándose apenas con las puntas de sus ramas largas, eran como grandes nubes en forma de montañas amontonadas en exquisitas flores rosadas. No había entonces en el universo nada que pudiera compararse en belleza con aquel espectáculo. En esa estación yo era un adorador de los árboles, y recuerdo los sentimientos que experimenté cuando un día una bandada de verdes cotorras se acercó gritando y se posó sobre uno de los árboles cerca de mí. Este tipo de cotorra nunca se crió en nuestra plantación; eran visitantes ocasionales que venían de su hogar en un viejo monte que quedaba a unas tres leguas, y sus visitas eran siempre un gran placer para nosotros. En esta ocasión me alegraron particularmente, porque los pájaros habían elegido posarse en un árbol junto al cual yo estaba. Pero las flores que cubrían tan cerradamente cada rama molestaban a las cotorras, que no podían encontrar espacio suficiente para prenderse de una rama sin prenderse también de las flores. Qué hicieron, pues, los pájaros en su impaciencia sino empezar a arrancar las flores desnudando las ramas en las que se habían posado con sus agudos picos, y tan rápidamente que las flores caían en una lluvia rosada. Y de esta manera en medio minuto cada pájaro desnudó un rama donde pudo permanecer asido a su gusto. Había millones de flores; sólo una aquí y allá daría alguna vez un durazno, y sin embargo me llenó de enojo ver que las cotorras las cortaban de aquella manera negligente: era una profanación, un crimen, incluso tratándose de un pájaro.

Aún hoy, cuando evoco el espectáculo de aquellos viejos durazneros florecidos, con sus troncos gruesos como el cuerpo de un hombre, los enormes montes o nubes de miríadas de flores rosáseas contra el etéreo cielo azul, no estoy seguro de haber visto en mi vida nada más perfectamente hermoso. Con todo, esa enorme belleza era nada más que la mitad del hechizo de aquellos árboles; la otra mitad estaba en la música de pájaros que surgía de ellos. Era la música de una sola clase de pájaros: un pequeño pinzón amarillo verdoso, que por su tamaño era como un jilguero aunque el cuerpo era más largo y delgado, y también era parecido al jilguero en sus costumbres. Por ejemplo, en otoño se unen en inmensas bandadas que se mantienen juntas durante los meses invernales y cantan en concierto y no se separan hasta que vuelve la época de la cría. En una región donde no había pájaros de presa o seres humanos perseguidores de los pájaros pequeños, las bandadas de estos pinzones, llamados mistos por los criollos, eran mucho más grandes que ninguna bandada de pinzones que yo haya visto nunca en Inglaterra. La bandada que acostumbrábamos a tener en nuestra hacienda contaba muchos miles, y se los podía ver como una nube que se cernía dando vueltas en el aire, y que de pronto se dejaba caer y desaparecía de la vista entre el pasto, donde se alimentaban de semillitas, de hojas y de brotes tiernos. Si uno iba hacia allí se alzaban en el aire con un fuerte zumbar de innúmeras alas, y comenzaban a revolotear y a dar vueltas de nuevo, persiguiéndose por juego y piando, y un momento después se dejaban caer todos al suelo otra vez.

En agosto, cuando la primavera comenzaba a inficionar su sangre, a intervalos se remontaban a los árboles durante el día, y allí se quedaban prendidos e inmóviles por una hora o más, cantando todos juntos. Este período del canto se daba cuando los durazneros estaban en flor, y era invariablemente en los durazneros donde se posaban y podían ser vistos, los pequeños pájaros amarillos por millares entre los millones de flores rosadas, derramando su maravillosa música.

Uno de los más deliciosos sonidos de pájaro que se pueden oír en Inglaterra es el canto concertado de una bandada de varios cientos, y a veces de mil o más jilgueros en setiembre y octubre, y hasta más avanzado el año, antes de que esas grandes congregaciones se hayan dispersado o emigrado. El efecto producido por el pequeño misto de la pampa era totalmente diferente. El jilguero tiene un pequeño gorjeo tembloroso que comprende quiebros y pequeños píos, y cuando una gran multitud de pájaros canta a la vez, el sonido, a una distancia de más de cincuenta metros, es como el del viento alto que pasa entre los árboles pero, si uno se aproxima más, la masa de sonidos se revuelve en una confusión de miles de sonidos individuales, de modo que aquello semeja una gran reunión de estorninos a la hora del descanso, pero de carácter más musical. Sucede como si cientos de hadas músicas estuvieran tocando instrumentos de cuerda y de viento de variada forma, dedicada cada una a su propia ejecución sin tener en cuenta a las demás.

El misto no gorjea ni pía y su canto no se quiebra ni experimenta cambios repentinos; su canto se compone de notas alargadas, la primera de las cuales es un tanto ronca, pero las que siguen se van volviendo cada vez más claras y más brillantes hacia el final, de modo que cuando miles cantan juntos es como si cantaran al perfecto unísono, y el efecto que produce al oído es como la vista del agua de un manantial o de la lluvia cuando la multiud de gotas al caer aparecen a los ojos como líneas grises y plateadas. Es un efecto de extrema belleza, y, que yo sepa, son los únicos entre los pájaros que tienen la costumbre de cantar en grandes agrupaciones.

Recuerdo que en aquellos días teníamos un carpintero, un inglés llamado John, original de Cumberland, que acostumbraba a hacernos reír a su lenta y pesada manera, cuando, después de hacerle alguna simple pregunta, teníamos que esperar hasta que depositara sus herramientas sobre el banco y nos mirara por unos veinte segundos antes de responder. Uno de mis hermanos lo había apodado "El patán de Cumberland". Recuerdo que un día, yendo a escuchar el coro de mistos en el monte florecido, me sorprendí al ver a John de pie, cerca de los árboles, sin hacer nada, y cuando llegué a su lado se volvió hacia mí con una expresión en su obtuso y viejo rostro... esa expresión que tal vez algunos de mis lectores haya visto por azar en el rostro de un místico religioso en un momento de exaltación. "¡Esos pajaritos! ¡Nunca escuché nada semejante!" exclamó, y luego se arrastró de vuelta a su trabajo. Como la mayor parte de los ingleses, tenía, sin duda, una vena de sentimiento poético recóndito en alguna parte de su alma.

Teníamos también otra clase de conciertos de canto por otras especies que poblaban el monte. Se trataba del tordo común, o garrapatero, de la familia de los turpiales, exclusivamente americano pero que, se supone, tiene afinidades con los estorninos del viejo mundo. Este tordo es parásito como el cucú europeo en sus hábitos de cría, y no teniendo asuntos domésticos propios que atender vive en bandadas el año entero llevando una vida ociosa y vagabunda. El macho es todo él de un profundo color negro tornasolado; la hembra, de un color pardo o arratonado. Los tordos resultaban excesivamente numerosos entre los árboles en verano, buscando perpetuamente nidos en que depositar sus huevos: se alimentaban en el suelo, en la llanura abierta y a menudo andaban en bandadas tan grandes que parecían una gran alfombra negra extendida sobre el verde pastizal. En los días lluviosos no comían; se congregaban sobre los árboles por millares y cantaban horas enteras. En días así su lugar de reunión favorito era detrás de la casa, donde los árboles crecían muy espesos y estaban protegidos por ambos lados por las acacias negras y por las dobles hileras de álamos de Lombardía, seguidas por dobles filas de grandes árboles de moreras formando avenidas, y éstas por perales, manzanos y cerezos. De donde fuera que soplara el viento, allí había calma, y durante las lluvias más pesadas los miles de pájaros se quedaban allí posados, volcando un continuo torrente de canto, que se parecía al ruido producido por miles de estorninos en sus momentos de descanso, pero que era más fuerte y difería algo en su carácter debido al canto peculiar del tordo, que comienza con sonidos huecos y guturales, seguidos por una explosión de fuertes y claras notas tintineantes.

Estos concertistas, el misto amarillo verdoso y el tordo tornasolado, permanecían con nosotros durante todo el año, con muchos otros que requerirían un capítulo entero si me ocupara de ellos. Cuando, durante julio y agosto, esperaba la primavera ya próxima, eran los emigrantes, los pájaros que llegaban hasta nosotros desde el lejano norte, los que principalmente me atraían. Antes de que llegaran había terminado la floración de los durazneros, y el coro de incontables pequeños mistos se había dispersado por toda la llanura. Entonces se observaban las hojas por abrir, y, después de los sauces, los primeros y más amados eran los álamos. Durante todo el tiempo en que estaban abriendo, cuando estaban todavía de un color verde amarillento, el aire estaba lleno de fragancias, pero yo, no satisfecho con eso, aplastaba las pequeñas hojas nuevas y las frotaba por mis manos y por mi rostro para sentir el delicioso olor en toda su dimensión. Y de todos los árboles, después del duraznero, los álamos parecían sentir la nueva estación con mayor intensidad, porque me parecía que ellos sentían el calor del sol casi como yo lo hacía, y lo expresaban con su fragancia de la misma manera con que el duraznero y otros árboles lo hacían con sus flores. Y también lo expresaban en el nuevo sonido que daban al viento. El cambio era realmente maravilloso cuando hileras e hileras de árboles inmensamente altos que durante meses habían hablado y gritado en aquel lenguaje extraño y sibilante, llegando hasta los alaridos cuando soplaba un vendaval, daban ahora un volumen mayor de sonido, más continuo, más suave, más profundo, y como el olear del mar sobre una costa dilatada.

Tras ellos seguían los demás árboles, y, de pronto, todo estaba con su pleno follaje una vez más, y pronto para recibir sus extraños y hermosos huéspedes venidos de las selvas tropicales del norte distante.

El más llamativo de los recién llegados era el pequeño churrinche rojo, que tenía más o menos el tamaño de nuestro papamoscas moteado; es todo él de un escarlata brillante exceptuando las alas y la cola negras. Ese pájaro tenía una delicada voz con un sonido como de campana, pero era el color escarlata brillante entre el verde follaje lo que me hacía deleitar en él más que en todo el resto de los pájaros. Y, sin embargo, el picaflor, que llegaba por la misma época, era también maravillosamente hermoso, especialmente cuando volaba cerca de nuestro rostro y se quedaba suspendido en el aire, inmóvil con sus alas que por un momento eran como una neblina, luciendo y centelleando como diminutas escamas de esmeralda.

Después llegaban otros tiránidos y las queridas golondrinas, la golondrina casera, que se parece al vencejo inglés, al gran vencejo rojo, la golondrina doméstica, y la parda. Después venía también, el cuco de pico amarillo, o cucú, como se le llama a causa de su grito. Año tras año yo esperaba escuchar su profundo y misterioso llamado que sonaba como cu-cu-cu-cu-cu a fines de noviembre, así como el niño inglés espera el llamado de su cucú en abril; y la calidad como humana del sonido, junto con el modo sobrecogedor e impresionante en que era emitido, producía siempre la idea de que era algo más que el mero llamado de un pájaro. Más tarde, en octubre, cuando hiciera calor, me pondría a buscar el nido, una frágil plataforma hecha con unos pocos palitos, con cuatro o cinco huevos ovales semejantes en tamaño a los de la tórtola, y de un color verde pálido.

Había otros visitantes veraniegos, pero no debo hablar de ellos ya que este capítulo contiene demasiado material al respecto. Mis alados amigos representaban tanto para mí que constantemente siento la tentación de hacer de este esbozo sobre mis primeros años casi nada más que un libro sobre pájaros. Queda mucho más que decir, también, acerca de los árboles y de sus efectos sobre mi mente; por otra parte, algunas aventuras con que me encontré, unas con pájaros y otras con serpientes, han de ocupar más adelante otros dos o tres capítulos.

CAPITULO V

ASPECTOS DE LA LLANURA

El aspecto de una verde planicie. Los cardos. Los pueblos de la vizcacha, un roedor grande y constructor de madrigueras. Los montes y las plantaciones vistos como islas en las vastas y parejas llanuras. Arboles plantados por los primeros colonos. La declinación de los colonos de agricultores a pastores. Las casas como parte del paisaje. La dieta carnívora del gaucho. El verano cambia el aspecto, de la llanura. Los espejismos. El cardo gigante y un "año de cardos". El miedo a los incendios. Un incidente en un incendio. El pampero, o viento del sudoeste, y la caída de los cardos. La caída del cardo y su semilla como alimento para los animales. Un gran temporal de viento pampero. Granizo de gran tamaño. Daño causado por el granizo. Es muerto Zango, un viejo caballo. Zango y su amo

Como niño de seis años pero muy capaz de montar en pelo y de andar al galope sin caerme, invito al lector, montando también aunque no sea más que un animal imaginario, a seguirme una legua o poco más desde nuestra tranquera hasta un punto donde el campo sube dos o tres o cuatro pies por encima del nivel circundante. Desde allí, montados sobre nuestros caballos, dominaremos un horizonte más amplio del que podría abarcar el hombre más alto, erguido sobre sus propias piernas, y, de esta manera tendremos una mejor idea de la región en la que pasaron diez de los años más impresionables de mi vida: desde los cinco hasta los quince.

Vemos todo a nuestro alrededor una tierra llana; el horizonte como un anillo perfecto de un color azul brumoso allá donde el techo de azul cristal del cielo descansa sobre el llano y verde mundo. Verde a fines del otoño, en invierno y en primavera, es decir, desde abril a noviembre, pero no todo él como un campo o un prado verde; había áreas parejas donde las ovejas habían pastado, pero la superficie variaba mucho y era en su mayor parte más o menos escabrosa. En algunas partes el campo, hasta donde alcanzaba la vista, estaba cubierto por densos matorrales de cardos, o alcauciles salvajes, de un color azulado o gris verdoso, mientras que en otras, florecía el cardo gigante: una planta con grandes hojas matizadas verdes y blancas, y que, cuando estaba en flor se alzaba hasta más de dos metros de altura.

Había otras asperezas y desniveles en aquella verde extensión llana causados por la vizcacha, un gran roedor del tamaño de una liebre y un poderoso cavador de tierra. Las vizcachas pululaban en toda aquella región, de donde ahora han sido prácticamente exterminadas, y vivían en aldeas, llamadas vizcacheras, compuestas de treinta o cuarenta grandes madrigueras —cada una de ellas del tamaño aproximado de media docena de madrigueras de tejones juntas—. La tierra que arrojaban fuera de sus excavaciones formaba un montículo, y al estar desnuda de vegetación aparecía en el paisaje como una mancha del color de la arcilla sobre la verde superficie. Montado a caballo uno podía contar una cantidad de cincuenta a sesenta de esos montículos o vizcacheras en la llanura circundante.

Sobre toda esa tierra visible no había alambrados, ni tampoco árboles, salvo aquellos que habían sido plantados en las viejas casas de estancia, y, como éstas se encontraban a gran distancia unas de otras, los montes de árboles y plantaciones se veían como pequeñas islas arbóreas, o montes azules a la distancia sobre la vasta planicie pampeana. Se trataba sobre todo de árboles de sombra, siendo los más comunes los álamos de Lombardía, que son, de todos los árboles, los que crecen más fácilmente en aquella tierra. Y esos árboles de las estancias o haciendas eran, en la época acerca de la que estoy escribiendo, casi invariablemente añosos y estaban en muchos casos en un avanzado estado de decadencia. Es interesante saber cómo surgieron alguna vez a la existencia esos viejos montes y plantaciones en una tierra donde en aquel período la forestación era prácticamente nula.

Los primeros colonos que levantaron sus hogares en ese vasto espacio vacío llamado la pampa, venían de una tierra donde la gente está acostumbrada a sentarse a la sombra de los árboles, donde el trigo y el vino y el aceite son considerados imprescindibles y donde hay huertos de verduras. Naturalmente, hicieron huertos y plantaron árboles, árboles frutales y de sombra, dondequiera que se construyera una casa en aquella pampa, y, sin duda, por dos o tres generaciones trataron de vivir como la gente vive en España en las regiones rurales. Pero ahora el principal objetivo de sus vidas era la cría del ganado, y como el ganado vagabundeaba a su albedrío sobre las vastas llanuras y los animales eran más bien salvajes que domésticos, se vivía una vida a caballo. Ya no se podía seguir carpiendo o arando la tierra, o proteger las mieses de pájaros e insectos y de sus propios animales. Desistieron de su aceite y de su vino y de su pan y se alimentaron y vivieron sólo de carne. Se sentaban a la sombra y comían los frutos de los árboles plantados por sus padres o por sus bisabuelos, hasta que los árboles se fueron muriendo de viejos, o fueron arrancados o destruidos por el ganado, y ya no hubo más sombra ni frutos.

Fue así que los colonos españoles de la pampa decayeron pasando de ser un pueblo agrícola a ser exclusivamente pastores y cazadores; y, más tarde, cuando fue sacudido el yugo español, como lo llamaban, las incesantes guerras de degüello de las diversas facciones, que eran como las guerras de "crows and pies" (cuervos y urracas), con la excepción de que se empleaban cuchillos en lugar de picos, los confirmaron y los hundieron más profundamente en su salvaje y bárbara manera de vivir.

Así, también, los grupos de árboles de la pampa eran por sobre todo restos de un pasado desvanecido. A esos bosquecillos o plantaciones volveremos más tarde, cuando pase a describir la vida hogareña de algunos de nuestros vecinos más próximos. Aquí sólo las casas, con o sin árboles alrededor, necesitan ser mencionadas como parte del paisaje. Las casas eran siempre bajas y apenas visibles a una distancia de media legua: uno siempre tenía que agacharse para entrar por la puerta. Se construían de ladrillo crudo o cocido, y más a menudo de barro y paja brava y eran techados con juncos o espadañas. En algunas de las mejores casas había un pequeño huerto: unos pocos metros de tierra protegida de algún modo de las aves de corral y de los demás animales, donde se cultivaban unas pocas flores y hierbas, especialmente el perejil, la ruda, la salvia, el tanaceto y el marrubio. Pero no se intentaban otros cultivos y no se comía ningún otro vegetal salvo la cebolla y el ajo, que se compraban en los almacenes, como el pan, el arroz, la yerba mate, el aceite, el vinagre, las pasas de uva, la canela, la pimienta, el comino, y todo cuanto pudieran permitirse para sazonar sus pasteles de carne o dar sabor a su monótona dieta de carne de vaca, de carnero y de cerdo. Casi la única caza que se comía estaba constituida por avestruces, mulitas o "armadillos" y tinamúes (la perdiz del país), que los chicos cazaban con trampas o corriéndolos hasta cansarlos. El pato salvaje, los chorlos y aves por el estilo raramente o nunca se probaban, porque no podían tirarles; y en cuanto al gran roedor, la vizcacha, que pululaba por dondequiera, ningún gaucho hubiera probado su carne, aunque para mi gusto era mejor que el conejo.

El cambio que producía el verano en el aspecto de la llanura comenzaba en noviembre; el muerto pasto seco iba tomando un color amarillo amarronado, el cardo gigante, un oscuro óxido marrón, y en esta estación, de noviembre a febrero, el monte o plantación de la casa de la estancia, con sus invariables verdor y sombra profundamente frescos, era un verdadero refugio sobre la chata y vasta tierra amarilla. Por entonces, cuando los cursos de agua se iban secando gradualmente y llegaban los días de sed para las majadas y las manadas, la burlona ilusión del espejismo aparecía constantemente en torno nuestro. Desde muy temprano en la primavera, en cualquier caliente día sin nubes, este espejismo del agua se hacía visible y era como en algún día de un verano cálido en Inglaterra, cuando la atmósfera aparece, cuando el aire próximo a la superficie se vuelve visible, cuando uno lo ve danzar ante sus ojos, como delgadas, ondulantes, y ascendentes lenguas de llama —llamas claras como el cristal mezcladas con llamas de un débil gris plata o gris perla—. En las pampas más llanas y calientes esta apariencia se intensifica, y las vacilantes llamas apenas visibles se transforman y toman la apariencia de lagunas o de lenguas de agua que parecen estar rizadas por el viento y rebrillar al sol como plata derretida. La semejanza con el agua es acrecentada cuando hay grupos de árboles y edificios en el horizonte, que a la distancia parecen oscuras islas o costas azules, mientras que el ganado y los caballos que pastan no lejos del espectador, parecen estar vadeando, hundidos hasta las rodillas o hasta el pecho en el agua brillante.

El aspecto de la llanura era diferente en lo que se llamaba un "año de cardos", cuando los cardos gigantes, que habitualmente ocupaban áreas bien definidas o crecían en manchas aisladas, brotaban repentinamente por todas partes y durante una estación cubrían la mayor parte de la tierra. En esos años exuberantes las plantas crecían tan gruesas como los juncos y las espadañas en sus lechos, y eran más altas que de costumbre, alcanzando una altura de casi tres metros. Era asombroso ver esas plantas que dan hojas tan grandes como las del ruibarbo, con sus tallos tan juntos unos con los otros que casi se tocaban. Si uno se quedaba entre los cardos en la época de su crecimiento en cierto modo podía oírlos crecer, puesto que las grandes hojas se liberaban con un tirón de una posición acalambrada, produciendo un chasquido. Era semejante al chasquido de las vainas de retama que uno oye en junio en Inglaterra, sólo que mucho más fuerte.

Para el gaucho que vive la mitad del día a caballo y ama su libertad como un pájaro salvaje, un año de cardos era un odioso período de restricciones. Su pequeña casa de barro de techo bajo era entonces como una jaula para él, ya que los altos cardos la cercaban y le cerraban la visión por todos lados. A caballo estaba obligado a seguir los angostos senderos del ganado y a encoger o alzar sus piernas para preservarlas de las largas espinas punzantes. En aquellos distantes y primitivos días el gaucho, si era un hombre pobre, habitualmente iba calzado con nada más que un par de espuelas de hierro.

Hacia fines de noviembre los cardos ya estaban muertos, y sus grandes tallos huecos eran tan secos y livianos como el tubo de la pluma de un pájaro... de una pluma que tenía el grosor de un palo de escoba y unos dos metros y medio de largo. Las raíces no sólo estaban podridas ya sino que se habían vuelto polvo en el suelo, de modo que uno podía empujar un tallo y sacarlo de su lugar con un dedo, pero no caería, ya que estaba sostenido todo alrededor por una veintena de otros tallos, y éstos por otros cientos y los cientos por miles y millones. El cardo muerto era exactamente una molestia tan grande como el cardo vivo, y en esa situación, seco y muerto, podía aguantar a veces todo diciembre y enero, cuando los días eran más calientes y el peligro del fuego estaba siempre presente en el ánimo de todos. En cualquier momento la descuidada chispa de un cigarrillo podía engendrar una peligrosa llamarada. En tales casos, la aparición del humo a la distancia haría que cada hombre que la viera montara a caballo y volara al lugar del peligro, donde se haría un intento de detener el fuego abriendo un ancho camino entre los cardos, a unos cincuenta o cien metros delante de aquél. Una manera de hacer el camino consistía en enlazar y matar unas pocas ovejas del rebaño más próximo y arrastrarlas de arriba para abajo, al galope, entre los densos cardos, hasta que se limpiaba un ancho espacio donde las llamas podían ser aplastadas con los pies y golpeadas con las mantas de los caballos. Pero no siempre se encontraban en el lugar ovejas para ser empleadas así, y, aun cuando se pudiese abrir un ancho espacio, si estaba soplando el viento caliente del norte, llevaba una lluvia de chispas y de troncos ardientes hacia el otro lado y así el fuego progresaba en su camino.

Recuerdo que fui a uno de esos grandes fuegos cuando tenía unos doce años. Estalló a unas pocas millas de casa, y marchaba en nuestra dirección; vi que mi padre montaba y salía al galope, pero me llevó una media hora encontrar un caballo para mí, de modo que llegué tarde a la escena. Un nuevo fuego había estallado a unas diez cuadras por delante del fuego principal, donde la mayor parte de los hombres estaba luchando contra las llamas; y hacia aquel lugar fui en primer término, y encontré una media docena de vecinos que acababan de llegar a la escena. Antes de que comenzáramos las operaciones unos veinte hombres vinieron desde el fuego mayor galopando hacia nosotros. Habían hecho ya su camino, pero viendo este nuevo fuego tanto más adelante habían abandonado el otro desesperados después de una hora de dura y abrasadora tarea, y habían volado al nuevo foco de peligro. Cuando se acercaban miré asombrado a uno que galopaba al frente, un hombre alto y negro, en mangas de camisa, que me era totalmente desconocido. —Me pregunto: ¿quién será ese tipo negro?—, me dije, y, justamente entonces él me preguntó en inglés: —Hola, hijo, ¿qué estás haciendo aquí?— era mi padre; ¡una hora de lucha con las llamas en medio de una nube de negras cenizas, bajo aquel sol y aquel viento quemantes, había hecho que pareciera un negro de pura raza!

Durante diciembre y enero, mientras ese desierto mundo de cardos muertos y secos como yesca continuaba en pie, amenaza y peligro, el único deseo y la esperanza de cada uno era el pampero, el viento del sudoeste, que en el tiempo caluroso puede sobrevenir con sobrecogedora precipitación y soplar con extraordinaria violencia. Y al final habría de llegar, habitualmente en la tarde de un sofocante día de calor, después que el viento norte hubiera estado soplando persistentemente durante días con un aliento como de horno. Al fin, el odioso viento cedía, y una extraña lobreguez que no provenía de ninguna parte, cubría el cielo; y pronto se formaba una nube, una nube opaca y oscura como una montaña que se volviera visible sobre la llanura a una enorme distancia. En poco rato cubría la mitad del cielo, había truenos y rayos y un torrente de lluvia, y, en el mismo momento, el viento golpeaba y rugía sobre los árboles doblados y sacudía la casa. Y en una hora o dos, tal vez todo habría terminado, y a la mañana siguiente los detestados cardos habrían desaparecido o, por lo menos, estarían aplastados contra el suelo.

Después de una tormenta así, el sentimiento de alivio del jinete, que ahora podía montar y galopar en cualquier dirección sobre la ancha llanura y ver de nuevo la tierra tendida ante él, era como el de un prisionero liberado de su celda, o como el de un enfermo cuando al cabo recupera su vigor perdido y respira y camina de nuevo.

Hasta el día de hoy siento el estremecimiento, o, tal vez, sería más exacto, decir el fantasma de un desvanecido estremecimiento, cuando recuerdo el alivio que significaba para mí; aunque nunca estuve tan atado al caballo, nunca fui tan parásito de él como el gaucho, después de una de esas grandes pamperadas aventadoras de cardos. Era un raro placer salir a caballo y hacerlo galopar sobre las grandes extensiones marrones de tierra llana, oír los duros cascos aplastando los tallos huecos y desecados que cubrían la tierra por millares como los huesos de una innumerable hueste de enemigos muertos. Era una extraña forma de alegría, un sentimiento mezclado con una pizca de complacida venganza que le daba cierto acre sabor.

Después de tanto denostar al cardo gigante, el *cardo asnal* de los criollos, y *Carduus mariana* de los botánicos, puede sonar raro decir que un año de cardos era una bendición en ciertos aspectos. Era un año de ansiedad debido al temor al fuego, y también una temporada de muchas aprensiones, porque se propagaban por la región informaciones de robos y otros crímenes, especialmente contra las pobres mujeres que quedaban tanto tiempo solas en sus ranchos de techos bajos, encerradas por aquella densa maraña espinosa. Pero un año de cardos era llamado un año gordo, ya que los animales —vacunos, lanares, equinos y hasta porcinos— ramoneaban libremente sobre las grandes hojas y los suaves tallos dulzones, y estaban en excelentes condiciones. Los únicos reparos consistían en que los caballos de montar perdían fuerza a medida que ganaban en gordura, y en que la leche de las vacas no sabía bien.

La época mejor y más gorda llegaba cuando la planta endurecida ya no servía para comer y las flores comenzaban a esparcir sus semillas. Cada flor, del tamaño de una tacita de café, se abría como una masa blanca y esparcía sus montones de bolitas plateadas, y éstas, cuando quedaban libres de su pesada semilla, flotaban sueltas en el viento, y el aire entero, a todo lo que alcanzaba la vista, estaba lleno de millones y miríadas de flotantes bolitas. La semilla caída era tan abundante que cubría el suelo bajo las plantas aún en pie. Es una semilla larga y delgada, del tamaño aproximado de un grano de arroz de Carolina, de un color verdoso o azul grisáseo manchado de negro. Las ovejas se daban un festín, empleando sus móviles y extensibles labios superiores como un cepillo para migas para metérselo en la boca. Los caballos las reunían de la misma manera, pero las vacas estaban fuera de cuestión, sea porque no podían aprender la artimaña, o porque sus labios y lengua no podían ser usados para juntar una comida desmigajada. Los cerdos, fuera como fuere, florecían con ese alimento, y para los pájaros, tanto domésticos como salvajes, era aún mejor que para los mamíferos.

Para terminar con este capítulo, voy a volver por una página o dos al asunto del pampero, el viento sudoeste de las pampas argentinas, para describir la más grande de todas las pamperadas que presencié. Esto sucedió cuando tenía trece años.

El viento que sopla de ese cuadrante no es, como el viento sudoeste del Atlántico o de la Gran Bretaña, un viento cálido cargado de la humedad de los calientes mares tropicales... ese gran viento que Joseph Conrad en su *Espejo del mar* ha personificado en uno de los más sublimes pasajes de la literatura reciente. Es un viento excesivamente violento, como lo saben todos los marineros que se hayan encontrado con él en el Atlántico al sur del Río de la Plata, y es frío, y seco, aunque frecuentemente llega con grandes nubes de tormenta y torrentes de lluvia y piedras. La lluvia puede durar desde media hora hasta medio día, pero, cuando termina, el cielo queda sin una nubecilla y anuncia la continuación del buen tiempo.

Era en un bochornoso tiempo de verano, y por la tarde todos nosotros, chicos y chicas, salimos a dar un paseo por la llanura hacia el atardecer, y estábamos a unas tres cuadras de casa cuando en el sudoeste apareció una oscuridad que comenzó a cubrir el cielo por aquel lado tan rápidamente que, alarmados, salimos corriendo hacia la casa tan rápidamente como pudimos. Pero la estupenda oscuridad de un negro pizarra mezclada con nubes amarillas de polvo, nos alcanzó, y antes de que hubiéramos llegado a la tranquera los aterrorizados chillidos de los pájaros salvajes llegaron a nuestros oídos, y mirando atrás vimos multitud de gaviotas y de chorlos volando locamente ante la tormenta, tratando de mantenerse por delante de ella. Luego un enjambre de grandes alguaciles pasó como una nube por sobre nosotros, y se desvaneció en un instante, y, justamente cuando llegábamos a la tranquera, las primeras grandes gotas nos salpicaron en forma de barro líquido. Apenas alcanzamos a entrar cuando la tempestad estalló con toda su furia: una negrura como la de la noche, los mugidos mezclados del viento y del trueno, enceguecedoras luces de relámpagos, y torrentes de lluvia. Entonces, en cuanto la primera espesa oscuridad comenzó a retirarse, vimos que el aire estaba blanco de granizo de una forma y un tamaño extraordinarios. Eran piedras grandes como huevos de gallina, pero no ovoides; eran chatas, y de alrededor de media pulgada de grosor, y como eran blancas, lucían como pequeños bloques o ladrillos hechos de nieve comprimida. El granizo continuó cayendo hasta que la tierra, cubierta por él, quedó blanca, y a pesar de su gran tamaño las piedras fueron arrastradas por el furioso viento en montones de cerca de un metro de profundidad contra las paredes de los edificios.

Se hacía noche y ya estaba poniéndose oscuro cuando la tormenta terminó; pero la luz del nuevo día reveló los daños que habíamos sufrido. Zapallos, calabazas y sandías estaban hechos pedazos, y la mayor parte de las verduras, incluido el maíz, fueron destruidas. Los árboles frutales también habían sufrido enormemente. Cuarenta o cincuenta ovejas habían sido muertas en el acto, y cientos más estaban tan lastimadas que durante muchos días anduvieron cojeando o parecieron atontadas por golpes en la cabeza. Habían muerto tres de nuestros carneros, y un caballo —un viejo y querido caballo de montar que tenía su historia—, el pobre viejo Zango; ¡toda la casa estaba afligida por su muerte! Perteneció originalmente a un oficial de caballería que tenía un extraordinario afecto por él, cosa rara en un país donde la carne de caballo era demasiado barata, y los hombres, en general, descuidados con sus animales y hasta crueles. El oficial había pasado años en la Banda Oriental, en guerra de guerrillas, y había montado a Zango en cada una de las luchas en que había intervenido. De vuelta a Buenos Aires trajo al viejo caballo a casa consigo. Dos o tres años después vino a ver a mi padre, a quien había llegado a conocer muy bien, y dijo que había recibido órdenes de incorporarse a las provincias del norte y que estaba muy preocupado por su caballo. Este tenía veinte años, según dijo, y no estaba ya en condiciones de ser montado en una batalla; y de cuanta gente conocía no había sino un hombre a cuyo cuidado deseaba dejar aquel caballo. Yo sé, dijo, que si usted se queda con él y me promete cuidar de él hasta que su vieja vida se acabe, estará seguro; y me sentiré feliz con respecto a él... tan feliz como pueda ser sin el caballo que he querido más que a ningún otro ser en la tierra. Mi padre aceptó, y había tenido al viejo caballo por espacio de nueve años cuando fue muerto por el granizo. Era un animal tostado oscuro de crines y cola larga, pero desde que yo lo conocí, siempre flaco y avejentado, y su principal función era la de servir para que los niños tomaran en su lomo las primeras lecciones de equitación.

Mis padres ya habían sufrido una gran tristeza a causa de Zango antes de su extraña muerte. Durante años habían esperado una carta, un mensaje del oficial ausente, y a menudo se habían imaginado su regreso y su alegría de encontrar a su querido y viejo amigo y poder abrazarlo de nuevo. Pero nunca volvió, y nunca vino ningún mensaje ni se tuvo ninguna noticia suya, y al fin se sacó en conclusión que había perdido la vida en aquella distante región del país donde se habían dado muchas batallas.

Para volver al granizo. La mayor destrucción se había producido en los pájaros salvajes. Antes de la tormenta una inmensa cantidad de avefrías habían aparecido y se hallaban en grandes bandadas en la llanura. Uno de nuestros peones criollos se ofreció para conseguir una bolsa de ellos para la mesa, y llevando la bolsa me hizo montar a grupas. A una milla o algo así de la casa nos encontramos con centenares de aves muertas donde habían estado sus apretadas bandadas, pero mi compañero no iba a levantar ningún pájaro muerto. Había otros corriendo por ahí con un ala rota, y tras ésos iba, dejándome a mí tenerle el caballo, y, al agarrarlos, les retorcía el cuello y los dejaba caer en la bolsa. Cuando hubo recogido dos o tres docenas volvió a montar y regresamos.

Esa mañana, más tarde, supimos que un ser humano, un niño de seis años, en la casa de uno de nuestros vecinos pobres, había perdido la vida de una manera extraña. Estaba de pie en medio de la habitación, mirando como caía el granizo, cuando una piedra, atravesando el techo de paja, lo golpeó en la cabeza matándolo instantáneamente.

CAPITULO VI

ALGUNAS AVENTURAS CON PAJAROS

Visita a un río de la pampa. El primer paseo largo. Aves acuáticas. La primera vez que vi flamencos. Una gran visita de palomas. Las mansedumbre extraña de estos pájaros. Intentos vanos de ponerles sal en la cola. Un problema ético: ¿cuándo una mentira no es mentira? El carancho, un buitre águila. Nuestro par de caranchos. Su nido en un duraznero. Mi ambición de apoderarme de sus huevos. Crímenes de los pájaros. Los pájaros me arrojan de allí. El nido derribado

Justamente antes de que comenzaran en serio mis días de jinete, cuando aún no tenía la suficiente confianza como para galopar solo muchas millas para ver el mundo por mí mismo, hice mi primer largo paseo por la pampa. Uno de mis hermanos mayores me invitó a acompañarlo hasta una corriente de agua, uno de los lentos ríos pantanosos de la pampa que quedaba a dos millas nomás de casa. La idea del ganado semisalvaje con que podíamos encontrarnos me aterrorizaba, pero aquel día él quería que yo lo acompañara y me aseguró que no alcanzaba a ver ningún ganado en aquella dirección y que tendría cuidado de poner buena distancia entre nosotros y cualquier cosa con cuernos con que pudiéramos toparnos. Entonces consentí con alegría y partimos tres de nosotros para examinar los portentos de un gran curso de agua donde crecían juncos y donde podíamos encontrar grandes pájaros salvajes que por casa nunca habíamos visto. Yo había echado antes un vistazo al río, cuando, viajando para visitar a un vecino, lo habíamos cruzado por uno de sus vados y había tenido ganas de bajarme y de correr por sus orillas verdes y húmedas; y ahora ese deseo iba a ser cumplido. Para mí fue una caminata tremendamente larga, puesto que teníamos que dar muchas vueltas para evitar los terrenos de cardos gigantes, pero al poco rato llegamos a una tierra baja, donde el pasto nos daba casi hasta la cintura y estaba lleno de flores. Era todo como un prado inglés en junio, cuando cada pasto y cada hierba están en flor, hermosos y fragantes, pero era cansador para que lo atravesara un niño de seis años. Por fin salimos a una pradera de suave césped, y al poco rato estábamos junto al arroyo, que había desbordado sus orillas debido a abundantes lluvias recientes y ahora tenía unos cincuenta metros de ancho. Había a la vista un número asombroso de pájaros —principalmente patos silvestres, unos pocos cisnes, y muchas zancudas: las garzas, pájaros espátulas y otros, pero lo más maravilloso de todo eran tres aves inmensamente altas de color blanco-rosa, vadeando solemnemente en hilera a un metro o algo así una de otra y a unos veinte metros de la orilla—. Aquella visión me sorprendió y me encantó y mi placer aumentó cuando el ave que iba a la cabeza se quedó inmóvil y, levantando la cabeza e irguiendo el largo cuello, abrió y sacudió sus alas. Porque éstas, abiertas, eran de un glorioso color carmesí y el ave fue para mí la criatura más semejante a un ángel de toda la tierra.

—¿Qué eran esas maravillosas aves?— pregunté a mis hermanos, pero no pudieron responderme. Dijeron que nunca habían visto antes aves como esas, y más tarde supe que los flamencos no eran conocidos en nuestra vecindad porque los cursos de agua no eran lo bastante anchos para ellos, pero que podía vérselos en bandadas en una laguna que quedaba a menos de un día de viaje de nuestra casa.

Durante varios años no tuve oportunidad de ver el ave nuevamente; después lo he visto docenas y cientos de veces, descansando o volando, a todas horas del día y en todos los estados atmosféricos, en sus más hermosos aspectos, como cuando a la puesta del Sol o por la mañana temprano se queda inmóvil en el agua quieta con su clara imagen reflejándose en el agua; o cuando los he visto volando en bandadas —visto desde alguna orilla desde abajo— moviéndose no muy alto sobre el agua azul en una larga línea carmesí o en un arco, guardando todas las aves entre ellas la misma distancia, sin que las puntas de las alas llegaran a tocarse; pero el deleite de esos espectáculos nunca alcanzó el mismo grado que el que experimenté en aquella ocasión cuando tenía seis años.

La nueva pequeña aventura con pájaros que he de contar, me muestra más con el carácter de un inocente y excesivamente crédulo nene de tres años que con el de un naturalista de seis con una considerable experiencia en materia de pájaros silvestres.

Un día de primavera apareció y se aposentó en nuestra plantación una inmensa cantidad de palomas. Era una especie común en el campo y se criaba en nuestros árboles, y, en realidad, en cualquier arboleda o monte de esa tierra —un lindo pájaro gris tornasolado con un bonito canto tristón, como un tercio más chico que la paloma doméstica, y perteneciente al género americano de las *zenaidas*. Esta paloma residía habitualmente con nosotros todo el año, pero ocasionalmente, en primavera y en otoño, se las veía viajando en inmensas bandadas; estas eran, evidentemente, extranjeras, y venían de algún territorio subtropical, al norte, donde no temían a los seres humanos. Sea como fuere, cuando fui a la plantación las encontré esparcidas por todo el suelo, buscando diligentemente semillas y tan mansas y despreocupadas por mi presencia que intenté capturarlas con las manos. Pero no querían ser agarradas: cuando yo me detenía y extendía las manos se me deslizaban entre ellas, y, volando uno o dos metros más adelante, seguían buscando y picoteando invisibles semillas.

Habiendo fracaso mis intentos, corrí de vuelta a la casa, sumamente excitado, a buscar a un viejo señor que vivía con nosotros y que mostraba interés por mí y por mi pasión por las aves, y al encontrarlo le conté que todo el lugar pululaba de palomas, que eran completamente mansas pero que no se dejaban cazar por mí. ¿Podría decirme cómo hacer para agarrarlas? Se rio y me dijo que yo debía ser un bobito si no sabía cómo cazar un pájaro. La única manera

238

era ponerle sal en la cola. Pensé que no habría dificultad en hacer eso, y ¡qué contento quedé de saber que los pájaros podían cazarse tan fácilmente! Allá corrí al barril de la sal gruesa y me llené los bolsillos y las manos con la sal sin refinar que se usaba para hacer la salmuera en que se conservaban los cueros; porque quería cazar un montón de palomas, brazadas de ellas. En pocos minutos estaba de vuelta entre la arboleda, con cientos de palomas moviéndose por todas partes alrededor de mí pero sin fijarse en mí para nada. Fue un momento gozoso y excitante cuando comencé las operaciones, pero pronto me di cuenta de que cuando arrojaba un puñado de sal sobre la cola del ave, la sal nunca caía sobre su cola... caía en el suelo, a dos o tres pulgadas de la cola. ¡Si el pájaro, pensé, se quedara quieto sólo un momento más! Pero no, y creo que pasé dos horas enteras en esos vanos intentos de hacer que la sal cayera en el lugar correcto. Al fin volví a buscar a mi mentor para confesarle que había fracasado y para pedirle nuevas instrucciones, pero todo lo que me dijo fue que yo estaba en el buen camino, que el plan que había adoptado era el correcto, y que todo lo que se necesitaba era un poco más de práctica que me permitiera dejar caer la sal en el lugar debido. Esto me devolvió mi entusiasmo y volví a llenarme los bolsillos de sal y comencé de nuevo, y luego, viendo que al seguir el plan apropiado no hacía progresos, adopté uno nuevo, que consistía en tomar un puñado de sal y arrojarlo a la cola de la paloma. Pero seguía sin tocar la cola; mi violenta acción no hacía más que asustar al ave y hacer que volara una docena de metros más allá, antes de dejarse caer a tierra de nuevo y recomenzar su tarea en busca de semillas.

Pronto me enteré por alguien que los pájaros no podían cazarse poniéndoles sal en la cola, y que se habían burlado de mí, y eso me hizo una gran impresión puesto que se me había enseñado que era malo decir mentiras. Ahora, por vez primera, descubrí que había mentiras y mentiras, o faltas a la verdad que no eran mentiras, que uno podía contar inocentemente aunque fueran inventadas y contadas deliberadamente para engañar. Esto al principio me enojó, y quise saber cómo iba a distinguir entre las mentiras reales y las mentiras que no eran mentiras, y la única respuesta que encontré fue ¡que sólo podía distinguirlas no siendo un tonto!

En la próxima aventura que contaré pasaremos del amor (o mansedumbre) de la tórtola a la rabia del buitre. En cuanto al buitre, no era un verdadero buitre ni estrictamente una verdadera águila, sino una especie de halcón, un ave del tamaño de una pequeña águila, de color marrón negruzco, con el cuello y el pecho blancos matizados de marrón y de manchas negras; tenía un pico muy grande de la misma forma que el pico del águila, y garras no tan fuertes como las de un águila ni tan débiles como las de un buitre. En sus costumbres tenía algo de águila y algo de buitre, y se alimentaba de carroña, aunque también cazaba y mataba animales y pájaros, especialmente los pequeños y los jóvenes. Era una criatura bastante depredadora para las aves de corral y para los corderos y lechones. Sus hábitos alimenticios eran, de hecho, muy semejantes a los del cuervo, y también su voz era semejante a la del cuervo, o más exactamente a la de la corneja cuando su grito es más fuerte y más áspero. Considerando el carácter de ese gran animal rapaz, el *Polyborus tharus* de los naturalistas y el carancho de los nativos, puede parecer extraño que se permitiera a un casal de ellos anidar y vivir durante años en nuestra plantación, pero en aquellos días la gente era tolerante no sólo para con los pájaros y bestias dañinas sino para con los seres depredadores de su propia especie.

En los bordes de nuestro viejo huerto de durazneros, descrito en un capítulo anterior, había un árbol solitario de forma un tanto singular, que se levantaba unos cuarenta metros de los otros en la orilla de un terreno baldío cubierto de yuyos. Era un árbol viejo y grande, como los otros, y tenía un suave tronco redondo de más de cuatro metros de altura y que extendía sus ramas a su alrededor de tal modo que la parte superior tenía la forma de una sombrilla abierta invertida. Y en ese oportuno hueco formado por el círculo de sus ramas, los caranchos habían construido un enorme nido, compuesto de palitos, manojos de pasto, huesos secos de oveja y otros animales, trozos de cuerda y de cuero crudo, y de cualesquiera otros objetos que pudieran transportar. El nido era su hogar; allí descansaban por la noche y lo visitaban de vez en cuando y durante el día, trayendo generalmente, un hueso blanqueado o un tallo de cardo o algún objeto semejante para agregar a aquel montón.

Nuestros pájaros nunca atacaban a las aves de corral, y no atacaban ni molestaban, sino que se mantenían en su propio extremo de la plantación, en la parte más alejada de las casas. Sólo cuando se carneaba un animal se acercaban en busca de carne, y en esos casos se mantenían cerca, observando con mirada aguda los procedimientos y aguardando su oportunidad. Esta se presentaba cuando la carcasa estaba limpia y se arrojaban los bofes y otras porciones a los perros; entonces el carancho se abalanzaba como un milano, y arrebatando la carne con el pico, se remontaba a una altura de veinte o treinta metros en el aire y, dejando caer su presa, la agarraba diestramente con sus garras y se alejaba volando para comérsela con toda tranquilidad. No me cansaba nunca de admirar esta proeza del carancho que es, creo, única entre las aves de presa.

El gran nido en el viejo durazno con forma de sombrilla invertida tenía una gran atracción para mí; acostumbraba visitarlo a menudo y me preguntaba si alguna vez tendría la capacidad de trepar hasta él. Ah, ¡qué placer sería poder subir hasta allí, por encima del nido, y poder mirar dentro del gran hoyo en forma de lebrillo, forrado con lana de oveja, y ver los huevos, más grandes que huevos de pavo, marmolados de rojo oscuro, o de blanco-crema salpicado de rojo-sangre! Porque yo había visto huevos de carancho que había traído un gaucho y tenía la ambición de sacar de aquel nido una nidada con mis propias manos. Era cierto que mi madre me había dicho que si quería huevos de pájaros nunca debía tomar más de uno de un nido, a menos que se tratara de alguna especie dañina. Pero el carancho era verdaderamente dañino, a pesar de la buena conducta de que hacía gala mientras estaba en nuestra casa. En una de mis primeras salidas en mi petiso había visto a un par de ellos, y creo que eran nuestros propios pájaros, atacando furiosamente a una cordera

240

débil y enferma; ella se resistía a echarse, para que no la mataran, y ellos atacaban su cuello, picoteando y desgarrando su cara, tratando de hacerla caer. Había visto también una camada de lechoncitos que una cerda había parido en la llanura atacados por seis o siete caranchos, y al aproximarme al lugar había visto que habían matado a la mitad de ellos (unos seis, creo) y los estaban devorando a cierta distancia de la vieja cerda y de los lechoncitos sobrevivientes. Pero ¿cómo podría hacer para trepar al árbol y pasar sobre el borde del enorme nido? Y tenía miedo de los pájaros; me parecieron indeciblemente salvajes y formidables cada vez que estuve cerca de ellos. Pero mi deseo de conseguir los huevos predominaba, y, cuando llegó la primavera y tuve motivos para creer que ya habían puesto los huevos, fui por allí más a menudo que nunca para espiarlos y esperar que se presentara mi oportunidad. Y una tarde, inmediatamente después de la puesta del Sol, no pude ver los pájaros por ninguna parte y pensé que mi oportunidad había llegado. Conseguí trepar por el suave tronco hasta las ramas y entonces, con el corazón latiéndome salvajemente, di comienzo a la empresa de pasar por sobre el enorme borde del nido. En ese momento oí el áspero graznido del pájaro y, atisbando a través de las hojas en la dirección de donde provenía, avisté a los pájaros volando furiosamente hacia mí y graznando de nuevo a medida que se acercaban. Entonces el terror se apoderó de mí, y allí nomás me dejé caer entre las ramas y, asiéndome a la más baja, conseguí oscilar libremente y dejarme caer al suelo. Fue una caída considerable, pero caí sobre pasto suave, y, poniéndome en pie de un salto, volé hacia el abrigo del huerto y desde allí hacia la casa, sin detenerme siquiera a mirar atrás para ver si me estaban siguiendo.

Ese fue mi único intento de incursionar en el nido, y desde entonces los pájaros continuaron en su pacífica posesión del mismo hasta que a alguien se le ocurrió pensar que el enorme nido era perjudicial para el árbol, y la causa de que produjera tan poca fruta comparado con el resto de los durazneros, y en consecuencia el nido fue tirado abajo, y los pájaros desertaron de aquel lugar.

En un capítulo anterior, cuando describí nuestros durazneros en la época en que estaban en flor, mencioné las cotorras que ocasionalmente nos visitaban, aunque el lugar de sus nidadas estuviera a cierta distancia de allí.

Este pájaro era uno de los dos comunes en la provincia; el otro, más numeroso, era el loro patagónico, *Conarus patagonus,* el loro barranquero de los criollos. En mi infancia este pájaro era tan común en las pampas sin árboles que se extendían por cientos de millas al sur de Buenos Aires, como en la Patagonia, y procreaba en agujeros que excavaba en barrancos o en las orillas altas a los lados de ríos y lagunas. Los lugares de esos nidales estaban muy lejos al sur de mi casa, y no los visité hasta que mis días de muchacho habían pasado.

En invierno esos pájaros hacían una migración parcial hacia el norte; en esa estación nos visitaban en bandadas, y mientras fui chico era para mí una alegría cuando los gritos resonantes de las cotorras viajeras, que se oían en el silencio mucho antes de que los pájaros se hicieran visibles en el cielo, anunciaban su proximidad. Entonces, cuando aparecían volando a moderada altura, ¡qué extrañas y hermosas parecían, con sus largas alas puntiagudas y sus largas colas abiertas, con su plumaje verde sombrío manchado de amarillo, azul y rojo! ¡Cómo ansiaba conocer más de cerca a estos visitantes invernales y cómo esperaba que se posaran en nuestros árboles! A veces se posaban allí para descansar; a veces, para pasar medio día o aun más tiempo en la plantación; y a veces, para mi felicidad, una bandada decidía permanecer con nosotros durante días y hasta semanas enteras, alimentándose en la llanura circundante, posándose en los árboles a intervalos durante el día y durante la noche para descansar. Yo acostumbraba salir en mi petiso para seguir y observar a la bandada cuando se alimentaba, y me asombraba su preferencia por las semillas amargas del zapallo silvestre. Esta planta, que era abundante en nuestra zona, producía una fruta en forma de huevo, más o menos del tamaño del huevo del avestruz, y tenía una corteza dura como una cáscara, pero los pájaros la partían rápidamente con sus picos duros como el acero y se daban un festín con las semillas, esparciendo las cáscaras secas de aquellas por todas partes hasta que el suelo blanqueaba con ellas. Cuando me aproximaba en mi petiso a la bandada que comía, los pájaros levantaban el vuelo e iban y venían volando a mi alrededor, revoloteando en una compacta aglomeración que casi me ensordecía con sus gritos de enojo.

El pájaro más pequeño, el periquito, que era más o menos del tamaño de una paloma torcaza, era de un rico color verde uniforme por encima y de un gris ceniciento por debajo, y, como muchos loros, hacía su nido en los árboles. Es uno de los pájaros más sociables que conozco; vive durante todo el año en comunidades y construye grandes nidos de palitos tan unidos como los nidos de cornejas, y cada nido tiene comodidad para dos o tres y hasta media docena de casales. Cada casal tiene una entrada y una cavidad propias para su uso en la gran estructura.

Los únicos nidales en nuestra vecindad estaban en un monte o, mejor dicho, en los restos de la plantación arruinada de una casa de estancia que quedaba a unas tres leguas de casa, y era propiedad de un inglés llamado Ramsdale. Allí había una colonia de alrededor de doscientos pájaros, y la docena, o más, de árboles sobre los cuales habían construido estaban cargados con sus grandes nidos, cada uno de los cuales contenía suficiente material como para llenar un carro.

Mr. Ramsdale no era nuestro vecino inglés más cercano —a quien describiré en otro capítulo—; ni era un hombre de quien nos preocupáramos mucho; y su pobre estancia no tenía atractivos, pues a su vieja y desaliñada ama de llaves criolla, y a los demás sirvientes, se les permitía hacer lo que les daba la gana. Pero era inglés y era un vecino, y mis padres, por principio, lo visitaban de vez en cuando, y yo siempre me las arreglaba para ir con ellos —de seguro que no para ver a Mr. Ramsdale, que no tenía nada que decir a un tímido muchachito y cuyo rudo rostro rojo parecía el rostro de un gran bebedor. *Mis* visitas eran exclusivamente para los periquitos. Ah, pensé tantas y tantas veces, ¡por qué estas queridas criaturas no se vienen con nosotros y hacen sus felices aldeas en nuestros árboles! Y, sin embargo, cuando los visitaba, no les gustaba; tan pronto corría hacia el monte, donde estaban los nidos, el lugar se convertía en una batahola. Se lanzaban hacia arriba para unirse en una bandada y revolotear chillando sobre mi cabeza, y el escándalo duraba hasta que me iba de allí.

Una vez al comienzo de la primavera en que volvíamos tarde de una de nuestras raras visitas a Mr. Ramsdale, fuimos testigos de una extraña escena. En aquel lugar la llanura estaba cubierta por una densa vegetación de cardos, o alcahuciles silvestres, y al dejar la casa de la estancia en nuestra volanta, seguimos los senderos del ganado, ya que por esos lados no había caminos. A medio andar vimos una tropa de siete u ocho venados en un espacio abierto entre los grandes matorrales de cardos grises, pero ellos, en vez de exhalar su sibilante grito de alarma y escapar al aproximarnos se quedaron en el mismo sitio, aunque pasamos a unos cuarenta metros de ellos. La tropilla estaba compuesta por dos machos empeñados en una lucha furiosa, y cinco o seis hembras que daban vueltas y vueltas alrededor de los dos que peleaban. Los venados conservaban sus cabezas tan bajas que sus narices casi tocaban el suelo, mientras que con los cuernos entrelazados entre sí empujaban violentamente, y de vez en cuando uno conseguía forzar al otro a retroceder cinco o seis metros. Seguía una pausa; luego, otro empujón violento y, con los cuernos siempre trabados, se movían de lado, dando vueltas y vueltas, y así siguieron hasta que los dejamos atrás y los perdimos de vista.

Este espectáculo nos excitó en grado sumo en el momento y hubimos de recordarlo varios meses más tarde, cuando uno de nuestros vecinos gauchos nos contó una cosa curiosa que acababa de ver. ¡Había estado en aquel lugar cubierto de cardos donde habíamos visto luchar a los venados, y en aquel mismo lugar, en el pequeño espacio verde, se había encontrado con los esqueletos de dos venados con los cuernos trabados!

Tragedias de esta clase en el salvaje mundo animal han sido contadas a menudo, pero son sumamente raras en la pampa, donde los lisos y poco dentados cuernos del venado nativo, *servus campestris,* no están tan expuestos a entrelazarse entre sí irremediablemente, como sucede en muchas otras especies.

Los venados eran comunes en nuestra zona en aquellos días y preferían los campos cubiertos de cardo, los cuales, a falta de árboles y matorrales, les proporcionaban cierta forma de protección. Rara vez pasaba por aquellos lados sin alcanzar a ver un grupo de venados que, a menudo, eran en extremo conspicuos con su brillante color claro entre castaño y amarillo y que se quedaban mirando fijamente al intruso a través de la vasta espesura de matas de cardo gris.

Aquellas rudas llanuras eran también el habitat del *rhea,* nuestro avestruz, y fue allí donde por primera vez pude ver de cerca a esta que es la más grande de las aves del continente y la que menos parece un ave. Tenía yo entonces ocho años, cuando una tarde a fines del verano, estando por salir a dar una vuelta en mi petiso, se me dijo que siguiera hacia el lado del este hasta que llegara a los terrenos cubiertos de cardos que quedaban a una milla aproximadamente pasando el rancho del puestero. El puestero era requerido en la plantación y no podía ir en ese momento a donde estaba la majada, y me mandaron a que la vigilara y la trajera de vuelta a casa.

Encontré la majada justamente donde se me había dicho que la buscara; las ovejas ampliamente esparcidas y algunas en grupos, desde una docena o dos hasta un ciento, eran apenas visibles a la distancia entre las ásperas matas. Por allá, por donde aquellas ovejas más lejanas estaban pastando, había esparcida una tropa de setenta u ochenta caballos que también pastaban, y cuando cabalgué hasta aquel lugar me encontré de pronto entre una cantidad de avestruces, que se alimentaban también entre las ovejas y los caballos. Sus plumajes grises, por ser tan parecidos en su color a las matas de cardo, me habían impedido verlos antes de encontrarme justo en medio de ellos.

Lo extraño fue que no me prestaron la menor atención, y, frenando mi caballo, me quedé mirándolos atónito, particularmente a uno de ellos, uno muy grande y que era el más próximo a mí, ocupado tranquilamente en picotear las plantas de trébol que crecían entre las grandes y pinchudas hojas de cardo, escogiendo, según parecía, los mejores brotes.

¡Qué ave grande y de noble aspecto era, y qué hermoso era su flojo plumaje gris y blanco, colgando como un manto pintorescamente puesto sobre su cuerpo! ¿Por qué eran tan mansos?, me pregunté. La vista de un gaucho a caballo, incluso a una gran distancia, invariablemente los hacía salir corriendo a su máxima velocidad; y, sin embargo, aquí estaba yo, a menos de doce metros de uno de ellos, con algunos otros a mi alrededor, todos ocupados en examinar las hierbas y seleccionando las hojas más lindas para arrancarlas ¡exactamente como si yo no estuviera allí! Supongo que era por ser yo un chico pequeño que montaba un caballo pequeño y no era asociado en el cerebro del avestruz con el gaucho de aspecto salvaje sobre su gran animal y que se abalanzaba sobre ellos con propósitos mortíferos. A poco, me dirigí derechamente al que estaba más cerca de mí, y entonces levantó la cabeza y el cuello y se movió hacia adelante alejándose descuidadamente a unos pocos metros de distancia, y comenzó de nuevo a picotear los tréboles. Volví a dirigirme hacia él, poniendo mi petiso al trote y, cuando estuve a dos metros, de pronto, de un modo singular, hizo girar su cuerpo en círculo en dirección a mí y rompiendo en una especie de trote danzado pasó rozándome.

Frenando de nuevo y mirando hacia atrás, vi que estaba a diez o doce metros detrás de mí, ¡ocupado tranquilamente, una vez más, en picotear hojas de trébol!

Una y otra vez fui al encuentro del avestruz y de uno de los otros, y siempre practicaron la misma treta: primero parecían perfectamente despreocupados de mi presencia y luego, cuando cargaba contra ellos, con apenas un pequeño movimiento descuidado, se colocaban a doce metros detrás de mí.

Pero este ardid del avestruz es maravilloso de ver cuando el ave perseguida está cansada de correr y es alcanzada finalmente por uno de los cazadores que tal vez ha perdido las boleadoras con las que captura a su presa y que trata de ponerse a la par del avestruz de modo de alcanzarlo con su cuchillo. Parece algo fácil de hacer: el ave está evidentemente exhausta, jadeando, con las alas caídas, mientras corre haciendo curvas y, sin embargo, no bien el hombre está a la distancia en que podría golpearla, se pone en juego el súbito movimiento, y el ave, como por milagro, está entonces detrás y no al lado del caballo. Y, antes de que el caballo, que va a toda velocidad, pueda ser frenado y dar la vuelta, el avestruz ha tenido tiempo de recobrar el aliento y de ponerse a cien metros de distancia, o más. A causa de esta destreza instintiva del avestruz, los gauchos dicen: "el avestruz es el más gaucho de los animales", lo que quiere decir que el avestruz, por su fertilidad de recursos y por los ardides que practica para salvarse cuando se ve muy apurado, es tan listo como el propio gaucho.

CAPITULO VII

MI PRIMERA VISITA A BUENOS AIRES

El tiempo más feliz. Mi primera visita a la capital. La antigua y la nueva Buenos Aires. Vívidas impresiones. Un paseo solitario. Cómo aprendí a andar solo. Perdido. La casa en donde parábamos y el río como mar. Calles toscas y estrechas. Hileras de postes. Carros y ruido. Un gran festival en la iglesia. Jóvenes en negro y escarlata. Escenas ribereñas. Las lavanderas y su lenguaje. Sus peleas verbales con jóvenes elegantes. Los serenos nocturnos. El pasatiempo de un caballerito. Un perro pescador. Veo un gallardo caballero apedreando pajaritos. Un vistazo a don Eusebio, el bufón del dictador

La época más feliz de mi niñez fue ese período, un poco después de los seis años, cuando tuve mi propio petiso para andar, y se me permitía montarlo tanto tiempo e ir tan lejos como se me ocurriera. Era como el pichón, cuando deja el nido por primera vez y toma de pronto conciencia de su poder de volar. Mis efímeros primeros días de vuelo fueron, con todo, interrumpidos muy pronto, cuando mi madre me llevó a hacer mi primera visita a Buenos Aires; es decir, la primera que recuerdo, puesto que debo haber sido llevado allí antes, como un niño de brazos, ya que vivíamos demasiado lejos de ningún cura misionero que viajara toda esa distancia nada más que para bautizar a un bebito. Buenos Aires es ahora la ciudad más rica, la más populosa y europea de Sudamérica; estos vistazos a un lejano pasado servirán para mostrar lo que eran aquellos tiempos. Llegando como un chico excepcionalmente impresionable desde aquella verde llanura donde la gente vivía la simple vida pastoril, todo lo que veía en la ciudad se imprimía en mí profundamente, y lo que más grabado me quedó de cuanto vi está hoy vívido en mi mente como siempre lo estuvo. En mis paseos por las calles yo era un chico solitario, porque aunque tenía un hermano menor que era mi único compañero de juegos, éste no tenía todavía cinco años y era demasiado pequeño para hacerme compañía en mis andanzas. No es que me importara andar solo. Muy, muy temprano en mi niñez, había adquirido el hábito de andar solo por ahí para divertirme a mi manera, y sólo después de mucho tiempo, cuando tenía alrededor de doce años, me dijo mi madre qué ansiedad le causaba esa singularidad mía. Cuando salía a mirar lo que estaban haciendo los niños, se daba cuenta de que yo no estaba, y entonces me llamaban y me buscaban, para encontrarme oculto en un lugar cualquiera de la plantación. Entonces comenzó a poner atención en lo que yo hacía, y cuando observaba que me escabullía, me seguía secretamente y me observaba, de pie, inmóvil entre los altos yuyos o bajo los árboles durante ratos enteros, mirando al vacío. Esto la perturbaba en grado sumo; luego, con gran alivio y alegría descubrió que yo estaba allí con un motivo que ella podía comprender y apreciar, que estaba observando algún ser viviente, tal vez un insecto, pero más a menudo un pájaro —un casal de pequeños papamoscas colorados construyendo su nido de liquen en un duraznero, o alguna otra cosa bella—. Y como ella misma amaba tanto todas las cosas vivientes se sintió completamente satisfecha de que yo no me estuviera poniendo mal de la cabeza, que era lo que había estado temiendo.

Al comienzo, lo desconocido de las calles fue un poco demasiado para mí, y recuerdo que la primera vez que me aventuré solo a una corta distancia de casa me perdí. Desesperando de volver a encontrar nunca el camino de regreso empecé a llorar, y pronto me encontré rodeado de un buen número de transeúntes; luego vino un policía, con botones de bronce en su chaqueta azul y una espada al costado, que me preguntó con voz de mando dónde vivía —el nombre de la calle y el número de la casa—. No supe decírselos; entonces empecé a asustarme de su espada, de su gran bigote negro y de su voz fuerte y áspera, y repentinamente me escapé, y después de correr durante seis o siete minutos, para mi alegría y mi sorpresa, me encontré de vuelta en casa.

La casa donde vivíamos con unos amigos ingleses estaba cerca de la ribera, esa parte de la ciudad que enfrenta al Río de la Plata, un río que era como el mar: la otra orilla no era visible; y como el mar tenía sus mareas; sólo era diferente en su color, que era un rojo barroso en vez de azul o verde. La casa era espaciosa y, como la mayor parte de las casas de entonces, tenía un gran patio pavimentado con baldosas rojas y plantado con pequeños limoneros y arbustos florecidos de diversas clases. Las calles eran estrechas y angostas, pavimentadas con cantos rodados grandes, del tamaño de una pelota de fútbol; las veredas, con ladrillos o con baldosas, y tan estrechas que difícilmente admitían el paso de más de dos personas de frente. A lo largo de las veredas, a cada lado de la calle, había hileras de postes a diez metros de distancia entre sí. Esas extrañas filas de postes, que hacían reír a los extranjeros, eran sin duda resabios de épocas aún más rudas, cuando cuerdas de cuero se extendían a ambos lados del pavimento para proteger a los peatones de los caballos desbocados, del ganado cimarrón conducido por hombres salvajes de la pampa, y otros peligros de las estrechas calles. Tales como estaban entonces pavimentadas, aquellas calles deben haber sido las más ruidosas del mundo, a causa del inmenso número de grandes carros sin elásticos que andaban por ellas. ¡Imagínese la atronadora barahúnda hecha por una larga procesión de esos carros, cuando volvían vacíos, como sucedía a menudo, conducidos los caballos al galope mientras saltaban y atronaban sobre las grandes piedras redondeadas!

Justo enfrente de la casa en que parábamos había una gran iglesia, una de las más grandes de las numerosas iglesias de la ciudad, y uno de mis más vívidos recuerdos se refiere a una gran fiesta anual de esa iglesia: la del día del santo patrono. Había estado abierta a los devotos todo el día, pero el servicio principal se llevó a cabo a las tres de la tarde; por lo menos fue a esa hora cuando una gran asistencia de gente elegante se instaló allí. Los observé mientras llegaban en parejas, en familias y en pequeños grupos; en todos los casos las damas, hermosamente vestidas, iban acompañadas por sus caballeros. En la puerta de la iglesia los caballeros hacían una reverencia y se retiraban a la calle, delante del edificio, donde se había formado una especie de reunión al aire libre con todos aquellos que venían escoltando a las damas, y que allí quedarían hasta que el servicio terminara. La multitud en la calle crecía y crecía, hasta que hubo en la reunión alrededor de cuatrocientos o quinientos caballeros en su mayoría jóvenes, todos reunidos en pequeños grupos, conversando animadamente, de tal modo que la calle estaba llena del fuerte zumbido de sus voces mezcladas. Eran todos criollos, todos de la buena o de la alta sociedad criolla, y, todos vestidos exactamente igual, según la moda de aquel tiempo. Eran sus ropas y la apariencia uniforme de un número tan grande de personas, la mayor parte de las cuales mostraban rostros jóvenes, bien parecidos y animados, lo que me fascinaba y me conservaba en aquel lugar mirándolos hasta que las grandes campanas empezaron a atronar al concluir el servicio y empezó a hormiguear la inmensa concurrencia de damas alegremente vestidas e inmediatamente se deshizo la reunión, y los caballeros se apresuraron a ir a reunirse con ellas.

Todos llevaban sombreros de copa y trajes del más brilloso paño fino; ni siquiera se veía un par de pantalones de otro color; todos llevaban el chaleco de seda o de fina tela escarlata que, en aquel período, era considerado lo correcto que debía usar todo ciudadano de la república; además, en el lugar del ojal de la levita, llevaban una cinta escarlata prendida a la solapa. Era un lindo espectáculo, y el conjunto me recordaba una bandada de militarizados churrinches, que estaban entre mis pájaros preferidos; era un pájaro de plumaje negro u oscuro con el pecho escarlata.

Mis paseos eran casi siempre por la costa ya que por allí podía caminar hasta una o dos leguas de casa, al norte o al sur, sin perderme, siempre con la vasta extensión de las aguas a un lado, y muchos grandes barcos que parecían borrosos a la distancia, y numerosas lanchas o chalanas que volvían de ellos con carga de mercaderías que descargaban en carros; éstos entraban varias cuadras dentro del agua barrosa para acercarse a las embarcaciones. También estaban los carros de los aguateros, que iban y volvían por centenares, porque en aquella época no había agua corriente, y cada dueño de casa tenía que comprar, por baldes, en su propia puerta, el agua barrosa de los aguateros.

Para mí uno de los lugares más atractivos era el punto de reunión de las lavanderas, al sur de mi calle. Allí, en la amplia playa bajo la escollera, se veía una blancura parecida a una nube blanca, que cubría el suelo por espacio de varias cuadras; y esa nube, a medida que uno se acercaba, se resolvía en innumerables pañuelos, camisas, enaguas, y otras piezas de ropa interior, colgando de largas sogas y cubriendo las rocas bajas que lavaba la marea, y las extensiones de verdes pastos que quedaban entre ellos. Era el lugar donde se permitía a las lavanderas lavar toda la ropa sucia de Buenos Aires en público. Se veía por todas partes, sobre el suelo, a las mujeres, en su mayor parte negras, de rodillas, junto a los charcos que quedaban entre las rocas, fregando y batiendo furiosamente las ropas; y como todas las negras éstas eran excesivamente vociferantes, y su parloteo en voz muy alta mezclado con gritos y risas estrepitosas me hacía acordar del alboroto de una gran reunión de grullas, ibis, becacinas, gansos y otros ruidosos seres acuáticos en alguna laguna pantanosa. Era una escena maravillosamente animada y me atraía allí una y otra vez. Me di cuenta, sin embargo, que tenía que ir con cuidado con esas mujeres, pues miraban con sospecha a los muchachos ociosos, y, a veces, cuando andaba caminando entre las ropas desparramadas, me echaban ásperamente. También se peleaban a menudo entre sí por el derecho a ocupar ciertos lugares y espacios; entonces, repentinamente, su charla jocosa se cambiaba en salvajes gritos de cólera y en torrentes de insultos. Pronto descubrí que sus más graves rabietas y su peor lenguaje se desplegaban cuando ciertos caballeritos de las clases altas visitaban el lugar para divertirse provocándolas. Los caballeretes se paseaban de manera distraída y displicente hasta que de pronto marchaban derechamente hacia un camisón bellamente bordado y trabajado con cintas o alguna otra delicada prenda tendida a secar sobre los pastos o la roca, y, deteniéndose sobre ella, procedían con toda calma a sacar y encender un cigarrillo. Instantáneamente, la negra virago se ponía de pie enfrentando al joven y derramando un torrente de sus más sucias expresiones y de sus peores maldiciones. El, con fingida rabia, replicaba en un lenguaje aún peor. Esto la llevaba a su punto de incandescencia; porque por entonces todas sus amigas y enemigas dispersas en el lugar, suspendían sus tareas para escuchar con todos sus sentidos; y la emulación de palabras que se iba volviendo más fuerte y más fiera duraba hasta que los combatientes quedaban exhaustos e incapaces de inventar ya más expresiones oprobiosas y horribles para arrojarse el uno al otro. Luego, el insultado caballerete arrojaba lejos, de un puntapié, la prenda y, lanzando su cigarrillo a medio fumar a la cara de su adversaria, se retiraba con la cabeza alta.

Ahora me río cuando recuerdo aquellas inverosímiles batallas verbales en la playa, pero resultaron chocantes para mí la primera vez que las escuché siendo un niño inocente, y la cosa fue aún peor cuando se me aseguró que el caballerito sólo estaba representando un papel, que la furia extrema que exhibía, que pudo haber servido como una excusa para emplear semejante lenguaje, era pura simulación.

Otro pasatiempo favorito de esos mismos jóvenes caballeros ricos y desocupados me ofendió tanto como el que acabo de relatar. Los guardias nocturnos de aquel tiempo, llamados serenos, me interesaban extraordinariamente. Cuando caía la noche parecía que los feroces policías con sus espadas y sus botones de bronce, no eran ya necesarios para salvaguardar a la gente, y su lugar en las calles era ocupado por un singular y desaliñado conjunto de hombres, en su mayoría viejos, algunos decrépitos, que usaban grandes capas y llevaban pesadas linternas de hierro con una candela de sebo encendida dentro. Pero ¡qué placer era yacer despierto por la noche y escuchar sus voces cantando las horas! Comenzaban a cantarlas al sonar las once, y en adelante, debajo de la ventana sonaría, arrastrándose, el maravilloso y largo canto de: *Las on-ce han da-do y se-re-no...* Lo que significaba que, según el reloj, eran las once, y que todo, especialmente el tiempo, estaba sereno; pero, si estaba nublado, la palabra final sería *nu-bla-do,* etcétera, según el estado del tiempo. Desde todas las calles, desde toda la ciudad, los largos y lentos llamados flotaban hacia mis atentos oídos, con infinita variedad en las voces —la alta y aguda, el falsete, la áspera ronca nota como el graznido del chimango, el solemne y resonante bajo, y, por fin, alguna fina, pura y rica voz que se remontaba hacia el cielo por sobre todas las otras y era semejante a las resonantes notas de un órgano.

Me gustaban los pobres serenos y sus gritos y agraviaba mi tierno corazón oír que era considerado un lindo deporte para los ricos caballeritos hacer salidas por la noche para combatir con ellos y despojarlos de sus báculos y de sus linternas, que se llevaban consigo como trofeos.

Otro fenómeno humano que me disgustaba y chocaba a mi tierno espíritu tanto como las disputas en la playa entre los jóvenes lechuguinos y las lavanderas, era la multitud de mendigos que infestaba la ciudad. Estos no eran como nuestro dignificado mendigo a caballo, con su poncho rojo, sus espuelas y su alto sombrero de paja, que cabalgaba hasta nuestra tranquera y, habiendo recibido su tributo nos bendecía y seguía en su caballo hasta la próxima estancia. Estos mendigos ciudadanos del empedrado eran los hombres más brutales y hasta diabólicos que hubiera visto nunca. La mayor parte de ellos eran viejos soldados que, después de servir sus diez, sus quince o sus veinte años, según la naturaleza del crimen por el cual fueron condenados al ejército, habían sido licenciados o arrojados para vivir como chimangos de lo que pudieran coger por ahí. Veinte veces al día, por lo menos, se oía abrir la puerta de hierro que comunicaba el patio con la calle, tras lo que seguía el llamado o el grito del mendigo pidiendo caridad por amor a Dios. Fuera, uno no podía ir muy lejos sin ser enfrentado por uno de esos hombres, que decididamente se cuadraba frente a uno en la estrecha vereda y pedía una ayuda. Si usted no tenía cambio y decía —Perdone, por Dios— ponía mala cara y lo dejaba pasar; pero si usted se mostraba fastidiado o disgustado, o le ordenaba que se quitara del camino, lo miraba con una rabia concentrada que parecía decir: —¡Ah, no tenerte a mi merced, atado de pies y menos, y con un cuchillo filoso en la mía!—. Y a esto seguía una ráfaga del más horrible lenguaje.

Un día fui testigo de algo muy extraño: la actuación de un perro a la orilla del mar. Era un atardecer y la playa estaba desierta: carreros, pescadores, boteros, todos se habían ido y yo era el único holgazán que quedaba sobre aquellas rocas; pero la marea estaba subiendo, haciendo rodar olas enormes sobre las rocas, y el nuevo espectáculo de las olas, la frescura, la alegría de todo ello, me retenían en aquel lugar, de pie sobre una de las rocas más salientes que aún no barrían las aguas. Pronto bajó a la playa un caballero, seguido por un gran perro, y se detuvo a una distancia de cuarenta o cincuenta metros, mientras que el perro saltaba sobre las rocas chatas y resbalosas y a través de pozos de agua hasta llegar a mi lado, y, echándose sobre el borde de la roca, comenzó a mirar intensamente el agua. Era un animal grande, lanudo, de cabeza redonda, con un manto grisáceo aunque tenía algunas manchas de un rojo claro; no puedo decir de qué raza era pero parecía estar entre un ovejero y un cazador de nutrias. De pronto se zambulló, desapareciendo por completo de mi vista, pero rápidamente reapareció con un gran sábalo de unos dos kilos de peso entre sus mandíbulas. Trepando a la roca dejó caer el pescado, al que no parecía haber lastimado mucho, puesto que empezó a sacudirse de manera excesivamente vivaz. Me quedé asombrado y me di vuelta a mirar al dueño del perro; pero allí se estaba en el mismo lugar, fumando y sin prestar atención a lo que su animal estaba haciendo. De nuevo se hundió el perro y sacó un segundo gran pez y lo dejó caer en la roca chata, y otra vez y otra vez se zambulló, hasta que hubo cinco grandes sábalos que se agitaban en la roca húmeda y que muy posiblemente pronto iban a ser arrastrados de vuelta al agua. El sábalo es un pez común en el Río de la Plata y el mejor de todos los peces comestibles, asemejándose al salmón por su rico sabor, y es buscado ávidamente por los pescadores de Buenos Aires, cuando viene del mar, exactamente como nuestros pescadores buscan la caballa en nuestras costas. Pero esa noche la costa había sido abandonada por todos, incluidos los mirones, y los peces vinieron y pulularon entre las rocas, y no había nadie que los pescara —ni siquiera algún pobre vagabundo que se abalanzara sobre los cinco peces que el perro había capturado, para llevárselos—. Uno por uno los vi arrastrados de vuelta al agua, y en seguida, el perro oyendo que su dueño le silbaba, se alejó saltando.

Por muchos años después de este incidente no pude encontrar a nadie que hubiera visto o que hubiera oído algo acerca de un perro que pescara. Eventualmente, leyendo, encontré la mención de perros pescadores en Terranova y en otras regiones.

Queda por contar otra extraña aventura que me sucedió en la costa. Eran alrededor de las once de la mañana y yo iba por la costanera, caminando hacia el norte, deteniéndome de tiempo en tiempo para mirar sobre el murallón las bandas de pajaritos que venían a comer debajo, en la playa. En cierto momento me llamó la atención un joven que caminaba ante mí, deteniéndose y atisbando de tiempo en tiempo sobre el muro, y, cuando lo hacía, arrojaba algo a los pajaritos. Corrí hasta alcanzarlo, y me desconcertó un tanto su apariencia maravillosamente fina. Era como uno de los caballeros de las reuniones ante la iglesia, que describí unas páginas antes, y llevaba un sombrero de copa y chaqueta y pantalones negros, a la moda, y un chaleco de seda roja; era, también, un caballerito singularmente buenmozo con bigote y barba enrulados de un color dorado castaño y ojos líquidos y oscuros que estudiaron mi rostro con curiosidad un tanto divertida cuando yo lo miré. En una mano llevaba colgando por su cordón una bolsa de gamuza, y sosteniendo en la mano derecha una piedra, miraba los pájaros, las pequeñas reuniones de copetudos chingolos, jilgueros amarillos, cabecitas negras, mistos, y otras clases de pájaros, y, de tiempo en tiempo, arrojaba una piedrecita al pájaro que había elegido, a cuarenta metros de distancia, allá abajo en las rocas. Realmente no lo vi darle a ningún pájaro, pero su precisión era asombrosa, porque casi invariablemente el proyectil, arrojado desde tanta distancia y a un objeto tan diminuto, parecía rozar las plumas y dejar de matar sólo por una fracción de pulgada.

Lo seguí durante un rato. Mi asombro y mi curiosidad crecían a cada momento viendo a una persona que parecía tan superior ocupada en semejante pasatiempo. Porque es un hecho que los argentinos no persiguen pajaritos. Al contrario, desprecian a los extranjeros que, venidos de otras tierras, acostumbran a cazarlos a tiros o a ponerles trampas. Además, si quería pajaritos para cualquier propósito, ¿por qué trataba de conseguirlos arrojándoles piedras? Como no me mandó que me alejara, sino que me miraba de vez en cuando de manera amable, con una sonrisita en el rostro, al fin me aventuré a decirle que, de esa manera, nunca iba a conseguir un pajarito, que sería imposible pegarle a uno a esa distancia con una piedrecita. —Oh, no; no es imposible— replicó, sonriendo, mientras seguía caminando, y seguía vigilando las rocas. —Bueno, usted no le pegó todavía a ninguno— fui lo bastante atrevido para contestarle, y al escucharme se detuvo y, poniendo dos dedos dentro del bolsillo de su chaleco, sacó de allí un cabecita negra macho y lo puso en mis manos. Era el pájaro llamado *goldfinch* por los ingleses residentes en el Plata, y jilguero por los españoles; es, sin embargo, un cabecita negra, *Chrysomitris magellanica,* y tiene una cabeza negra aterciopelada, mientras que el resto de su plumaje es negro, verde y amarillo brillante. Era uno de los pájaros que más amaba, pero nunca había tenido uno en mis manos, muerto o vivo, antes, y ahora su maravilloso e inimaginable encanto, sus formas graciosas, y el matiz amarillo de flor exquisitamente puro me provocaron un deleite tan intenso que casi no pude contener las lágrimas.

Después de mirarlo con delicia unos momentos, tocándolo con las yemas de los dedos y abriendo las pequeñas alas negro y oro, levanté los ojos mirándolo suplicante y le rogué que me permitiera conservarlo. Sonrió y negó con la cabeza: no iba a gastar su aliento hablando; toda su energía debía gastarse arrojando pequeñas piedras a otros adorables pajaritos. —Oh, señor, ¿no me lo da?— rogué una vez más; y luego, con repentina esperanza: —¿Va a venderlo?—.

Se rio y sacándomelo de la mano lo volvió a poner en el bolsillo de su chaleco; luego, con una agradable sonrisa y una inclinación de cabeza para indicar que la entrevista estaba terminada, siguió su camino.

Me quedé en el lugar donde me había dejado, y lamentando más amargamente haber fracasado en conseguir el pájaro, lo miré alejarse hasta que desapareció de mi vista en la distancia, caminando hacia el suburbio de Palermo; y hasta el día de hoy sigue siendo para mí un misterio ese único y solo caballero argentino, un ciudadano de la Atenas de Sud América, que se divertía matando pajaritos a pedradas. Pero no sé que fuera una diversión. Tal vez había hecho en algún insensato momento el voto de matar determinada cantidad de cabecitas negras de esa manera, o una apuesta para probar su destreza para arrojar piedras; o podría estar practicando una cura para alguna misteriosa enfermedad mortal, prescrita por algún médico errante de Bagdad o de Ispahan; o, lo que era aún más probable, alguna mujer inhumana o desalmada de la que estaba enamorado, le había impuesto esa caprichosa tarea.

Tal vez la cosa más asombrosa que vi durante aquella primera visita a la capital, llena de acontecimientos, fue el famoso don Eusebio, el bufón del presidente o dictador Rosas, el "Nerón de Sud América", que vivía en su palacio de Palermo justo fuera de la ciudad. Me habían enviado con mis hermanas y mi hermano pequeño a pasar el día a la casa de una familia anglo-argentina en otra parte de la ciudad, y estábamos en el amplio patio jugando con los chicos de la casa cuando alguien abrió una ventana alta y gritó: "¡Don Eusebio!" Eso no significaba nada para mí, pero los niños de la casa sabían lo que significaba; significaba que si salíamos rápidamente a la calle, podríamos echar un vistazo al gran hombre en toda su gloria. De todas maneras, ellos se pusieron en pie de un salto, haciendo a un lado sus juguetes, y corrieron hacia la puerta de la calle. Y tras ellos, nosotros. Al salir encontramos toda una muchedumbre de mirones, y allá, calle abajo, en su traje de general —porque esta era una de las pequeñas bromas del dictador: hacer general a su bufón— todo escarlata, con un gran tricornio escarlata coronado por un inmenso penacho de plumas escarlatas, venía don Eusebio. Marchaba con tremenda dignidad, con la espada colgándole al costado, y doce soldados, también en escarlata, caminaban, seis a cada lado de don Eusebio, con las espadas desnudas en sus manos.

Mirábamos con alegre excitación aquel espléndido espectáculo, que se volvió más emocionante cuando uno de los chicos susurró a mi oído que si alguno de la multitud se reía o hacía alguna observación insultante o ruda, sería instantáneamente hecho pedazos por los guardias. Y éstos parecían lo bastante truculentos como para cualquier cosa.

Al propio gran Rosas no lo pude ver, pero algo fue poder echar ese momentáneo vistazo al general Eusebio, su bufón en la víspera de la caída de aquél, después de reinar más de veinte años durante los cuales demostró ser uno de los caudillos y dictadores más sanguinarios así como uno de los de espíritu más original, y al mismo tiempo, tal vez el más grande de aquellos que treparon al poder en este continente de repúblicas y revoluciones.

252

CAPITULO VIII

LA CAIDA DEL TIRANO Y LO QUE SIGUIO

Los retratos de nuestra sala. El dictador Rosas, que parecía un inglés. La extraña cara de su mujer, Encarnación. El traidor Urquiza. El ministro de guerra, sus pavos reales y su hijo. Dejamos la ciudad y volvemos al hogar. La guerra nos priva de nuestro compañero de juego. Natalia, la mujer de nuestro puestero. Su hijo, Medardo. El Alcalde, nuestro gran viejo. La batalla de Montecaseros. El ejército derrotado. Exigencia de caballos frescos. En peligro. Los defectos salientes de mi padre. Su placer en una tormenta. Su confianza infantil en sus prójimos. Soldados que se rebelan contra su oficial. Un fugitivo se entrega y es degollado. De nuevo nuestro Alcalde. Sobre los degüellos. Ferocidad y cinismo. La sed de sangre de los criollos y su efecto sobre el espíritu de un niño. Sentimientos acerca de Rosas. Un poema o cuento sobre un pájaro. Búsqueda vana de un poema perdido e historia de su autoría. La hija del dictador. El tiempo, un viejo dios

Al fin del último capítulo, cuando describí la única vez que vi al famoso bufón, don Eusebio, en su gloria, escoltado por el cuerpo de guardia con las espadas desenvainadas dispuesto a derribar con ellas a cualquiera de los espectadores que dejaran de sacarse el sombrero o se rieran del espectáculo, dije que eso sucedía en las vísperas de la caída del presidente de la República, o dictador, "el Tirano", como era llamado por sus adversarios, cuando no lo llamaban el "Nerón de Sud América" o el "Tigre de Palermo". Palermo era el nombre de un parque al norte de Buenos Aires donde Rosas vivía en una casa blanca estucada que llamaban su palacio.

Por ese entonces el retrato, en colores, del gran hombre ocupaba el puesto de honor sobre la repisa de la chimenea de nuestra sala —era el retrato de un hombre de rasgos bien definidos y regulares, cabellos y patillas de un claro castaño rojizo y ojos azules; a veces lo llamaban el "Inglés", por sus facciones regulares y su tipo rubio—. Ese retrato de un rostro serio y bien parecido, con banderas y cañones y ramas de olivo —las armas de la república— en su pesado marco dorado, era uno de los principales ornamentos del salón, y mi padre estaba orgulloso de él, ya que era, por razones que pronto explicaré, un gran admirador de Rosas, un legítimo rosista, como eran llamados los leales. Este retrato estaba flanqueado por otros dos: uno de doña Encarnación, la mujer, muerta hacía poco tiempo, de Rosas; una hermosa joven de porte orgulloso con una gran cantidad de negros cabellos apilados sobre la cabeza de manera fantástica y dominados por una gran peineta de carey. Recuerdo que cuando éramos chicos acostumbrábamos mirar con un sertimiento extraño, casi misterioso, ese rostro, bajo su montaña de cabellos negros, porque era hermoso pero no dulce ni gentil, y porque estaba muerta y había muerto hacía tanto tiempo; y, sin embargo, cuando la mirábamos, era como el retrato de una mujer viva, y aquellos negros ojos desamorados nos miraban directamente a los ojos. ¿Por qué aquellos ojos, a menos que se movieran, cosa que no hacían, miraban siempre a los nuestros, no importa en qué parte de la habitación estuviéramos? ...Ese era un perpetuo enigma para nuestros cerebros infantiles y desinformados.

Al otro lado estaba la repelente, repulsiva figura del capitán general Urquiza, que era la mano derecha del dictador, un feroz degollador como no ha habido otro, que había sostenido su autoridad durante muchos años en las rebeldes provincias del norte, pero que justamente ahora había levantado la bandera de la revolución contra él y que, en poco tiempo, con la ayuda del ejército brasileño, conseguiría arrojarlo del poder.

El retrato del centro nos inspiraba una especie de veneración, un sentimiento reverente, puesto que desde muy pequeños se nos hizo saber que era el más grande hombre de la república, que tenía un poder ilimitado sobre la vida y la fortuna de los hombres, y que era terrible en su cólera contra los malhechores, especialmente contra aquellos que se rebelaban contra su autoridad.

Otros dos retratos de hombres famosos de la república de aquella época adornaban las paredes. Junto a Urquiza estaba el General Oribe, comandante del ejército enviado por Rosas contra Montevideo, que mantuvo el sitio de aquella ciudad por espacio de diez años. Al otro lado, próximo a Doña Encarnación, estaba el retrato del ministro de guerra, un retrato que para nosotros, los niños tenía atractivos porque no estaba coloreado como el del dictador, ni tenía ningún romance ni misterio como el de su difunta mujer; sin embargo servía para traer toda esa gente pintada a nuestro mundo real, para hacernos dar cuenta de que ellos eran la representación falsificada de hombres y mujeres reales. Porque sucedía que ese mismo Ministro de Guerra era en cierto modo un vecino nuestro, ya que poseía una estancia, que a veces visitaba, a unas tres leguas de casa, en aquella parte de la llanura hacia el este de nuestro campo que he descrito en un capítulo anterior como cubierta por una densa vegetación del azul gris alcahucil silvestre, el *cardo de Castilla,* como se le llamaba allá. Como la mayor parte de las casas de estancia de aquella época era un largo edificio bajo de ladrillos con techo de quincha, rodeado por una quinta cerrada, con filas de álamos de Lombardía centenarios que eran visibles desde una gran distancia, y muchos viejos duraznos, acacias, membrillos y cerezos. Era un establecimiento para la cría de ganado y de caballos, pero las bestias eran de menos valor para su dueño que los pavos reales, aves por las cuales tenía una predilección tan grande que ninguna cantidad de ellos le parecía suficiente; siempre estaba comprando más pavos reales para enviar a la estancia, y allí se multiplicaban hasta que el lugar entero hormigueaba con ellos. Y los quería todos para sí, de modo que estaba prohibido vender o dar siquiera un huevo. El lugar estaba a cargo de un mayordomo, un individuo amable que, cuando descubrió que nos gustaban las plumas de pavo real para decorar nuestra casa, tomó la costumbre de enviarnos cada año, en la época de la muda, grandes hatos, brazadas enteras de plumas.

Otra cosa curiosa de la estancia era la gran habitación destinada a la exhibición de trofeos enviados desde Buenos Aires por el hijo mayor del ministro. Ya he informado de uno de los pasatiempos favoritos de los caballeros de la ciudad: dar batalla a los serenos y arrancarles sus báculos y sus linternas. El heredero de nuestro ministro era un campeón de ese deporte y de tiempo en tiempo enviaba partidas de trofeos a la casa de campo, donde las paredes de aquella habitación estaban cubiertas con báculos y guirnaldas de linternas.

Una o dos veces, cuando yo era chico, tuve el privilegio de encontrarme con este caballerito y lo observé con tan intensa curiosidad que sirvió para que conservara en mi memoria su imagen hasta el día de hoy. Su figura era esbelta y graciosa; tenía buenas facciones y una cara más bien alargada, española; los ojos eran azules-grisáceos y sus cabellos y bigotes de un rubio rojizo. Era un hermoso rostro, pero con una expresión repelente, impaciente, inquieta, casi diabólica.

Yo estaba de vuelta en casa, de vuelta en la plantación entre mis amados pájaros, contento de huir de la ruidosa ciudad polvorienta a los gratos silencios verdes, en la gran llanura que rebrillaba con el agua falsa de los espejismos, extendiéndose alrededor de nuestro sombreado oasis, y el hecho de que la guerra, que, por el corto período de mi propia corta existencia y por tantos largos años antes de que yo naciera, no había visitado nuestra provincia, gracias al tirano Rosas, el hombre de sangre y acero, hubiera llegado ahora a nosotros, no había vuelto la luz del sol menos buena y agradable de contemplar. Es cierto que en los rostros de nuestros mayores se reflejaba la ansiedad, pero a menudo ellos estaban preocupados por asuntos que a nosotros, los chicos, no nos afectaban, y que por lo tanto no importaban. Pero pronto hasta los más pequeños tuvimos que darnos cuenta de que en la zona había una perturbación que también nos tocaba a nosotros, ya que nos privaba de la compañía del muchacho criollo que fue nuestro amigo particular y nuestro guardián durante nuestros primeros paseos por la llanura. Este muchacho, Medardo, o Dardo, era el hijo mayor, de quince años, —ilegítimo, por supuesto—, de la criolla con quien nuestro puestero inglés se había casado. Por qué lo había hecho era un perpetuo misterio y motivo de asombro para todo el mundo, a causa de la personalidad y el temperamento de esta mujer. El solo recuerdo de esa pobre Natalia, o doña Nata, como se la llamaba, muerta hace tiempo y convertida en polvo en aquella lejana pampa, perturba mi espíritu hasta el día de hoy y me causa el sentimiento incómodo de que al hacer su retrato en estos papeles estoy haciendo una cosa mezquina.

Era una criatura excesivamente flaca, descuidada y hasta sucia en su persona, que calzaba zapatillas pero andaba sin medias, con una vieja bata de áspera tela de algodón azul y un amplio y colorido pañuelo de algodón o un pedazo de percal atado alrededor de su cabeza en forma de turbante. Tenía el color amarillento del pergamino, la piel tirante sobre el rostro huesudo y aquilino, y hubiera parecido la cara de un cadáver o de una momia si no fuera por los ojos profundamente hundidos en sus órbitas, ardiendo con un inquieto fuego. Había en su voz delgada y aguda una nota trémula y extrañamente patética, como si fuera la de una mujer hablando con esfuerzo entre sollozos apenas contenidos, o como el luctuoso grito de algún pájaro salvaje de los bañados. Voz y rostro eran francas indicaciones de su espíritu ansioso. Siempre estaba en un perpetuo estado de preocupación sobre algún asunto insignificante, y cuando sobrevenía algún problema real, como cuando nuestro rebaño se entreveró con el de un vecino y cuatro o cinco mil ovejas tuvieron que ser separadas, oveja por oveja, según las marcas de sus orejas, o cuando su marido volvía a casa borracho y al llegar a la puerta se caía del caballo en vez de desmontar de la manera habitual, ella se ponía fuera de sí, retorciéndose las manos y gritando que tal conducta no iba a ser tolerada por su amo, que ya había aguntado mucho, ¡y que ya no tendrían más un techo bajo el que cobijarse!

Aquella pobre y ansiosa Nata nos provocaba tanto piedad como repulsión, pero era imposible no admirar sus esfuerzos para mantener en el recto camino a su estólido e inarticulado esposo, y su intenso amor de animal salvaje por sus hijos —los tres retoños de su extraño casamiento, de cara sucia y aspecto inglés, y Dardo, su primogénito, el hijo del viento—. También él era una persona interesante: pequeño o bajo para su edad, era grueso y tenía un aspecto curiosamente sólido y maduro, con una cabeza redonda, ojos muy abiertos sobrecogedoramente brillantes, y rasgos aquilinos que le daban cierto parecido con un gavilán. Era, también, maduro mentalmente y tenía todo el saber acerca del caballo de un gaucho hecho y derecho, y, al mismo tiempo, era como un chico por su gusto por las diversiones y los juegos, y nada le gustaba más que ser nuestro constante compañero de juegos. Pero tenía su trabajo que consistía en vigilar la majada cada vez que los servicios del puestero eran requeridos en otra parte; una tarea fácil para él, a caballo, especialmente en verano cuando por largas horas las ovejas se mantenían inmóviles sobre la llanura. Dardo, que nos estaba enseñando a nadar, nos invitaba entonces a ir hasta el arroyo —hasta una de las dos corrientes de agua que quedaban a menos de una hora a caballo desde las casas, y donde había rebalses buenos para bañarse; montado en mi petiso lo seguía hasta el puesto, el rancho del pastor, sólo para que se nos negara el permiso: —"No, hoy no vas a ir; ni pienses en semejante cosa. ¡Te prohíbo que lleves hoy a los muchachos al arroyo!"

Entonces Dardo, haciendo volver ancas a su caballo, exclamaba: —¡Oh, caramba-bam-bam-ba!—. Y ella, viéndolo ir, salía corriendo tras de nosotros, chillando: —¡No me carambambees! Hoy no vas a ir al arroyo... ¡te lo prohíbo!: ¡yo sé que si vas al arroyo va a suceder alguna terrible calamidad! ¡Escúchame, Dardo, rebelde del demonio, tú no vas a ir hoy a bañarte!—. Y los gritos seguían hasta que, partiendo al galope, estábamos pronto fuera del alcance de su voz. Entonces Dardo decía: —Ahora volvamos a la casa a buscar a los demás y nos vamos al arroyo. Tú ves, ella me hizo arrodillar ante el crucifijo y me hizo prometer que nunca los llevaría a bañarse sin antes pedirle su consentimiento. Y eso es todo lo que tengo que hacer; nunca le prometí obedecer sus órdenes, de modo que todo está bien—.

A esas agradables aventuras con Dardo sobre la llanura la guerra puso fin repentinamente. Una mañana vimos una cantidad de gente que a pie o a caballo venía desde el rancho del puestero hacia casa por el verde campo, y, a medida que se iban acercando, reconocimos a nuestro viejo alcalde, a caballo, como jefe de la procesión, y detrás de él caminaba doña Nata, llevando a su hijo de la mano; luego seguían otros a pie, y detrás de ellos cabalgaban cuatro viejos gauchos, los asistentes del alcalde, llevando sus espadas.

¿Qué asunto de tremenda importancia había traído a aquella multitud a nuestra casa? El alcalde, don Amaro Abalos, no era sólo el representante de las "autoridades" en nuestra región —era oficial de policía, pequeño magistrado para esto y aquello, además de varias otras cosas—, pero era un gran viejo que se destaca considerablemente en el recuerdo entre los viejos patriarcas gauchos de nuestra vecindad. Era un hombre grande, de un metro ochenta de alto, sumamente digno en sus modales, con largos cabellos y barba de una blancura de plata; llevaba las ropas del gaucho con una gran profusión de adornos de plata, que incluían pesadas espuelas de plata que pesaban como dos kilos y un pesado mango de plata en su rebenque. Como regla cabalgaba en un gran caballo negro que combinaba admirablemente con su figura y con el color escarlata y plata de su traje.

A su llegada don Amaro fue conducido a la sala, seguido por todos los otros; y cuando todos estuvieron sentados, incluidos los cuatro viejos gauchos que llevaban espadas, el alcalde se dirigió a mis padres y les informó del objeto de su visita. El había recibido, dijo, una orden imperativa de sus superiores, para reclutar de inmediato y enviar al cuartel general doce nuevos jóvenes como reclutas para el ejército de su pequeña sección del distrito. Ahora bien: la mayor parte de los jóvenes ya había sido reclutada, o habían desaparecido de la vecindad para evitar el servicio militar, y para completar esos últimos doce había tenido incluso que reclutar a muchachos de la edad de éste, y Medardo tendría que ir. Pero esta mujer no permitía que su hijo fuera reclutado, y después de gastar muchas palabras tratando de convencerla de que debía someterse había, al fin, consentido para satisfacerla en acompañarla para discutir de nuevo el asunto en presencia de su señor y de su señora.

Fue un largo discurso, pronunciado con gran dignidad; luego, casi antes de que terminara, la enloquecida madre saltó y se arrojó de rodillas ante mis padres, y con voz trémula y salvaje comenzó a gritar, implorándoles que tuvieran compasión de ella y que la ayudaran a salvar a su hijo de tan espantoso destino. —¡Qué sería de él, —exclamaba— un chico de sus tiernos años arrancado de su hogar, del cuidado de su madre, y arrojado en medio de una turba de viejos soldados endurecidos, y de hombres malvados —asesinos, ladrones, y criminales de todas clases sacados de todas las prisiones del país para servir en el ejército!—

257

Era horrible verla de rodillas retorciéndose las manos, y escuchar sus gritos lamentables; y una y otra vez, mientras el asunto era discutido entre el viejo alcalde y mis padres, ella rompía a llorar y a suplicar con tanta pasión y desesperación en su voz y en sus palabras, que toda la gente que estaba en la habitación estaba conmovida hasta las lágrimas. Era como un animal salvaje tratando de salvar a sus cachorros de los cazadores. —¡Nunca, —exclamó mi madre— cuando la lucha terminó, nunca había pasado una hora tan penosa, tan terrible!—. Y toda la lucha había sido en vano, y nos habían llevado a Dardo.

Una mañana, algunas semanas más tarde, el sordo rugir de lejanos cañones nos llegó a nuestros oídos, y se nos dijo que se estaba librando una gran batalla y que el propio Rosas estaba a la cabeza de su ejército —una pobre pequeña tropa de veinticinco mil hombres reclutada a toda prisa para oponer a una tropa mezclada, argentina y brasileña, de unos cuarenta mil hombres mandados por el traidor Urquiza. Durante varias horas de aquel inquieto día el sordo, pesado sonido del fuego, continuó y era como un tronar lejano: luego, al atardecer, llegaron las noticias de la derrota del ejército defensor, ¡y de la marcha del enemigo sobre la ciudad de Buenos Aires! Al día siguiente, desde el amanecer hasta el anochecer, estuvimos en medio de la corriente incesante de los hombres derrotados, que huían hacia el sur, en pequeños grupos de dos o tres o hasta media docena de hombres, entre algunas partidas más grandes, todos con sus uniformes escarlatas y armados con lanzas y carabinas y sables, y muchas de las partidas arreaban ante sí grandes tropas de caballos.

Mi padre fue prevenido por los vecinos acerca de que corríamos un gran peligro, ya que esos hombres estaban ahora fuera de la ley y no hesitarían en saquear y matar durante su retirada, y que seguramente se apoderarían de todos los caballos de montar. Como precaución había hecho llevar y esconder los caballos en el monte, y aquello era todo lo que habría de hacer. "Oh, no" —dijo riendo— "no nos van a hacer daño", de modo que todos estuvimos fuera y por ahí durante todo el día, con la tranquera del frente y todas las puertas y ventanas abiertas. De tiempo en tiempo una partida con los caballos cansados llegaba hasta la tranquera y, sin desmontar, gritaban pidiendo caballos frescos. En cada caso él salía y hablaba con ellos, siempre con un rostro sonriente y amable y, después de asegurarles que no tenía caballos para darles, ellos partían lentamente y de mala gana.

A eso de las tres de la tarde, la hora de más calor del día, una tropa de diez hombres llegó al galope, levantando una gran nube de polvo, y entrando por la tranquera frenaron junto a la galería. Mi padre, como de costumbre, salió a encontrarse con ellos, que de inmediato le pidieron caballos frescos con fuertes voces amenazantes.

Dentro estábamos todos reunidos en el amplio salón, esperando el resultado de aquello, en un estado de enorme ansiedad, porque no se habían hecho preparativos y no existían medios de defensa en el caso de un ataque repentino a la casa. Observábamos los procedimientos desde el interior, que estaba demasiado en sombras para que nuestros peligrosos visitantes vieran que allí sólo había mujeres y niños, y un hombre, un visitante que se había retirado al lugar más alejado de la habitación y se había sentado recostándose en un sillón, temblando y blanco como un muerto, con una espada desnuda en la mano. Nos explicó después, cuando todo el peligro hubo pasado, que afortunadamente era un excelente espadachín, y que habiendo encontrado en la habitación aquella arma, se había resuelto a dar una buena cuenta de los diez rufianes si acometían para entrar en la casa.

Mi padre contestó a estos hombres como lo había hecho con los otros, asegurándoles que no tenía caballos para darles. Mientras tanto nosotros, dentro, notamos todos que uno de los diez hombres era un oficial, un joven imberbe de veintiuno o veintidós años con un rostro singularmente atrayente. No tomó parte en aquellas transacciones, sino que se quedó montado en su caballo, silencioso, observando a los otros con una expresión peculiar, entre despectiva e inquieta, en su semblante. Y sólo él estaba desarmado, circunstancia que nos chocó como algo muy extraño. Los demás eran todos viejos veteranos, hombres de edad mediana o avejentados, con barbas veteadas de gris, todos con casaca escarlata, chiripá escarlata y un gorro escarlata de la rara forma que acostumbraban a usar, modelado como un bote invertido, con un cuerno en forma de pico en la parte delantera, y debajo del pico una chapa de bronce en la que estaba el número del regimiento.

Los hombres parecieron sorprenderse cuando se les rehusaron los caballos, y dejaron sentado claramente que no iban a aceptar esa negativa; ante lo cual mi padre sacudió la cabeza y se sonrió.

Uno de los hombres pidió entonces agua para apagar su sed. Alguien trajo una jarra de agua fría, y mi padre la tomó y se la alcanzó al hombre; éste bebió, y luego pasó la jarra a los otros hombres sedientos, y después de haber dado la vuelta, la jarra fue entregada y la exigencia de caballos frescos renovada en tonos amenazadores. Había quedado un poco de agua en la jarra, y mi padre comenzó a volcarla en un chorro delgado, haciendo pequeños círculos y figuras sobre el piso seco y polvoriento; luego negó con la cabeza una vez más y les sonrió muy agradablemente. Entonces uno de los hombres, clavando los ojos en el rostro de mi padre, se echó hacia adelante y repentinamente plantó su mano con violencia sobre la empuñadura de su sable, y, haciendo sonar el arma, comenzó a sacarla de su vaina. Esta experiencia que era como para poner a prueba los nervios fue un completo fracaso, pues su único efecto fue hacer que mi padre sonriera aún más agradablemente que antes al hombre, como si la pequeña broma lo hubiera divertido mucho.

Lo extraño era que mi padre no estaba representando un papel, que estaba en su carácter actuar justamente de ese modo. Es un poco curioso decir con respecto a una persona que sus cualidades predominantes o más distinguidas no son otra cosa que defectos ya que, aparte de esas mismas cualidades singulares, él no era más que una persona corriente, sin nada que lo distinguiera de sus vecinos, con la excepción, tal vez, de que no estaba ansioso por enriquecerse y de que era más servicial con sus vecinos o más fraternal hacia su prójimo que la mayoría de los hombres. El sentido del peligro, el instinto de la propia preservación que se supone que son universales, en él no existían, y había momentos en que esta extraordinaria falla producía la más viva zozobra en mi madre. En los veranos cálidos estábamos expuestos a tormentas eléctricas de una violencia asombrosa y en tales momentos, cuando los truenos y los rayos se sucedían casi sin intervalos y aterrorizaban más que nunca a todos los demás, él se quedaba fuera mirando tranquilamente el cielo como si los relámpagos enceguecedores y los estallidos de los truenos que sacudían la tierra tuvieran sobre su espíritu un efecto apaciguador, como el de la música. Un día, justo antes del mediodía, uno de los hombres vino a informar que los caballos de montar no podían ser hallados, y mi padre, con su catalejo en la mano, salió y subió corriendo las escaleras de madera que llevaban al mirador o atalaya construido en lo alto del gran edificio semejante a un galpón que se usaba para almacenar la lana. El mirador era tan alto que de pie sobre él uno podía ver incluso por sobre las copas de los altos árboles de la plantación, y para proteger al observador había una alta baranda de madera que lo rodeaba, y contra ésta estaba asegurado el alto mástil de la bandera. Cuando mi padre salió hacia el mirador acababa de estallar una tormenta terriblemente violenta que se nos venía encima. Los relámpagos deslumbrantes y casi continuos parecían estar no sólo en la negra nube que cubría el lugar sino a todo nuestro alrededor, y un estallido seguía rápidamente a otro estallido, haciendo que las puertas y las ventanas se sacudieran ruidosamente en sus marcos, mientras que allá arriba de nosotros, justamente en medio del espantoso tumulto, se estaba mi padre tan calmo como siempre. Como no le parecía suficiente la altura a que estaba sobre el suelo del mirador, se subió hasta lo más alto de la baranda y, de pie sobre ella, recostado contra el alto mástil, observaba con sus catalejos en su torno la llanura abierta en busca de sus caballos perdidos. Recuerdo que adentro mi madre, con el rostro lívido de terror, estaba de pie mirándolo, y que la casa entera estaba aterrorizada, esperando que en cualquier momento lo alcanzara un rayo y lo arrojara por tierra.

Una cualidad más desastrosamente destacada por sus resultados era una confianza infantil en la absoluta buena fe de cada persona con quien trababa relaciones comerciales. Siendo las cosas como son, esto, inevitablemente, lo condujo a la ruina.

Volviendo a nuestros inoportunos visitantes. En esta ocasión la conducta perfectamente serena y sonriente de mi padre, resultante de su temeridad, le resultó muy eficaz para él y para toda la casa: los engañó, porque no podían creer que hubiera actuado de esa manera si ellos no hubieran estado vigilados por hombres que los apuntaban con rifles desde el interior y que hubieran hecho fuego al menor movimiento hostil de su parte.

De repente, el ceñudo portavoz de la tropa, al grito de "¡vamos!", volvió ancas y, seguido por todos los otros, echó a andar y partió al galope. También nosotros salimos entonces de prisa, y desde la cortina de álamos y acacias negras que crecían a los lados del pozo, observamos sus movimientos y vimos que, cuando se habían alejado unas pocas cuadras de nuestra tranquera, el joven oficial desarmado se apartó de ellos y salió a toda la velocidad que podía dar su caballo. Los otros rápidamente se dieron a perseguirlo y al fin desaparecieron de nuestra vista en dirección a la casa del alcalde, o sea el pequeño magistrado local, que quedaba como a una media legua de distancia. Era un rancho bajo techado de totora, sin árboles, y no podía verse desde nuestra casa ya que quedaba detrás de una laguna pantanosa cubierta exuberantemente con altos juncos.

Mientras estábamos aguzando nuestros ojos para ver el resultado de la caza, y después que el perseguido y sus perseguidores desaparecieron de nuestra vista entre las manadas de ganado y de caballos que pastaban en la llanura, la tragedia siguió su curso en circunstancias extremadamente penosas. El joven oficial, cuyo hogar quedaba a más de un día de viaje de nuestro distrito, había visitado la vecindad en una ocasión anterior y recordaba que por allí tenía parientes; y cuando se apartó de los hombres, adivinando que su intención era asesinarlo, se encaminó a la casa del alcalde. Consiguió mantener la delantera hasta que llegó a la tranquera y, arrojándose del caballo y corriendo hacia la casa, y encontrando al viejo alcalde rodeado por las mujeres de su casa, se dirigió a él llamándole tío y reclamando su protección. El alcalde no era, estrictamente hablando, su tío, pero era primo hermano de su madre. Fue un momento terrible: los nueve rufianes armados estaban ya fuera gritando al dueño de casa que les devolviera su prisionero, y amenazando con quemar la casa y matar a todos sus habitantes si rehusaba. El viejo alcalde estaba en medio de la habitación, rodeado por un grupo de mujeres y de niños —sus propias hermosas hijas de veinte y veintiún años respectivamente entre ellos—, que desmayaban de terror y gritaban pidiendo que los salvara, mientras que el joven oficial, de rodillas, le imploraba por la memoria de su madre, y por la madre de Dios y por todo lo que le era más sagrado, que se negara a entregarlo para que lo asesinaran.

El anciano no estuvo a la altura de la situación: temblaba y sollozaba lleno de angustia, y al fin tartamudeó que no podía protegerlo... que él debía salvar a sus propias hijas y a las mujeres y a los hijos de sus vecinos que habían buscado refugio en su casa. Fuera, los hombres que estaban escuchando la marcha de la discusión, entraron, y, finalmente, tomando al joven del brazo lo llevaron afuera y lo hicieron volver a montar su caballo y a cabalgar con ellos. Retrocedieron por el camino por donde habían venido como una media legua en dirección a casa, luego lo arrancaron del caballo y lo degollaron.

Al día siguiente un chico mulato que cuidaba la majada y hacía mandados para el alcalde, vino a decirme que si montaba mi petiso e iba con él me mostraría algo. No pocas veces este mismo muchachito venía a buscarme para invitarme a ver algo, que generalmente resultaba ser el nido de un pájaro, algo en que ambos estábamos vivamente interesados. Monté contento en mi petiso y lo seguí. Por entonces el ejército destrozado había dejado de pasar por nuestra zona, y de nuevo la gran llanura era tranquila y segura. Anduvimos cerca de una legua, y entonces él frenó su caballo y señaló la hierba a nuestros pies, donde vi una gran mancha de sangre sobre el pasto corto y seco. Allí, me dijo, era donde habían degollado al joven oficial: el cadáver había sido llevado por el alcalde a su casa, donde yacía desde la noche anterior, e iba a ser llevado para su entierro al día siguiente al pueblo próximo, que quedaba a una distancia de dos o tres leguas.

El asesinato fue el tema de conversación del lugar por algunos días, sobre todo a causa del aspecto penoso del caso: que el viejo alcalde, que era respetado y hasta querido por todos, hubiera fallado de una manera tan lamentable en hacer ningún intento para salvar a su joven pariente. Pero el hecho en sí de que los soldados hubieran degollado a su oficial no sorprendió a nadie; era cosa común en aquellos días que, en caso de derrota, los hombres se rebelaran y mataran a sus propios oficiales. Ni tampoco era el degüello una nueva costumbre o convención: para el soldado veterano era la única manera satisfactoria de terminar con su adversario, o con su prisionero de guerra, o con el propio oficial, que había sido su tirano, al llegar el día de la derrota. Sus sentimientos son similares a los del hombre inspirado por el instinto de la caza en su forma más primitiva, según lo describe Richard Jefferies. Para él, matar a las criaturas con boleadoras, a distancia, no era satisfactorio: él tenía que hundir la lanza con sus propias manos en la carne temblorosa... tenía que sentir su temblor y ver la sangre manar bajo sus manos. Uno se sonríe ante la visión del gentil Richard Jefferies degollando animales salvajes a la manera paleolítica, pero los sentimientos y deseos que describe con tanta pasión en su *Historia de mi corazón,* esa supervivencia del pasado, no es excepcional en el corazón de los cazadores, y si nosotros dejáramos caer nuestra civilización me imagino que volveríamos alegremente al método primitivo. Y así fue en esas oscuras épocas de la República Argentina cuando, durante el medio siglo de guerra civil que siguió al derrocamiento del "yugo" español, como se le llamaba, la gente de las llanuras desarrolló una asombrosa ferocidad; les gustaba matar a un hombre no con una bala sino en una forma que les hiciera saber y sentir que estaban real y verdaderamente matando.

Como un niño que era aquellos espantosos hechos no me impresionaban, ya que no los presenciaba por mí mismo, y después de mirar aquella mancha de sangre sobre el pasto el asunto se borró de mi memoria. Pero a medida que el tiempo pasaba y escuchaba más detalles acerca de ese penoso suceso, empecé a darme cuenta de lo que significaba. Todo el horror del mismo sólo sobrevino unos pocos años más tarde, cuando ya era bastante grande como para andar por las casas de los criollos y en las reuniones de los gauchos, en los rodeos, en las yerras y en otras ocasiones. Escuchaba las conversaciones de grupos de hombres cuyas vidas habían transcurrido en su mayor parte en el ejército, como norma, en la guerra de guerrillas, y la conversación volvía con sorprendente frecuencia al tema de los degüellos. No desperdiciar pólvora en los prisioneros era una ley no escrita del ejército argentino en aquel período y el gaucho veterano, diestro con el cuchillo, se deleitaba en obedecerla. Siempre resultaba una satisfacción, les oía decir, tener como víctima un joven con un buen cuello después de sus experiencias con viejos pescuezos duros y flacos: con una persona de ese tipo no había apuro en terminar la cosa; era llevada a cabo de manera cachacienta y amorosa. Darwin, cuando escribía elogiando al gaucho en su *Viaje de un naturalista,* dijo que si el gaucho degüella a uno lo hace como un caballero: aún siendo un chico yo conocí la cosa mejor que él... Sabía que aquél cumplía su tarea como una criatura infernal disfrutando con su crueldad. Escuchaba todo cuanto el cautivo podía decir para ablandar su corazón... Todas sus plegarias y sus ruegos desgarradores; y le replicaba: —Ah, amigo —o amiguito o hermano— tus palabras me atraviesan el corazón y yo te perdonaría la vida por esa pobre madre tuya que te amamantó con su leche, y por ti mismo también, ya que en este corto tiempo he concebido una gran amistad por ti; pero tu hermoso cuello es tu perdición, porque cómo sería posible que yo me negara el placer de cortar semejante cuello ¡tan bien formado, tan liso y suave y tan blanco! ¡piensa en el espectáculo de la sangre roja y caliente brotando de esa blanca columna!— y así sucesivamente, haciendo oscilar la hoja de acero ante los ojos del cautivo hasta el fin.

Cuando los oía relatar semejantes cosas —y estoy citando sus propias palabras, que he recordado demasiado bien durante todos estos años—, risueñamente, disfrutando con aquellos recuerdos, me poseía tal aborrecimiento, tal odio, que después la sola vista de aquellos hombres era suficiente para provocarme una sensación de náusea, exactamente igual a la que se siente cuando en los días de la canícula, en la llanura, el caballo de uno pasa inadvertidamente demasiado cerca de la carcasa podrida de alguna bestia grande.

Como he dicho antes, todos estos sentimientos acerca de los degüellos y la capacidad de darme cuenta de lo que significaban y de visualizarlos, me llegaron gradualmente mucho después de haber visto la mancha de sangre sobre aquellos pastos cerca de casa; y de manera semejante el significado de la caída del tirano y los importantes cambios que ella acarreó al país sólo se me hicieron evidentes mucho después de los acontecimientos. La gente estaba en perpetuo conflicto acerca del carácter del gran hombre. Era aborrecido por muchos, tal vez por la mayoría; otros estaban de su parte aún muchos años después que él se hubiera borrado de su horizonte, y entre éstos estaba la mayor parte de los ingleses residentes en el país, mi padre entre ellos. Muy naturalmente, yo seguía a mi padre y llegué a creer que toda la sangre derramada durante un cuarto de siglo, que todos los crímenes y crueldades practicados por Rosas, no eran como los crímenes cometidos por una persona privada, sino que eran todos realizados por el bien del país, con la consecuencia de que en Buenos Aires y en toda la extensión de nuestra provincia había habido un largo período de paz y de prosperidad, y de que todo eso terminó con su caída y fue seguido por años de nuevos estallidos revolucionarios y derramamientos de sangre y anarquía. Otras cosas acerca de Rosas que me predisponían a coincidir con la alta opinión que de él tenía mi padre era la cantidad de historias a su respecto que atraían mi imaginación infantil. Muchas de ellas se referían a sus aventuras, cuando se disfrazaba como una persona de condición humilde y andaba vagando por la ciudad por las noches, especialmente por los barrios pobres, donde trababa relación con los más pobres en sus chozas. Muchas de esas historias eran probablemente invenciones y no hay necesidad de contarlas aquí; pero hubo una sobre la que debo decir algo porque es una historia de pájaros y excitó en grado sumo mi interés infantil.

A menudo nuestros vecinos gauchos me interrogaban cuando hablaba con ellos acerca de los pájaros —y todos ellos sabían que ese asunto me interesaba por sobre todos los demás— si había oído alguna vez el *canto* o el *cuento del benteveo*. Es decir, la balada o la historia del benteveo —uno de la especie de los tiránidos muy común en el campo, con el lomo marrón, amarillo azafrán por debajo, un penacho sobre la cabeza, y la cara a franjas blancas y negras. Es un poco más grande que nuestro alcaudón y, como él, tiene algunas costumbres rapaces. La cara rayada y el largo pico de martín pescador le dan un aspecto particularmente sabihondo o astuto, y el efecto es realzado por el largo canto trisílabo que el pájaro exhala constantemente, de donde deriva su nombre de benteveo. Siempre está haciéndonos saber que está allí, que tiene su mirada puesta en nosotros, de manera que uno hará mejor en ser cuidadoso de sus acciones.

El benteveo, casi no es necesario que lo diga, era uno de mis pájaros favoritos, y yo rogaba a mis amigos que me contaran ese cuento, pero aunque encontré docenas de hombres que lo habían oído, nadie lo recordaba: sólo me podían decir que era muy largo —muy pocas personas pueden recordar una tan larga historia—; y, además de esto, inferí que era una especie de historia de la vida del pájaro y de sus aventuras entre los demás pájaros; que el benteveo siempre estaba haciendo astutas picardías y metiéndose en problemas pero que, invariablemente, escapaba a su merecido castigo. Por todo lo que pude oír era un cuento del tipo del de Don Juan el Zorro, o como los cuentos que contaban los gauchos sobre el peludo o armadillo y sobre cómo esta extraña pequeña bestia conseguía siempre engañar a sus congéneres, especialmente al zorro, que se tenía a sí mismo como el más inteligente de todos los animales y que consideraba a su vecino, el armadillo honesto y lento de entenderas, como un tonto de nacimiento. Los gauchos viejos acostumbraban a contarme que hacía veinte años, o más, uno se encontraba a menudo con un recitador de baladas que podía relatar la historia del benteveo completa. En mis tiempos los buenos recitadores eran bastante comunes: en los bailes era siempre posible encontrar uno o dos para divertir a la asistencia con largos poemas y baladas en los intervalos de la danza, y una y otra vez interrogué a muchos de los que tenían ese talento, pero no pude encontrar uno que supiera la famosa balada del pájaro, y al fin abandoné mi encuesta.

La historia invariablemente contaba que un hombre convicto por algún crimen grave y condenado a sufrir la última pena, y dejado, según era entonces la costumbre, durante largos meses en la cárcel de Buenos Aires, se entretuvo componiendo la historia del benteveo, y, pareciéndole que estaba bien, le regaló el manuscrito al carcelero en reconocimiento por alguna gentileza que había recibido de esa persona. El condenado no tenía dinero ni amigos que se interesaran por su suerte; pero no era costumbre en aquel tiempo ejecutar a un criminal tan pronto como era condenado. Las autoridades de la cárcel preferían esperar hasta que hubiera una docena, o algo así, para ejecutarlos; entonces eran llevados fuera, puestos en fila contra la pared de la prisión, frente a una hilera de soldados con mosquetes en las manos, y baleados; los soldados, después de la primera descarga, volvían a cargar sus armas e iban hasta donde estaban los caídos para liquidar a los que aún pataleaban. Esta era la perspectiva que nuestro prisionero debía tener presente. Mientras tanto, su balada había ido circulando y había sido leída con inmenso gusto por varias personas de autoridad, y una de aquéllas, que tenía el privilegio de acercarse al Dictador, pensando que iba a ser para éste un pequeño entretenimiento, tomó la balada y se la leyó. A Rosas le gustó tanto que perdonó al condenado y ordenó su liberación.

Todo eso, según yo conjeturaba, debía haber pasado por lo menos veinte años antes de mi nacimiento. También llegué a la conclusión de que la balada nunca había sido impresa; de otro modo muy probablemente la hubiera encontrado; pero algunas copias manuscritas debieron evidentemente haber sido hechas y así se había vuelto la composición favorita de los payadores en las reuniones festivas; pero ahora se había extinguido y estaba irremediablemente perdida.

Estas, como ya he insinuado, no eran más que las pequeñeces que conmovían la imaginación de un niño; había otra circunstancia romántica en la vida de Rosas que atraía a todo el mundo, tanto a los adultos como a los niños. El era padre de doña Manuela, conocida por el cariñoso diminutivo de Manuelita, a través de todo el país, y querida y admirada por todos, hasta por los enemigos de su padre, por sus sentimientos compasivos. Tal vez ella fuera el único ser en el mundo por quien él, un viudo y un hombre solitario, alimentaba una gran ternura. Es cierto que su poder sobre él era grande y que muchas vidas que hubieran sido segadas por razones de estado habían sido salvadas por interposición de Manuelita. Era un papel hermoso y terrible que ella, una muchacha, estaba llamada a desempeñar en aquel terrible escenario; y muy naturalmente se afirmaba que ella, que era el propio espíritu de la compasión encarnado, no podría haber actuado como la hija amorosa y devota de uno que fuera el monstruo de crueldad que sus enemigos proclamaban.

Aquí, para concluir este capítulo, había pensado introducir unas pocas y sobrias reflexiones sobre el carácter de Rosas —ciertamente el más grande y el más interesante de todos los caudillos sudamericanos, que ascendió al poder absoluto durante el largo período tempestuoso que siguió a la guerra de la independencia— reflexiones que se me ocurrieron después, en mi adolescencia, cuando empecé a pensar por mí mismo y a formar mis propios juicios. Esto, según ahora me doy cuenta, hubiera sido un error, si no una impertinencia, ya que yo no tenía el temple inelectual para tales ejercicios y hubiera dado demasiado importancia a algunos actos singulares de parte del dictador que otros hubieran tal vez visto como errores políticos, o como actos debidos a súbitos impulsos de pasión o de petulancia, más bien que como crímenes. Y algunos de sus actos eran inexplicables, como, por ejemplo, la ejecución pública, en interés de la religión y de la moralidad, de una encantadora señorita de buena familia y de su amante, un joven y atractivo sacerdote que había cautivado a la ciudad con su elocuencia. Por qué lo hizo será un enigma para siempre. Hubo muchos otros actos que, para los extranjeros y para aquellos que nacieron en tiempos posteriores podrán parecer la obra de la insania, pero que realmente eran consecuencias de un peculiar sentido del humor, sarcástico y en cierto modo primitivo, que atrae poderosamente a los hombres de las llanuras, los gauchos, entre los cuales Rosas vivió desde muchacho, cuando se escapó de la casa de su padre, y con cuya ayuda ascendió eventualmente al poder supremo.

Todas esas cosas no afectan mucho el problema de Rosas como gobernante y su lugar en la historia. El tiempo, ese viejo dios, dice el poeta, inviste de honor todas las cosas y las blanquea. El poeta-profeta no debe ser tomado literalmente, pero es indudable que sus palabras contienen una tremenda verdad. Y, así, se puede dejar que el problema quede en esto. Si dentro de medio siglo, o más, el viejo dios sigue aún sentado con el mentón apoyado en la mano, dando vueltas al asunto, sería bueno darle, digamos, otros cincuenta años, para que tome una decisión y pronuncie un juicio definitivo.

CAPITULO IX

NUESTROS VECINOS DE LOS ALAMOS

Hogares en la vasta llanura verde. Trabando relaciones con nuestros vecinos. La atracción por los pájaros. Los Alamos y la anciana señora de la casa. Cómo trató a San Antonio. La extraña familia Barboza. El hombre sanguinario. Grandes cuchilleros. Barboza payador. Una gran pendencia pero sin lucha. Una yerra. Doña Lucía del Ombú. Una fiesta. Barboza canta y es insultado por El Rengo. Rehúsa pelear. Las dos clases de cuchilleros. Un pobre angelito a caballo. Mis sentimientos por Angelita. Que los niños son incapaces de expresar su simpatía. Una riña con un amigo. La perdurable imagen de una niña

En un capítulo anterior sobre algunos aspectos de la llanura, he descrito los bosquecillos y las plantaciones que marcaban la ubicación de las casas de las estancias, apareciendo como lomas o como islas de árboles, azules a la distancia, sobre la vasta llanura lisa como el mar. Algunas de ellas estaban a muchas millas y sólo eran débilmente visibles sobre el horizonte; otras, más próximas, y la más próxima de todas estaba a una media legua de nosotros, en la otra orilla de aquel arroyo poco profundo hacia el cual hice mi primer paseo largo, y donde me dejó sorprendido y encantado mi primera visión de los flamencos. Ese lugar era llamado Los Alamos, un nombre que hubiera caído bien a la gran mayoría de las casas de estancia con árboles a su alrededor, puesto que el alto álamo de Lombardía estaba casi siempre allí en largas hileras, sobresaliendo por sobre todos los demás árboles y resultando una especie de punto de referencia de la comarca. Voy a escribir ahora acerca de la gente que vivía en Los Alamos.

Cuando comencé mis paseos a caballo por las llanuras empecé a trabar conocimiento con algunos de nuestros vecinos más cercanos, pero al principio fue un proceso lento. De niño yo era excesivamente tímido con los extraños, y, además, tenía un terror enorme a los grandes y salvajes perros guardianes que se lanzaban al ataque contra cualquiera que se aproximara a la tranquera. Pero una casa con boscaje o con plantaciones me fascinaba, porque donde había árboles los pájaros abundaban, y pronto había hecho la experiencia de que a veces podían encontrarse pájaros de otra clase en una plantación muy próxima a la propia. Poco a poco descubrí que la gente era invariablemente amistosa con un niño, aun cuando fuera el hijo de una raza extranjera y herética; también descubrí que los perros, a pesar de todo su ruido y su furia, nunca trataban realmente de arrancarme del caballo y hacerme pedazos. De esta manera, pensando sólo en los pájaros y buscándolos, trabé conocimiento con alguna de la gente individualmente y, como los llegué a conocer más de año en año, a veces me interesé también en ellos; en éste y en tres o cuatro de los capítulos siguientes describiré aquellos que conocí mejor o que me interesaron más. No sólo según los conocí o los comencé a conocer al principio, a mis siete años, sino que en diversos casos seré capaz de seguir el rastro de sus vidas y fortunas por algunos años más.

Cuando salía a caballo me dirigía lo más a menudo en dirección a Los Alamos, que estaba al oeste de nuestra casa, o, como dirían los gauchos "del lado donde el Sol se pone". Porque justamente detrás de la plantación, encerrado en sus hileras de altos y viejos álamos, estaba aquel arroyo poblado de pájaros que tenía una atracción irresistible para mí. Ver cómo corría el agua, también, era una alegría infalible; y lo mismo sucedía con los olores que salían a mi encuentro en aquel lugar verde y húmedo: olores de tierra, de hierbas, de peces, de flores, y hasta de pájaros, particularmente aquel peculiar olor almizclado que despedían en los días calurosos las grandes bandadas de los lustrosos ibis.

La persona —dueña o arrendataria, lo he olvidado— que vivía en la casa era una anciana llamada doña Pascuala, a quien nunca vi sin un cigarro en la boca. Su cabello era largo, y su cara surcada por mil arrugas era tan marrón como el cigarro; tenía ojos burlones y bondadosos, la voz autoritaria y modales dominantes, y era considerada por sus vecinos como una mujer sabia y buena. Me sentía tímido ante ella y evitaba la casa al mismo tiempo que estaba ansioso por echar algunas miradas a la plantación para observar los pájaros y buscar nidos, ya que cuando ella me descubría no me dejaba ir sin hacerme un incisivo interrogatorio acerca de mis motivos y acciones. Me hacía, además, un ciento de preguntas acerca de la familia: cómo eran, qué estaba haciendo cada uno, y si realmente era cierto que todas las mañanas nos desayunábamos con café: y, también, si era cierto que a todos nosotros, los chicos, incluidas las niñas, cuando teníamos edad suficiente se nos enseñaba a leer el almanaque.

Recuerdo que una vez que habíamos tenido una larga temporada de lluvias, y que las tierras bajas de Los Alamos estaban inundándose, ella vino a visitar a mi madre y, tranquilizándola, le dijo que la lluvia no duraría mucho más. San Antonio era el santo de su devoción, y ella había sacado su imagen de su lugar en el dormitorio, y atando un cordel alrededor de sus piernas lo había echado en el pozo y allí lo había dejado con la cabeza dentro del agua. Era su propio santo, decía, y después de toda su devoción para con él y de todas las velas y flores que le había dedicado ¡era así como la trataba! Todo estaba muy bien, le había dicho al santo; divertirse haciendo que la lluvia cayera durante días y semanas nada más que para ver si algunos hombres se ahogaban o se volvían ranas para salvarse; ahora ella, doña Pascuala, iba a ver si a *él* le gustaba eso. Allá, con la cabeza en el agua quedaría colgado en el pozo hasta que el tiempo cambiara.

Cuatro años más tarde, cuando yo tenía diez años, doña Pascuala se mudó y fue reemplazada en Los Alamos por una familia llamada Barboza: ¡qué gente tan rara! Media docena de hermanos y de hermanas, una o dos casadas, y uno, el cabeza o jefe de la tribu, o familia, un hombre grande de unos cuarenta años con ojos fieros como de águila debajo de las enmarañadas cejas negras que parecían penachos de pluma. Pero su mayor gloria era una inmensa barba negra como ala de cuervo, de la que parecía estar excesivamente orgulloso y se le veía acariciándola de una manera lenta y deliberada, ahora con una mano, luego con ambas, tironeándola, dividiéndola, esparciéndola luego sobre su pecho para mostrarla en toda su magnificencia. Llevaba en su cintura, al frente, un cuchillo o facón, con una empuñadura semejante a la de una espada y una larga hoja curva de unos dos tercios del largo de una espada.

Era un gran cuchillero; por lo menos vino con esa reputación a nuestra vecindad, y yo, en aquella época, a mis nueve años, como mis hermanos mayores, había llegado a tomar un vivo interés en el duelo criollo: un duelo entre dos hombres, a cuchillo, los ponchos arrollados alrededor de sus brazos izquierdos y empleados como escudos, era para nosotros un espectáculo espeluznante. Yo había sido ya testigo de varios encuentros de esa clase; pero esas eran peleas de hombres ordinarios o pequeños y eran cosas de poca importancia comparadas con los encuentros de los cuchilleros famosos, de que teníamos noticias de tiempo en tiempo. Ahora que teníamos uno de los genuinos grandes entre no-

sotros, tal vez tendríamos la suerte de presenciar una verdadera pelea de enver-
gadura; porque tarde o temprano algún gran cuchillero llegaría desde lejos para
desafiar a nuestro hombre, o, si no, algunos de nuestros propios vecinos susci-
taría un día una pelea para disputarle su pretensión de ser el gallo del lugar.
Pero no había pasado nada por el estilo, aunque en dos ocasiones creí que el
deseado momento había llegado.

La primera ocasión fue en una gran reunión de gauchos donde a Barboza se
le pidió que cantara una décima —una canción o balada que consiste en cuatro
estrofas de diez versos cada una—, en lo que consintió graciosamente. Ahora
bien, Barboza era cantor pero no tocaba la guitarra, de modo que se llamó a
un acompañante; un forastero que estaba en la reunión respondió rápidamente
a ese requerimiento. Sí, él podía tocar con el canto de cualquier hombre...
cualquier melodía que se le pidiera. Era una persona grande, de voz fuerte,
conversador, que ninguno de los presentes conocía; estaba de paso y, viendo una
reunión en el rancho, marchó hasta allí y se reunió al grupo, dispuesto a dar una
mano en cualesquiera tareas o juegos que tuvieran lugar. Tomando la guitarra
se sentó junto a Barboza y comenzó a afinar el instrumento y a discutir con
respecto a la melodía que iba a ejecutar. Y esto quedó arreglado muy pronto.

Aquí debo detenerme para hacer notar que Barboza, aunque casi tan famoso
por sus décimas como por sus duelos sanguinarios, no era lo que uno llamaría
un hombre muy músico. Cantaba con una voz indeciblemente áspera, algo así
como la del carancho cuando este pájaro se pone más cantor en su época amorosa y hace resonar los bosques con sus prolongados y rasposos llamados metá-
licos. Lo interesante consistía en que sus cantos eran sus propias composiciones
y, por otra parte, eran recitales de sus extrañas aventuras, mezcladas con sus
pensamientos y sentimientos acerca de las cosas en general ...su filosofía de la
vida. Probablemente, si yo tuviera ahora ante mí aquellas composiciones manuscritas, ellas me chocarían como un material espantosamente tosco; con todo,
lamento no haber escrito alguna de ellas y no poder recordar más que algunas
pocas líneas.

La décima que ahora comenzó a cantar contaba sus tempranas experiencias y
hamacando su cuerpo de izquierda a derecha, e inclinándose hasta que la barba
estaba extendida sobre sus rodillas, empezó a cantar con su voz ronca:

> *En el año de mil ochocientos cuarenta*
> *cuando citaron a todos los enrolados,*

Hasta allí había llegado cuando el guitarrista, golpeando enojado las cuerdas
con su palma, se puso en pie de un salto, gritando: —¡No, no... Basta de eso!
¡Qué! ¡Me viene a cantar sobre el 1840... ese año maldito! ¡Me niego a tocar
para usted! Ni pienso escucharlo, ni voy a permitir a ninguna persona que cante
sobre ese año y ese acontecimiento en mi presencia—.

Naturalmente, todo el mundo se quedó atónito, y el primer pensamiento
que se nos ocurrió fue: —¿qué va a pasar ahora? Seguramente iba a correr la
sangre, y yo estaría ahí para verlo... ¡cómo me iban a envidiar mis hermanos!—.

Barboza se levantó de su asiento ceñudo y, dejando caer la mano sobre la empuñadura de su facón, dijo: —¿Quién es el que me prohíbe a mí, Basilio Barboza, cantar acerca de 1840?—.

—¡Yo se lo prohíbo!— exclamó el forastero en un arranque de furia y golpeándose el pecho. —¿Usted sabe lo que es para mí oír mencionar esa fecha... aquel año fatal? Es como recibir una cuchillada. Yo, aquel año, era un chico; y cuando los quince años de mi esclavitud y de mi miseria terminaron ¡ya no quedaba un techo que me cobijara, ni padre ni madre ni tierra ni ganado!—.

Todos los presentes comprendieron instantáneamente el caso de aquel pobre hombre, medio loco ante el repentino recuerdo de su vida perdida y arruinada, y no parecía que estuviera bien que debiera perder su sangre y tal vez su vida por una causa como esa, y, de inmediato, hubo un movimiento precipitado y la gente se arrojó entre él y su antagonista, y lo empujaron apartándolo una docena de metros. Entonces, uno del grupo, un viejo, gritó: —¿Usted cree, amigo, que es el único en esta reunión que perdió su libertad y todo lo que poseía en la tierra en aquel año fatal? Yo, también, pasé por lo mismo que usted ha pasado—...

—¡Y yo! ¡Y yo!— gritaban otros, y mientras continuaba aquella ruidosa demostración, algunos de aquellos que eran empujados contra el forastero comenzaron a preguntarle si sabía quién era el hombre a quien había prohibido cantar acerca de 1840. ¿No había oído hablar nunca de Barboza, el famoso cuchillero que había matado a tantos hombres en pelea?

Tal vez él escuchó y no quería morir todavía: de todos modos, sobrevino un cambio en su actitud; se condujo de una manera más racional e incluso pidió disculpas, y Barboza, graciosamente, aceptó las seguridades de que él no había deseado provocar una riña.

¡De modo que, después de todo, no hubo riña!

La segunda ocasión tuvo lugar unos dos años después... Un largo período, durante el cual había habido un buen número de duelos a cuchillo en nuestra vecindad; pero Barboza no tomó parte en ninguno de ellos, y ninguna persona se había allegado para disputar su supremacía. Se dice comúnmente entre los gauchos que, cuando un hombre ha probado su destreza matando a unos cuantos de sus oponentes, de allí en adelante se le permite vivir en paz.

Un día asistí a una yerra de ganado en una pequeña estancia criolla, a algunas leguas de casa, que pertenecía a una anciana a quien yo acostumbraba considerar como la persona más vieja del mundo, puesto que andaba cojeando, sosteniéndose con dos bastones, doblada casi en dos, con sus ojos medio ciegos, descoloridos, siempre fijos en el suelo. Pero tenía nietas que vivían con ella y que no eran mal parecidas: la mayor, Antonia, una joven de voz fuerte conocida como "la yegua blanca" a causa de la blancura de su piel y de su corpulencia, y otras tres. No es raro que las yerras en esa estancia atrajeran a todos los hombres y jóvenes de muchas leguas a la redonda para prestar servicio a doña Lucía del Ombú. Así era como se la llamaba, porque había allí un gran ombú solitario que crecía a unos cien metros de la casa... y que era un punto de referencia bien conocido en el distrito. Cerca de la casa había media docena de sauces llorones, pero no había ninguna plantación, ni jardín, ni estaba rodeada por un foso ni por un cerco de ninguna clase. El viejo rancho de barro, con techo de paja, se levantaba en la pareja llanura desnuda; era uno de los viejos establecimientos decrépitos, y el ganado no era mucho, de manera que hacia el mediodía el trabajo estaba terminado y los hombres, que sumaban cuarenta o cincuenta, fueron en montón hacia la casa donde se les ofrecería el almuerzo.

Como era un día de calor y dentro no había comodidades suficientes, las mesas estaban a la sombra de los sauces, y allí tuvimos nuestro festín de asado y puchero, con pan y vino y grandes platos de arroz con leche —arroz hervido en leche con azúcar y canela—. Después del comino, la canela es la especia más gustada por el gaucho; es capaz de cabalgar leguas para conseguirla.

Terminado el almuerzo y levantadas las mesas, los hombres y los jóvenes se ubicaron en los bancos y en las sillas y sobre sus ponchos tendidos sobre el suelo, y comenzaron a fumar y a conversar. Apareció una guitarra y, estando presente Barboza, rodeado como de costumbre por un grupo de sus amigos y parásitos particulares, todos escuchando ávidamente sus palabras y aplaudiendo sus salidas con estallidos de risa, fue, naturalmente, el primero a quien se pidió que cantara. El acompañante, en este caso, fue Goyo Montes, un gaucho pequeño y fornido con ojos azules redondos y descarados plantados en una cara entre rosa y tostada, y la canción elegida fue una conocida como *La lechera*.

Entonces, cuando el instrumento estuvo afinado y Barboza comenzaba a mecer su cuerpo, y cesaba la conversación, un gaucho llamado Marcos, aunque habitualmente se le llamaba El Rengo, a causa de su cojera, se abrió camino entre el gentío que rodeaba al gran hombre y se sentó sobre una mesa y puso el pie de su pierna renga sobre el banco que estaba debajo.

El Rengo era un ser extraño, un hombre con hermosos rasgos notablemente aguileños, de penetrantes ojos negros y largos cabellos negros. De joven se había distinguido entre sus camaradas gauchos por sus audaces hazañas de domador, sus locas aventuras y sus peleas; luego tropezó con el accidente que lo dejó rengo de por vida y que, al mismo tiempo, lo libró del ejército, cuando apartando ganado fue arrojado por su caballo y corneado por un toro furioso que le clavó profundamente el cuerno en su cadera. Desde entonces Marcos fue un hombre de paz y era querido y respetado por todos como un buen vecino y una buena persona. Era también admirado por la manera particularmente divertida de hablar que tenía cuando su estado de ánimo era propicio, generalmente cuando estaba un poco excitado por la bebida. Sus ojos lanzaban chispas y el rostro se le iluminaba, y mantenía a sus oyentes riendo por la manera estrafalaria como jugaba con su asunto: pero siempre había en ella algo de burla y de amargura que servía para demostrar que el peligroso espíritu de su juventud aún sobrevivía en él.

En esta ocasión estaba en uno de sus momentos de humor más caprichoso, burlón e inquieto, y apenas se había sentado cuando comenzó sonriendo, en su tono tranquilo y coloquial, a discutir el asunto del cantor y de la canción. Sí,

271

decía, *La lechera* era una buena canción pero otro título se hubiera acordado mejor con su asunto. ¡Oh, el asunto! Cualquiera hubiera podido adivinar cuál hubiera podido ser. Las palabras eran más importantes que la melodía. Pues aquí no teníamos, entre nosotros, a un dulce cantorcito, como un jilguero en su jaula, sino un gallo... un gallo de riña con su cresta y su cola bien atusadas y un par de agudas espuelas en sus pies. Escuchen, amigos, está por sacudir las alas y cacarear.

Yo estaba apoyado contra la mesa en la que él estaba sentado y empecé a pensar si no sería un lugar peligroso para mí, ya que estaba seguro de que Barboza oía claramente cada palabra, sin embargo, no daba señales de oír, y seguía meciéndose a uno y otro lado como si no le hubiera llegado ninguna palabra burlona, y luego la emprendió con una de sus más atroces décimas, autobiográfica y filosófica. En la primera estrofa menciona que había matado a once hombres, pero empleando una licencia poética lo plantea de una manera perifrástica, diciendo que asesinó a seis hombres, y luego a cinco más, haciendo un total de once:

Seis muertes he hecho y cinco son once;

Terminada la estrofa, Marcos reanudó sus comentarios. Lo que quiero saber, decía, es ¿por qué once? No es el número correcto en este caso. Se necesitaba uno más para hacer la docena entera. El que se queda en once no ha completado su tarea y no debería jactarse de lo que ha hecho. Aquí estoy yo a su servicio; aquí hay una vida que no vale nada para nadie esperando que alguien la tome, si quiere quitársela y si tiene la fuerza para hacerlo.

Este era un desafío suficientemente directo, y, sin embargo, por extraño que parezca no fue seguido por ninguna acción súbita y furiosa, no hubo un destello de acero, y sangre derramada sobre la mesa y los bancos; tampoco hubo en la cara del cantor el menor signo de emoción ni ninguna vacilación, ningún cambio en su voz, cuando retomó su canto. Y así siguió hasta el final: estrofa jactanciosa, y observaciones insultantes de Marcos; y cuando las décimas llegaron a su término un grupo de entre doce y veinte hombres se habían hecho lugar entre ambos de modo que no pudiera haber pelea en esta ocasión.

Entre los presentes estaba un gaucho viejo que había tomado un interés particular en mí a causa de mis conocimientos sobre pájaros, y que acostumbraba a conversar y a exponerme su filosofía gaucha de manera paternal. Un día o dos después, al encontrarme con él, opiné que no me parecía que Barboza mereciera su fama de cuchillero. Lo consideraba un cobarde. No, me dijo, no era un cobarde, él hubiera podido matar a Marcos, pero entendía que eso hubiera sido un error ya que no habría añadido nada a su reputación y tal vez habría hecho que se le viera mal en el distrito. Todo eso estaba muy bien, repliqué, pero ¿cómo podía alguien que no fuera un cobarde soportar que se le insultara públicamente y que se le desafiara sin montar en cólera y arrojarse sobre su enemigo?

Se sonrió y respondió que yo era un muchachito ignorante y que comprendería mejor esas cosas algún día, después de haber conocido muchos buenos cuchilleros. Había algunos, dijo, hombres de temperamento fiero, que se arrojarían sobre cualquiera y lo matarían por la causa más nimia... tal vez por una palabra fútil o imprudente. Había otros de temperamento más sereno cuya ambición consistía en ser grandes cuchilleros, que peleaban y mataban gente no porque la odiaran o porque estuvieran furiosos con ella, sino por la fama que eso les daría. Barboza era uno de este tipo más sereno, que, cuando peleaba, mataba, pero no era hombre de dejarse arrastrar a una pelea por ninguna persona ordinaria o por cualquier zonzo a quien se le ocurriera desafiarlo.

Así habló mi mentor, aunque no eliminó completamente mis dudas. Pero ahora debo volver hacia la época anterior, cuando esta extraña familia era recién llegada a nuestra vecindad.

Todos los de la familia parecían orgullosos de ser forasteros y de la reputación de su peleador hermano, su protector y su jefe. Era sin duda un incalificable forajido, y, aunque yo estaba acostumbrado a los forajidos desde que era un niño, y no veía que ellos difirieran mucho de los demás hombres, éste con sus ojos fieros y penetrantes y la negra nube de sus cabellos y de su barba, en cierto modo me ponía inquieto, y como consecuencia evitaba Los Alamos. Me disgustaba la tribu entera, excepto una niñita de unos ocho años que, según se decía, era hija de una de las hermanas solteras. Nunca descubrí cuál de sus tías, como llamaba ella a esas altas mujeres de rostro blanco y de cejas espesas, era su madre. Acostumbraba verla casi todos los días, porque, aunque fuera una criatura andaba a caballo a toda hora, montando en pelo y a la manera de los muchachos, corriendo por la llanura, ya para arrear los caballos, ya para hacer volver la majada cuando se estaba alejando demasiado, o los vacunos, y, finalmente, para hacer mandados a las casas de los vecinos o para comprar víveres en la pulpería. Todavía puedo verla a todo galope por la llanura, con los pies y las piernas desnudas, con su viejo y liviano vestidito de algodón y sus cabellos sueltos, negros como alas de cuervo flotando tras de sí. Lo más extraño en ella era su blancura: su cara hermosamente tallada era como alabastro, sin una peca ni rastros de color a pesar del sol y el viento ardiente a que estaba constantemente expuesta. Era también extremadamente enjuta, y extrañamente seria para ser una niña pequeña: nunca se reía y raramente sonreía. Su nombre era Angela pero la llamaban por el afectuoso diminutivo de Angelita, aunque dudo que nunca se gastara mucho afecto en ella.

Para mis ojos de chico era un ser hermoso con una nube sobre sí, y yo deseaba que hubiera estado en mi poder decir algo para hacer que riera y que olvidara aunque fuera por un minuto las muchas preocupaciones y ansiedades que hacían de ella una pequeña de una gravedad tan poco natural. Nada apropiado para decirle se me ocurrió nunca, y, si se me hubiera ocurrido sin duda hubiera permanecido callado. Los chicos son siempre incapaces de articular aquello que concierne a sus más profundos sentimientos; por mucho que puedan desearlo no pueden expresar sus sentimientos amables y simpáticos. De alguna manera vacilante pueden a veces decir una palabra de esa naturaleza a otro chico o compañero, pero ante una chica se quedan mudos.

Recuerdo, alrededor de mis nueve años, el caso de la riña que tuve sobre algún asunto trivial con mi mejor amigo, un chico de mi propia edad que, con su familia, acostumbraba a venir a visitarnos desde Buenos Aires todos los años, durante un mes. Durante tres días enteros no nos hablamos una palabra y permanecimos completamente indiferentes uno al otro, mientras que antes habíamos sido inseparables. Entonces él, de pronto, vino hacia mí y tendiéndome la mano me dijo: "Vamos a amigarnos". Yo tomé la mano que me ofrecía y sentí más gratitud hacia él de la que desde entonces nunca sentí por nadie, sólo porque acercándose primero a mí, me ahorró la agonía de tener que decirle esas tres palabras. Ahora aquel muchacho —es decir, la parte material de él— no es más que un puñado de cenizas grises, que descansa en paz desde hace mucho tiempo; pero bien puedo creer que si la otra parte que aún vive estuviera por azar en esta habitación, ahora atisbando por sobre mi hombro para ver qué estoy escribiendo, lanzaría una carcajada tan cordial como un espectro pueda hacerlo ante ese antiguo recuerdo, y se diría a sí mismo que le costó todo su coraje decir aquellas tres simples palabras.

Y así sucedió que nunca le dije una palabra gentil a la blanca Angelita, y a su debido tiempo ella se desvaneció de mi vida con toda aquella tribu suya, el sanguinario tío incluido, dejando en mi mente una imagen perdurable que nunca ha perdido del todo cierto efecto perturbador.

CAPITULO X

NUESTRO VECINO MAS CERCANO

La Casa Antigua, la casa de nuestro vecino inglés más próximo. Los viejos álamos de Lombardía. Los cardos. Mr. Royd, un criador de ovejas inglés. Haciendo queso de leche de oveja con dificultades. La esposa criolla de Mr. Royd. Los sirvientes negros. Las dos hijas: un contraste llamativo. La niña blanca de ojos azules y su morena compañera. Una familia feliz. Nuestras visitas a la Casa Antigua. Cenas suntuosas. Estanislao y su amor por la vida agreste. Los Royd devuelven la visita. Un carruaje de construcción casera. El primitivo vehículo del gaucho. El feliz hogar destruido

Una de las más importantes estancias de nuestra vecindad, por lo menos para nosotros, era llamada la Casa Antigua, y era bastante evidente que se trataba de una antigua residencia de aquella región, puesto que los árboles eran los más grandes y aparentaban ser extremadamente viejos. Debe recordarse, sin embargo, que cuando hablamos de cosas viejas de las pampas nos referimos a cosas que tienen uno o dos siglos, no muchos cientos o miles de años como en Europa. Tres siglos en aquella parte de Sud América nos trasladan a los tiempos prehistóricos. Aquellos álamos de Lombardía, plantados en largas filas, eran los más grandes que habíamos visto: eran muy altos; muchos de ellos parecían estar muriéndose de vejez y todos tenían enormes troncos de áspera corteza apuntalados. Los demás árboles de sombra eran también viejos y nudosos y, algunos de ellos, moribundos. La propia casa no parecía antigua, y estaba construida de ladrillos sin cocer y tenía techo de totora y un ancho corredor sostenido por postes o pilares de madera.

La Casa Antigua estaba situada a una legua y media de nuestra casa, pero parecía que no estuviera ni siquiera a una legua, a causa de la gran altura de los árboles, que la hacían aparecer grande y destacada en aquella ancha llanura pareja. La tierra por muchas leguas a la redonda estaba cubierta por una densa vegetación de cardos. Ahora bien: el cardo es el alcahucil europeo que se ha vuelto silvestre y su carácter se ha alterado bastante en un suelo y en un clima diferentes. Las largas hojas muy recortadas son de un color verde gris pálido; los tallos están cubiertos por una pelusa entre gris y blancuzca, y las hojas y las ramas están espesamente cubiertas con largas espinas amarillas. Crece en espesas matas, y esas matas crecen apretadamente juntas excluyendo los pastos y la mayoría de toda otra vida vegetal y producen moradas flores, grandes como la cabeza de un niño pequeño, en varas de alrededor de un metro de altura. Los tallos, que son casi tan gruesos como la muñeca de un hombre, se usaban, cuando estaban secos, como leña; y, realmente, este era el único combustible que podía conseguirse en aquella época en el campo, excepto la bosta seca de vaca o el estiércol de oveja. Al final del verano, en febrero, los recolectores de leña se ponían a la tarea de juntar los tallos de cardos, protegiendo sus manos y brazos con guantes hechos de cuero de oveja, y en esa estación nuestros carreteros traían enormes cargas, que eran hacinadas en pilas altas como una casa, para utilizarlas durante todo el año.

La tierra donde crece el cardo de modo tan abundante no es buena para las ovejas, y en la Casa Antigua toda la tierra era de ese tipo. El arrendatario era un inglés, un tal Mr. George Royd, y sus vecinos pensaban que había cometido un grave error que tal vez produciría desastrosas consecuencias al invertir su capital en lanares finos para ponerlos en una tierra semejante. Todo eso lo escuché años después. Por ese entonces sólo sabía que era nuestro vecino inglés más próximo y que, por eso, significaba más para nosotros que cualquier otro. Es cierto que teníamos otros vecinos ingleses —aquellos que vivían a media jornada a caballo de nosotros eran allí nuestros vecinos—: ingleses, galeses, irlandeses y escoceses; pero no eran como Mr. Royd. Esos otros, por muy prósperos que fueran (y algunos eran propietarios de grandes establecimientos), provenían en su mayor parte de las clases trabajadoras o de la clase media de sus respectivos países y sólo se interesaban en sus propios negocios. Mr. Royd era otra clase de persona. Tenía alrededor de cuarenta y cinco años cuando yo tenía siete. Era un hombre bien parecido, afeitado, con brillantes ojos azules y sonrientes y cabellos castaños. Era un hombre educado y le gustaba encontrarse con otros de su mismo nivel intelectual con los que pudiera conversar en su propia lengua. No había ningún inglés en su casa. Tenía un carácter alegre y ocurrente, un franco gusto por las diversiones, y una risa sonora y cordial que era un gusto escuchar. Era un entusiasta de la cría de ovejas, y siempre estaba lleno de hermosos proyectos, soñando con las cosas que pensaba hacer y con los grandes resultados que conseguiría. Una de sus ideas favoritas era que los quesos hechos con leche de oveja podían venderse a cualquier precio que él quisiera, y de acuerdo con su idea comenzó a hacerlos con grandes dificultades, ya que las ovejas para eso tenían que ser previamente amansadas y sólo daban una pequeña cantidad de leche si se comparaban con las ovejas de algunas regiones de Francia y de otros países donde habían sido ordeñadas durante generaciones y habían agrandado sus ubres. Lo peor de todo era que sus peones criollos consideraban degradante tener que ordeñar criaturas como las ovejas. "¿Por qué no ordeñar a las gatas?" preguntaban con sarcasmo. Con todo logró hacer queso, y eran muy lindos quesos, mucho mejores en realidad que cualesquiera quesos criollos hechos con leche de vaca que hubiéramos probado nunca. Pero sus dificultades eran demasiado grandes para que los produjera en cantidades suficientes para el mercado, y, el ordeño de las ovejas llegó a su fin.

Desgraciadamente, Mr. Royd no tenía a nadie que le ayudara en sus planes, o que le aconsejara e infundiera en él un poco más de sentido práctico. Su familia nunca pudo ser para él más que un peso muerto y una rémora en su lucha, y su desastre fue probablemente el resultado de su temperamento romántico y demasiado entusiasta, que lo convirtió en el marido de su mujer y lo hizo soñar con una fortuna hecha a base de quesos de leche de oveja.

Su mujer era una criolla; en otras palabras, una dama de sangre española nacida y educada en la ciudad. Se habían conocido en Buenos Aires cuando, en el esplendor de su juventud, el período más emocional de la vida, y a pesar de la oposición de la familia de ella y de las tremendas dificultades para la unión entre uno de la Fe y un herético en aquellos días tan religiosos, fueron hechos, eventualmente, marido y mujer. De muchacha ella había sido hermosa; ahora, alrededor de los cuarenta años, sólo era una gorda: una mujer grande y gorda, con una piel extremadamente blanca, de cabellos y cejas negros como alas de cuervo, y ojos negros aterciopelados. Tal era doña Mercedes cuando yo la conocí. Ella no hacía ningún trabajo en la casa, y nunca salía a caminar o a andar a caballo: pasaba su tiempo en un sillón, siempre bien vestida, y, en los días caluroso, siempre con un abanico en la mano. Todavía puedo oír el sonar de aquel abanico cuando ella jugaba con él, produciendo una sucesión de graciosos movimientos ondeantes y de rítmicos sonidos como un acompañamiento al interminable torrente de charla que derramaba, porque era una persona sumamente conversadora, y para que la ayudaran a hacer más animada la conversación tenía siempre dos o tres loros gritones sobre sus perchas. También le gustaba estar rodeada por todas las demás mujeres de la casa: sus dos hijas y las sirvientas, que eran cuatro o cinco, todas negras puras, negras pero apuestas, gordas, bien parecidas, mujeres risueñas, jóvenes o de edad mediana, que, como norma, vestían de blanco. Eran solteras, pero dos o tres de ellas eran las madres de algunos pequeños negritos que se podían ver jugando por ahí y rodando por el polvo cerca de las habitaciones de los sirvientes, al extremo de la casa larga y baja.

La hija mayor, Eulodia, tenía, según me parece, unos quince años cuando la conocí; era una hermosa muchacha alta y esbelta de cabello negro azulado, ojos negros, labios de coral, y una piel notablemente blanca, sin ningún rastro de color en ella. Era, sin duda, exactamente lo que su madre había sido cuando el impetuoso e impresionable George Royd la había conocido y había perdido así su corazón... y su alma. La hermana menor, que tendría unos ocho años por aquel tiempo, hacía un perfecto contraste con Eulodia; había salido a su padre, y por su color y por su apariencia general era una perfecta niña inglesa del tipo angelical corriente, con largos y brillantes cabellos dorados que formaban bucles, ojos del más puro azul turquesa, y un cutis como los pétalos de una rosa silvestre. Adelina era su lindo nombre, y para nosotros Adelina era el ser humano más hermoso del mundo, especialmente cuando la veíamos con su morena compañerita de juegos, Liberata, que era de la misma edad y altura y era hija de una de las sirvientas negras. Las dos se habían encariñado entre sí desde la cuna, y así Liberata había tenido el privilegio de ser la compañera constante de Adelina en la casa y de llevar bonitos vestidos. Siendo una mulatita, era de piel oscura o parda, con un toque rojizo en su tono moreno, labios púrpura, y negros ojos líquidos que tenían en ellos reflejos naranja-marrón, los ojos que en América llaman de carey. Llevaba el crespo pelo de color hierro viejo como un vellón alrededor de su cabecita, y sus rasgos eran tan refinados que no había más remedio que suponer que su padre había sido un hombre blanco y singularmente hermoso. Adelina y Liberata eran inseparables, excepto a las horas de las comidas, cuando la niñita morena debía estar de vuelta entre su propia tribu —del lado materno—; y formaban un exquisito cuadro cuando, como las veíamos a menudo, se estaban junto a la silla de la señora cada una entrelazada al cuello de la otra... la linda niña de piel oscura y la niña blanca con su cabello brillante y sus ojos de un azul de no-me-olvides.

Adelina era la favorita de su padre, pero él tenía cariño a toda su gente, incluidos los sirvientes negros, y ellos lo querían a él, y la vida en la Casa Antigua parecía ser feliz y armoniosa en grado sumo.

Mirando atrás después de tanto tiempo, cuando pienso en ello me impresiona como si fuera un *ménage* realmente extraordinario, una colección de los seres más incongruentes que sería posible reunir... una especie de Familia Feliz en el sentido zoológico. No parecía así entonces, cuando en cualquier casa de las anchas pampas uno se podía encontrar con gente cuyas vidas y caracteres hubieran sido considerados en los países civilizados, como extraordinariamente raros y casi increíbles.

Para nosotros, los niños, era un día de fiesta cuando, alrededor de una vez al mes, nos amontonaban en un birlocho, e íbamos con nuestros padres a pasar el día en la Casa Antigua. El almuerzo al mediodía era lo más suntuoso en su especie que conocíamos. Uno de los entusiasmos de Mr. Royd era la cocina —hacer platos raros o delicados— y los sirvientes habían sido enseñados tan bien que lo habitual era que quedáramos pasmados ante la riqueza y la profusión de la comida. Esos almuerzos eran para nosotros como las "colaciones" y las fiestas tan detalladas y amorosamente descritas en *Las mil y una noches,* especialmente aquellas cenas de muchos platos brindadas por Barmecida a su hambriento huésped, que siguió a la primera, tan deseable e imaginaria. Lo asombroso era que un hombre en la posición de un criador de ovejas en un país semibárbaro, lejos de cualquier ciudad, pudiera ofrecer tales comidas a sus visitantes.

Después de comer, mi mejor momento llegaba cuando podía escabullirme para buscar a Estanislao, el joven jinete criollo, que era tan entusiasta de la vida silvestre que pasaba más tiempo cazando avestruces que atendiendo sus deberes. —Cuando veo un avestruz, —me decía— dejo el rebaño y dejo caer mi trabajo cualquiera que sea. Preferiría perder mi empleo en la estancia antes que no cazarlo.— Pero nunca perdió su empleo, ya que parecía que nadie podía hacer algo malo en la estancia y no ser perdonado por su amo. Entonces Estanislao, un individuo grande con traje de gaucho, que usaba un pañuelo rojo atado alrededor de su cabeza en lugar de sombrero, y una masa o nube de cabello negruzco y ondulado sobre su cuello y sus hombros, me llevaba a dar una vuelta por la plantación y me mostraba los nidos que había encontrado y cualesquiera pájaros raros que anduvieran por ahí.

Cuando anochecía nos metíamos en el birlocho y marchábamos hacia casa. Entonces, cuando llegaba el día de devolver la visita, Mr. Royd amontonaba a su familia en el "carruaje" que él, sin ser constructor de coches, ni siquiera carpintero, había hecho con sus propias manos. Tenía cuatro sólidas ruedas de madera de casi un metro de diámetro, y los costados de madera de más de un metro de alto. No tenía resortes ni asientos, y tenía una larga pértiga a la que iban atados dos caballos, y Estanislao, montado en uno de ellos, partía al galope sacudiéndoles y haciendo saltar aquel armatoste sobre la llanura en que no había caminos. La gruesa señora y los demás pasajeros se salvaban de ser muertos a golpes por los varios colchones, almohadas y almohadones que se acumulaban dentro. Era el más extraño y el más primitivo vehículo que nunca vi, excepto el que comúnmente usaba el gaucho para llevar a su mujer a visitar a un vecino cuando ella estaba delicada o era demasiado tímida para montar a caballo, o cuando él no tenía lo suficiente para poseer una silla de montar de mujer.

Este era un cuero de caballo seco y bien estirado, con un lazo atado en un extremo de la cabeza o a la parte delantera del cuero y el otro extremo al caballo del gaucho, en general, a la sobrecincha del apero. Se colocaba un banco o un almohadón en el centro del gran cuero para que la señora se sentara en él, y cuando ella se había acomodado, el hombre azotaba al caballo y allá partía, al galope, arrastrando el extraño transporte tras de sí... un espectáculo que llenaba de asombro al forastero.

Nuestras íntimas y felices relaciones con la familia Royd continuaron hasta alrededor de mis doce años, y luego se terminaron repentinamente. Mr. Royd, que siempre había parecido uno de los hombres más brillantes y más felices que conociéramos, cayó de golpe en un estado de profunda melancolía. Nadie pudo sospechar la causa, ya que estaba muy bien y su situación parecía próspera. Después de muchos intentos fue persuadido por sus amigos a que fuera a Buenos Aires para consultar a un doctor, y se fue solo y paró en la casa de una familia anglo-argentina, que era también amiga nuestra. Pronto llegaron las espantosas nuevas de que se había suicidado cortándose el cuello con una navaja de afeitar. Su mujer y sus hijas abandonaron la Casa Antigua, y no mucho después doña Mercedes escribió a mi madre que habían quedado sin un centavo; que sus rebaños y otros bienes que quedaron en la estancia habían tenido que ser vendidos en beneficio de los acreedores y que ella y sus hijas estaban viviendo de la caridad de alguno de sus familiares que no estaban en muy buena posición. Su única esperanza consistía en que sus dos hijas, siendo dos muchachas bonitas, encontraran marido y quedaran en una posición que les permitiera evitar pasar necesidades. Lo único que nos dijo acerca de su esposo muerto, el atractivo y sereno George Royd, el brillante y hermoso muchacho inglés que la había enamorado y conquistado tantos años antes, fue que consideraba su encuentro con él en la juventud como la gran calamidad de su vida; que, matándose y dejando a su esposa y a sus hijas en la pobreza y el sufrimiento, había cometido un crimen imperdonable.

Así termina la historia de nuestro vecino más cercano.

CAPITULO XI

UN CRIADOR DE OVEROS

La Tapera, una estancia criolla. Don Gregorio Gándara. Su apariencia grotesca y su extraña risa. La mujer de Gándara, sus costumbres y sus animales mimados. Mi asco por los perros pelados. Las hijas de Gándara. Un avestruz criado como animal doméstico. En el monte de duraznos. Las tropas de yeguas overas de cría de Gándara. Su temperamento imperioso. Sus propios caballos de silla. Impresión que producía en las reuniones de gauchos. Los enamorados de la hija menor. Su casamiento en nuestra casa. El sacerdote y el almuerzo de bodas. Demetria abandonada por su esposo

Si, de pie sobre la tranquera de casa, mirábamos hacia el norte sobre el campo llano y dejábamos vagar nuestros ojos hacia el oeste de los altos álamos de

Lombardía de la Casa Antigua, descansaban en seguida sobre otra isla de árboles, azul a la distancia, que señalaba el sitio de otra casa de estancia. Era la estancia llamada La Tapera, con cuyo propietario tuvimos también relaciones amistosas durante los años que vivimos en aquella región. El propietario era don Gregorio Gándara, un argentino, y, como nuestro vecino inglés más próximo, míster Royd, un entusiasta, y también se le asemejaba porque estaba casado con una mujer gruesa e indolente que criaba loros y otros animales mimados y porque era padre de dos hijas. Tampoco en este caso había hijos. Allí sin embargo terminaban todos los parecidos, ya que no hubiera sido fácil encontrar dos hombres más diferentes en su aspecto, en su carácter y en su fortuna. Don Gregorio era una persona extraordinaria de ver; tenía un cuerpo redondo, o con forma de barril, piernas cortas y chuecas, y una gran cabeza redonda que parecía una pelota fabricada con un pedazo de madera rojo oscura sobre la que se hubieran grabado rudamente una cara tosca y unas grandes orejas. Era una cabeza enrulada, con el cabello crespo creciendo abultadamente, lo que daba a su cráneo redondo la apariencia de ser abollonado como la cabeza de un perdiguero enrulado. Sus grandes ojos castaños eran extremadamente prominentes, con una mirada tremendamente poderosa, y toda su expresión tenía la gravedad de un sapo. Pero en ocasiones podía reírse, y para nosotros, los chicos, su risa era lo más grotesco y en consecuencia lo que más nos divertía. Cada vez que lo veíamos llegar y desmontar, y luego de atar su caballo magníficamente aperado a la tranquera, hacer una visita a nuestros padres, los chicos abandonábamos nuestros juegos o lo que fuera que estuviéramos haciendo y corríamos alegremente a la casa; luego, distribuyéndonos por la habitación sobre las sillas y taburetes nos quedábamos silenciosos y mansos, escuchando y esperando la risa de don Gregorio. El hablaba de un modo sorprendentemente enfático, y casi lo hacía saltar a uno cuando apoyaba lo que se estaba diciendo con su fuerte y repentino sí-sí-sí-sí-sí, y cuando hablaba emitiendo sus frases en dos o tres palabras juntas por vez, que sonaban como enojados ladridos. Y de pronto se decía algo que tocaba su capacidad de risa, lo que lo lanzaba en una especie de ataque y, arrojándose hacia atrás en su silla, cerrando los ojos y abriendo ancha su bocaza aspiraba el aire con un prolongado sonido maullante o sibilante hasta que sus pulmones estaban demasiado llenos para aguantar más y entonces lo descargaba como una estampida que era acompañada por una especie de alarido de animal salvaje, algo parecido al alarido de un zorro. Y entonces, instantáneamente, casi antes de que el alarido terminara, su rostro recobraba su sobrenatural gravedad y su intensa fijeza en la mirada.

Nuestro profundo deleite en esa actuación la hacía en realidad penosa, puesto que aquel sentimiento no podía ser expresado, ya que sabíamos que nuestro padre se daba cuenta de que éramos muy capaces de estallar en presencia de un honorable huésped, y nada podía molestarlo más.

Mientras estábamos en el salón no nos atrevíamos a intercambiar miradas y ni siquiera a sonreír; después de ver y de oír unas pocas veces aquella asombrosa risa nos deslizábamos fuera y, yéndonos hasta algún lugar tranquilo, nos sentábamos en círculo y comenzábamos a imitarla encontrando en ello un delicioso pasatiempo.

Después que aprendí a montar a caballo fui a veces por la tarde con mi madre y mis hermanas a hacer una visita a La Tapera. La mujer era la mujer más grande y más gorda de toda la vecindad y de pie era una cabeza y los hombros más alta que el barril de su marido. No era, como doña Mercedes, una dama por su nacimiento ni una persona educada, pero se parecía a ella en sus costumbres y en sus gustos. Estaba siempre sentada en un gran sillón de mimbre, fuera o dentro de la casa, e invariablemente estaba en compañía de cuatro perros pelados: uno en su amplia falda, otro en un cuero de cordero a sus pies y los otros en alfombras a cada lado. Los tres que estaban en el suelo estaban esperando pacientemente que les llegaran sus respectivos turnos para ocupar la ancha falda caliente cuando llegaba el tiempo de echar al último favorito de aquella posición. Yo sentía una invencible repugnancia hacia aquellos perros, con su piel brillante, negro azulada y desnuda como la cabeza de un viejo negro calvo, y sus largos y escasos bigotes blancos. Esos pelos blancos y duros de sus hocicos y sus ojos opacos y parpadeantes les daban cierto parecido con hombres muy viejos con sangre negra en sus venas, y los hacían aún más repulsivos.

Las dos hijas, que eran ya mujeres, se llamaban Marcelina y Demetria; la primera era grande, morocha, alegre y gorda como su madre; la otra, de mejores facciones, de piel pálida y aceitunada, tenía oscuros ojos melancólicos, una voz gentil y pensativa y un aire que la hacía parecer como si fuera de otra familia y de otra raza. Las hijas nos servían mate, un brebaje que de niño no me gustaba, pero en aquella casa no había chocolate ni té para los visitantes, y en el tiempo de las frutas siempre me alegraba poder escapar al huerto. Como en nuestra propia casa los viejos duraznos crecían en el centro de la plantación; el resto estaba plantado con hileras de álamos de Lombardía y otros grandes árboles de sombra. Un avestruz domesticado vivía en la casa, y mientras que permanecíamos dentro o sentados en la galería, se mantenía por ahí, cerca de nosotros, pero tan pronto como salíamos hacia el huerto, se ponía a seguirnos. Era como un perro mimado y no podía soportar que lo dejaran solo o en la desagradable compañía de las otras criaturas domésticas —perros, gatos, gallinas, pavos y gansos—. Consideraba a los hombres y a las mujeres como los únicos seres adecuados para ser tratados por un avestruz; pero no se le permitía entrar a las habitaciones a causa de su costumbre nada conveniente de tragarse los objetos de metal tales como tijeras, cucharas, dedales, horquillas, monedas de cobre, y cualquier cosa de ese tipo de que pudiera apoderarse cuando nadie lo veía. En el huerto, cuando nos veía comiendo duraznos, hacía lo mismo, y si no podía arrancarlos por sí mismo porque estaban muy altos nos los pedía a nosotros. Era muy cómico darle media docena o más de golpe y, después, cuando habían sido tragados rápidamente, observar los progresos cuando la larga hilera de grandes bultos redondos viajaban lentamente por su cuello y desaparecían uno por uno cuando los frutos pasaban a su buche.

El gran negocio de Gándara consistía en la cría de caballos, y como norma tenía alrededor de mil yeguas de cría, de modo que las manadas contaban habitualmente unas tres mil cabezas. Por extraño que parezca casi todos eran overos. El gaucho, desde el más pobre trabajador a caballo, hasta el mayor propietario de tierras y de ganado, tiene, o tenía en aquellos días, el capricho de poseer todos sus caballos de montar de un mismo color. Cada hombre tenía, en general, su tropilla —su propia media docena, o docena, o más—, de caballos de silla, y los tenía tan parecidos entre sí como fuera posible; de modo que un hombre tenía alazanos; otros, zainos, doradillos, tordillos plateados o azafranados, cebrunos, gateados, pangarés, blancos, oscuros u overos. En algunas estancias también el ganado era todo de un color, y recuerdo un establecimiento en que todo el ganado vacuno, que sumaba unos seis mil animales, era todo oscuro. El capricho de nuestro vecino se inclinaba por los caballos overos, y era tan fuerte que deseaba no tener ningún animal de color parejo en su manada, pese a que criaba animales para la venta y a que los overos no fuesen tan populares como los caballos de un colorido más normal. Hubiera hecho mejor, ya que se aferraba a un solo pelaje, si hubiera criado tordillos negros, pangarés, alazanos o cebrunos, todos ellos pelajes preferidos; o hubiera hecho mejor aún si no se hubiera confinado a ningún color determinado. Los padrillos eran todos overos, pero muchas de las yeguas de cría eran blancas, ya que había descubierto que podía obtener tan buenos resultados, si no mejores, criando yeguas blancas tanto como overas.

Nadie discutía con Gándara a causa de sus gustos en materia de caballos; por el contrario, él y sus vastas manadas de animales con zonas de diferentes colores eran sumamente admirados, pero su ambición de tener el monopolio en materia de overos era a veces un motivo de ofensa. Vendía solamente potrillos castrados de dos años, pero nunca una yegua, a no ser que fuera para la matanza, porque en aquellos tiempos los caballos semisalvajes de la pampa eran matados anualmente en grandes cantidades, solamente para aprovechar los cueros y la grasa. Si encontraba una yegua blanca u overa en la manada de un vecino no descansaba hasta que lograba adquirirla, y, como pagaba el doble de su valor en dinero en caballos, rara vez encontraba dificultades en conseguir lo que quería. Pero, ocasionalmente, algún pobre gaucho que sólo poseía unos pocos animales se rehusaba a desprenderse de una yegua overa, ya fuera por orgullo o por "testarudez", como diría un americano, o porque estaba apegado al animal, y eso removía el alma de Gándara hasta el fondo de sus profundidades y hacía salir a la superficie toda la negrura que había en él. —¿Qué quiere, pues? —le gritaba montado en su caballo y haciendo gestos violentos con su mano y su brazo derechos, y como ladrando sus palabras. —¿No le ofrecí bastante? ¡Oiga! ¿Qué le importa una yegua blanca a usted, un hombre pobre, más que una yegua de cualquier otro color? Si su tropilla tiene que ser de un solo color, dígame de qué color la quiere: ¿oscuros, o zainos, o doradillos, o alazanos, o qué? ¡Mire! Le doy dos potrillos de dos años en cambio de la yegua. ¿Acaso podría hacer un cambio mejor? ¿Alguna vez lo trataron más generosamente? Si se niega, será por pura mala voluntad, y yo sabré cómo tratarlo. Cuando pierda sus animales y esté arruinado, o cuando sus hijos estén con fiebre, o cuando su mujer se muera de hambre, no venga a pedirme un caballo, o dinero, o comida, o medicamentos, ya que me va a tener por enemigo en vez de por amigo—.

Así, según contaban, era como rabiaba y fanfarroneaba cuando se enfrentaba a la negativa de algún vecino pobre. Tan afecto a sus overos era don Gregorio, que se pasaba la mayor parte del tiempo a caballo con sus diferentes tropas de yeguas, conducidas cada una por su propio orgulloso padrillo overo. Perpetuamente estaba esperando y acechando con ansioso interés la aparición de una nueva cría. Si no resultaba ser un overo, no se preocupaba en absoluto por el potrillo, por hermoso que pudiera ser su pelo y por muy buenos puntos que tuviera: tenía que deshacerse de él en cuanto le fuera posible; pero, si era un overo, se regocijaba, y, si tenía cualquier cosa notable en su pelo, lo seguía observando con ojos atentos, tal vez para descubrir más tarde que le gustaba demasiado para deshacerse de él. Eventualmente, cuando estuviera domado, iría a integrar su tropilla privada, y así era que poseía tres o cuatro veces más de los caballos de montar que necesitaba. Si uno se encontraba con Gándara todos los días durante una semana o dos, cada vez lo vería montando un caballo diferente, y cada uno de ellos sería en mayor o menor grado una sorpresa a causa de su pelaje.

Había algo grotesco en esa pasión. Me recuerda a uno de los famosos molineros del siglo dieciocho de New Haven, descrito por Mark Antony Lower en su libro acerca de las extrañas costumbres de los singulares personajes del Sussex de antaño. El molinero acostumbraba a hacer visitas semanales a caballo a sus clientes de los pueblos y aldeas vecinos después de pintar su caballo, que originalmente era blanco, de algún color brillante —azul, verde, amarillo, púrpura o escarlata—. Todo el pueblo se daba vuelta a mirar el asombroso caballo del molinero y se especulaba acerca del color que habría de exhibir en su próxima aparición. Los caballos de Gándara estaban extrañamente coloreados por la naturaleza ayudada por la selección artificial, y recuerdo que, de niño, yo los encontraba muy hermosos. A veces eran overos negros u overos zainos, o castaños overos, u overos tordillos plateados, o rojo-cereza y blanco, pero lo principal era la agradable combinación y el tono de los colores oscuros. Algunos de sus más selectos especímenes eran de un color acerado, o azulejo, y blanco; otros, más finos todavía, gateados overos o lobunos overos, y los mejores de todos, quizá, de un tinte tostado metálico mezclado con blanco, pelaje al que los criollos llaman bronceado, o moro bronceado, color que nunca he visto en Inglaterra. Los caballos de este pelo tienen las orillas y las puntas de las orejas negras, y también negro es el hocico, las ranillas, las crines y la cola. No sé si alguna vez consiguió criar uno color carey.

El orgullo de Gándara por los caballos que montaba él mismo —las raras flores elegidas en su jardín equino— se mostraba en la manera como los enjaezaba con cabezadas de plata y todos los arneses resplandecientes de plata, mientras que era descuidado en lo que se refería a sus propias ropas, ya que andaba por ahí con un viejo sombrero mohoso, las botas sin lustrar, y un viejo poncho indio raído sobre sus ropas gauchas. Probablemente el momento más glorioso de su vida era cuando cabalgaba hacia una carrera, o una yerra o cualquier otra reunión de los gauchos del distrito, y todos los ojos se volvían hacia él cuando llegaba. Desmontaba, y maneaba el caballo, atando los relucientes frenos al arzón trasero del recado y allí lo dejaba orgullosamente tascando su gran freno criollo y sacudiendo su decorada cabeza, mientras que la gente se reunía alrededor a admirar el animal extrañamente coloreado como si hubiera sido otro Pegaso que acabara de descender de los cielos, deteniéndose un rato para exhibirse entre los caballos terrenos.

Mis últimos recuerdos de La Tapera están más relacionados con Demetria que con los overos. Ella no tenía una elegante figura, como era natural en una hija del grotesco don Gregorio, pero, como ya he dicho, su rostro era atractivo a causa de su tono y de gentil expresión pensativa y, siendo la hija de un hombre rico en caballos, no le faltaban enamorados. En aquellos lejanos días el joven ocioso, alegre, bien vestido y jugador era siempre el primero y a menudo el afortunado pretendiente de una muchacha. Pero en La Tapera los jóvenes enamorados tenían que habérselas con uno que, por increíble que esto parezca en un gaucho, odiaba a los jugadores y los veía con ojos hostiles, y más aún, que aterrorizaban a los que se aproximaban. Eventualmente, Demetria se comprometió con un joven forastero, venido desde lejos, que había persuadido al padre de que era una persona aceptable para su hija y capaz de mantener a su esposa.

Ahora bien: resulta que el sacerdote más próximo en aquella región vivía a gran distancia, y para llegar hasta él y hasta su pequeña capilla techada de totora, había que cruzar un bañado de más de media legua de ancho en el que los caballos se hundían hasta la barriga en pozos fangosos por lo menos una docena de veces antes de llegar al otro lado. En esas circunstancias, la familia Gándara no podía llegar hasta el sacerdote, pero consiguieron persuadirlo para que viniera él, y como La Tapera no era considerada un lugar lo suficientemente bueno para celebrar tan importante ceremonia, mis padres lo invitaron a llevar a cabo el matrimonio en nuestra propia casa. El sacerdote llegó a caballo hacia el mediodía de un día bochornoso, muerto de calor, cansado, todo salpicado de barro seco, y bastante malhumorado. También debía haberle caído mal tener que unir a estos jóvenes en la casa de unos heréticos que estaban condenados a un espantoso futuro cuando sus vidas rebeldes hubieran terminado. Sea como fuere, cumplió con su tarea, y pronto recobró su buen humor y se puso bastante alegre y conversador cuando lo condujeron al comedor y encontró en la mesa un gran almuerzo de bodas con vino en gran cantidad. Durante el almuerzo yo miré a menudo y largamente los rostros de la pareja de recién casados y compadecí a nuestra agradable y gentil Demetria, y deseé que no se hubiera unido a aquel hombre. No era un joven mal parecido y estaba bien vestido a la manera gaucha, pero estaba extrañamente silencioso e incómodo todo el tiempo y no ganó nuestra estima. Nunca lo volví a ver. Pronto se supo que era un jugador y que no tenía nada más que su habilidad y un mazo de cartas para vivir, y don Gregorio, en un ataque de rabia, le dijo que se volviera a su tierra natal. Y allá se fue muy pronto, dejando a la pobre Demetria en manos de sus parientes.

Poco después de esta desdichada experiencia don Gregorio compró una casa en Buenos Aires para su mujer y sus hijas, de modo que pudieran ir allí a pasar un mes o dos cuando tuvieran ganas de cambiar de aire, y yo las vi una o dos veces cuando iba a la ciudad. El mismo hubiera estado fuera de su elemento en tal lugar, encerrado en una habitación o balanceándose penosamente sobre los toscos cantos rodados de las angostas calles con sus piernas combas. La vida para él estaba sobre el lomo de un caballo overo sobre la ancha llanura verde, cuidando de sus amados animales.

CAPITULO XII

EL JEFE DE UNA CASA EN DECADENCIA

La estancia Cañada Seca. Tierras bajas e inundaciones. Don Anastasio, un gaucho exquisito. Un hombre sumamente respetado. Los parientes pobres. Don Anastasio criador de cerdos. Escapo por un pelo de una cerda. Atractivo de las verdes tierras bajas. La flor llamada macachín. Un bulbo de sabor dulce. Belleza de los verdes pastos salpicados de flores. Un lugar habitado por los chorlos. Las boleadoras. Mi experiencia en la caza del chorlo. Soy reprendido por un gaucho. Un lugar verde: nuestro lugar de juegos en verano y un lago en invierno. Un escuerzo venenoso: el Ceratophris. *Ejecución vocal de esas criaturas parecidas al sapo. Les hacemos la guerra. La gran batalla del lago y sus consecuencias*

En este capítulo quiero presentar a mis lectores al penúltimo de la media docena de nuestros vecinos más próximos, elegido como el prototipo de los pequeños estancieros: una clase de propietario de campos y criadores de ganado entonces en decadencia y que ahora, probablemente estarán desapareciendo con rapidez. Se trata de don Anastasio Buenavida, que era también una persona original a su pequeña manera. Era realmente uno de nuestros vecinos más próximos, pues la casa de su estancia estaba a no más de una media legua de la nuestra por el lado del sur.

Como la mayor parte de esos viejos establecimientos, era un edificio largo y bajo con techo quinchado, corrales para el ganado vacuno y para las ovejas muy cerca de la casa, y un viejo monte o plantación de árboles de sombra bordeados por hileras de altos álamos de Lombardía. Todo el lugar tenía una apariencia de descuido y de decadencia, y la tierra estaba cubierta de yuyos y tapada con huesos blanqueados y otros desperdicios; las empalizadas y las zanjas habían sido destruidas y obstruidas, de modo que el ganado era libre de frotar su cuero en los troncos de los árboles y de roerles la corteza. La estancia era llamada Cañada Seca, por un perezoso y barroso curso de agua que corría cerca de la casa y que en verano estaba casi invariablemente seco; en invierno, después de las fuertes lluvias, rebasaba sus bajas orillas y en las estaciones muy húmedas se formaban charcas como lagunas todo a lo largo del bajo llano que quedaba entre Cañada Seca y nuestra casa. Una estación lluviosa era bienvenida: para los niños: ver anchas sábanas de agua clara y poco profunda con una alfombra de pasto de un vívido verde debajo nos excitaba y nos alegraba, y también nos concedía algunos días de aventuras, uno de los cuales voy a relatar muy pronto.

Don Anastasio Buenavida era un hombre de edad mediana, soltero, profundamente respetado por sus vecinos, y aun estimado como persona de considerable importancia. Tanto oí elogiarlo que de niño tenía una especie de sentimiento reverente por él, que duró por años, y, creo, no se desvaneció hasta que pasé mis diez años y comencé a formar mis propios juicios. Era un hombre pequeño, que no mediría mucho más de 1.45 de estatura; era esbelto, con una cintura delgada y pequeños pies y manos como de mujer. Su pequeña cara oval era del color del pergamino viejo; tenía grandes ojos patéticos y oscuros, un bigote de hermosa forma, y largos cabellos negros en forma de dos simétricos bucles que caían sobre sus hombros. En sus ropas también era, en cierto modo, un exquisito. Llevaba la pintoresca vestimenta del gaucho: una camiseta, o blusa, de la más fina tela negra, decorada profusamente con botones de plata, abollonada y plegada, y bordada en rojo y verde; un chiripá, la prenda parecida a un chal que se usa en vez de pantalones, hecho de lana del más fino color amarillo o vicuña; los blancos y anchos calzoncillos mostrándose debajo, eran del hilo más fino, con más flecos y encajes de los que eran habituales en esas prendas. Sus botas estaban bien lustradas y su poncho era de un paño azul muy fino forrado de rojo.

Seguramente a don Anastasio le llevaría un par de horas cada mañana arreglarse de esa manera, con bucles y todo, y una vez que estaba pronto no hacía otra cosa que estarse sentado en la sala tomando mate amargo y, de vez en cuando, tomando parte en la conversación general, hablando siempre en tono bajo pero solemne. El diría algo acerca del tiempo, de la falta o del exceso de lluvias, según la estación, del estado de sus animales y de los pastos —de hecho, exactamente lo que todos los demás estaban diciendo, pero que cobraba más importancia por provenir de él—. Todos escuchaban sus palabras con el respeto y la atención más profunda, y no es de extrañar, ya que la mayoría de aquellos que se sentaban en su sala a tomar mate eran parientes pobres que comían gracias a su generosidad.

Don Anastasio era el último de una larga línea de estancieros que una vez fueron ricos en tierras y en ganado, pero durante varias generaciones la propiedad de Cañada Seca había estado mermando a medida que se iba vendiendo tierra; el ganado y los caballos eran pocos, y sólo quedaba un pequeño rebaño de ovejas, apenas lo necesario para proveer de carne a la casa. Sus parientes pobres, que vivían esparcidos por la zona, sabían que no sólo era un hombre imprevisor sino que también era un hombre sumamente débil y de corazón blando, pese a sus ampulosas maneras, y a muchos de los más pobres les había permitido construir sus ranchos en sus tierras y mantener unos pocos animales para su subsistencia: la mayor parte había construido sus ranchos muy cerca de la casa de la estancia, detrás de la plantación, de modo que en ese lugar había algo así como una aldea. Esos vecinos pobres tenían derecho a la cocina o sala de estar; generalmente estaba llena de ellos, especialmente de las mujeres, chismeando, tomando infinitos mates y escuchando con admirada atención las sabias palabras que a intervalos caían de los labios del jefe de la familia o tribu.

En conjunto, don Anastasio con sus bucles era una persona ineficaz, incolora, afeminada; un perfecto contraste con su feo y mal vestido vecino Gándara, de forma de barril pero de robusto buen sentido.

Sin embargo, él también tenía un gusto en materia de animales que lo distinguía de los otros propietarios, e incluso hacía que recordara a Gándara, aunque de una manera ridícula. Porque así como Gándara se había consagrado a los caballos overos, don Anastasio se había consagrado a los cerdos. No hubiera sido propio de él si hubieran sido cerdos para ser comercializados: no eran animales apropiados para engordarlos para la venta, y nadie hubiera pensado en comprar semejantes bestias. Eran de la raza de cerdos salvajes, que originalmente descendían de los animales europeos importados por los primeros colonos españoles, pero que, después de dos o tres siglos de vida agreste, habían experimentado un gran cambio en su apariencia con respecto a sus ascendientes. Este cerdo salvaje era llamado barraco por las gentes del lugar, y era de un tamaño como un tercio menor que el animal doméstico; tenía patas más largas y un hocico más puntiagudo y era de un uniforme color rojo herrumbrado. Entre cientos nunca vi ninguno blanco o negro.

Supongo que antes de los tiempos de don Anastasio se habían guardado en la hacienda unos pocos de esos cerdos salvajes como una curiosidad, y que cuando él tomó en posesión el lugar les permitió procrearse y que anduvieran en piaras por todo el lugar, causando mucho daño al hozar en muchas hectáreas de los mejores campos de pastoreo, buscando gorgojos, lombrices, grillos, culebras, además de ciertas raíces y bulbos que les gustaban. Tales eran sus únicos alimentos cuando se daba la circunstancia de que no hubiera reses muertas —vacas, caballos u ovejas— para comer de ellas en compañía de los perros y de los chimangos. No permitía que se matara a sus cerdos, pero probablemente sus parientes pobres y sus mantenidos salieran en ocasiones, por la noche, para degollar algún cerdo cuando la carne de oveja o de vaca escaseaba. Nunca probé ni quise probar su carne. El gaucho es demedidamente aficionado a los dos animales más sabrosos que se cazan en las pampas: el avestruz y el peludo armadillo o mulita. Estos podía comerlos y me gustaban aunque a menudo algunos amigos ingleses me dijeran que eran demasiado fuertes para sus estómagos; pero el solo pensar en la carne de ese cerdo salvaje me producía una impresión de asco.

Un día, cuando andaba por los ochos años, volvía a caballo por un lugar solitario que quedaba a más de una legua de casa; iba al galope por un angosto sendero entre una densa vegetación de cardos gigantes de dos metros de altura, cuando de pronto vi, unos metros más adelante, un gran montón circular de plantas de cardo que había sido arrancadas de raíz y puestas formando un refugio de unos cuatro pies de altura contra el sol ardiente. Cuando me acerqué al lugar un gruñido fuerte y salvaje y los chillidos de un montón de lechoncitos brotaron del refugio y de él salió corriendo una cerda furiosa que cargó contra mí. El petiso, de pronto, se desvió bruscamente, aterrorizado, arrojándome hacia un costado, pero por suerte yo me había aferrado de las crines con ambas manos, y, con un violento esfuerzo, conseguí volver a pasar una pierna por sobre el caballo y velozmente dejamos atrás al peligroso enemigo. Entonces, recordando cuanto se me había contado acerca de la ferocidad de esos cerdos, me di cuenta de que me había escapado por un pelo, puesto que si el caballo me hubiera arrojado al suelo la bestia salvaje me hubiera tenido a su merced y me hubiera matado en un par de minutos; como probablemente estaba loca de hambre y de sed en aquel lugar solitario y caluroso, con un montón de cachorros que alimentar, no le hubiera tomado mucho tiempo devorarme, huesos y botas incluidos.

Esto me hizo pensar en el probable efecto que hubiera tenido mi desaparición, en la terrible ansiedad de mi madre, y en lo que hubieran pensado hacer acerca del asunto. Habrían sabido por el regreso del petiso que me había caído en alguna parte; me hubieran buscado por toda la llanura circundante, especialmente por todos los lugares salvajes y soiltarios donde los pájaros anidan; en las tierras donde el cardo gigante florece más, y en los vastos lechos de juncos en los pantanos, pero no me hubieran encontrado. Y, a la larga, cuando la búsqueda hubiera terminado, algún gaucho que pasara a caballo por aquel sendero de vacas entre los cardos alcanzaría a ver un pedazo de tela, una parte de la ropa de un muchacho, y así se descubriría el secreto de mi fin.

Nunca me gustaron los cerdos rojos a causa de la manera como arrancaban y desfiguraban el bello césped verde con sus hocicos duros como el hierro, y también a causa del poderoso y desagradable olor que exhalaban, pero después de esta aventura con la chancha el sentimiento se hizo mucho más fuerte y yo me preguntaba una y otra vez cómo ese hermoso ser, don Anastasio, podía abrigar tanto cariño por tan detestables bestias.

En primavera y en los comienzos del verano las áreas bajas alrededor de Cañada Seca eran lugares agradables para verlos y para galopar por ellos allí donde los cerdos no los habían destrozado: ellas conservaban su brillante verdor cuando las tierras más altas estaban marchitas y marrones; también eran agradables porque después de la lluvia se veían embellecidas por la brillante y pequeña flor amarilla llamada macachín.

Como los macachines eran las primeras flores silvestres que aparecían en esa tierra, tenían para los niños una atracción tan grande como tienen para el niño las frutillas silvestres, la hiedra rastrera, la celandina y otras flores tempranas. Y más nos gustaba nuestra flor primera porque podíamos comerla y nos gustaba su sabor ácido; también porque tenía un bulbo muy rico: un pequeño bulbo redondo del tamaño de una avellana, de un blanco perlado, que tenía gusto a agua con azúcar. Esa pequeña dulzura era suficiente para ponernos todos a escarbar con cuchillos, pero hasta los niños pequeños pueden valorar las cosas por su belleza tanto como por su gusto. El macachín era parecido a la acedera silvestre en la forma, tanto en la flor como en la hoja, pero las hojas eran mucho más pequeñas y crecían pegadas al suelo, ya que la planta florecía mejor donde el pasto estaba cortado contra el suelo por las ovejas, formando un césped liso como el de nuestras praderas gredosas. Las flores no se amontonaban como las del diente de león, formando mantos de amarillo brillante sino que crecían separadas por una distancia de dos o tres pulgadas, y cada frágil tallo producía una sola flor, que se alzaba a unas dos pulgadas por encima del césped. Tan finos eran los tallos que el menor soplo de viento hacía mecer las flores, y eso constituía una hermosa vista que a menudo me retenía inmóvil en medio de algún lugar verde mientras a todo mi alrededor, por cuadras enteras, la verde carpeta aparecía salpicada profusamente con miles de las pequeñas flores amarillas meciéndose todas al influjo de la brisa.

Esas verdes tierras llanas eran también los lugares favoritos de los chorlos cuando comenzaban a llegar en setiembre de sus lugares de cría a muchos miles de millas en las regiones árticas. Cuando la estación avanzaba, a medida que el agua se iba secando, se iban para alguna otra parte. Venían en bandadas y eran muy estimados para la mesa, especialmente por mi padre, pero sólo podíamos tenerlos cuando uno de mis hermanos mayores, que era el deportista de la familia, salía a cazarlos. Como yo era muy pequeño no se me permitía emplear una escopeta, pero como los chicos criollos con los que andaba a veces me habían enseñado a arrojar las boleadoras, pensé que podría procurarme algunos con ellas. Las boleadoras, empleadas para la caza, son hechas con una cuerda de dos metros de largo, hecha de finos tientos cortados de cuero de potro, retorcidos o trenzados, y una bola pesada en cada extremo: una, del tamaño de un huevo de gallina, la otra, de menos de la mitad de ese tamaño. La bola pequeña se sostiene en la mano; la otra se rebolea dos o tres veces y entonces se arroja al animal o al pájaro que uno desea capturar.

Pasé muchas horas varios días seguidos siguiendo las bandadas con mi petiso, arrojándoles las boleadoras sin bajar más que un solo pájaro. Mis actuaciones eran sin duda observadas risueñamente por las gentes de la casa de la estancia que a menudo estaban sentadas a la puerta dedicadas a su eterno tomar mate. A don Anastasio no le gustaba, ya que era, me imagino, una especie de San Francisco en lo que se refiere a los animales más vulgares. De todas maneras, el último día de mis vanos esfuerzos para procurarme un chorlo, un gaucho grande y barbudo con el sombrero hacia atrás, pasaba a unos metros de distancia, cuando se detuvo de pronto al llegar a donde yo estaba y me gritó en voz alta: —¿Por qué vienes aquí, chico inglés, a asustar y a cazar a los pajaritos de Dios? ¿No sabes que no hacen daño a nadie y que no está bien lastimarlos?—. Y dicho esto se alejó al galope.

Yo me enojé al verme reprendido por un gaucho ignorante y forajido, que, como la mayoría de su clase diría mentiras, jugaría, trampearía, pelearía, robaría y haría otras maldades sin el menor escrúpulo. Por otra parte me chocó como algo curioso oírlo llamar a los chorlos, a los que yo quería para la mesa, "pajaritos de Dios", como si fueran reyezuelos, o golondrinas o los queridos y pequeños picaflores de los juncales. Con todo, me dio vergüenza y abandoné la caza.

El más próximo de los húmedos y verdes lugares bajos que he descrito de los que quedaban al sur, entre nuestra casa y Cañada Seca, no estaba ni a veinte minutos de camino de nuestra tranquera. Era un área llana y oval de unas cincuenta hectáreas, y conservaba su vívido color verde y su frescura aun cuando en enero la tierra que la rodeaba era toda de un color marrón herrumbroso. Para nosotros era un delicioso lugar en qué correr y jugar, y aunque los chicos no venían allí, durante todo el verano lo visitaban pequeñas bandadas del lindo batitú, un pájaro del color de la piel del ante; un batitú con las costumbres de un chorlo, que, como él, procrea en las regiones árticas y pasa la mitad del año en la Sudamérica austral. Esta verde área se inundaba después de las grandes lluvias. Era para nosotros, entonces, como un gran lago, aunque el agua no alcanzaba a tener un metro de profundidad, y en tales épocas estaba infestado por una criatura grande y venenosa que, aunque parecida al sapo, en aquella región era llamada escuerzo, pero los naturalistas lo han ubicado en una familia muy diferente de los batracios y lo llaman *Ceratophrys ornata*. Su forma es la de un sapo, pero es de cuerpo más abultado y tiene la cabeza más grande; es tan grande como el puño de un hombre, y de un verde vívido con negros dibujos simétricos sobre la espalda y, por debajo, de un amarillo verdoso claro. Es un bicho espantoso de ver, un sapo que caza a los sapos reales o comunes, tragándoselos vivos igual que las hamadriadas se tragan a otras serpientes, venenosas o no, o como el cribo de la Martinica, una enorme serpiente no venenosa que mata y se traga a la mortal *fer-de-lance*.

En verano no teníamos miedo de esta criatura, porque se internaba por sí misma en el suelo y estivaba durante la estación cálida y seca, para resurgir cuando volvía el tiempo húmedo. No conocí nunca ningún lugar donde los escuerzos fueran tan abundantes como en aquel lago invernal nuestro, y por la noche, en la época de las inundaciones, acostumbrábamos a quedarnos despiertos escuchando sus conciertos. El *Ceratophrys* croa cuando está enojado y, como es el más feroz de todos los batracios, se pone furioso si uno se aproxima a él. Sus primeros esfuerzos para cantar o entonar suenan como ese croar profundo, áspero y enojado cuando se prolonga, pero a medida que pasa el tiempo adquieren gradualmente, noche a noche, un sonido menos ronco, más fuerte y más sostenido y de más largo alcance. Siempre había una gran variedad de tonos; mientras algunos continuaban siendo ásperos y bajos —el sonido más áspero que se encuentra en la naturaleza—, otros eran más claros y no exentos de musicalidad; y entre una gran cantidad de ellos siempre había unos pocos en el extendido coro que sobrepasaban a todos los otros con sus notas altas y sostenidas que tenían casi la calidad de un órgano.

Escuchando su variada ejecución una noche cuando estábamos acostados, mi hermano el deportista propuso que a la mañana siguiente arrastráramos uno de los bebederos del ganado hasta el lago para botarlo allí y dar una vuelta en busca de esas criaturas peligrosas y odiosas para matarlas con nuestras jabalinas. No era un proyecto imposible, ya que los escuerzos, en esa estación, se veían nadando o flotando en la superficie y desde nuestro bote o canoa podíamos también descubrirlos en cuanto se movieran sobre el verde limo del fondo.

Obrando en consecuencia, a la mañana siguiente después del desayuno, nos pusimos en marcha, sin informar a nadie, y con grandes trabajos arrastramos el bebedero hasta el agua. Era una cosa con forma de caja, de alrededor de veinte pies de largo y de dos pies de ancho en el fondo, y de tres en la boca. Estábamos armados con tres jabalinas, una para cada uno de nosotros, que provenían de la armería de mi hermano.

Por ese entonces él había estado leyendo historia antigua, y entusiasmado con la historia de las viejas guerras en que los hombres luchaban mano a mano, había dejado de lado por el momento revólveres y pistolas y se había entregado con furioso celo a manufacturar armas antiguas —arcos y flechas, picas, hachas y jabalinas—. Estas últimas eran palos, como de dos metros de largo, hechos con esmero, de madera de pino —no hay duda de que había sobornado al carpintero para que se los hiciera—, y tenían en la punta viejas hojas de cuchillo, de unos quince centímetros de largo, terriblemente afiladas. Tan formidables armas no se necesitaban para nuestro objetivo. Hubieran sido útiles si hubiéramos ido contra los poderosos y fieros suinos de don Anastasio; pero esas eran sus órdenes, y para su salvaje y guerrera imaginación aquella especie de sapos eran los guerreros de alguna tribu que nos era hostil, ya olvidé si de Asia o de Africa, y que debían ser conquistados y extirpados.

No bien habíamos ocupado nuestro largo bote de tan incómoda forma, cuando éste se dio vuelta patas arriba y nos arrojó al agua; ese fue el primero de una docena de vuelcos y refrigerantes remojones que experimentamos durante el día. Con todo, tuvimos éxito en cuanto circunnavegamos el lago y lo cruzamos dos o tres veces de un lado a otro matando setenta y ocho u ochenta de los enemigos con nuestras jabalinas.

A la larga, cuando el corto día de mediados del invierno comenzaba a declinar, y todos nos sentíamos duros de frío y medio muertos de hambre, nuestro comandante creyó que correspondía dar por terminada la gran batalla del lago tras la espantosa matanza de nuestros bárbaros enemigos hasta exterminarlos, y nos encaminamos penosamente hacia casa con nuestras ropas empapadas y nuestros zapatos chapoteantes. Estábamos demasiado cansados para prestar mucha atención al pequeño sermón que ya nos esperábamos, y felices de ponernos ropas frescas y sentarnos a comer y tomar una taza de té. Y luego sentarnos junto al fuego, tan cerca de él como nos era posible, hasta que todos comenzamos a estornudar y a sentir que nos dolía la garganta y que la cara nos ardía. Y, finalmente, cuando estábamos ardiendo y temblando a causa del resfrío, nos fuimos a la cama pero no pudimos dormir y ¡ay! el gran coro nocturno seguía como de costumbre. No, a pesar de la gran matanza, no habíamos exterminado al enemigo; al contrario, parecían estar festejando una gran victoria, epecialmente cuando por encima de las profundas notas ásperas se escuchaban las sostenidas notas como de órgano de los directores.

¡Cómo deseé entonces, cuando estaba agitado y ardiendo de fiebre en el lecho, haberme rebelado, haberme rehusado a tomar parte en la aventura de aquel día! Yo era demasiado pequeño para embarcarme en ella, y una y otra vez cuando atravesaba una de las criaturas con mi jabalina había experimentado un horrible disgusto y un sentimiento de rechazo ante lo que veía. Ahora, en mis horas de vigilia, con aquel tremendo coro en mis oídos, todo aquello volvía a mí y era como una pesadilla.

CAPITULO XIII

UN PATRIARCA DE LAS PAMPAS

El gran viejo de las llanuras. Don Evaristo Peñalva, el Patriarca. La primera vez que vi la casa de su estancia. Descripción de don Evaristo. El marido de seis mujeres. Cómo era estimado y querido por todos. Al dejar nuestro hogar perdí de vista a don Evaristo. Lo vuelvo a encontrar después de siete años. La pérdida de su salud. Su vieja primera mujer y su hija, Cipriana. La tragedia de Cipriana. Muere don Evaristo y yo pierdo de vista a la familia

Los patriarcas eran bastante comunes en la tierra en que nací: viejos graves y dignos, con barbas imponentes, dueños de tierras y de ganado y de muchos caballos, aunque muchos de ellos no supieran deletrear sus propios nombres; eran también hermosos viejos, algunos de ellos de facciones regulares, descendientes de las buenas viejas familias españolas que colonizaron las vastas pampas en el siglo XVII y en los comienzos del XVIII. No creo que me haya ocupado de ese tipo en los capítulos precedentes que trataban acerca de nuestros vecinos, a menos que aceptemos como tal a don Anastasio Buenavida con sus rulos en tirabuzón y su extravagante gusto en materia de cerdos. Sin lugar a dudas, éste era uno de la antigua clase propietaria, y sus rasgos refinados y sus delicados y pequeños pies y manos eran muestra evidente de su buena sangre. Pero eran igualmente evidentes las señales de su degeneración: era un hombre afeminado y vano y no muy adecuado para que se le alineara con los patriarcas. Más se acercaba a ellos su horrible y grotesco vecino de los caballos overos. Describí a la gente que vivía más cerca de nosotros, nuestros vecinos de puerta, por así decirlo, porque los conocía desde mi niñez y había seguido los azares de sus vidas mientras fui creciendo, y, por lo tanto, podía contar sus historias completas. Los patriarcas, los grandes viejos gauchos estancieros que llegué a conocer, estaban esparcidos por toda aquella región pero, con una sola excepción, no los conocí íntimamente desde niños, y aunque pudiera llenar este capítulo con sus retratos, prefiero dedicarlo todo a uno que conocía mejor: don Evaristo Peñalva, sin duda un muy gallardo patriarca.

No puedo recordar ahora cuándo lo conocí, pero no tenía todavía seis años, aunque andaba muy cerca, cuando vi por primera vez su casa. En el capítulo "Algunas tempranas aventuras con pájaros" he descrito mi primer paseo largo por la llanura, cuando dos de mis hermanos me llevaron hasta un arroyo a cierta distancia de casa, donde me quedé encantado con mi primera visión de esa gloriosa ave acuática, el flamenco. Entonces, cuando estábamos parados a la orilla del agua que corría, y que tenía un ancho de unos doscientos metros en ese punto cuando el arroyo desbordaba sus orillas, uno de mis hermanos mayores me señaló una larga casa baja de techo de juncos, distante unas seis o siete cuadras del otro lado de la corriente, y me informó que era la estancia de don Evaristo Peñalva, que era uno de los principales terratenientes de aquellas regiones.

Esa fue una de las imágenes que mi mente recibió en aquel día pleno de aventuras y que no se ha borrado: la larga, baja casa de adobe que se levantaba sobre la llanura sin árboles, con tres antiguas acacias retorcidas y medio muertas que se mantenían junto a ella, y un poco más allá un corral cercado para el ganado y un redil para las ovejas. Era una pobre y fea casa sin jardín ni sombra, y me atrevo a decir que un inglesito de seis años se habría sonreído un poco incrédulo, si se le hubiera dicho que esa era la residencia de uno de los principales terratenientes del lugar.

Después, como hemos visto, tuve mi caballo, y habiéndome librado del miedo a las vacas bravas de cuernos largos y afilados, pasaba una buena parte de mi tiempo en la llanura, donde trabé conocimiento con otros chicos de mi edad, también a caballo, que me llevaron a sus casas y me presentaron a sus familiares. De esta manera llegué a ser un visitante de esa casa de aspecto solitario al otro lado del arroyo, y a conocer a toda la gente interesante que vivía allí, incluido el propio don Evaristo, su dueño y señor.

Por ese entonces, era un hombre de edad mediana, de altura normal, muy blanco de piel, con largos cabellos negros y barba poblada, nariz recta, una hermosa frente amplia y grandes ojos negros. Era lento y deliberado en todos sus movimientos, y grave, digno y ceremonioso en sus actitudes y en su conversación; pero a pesar de ese aire de dignidad era bien sabido que tenía un carácter amable y gentil y era amistoso para con todo el mundo, aun para con los niños pequeños que son, naturalmente, pícaros y una molestia para sus mayores. Y fue así que aún siendo un chico muy pequeño y tímido, un extraño en la casa, llegué a saber que don Evaristo no era nadie de quien se debiera tener miedo.

Espero que el lector, olvidando todo lo que ha aprendido acerca de la vida doméstica de los patriarcas de un tiempo más antiguo, no vaya a empezar a disgustarse con don Evaristo cuando yo proceda a decirle que era el marido de seis esposas, todas las cuales vivían con él en aquella misma casa. La primera, la única con que se le había permitido casarse en una iglesia, era tan vieja o casi tan vieja como el propio don Evaristo; era muy morena y estaba comenzando a ajarse, y era la madre de varios hijos e hijas ya crecidos, algunos, casados. Las otras eran de edades diversas: las menores tenían alrededor de treinta años; y ésas eran dos hermanas mellizas, ambas llamadas Ascensión, pues ambas habían nacido en el día de la ascensión de la Virgen. Tan semejantes eran ambas Ascensiones, tanto en el rostro como en la figura, que un día, cuando era ya un muchacho grande, fui a la casa y, encontrándome con una de las hermanas, comencé a contarle algo, y en ese momento la llamaron. En seguida volvió, según creí, y yo seguí con mi historia desde el punto en que la había dejado, y sólo cuando vi la expresión de sorpresa y de interrogación en su cara descubrí que esta vez estaba hablando con la otra hermana.

¿Cómo consideraban sus vecinos a este hombre con seis mujeres? Era más estimado y querido que la mayoría de los hombres de su posición. Si cualquier persona estaba pasando por algún mal momento o tenía algún problema, si sufría a causa de una herida o por alguna enfermedad secreta, iba a ver a don Evaristo para pedirle consejo o ayuda, o en busca de remedios que aquél conocía; y si estaba enfermo de muerte enviaba a buscar a don Evaristo para que viniera a escribirle su última voluntad y su testamento. Porque don Evaristo sabía escribir y tenía entre los gauchos la reputación de ser un hombre ilustrado. Lo consideraban mejor que a cualquiera que se diera el título de doctor. Recuerdo que su cura para la culebrilla (*herpes zoster*), un mal común y peligroso en aquella región, era considerado como infalible. La enfermedad tenía el aspecto de una erupción, como la erisipela, en el medio del cuerpo, y se extendía rodeando la cintura hasta que formaba una perfecta faja. "Si la faja no está completa, puedo curar la enfermedad", decía entonces don Evaristo. Enviaba a alguien al río a conseguir un sapo de buen tamaño, y luego de hacerle desvestir al paciente, tomaba la tinta y la pluma y escribía sobre la piel en el espacio que quedaba entre los dos extremos de la región inflamada, en letras gruesas, las palabras *En nombre del Padre,* etc. Hecho lo cual, tomaba el sapo en su mano y suavemente lo frotaba sobre la parte inflamada, y el sapo, enfurecido por semejante tratamiento, se hinchaba casi hasta el punto de reventar, y exudaba una lechosa secreción venenosa por su averrugada piel. Eso era todo, ¡y el hombre se pondría bueno!

Si a un hombre semejante se le ocurría tener seis mujeres en vez de una, estaba bien y era propio que las tuviera; nadie podría atreverse a decir por eso que no era un hombre sabio y religioso. Puede agregarse que don Evaristo, como Enrique VIII, que también tuvo seis mujeres, era un hombre estrictamente virtuoso. La única diferencia consistía en que, cuando deseaba una nueva mujer, no ejecutaba bárbaramente ni echaba a la otra, o a las otras, que ya poseía.

Perdí de vista a don Evaristo cuando yo tenía dieciséis años, pues nos fuimos a vivir a otra zona que quedaba a unas diez leguas de mi viejo hogar. El andaba entonces terminando el período medio de su vida, y unos pocos cabellos grises comenzaban a aparecer en su negra barba, pero era todavía un hombre fuerte y seguía añadiendo hijos a su numerosa familia. Tiempo después me enteré de que había adquirido una segunda estancia que quedaba a un día de a caballo de la primera y que algunos de sus hijos y mujeres habían emigrado a la nueva estancia, y que él dividía su tiempo entre los dos establecimientos. Pero sus gentes no se habían separado totalmente entre sí; de tiempo en tiempo, algunos de ellos emprendían el largo viaje para visitar a los ausentes y había así un intercambio de hogares entre ellos.. Pero, por increíble que pueda parecer, en espíritu eran, o parecían ser, una familia unida.

Habían pasado siete años desde que los perdí de vista, cuando aconteció que estaba viajando de vuelta a casa desde la frontera del sur con sólo dos caballos para cambiar. Uno se agotó, y me vi obligado a dejarlo en el camino. Pasé la noche en una pulpería que quedaba junto a la ruta, y fui atendido hospitalariamente por el pulpero, que resultó ser un inglés. Pero había abandonado su país cuando era muy joven y había vivido tanto tiempo entre los gauchos, que casi había olvidado su propia lengua. Una y otra vez durante la velada comenzó a hablar en inglés como si lo alegrara la posibilidad de hablar de nuevo su lengua natal; pero después de una frase o dos, una palabra no quería salir, y tenía que ser dicha en español, y gradualmente recaía de nuevo en esta lengua; luego, tomando conciencia del lapsus, intentaba un nuevo comienzo en inglés.

Mientras que estábamos sentados conversando, después de cenar, le comuniqué mi intención de salir temprano por la mañana de modo de hacer unas cuantas leguas con la fresca, ya que el tiempo era muy caluroso y debía recordar que sólo tenía un caballo. El lamentaba no poder procurarme otro, pero en una de las grandes estancias adonde yo llegaría a la mañana siguiente sin duda conseguiría uno. Y mencionó entonces que en una hora y media o dos llegaría a una estancia llamada La Paja Brava, donde tenían muchos caballos de montar.

¡Era sin duda una buena noticia! La Paja Brava era el nombre de la estancia que mi antiguo amigo y vecino, don Evaristo, había comprado tantos años antes: no cabía duda de que encontraría a alguno de la familia, y ellos me darían un caballo y cualquier cosa que quisiera.

La casa, cuando me iba aproximando a la mañana siguiente, me recordaba intensamente el antiguo hogar de la familia a tantas leguas de distancia; sólo, si era posible, más solitaria y lúgubre en su apariencia, sin siquiera una acacia medio muerta para hacerla menos desolada. Todo en torno la llanura, hasta tan lejos como se podía ver, era absolutamente lisa y sin árboles, y el corto pasto quemado por el sol de enero era de un color marrón amarillento; mientras que en un gran jagüel, a media milla de distancia, el ganado se amontonaba en gran número, mugiendo de sed y levantando nubes de polvo en sus luchas por alcanzar el bebedero.

Encontré al propio don Evaristo en la casa, y con él a su mujer primera y más vieja, con varios de los hijos grandes. Me apenó ver el cambio que había experimentado mi viejo amigo; en siete años había envejecido enormemente; su cara era ahora blanca como el alabastro, y su compacta barba y sus largos cabellos se veían ahora completamente grises. Estaba afectado por alguna enfermedad interna, y se pasaba la mayor parte del día en la gran cocina-sala, descansando en un sillón. El fuego ardía todo el día, y las mujeres servían mate y hacían sus tareas tranquilamente, conversando al mismo tiempo; y durante todo el día los hombres jóvenes y los muchachos entraban y salían; venían uno o dos por vez, a tomar mate, a fumar, a contar las novedades —el estado del jagüel, cuánto tiempo duraría el agua, el estado del ganado, los caballos extraviados, y cosas así—.

La vieja primera mujer también había envejecido más, todo su rostro oscuro y ansioso se había ido cubriendo de pequeñas arrugas entrecruzadas; pero el cambio más grande lo observé en la hija mayor, Cipriana, que estaba viviendo permanentemente en La Paja Brava. La vieja madre tenía algunas gotas de sangre negra en las venas, y esta ascendencia surgió fuertemente en la hija, una mujer alta de pelo crespo y opaco, color de hierro forjado, boca grande y voluptuosa, piel morena clara y grandes y oscuros ojos tristes.

Yo recordaba que no siempre habían sido tristes, porque la había conocido en pleno florecimiento, cuando era una mujer imponente, con ojos que chispeaban de fuego y de pasión, y que, pese a sus facciones toscas y a su piel oscura, tenía una especie de extraña belleza salvaje que atraía a los hombres. Por desgracia se equivocó al poner su afecto en un ostentoso joven gaucho que, aunque sin tierras y con poco ganado, lucía una gallarda apariencia, especialmente cuando iba a caballo y cuando hombre y caballo relumbraban con sus ornamentos de plata. Recuerdo que una de las últimas veces que la vi fue un domingo de mañana, en verano; yo había cabalgado hasta un lugar de la llanura cubierto con exceso de cardos gigantes de alrededor de dos metros de alto, en plena floración, y que llenaban el aire caliente con su perfume. Allí, en un pequeño espacio de pasto yo había desmontado para mirar un halcón, con esperanza de encontrar su nido escondido en alguna parte entre los cardos próximos. Y, de pronto, se acercaron dos personas a todo galope por el angosto sendero que iba entre los cardos, y cuando irrumpieron en aquel pequeño claro vi que era Cipriana, vestida de blanco, montando un gran caballo bayo, y su enamorado, que iba abriendo camino. Al divisarme, me arrojaron un "buenos días" y siguieron al galope, riendo alegremente del inesperado encuentro. Aquella mañana, vestida de blanco, con el sol ardiente brillando sobre ella, con el rostro encendido por la excitación, montando su gran caballo brioso, lucía espléndida.

Pero se entregó demasiado libremente a su amante, y pronto hubo algunas diferencias, y él se marchó para no volver más. Fue duro entonces para ella enfrentar a sus vecinos, y eventualmente se fue con su madre a vivir en la nueva estancia; pero incluso ahora, después de tanto tiempo, me causa dolor recordarla cuando su imagen vuelve a mi memoria tal como la vi en aquella visita casual a La Paja Brava.

Cada atardecer, durante mi estadía, después que se había servido el mate y había delante un largo intervalo hasta la noche, ella salía a la tranquera y caminaba unos cincuenta o sesenta metros, hasta donde había un viejo tronco sobre un terreno baldío, donde habían crecido viciosamente ortigas, bardanas y yuyos colorados, ahora secos y marrones, y, sentándose en el tronco, con el mentón descansando en la mano, fijaba sus ojos en el polvoriento camino que pasaba a media milla de distancia, e inmóvil, en aquella actitud abatida, se quedaba alrededor de una hora. Si uno la miraba de cerca podía ver que sus labios se movían, y si se llegaba a su lado se la podía oír hablando en voz muy baja, pero no quitaba sus ojos del camino ni parecía darse cuenta de la presencia de uno. Cuando aquel éxtasis o sueño terminaba, se levantaba y volvía a la casa, donde se ponía a trabajar tranquilamente con las demás mujeres en la preparación de la gran comida del día: la tardía cena de carne asada y hervida, cuando todos los hombres hubieran ya vuelto de sus tareas con el ganado.

Esa fue la última vez que vi a Cipriana; nunca supe cómo terminó, ni qué pasó con La Paja Brava después de la muerte de don Evaristo, que se fue a reunir con sus antepasados alrededor de un año después de mi visita. Hoy sólo sé que la antigua estancia donde lo conocí cuando era un niño, donde su ganado y sus caballos pastaban, y donde la corriente de agua en que abrevaban pululaba de garzas, de espátulas, de cisnes de cuello negro, de ibis relucientes en bandadas y de grandes ibis azules de voz resonante, está ahora en manos de extraños que eliminan todos los pájaros silvestres de la región y plantan trigo en aquellas tierras para los mercados de Europa.

CAPITULO XIV

EL PALOMAR

Trepando al árbol favorito. El deseo de volar. Pájaros que se remontan. Un halcón peregrino. El palomar y los pasteles de paloma. Las depredaciones del halcón. Una espléndida proeza aérea. Un enemigo secreto del palomar. Una lechuza de orejas cortas en el desván. Mi padre y los pájaros. Una extraña flor. El nido de la lechuza. Grandes visitas de lechuzas

Del lado del foso, en el extremo más alejado del terreno cercado, crecía un gran sauce rojo, el árbol ya mencionado en un capítulo anterior, como el segundo de la plantación por su tamaño. Tenía un grueso tronco redondo, ramas que se extendían anchas y horizontalmente, y corteza áspera. Por su forma, cuando el delgado follaje desaparecía se asemejaba más bien a un viejo roble que a un sauce rojo. Este fue mi árbol favorito desde que dominé el difícil y peligroso arte de trepar. Era, de todos los árboles, el que estaba más lejos de la casa, sobre un vasto baldío cubierto de yuyos que nadie más visitaba, y esto lo convertía en un lugar ideal para mí, y cada vez que me sentía de talante salvaje y arbóreo me trepaba al sauce para pasar allí una hora, con una buena vista de la ancha y verde llanura que se extendía ante mí y el espectáculo de los rebaños y manadas pastando y de las casas y de los montes de álamos que lucían azules a la distancia. Aquí, también, en este árbol, sentí por primera vez el deseo de tener alas, soñé con la delicia que sería ir en círculos hasta una gran altura y flotar en el aire sin ningún esfuerzo como las gaviotas, los milanos y otras aves. Pero, desde el momento en que esta idea y este deseo comenzaron a afectarme, envidiaba por sobre todo al gran chajá chillón que habitaba entonces todos los pantanos de nuestra vecindad, porque ahí estaba ese pájaro tan grande o más grande que un ganso, y casi tan pesado como yo mismo, el cual, cuando quería volar, se levantaba del suelo con tremendo trabajo, y luego, a medida que llegaba más alto y más alto flotaba más y más fácilmente, hasta que se levantaba a tal altura que parecía no ser más grande que una alondra, y a esa altura continuaba flotando, dando vueltas y vueltas en vastos círculos durante horas, exhalando a intervalos esos gritos jubilosos que para nosotros, tan lejos, allá abajo, sonaban como notas de clarín en el cielo. ¡Si sólo pudiera desprenderme del suelo como ese pesado pájaro y subir tan alto como él, entonces el aire azul me haría tan flotante como él y me dejaría levitar el día entero sin trabajo o esfuerzo, igual que el pájaro! Este deseo me ha acompañado a lo largo de toda mi vida, y, sin embargo, nunca he deseado volar en globo o en dirigible, ya que en ese caso estaría ligado a una máquina y no tendría voluntad o ánimo propios. Mi deseo sólo se ha visto satisfecho unas pocas veces en esa especie de sueño llamado levitación, en que uno se levanta y flota sobre la tierra sin esfuerzo y es como una bola de cardo arrastrada por el viento.

Mi sauce rojo favorito era también la guarida preferida de otro ser, un halcón peregrino, una hembra grande y hermosa que cada año acostumbraba pasar algunos meses con nosotros, y que cada día se posaba por largas horas en el árbol. Era un árbol ideal para el halcón, también, no sólo porque era un lugar tranquilo donde podía dormitar durante las horas calurosas aparte y a salvo, sino también a causa de la cantidad de palomas que solíamos tener. El palomar, un edificio redondo, en forma de torre, pintado de blanco por fuera, con una pequeña puerta que casi siempre estaba cerrada, tenía habitualmente por inquilinos cuatrocientos o quinientos pájaros. No nos costaba nada mantenerlos y nunca los alimentábamos, porque tomaban su propio alimento de la llanura, y como eran fuertes para volar y estaban muy acostumbrados a los peligros del campo abierto que abundaba en halcones, se alejaban mucho de casa, saliendo en pequeños grupos de una docena o más hacia los diversos y distantes campos en que comían. Cuando salíamos a caballo solíamos encontrarnos con esas bandadas a varias millas de casa, y sabíamos que eran nuestros pájaros ya que ningún otro en aquella vecindad tenía palomas. Eran sumamente estimadas, especialmente por mi padre, que prefería una paloma asada a la parrilla a las costillas de cordero para su desayuno, y que era aficionado también al pastel de paloma. Una o dos veces por semana, según la estación, dieciocho o veinte pichones, que estaban ya por dejar el nido, eran sacados del palomar para ser puestos en un pastel de tamaño gigantesco, y este era habitualmente el plato mayor en nuestra mesa cuando teníamos una cantidad de gente a almorzar o cenar.

El halcón, durante los meses que pasaba con nosotros, cobraba peaje a las palomas, y aunque estas depredaciones molestaban a mi padre nunca hizo nada para detenerlas. Parecía considerar que uno o dos pájaros por día no importaban mucho cuando había tantos. La costumbre del halcón era la siguiente: después de dormir unas pocas horas en el sauce, volaba hacia arriba y en círculos, alto en el aire sobre el palomar, mientras que las palomas perdiendo la cabeza aterrorizadas se lanzaban hacia arriba en una nube para escapar a su mortal enemigo. Esto era exactamente lo que su enemigo quería que hicieran y, no bien habían alcanzado la altura suficiente, el halcón se abatía de golpe y, eligiendo su víctima, caía sobre ella con un golpe de sus lacerantes garras; allá caía la paloma como una piedra, y el halcón, después de una pausa en el aire, se dejaba caer tras ella y la tomaba con sus garras antes de que tocara la cima de los árboles; luego se la llevaba más lejos para comérsela con toda tranquilidad en la llanura. Era un espectáculo magnífico, y aunque lo presenciaba tan a menudo siempre me excitaba en grado sumo.

Un día mi padre fue al galpón, el gran edificio como un granero que usábamos para almacenar madera, cueros, y pelo de caballo, y, viéndolo subir la escalera, trepé tras él. Era un inmenso lugar vacío que contenía nada más que cierta cantidad de cajas vacías a un lado del piso y barriles de harina vacíos alineados al otro. Mi padre empezó a caminar entre las cajas, y de pronto me llamó para que viera un pichón de paloma, aparentemente recién muerto, que había encontrado en una de las cajas vacías. Ahora bien, ¿cómo había llegado allí?, se preguntaba. Ratas, sin duda, pero qué extraño y casi increíble parecía que una rata, por grande que fuera, hubiera podido escalar el palomar, matar un pichón y arrastrarlo de vuelta a una distancia de veinticinco metros, y luego subir con él al granero, ¡para, después de todo ese trabajo, dejarlo allí sin comerlo! El asombro creció cuando comenzó a encontrar más pichones, todos pájaros muy jóvenes casi de la edad en que dejaban el nido, y sólo a uno o dos entre una media docena les habían comido algo de carne.

Había allí un enemigo del palomar que actuaba por la noche, que mataba tranquilamente, sin ser visto por nadie, y que era diez veces más destructivo que el halcón, que mataba su paloma adulta diariamente a la vista de todo el mundo y de una manera magnífica.

Lo dejé reflexionando sobre aquel misterio, y entregándose gradualmente a una furia cada vez mayor contra las ratas, y me fui a explorar entre los barriles vacíos que estaban verticales al otro lado del granero.

—¡Otro pichón! —grité en seguida, lleno de orgullo de mi descubrimiento y pescando el pájaro desde el fondo. El se acercó a mí y comenzó a examinar el pájaro muerto, y su ira seguía creciendo; luego yo grité jubilosamente de nuevo —¡otro pichón!— y luego repetí ese grito otras cinco veces y por entonces él estaba completamente furioso. —¡Ratas... ratas! —exclamó— que matan todos esos pichones y que los arrastran hasta aquí nada más que para conservarlos en barriles vacíos... ¡quién oyó nunca nada semejante!—. Lenguaje más fuerte que ése no empleaba. Como la maravillosamente serena hija del vicario, según la describía Marjory Fleming, "nunca dijo un solo *dam*", porque así era él, pero volvió echando humo hacia sus cajas.

Entretanto yo continuaba mis investigaciones, y de pronto, atisbando en una barrica vacía, recibí una de las más grandes impresiones que nunca había experimentado. Allá abajo, en el fondo del barril, había una gran lechuza veteada de marrón y amarillo, de una clase que yo nunca había visto, y que estaba allí sujetando entre sus garras un pichón muerto y con la cara alarmada vuelta hacia mí. ¡Qué cara! Un disco gris redondo, con líneas negras que, como los rayos de una rueda, irradiaban del centro, donde estaban el pico y los dos anchos ojos muy abiertos de color naranja. ¡Y esa cara como una rueda estaba coronada por un par de orejas o de plumas negras en forma de cuerno! Por unos momentos nos miramos el uno al otro, y luego, recobrándome, grité: —¡Padre... una lechuza!—. Porque, aunque nunca había visto nada parecido, sabía que era una lechuza. Hasta aquel momento nunca había conocido a otra que no fuera la lechuza vizcachera común de la llanura, un pequeño pájaro gris y blanco, de costumbres semidiurnas, que dejaba oír su linda voz parecida a la de una paloma cuando ululaba alrededor de la casa por la noche.

En unos pocos momentos mi padre vino corriendo hasta mi lado con un hierro en la mano, y mirando dentro del barril comenzó un furioso asalto contra el pájaro. —¡Así que este es el culpable! —exclamaba—. ¡Esta es la rata que ha estado destruyendo mis pájaros a montones! ¡Ahora va a pagar lo que hizo!—. Y cosas semejantes, golpeando con la barra mientras que el pájaro trataba frenéticamente de alzar vuelo y escapar; pero al fin fue muerto y arrojado al suelo.

Esa fue la primera y única vez que vi a mi padre matar un pájaro, y nada que no fuera su extremado enojo contra el ladrón de sus preciosos pichones le hubiera llevado a hacer una cosa tan antagónica con su temperamento. El permitía de buena gana que se mataran pájaros —pichones de paloma, patos silvestres, chorlos, becardones, chorlitos, perdices, y varios otros que le gustaba comer, pero siempre tenían que matarlos otros. Odiaba ver matar a cualquier pájaro como no fuera para la mesa, y por eso toleraba al halcón, y hasta permitía que un par de caranchos o águilas carroñeras —pájaros destructores de las aves de corral, y que mataban, cuando tenían oportunidad, corderos recién nacidos y lechones mamones—, tuvieran su gran nido en uno de los viejos durazneros durante varios años. Nunca lo vi tan enojado como una vez que un visitante que estaba parando en la casa, al salir un día con su arma, la apoyó repentinamente en el hombro y bajó una golondrina que pasaba.

Ese fue mi primer encuentro con la lechuza de oreja corta, una especie que vagabundea por todo el mundo, conocida familiarmente por los deportistas de Inglaterra como la lechuza de octubre; es un habitante de toda Europa, y también de Asia, de Africa, de América, de Australia, y de muchas islas del Atlántico y del Pacífico. Ningún otro pájaro está tan vastamente expandido; y, sin embargo, no había en la casa nadie que me pudiera decir nada acerca de él, excepto que era una lechuza, cosa que yo ya sabía, y que ningún pájaro como ese había sido visto en nuestra vecindad. Varios meses después me enteré de más detalles a su respecto, y eso fue cuando comencé a vagabundear por la pampa en mi petiso.

Uno de los lugares más atractivos para mí en ese tiempo, cuando mis expediciones aún no se dilataban mucho, era una extensión de terreno bajo y húmedo, que quedaba a una media legua de casa, y que, a causa de la humedad, era siempre de un verde vívido. En primavera era como una húmeda pradera inglesa, un perfecto jardín de flores silvestres, y como tendía a inundarse en los inviernos húmedos, era evitado por las vizcachas, los grandes roedores que hacían sus guaridas, o aldeas, o grandes madrigueras por toda la llanura. Acostumbraba ir allí en busca de las flores más encantadoras y que no podían encontrarse en otros lugares; una de ellas, una que me era especialmente favorita a causa de su deliciosa fragancia, era el pequeño lirio llamado por los nativos *lágrimas de la virgen*. Aquí, en un sitio, el suelo de alrededor de una hectárea estaba cubierto por una planta de peculiar apariencia con completa exclusión de los altos pastos y de los hierbajos que cubrían otras zonas. Crecía en pequeños penachos como matitas, y cada planta estaba compuesta de veinte o treinta tallos de una dureza de madera y de unos dos pies y medio de alto. Los tallos estaban espesamente cubiertos de hojas redondas, suaves al tacto como tercio-

301

pelo y que eran de un verde tan oscuro que a poca distancia parecían casi negras contra el verde brillante del césped. Alcanzaban toda su belleza en la estación en que florecían, cuando cada tallo producía su docena o más de flores que crecían separadas entre las hojas, parecidas en su tamaño y en su forma a las flores del rosal silvestre, con pétalos del amarillo más hermoso y más puro. Como las flores crecían pegadas al tallo, para recogerlas era necesario cortar el tallo contra la raíz con todas sus hojas y flores, y a veces le llevaba uno de ellos a mi madre que tenía un verdadero amor por las flores silvestres. Pero tan pronto como partía con un ramo de tallos florecidos en la mano, los encantadores y delicados pétalos comenzaban a caer, y antes de estar a medio camino de mi casa no quedaba un solo pétalo. Esa extremada fragilidad o sensibilidad solía inficionarme la idea de que esa flor era algo más que una mera flor, que era algo así como un ser sensible, y que tenía en sí un sentimiento que provocaba la caída de sus brillantes pétalos y su muerte cuando era separada de su raíz paterna y de su hogar. Un día, cuando la planta estaba en pleno florecimiento, yo iba andando lentamente en mi petiso a través de las matas con su oscuro verde botella, cuando una gran lechuza amarillo tostada se levantó a un metro o poco más de los cascos, e instantáneamente la reconocí como de la misma clase de pájaro que nuestro misterioso asesino de palomas. Y allí, en el suelo, donde había estado echada, estaba su nido, apenas una leve depresión sólo forrada con unos pocos pastos secos y en ella cinco redondos huevos blancos.

Desde aquella vez fui un frecuente visitante de las lechuzas, y durante tres veranos ellas anidaron en el mismo sitio, pese a la ansiedad que padecían por culpa mía, y pude ver sus extravagantes pichones que se me hicieron familiares, revestidos de un blanco plumón y con unas cabezas angostas, largas y puntiagudas, más parecidas a las cabezas de los pájaros acuáticos que a las redondas cabezas de cara chata de las lechuzas.

Más tarde, llegué a conocer aún mejor a este lechuzón. A veces pasaba un año o pasaban varios sin que se viera uno; luego, de golpe, aparecían en grandes cantidades, y esto sucedía siempre cuando se había producido un gran incremento de cuises o de otros pequeños roedores, y la población lechucina de todo el país se enteraba de algún modo de esa abundancia y venía a buscar su parte. En esas épocas se podía ver a las lechuzas dando vueltas al fin de la tarde, antes de ponerse el Sol, en busca de presas, examinando el suelo como aves de rapiña y dejándose caer a intervalos, repentinamente, sobre el pasto, mientras oscurecía y el aire resonaba con su solemne ulular, un sonido como el de un mastín de voz profunda aullando a mucha distancia.

Como he mencionado nuestros famosos pasteles de paloma cuando describí el palomar, bien puedo concluir este capítulo con un más completo informe de nuestra manera de vivir en cuanto se refería a las comidas, un asunto fascinante para la mayoría de las personas. Los psicólogos nos dicen una triste verdad cuando afirman que el gusto, siendo el más bajo o el menos intelectual de nuestros cinco sentidos, es incapaz de dejar registradas impresiones en la mente; en consecuencia, no podemos recordar o recobrar desvanecidos sabores como podemos recobrar, y mentalmente ver y oír sonidos y visiones de tiempos muy lejanos. Los olores, también, cuando dejamos de sentirlos, se desvanecen y no retornan; sólo recordamos aquel monte de naranjos en flor por donde caminamos una vez, y lechos de tomillo silvestre y de poleo cuando nos sentábamos sobre el pasto, o de las habas florecidas, o de los campos de alfalfa, colmándonos y alimentándonos, cuerpo y alma, con deliciosos perfumes. De igual manera podemos recordar las buenas cosas que comimos hace largos años: las cosas que no podemos comer ahora porque ya no somos capaces de digerirlas o de asimilarlas; es como recordar peligrosas aventuras vividas en la tierra y en el mar en los valientes jóvenes días, cuando amábamos el peligro por el peligro mismo.

Teníamos, por ejemplo, la ensalada de papas y cebollas en rebanadas, empapadas en aceite y vinagre, ¡un plato glorioso preparado con carne fría, para irse después a la cama! También las tortas calientes de harina de maíz con almíbar para el desayuno, y otras tortas más imprudentes. Como norma, teníamos el desayuno caliente y el almuerzo al mediodía; el té de la tarde con pan caliente, escones y duraznos en almíbar, y una cena fría tardía. Como desayuno teníamos costillas de cordero, café y cosas hechas con maíz. Huevos, había en cantidad: huevos de gallina, de pato, de ganso y de aves silvestres —de patos salvajes y de teros—, en la estación correspondiente. En primavera —agosto, octubre— teníamos ocasionalmente un huevo de avestruz en forma de una enorme tortilla para el desayuno, y era muy bueno. La manera corriente como lo cocían los criollos —pasando un hierro al rojo a través del huevo y hundiéndolo luego en las cenizas calientes hasta completar el cocido— no nos atraía. Desde fines de julio hasta el fin de setiembre teníamos festines de huevos de tero en el desayuno. Por su apariencia y su gusto eran precisamente como los huevos de nuestro frailecico, sólo que más grandes, ya que el tero argentino es un pájaro más grande que su primo europeo. En aquellos lejanos días los pájaros eran excesivamente abundantes en toda la extensión de las pampas donde pastoreaban ovejas, porque en aquel tiempo había pocos que tiraran a los pájaros y nadie hubiera soñado nunca en matar un tero para comer. El país todavía no había sido invadido por inmigrantes destructores de pájaros, especialmente por italianos. Fuera de la zona ovina, en los campos dedicados exclusivamente a la cría de vacunos, donde los duros pastos y herbajes de la pampa no habían sido comidos, los teros estaban ralamente distribuidos.

Recuerdo que un día, cuando tenía trece años, salí una mañana después del desayuno a buscar huevos de tero, justamente al comienzo de la estación, cuando todos los huevos que uno encontraba eran prácticamente recién puestos. Mi plan era el de los chicos criollos: correr al galope por la llanura y señalar el lugar donde se veía alzarse un tero y alejarse volando rectamente hasta cierta distancia. Para aplicar este método con éxito es necesario tener cierto entrenamiento, porque en muchos casos se ve más de un pájaro —a veces tres o cuatro— que levantan vuelo en puntos y distancias diferentes, y uno tiene que señalar y guardar en la memoria los puntos exactos para luego visitarlos sucesivamente y encontrar los nidos. El método inglés de salir a dividir el campo buscando nidos en los lugares donde era más probable que los pájaros anidaran era demasiado para nosotros.

Los nidos que encontré aquella mañana contenían uno o dos, a veces tres huevos —raramente una completa nidada de cuatro—. Antes del mediodía había vuelto con una canasta de sesenta y cuatro huevos; y esa fue la cantidad más grande que junté de una vez.

Nuestro almuerzo consistía en carne hervida o asada, zapallo, choclos tiernos cuando era la estación y batatas, además de las restantes verduras y ensaladas comunes. Budines de harina de maíz y pastel de zapallo eran habituales en nuestra mesa; pero el dulce que nos gustaba más era un pastel de durazno, hecho como una tarta de manzanas, con una cubierta de masa; y los duraznos comenzaban a madurar a mediados de febrero y duraban hasta abril, o hasta mayo, cuando nuestra variedad más tardía, que llamábamos "durazno de invierno", maduraba.

Mi madre era un ama de casa inteligente y económica y creo que ella sacaba más partido de los duraznos que cualquiera de los otros residentes de la región que poseían un huerto. Sus conservas de durazno, que duraban todo el año, eran admiradas en toda nuestra vecindad. Mermelada de durazno había en la mayor parte de las casas inglesas, pero nuestra casa era la única en que se hacían duraznos en escabeche. Creo que esto era una invención de ella; no sé si la receta se ha propagado, pero nosotros siempre teníamos duraznos en escabeche en la mesa, y los preferíamos a todas las otras clases de duraznos, y lo mismo pasaba con cada persona que los probaba.

Recuerdo aquí un divertido incidente en relación con nuestros duraznos en escabeche, y lo contaré sólo porque sirve para presentar a uno más de nuestros viejos vecinos criollos. Nunca pensé en ocuparme de él cuando describía a los otros, pues no vivía tan cerca y tanto a él como a su gente los veíamos muy poco. Su nombre era Ventura Gutiérrez, y se llamaba a sí mismo estanciero —es decir un propietario de tierras y cabezas de un establecimiento ganadero—; pero le quedaba muy poca tierra y prácticamente nada de ganado: sólo unas pocas vacas, unas pocas ovejas, unos pocos caballos. Su propiedad hacía tiempo que se estaba desmoronando y no le quedaba casi nada; pero era un bravo espíritu y tenía una manera de ser afable y cordial, y se vestía bien, a la moda europea, con pantalones, chaqueta y chaleco... esta última prenda era de satén de un azul muy brillante. Y hablaba incesantemente de sus posesiones: su casa, sus árboles, sus animales, su mujer y sus hijas. Y era enormemente popular en la zona, sin duda porque era el padre de cuatro muchachas bonitas, casaderas; y porque, como su casa tenía siempre las puertas abiertas, su cocina estaba siempre llena de visitantes, en su mayoría hombres jóvenes, que tomaban mate horas y horas, y trataban de hacerse agradables a las jóvenes.

Uno de los rasgos más deliciosos de don Ventura —delicioso para nosotros, los chicos— era su fuerte voz. Se me ocurre que en aquellos días era una norma que los estancieros o los criadores de ganado levantaran su voz de acuerdo con su importancia en la comunidad. Cuando varios gauchos galopan por la llanura, cazando caballos, o persiguiendo o marcando ganado, el que está a la cabeza del grupo grita sus órdenes con toda la potencia de su voz. Es probable que de este modo los terratenientes y personas de autoridad hayan adquirido el hábito de gritar a toda hora. Y por eso nos encantó cuando don Ventura vino una noche a ver a mi padre y consintió en sentarse a compartir con nosotros nuestra cena. Nos encantaba escucharlo conversar a gritos.

Mis padres se disculparon por no tener más que comidas frías para servirle —una pata de cordero, perdices, escabechados, pastel frío y cosas. —Es cierto, —replicó— la carne fría no es comida nunca, o lo es muy raramente, por el hombre de la pampa. La gente tiene carne fría en la casa, pero, como norma, eso es para los niños, porque cuando un niño tiene hambre y llora para que le den algo, su madre le da un hueso con carne fría, así como en otros países donde el pan es común se da al niño un pedazo de pan—. De todos modos, por una vez, él probaría la carne fría. Le pareció que había otras cosas que comer sobre la mesa. —¿Y qué es esto?— exclamó, apuntando dramáticamente a un plato de grandes duraznos en escabeche, de aspecto muy verde. —¡Duraznos... duraznos en invierno! ¡Eso sí que es raro!—.

Se le explicó que eran duraznos en escabeche, y que era costumbre tenerlos en la mesa para la cena. Probó uno con su cordero frío, y en seguida estuvo asegurando a mis padres que nunca le habían servido algo tan bueno... tan sabroso, tan apetecible, y, que fuera o no a causa de los duraznos en escabeche, o por alguna otra cualidad de nuestro cordero que lo hacía diferente de cualquier otro cordero, nunca había disfrutado tanto una comida. Lo que quería saber es cómo se preparaba la cosa. Se le dijo que se debían escoger frutos sanos, a punto de madurar; cuando el dedo se hunde en un durazno éste ya está demasiado maduro. Los duraznos así elegidos se lavan y secan y se ponen en un tonel; luego, hirviendo vinagre, con un puñado de clavos de olor, se le vierte sobre la fruta hasta que la cubre; se cierra el tonel y se deja así un par de meses, en cuyo tiempo los frutos estarán debidamente escabechados. En cada estación se preparaban de este modo dos o tres toneles llenos que debían alcanzarnos para el año entero.

Era una revelación, dijo, y lamentaba que él y su gente no hubieran poseído antes ese secreto. También él tenía un huerto de durazneros, y, cuando los frutos maduraban, su familia, ayudada por todos los vecinos, se banqueteaba de la mañana a la noche con duraznos, y apenas dejaban sitio en sus estómagos para el asado a la hora de la comida. La consecuencia era que en unas pocas semanas —casi podría decir días— todo el fruto se había acabado, y tenían que exclamar: —¡No más duraznos por otros doce meses!—. Ahora todo eso cambiaría. Ordenaría a su mujer y a sus hijas que escabecharan duraznos: un tonel entero, o dos, o tres, si eso no era suficiente. El conseguiría vinagre, muchos litros de vinagre, y montones de clavos de olor. Y cuando ellos tuvieran suficientes duraznos escabechados él cenaría cordero frío todos los días a todo lo largo del año, ¡y disfrutaría de la vida como nunca antes!

Esto nos divirtió mucho, ya que sabíamos que el pobre don Ventura, no obstante su fuerte voz de mando, tenía poca o ninguna autoridad en su casa; que ésta era gobernada por su mujer, asistida por un consejo de cuatro hijas casaderas, cuyos manifiestos objetivos en la vida eran los pequeños bailes y otras diversiones, y conseguir enamorados con coraje suficiente para casarse con ellas o llevárselas.

CAPITULO XV

LA SERPIENTE Y EL NIÑO

Mi complacencia en la vida animal. Mamíferos en nuestro nuevo hogar. Las víboras y cómo los niños son enseñados a considerarlas. Una colonia de serpientes en la casa. Sus sibilantes confabulaciones. Encuentro de pelechos de serpientes. Una salvadora de serpientes. Breve historia de nuestros vecinos ingleses, los Blake

Imagino que no es una cosa excepcional, para un niño o un muchacho, sentirse más profundamente impresionado y conmovido por la vista de una víbora que por la de cualquiera otra criatura. Esa es, al menos, mi experiencia. Los pájaros, sin duda alguna, me daban más gusto que los demás animales, y esto, también, es sin duda común entre los niños, y supongo que la razón consiste no sólo en la mayor belleza de los pájaros, sino también en la intensidad de vida que exhiben —una vida tan vívida, tan brillante, como para hacer que los otros seres, tales como los mamíferos y los reptiles, parezcan en comparación una cosa bastante pobre. Pero aun cuando los pájaros significaban más que todos los otros animales para mí, los mamíferos tenían también una gran atracción. Ya hablé de las ratas, de las comadrejas y de los armadillos; también de la vizcacha, ese gran roedor minero que hacía sus aldeas por toda la llanura. Una de mis primeras experiencias es la del tremendo griterío que esos animales llegaban a hacer de noche cuando eran asustados repentinamente por un ruido muy fuerte, como el retumbar de un trueno. Cuando teníamos visitantes de la ciudad, especialmente cuando eran personas ajenas al campo que no conocían la vizcacha, se les llevaba afuera, después de cenar, a cierta distancia de la casa, cuando la llanura estaba oscura y envuelta en un profundo silencio, y, después de mantenerse quietos por unos momentos para darles tiempo a que sintieran el silencio, se disparaba un tiro, y, a los dos o tres segundos, la detonación era seguida por una batahola extraordinaria, el griterío salvaje de cientos y miles de voces que venían de toda la llanura desde muchas millas a la redonda, voces que parecían provenir de cientos de diferentes especies de animales, tan variadas eran; se oían desde los sonidos más bajos y profundos hasta los chillidos agudos y algo así como graznidos de pájaros de gritos penetrantes. Habitualmente nuestros visitantes quedaban completamente atónitos.

Otros animales que nos impresionaban de manera profunda eran los zorrinos. Eran pequeñas bestias atrevidas y por la noche andaban osadamente alrededor de la casa, y si eran vistas o atacadas por un perro, se defendían con el líquido de olor horrible que descargaban sobre su adversario. Cuando el viento traía una vaharada de ese olor dentro de la casa en momentos en que todas las puertas y ventanas estaban abiertas, se creaba un pánico, y la gente se levantaba de la mesa sintiéndose un poco mareada, e iba en busca de alguna habitación adonde el olor no hubiera llegado. Otra criatura de poderoso olor pero muy hermosa era el venado. Comencé a reconocerlo cuando tenía cinco años y nos mudamos a nuestro nuevo hogar, de donde los niños éramos llevados a veces por nuestros padres a visitar a algunos vecinos que vivían a varias millas de distancia. Siempre había manadas de venados en las tierras donde el cardo florecía mejor, y era una delicia llegar cerca de ellos y ver sus figuras amarillas detenidas por sobre los matorrales de cardos gris-verdosos, mirándonos inmóviles, para luego volverse con un grito sibilante, y soltar ráfagas de su poderoso olor almizclado, que el viento traía a veces hasta nuestras narices.

Pero en la serpiente había algo que producía un efecto completamente diferente y más poderoso sobre el espíritu que el que pudiera producir ningún pájaro o mamífero, o cualquiera otra ciatura. La vista de una serpiente causaba siempre un sobresalto y, por muy a menudo que se la viera, siempre provocaba un sentimiento en que se mezclaban el asombro y el miedo. El sentimiento había sido adquirido sin duda de nuestros mayores. Ellos consideraban a las serpientes como criaturas mortíferas, y cuando chico yo no sabía que en su mayor parte eran inofensivas, y que era tan insensato matarlas como matar a los pájaros inofensivos y hermosos. Se me dijo que cuando viera una víbora debía volverme y correr como si me fuera en ello la vida, hasta que fuera un poco mayor, y que entonces, cuando encontrara una, debía tomar algún palo largo y matarla; y, además, se me inculcó la creencia de que las víboras eran sumamente difíciles de matar, y muchas personas creían que una víbora nunca muere realmente hasta que el Sol se pone; por lo tanto cuando matara una víbora, para que fuera incapaz de hacer ningún daño entre el tiempo en que la hubiera matado y la puesta del Sol, era necesario machacarla con el mencionado palo largo hasta convertirla en pulpa.

Con semejantes enseñanzas no es de extrañar que siendo aún un niño pequeño me hubiera vuelto ya un perseguidor de víboras.

Las víboras eran bastantes comunes entre nosotros: víboras de siete u ocho clases diferentes, verdes entre el verde pasto, y amarillas con manchas pardas en los lugares secos y áridos, o en los yuyales marchitos, de manera que era difícil distinguirlas. A veces se metían en las habitaciones, y en todas las estancias existía un nido o colonia de víboras en los gruesos y viejos cimientos de la casa, debajo del piso. En invierno vegetaban allí todas juntas sin duda hechas un ovillo; y en las noches de verano, cuando estaban en casa, enrolladas a su gusto o deslizándose como fantasmas por sus viviendas subterráneas, yo yacía despierto y las escuchaba horas enteras. Porque aunque esto pueda ser una novedad para algunos cerrados ofidiólogos, las serpientes no son en absoluto tan mudas como creemos que son. En todo caso, esta especie, la *Philodryas æstivus,* una hermosa e inofensiva culebra, de alrededor de un metro de largo, toda manchada con un negro de tinta sobre un vivo fondo verde, no sólo emitía un sonido cuando yacía sin ser molestada en su nido, sino que varias de ellas podían mantener entre sí una conversación que me parecía interminable, porque generalmente me quedaba dormido antes de que se acabara. Una conversación sibilante, es verdad, pero no sin modulaciones o sin considerables variaciones; un largo silbido podía ser seguido por sonidos que se oían intermitentemente como los tic-tacs de un reloj de sonido ronco, y después de diez o veinte o treinta tic-tacs, seguía otro silbido, como un largo suspiro expirante, que a veces tenía un temblor como el de una hoja seca vibrando levemente en el viento. No bien había terminado uno, empezaba otro; y así sucesivamente, pregunta y respuesta, estrofa y antistrofa; y a intervalos varias voces se unían en una especie de coro bajo y misterioso, vigilia fúnebre y flauta y siseo; y, mientras, yo, yaciendo despierto en la cama, escuchaba y temblaba. El cuarto estaba oscuro, y para mi excitada imaginación las serpientes no estaban ya debajo del piso, sino fuera, deslizándose de aquí para allá sobre él, con las cabezas levantadas, en una especie de danza mística; y yo a menudo me estremecía al pensar lo que mis pies desnudos pudieran tocar si llegara a sacar una pierna y la dejara colgar al costado del lecho.

—Estoy encerrado en un cuarto oscuro con la vela apagada, —exclamaba patéticamente el viejo Granjero Fleming, cuando se enteró de la partida clandestina de su hermosa hija Dahlia hacia una tierra distante con un amante innominado—. He oído hablar de la especie de miedo que uno siente en tal situación, por temor a que vaya a apoyar los dedos sobre los filos de agudos cuchillos, y si pienso en dar un paso... y sigo pensando en dar un paso, y tanteo mi camino, me corto, y sangro—. Sólo en un país relativamente desprovisto de víboras podrían haber nacido esas fantasías y haberse empleado tales metáforas... Desprovisto de víboras y altamente civilizado, donde los aceros de Sheffield son baratos y abundantes. En tierras más rudas, donde abundan los ofidios, como en la India o en Sudamérica, en lo oscuro, uno teme la fría espiral viva y el repentino colmillo mortal.

Las serpientes, en ese período, eran para mí cosas temibles; pero aquello que es terrible y peligroso, o que tiene esa fama, tiene una irresistible atracción para la mente, tanto del niño como del hombre; por lo tanto era siempre un placer haber visto una víbora en el vagabundeo diario, aunque el hecho de verla me hubiera ocasionado un sobresalto. También me causaba un vivo placer en la estación cálida encontrar la piel abandonada por la temida y sutil criatura. Aquí había algo que no era la serpiente, y que, sin embargo, era mucho más que un mero retrato de ella; era una parte suya muerta y desechada, pero en su integridad, desde la segmentada máscara con los brillantes ojos que no veían, hasta la punta de la cola fina como un látigo, tan igual a la serpiente misma; yo podía manipularla, como si tocara a la serpiente, pero sin correr el peligro de su venenoso diente o de su punzante lengua. Es cierto que no tenía color, pero era de un plateado brillante, suave al tacto como el satén, y crujiente cuando se la tenía en las manos, ¡con un sonido que a la imaginación sobresaltada recordaba el peligroso sonido sibilante y vivo que venía desde los secos pastos susurrantes! Me apoderaba de mi adquisición con tremenda alegría, como si hubiera recogido una extraña pluma dejada caer al pasar por el ala de uno de los ángeles caídos pero hermosos pese a todo. Y siempre aumentaba mi satisfacción cuando, al exhibir mi tesoro en casa, causaba a primera vista un visible sobresalto o una exclamación de alarma.

Cuando mi coraje y mi fuerza fueron suficientes, yo, naturalmente, comencé a tomar una parte activa en la persecución de las víboras; porque ¿no era yo también de la simiente de Eva? Ni puedo decir cuándo mis sentimientos hacia nuestro castigado enemigo comenzaron a cambiar; pero un incidente que presencié por aquel tiempo, cuando andaba por los ocho años, tuvo, creo, una considerable influencia en mí. En todo caso hizo que reflexionara sobre él. Yo estaba en el huerto, caminando detrás de un grupo de personas mayores, en su mayoría visitantes de la casa, cuando, entre los que iban delante, hubo gritos repentinos, gestos de alarma, y una retirada precipitada: habían descubierto una víbora echada en el camino, y habían estado a punto de pisarla. Uno de los hombres, el primero que encontró un palo, o, tal vez, el de más coraje, corrió al frente del grupo y estaba a punto de asestarle un golpe mortal cuando una de las señoras lo asió del brazo y detuvo el golpe. Luego, inclinándose rápidamente, tomó el animal en sus manos, y, alejándose a cierta distancia de los otros, la soltó sobre el largo pasto verde, verde como su lustrosa piel y tan fresco como ella al tacto. Hace tanto tiempo desde que aquello sucedió y todo está tan vívido en mi memoria como si hubiera sucedido ayer. Puedo verla volviendo hacia nosotros a través de los árboles del huerto, con el rostro resplandeciente de alegría porque había rescatado al reptil de una muerte inminente; su regreso fue recibido con fuertes expresiones de horror y de asombro, a las que ella sólo respondió con una risita y la pregunta: —¿por qué habrían de matarla?—. ¿Pero por qué estaba contenta, tan inocentemente contenta como me parecía, como si hubiera hecho una cosa no mala sino meritoria? Mi joven mente quedó perturbada por esta pregunta, y no había respuesta. Con todo, creo que este incidente dio frutos más tarde, y nos enseñó a considerar si no sería mejor tener misericordia que matar; mejor no sólo para el animal al que se perdona la vida sino para el alma.

Y la mujer que hizo algo tan inusual y que, al hacerlo, dejó caer inadvertidamente una diminuta semilla en la mente de un niño, ¿quién era? Tal vez no esté de más que dé un breve informe sobre ella, aunque pensaba que ya había terminado con el tema de nuestros vecinos. Ella y su esposo, un hombre llamado Matthew Blake, eran, después de los Royd, nuestros vecinos ingleses más próximos, pero ellos vivían bastante más lejos que los Royd y raramente nos visitábamos. Para mí no había nada interesante en ellos ni en lo que los rodeaba ya que no tenían familia ni gente, salvo los peones criollos, y, sobre todo, no tenían una plantación donde pudieran encontrar pájaros. Eran típica gente inglesa de la baja clase media, que no leía libros y que sólo conversaba (con considerable maltrato de las aspiradas) acerca de sus propios asuntos y de los vecinos. Físicamente Mr. Blake era un hombre grande, de más de dos metros de altura y constitución poderosa. Tenía una cara ruda y redonda, afeitada, con excepción de un par de patillas, y ojos hundidos azul pálido. Se vestía invariablemente con ropa negra, y sus prendas eran de hechura casera y demasiado grandes para él, y sus flojos pantalones iban metidos dentro de sus largas botas. Mr. Blake no era para nosotros nada más que un hombre enorme, serio, un tanto silencioso, que no se fijaba en los niños, que era desmañado y torpe y que hablaba muy mal español. Sus vecinos hablaban bien de él, y era considerado como una persona digna y altamente respetable, pero no tenía amigos íntimos, y era una de esas infortunadas personas, nada raras entre los ingleses, que parecen estar detrás de una alta pared, quiéranlo o no, sin tener poder para acercarse a sus prójimos y mezclarse con ellos.

Creo que tendría de cuarenta y cinco a cincuenta años cuando yo tenía ocho. Su mujer parecía mayor y era una mujer baja y sin gracia, cargada de espaldas, que usaba un sombrero para el sol y una chaqueta y un vestido desteñidos hechos por ella. Sus cabellos delgados tenían un tinte gris amarillento, sus ojos eran azul-pálido, y, no obstante sus mejillas rojizas, quemadas por el sol, el rostro en su conjunto tenía un aspecto marchito y fatigado. Pero ella era mejor que su gigantesco esposo y se alegraba con la sociedad de la gente, y era también una enamorada de los animales: de los caballos, de los perros, de los gatos, y de todas y cada una de las criaturas salvajes que le salían al paso.

Los Blake habían estado casados por un cuarto de siglo o más y habían pasado por lo menos veinte años de su existencia solitaria y sin hijos en un rancho de adobe, criando ovejas en la pampa, y lentamente habían acumulado una pequeña fortuna, hasta que ahora poseían alrededor de una legua cuadrada de campo con veinticinco mil o treinta mil ovejas y se habían construido una casa grande y fea de ladrillos en la que vivían. Así se habían asegurado la recompensa por la que habían partido a tantos miles de millas y por la que se habían afanado durante tantos años; pero sin duda alguna no eran felices. El pobre Mr. Blake, separado de sus congéneres por aquella pared que estaba ante él, había encontrado compañía en la botella, y era visto cada vez menos por sus vecinos; y cuando su mujer venía a casa para pasar dos o tres días con nosotros "para cambiar", aunque su hogar estaba sólo a un par de horas a caballo, la razón era probablemente que su esposo estaba en uno de sus ataques de borrachera y hacía la casa intolerable para ella. Recuerdo que siempre llegaba con una expresión triste y deprimida, pero a las pocas horas recobraba su ánimo y se ponía muy alegre y conversadora. Y en alguna noche en que se hiciera música a veces consentía, después de mucho persuadirla, en acompañar alguna canción. Eso era una alegría para nosotros, los muchachos, porque tenía una fina voz quebrada que siempre en las notas altas pasaba al falsette. Su aire favorito era "Hogar, dulce hogar", y cuando lo vertía en su quejumbrosa voz quebrada era

310

para nosotros una fiesta tan grande como cuando oíamos la extraña risa de nuestro grotesco vecino Gándara.

Y esto es cuanto puedo decir de ella. Pero ahora, cuando recuerdo aquel episodio de la víbora en el huerto, ella no aparece en mi memoria privada de belleza, y su voz en el coro invisible suena bastante dulce.

CAPITULO XVI

EL MISTERIO DE UNA SERPIENTE

Un nuevo sentimiento hacia las serpientes. Las serpientes comunes en la región. Un terreno árido pero cubierto de yuyos. Descubrimiento de una gran serpiente negra. Vigilando su reaparición. La veo irse a su guarida. El deseo de volverla a ver. Una búsqueda vana. Observando un murciélago. La serpiente negra reaparece a mis pies. Emociones y conjeturas. Melanismo. Mi hermanita pequeña y una extraña serpiente. Se resuelve el misterio

No empecé a apreciar su belleza única y su singularidad hasta después del episodio relatado en el último capítulo y del descubrimiento de que una serpiente no era necesariamente peligrosa para los seres humanos, ni, por lo tanto, una criatura que debía ser destruida apenas se la veía y machacada hasta convertirla en pulpa por temer a que sobreviviera y escapara antes de la puesta del Sol. Entonces, algo más tarde, me enfrenté con una aventura que produjo en mí un nuevo sentimiento: ese sentimiento de que hay un algo sobrenatural en la serpiente que parece haber sido universal entre los pueblos que viven un estado primitivo de cultura, y que todavía sobrevive en algunos países bárbaros o semibárbaros, y en otros, como Indostán, que han heredado una antigua civilización.

Las serpientes con que me familiaricé de muchacho, hasta esa época, eran todas de un tamaño comparativamente pequeño; la mayor era la "víbora de la cruz", descrita en un capítulo anterior. El espécimen mayor de este ofidio que encontré nunca, tenía poco más de un metro de largo; pero el cuerpo era grueso como en todas las víboras de su especie. Luego, estaba la víbora verde y negra, descrita en el capítulo anterior como habitante de la casa, que raramente alcanzaba un metro; y otra del mismo género, la víbora común de la región. Difícilmente salía uno a dar un paseo a pie o a caballo por la llanura sin ver una de ellas. Eran, por su tamaño y por su forma, como nuestra "víbora del pasto", y primeramente fue clasificada por los naturalistas como perteneciente al mismo género: la *Coronella*. Es muy hermosa; tiene el cuerpo verde-gris moteado de negro, y está decorada con dos líneas paralelas rojo brillante que se extienden desde el cuello hasta el extremo de la fina punta de la cola. Entre las demás, la más interesante era una víbora aún más pequeña, brillantemente coloreada, cuyo vientre alternaba bandas de color carmesí y de azul brillante. Esta víbora era temida por todos por ser extraordinariamente venenosa, y muy peligrosa a causa de su temperamento irascible y de su costumbre de dirigirse hacia uno, silbando, con la cabeza y el cuello erguidos, golpeándolo en las piernas. Pero todo esto eran baladronadas por parte de la víbora: no era venenosa en absoluto, y no podía hacerle a uno más daño al morderlo que una joven paloma que se encocorara en su nido y golpeara la mano intrusa con su suave pico.

Un día me encontré con una víbora completamente desconocida para mí. Nunca había sabido de la existencia de semejante víbora en nuestra región, y me imagino que su apariencia habría impresionado fuertemente a cualquiera en cualquier país, incluso en aquellos que abundan en víboras. Incluso el lugar de nuestra plantación en que la encontré, sirvió para hacer más impresionante su singular aparición.

Existía allí por entonces una pequeña parcela de terreno baldío de alrededor de un acre de extensión, donde no había árboles y donde ninguna cosa que plantara el hombre crecía. Estaba en el extremo de la plantación, contiguo a los espesos matorrales de hinojo y al gran sauce rojo que estaba en el borde del foso y que describí en otro capítulo. Este terreno había sido arado y cavado una y otra vez, y plantado con árboles y con arbustos de varias clases que, se suponía, crecían en cualquier suelo, pero siempre habían languidecido, y no es de extrañar, ya que el suelo era de una dura arcilla blanca que se parecía al caolín. Pero aunque los árboles se rehusaban a crecer allí, el lugar estaba siempre cubierto de una vegetación propia, todos los yuyos más duros crecían allí y cubrían la completa extensión del área estéril hasta la altura de las rodillas de un hombre. Estos yuyos tenían tallos delgados y tiesos y pequeñas hojas y flores enclenques, que morían cada verano mucho antes de tiempo. Esa árida parcela de terreno tenía para mí una gran atracción cuando era pequeño y la visitaba diariamente y vagaba por ella entre las miserables hierbas casi muertas viendo la arcilla cocida por el sol que aparecía entre los tallos marrones, y me deleitaba tanto como el campo de alfalfa azul y fragante en la época en que florecía y en que pululaban en él las mariposas.

Un día caluroso de diciembre yo había estado perfectamente inmóvil por unos minutos entre los yuyos secos, cuando sentí un leve sonido susurrante cerca de mis pies, y, mirando al suelo, vi la cabeza y el cuello de una gran serpiente negra que se movía lentamente pasando a mi lado. En unos pocos momentos la chata cabeza se perdió de vista entre los apretados yuyos, pero el largo cuerpo continuaba moviéndose lentamente a mi lado... tan lentamente que apenas parecía moverse, y como la criatura no debía haber tenido menos de dos metros de largo, y probablemente más, le tomó un tiempo muy largo, mientras yo permanecía allí, estremecido de terror, sin animarme a hacer el menor movimiento, con la vista clavada en ella. Pese a ser tan larga no era una víbora gruesa, y mientras se iba moviendo sobre el suelo blanco tenía la apariencia de una corriente negra como el carbón fluyendo a mi lado... una corriente no de agua o de otro líquido sino de algún otro elemento como el mercurio corriendo en un flujo grueso como una cuerda. Al final desapareció, y dándome vuelta huí del terreno pensando que nunca más me iba a aventurar a pisar allí o cerca de aquel lugar terriblemente peligroso, a pesar de su fascinación.

Y, sin embargo, me aventuré. La imagen de aquella negra serpiente misteriosa estaba siempre en mi memoria desde el momento en que me despertaba hasta que de noche caía dormido. Con todo, nunca dije una palabra acerca de la serpiente a nadie; era mi secreto y sabía que era un secreto peligroso, pero no quería que se me dijera que no visitara de nuevo aquel lugar. Y yo, simplemente, no podía permanecer alejado de él; el deseo de ver de nuevo a aquella extraña serpiente era demasiado fuerte. Empecé a visitar el sitio nuevamente, un día tras otro, y me quedaba por los bordes del terreno árido y cubierto de yuyos, observando y escuchando, y la serpiente negra seguía sin aparecer. Entonces, un día, me aventuré, aunque con miedo y temblando, a entrar derechamente entre los yuyos, y como aún no encontraba nada, empecé a adelantar paso a paso hasta que estuve justo en medio del yuyal y allí me quedé durante largo tiempo esperando y observando. Todo lo que quería hacer era verla una vez más, y había decidido que en cuanto apareciera, si aparecía, saldría corriendo. Entonces, mientras estaba parado en ese punto central del terreno, una vez más aquel leve sonido crujiente, como el de unos días antes, alcanzó mis sentidos en tensión e hizo correr un escalofrío helado por mi espalda. Y allí, a seis pulgadas de mis zapatos, aparecieron la cabeza y el cuello negros, seguidos por el largo cuerpo que parecía interminable. No me animaba a moverme ya que haber intentado huir podría haber resultado fatal. Allí los yuyos eran más escasos, y la negra cabeza y el negro rollo que se movía lentamente podían ser seguidos por la vista por un pequeño tramo. A cosa de un metro de mí había un agujero en el suelo que tenía aproximadamente la circunferencia de una taza de desayuno y la serpiente metió en ese agujero la cabeza, y lentamente, lentamente se deslizó dentro, mientras yo me quedé mirando hasta que el cuerpo entero, hasta la punta de la cola, desapareció y pasó todo peligro.

Había visto a mi maravillosa criatura, mi negra serpiente diferente de cualquier serpiente de la región, y la excitación que siguió al primer escalofrío de terror estaba todavía en mí, pero era consciente de un elemento de deleite, y ahora ya no iba a decidir no visitarla de nuevo. Con todo, tenía miedo, y me mantuve apartado del lugar durante tres o cuatro días. Pensando en la víbora llegué a la conclusión de que el agujero en que se había refugiado era la guarida en donde vivía, que salía a menudo a vagabundear por ahí en busca de presa; que podría oír pasos a una considerable distancia, y que cuando yo caminaba alrededor de aquel lugar mis pasos la perturbaban y hacían que se dirigiera directamente a su agujero para esconderse de un posible peligro. Se me ocurrió que si yo fuera hasta el centro del terreno y me estacionara cerca del agujero, estaría seguro de verla. Sin duda sería difícil verla de cualquiera otra manera, ya que uno nunca podía saber en qué dirección habría ido a buscar su comida. Pero no, era demasiado peligroso: la serpiente podría dar conmigo desprevenidamente y probablemente enojarse al encontrar siempre a un muchacho rondando su guarida. Con todo, no podía soportar la idea de que ya no la vería más, y día tras día continuaba frecuentando el lugar, y, avanzando unos metros dentro del pequeño y desierto yuyal, allí me quedaba y atisbaba, y al menor crujido de un insecto o de la caída de una hoja experimentaba un escalofrío de temerosa alegría; pero, sin embargo, la negra y majestuosa criatura seguía sin aparecer.

Un día, en mi avidez e impaciencia, me abrí camino a través de los cerrados yuyales derechamente hasta el centro del terreno y miré, con ese deleite mezclado con miedo, el agujero: ¿me encontraría aquí como en una ocasión anterior? ¿Vendría? Contuve mi aliento, agucé mi vista y mi oído en vano: gradualmente, la esperanza y el temor de su aparición murieron, y abandoné el lugar amargamente desilusionado y caminé hasta un lugar a unos cincuenta metros de allí, donde crecían las moreras sobre el declive del terraplén dentro del foso.

Mirando hacia arriba entre las masas frondosas de grandes hojas arracimadas sobre mi cabeza estuve espiando un murciélago que colgaba suspendido de una rama delgada. Debo explicar que los murciélagos, en aquella parte del mundo, en aquellas praderas sin límites donde no hay cavernas ni viejos edificios u otros lugares oscuros donde esconderse de día, no tienen la misma intolerancia para la luz brillante que tienen en otras tierras. No salen hasta el atardecer, pero durante el día se conforman con prenderse de alguna ramita de un árbol bajo un espeso follaje y allí descansan hasta que se hace oscuro.

Observando ese murciélago suspendido bajo una gran hoja verde, envuelto en sus alas de color negro mezclado con color de ante como en un manto, olvidé mi desilusión, olvidé la serpiente, y estaba tan enteramente ocupado atendiendo al murciélago que no presté atención a una sensación como de presión o de dolor sordo sobre el empeine de mi pie derecho. Después la presión fue aumentando y era muy singular: algo así como si tuviera un objeto pesado como una barra de hierro que estuviera apoyada sobre mi pie, y al fin miré hacia abajo, a mis pies, ¡y me quedé atónito y espantado al observar a la gran serpiente negra arrastrando lentamente su largo cuerpo sobre mi empeine! No me animé a moverme, sino que me quedé mirando hacia abajo, fascinado viendo aquel brillante cuerpo negro y cilíndrico arrastrándose tan lentamente sobre mi pie. Había salido del foso, que estaba cribado a ambos lados por cuevas de ratas, y donde lo más probable era que hubiera estado cazando ratas, cuando el ruido de mis pies la perturbó y la envió de vuelta a su nido; y, al dirigirse derecho a él como su dirección lo indicaba, llegó a mi pie, y, en vez de sortearlo, se deslizó sobre él. Después del primer espasmo de terror supe que estaba perfectamente a salvo, que no se volvería contra mí mientras me quedara inmóvil, y un poco después desapareció de mi vista. Y esa fue la última vez que la vi; en vano la espié y esperé que apareciera durante días y días sucesivos: pero ese último encuentro había dejado en mí el sentimiento de un ser misterioso, peligroso si se daba la ocasión, si fuera, por ejemplo, atacado o agredido, y capaz en algunos casos de infligir la muerte con un golpe repentino, pero, sin embargo, inofensivo y hasta amistoso o benigno hacia aquellos que lo consideraban con sentimientos bondadosos o reverentes en lugar de odiarlo. Tal es en parte el sentimiento del hindú frente a la cobra que habita en su casa y que puede un día, accidentalmente, causar su muerte, pero que no debe ser perseguida.

Posiblemente algo de aquel sentimiento con respecto a la serpiente ha sobrevivido en mí; pero a su tiempo, a medida que mi curiosidad acerca de todas las criaturas salvajes fue creciendo, a medida que las fui mirando con los ojos de un naturalista, el misterio de la gran serpiente negra me apremiaba pidiendo una respuesta. Me parecía imposible creer que ninguna especie de serpiente de gran tamaño y negra como el azabache o la antracita pudiera existir en una región habitada sin ser conocida; y, sin embargo, ninguna persona de las que interrogué sobre el asunto había visto ni oído nunca nada de tal ofidio. La única conclusión parecía ser que esa víbora era la sola y única de su clase en la región. Eventualmente, oí algo sobre el fenómeno del melanismo en los animales, tal vez menos raro en las víboras que en animales de otras clases y quedé satisfecho con que el problema estaba resuelto en parte. Mi serpiente era un individuo negro de una especie de algún otro color. Pero no era un individuo de una de nuestras especies comunes: no de una de aquellas que yo conocía. No era una gruesa serpiente de cuerpo romo, como nuestra venenosa serpiente pitón, nuestra víbora más grande y, aunque por su forma coincidía con nuestras dos especies inofensivas comunes, era dos veces más larga que los más largos especímenes de ellas que yo hubiera visto nunca. Después recordé que dos años antes de mi descubrimiento de la serpiente negra nuestra casa había sido visitada por una gran serpiente negra. El color de aquella extraña e importuna visitante era un gris verdoso pálido con numerosas motas y pintas opacas. Tal vez vale la pena contar la historia de su aparición.

Sucedió que yo tenía una hermanita que apenas podía andar por ahí haciendo pininos sobre sus pequeñas piernas, después de haber andado un tiempo gateando. Un día de verano la llevaron en brazos y la pusieron sobre una alfombra a la sombra de un árbol, a unos veinticinco metros de la puerta de la sala, y la dejaron allí sola para que se entretuviera con sus muñecas y sus juguetes. Alrededor de una hora más tarde apareció en la puerta de la sala donde mi madre estaba trabajando, y quedándose allí con los ojos muy abiertos y asombrados, y moviendo su mano y su brazo como para señalar el lugar de donde venía, pronunció la misteriosa palabra *cuco*. Es una maravillosa palabra que la madre sudamericana enseña a su hijo desde el momento en que empieza a caminar, y que es muy útil en una tierra desierta y escasamente habitada donde son comunes criaturas que muerden, pican, o son dañinas de algún otro modo, pues los niños cuando aprenden a gatear y a caminar se muestran impacientes por investigar y no tienen un sentido natural del peligro. Tomemos como ejemplo el caso de la gigantesca araña marrón, que es extremadamente abundante en verano y que tiene la costumbre de vagabundear por ahí como si siempre estuviera buscando algo, "algo que no puede encontrar; no sabe qué"; y en esos vagabundeos llega hasta la puerta abierta y comienza a andar por la habitación. A la vista de tal insecto el niño es levantado al grito de "¡cuco!" y el intruso es muerto con una escoba o cualquiera otra arma y arrojado afuera. *Cuco* significa peligroso, y los gestos aterrorizados de la niñera o de la madre al emplear la palabra penetran en la mente del pequeño, y cuando oye ese sonido o palabra tiene una respuesta inmediata, como en el caso de una nota o un grito de advertencia emitido por un pájaro que lleva a sus pichones a alejarse volando o a agacharse y esconderse.

Los gestos de la niña y la palabra que empleó hicieron que nuestra madre corriera hacia el lugar donde había sido dejada a la sombra, y para su horror vio que había allí una enorme serpiente enrollada en el centro de la alfombra. Sus gritos trajeron al lugar a mi padre que, tomando un gran palo, rápidamente despachó a la víbora.

La niña, decían todos, se había salvado milagrosamente, y, puesto que nunca había visto previamente una víbora y no podía saber por intuición que era peligrosa, o que era un cuco, se conjeturó que había hecho algún gesto o intentado empujar a la víbora cuando ésta se instaló sobre la alfombra y que el animal había levantado su cabeza y la había golpeado rencorosamente.

Recordando este incidente saqué la conclusión de que esta serpiente desconocida, que había sido muerta por haber querido compartir la alfombra de mi hermanita, y mi serpiente negra eran de una y la misma especie —tal vez habían constituido una pareja—, y que se habían extraviado a mucha distancia de su lugar natal o, si no, que eran los últimos sobrevivientes de una colonia de su misma clase en nuestra plantación. Sólo doce o catorce años después descubrí que la cosa había sido tal como yo había conjeturado. A una distancia de unas cincuenta millas de casa, o más bien del hogar de mi niñez, donde ya no vivía, encontré una víbora que era nueva para mí: la *Philodryas Scoti* de los naturalistas, una víbora argentina poco común, y la reconocí como de la misma especie de la que habíamos encontrado enrollada en al alfombra de mi hermanita, y, presumiblemente, de la de mi misteriosa serpiente negra. Alguno de los ejemplares que medí sobrepasaban los dos metros de largo.

CAPITULO XVII

EL ANIMISMO DE UN NIÑO

La facultad animista y su supervivencia en nosotros. El animismo en un niño y su persistencia. Imposibilidad de ver nuestro pasado exactamente como fue. La historia de su infancia por Serge Aksakoff. El deleite puramente físico del niño en la naturaleza. Los primeros indicios de animismo en el niño. Cómo me afectaron. El sentimiento con respecto a las flores. Una flor y mi madre. Historia de una flor. Animismo con respecto a los árboles. Los algarrobos a la luz de la luna. El animismo y la adoración de la naturaleza. La emoción animista no es poco frecuente. Cowper y el roble de Yardley. El miedo a la naturaleza de los fariseos. Cristianismo panteísta. Supervivencia de la adoración de la naturaleza en Inglaterra. El sentimiento por la naturaleza. El panteísmo y la emoción animista de Wordsworth en poesía

Esos recuerdos de serpientes, particularmente la perdurable imagen de aquella serpiente negra que, cuando es evocada, restituye muy vívidamente la emoción que experimenté por entonces, sirve para recordarme un asunto no tocado aún en mi narración: el animismo, o sea ese sentimiento de un algo en la naturaleza que para el hombre esclarecido o civilizado no existe; y en el hijo del hombre civilizado, si debe admitirse que lo tiene en alguna medida, no es sino una débil supervivencia de una fase de la mente primitiva. Y por animismo no entiendo la teoría de un alma en la naturaleza, sino la tendencia, o impulso, o instinto en que se originan todos los mitos, que busca *animar* todas las cosas; la proyección de nosotros mismos en la naturaleza; el sentimiento y la aprehensión de una inteligencia como la nuestra, pero más poderosa, en todas las cosas visibles. Esa tendencia persiste y vive en muchos de nosotros, me imagino, más de lo que queremos creer, o más de lo que sabemos, especialmente entre aquellos nacidos y criados en un entorno rural, donde hay colinas y bosques y rocas y arroyos y saltos de agua, siendo éstas las condiciones más favorables para ello —las escenas que tienen para nosotros "asociaciones heredadas", según ha dicho Herbert Spencer—. En las grandes ciudades y en todos los lugares populosos, donde la naturaleza ha sido domada hasta que parece una parte de la obra del hombre, casi tan artificial como los edificios que habita, se marchita y muere en un momento tan temprano de la vida que sus débiles indicios pronto son olvidados y llegamos a creer que nunca los experimentamos. Que tal sentimiento pueda sobrevivir en algún hombre, o que hubo alguna vez a partir de su infancia en que pudo considerar este mundo visible como otra cosa que lo que realmente es —el escenario al cual ha sido convocado para representar su parte breve pero importante, con escenografía pintada de azul y verde como trasfondo— se vuelve increíble.

Sin embargo, sé que en mí, viejo como soy, esa misma facultad primitiva que se manifestaba en mis primeros años, aún persiste, y en esos años tempranos era tan poderosa que casi temo decir cuán profundamente era afectado por ella.

Es difícil, imposible se me dice, para cualquiera, recordar su infancia exactamente como fue. Ella no pudo haber sido lo que parece para la mente adulta, ya que no podemos escapar a lo que somos, por grande que pueda ser nuestro desasimiento; y, al ir hacia atrás, debemos llevar con nosotros nuestro ser presente: la mente ha ido tomando un diferente color, y lo ha arrojado sobre nuestro pasado. El poeta ha invertido el orden de las cosas cuando nos dice que hemos venido arrastrando nubes de gloria, que se han ido disolviendo y perdiendo a medida que adelantábamos en nuestro camino. La verdad es que, a menos que pertenezcamos al grupo de aquellos que cristalizan o pierden su alma a su paso por la vida, las nubes se acumulan alrededor nuestro a medida que avanzamos y que como si fuéramos empujando nubes viajamos hasta el mismo final.

Otra dificultad que se presenta en el camino de aquellos que escriben acerca de su niñez, es que un inconsciente don artístico se introducirá clandestinamente o se deslizará solapadamente para borrar líneas impropias o borrones, para retocar, y dar color, y sombrear, y falsificar el cuadro. El pobre y menguado autobiógrafo desea naturalmente mostrar al lector su personalidad tan interesante como parece para él mismo. Esto lo siento intensamente cuando leo las reminiscencias de sus primeros días de otros hombres. Hay, sin embargo, unas pocas notables excepciones, y la mejor de ellas que conozco es la *Historia de mi niñez* de Serge Aksakoff; y en este caso el cuadro no está falsificado, simplemente porque el temperamento, los gustos, las pasiones de su temprana niñez —el intenso amor por su madre, por la naturaleza, por toda forma de vida salvaje, y por el deporte— perduraron en él incambiados hasta el fin y lo conservaron niño en su corazón, capaz de revivir el pasado mentalmente después de largos años, y de pintarlo con sus colores verdaderos, frescos y originales.

Y puedo decir de mí, con respecto a estas primitivas facultades y emociones —ese sentido de lo sobrenatural en las cosas naturales, como lo he llamado—, que estoy sobre terreno seguro por las mismas razones: el sentimiento nunca fue completamente dejado atrás. Y, agregaré, probablemente para disgusto de algún lector rígidamente ortodoxo, que esas son cosas infantiles que no tengo ningún deseo de hacer a un lado.

Las primeras insinuaciones de ese sentimiento están más allá de toda rememoración; sólo sé que mi memoria me hace retroceder hasta una época en que yo no tenía conciencia de ningún elemento de esa clase en la naturaleza, en que el deleite que experimentaba en todas las cosas naturales era puramente físico. Me regocijaban los colores, los perfumes, los sonidos, el gusto y el tacto: el azul del cielo, el verdor de la tierra, los destellos de los rayos del sol sobre el agua, el gusto de la leche, de las frutas, de la miel, el olor del suelo húmedo o seco, del viento y de la lluvia, de las hierbas y de las flores; el mero tacto de una hoja de hierba me hacía feliz; y había ciertos sonidos y perfumes, y por sobre todo ciertos colores de las flores, y del plumaje y de los huevos de los pájaros, tales como la cáscara de púrpura pulida del huevo del tinamú, que me intoxicaban de delicia. Cuando, cabalgando por la llanura, descubría una mancha de verbenas escarlatas en plena floración, cubriendo un área de varios metros con una alfombra húmeda y verde salpicada abundantemente con sus radiantes ramilletes de flores, me arrojaba del petiso con un grito de alegría para echarme sobre el pasto, entre ellas, y recrear mis ojos en su brillante color.

No fue, creo, hasta mis ocho años que empecé a ser claramente consciente de algo más que este mero deleite infantil en la naturaleza. Puede haber estado allí durante todo el tiempo de mi infancia; no lo sé; pero cuando comencé a tener conciencia de él fue como si una mano hubiera vertido suprepticiamente algo en la copa de miel, que le dio en algunos momentos un nuevo sabor. Y eso me producía un estremecimiento que a menudo era de puro placer, pero que en otros momentos me sobrecogía, y había ocasiones en que se volvía tan conmovedor que me asustaba. La vista de una magnífica puesta de sol era a veces casi más de lo que yo podía soportar y me daba deseos de esconderme de ella. Pero cuando el sentimiento era despertado por la vista de un objeto pequeño y hermoso o singular, como una flor, su único efecto era el de intensificar el encanto de ese objeto. Había muchas flores que producían en mí este efecto pero en un grado leve y, a medida que fui creciendo y que el sentimiento animista perdió su intensidad, ésas perdieron también su magia y fueron casi como otras flores que nunca la habían tenido. Había otras que nunca perdieron lo que, por falta de otra palabra mejor, acabo de llamar su magia, y de ellas daré cuenta de una.

Tenía yo unos nueve años, tal vez uno o dos meses más, cuando durante uno de mis vagabundeos a caballo encontré a una distancia de dos o tres millas de casa una flor nueva para mí. La planta, de poco más de un pie de altura, crecía al abrigo de algunas matas de cardo, o alcahucil silvestre. Tenía tres tallos forrados con largas y angostas hojas puntiagudas, que eran vellosas y suaves al tacto como las hojas de nuestra candelaria y de un color verde pálido. Los tres tallos estaban coronados por ramilletes de flores; cada flor era un poco más grande que nuestra valeriana roja, de un pálido matiz del rojo y de una forma peculiar, ya que cada pequeño pétalo puntiagudo tenía un doblez o una torsión al final. En conjunto era levemente singular en apariencia y bonita, aunque no se la podía comparar por su belleza con docenas de otras flores de la llanura. Sin embargo, tenía para mí una extraña fascinación, y desde el momento en que la descubrí se volvió una de mis flores sagradas. Desde aquel instante en adelante siempre que cabalgaba por la llanura andaba a la búsqueda de ella, y, como norma, sólo encontraba tres o cuatro plantas en cada estación, pero nunca más de una en cada lugar. Habitualmente estaban a varias millas de distancia entre sí.

Cuando la descubrí por primera vez corté una vara para mostrársela a mi madre, y me desilusionó extrañamente que ella la admirara meramente porque era una flor bonita que veía por primera vez. Verdaderamente había esperado oír de sus labios alguna palabra que me hubiera revelado por qué yo la tenía en tal consideración: ahora me parecía como si no fuera para ella más que cualquiera otra linda flor, y aun menos que algunas que le gustaban especialmente, como el fragante lirio llamado Lágrimas de la Virgen, la perfumada verbena rosada o blanquísima y algunas otras. ¡Era extraño que ella, la única que parecía saber siempre lo que pasaba en mi espíritu, y que amaba todas las cosas hermosas, especialmente las flores, me hubiera fallado y no hubiera visto lo que yo había encontrado en ella!

Años después, cuando ella nos había dejado y yo había llegado ya a ser casi un hombre, y estábamos viviendo en otro lugar, descubrí que teníamos como vecinos a un caballero belga que era botánico. No pude encontrar un ejemplar de mi planta para mostrárselo, pero le di una detallada descripción de ella como una planta anual, con raíces muy grandes, duras y permanentes; le expliqué también que exudaba un espeso jugo lechoso cuando se partía su tallo, y que producía sus semillas amarillas en una larga vaina cilíndrica, de afilada punta, llena de brillante pelusa plateada, y le hice dibujos de las flores y las hojas. El consiguió encontrarla en sus libros: la especie había sido descubierta treinta años atrás, y el descubridor, que casualmente era un inglés, había enviado semillas y raíces a las Sociedades de Botánica extranjeras con las que mantenía correspondencia; la especie había sido denominada con su nombre, y podía encontrársela ahora cultivada en algunos Jardines Botánicos de Europa.

Toda esta información no era suficiente para satisfacerme; en aquellos libros no decía nada acerca del hombre. De modo que fui a preguntarle a mi padre si alguna vez había conocido u oído hablar en el país de un inglés de ese nombre. Sí, me dijo; lo había conocido bien. Era un comerciante de Buenos Aires, un hombre agradable, de gentiles maneras; un hombre soltero y algo así como un recluso en su casa privada, donde vivía solo, y que pasaba todos sus fines de semana y todos los feriados vagabundeando por la pampa con su *Vasculum* en busca de plantas raras. Hacía tiempo que había muerto... oh, hacía bien unos veinte o veinticinco años.

Lamenté que hubiera muerto, y me obsesionó el deseo de encontrar su tumba para plantar en ella la flor que llevaba su nombre. Seguramente, él, cuando la descubrió, había tenido aquel sentimiento que yo experimenté la primera vez que la contemplé y que nunca pude describir. Y es posible que la presencia de esas profundas raíces siempre vivas cerca de sus huesos, le trajeran un recuerdo en sueños, si es que alguna vez un sueño lo visitaba en su largo dormir sin despertar.

No hay duda que en casos de esta clase, cuando una primera impresión y la emoción que la acompaña dura a través de la vida, el sentimiento, en cierto modo cambia con el tiempo; la imaginación ha hecho su trabajo sobre él y ha hecho su efecto; pese a todo, la persistencia de la imagen y de la emoción sirve para mostrarnos qué poderosamente fue conmovida la mente en la primera instancia.

He relatado este caso porque hubo, conectadas con él, circunstancias de interés; pero hubo otras flores que me produjeron un sentimiento similar, las cuales, al ser recordadas vuelven a traer la emoción original; y yo viajaría alegremente cualquier día muchas millas para volver a mirar a cualquiera de ellas. El sentimiento, con todo, fue evocado más poderosamente por árboles que por la más sobrenatural de mis flores; su potencia variaba de acuerdo con el tiempo y el lugar y la aparición del árbol o de los árboles, y siempre me afectaba especialmente en las noches de luna. Frecuentemente, después que hube comenzado a experimentarlo conscientemente, me apartaba de mi camino para dar con él, y acostumbraba a escabullirme, solo, de la casa, cuando había Luna llena, para quedarme, silencioso e inmóvil, cerca de algún grupo de grandes árboles, mirando el follaje verde oscuro plateado por los rayos de la luna; y en tales momentos el sentimiento de misterio crecía hasta que la impresión de deleite se cambiaba en miedo, y el miedo aumentaba hasta que ya no podía soportarlo más, y escapaba presurosamente para recuperar el sentido de la realidad y de la seguridad dentro de casa, donde había luz y compañía. Y, con todo, a la noche siguiente volvía a deslizarme fuera de nuevo para ir al lugar donde el efecto era más fuerte, que habitualmente estaba entre los grandes algarrobos o acacias blancas que daban su nombre, Las Acacias, al lugar. El suelto follaje plumoso tenía en las noches de luna un peculiar aspecto escarchado que hacía que este árbol pareciera más intensamente vivo que otros, más conscientes de mi presencia, más atento a mí.

Nunca hablé de esos sentimientos a los demás, ni siquiera a mi madre, a pesar de que ella siempre coincidía en perfecta simpatía conmigo en relación con mi amor por la naturaleza. La razón de mi silencio era, creo, mi impotencia para trasmitir en palabras lo que sentía; pero imagino que sería correcto describir la impresión que experimentaba en esas noches de luna entre los árboles como similar a la que hubiera sentido una persona que hubiera sido visitada por un ser sobrenatural, si hubiera estado completamente convencida de que estaba allí en su presencia, aunque silencioso e invisible, mirándolo atentamente, y adivinando cada pensamiento de su mente. Se hubiera estremecido hasta el tuétano, pero no aterrorizado, si hubiera sabido que no iba a tomar forma visible ni a hablarle desde el oscuro silencio.

Este instinto o facultad de la mente crepuscular es o me ha parecido siempre de un carácter esencialmente religioso; indudablemente está en la raíz de toda adoración de la naturaleza, desde el fetichismo hasta los más altos desarrollos panteístas. Era más para mí en aquellos tempranos días que toda la enseñanza religiosa que recibía de mi madre. Fuera lo que fuera aquello que ella me dijese de nuestras relaciones con el Ser Supremo, yo le creía implícitamente, exactamente como creía todo lo que ella me decía, y como creía que dos más dos son cuatro y que el mundo es redondo a pesar de su apariencia chata, y también que está viajando alrededor del Sol en vez de estar quieto con el Sol dando vueltas a su alrededor, como uno hubiera imaginado. Pero aparte del hecho de que las potencias de lo alto habrían de salvarme, al final, de la extinción, lo que era un gran consuelo, esas enseñanzas no tocaban mi corazón como lo tocaba y lo estremecía algo más cercano, más íntimo, en la naturaleza, no sólo en los árboles a la luz de la luna o en una flor o en una serpiente, sino en ciertos exquisitos momentos y humores y en ciertos aspectos de la naturaleza, en "cada brizna de hierba" y en todas las cosas, animadas o inanimadas.

No es mi deseo crear la impresión de que soy una persona peculiar en este aspecto; por el contrario es mi creencia que el instinto animista, si una facultad mental puede ser llamada así, existe y persiste en muchas personas, y que yo difiero de otros sólo en que lo miro de frente y en que lo tomo por lo que es; también en que lo exhibo al lector desnudamente y expresándolo sin una hoja de parra, para emplear una frase baconiana. Cuando el religioso Cowper confiesa en las primeras líneas de su alocución al famoso roble de Yardley que el sentimiento de veneración y de reverencia que le inspiraba lo habría hecho inclinarse ante él y adorarlo, si no fuera por el hecho feliz de que su mente estaba iluminada por el conocimiento de la verdad, sólo está diciendo lo que muchos sienten sin reconocer, en la mayoría de los casos, esa emoción por lo que es —el sentimiento de lo sobrenatural en la naturaleza—. Y si ellos crecieron, como fue el caso de Cowper, con la imagen de una implacable deidad antropomórfica en sus espíritus, un ser que está siempre vigilándolos celosamente para observar hacia qué caminos están tendiendo sus pensamientos vagabundos, reprimen rigurosamente el sentimiento instintivo como una tentación del Malo, o un pensamiento desmandado nacido de su propia ignata pecaminosidad. Pese a todo, no es infrecuente encontrarse con ejemplos de personas que parecen capaces de conciliar su fe en la religión revelada con su emoción animista. Les daré un ejemplo. Uno de los más atesorados recuerdos de una anciana señora amiga mía, muerta recientemente, era una de sus visitas, hace sesenta o más años, a una gran casa de campo donde conoció a mucha de la gente más distinguida de su tiempo, y a su anfitrión, que era entonces un anciano, cabeza de una vieja y distinguida familia, y sus sentimientos reverentes hacia sus árboles. Su mayor placer era sentarse fuera de la casa al atardecer teniendo a la vista los grandes y viejos árboles de su parque, y antes de entrar daba una vuelta caminando para visitarlos, uno por uno, y apoyando su mano en la corteza susurraba las buenas noches. Estaba convencido, según confió a su joven huésped, que a menudo lo acompañaba en esas caminatas nocturnas, que ellos tenían almas inteligentes y conocían y alentaban su devoción.

Para mí no hay en esto nada sorprendente; lo cuento aquí sólo porque el que abrigaba ese sentimiento era un cristiano ortodoxo, una persona profundamente religiosa; también porque mi propia informante, que era también hondamente religiosa, amaba el recuerdo de ese viejo amigo de sus jóvenes años, sobre todo a causa de sus sentimientos hacia los árboles, sentimiento que ella también abrigaba, creyendo, como a menudo me dijo, que los árboles y todas las cosas vivientes tienen alma. Lo que me ha sorprendido es que se encuentre aún una forma de adoración de los árboles entre unos pocos habitantes en algunos de los pequeños pueblos rurales en distritos ingleses apartados. No se trata de supervivencias como los cantos folclóricos y ceremonias del manzano del oeste, que hace mucho ha perdido todo sentido, sino de algo viviente que tiene un significado para la mente, una supervivencia como la que nuestros antropólogos van a buscar hasta el fin de la tierra entre los bárbaros y las tribus salvajes.

El animismo que persiste en el adulto en estos tiempos científicos ha recibido tantas influencias y ha cambiado tanto por la cruda luz que es apenas reconocible en lo que un tanto inadecuada o vagamente es llamado un "sentimiento por la naturaleza": se ha ido entretejiendo con el sentimiento estético y puede ser rastreado en buena parte de nuestra literatura poética, particularmente desde el tiempo de la primera aparición de las *Lyrical Ballads,* que pusieron un fin a la convención poética del siglo xviii y dieron libertad al poeta para expresar lo que realmente sentía. Pero el sentimiento, fuera o no expresado, siempre estaba allí. Antes del período clásico encontramos en Traherne una poesía que es claramente animista, con el cristianismo injertado en ella. El panteísmo de Wordsworth es un sutilizado animismo, pero hay momentos en que su sentimiento es como el del niño o el del salvaje cuando está convencido de que la flor disfruta del aire que respira.

Debo disculparme ante el lector por haber ido más allá de mi alcance, ya que no soy un estudioso de la literatura, ni un católico en mis gustos literarios, y en tales asuntos puedo decir nada más que lo que siento. Y es esto: que la supervivencia del sentimiento de misterio o de lo sobrenatural, en la naturaleza, es para mí en nuestra literatura poética como ese ingrediente de la ensalada que "anima el todo"; que la ausencia de esa emoción ha hecho que una gran parte de la literatura del siglo xviii sea casi intolerable para mí, de modo que desearía que ese pequeño gran hombre que dominó ese siglo (y que hasta hace pocos meses tenía en Mr. Courthope un continuador entre nosotros) hubiera emigrado al oeste cuando aún era joven, dejando *Windsor Forest* como su único monumento y su único suficiente título para la inmortalidad.

CAPITULO XVIII

EL NUEVO MAESTRO

Recuerdos de Mr. Trigg. Su sucesor. El Padre O'Keefe. Su indulgente autoridad y su gusto por la pesca con caña. Mi hermano es ayudado en sus estudios por el sacerdote. Felices tardes de pesca. El sacerdote nos deja. Cómo había estado preparando su propia salvación. Volvemos otra vez al estado salvaje. El plan de mis hermanos para hacer un diario que habría de llamarse La Caja de Lata. *Las exigencias de nuestro imperioso editor. Mi hermano pequeño se rebela.* La Caja de Lata *despanzurrada. La pérdida que significó para mí*

El relato de nuestros días escolares bajo la férula de Mr. Trigg fue hecho tan al comienzo de esta historia que el lector apenas se acordará de él. Mr. Trigg era en pequeño una suerte de Jekyll y Hyde, todo afabilidad en uno de sus estados y todo perversidad y crueldad en el otro; de tal modo que, cuando estábamos fuera de casa o sentados a la mesa, los chicos nos preguntábamos atónitos: —¿es éste nuestro maestro?—. Pero cuando estábamos en clase nos preguntábamos: —¿Es éste Mr. Trigg?—. Pero, como ya lo he contado, se le había prohibido infligirnos castigos corporales, y finalmente, fue despedido porque en uno de sus estados de ánimo demoníacos nos fustigó brutalmente con su rebenque. Cuando esto sucedió, a nosotros, para nuestro pesar, no se nos permitió volver a nuestra condición aborigen de jóvenes salvajes: alguna sujeción, algunas enseñanzas nos siguieron siendo impuestas por nuestra madre, que cargó, o más bien trató de cargar, con este peso adicional sobre sí. Por consiguiente, cada mañana teníamos que reunirnos con nuestros libros de clase y pasar tres o cuatro horas con ella, o en la sala de clase sin ella, porque constantemente la estaban llamando, y, cuando estaba presente, una parte del tiempo se pasaba en conversaciones que no tenían nada que ver con nuestras lecciones. Porque nos movíamos y respirábamos y existíamos en una extraña atmósfera moral, donde los actos ilegales eran comunes y lo malo y lo bueno eran escasamente discernibles, y todo eso hacía que cada vez estuviera más ansiosa acerca de nuestras necesidades espirituales que de las intelectuales.

Mis dos hermanos mayores no asistían, ya que hacía tiempo habían descubierto que su único plan seguro era ser sus propios maestros, y mantenernos a los cuatro más pequeños dedicados a nuestras tareas era casi más de lo que ella podía conseguir con éxito. Ella simpatizaba demasiado con nuestra impaciencia por estar confinados cuando el sol y el viento y los gritos de los pájaros silvestres nos llamaban insistentemente para que saliéramos y viviéramos y nos divirtiéramos a nuestro modo.

En esta etapa se encontró un sucesor de Mr. Trigg, un verdadero maestro, inesperadamente, en la persona del padre O'Keefe, un sacerdote irlandés sin parroquia y sin nada que hacer. Algunos amigos de mi padre, tras una de sus periódicas visitas a Buenos Aires, le mencionaron a esta persona —este sacerdote que en sus andanzas por el mundo había sido arrastrado hacia estos lares y estaba ansioso por encontrar algún lugar donde permanecer, en la pampa, mientras esperaba que algo se presentara—. Como no tenía medios de vida dijo que le gustaría ocupar la posición de maestro de escuela en la casa por un tiempo, que eso le convendría perfectamente.

El padre O'Keefe, que entonces apareció en escena, era muy diferente de Mr. Trigg; era un hombre muy grande, vestido con ropas clericales, negras pero arratonadas. Tenía también una cabeza y una cara extraordinariamente grandes, ambas de un apagado color rojizo, generalmente cubierto el rostro por una pelambre canosa de tres o cuatro días. Aunque su cara grande era inconfundiblemente, intensamente irlandesa, no tenía el aspecto de gorila tan común en el cura aldeano irlandés —el cura que uno ve cada día en las calles de Dublin—. Era, tal vez, de una clase más alta, pues todos sus rasgos eran buenos. Era un hombre pesado tanto como grande, y no tan divertido ni tan facundo conversador fuera de la escuela como su predecesor, ni, como pronto descubrimos encantados, tan exigente y tiránico en la escuela. Al contrario, tanto dentro como fuera del salón de clase era siempre el mismo, moderado y plácido de carácter, con una especie gentil de humor, y era también muy distraído. A veces se olvidaba completamente de las horas de clase y andaba por los jardines y las plantaciones, y se trababa en largas conversaciones con los trabajadores, hasta que, eventualmente, se dio cuenta de que era un tanto indiferente para complacer a su empleador, y nos prescribió que "lo controláramos" y que le hiciéramos saber cuándo era la hora de clase. Controlarlo llevaba habitualmente bastante tiempo. Su enseñanza no era muy eficaz. El no podía ser severo ni siquiera pasablemente estricto, y nunca nos castigaba de ninguna manera. Cuando no aprendíamos las lecciones simpatizaba con nosotros y nos confortaba diciendo que habíamos hecho todo lo posible y que no se podía esperar más. También se alegraba de cualquier excusa para dejarnos libres por medio día. Descubrimos también que era sumamente aficionado a la pesca, que con una caña de pescar en sus manos podía pasar horas de perfecta felicidad aunque no mordieran ni una sola vez para animarlo y en cualquier hermoso día que invitaba a salir al campo, le decíamos que era un día perfecto para la pesca, y le pedíamos que nos dejara la tarde libre. A la hora de la comida mencionaba el asunto y decía que los chicos habían trabajado muy fuerte en sus estudios por la mañana, y que sería un error forzar mucho sus jóvenes cerebros, y que estudiar siempre y no jugar vuelve obtuso al muchacho, y así sucesivamente, y que consideraba que era mejor para ellos, en vez de recibir más lecciones por la tarde, salir a pasear a caballo. Siempre se salía con la suya y, terminado el almuerzo, salíamos corriendo a buscar y ensillar nuestros caballos, y uno para el padre O'Keefe.

El más joven de nuestros dos hermanos mayores, el deportista y luchador, y nuestro cabecilla y dirigente en todos nuestros pasatiempos y peregrinaciones, se había entregado al estudio de las matemáticas con tremendo entusiasmo, el mismo que mostraba en cada asunto y práctica que emprendía —esgrima, boxeo, tiro, caza, etc.—; y cuando se contrató al padre O'Keefe estaba ansioso por saber si el nuevo maestro podría servirle de alguna ayuda. El padre había enviado una respuesta muy satisfactoria; estaría encantado de ayudar al joven caballero con sus matemáticas, y de ayudarlo a vencer todas sus dificultades; de acuerdo con esto se dispuso que mi hermano habría de pasar una hora con el maestro todas las mañanas, antes de las horas de escuela, y una hora o dos al atardecer. Muy pronto empezó a ponerse de manifiesto que esos estudios no progresaban fácilmente; el cura salía como de costumbre, con un semblante plácido y sonriente; mi hermano, con mala cara y el ceño frucido; y cuando llegaba a su cuarto, tiraba sus libros y protestaba con palabras violentas diciendo que O'Keefe era un perfecto fraude, que sabía tanto de cálculo infinitesimal como un gaucho a caballo o un indio salvaje. Luego, comenzaba a considerarlo bajo una luz humorística, y se reía a carcajadas de las pretensiones de saber algo del cura, y decía que sólo servía para enseñar a los bebés recién salidos de la cuna a decir su ABC. Hubiera deseado que el padre pretendiera también tener algunos conocimientos de las artes viriles, para poder someterlo a unos pocos asaltos con los guantes puestos, ya que hubiera sido un verdadero placer magullarle aquella carota suya de farsante hasta dejarla negra y azul.

Las lecciones de matemáticas, por otra parte, terminaron pronto; en cambio, cada vez que conveníamos en salir por la tarde, mi hermano hacía a un lado sus libros para reunirse con nosotros y tomar la iniciativa. Un paseo por el río, decía, nos daría la oportunidad de entrenarnos un poco en ejercicios de caballería y de ejercitarnos en el tiro de lanza. En el cañaveral cortaba cañas largas y derechas, para usar como lanzas, las que en el lugar de pesca serían cortadas para tener el largo propio de las cañas de pescar. Luego montábamos y partíamos, con O'Keefe al frente, absorto como siempre en sus propios pensamientos, mientras que a unos cien metros nosotros formábamos en línea y hacíamos nuestras evoluciones, persiguiendo al enemigo que huía —O'Keefe—; y a intervalos nuestro comandante nos daba la orden de carga, sobre lo cual cargábamos con un grito, y cuando estábamos a unos cuarenta metros de él arrojábamos todos nuestras lanzas de modo de hacerlas caer junto a las patas de su caballo. Cargábamos de esta manera sobre él doce o veinte veces antes de llegar a nuestro destino, pero nunca, ni una vez, volvió la cabeza ni dio señales de notar nuestras prácticas en la retaguardia, aun cuando su caballo se desenfrenaba malamente si las lanzas caían demasiado cerca de sus patas.

Gozamos de las ventajas del régimen de O'Keefe alrededor de un año; luego, un día, con su habitual manera distraída, sin que tuviéramos un indicio de cómo andaban sus asuntos privados, dijo que tenía que ir a alguna parte a ver a alguien por algún asunto, y no lo vimos más. Con todo, incidentalmente nos llegaron noticias de sus movimientos y una buena cantidad de información acerca de él, de todo lo cual se desprendía que, durante todo el tiempo que estuvo con nosotros, y durante algunos meses previos, el padre O'Keefe había estado preparando tranquilamente su propia salvación, de acuerdo con un plan bastante elaborado que había concebido. Antes de convertirse en nuestro maestro había vivido en algún establecimiento sacerdotal de Buenos Aires y había sido un asiduo al palacio del obispo, esperando algún beneficio o algún destino, y, a la larga, cansado de esperar en vano, se había retirado tranquilamente de esa sociedad y se había puesto en comunicación con uno de los clérigos protestantes de la ciudad. Le indicó o insinuó que hacía tiempo había estado perturbado por determinados escrúpulos, que su conciencia reclamaba un poco más de libertad de la que su iglesia permitía a sus adictos, y que esto lo había llevado a echar una pensativa ojeada a aquella otra iglesia a cuyos adictos se les concedía ¡ay! un poco más de libertad de la que tal vez era buena para sus almas. Pero él no sabía, y en cualquier caso, le gustaría tener correspondencia sobre esos importantes asuntos con alguien del otro lado. Esta carta tuvo una cálida respuesta y hubo mucha correspondencia y encuentros con otros clérigos —anglicanos o episcopales; he olvidado cuáles—. Pero había también en la ciudad ministros presbiterianos, luteranos y metodistas, todos con iglesias propias, y él puede haber coqueteado un poco con todos ellos. Luego se vino a pasar su año de espera con nosotros, durante el cual se entretuvo enseñando a los pequeños, allanando el camino para mi hermano el matemático y pescando. Pero las autoridades de su iglesia no se habían librado de él; tenían noticias suyas frecuentemente, y no eran noticias agradables. El había llegado, les decía, como un sacerdote católico romano a un país católico romano, y había encontrado que era un extranjero en tierra extraña. Había esperado pacientemente durante meses, y había sido despedido con vanas promesas o echado a un lado, mientras que cada sacerdote codicioso y ambicioso que llegaba de España o Italia era recibido con los brazos abiertos y se le otorgaba un puesto. Luego, cuando su paciencia y sus medios privados se habían agotado, él había sido accidentalmente arrojado entre aquellos que no eran de la Fe, y que, sin embargo, lo habían recibido con los brazos abiertos. El se había sentido humillado y apenado por la hospitalidad desinteresada y por la caridad cristiana que le habían demostrado aquellos que estaban fuera de la verdadera iglesia, después del tratamiento que había recibido de sus hermanos en religión.

Probablemente había dicho más que esto; porque era un hecho conocido que había sido calurosamente invitado a predicar en una o dos de las iglesias protestantes de la ciudad. No llegó tan lejos como para aceptar esos ofrecimientos: conocía a su gente, y eventualmente consiguió su recompensa.

Una vez que nuestro maestro se hubo ido, nosotros volvimos otra vez a nuestras antiguas costumbres: hacíamos lo que nos venía en gana. Nuestros padres pensaban probablemente que nuestra vida iba a transcurrir en la pampa, con la cría de ovinos y bovinos por única vocación, y que si alguno de nosotros, como mi matemático hermano, se encaminaba por su propio lado, encontraría su camino por sí mismo; su propio buen sentido, sus luces naturales serían sus guías. En cuanto a mí, no tenía ninguna inclinación a nada que tuviera que ver con los libros: los libros eran las lecciones, por lo tanto, algo que me repelía, y que alguien leyera un libro por placer me parecía inconcebible. El único intento de mejorar nuestras mentes en ese período vino, por raro que pueda parecer, de mi dominante hermano mayor que despreciaba nuestros intelectos pueriles —especialmente el mío—. Como quiera que sea, un día nos anunció que tenía que exponernos un gran plan. Había oído o leído acerca de una familia de muchachos que vivían justamente como nosotros en alguna tierra salvaje y aislada, donde no había escuelas ni maestros ni tampoco periódicos, que se divertían escribiendo un diario propio, que salía una vez por semana. Había en la casa un papelero azul sobre un estante, y en ese papelero cada chico dejaba su contribución, y uno de ellos —por supuesto el más inteligente— los estudiaba cuidadosamente, elegía los mejores, y los copiaba en una larga hoja, y este era su semanario llamado *El Papelero Azul,* que era leído y disfrutado por toda la familia. El nos proponía hacer lo mismo; él, por supuesto, editaría el periódico y escribiría una buena parte de él; éste ocuparía dos o cuatro hojas en cuarto, todo escrito con su hermosa caligrafía, que parecía grabada, y lo sacaríamos cada sábado para que todos lo leyéramos. Todos estuvimos alegremente de acuerdo, y, como nos había gustado el título, empezamos a buscar por toda la casa un papelero azul; pero no pudimos encontrar semejante artículo y finalmente tuvimos que arreglarnos con una caja de lata, con una tapa de madera, una cerradura y su llave. Las contribuciones tenían que ser dejadas caer a través de una ranura en la tapa que el carpintero hizo para nosotros, y mi hermano quedó en posesión de la llave. El título del periódico iba a ser *La Caja de Lata,* y se nos instruyó para que escribiéramos acerca de los acontecimientos de la semana y, de hecho, sobre cualquier cosa que nos hubiera interesado, para que no actuáramos como unos pequeños burros tratando de escribir sobre asuntos de los que nada sabíamos. Yo tenía que contar algo sobre pájaros: no había semana en que no les contara alguna historia maravillosa sobre algún extraño pájaro que había visto por primera vez; bueno, yo podría escribir sobre ese extraño pájaro y hacerlo tan maravilloso como quisiera.

Nos pusimos en seguida a la tarea con gran entusiasmo, tratando por primera vez en nuestras vidas de poner nuestros pensamientos por escrito. Todo fue bien durante unos pocos días. Entonces nuestro editor nos llamó a todos para que escucháramos una importante comunicación que deseaba hacernos. Primero nos mostró, pero no nos permitió leer ni tocar, una hermosa copia del periódico, o de la parte que había hecho. Siguió diciendo entonces que no podía dedicar tanto tiempo a la tarea y pagar además por el papel sin una pequeña contribución semanal por parte nuestra. Esta sería sólo de unos dos o tres peniques de nuestro dinero de bolsillo, y no lo echaríamos mucho de menos.

Con esto estuvimos todos de acuerdo en seguida, excepto mi hermano menor, que por entonces tenía siete años. En ese caso, se le dijo, no se le permitiría contribuir en el periódico. Muy bien, no contribuiría, dijo. En vano tratamos de inducirlo a que abandonara su porfiada resolución: él no daría un cobre de su dinero y no tendría nada que ver con *La Caja de Lata*. Entonces el editor montó en cólera y dijo que ya había escrito su editorial, pero que ahora, como artículo final, escribiría otro para poner en evidencia a la persona que había tratado de hacer zozobrar el periódico, en sus verdaderos colores. Él lo mostraría como el más mezquino, el más despreciable insecto que nunca se arrastró sobre la superficie de la tierra.

En medio de su furiosa tirada mi pobre hermanito rompió a llorar. "Guárdate tus miserables lágrimas hasta que el periódico haya salido", le gritó el otro, "porque ya vas a tener buenas razones entonces para derramarlas. Vas a ser un ser marcado, todos te van a señalar con el dedo con sarcasmo y se preguntarán cómo pudieron pensar bien alguna vez de tal miserable desgraciadito".

Esto fue más de lo que el muchachito pudo soportar, y repentinamente huyó de la habitación, llorando todavía; entonces todos nos reímos, y el enojado editor rio también orgulloso del efecto que sus palabras habían producido.

Nuestro hermanito no se unió a nuestros juegos esa tarde; estaba escondido en alguna parte, espiando los movimientos de su enemigo que andaba sin duda ya ocupado escribiendo aquel horrible artículo que haría de él un ser marcado por el resto de su vida.

A su debido tiempo, el editor, terminada su tarea, salió y, montando su caballo, partió al galope; y el pequeño espía apareció y, deslizándose adentro del cuarto donde se guardaba *La Caja de Lata,* la llevó hasta la carpintería. Allí, con formón y martillo, rompió la tapa en pedazos, y sacando todos los papeles se dio a la tarea de romperlos en los más diminutos fragmentos, que llevó afuera y esparció por todo el lugar.

Cuando mi hermano mayor volvió a casa y descubrió lo que aquél había hecho montó en terrible cólera y salió en busca del pequeño rebelde avaricioso que se había animado a destruir su obra. Pero el pequeño rebelde no iba a ser capturado; en el momento propicio había huido de la tempestad que se avecinaba, junto a sus padres, y había clamado por su protección. Entonces hubo de indagarse todo el asunto, y al hermano mayor se le dijo que él no iba a dar una paliza a su hermanito, que él mismo era culpable de todo por el extravagante lenguaje que había empleado, y que el pobrecito había tomado muy seriamente. Si creyó realmente que el artículo de *La Caja de Lata* iba a tener efectos tan desastrosos para él, ¿quién podría reprocharle porque lo destruyera?

Ese fue el final de *La Caja de Lata;* no se dijo ni una palabra acerca de comenzarla de nuevo, y desde aquel día mi hermano mayor nunca más la mencionó. Pero años más tarde di en pensar que era una gran lástima que el plan hubiera salido mal. Creo, por mi experiencia posterior, que, aunque no hubiera durado más que unas pocas semanas, me hubiera inculcado el hábito de anotar mis observaciones, y este es un hábito sin el cual la más aguda capacidad de observación y la memoria más fiel no son suficientes para el naturalista de campo. Así, a causa de la destrucción de *La Caja de Lata,* creo que perdí una gran parte de los resultados de seis años de vida entre la naturaleza agreste, ya que no fue hasta seis años después del acto de rebeldía de mi hermanito que descubrí la necesidad de hacer una anotación de cada cosa interesante que presenciaba.

CAPITULO XIX

LOS HERMANOS

Nuestro tercer y último maestro. Sus muchos méritos. Su debilidad y su final quebrantado. Cuatro hermanos diferentes en todo menos en la voz. Una extraña reunión. Jack el Matador, su vida y su carácter. Una lucha terrible. Mi hermano busca que Jack lo instruya. Contraste entre la manera de pelear del gaucho y la de Jack. Nuestra falsa pelea con cuchillos. Una herida y sus consecuencias. Mis sentimientos acerca de Jack y de sus ojos. Conocimientos sobre pájaros. La broma práctica de mis dos hermanos mayores

La desaparición del impío sacerdote de nuestro mundo nos dejó más o menos donde estábamos antes de que su grande y roja cara se hubiera levantado sobre nuestro horizonte. En todo caso la ilustración recibida no había sido mucha. Y después estuvimos de vacaciones una vez más por un tiempo hasta que un nuevo tutor apareció en la escena: de nuevo un extranjero en tierra extraña que había caído en grandes apuros y de buena gana llenaba su tiempo vacante educándonos. Exactamente como en el caso de O'Keefe fue impuesto a mi bondadoso y crédulo padre por sus amigos de la capital, que tenían a este joven con ellos y estaban ansiosos por sacárselo de encima. Era, según aseguraron a mi padre, exactamente el hombre que necesitaba: un agradable joven de buena familia, de educación superior, y todo eso; pero se había comportado un poco alocadamente y lo que se necesitaba para curarlo era llevarlo lo suficientemente lejos de la capital y de sus tentaciones y a un lugar tranquilo y lleno de paz como el nuestro. Por extraño que parezca decirlo, resultó ser todo lo que ellos decían, y más. El había estudiado duro en el Colegio y mientras se preparaba para una profesión: conocía lenguas, era músico, tenía gustos literarios, y había leído mucho de ciencias, y, por sobre todo, era un matemático de primera clase. Naturalmente, para mi curioso hermano, apareció como un ángel hermoso y resplandeciente, sin ninguna sugestión de dominio en él; porque no sólo era matemático, sino que también era un esgrimista y un boxeador consumado. Y pronto ambos fueron amigos inseparables, y trabajaban fuerte sobre sus libros, y una o dos horas por día se iban a la plantación a hacer esgrima o box y a practicar el tiro al blanco con pistola y rifle. También emprendió la más humilde tarea de enseñar al resto de nosotros con considerable celo, y consiguió despertar cierto entusiasmo en los más chicos. Eramos, nos dijo, crasamente ignorantes, simplemente unos jóvenes bárbaros; pero él había penetrado tras la espesa cáscara que cubría nuestras mentes y le alegraba comprobar que había posibilidades de cosas mejores; que si nosotros secundábamos sus esfuerzos y nos entregábamos de todo corazón a nuestros estudios, eventualmente nos desarrollaríamos de la condición de larvas hasta la de mariposas de alas rojas.

Nuestro nuevo maestro era tremendamente elocuente, y parecía que había tenido éxito en dominar ese desenfreno o esa debilidad, o lo que fuera, que había sido su ruina en el pasado. Luego vino un tiempo en que pedía un caballo y salía a dar largos paseos. Visitaba alguna estancia inglesa y bebía libremente el vino o las bebidas alcohólicas que la hospitalidad del dueño de casa ponía sobre la mesa. Y el resultado era que volvía a casa desvariando como un lunático: muy poco alcohol lo ponía como loco. Después seguían un día o dos de arrepentimiento y de negra melancolía; luego se recuperaba y había un nuevo y próspero recomienzo.

Todo esto era un considerable trastorno para todos nosotros; para mi madre era particularmente penoso, y lo fue más aún cuando, en uno de sus ataques de arrepentimiento, y conmovido por sus palabras, él le dio a leer un paquete de cartas de su madre: las patéticas cartas de una mujer con el corazón destrozado a su hijo, su único y adorado hijo, que había perdido para siempre en un país distante, a miles de millas del hogar. Esas tristes exhortaciones sólo consiguieron que mi madre estuviera más ansiosa aún por salvarlo, y fue sin duda su influencia la que por un tiempo lo salvó y lo hizo capaz de tener éxito en sus esfuerzos por superar su fatal debilidad. Pero era de un temperamento muy sanguíneo, y bastante pronto empezó a pensar que había vencido, que estaba a salvo, y que era tiempo para él de hacer algo grande; y llevando en su mente algún brillante plan que había esbozado, nos dejó y volvió a la capital para llevarlo a cabo. Pero ¡ay! antes de muchos meses, cuando estaba empezando a trabajar seriamente, con los amigos y el dinero necesarios para apoyarlo y con todas las perspectivas de éxito, se vino abajo una vez más, tan irremediablemente que de nuevo tuvieron que deshacerse de él, y se le envió fuera, pero no recuerdo si de vuelta con su propia gente o a algún otro lugar remoto de la Argentina, ni sé qué se hizo de él.

Así terminó desastrosamente el tercero y último intento que mi padre hizo para que recibiéramos instrucción en casa. No podía enviarnos a la ciudad, donde no había más que escuelas para varones, dirigida por un caballero débil y enfermizo, cuya casa era un nido de fiebres y de todas las enfermedades que son inherentes a los muchachos amontonados en un internado insalubre. Los ingleses prósperos de aquella época enviaban a sus hijos a Inglaterra para que recibieran su educación, pero era enormemente caro y nosotros no estábamos en tan buena posición. Un tiempo más tarde hubo que hacer una excepción en el caso de mi hermano mayor que no quería dedicarse a la cría de ovejas o a ninguna otra ocupación en la pampa, sino que se había decidido a proseguir sus estudios en el extranjero.

En esta etapa de mi vida este hermano era una persona tan importante para mí que tendré que concederle más espacio en este capítulo del que tuvo en el anterior. Sin embargo, él no era entre mis hermanos el más próximo a mi corazón. Era cinco años mayor que yo, y se asociaba naturalmente con un hermano mayor, mientras que a nosotros, los dos más pequeños que ellos, nos dejaban jugar solos a nuestra propia manera infantil. Con un hermano menor como compañero prolongué mi niñez y, cuando tuve diez años, mi hermano de quince me parecía un hombre joven. Los cuatro éramos sumamente diferentes tanto en el carácter como en la apariencia y nos parecíamos sólo en una cosa: la voz, heredada de nuestro padre; pero así como nuestro parentesco aparecía en aquel único rasgo físico, creo también que bajo todas las diversidades de nuestras mentes y temperamentos había una cualidad escondida, un algo del espíritu que nos unificaba: y esto, creo, venía del lado de mi madre.

Notamos este parecido familiar de la voz de una manera curiosa, cuando yo andaba por mi décimo año. Mi hermano fue un día a Buenos Aires, y al llegar al establo donde siempre se guardaban nuestros caballos, mucho después de haber oscurecido, dejó su caballo y al salir gritó al caballerizo, dándole algunas instrucciones. Tan pronto como hubo hablado oyó una débil voz que salía de una puerta abierta cerca del portón, exclamando: "¡Es un Hudson que habla! Padre o hijo, ¿cuál de ellos?"

Mi hermano volvió, buscó su camino a tientas en el cuarto oscuro, y replicó: "Sí, soy un Hudson... me llamo Edwin. ¿Quién es usted?"

"Ah, ¡me alegro de que usted esté aquí! Soy un viejo amigo de Jack", contestó el otro, y aquel fue un feliz encuentro entre el muchacho de dieciséis años y el viejo canoso y estropeado, vagabundo y cuchillero conocido a lo largo y a lo ancho de nuestra región como Jack el Matador, y por otros horribles sobrenombres, tanto en inglés como en español. Ahora yacía allí solo, sin amigos, sin un centavo, enfermo, en un rudo lecho que el caballero le había cedido en su cuarto. Mi hermano volvió a casa pletórico de aquel asunto, lleno de tristeza por la ruinosa condición en que había encontrado al pobre viejo Jack, pero satisfecho por haberlo encontrado allí por casualidad y por haber podido prestarle alguna ayuda.

Jack el Matador era uno de esos extraños ingleses con que frecuentemente se encontraba uno en aquellos días, que había adoptado la manera de vivir del gaucho, en tiempos en que el gaucho tenía más libertad y era un ser de más mal vivir de lo que es ahora o de lo que pueda nunca volver a ser, a menos que

332

la vasta y lisa área de la pampa llegue en algún tiempo futuro a despoblarse y vuelva a ser lo que fue hace medio siglo. Había llegado a la deriva a aquel lugar remoto siendo joven, y al encontrar que congeniaba con el sistema nativo de vida se había hecho tan nativo como pudo, y vestía como los gauchos, y hablaba su lenguaje, y era domador y arreador de ganado, y muchas otras cosas por turnos, y como cualquier otro gaucho podía hacer sus propias riendas y rebenques y aperos y su lazo y las boleadoras de cuero crudo. Y cuando no estaba trabajando estaba jugando y bebiendo como cualquier gaucho nato... y también peleando. Pero en esto había una diferencia. Jack podía afiliarse a los nativos, y, sin embargo, no podía ser exactamente como ellos. La estampa del extranjero, del inglés, nunca fue completamente borrada. El retuvo una cierta dignidad, una reserva, casi una tiesura en su manera de ser que lo distinguían entre ellos, y que hubieran hecho de él el blanco de las bromas y de las bravatas de sus camaradas, si no fuera por su orgullo y por su poder mortal. Lo que no podía soportar era que se burlaran de él por ser un extranjero o un gringo, un ser inferior, y el resultado fue que había tenido que pelear, y entonces se tuvo la desagradable revelación de que cuando Jack peleaba, peleaba para matar. Esto era mal visto; porque aunque los hombres a menudo se mataban en la pelea, la idea del gaucho es que uno no pelea con esa intención sino más bien para marcar y dominar al contrario, y de este modo ganar para sí fama y gloria. Naturalmente, estaban enojados con Jack y comenzaron a ponerse ansiosos por librarse de él, y él pronto les dio una excusa. Peleó con un hombre y lo mató, un famoso y joven cuchillero, que tenía muchos parientes y amigos, y algunos de ellos decidieron vengar su muerte. Y una noche una banda de nueve hombres llegó al rancho donde Jack estaba durmiendo y, dejando a dos de ellos a la puerta para matarlo si intentaba escapar por allí, los otros irrumpieron en su cuarto, con sus largos cuchillos en las manos. Cuando la puerta se abrió de un empujón, Jack se despertó y, adivinando en seguida la causa de la intrusión, tomó el cuchillo que estaba junto a su almohada y saltó del lecho como un gato; y entonces comenzó una extraña y sangrienta pelea: un hombre, completamente desnudo, con un cuchillo de hoja corta en la mano, contra siete hombres armados con sus largos facones, en una pequeña habitación negra como la tinta. La ventaja de Jack consistía en que sus pies desnudos no hacían ruido sobre el suelo de tierra, y en que él conocía la exacta posición de los muebles que había en el cuarto. Tenía, además, una maravillosa agilidad, y en la intensa oscuridad todo estaba a su favor, puesto que los atacantes difícilmente podían evitar herirse los unos a los otros. Sea como fuere, el resultado fue que tres de ellos quedaron muertos y los otro cuatro heridos, todos más o menos seriamente. Y, desde entonces, se permitió a Jack vivir entre ellos como un inofensivo y pacífico miembro de la comunidad, en tanto que nadie lo escarneciera por ser un gringo.

Muy naturalmente, mi hermano consideraba a Jack como a uno de sus más grandes héroes, y cada vez que se enteraba de que andaba por nuestra vecindad, montaba su caballo y allá salía en su busca, para pasar largas horas en su compañía y hacerlo hablar de aquella horrible lucha en un cuarto oscuro con tantos hombres contra él. Uno de los resultados de su intimidad con Jack fue que empezó a sentirse insatisfecho con sus propios progresos en el arte viril de la defensa propia. Está muy bien hacerse eficiente con los floretes y boxeando, y ser un gran tirador, pero estaba viviendo entre gente que tenía como única arma el cuchillo y, si por esas cosas se viera atacado por un hombre con un cuchillo, y no tuviera una pistola o cualquier otra arma, se encontraría en una posición sumamente incómoda. No había, pues, otra cosa que hacer que practicar con el cuchillo, y quería que Jack, que había tenido tanto éxito con tal arma, le diera algunas lecciones sobre su empleo.

Jack sacudía la cabeza. Si su joven amigo quería aprender la manera gaucha de luchar podría hacerlo fácilmente. El gaucho se envolvía el poncho sobre su brazo izquierdo para usarlo como un escudo, y revoleaba su facón o cuchillo con una hoja como de espada y una guarnición en la empuñadura. Este revolear del cuchillo era todo un arte, y era hermoso de ver cuando dos cabales cuchilleros estaban frente a frente y hacían que sus armas parecieran ruedas relucientes o espejos que rotaban al sol. Por lo pronto, el objeto de cada hombre era encontrar su oportunidad para asestar un golpe arrollador que cortara la cara de su oponente. Ahora bien: todo esto era muy lindo de ver, pero era nada más que jugar a luchar y él nunca quiso practicarlo. El no era un cuchillero por vocación; él quería vivir con los gauchos y ser uno de ellos, pero no pelear. Había entre ellos cantidad de hombres que nunca peleaban y a los que nunca se provocaba a pelear, y él quería ser uno de ésos, si le permitían serlo. Nunca tuvo una pistola; llevaba un cuchillo, como todo el mundo, pero un cuchillo corto, para uso y no para pelear. Pero, cuando se dio cuenta de que, después de todo, tenía que pelear o, si no, vivir entre ellos sufriendo y como una criatura despreciada, blanco de cada tonto o de cada bravucón, peleó de una manera como nunca se lo habían enseñado y que no podía enseñar a otro. Era algo natural, que estaba en él. Cuando el momento peligroso llegaba, y los cuchillos relampagueaban, se transformaba intantáneamente en un ser diferente. Tenía resortes, no podía conservarse inmóvil o en un mismo lugar por un momento; era como un gato, como de goma, como de acero... como lo que usted quiera, pero algo que volaba alrededor de su oponente, y estaba al alcance del golpe en un momento y a doce metros más allá en el próximo, y cuando se esperaba una arremetida nunca venía por donde era esperada sino por otro lado, y en dos minutos su oponente estaba confuso, y dirigía sus golpes ciegamente, y entonces su oportunidad llegaba, no para rasgar y cortar sino para hundir su cuchillo con toda su fuerza en el corazón del otro terminando con él para siempre. Así fue como él luchó y mató, y a causa de esa manera de pelear había logrado su deseo y se le había permitido vivir en paz y tranquilidad hasta que había ido encaneciendo y ningún cuchillero o fanfarrón le decía: "¿Todavía te crees un matador de hombres? Si es así, mátame y prueba tus derechos al título"; y nadie se había reído de él o lo había llamado "gringo".

A pesar de esa respuesta desalentadora mi hermano estaba determinado a aprender el arte de defenderse a cuchillo, y a menudo se iba a la plantación a practicar una hora con un árbol como adversario y a tratar de aprender el impremeditado arte de Jack de moverse rápidamente de aquí para allá alrededor de su enemigo lanzando sus golpes mortales. Pero como el árbol se quedaba quieto y no tenía ningún cuchillo que oponerle, era insatisfactorio, y un día nos propuso a mí y a mi hermano menor, luchar con cuchillos, sólo para ver si estaba haciendo algún progreso. Nos llevó hasta el extremo más lejano de la plantación, donde nadie podría vernos, y sacó tres grandes cuchillos, con hojas como de cuchillas de carnicero y nos pidió que lo atacáramos con toda nuestra fuerza y que hiciéramos lo posible por herirlo, mientras que él iba a actuar solamente a la defensiva. Al principio nos negamos, y le recordamos que nos había castigado terriblemente con guantes y con floretes y con bastones, y que sería aún peor con cuchillos... ¡nos iba a cortar en pedazos! No, dijo, ni soñaría con lastimarnos: sería algo absolutamente sin riesgos para nosotros, y para él también, ya que ni por un momento creía que llegaríamos a tocarlo con nuestras armas, por mucho que lo intentáramos. Y al final nos persuadió, y sacándonos nuestras chaquetas y envolviéndolas a la manera gaucha alrededor de nuestro brazo izquierdo como protección, lo atacamos con los grandes cuchillos y, excitándonos cada vez más, le lanzábamos cuchilladas y lo embestíamos con todas nuestras fuerzas, mientras que él bailaba y saltaba y volaba de un lado a otro a lo Jack el Matador, empleando su cuchillo sólo para protegerse y para tratar de hacer saltar los nuestros de nuestras manos; pero en uno de esos intentos de desarmarme su arma fue demasiado lejos e hirió mi brazo derecho alrededor de tres pulgadas por debajo del hombro. La sangre corrió y manchó de rojo mi manga, y la pelea terminó. El se afligió en grado sumo y, corriendo hacia la casa, volvió rápidamente con un jarro de agua, esponja, toalla y tela para vendar la herida. Era una herida profunda y larga, y la cicatriz permanece hasta el día de hoy, de modo que nunca me puedo lavar por las mañanas sin verla y sin recordar aquella vieja pelea a cuchillo. Al final consiguió detener la hemorragia y vendarme mi brazo firmemente; y luego hizo la abatida observación: —Por supuesto, ahora ellos tendrán que saberlo todo—.

—Oh, no —respondí—. ¿Por qué habrían de saberlo? Mi brazo ya dejó de sangrar, y ellos no verán nada. Si se dan cuenta de que no puedo usarlo... bueno, pues diré que me di un golpe—.

Eso le produjo un inmenso alivio, y quedó tan contento que me golpeó la espalda —era la primera vez que lo hacía—, y me elogió por mi hombría al tomarlo de esa manera; y ser elogiado por él era una cosa tan rara y tan preciosa que me sentí muy orgulloso, y empecé a pensar que yo mismo era un luchador tan bueno como él. Y cuando todas las huellas de sangre desaparecieron y estuvimos de vuelta en casa y en torno a la mesa de la cena, yo estuve excepcionalmente conversador y bullicioso, no sólo para prevenir que nadie sospechara que había sido seriamente herido en una pelea a cuchillo, sino también para probar a mi hermano que yo podía tomar la cosa con la debida fortaleza.

Sin duda eso lo divertía pero no se reía de mí; estaba demasiado encantado de haber salido del asunto sin ser descubierto.

No hubo más peleas a cuchillo, aunque mi herida estuvo cicatrizada, él mencionó el asunto de nuevo en dos o tres ocasiones y se mostraba ansioso por convencerme de que sería sumamente ventajoso para nosotros saber defendernos con un cuchillo mientras viviéramos entre gente que siempre estaba tan pronta a sacarlo a la menor provocación como un gato a sacar las uñas. Ni siquiera podía despertar en mí algún entusiasmo cuando nos contaba los hechos gloriosos y sangrientos de Jack el Matador: y aunque en su conversación y en sus actitudes Jack era un ser tan tranquilo y gentil como se pudiera pedir, nunca pude dominar un curioso estremecimiento, un sentimiento casi pavoroso en su presencia, particularmente cuando me miraba directamente a los ojos con aquellos hermosos ojos suyos. Eran de un color gris claro, claros y brillantes como los de un hombre joven, pero su expresión me embarazaba; eran demasiado penetrantes, demasiado concentrados, y me recordaban la mirada de los ojos de un gato cuando estaba agazapado e inmóvil antes de lanzarse sobre un pájaro.

Por lo menos, la pelea y la herida tuvieron un buen resultado para mí; mi hermano se había vuelto menos dominante o tiránico para conmigo, y hasta comenzó a demostrar algún interés por mi disposición y mis gustos solitarios. Un pequeño incidente con un pájaro puso de manifiesto ese sentimiento de un modo que fue muy agradable para mí. Un atardecer les dije a él y a mi hermano mayor que había visto algo extraño en un pájaro que me había llevado a hacer cierto descubrimiento. Una de nuestras especies más comunes era el tordo, pájaro parásito que ponía sus huevos en cualquier parte y en los nidos de todos los otros pájaros pequeños. Era de un color púrpura, casi negro, profundo y satinado; y viendo volar dos de esos pájaros por sobre mi cabeza, percibí que tenían una pequeña mancha color castaño debajo del ala, lo que demostraba que no eran de la especie común. Me vino entonces a la memoria que había oído un grito, o una nota peculiar, emitido por lo que creí que era el tordo, y que era diferente a cualquier nota del canto de este pájaro; y, siguiendo esa clave, yo había descubierto que teníamos en nuestra plantación un pájaro que era semejante al tordo en tamaño, en color y en su apariencia general, pero que era de una especie diferente. Mis hermanos parecieron divertirse con mi historia, y unos pocos días después me interrogaron detalladamente en tres tardes consecutivas en cuanto a lo que había visto ese preciso día que fuera digno de atención, especialmente en lo que se refiriera a pájaros, y se sintieron decepcionados porque no tenía nada interesante que contarles.

Al día siguiente mi hermano me dijo que tenía que hacerme una confesión. El y mi hermano mayor habían convenido en jugarme una broma, y habían capturado un tordo común y le habían teñido o pintado la cola de un brillante color escarlata, y luego lo habían soltado esperando que yo me lo encontrara en mis vagabundeos y observaciones de cada día en la plantación y que me excitara en grado sumo cuando descubriera a un tercer tordo púrpura con una cola escarlata, pero que en el resto no se distinguía del común. Ahora al pensar en ello se alegraba de que yo no hubiera encontrado su pájaro y de que no les hubiera dado ocasión de reírse de mí, ¡y se sentía avergonzado de haber tratado de jugarme una tan mala pasada!

CAPITULO XX

CAZA MENUDA EN LOS BAÑADOS

Visitando los bañados. Pajonales y juncales. Abundancia de pájaros. Una metrópoli de gallaretas. Asustando las gallaretas. Colonias de garzas y de dormilones. La guarida del halcón que vive en colonias. El hermoso jacaná y sus huevos. La colonia de los turpiales. La música de los pájaros. Una planta acuática: el duraznillo. El nido y los huevos del turpial. Evocando una belleza que ha desaparecido. Nuestros juegos con los chicos gauchos. Soy lastimado por un mal muchacho. El consejo del puestero. Logro mi venganza de una manera traicionera. ¿Estuve bien o mal? El juego de la caza del avestruz

Por aquella época de mi vida de muchacho la mayor parte de las horas del día las pasaba fuera de la casa; si no estaba observando los pájaros de nuestra plantación, o se me pedía que fuera a vigilar la majada que estaba pastando por ahí a unas cuadras de la casa, en ausencia del puestero o de su hijo, estaba siempre lejos de la casa, en alguna parte de la llanura, con mi hermano menor en busca de huevos o en otras expediciones. En primavera y en verano visitábamos a menudo las lagunas o bañados, los lugares más fascinantes que conocía a causa de su abundancia de pájaros silvestres. Había cuatro de esas lagunas, todas en diferentes direcciones y todas a una legua, más o menos, de casa. Eran laguitos poco profundos, llamados lagunas, cada uno de los cuales ocupaba un área de trescientos o cuatrocientos acres, con algunas zonas de agua libre y el resto cubierto con verdes y brillantes pajonales, e inmensos lechos de juncos, o juncales. Estos últimos eran los mejores para explorar cuando el agua no era tan profunda que tocara la montura del caballo y en aquellas partes en que los tallos pulidos y redondos, coronados con sus brillantes penachos marrones, eran más altos que nuestras cabezas cuando obligábamos a nuestros caballos a pasar entre ellos. Allí estaban los nidales de algunos pequeños pájaros que construían sus nidos hermosamente a un medio metro por sobre el agua, prendidos en algunos casos a un único tallo, en otros, a dos o tres tallos de juncos. Y allí, también, encontrábamos los nidos de algunas especies

337

mayores —el airón o mirasol, el cormorán o bigúa, el martín pescador, una especie de garza y, en ocasiones, algún halcón, un pájaro que construye sus nidos sobre los árboles en lugares forestales, pero que aquí, en el área privada de árboles de la pampa, los hacía entre los juncos—. El cuarto laguito no tenía espadañas o lechos de juncos, ni tampoco cañas, y estaba casi enteramente cubierto por una exuberante vegetación del flotante camalote, una planta que a la distancia recuerda la almizclera silvestre o mimulus con sus masas de hojas de un verde brillante y sus flores de un radiante amarillo. Este también era un lugar fascinante, ya que hervía de pájaros, y algunos de ellos eran de ciertas clases que no se criaban en los pajonales ni en los juncales. Era una especie de metrópoli de las gallaretas, y antes y después de la época de la cría, se congregaban en bandadas de muchos cientos sobre la costa baja y húmeda, donde sus negras formas cobraban una singular apariencia sobre el pasto verde. Me parecía como una reproducción a pequeña escala de una escena de que había sido testigo —la vasta y pareja pampa con una manada de dos o tres mil vacunos negros pastando sobre ella, en una gran estancia donde sólo se criaban animales negros. Siempre nos resultaba una buena diversión encontrar una gran asamblea de gallaretas a cierta distancia de las márgenes. Acicateando a nuestros caballos, cargábamos sobre la bandada para verlas correr y volar presas del pánico hacia el lago y lanzarse sobre el agua libre, golpeando la superficie con sus pies y levantando una nube de agua pulverizada tras de sí.

Las gallaretas, sin embargo, eran comunes en todas partes, pero estas aguas eran, en cambio, el único lugar de cría de los colimbos de nuestra vecindad; y aquí podíamos encontrar cualquier día gran cantidad de nidos —muchos de ellos que contenían huevos y un número aún mayor de falsos nidos, y nunca podíamos decir cuál tenía huevos o no antes de arrancar la cubierta de pajas húmedas. Otro pájaro que rara vez era visto en ningún otro lugar era la becacina moteada, una especie bonitamente dibujada con un pico verde y curvado. Son pájaros de hábitos curiosamente indolentes; sólo se levantaban del suelo cuando casi se las pisaba; entonces el ave salía disparada de una manera salvaje y asustada, como lo hacen las de algunas especies nocturnas, y luego se dejaba caer de nuevo escondiéndose a cierta distancia. Los criollos la llaman el dormilón. A un lado de la laguna, donde el suelo era húmedo y pantanoso, había siempre una colonia —un criadero de esas raras aves—; a cada pocos metros una de ellas saltaba casi junto a los cascos, y, al desmontar, nos encontrábamos con el nidito sobre el suelo húmedo debajo del pasto, en el que siempre había dos huevos tan espesamente manchados de negro que casi parecían ser enteramente negros.

Había otros juncales pantanosos a mayor distancia que sólo frecuentábamos a largos intervalos; voy a describir uno de ellos, porque era casi más atractivo que cualquiera de los otros a causa de sus alados habitantes. También aquí los había de algunas clases que nunca vimos que se reprodujeran en otros lugares.

Era más pequeña que las otras dos lagunas que he descrito y mucho menos profunda, de tal modo que las aves grandes, tales como la cigüeña, el ibis rojo, el chajá, el gran ibis azul llamado "bandurria" y el espátula rosado, podían vadearla en todas direcciones sin mojarse las plumas. Era uno de esos laguitos que parecen estarse secando y estaba bien cubierto por una capa de camalotes, mezclados con zonas de espadañas, pajonales y juncales. Eran las únicas aguas de nuestra región donde se encontraba el caracol grande de agua, y los caracoles habían atraído al ave que se alimentaba de ellos —al gran halcón caracolero que vive en colonias: un pájaro color pizarra que se parece al gavilán por su tamaño y por su manera de volar. Pero que, como se alimenta únicamente de caracoles, vive en paz y armonía con los demás habitantes del bañado. Siempre podía verse una colonia de cuarenta o cincuenta de esos grandes halcones en el lugar. Un pájaro más interesante aún era el jacana, como se lo denomina en los libros, pero que los indios del Paraguay pronuncian yä-sä-nä; se trata de un raro pájaro parecido a la gallineta que, según se supone, está relacionado con la familia de los chorlos. Es de color negro y marrón rojizo y las plumas de las alas, de un brillante verde-amarillento; tiene dedos enormemente largos, púas en las alas, y unas barbas amarillas en la cara. Allí vi por primera vez esa extraña y hermosa ave, y allí, para mi deleite, encontré su nido durante tres veranos consecutivos, con tres o cuatro huevos color arcilla salpicados de manchas castaño-rojizas.

Allí, estaba, también, el criadero de los hermosos teros reales, blancos y negros, y vivían otras especies demasiado numerosas para mencionarlas a todas. Pero mi mayor gusto fue el de encontrar que en ese lugar procreaba un pájaro que yo amaba más que a todos los otros que he mencionado: una especie de turpial de bañado; un pájaro del tamaño, más o menos, del tordo común, y, como éste, de un uniforme púrpura profundo; pero con un penacho de plumas color castaño sobre la cabeza. Yo amaba a ese pájaro por su canto —las peculiares notas, tiernas y delicadas, que lo abrían— y sus trinos. En primavera y en otoño grandes bandadas visitaban ocasionalmente nuestra plantación, y los pájaros, por centenares, se posaban en un árbol y cantaban juntos, produciendo un hermoso, maravilloso sonido, como el de cientos de campanitas sonando todas al mismo tiempo. Junto al agua encontré por primera vez su criadero, donde alrededor de trescientos o cuatrocientos pájaros tenían sus nidos hechos muy juntos entre sí, y los nidos y los huevos y las plantas en que estaban colocados, con los solícitos pájaros color púrpura volando a mi alrededor, hacían una escena de encantadora belleza. Los nidos estaban en una parte baja y fangosa del terreno cubierta por una planta semi-acuática llamada localmente duraznillo. Era un simple tallo blanco, leñoso en apariencia, de menos de un metro de alto, y poco más grueso que el dedo medio de un hombre, con una corona como de palmera de grandes hojas sueltas y lanceoladas, de modo que parecía una palmera o, más bien, un ailantus, que tiene un tallo esbelto y perfectamente blanco. Las flores solanáceas eran de color púrpura, y daba frutos del tamaño de las cerezas, negras como el azabache, en racimos de tres a cinco o seis. En esta selva de diminutas palmeras, colgaban los nidos prendidos a los tallos, allí donde dos o tres de éstos crecían juntos; era un nido largo y profundo, hecho hábilmente con hojas secas de espadañas entretejidas entre sí, y los huevos eran blancos o de un azul lechoso y, en la parte ancha, negros.

Aquella encantadora parte del bañado, con su selva de graciosos árboles en miniatura, donde los turpiales cantaban y tejían sus nidos y criaban a sus pequeños en compañía, aquel mismo lugar es hoy, me animo a decir, un inmenso campo de maíz, de alfalfa o de linos, y las gentes que ahora viven y trabajan allí nada conocen de sus bellos habitantes anteriores, nunca vieron ni siquiera oyeron hablar del turpial de plumaje púrpura, con su copete castaño y su trémulo canto. Y, cuando recuerdo esas escenas desvanecidas, aquellas lagunas llenas de juncos y de flores, con su variada y multitudinaria silvestre vida alada —la nube de alas relucientes, los agrestes gritos que regocijaban el corazón, la indecible alegría que todo eso era para mí en aquellos primeros años—, me alegra pensar que nunca volveré a visitarlos, que terminaré mi vida a miles de millas de distancia de aquellos lugares, atesorando hasta el fin en mi corazón la imagen de una belleza que ha desaparecido de la tierra.

Mi hermano mayor nos acompañaba ocasionalmente en nuestras visitas a las lagunas en busca de huevos, y también se unía a nosotros en nuestros paseos a los dos o tres arroyos en donde acostumbrábamos ir a bañarnos y a pescar; pero no tomaba parte en nuestros juegos y pasatiempos con los chicos gauchos: ellos estaban por debajo de él. Corríamos carreras en nuestros petisos y, cuando había carreras en nuestra vecindad, mi padre nos daba un poco de dinero para ir y anotar nuestros petisos en una carrera de muchachos. Rara vez ganábamos cuando había apuestas, ya que los gauchitos a caballo eran demasiado vivos para nosotros, y tenían toda clase de trampas para impedirnos ganar, aun cuando nuestros petisos eran mejores que los suyos. También íbamos a cazar tinamúes o perdices, y, a veces, simulábamos peleas con lanzas o con largas cañas con las que suplíamos las otras. Esos juegos eran muy rudos, y un día en que estábamos armados, no con cañas sino con largas y rectas ramas flexibles de álamos que habíamos cortado para ese fin, y estábamos sosteniendo una pelea entre perseguidos y perseguidores, uno de los muchachos, por alguna razón, se enfureció conmigo y, quedándose atrás, y acercándose luego solapadamente, me dio un golpe en la cara y la cabeza con su vara que me lanzó volando por el aire. Todos se alejaron precipitadamente, dejándome allí para que me las arreglara; me levanté y, montando mi petiso, me fui a casa llorando de dolor y de rabia. El golpe había caído sobre mi cabeza, pero la flexible vara había caído sobre mi cara desde la frente hasta el mentón, arrancándome la piel. En mi viaje de vuelta me encontré con nuestro puestero y le conté mi historia, diciéndole que iría a decírselo a los padres del muchacho. Me aconsejó que no hiciera eso; dijo que yo debía aprender a defenderme por mí mismo, y que, si alguien me hacía daño y yo quería que fuera castigado, debía castigarlo por mí mismo. Si yo hacía problemas y me quejaba de lo sucedido, sólo conseguiría que se rieran de mí, y el otro quedaría impune. —¿Qué debía hacer, pues?— pregunté, considerando que el otro era mayor y más fuerte que yo, y que tenía su pesado rebenque y su cuchillo para defenderse contra cualquier ataque.

—Ah, no te apures para hacerlo— me contestó. —Espera tu oportunidad, aunque tengas que esperar muchos días; y, cuando llegue, hazle lo mismo que él te hizo a ti. No lo prevengas, sino, simplemente, voltéalo del caballo, y así quedarás a mano—.

Ahora bien, este puestero era un buen hombre, muy respetado por todos, y me alegré de que con su sabiduría y su simpatía hubiera inculcado en mi cabeza un plan tan simple y tan fácil; de modo que me sequé las lágrimas y fui a casa a lavarme la sangre de la cara, y cuando me preguntaron cómo me había hecho aquella horrible herida que me desfiguraba, le quité importancia. Dos días después mi enemigo apareció en escena. Oí su voz fuera de la tranquera llamando a alguien, y, atisbando, lo vi montado en su caballo. Su conciencia culpable le hacía temer desmontar, pero estaba ansioso por saber qué se iba a hacer con respecto a cómo me había tratado, y, también, por verme, para descubrir cuál era mi estado de espíritu después de dos días.

Fui hasta la pila de leña y elegí una caña de bambú, de unos seis metros de largo, no demasiado pesada, para que pudiera ser manejada fácilmente, y, empuñándola como una lanza, me dirigí hacia la tranquera y comencé a revolearla a medida que me acercaba a él, aunque mostrando un semblante alegre. —¿Qué vas a hacer con esa caña? me gritó con un poco de miedo. —Espera y verás—, repliqué. —Algo que te hará reír—. Entonces, después de revolearla media docena de veces más, repentinamente, la hice caer sobre su cabeza con todas mis fuerzas, e hice exactamente lo que me había aconsejado hacer el prudente puestero: lo volteé limpiamente de su caballo. Pero no quedó aturdido, y levantándose furioso y gritando, sacó su cuchillo para matarme. Y yo, por razones estratégicas, emprendí una retirada bastante rápida. Pero sus gritos salvajes trajeron pronto al lugar a varias personas, y, recobrando coraje, volví y le dije triunfalmente: "¡Ahora estamos a mano!" Entonces se llamó a mi padre y se le pidió que juzgara entre nosotros, y, después de oír a ambas partes, sonrió y dijo que su juicio no era necesario, que ya habíamos arreglado el asunto entre nosotros, y que ahora ya no había nada entre ambos. Yo me reí, y él me miró furioso, y montando su caballo se alejó sin otra palabra. Pero, sin embargo, sólo era porque estaba sufriendo a causa del golpe en la cabeza; la próxima vez que lo encontré fuimos de nuevo buenos amigos.

Más de una vez, a lo largo de mi vida, al recordar aquel episodio, me pregunté si había hecho bien en seguir el consejo del puestero. ¿No hubiera sido mejor, cuando iba hacia él con la caña de bambú, y me preguntó qué iba hacer con ella, haber ido junto a él a mostrarle mi cara y aquella ancha banda desde el mentón hasta la sien, donde la piel había sido arrancada y se había formado una costra negra, y decirle: "esta es la marca del golpe que me diste antes de ayer cuando me arrojaste del caballo; ves que está del lado derecho de mi cara y de mi cabeza; toma ahora la caña y dame otro golpe del lado izquierdo"? Tolstoi (mi autor favorito, por otra parte) hubiera contestado: —Sí, ciertamente eso hubiera sido mejor para ti... mejor para tu alma—. Y, sin embargo, todavía me pregunto: —¿Lo hubiera sido?—. Y si ese incidente me hubiera acontecido un segundo antes de mi desaparición final de la tierra, todavía estaría dudando.

Uno de nuestros juegos favoritos en ese período —el único juego a pie que jugamos nunca con los gauchitos— era la caza del avestruz. Para jugar ese juego teníamos boleadoras, pero con la diferencia de que las bolas al final de las correas no eran de plomo como las que emplea en la caza el gaucho mayor para capturar el real avestruz. Para hacer las bolas empleábamos madera liviana, de tal modo que no fuésemos a lastimarnos. El chico más rápido era elegido para hacer de avestruz, y era enviado a vagabundear a la manera del avestruz por la llanura, pretendiendo picotear tréboles en el suelo mientras caminaba encorvado, o haciendo corriditas y sacudiendo sus brazos como alas, quedándose luego erecto e imitando los sonidos zumbadores y huecos que emite el avestruz macho cuando llama para que se reúna toda la grey.

Los cazadores entraban entonces en escena y comenzaba la caza; el avestruz se echaba a correr a toda velocidad, haciendo gambetas, y, ocasionalmente, tratando de escapar escondiéndose o dejándose caer al suelo al abrigo de una mata de cardos, sólo para saltar de nuevo cuando los gritos de los cazadores se acercaban, y seguir corriendo como antes. A intervalos las boleadoras venían dando vueltas por el aire, y él se escabullía, o las evitaba mediante algún rápido giro, pero eventualmente era alcanzado y las cuerdas se enrollaban alrededor de sus piernas y, ¡zas!, se venía al suelo.

Entonces los cazadores se reunían a su alrededor y, sacando sus cuchillos comenzaban las operaciones cortándole la cabeza; después se cortaba el cuerpo: se le sacaban las alas y el pecho, que eran las mejores partes para comer, y había una extensa conversación acerca de la condición y de la edad del ave, etcétera. Luego venía la parte más excitante de los procedimientos: el corte del buche y el examen de sus diversos contenidos; y de pronto había un grito exultante, y uno de los muchachos pretendía haber hecho un hallazgo valioso —una gran moneda de plata, tal vez un patacón—, y habría allí una gran algarabía al respecto y a veces una pelea por su posesión, y entonces luchábamos y rodábamos sobre el pasto, disputándonos la imaginaria moneda. Terminado esto, el avestruz muerto se levantaba y se ubicaba entre los cazadores, mientras que el muchacho que lo había capturado con sus boleadoras pasaba entonces a hacer de avestruz, y la caza empezaba de nuevo.

Cuando jugábamos a este juego yo siempre era elegido como primer avestruz, porque en aquel entonces podía superar fácilmente, corriendo y saltando, a cualesquiera de mis compañeritos gauchos, aun a aquellos que tenían tres o cuatro años más que yo. Con todo, esos juegos —carreras de caballos, combates fingidos y caza del avestruz, y otros por el estilo— no me daban una satisfacción perdurable; no bien había terminado, cuando yo volvía, casi con un sentimiento de alivio, a mis paseos solitarios y a mi observación de los pájaros, y a desear que llegara el día en que mi dominante hermano me permitiera emplear un arma de fuego y practicar el deporte de tirar a los patos salvajes, el único que deseaba.

Eso pronto llegaría, y será el asunto del capítulo siguiente.

CAPITULO XXI

CAZANDO AVES SILVESTRES

Mi hermano el deportista y la armería. Lo asisto en sus expediciones de tiro. Una aventura con un chorlo. Una mañana tras un pato salvaje. Nuestro castigo. Aprendo a tirar. Mi primera escopeta. Mi primer pato. Mis tácticas en la caza de patos. Los achaques de mi escopeta. Cazando patos con trabuco. Las municiones se acaban. Aventura con un pato picazo. Pólvora gruesa y municiones caseras. El peligro de la guerra se acerca. Nos preparamos para defender la casa. El peligro termina y mi hermano se va de caza

Ya he dicho que no se me permitió tirar hasta que tuve diez años, pero el deseo había llegado mucho tiempo antes; no tenía más de siete años cuando ya acostumbraba a querer ser grande, o, en todo caso, un muchacho más grande, de modo que, como mi hermano, yo también pudiera llevar una escopeta y matar grandes aves silvestres. Pero él dijo —NO—, muy enfáticamente, y eso puso fin al asunto.

Virtualmente se había hecho dueño de todas las escopetas y en general de todas las armas de la casa. Estas incluían tres piezas para cazar aves: un rifle, un antiguo mosquete Tower con una llave de chispa —caído indudablemente de las manos muertas de un soldado británico en una de las luchas de Buenos Aires en 1807 o 1808; un par de pesadas pistolas de arzón, y un enorme y viejo trabuco de aspecto formidable, ancho de boca como el platillo de una taza de té. Suyas, también, eran las espadas. Para nuestros vecinos criollos esto parecía ser una colección de armas asombrosamente grande, porque en aquellos días ellos no poseían ninguna arma de fuego, excepto, en algunos raros casos, una carabina, traída a casa por algún soldado prófugo y que se había guardado escondida, no fuera a ser que las autoridades se enteraran.

Como la cosa más próxima a mi deseo, ya que no podía tirar yo mismo, asistía a mi hermano en sus expediciones, para tener su caballo, o recoger y llevar los pájaros, y le estaba profundamente agradecido por permitirme servirle en ese humilde papel.

Tuvimos juntos algunas aventuras excitantes. Un día de verano vino corriendo a casa a buscar su escopeta, porque había visto una inmensa bandada de chorlos descendiendo en un lugar que quedaba a una milla, o algo así de casa. Con esa escopeta y una bolsa para meter en ella los pájaros, montó en su petiso y yo con él, ya que nuestros petisos estaban acostumbrados a llevar a dos o a tres en casos de apuro. Encontramos la bandada donde él la había visto posarse —miles de pájaros repartidos parejamente, corriendo de un lado a otro muy ocupados en alimentarse sobre el suelo húmedo y uniforme.

El pájaro de que hablo es el *Charadrius Dominicana* que hace su cría en la América Artica y emigra en agosto y setiembre hacia las llanuras del Plata y la Patagonia, de modo que viaja alrededor de dieciséis mil millas por año. En apariencia es tan igual a nuestro chorlo, *Charadrius Pluvialis,* que casi no se distingue de él. Los pájaros eran completamente mansos: todos nuestros pájaros silvestres eran, digamos, demasiado mansos, aunque no exageradamente mansos, como Alexander Selkirk los encontró en su isla, la del poeta, no la del verdadero Selkirk. Como los pájaros estaban tan esparcidos, todo lo que pudo hacer fue echarse en el suelo y hacer fuego teniendo el caño de su escopeta al nivel de la bandada, y el resultado fue que el tiro la atravesó hasta una distancia de treinta o cuarenta metros, dejando en el suelo treinta y nueve pájaros, que pusimos en la bolsa, y, volviendo a montar nuestros petisos, emprendimos el regreso a casa a un rápido galope. Ibamos montado en pelo, y, como el lomo de nuestro petiso estaba inclinado hacia adelante, fuimos resbalando cada vez más y más, hasta que estuvimos casi sobre su cuello, y yo, sentado detrás de mi hermano, le gritaba que se detuviera. Pero él tenía su escopeta en una mano y la bolsa en la otra, y había soltado las riendas; el petiso, con todo, pareció haber comprendido, porque por su propia cuenta se detuvo a la orilla de un charco de agua de lluvia, en el que fuimos a dar de cabeza. Cuando levanté la cabeza vi la bolsa de pájaros a mi lado, y la escopeta tirada en el agua a poca distancia; unos metros más allá mi hermano se estaba sentando, con el agua chorreando de sus largos cabellos y una expresión de asombro en el rostro. Pero el agua era limpia, el charco tenía un fondo de suave césped, y no estábamos lastimados.

Sin embargo, a veces nos metimos en graves problemas. En una ocasión nos persuadió a mí y a mi hermano pequeño de que lo acompañáramos a una secreta expedición de caza que había planeado. Teníamos que partir a caballo antes de que amaneciera, andar hasta los bañados a unas dos millas de casa, cazar una cantidad de patos, y estar de vuelta a la hora del desayuno. Lo principal era mantener el plan en secreto; luego todo marcharía bien porque la cantidad de patos salvajes que íbamos a exhibir a nuestro regreso haría que no se le diera importancia a nuestra escapada.

Al atardecer, en vez de soltar nuestros petisos, como de costumbre, los llevamos a la plantación y los dejamos atados, y a la mañana siguiente a eso de las tres nos deslizamos con toda clase de precauciones fuera de la casa y partimos hacia nuestra aventura. Era una mañana de invierno, brumosa y fría cuando se hizo de día, y a esa hora los pájaros estaban excesivamente alborotados.

En vano seguíamos las bandadas; mi hermano las acechaba a través de los pajonales, con el agua por arriba de las rodillas, pero no pudimos conseguir ni un pájaro, y al fin nos vimos obligados a regresar con las manos vacías a hacer frente a la música. A las diez y media descabalgamos frente a la puerta, mojados, hambrientos y miserables, para encontrar la casa entera en estado de conmoción por nuestra desaparición. Cuando de mañana por primera vez se dieron cuenta de que no estábamos, un peón informó que nos había visto llevando a esconder nuestros caballos en la plantación un poco después de oscurecer, y se pensó que nos habíamos escapado —que nos habíamos ido al sur donde el país tenía menor densidad de población y los animales salvajes eran más abundantes, en busca de aventuras nuevas y más dinámicas—. Se sintieron inmensamente aliviados al vernos de vuelta, pero como no teníamos patos para aplacarlos no pudimos ser perdonados y, como castigo, nos dejaron sin desayuno ese día, y nuestro jefe fue, además, severamente amonestado y se le prohibió usar una escopeta en lo futuro.

Consideramos que esto era demasiado duro, y durante los días siguientes nos inclinamos a considerar la vida como un asunto más bien insustancial e insípido. Pero pronto, para nuestra alegría, la prohibición fue levantada. Al prohibirnos el empleo de las escopetas mi padre se había castigado a sí mismo tanto como a nosotros, puesto que él nunca disfrutaba de veras una comida —desayuno, almuerzo o cena— a menos que tuviera algún ave en la mesa: patos salvajes, chorlos o becacinas. Un pato asado frío era su plato favorito para el desayuno, y no estaba contento si no lo tenía.

Pese a todo yo no estaba satisfecho, y no podía estarlo hasta que no se me permitiera tirar. Era un privilegio que mi hermano me permitiera acompañarlo, pero me parecía que a los diez años ya era bastante mayor como para tener una escopeta. Había montado a caballo desde los seis años, y en algunos ejercicios no le iba muy en zaga a mi hermano, aunque, cuando practicábamos con los floretes o con los guantes, me castigaba de una manera bastante bárbara. Era mi guía y mi filósofo, y había sido también mi mejor amigo desde nuestra pelea a cuchillo y el episodio del tordo; pero a pesar de todo él aún lograba encubrir su cariño, y, cuando me rebelaba contra su tiranía, recibía generalmente un buen castigo.

Por ese tiempo un viejo amigo de la familia, que se interesaba por mí y deseaba hacer algo para alentarme en mi gusto por la historia natural, me regaló un juego de dibujos a la pluma. No había, con todo, en esos dibujos nada que me ayudara en el camino que había tomado: eran en su mayor parte dibujos arquitectónicos hechos por él de edificios —casas, iglesias, castillos, y cosas por el estilo—, pero mi hermano se enamoró de ellos y comenzó a tratar de conseguir que se los diera. No descansaría hasta que no los tuviera, y continuamente estaba ofreciéndome algo de su propiedad a cambio de ellos. Yo me negaba a separarme de mis dibujos, sea porque su ansiedad por tenerlos les daba a mis ojos un falso valor, o porque era agradable ser capaz de infligirle un poco de dolor a cambio de los muchos dolores que yo había sufrido a sus manos. Al fin, un día, viendo que todavía estaba inconmovible, me ofreció de pronto enseñarme a tirar y permitirme el uso de una de las escopetas a cambio de los dibujos. Casi no podía creer en mi buena fortuna: me hubiera sorprendido menos si hubiera ofrecido darme su caballo con el apero completo.

Tan pronto como los dibujos estuvieron en sus manos, me llevó a nuestra sala de tiro y me dio una lección completamente innecesaria sobre el arte de cargar un arma: primero, tanto de pólvora; luego, un taco bien apisonado con la vieja y obsoleta baqueta; después, tanta de cantidad de munición y un segundo taco y apisonamiento; en último término, el fulminante en la chimenea. Me llevó entonces a la plantación y habiendo encontrado dos palomas silvestres posadas en una rama, me ordenó hacer fuego. Tiré, y una cayó muerta; y eso completó mi educación, porque ahora, declaró, no iba a perder más tiempo en mi instrucción.

La escopeta que me había dicho que usara era una de un solo caño, un viejo fusil de chispa arreglado; la culata estaba hecha de madera negra dura como el hierro con incrustaciones de plata. Cuando la puse a mi lado y la medí conmigo, vi que era casi dos pulgadas más alta que yo, pero era liviana de llevar y me servía. Me fui sintiendo mucho más ligado a ella que a cualquier otra cosa viviente, y era para mí como un ser vivo, y tenía una gran fe en su inteligencia.

Mi mayor ambición consistía en cazar patos salvajes. Me hermano los cazaba con preferencia a cualquier otra cosa: eran tan apreciados y él era tan elogiado cuando volvía con unos pocos en su bolsa que yo consideraba la caza del pato como la cosa más grande a que pudiera dedicarme. Los patos eran en extremo comunes entre nosotros y los había en gran variedad; no sé en qué otro país podrían encontrarse más variedades. Había no menos de cinco especies de cercetas; la más común de todas era un pájaro marrón oscuro con motas negras —pato capuchino—; otro, muy común —el barcino—, era de un gris pálido, con el plumaje a bellas franjas y rayas marrones y negras; teníamos, además, la cerceta de alas azules, un pato castaño-rojizo que recorre desde la Patagonia a California; el pato de collar, con su pecho de color salmón y su collar negro aterciopelado; el pato brasileño, un encantador pato marrón aceitunado y negro aterciopelado, con pico y patas carmesíes. Había también dos patos de cola larga, uno de los cuales era la especie más abundante en el país. También, la mareca, un pato de laguna, un pato cuchara de plumaje rojo, cabeza y cuello grises, y alas azules; y dos especies del pato silbador de patas largas. Otra especie común era el pato de pico rosado —picazo— que ahora se ve en los estanques ingleses; y ocasionalmente veíamos el pato salvaje Muscovy, llamado pato criollo o pato real por los gauchos, aunque era un visitante que rara vez se veía tan al sur. También teníamos gansos y cisnes: la avutarda o ganso del Estrecho de Magallanes que nos llegaba en invierno —es decir, en nuestro invierno de mayo a agosto—. Y había dos cisnes, el de cuello negro, que tiene carne negra y no es apropiada para comer, y el blanco o cisne Coscoroba, tan bueno para la mesa como cualquier otro que pueda haber en el mundo. Y, lo que es sumamente extraño, esta ave ha sido conocida por los nativos como un "ganso", desde el descubrimiento de América, y ahora, después de tres siglos, nuestros científicos ornitólogos han hecho el descubrimiento de que hay un eslabón entre los gansos y estos cisnes, pero que tienen más de gansos que de cisnes. Es un hermoso pájaro blanco, con pico y patas de un rojo brillante, y con las alas de puntas negras; y tiene un fuerte grito musical de tres notas, y la última es prolongada y tiene una inflexión descendente.

Estas eran las aves que buscábamos durante el invierno; pero podíamos encontrar caza para la mesa a lo largo de todo el año, porque no bien llegaba la estación de aparearse y dar cría los patos, cuando entraba en escena otro pueblo de pájaros de las regiones ártica y subártica —chorlos, gallinetas, becasas, chorlitos y curlanes—, huéspedes de las especies nórdicas que pasaban el invierno en las pampas resecas por el sol del verano.

Mi primer intento en la caza del pato fue hecho en una charca a no muchos minutos de camino de casa, donde encontré un par de patos cucharas, alimentándose a su manera característica en las aguas poco profundas con la cabeza y el cuello sumergidos en ellas. Con la ansiedad de no fracasar en aquella primera prueba, me eché en el suelo y me arrastré como una víbora a lo largo de una distancia de cincuenta o sesenta metros, hasta que estuve a menos de veinte metros de los pájaros; entonces hice fuego y maté uno. Aquel primer pato fue una gran alegría, y habiendo tenido tan buen éxito con mis cuidadosas tácticas, continué de la misma manera, confinando mi atención a casales o a pequeños grupos de tres o cuatro pájaros; entonces, pacientemente, arrastrándome una larga distancia por el pasto, podía llegar muy cerca de ellos. De este modo cacé cercetas, patos cuchara, otro de plumaje rojo, patos barcinos y, finalmente, el noble picazo, que para la mesa se estimaba más que todo el resto.

Mi hermano, que ambicionaba traer una bolsa llena, iba invariablemente a buena distancia de casa en busca de las grandes bandadas, y despreciaba mi manera de cazar patos; pero a veces se sentía humillado cuando retornaba de una expedición que le llevaba el día y veía que yo había tenido éxito consiguiendo tantas aves como él sin haber ido más allá de una milla de casa.

Algunos meses después de comenzar a cazar empecé a tener problemas con mi amada escopeta, debido a una debilidad que se había ido produciendo en su cerrojo —uno de los achaques propios de la vejez, que los armeros de Buenos Aires nunca habían sido capaces de curar efectivamente—. Cuando se descomponía se me permitía ponerla en el carro que se enviaba a la ciudad periódicamente para que la repararan, y estaba entonces sin escopeta por una semana o diez días. En una de esas ocasiones vi una tarde un grupo de patos barcinos escarbando en un charco al costado de la plantación, a menos de doce metros del viejo zanjón que la rodeaba. Los patos siempre parecían ser excepcionalmente mansos y osados cuando yo estaba sin escopeta, pero la osadía de estos barcinos era más de lo que yo podía tolerar, y, corriendo hacia la casa, me traje uno de los viejos trabucos, que nunca me habían prohibido emplear, ya que nadie hubiera pensado que yo fuera a querer usar semejante monstruo de arma. Pero

347

estaba desesperado, y cargándolo por primera —y última— vez, fui en busca de aquellos barcinos.

Se me había dicho una vez que sería imposible cazar patos salvajes o cualquier otra cosa con el trabuco salvo que uno pudiera llegar a menos de una docena de metros del lugar donde se encontraban, a causa del tremendo poder de dispersión de su munición. Pues bien, siguiendo a lo largo del fondo del zanjón, que afortunadamente por entonces estaba sin agua, yo podía llegar tan cerca de las aves como quisiera y matar a toda la bandada. Cuando llegué a la altura del charco, trepé por la orilla exterior desmoronada y cubierta de hierbas y, apoyando sobre el borde el pesado caño, disparé a los patos a una distancia de unos quince metros, y no maté nada, pero recibí una patada que me envió volando al fondo del pozo. Tuvieron que pasar varios días antes de que me pudiera sobreponer a aquel dolor en mi hombro.

Más tarde hubo un período de disturbios y de escasez en la región. Había guerra, y la ciudad, de la que obteníamos nuestras provisiones, se encontraba sitiada por un ejército de las "provincias de arriba" que habían bajado para quebrar el poder y humillar el orgullo de Buenos Aires. Nuestros mayores sentían sobre todo la falta de su té y de su café, pero nuestra ansiedad provenía de que pronto nos quedaríamos sin pólvora y municiones. Mi hermano me advertía constantemente que no fuera tan derrochón, aunque él tiraba media docena de tiros por cada uno mío sin traer por eso más aves para la mesa. A la larga llegó un día en que quedaba muy poca munición; apenas lo suficiente para llenar la cartuchera, y, sabiendo que era su intención salir ese día, me deslicé en la armería y cargué mi escopeta justo como para poder dispararla una vez más. El iba aquel día a tratar de conseguir algunas avutardas y, como yo lo esperaba, se llevó todas las municiones.

Después que se fue tomé mi escopeta y, como estaba decidido a sacarle el mayor partido a mi única carga, me negué a dejarme tentar por ninguno de los pequeños grupos de patos que encontré en los charcos próximos a la casa, incluso cuando parecían ser completamente mansos. Al fin encontré una bandada de buen tamaño de patos picazos junto a un arroyo pantanoso a unas dos millas de casa. Era un día quieto y caluroso de verano y los patos estaban dormitando sobre la verde orilla en un hermoso montón, y como el terreno próximo a ellos estaba cubierto con largos pastos, vi que era posible llegar muy cerca. Dejando mi petiso a buena distancia eché cuerpo a tierra y comencé a arrastrarme larga y laboriosamente, hasta llegar a unos veinticinco metros de la bandada. ¡Nunca había tenido antes semejante suerte! Mientras atisbaba a través de los pastos y las hierbas me imaginaba toda suerte de cosas placenteras —mi hermano allá lejos disparando en vano a los cautelosos gansos, y su regreso, y su disgusto a la vista de mi pila de nobles picazos, ¡todo conseguido cerca de casa y con un solo disparo!—.

Entonces disparé justo en el momento en que las aves, al divisar mi gorra, levantaban alarmadas sus largos cuellos. ¡Bang! Y allá se levantaron con mucho ruido de alas, ¡sin dejar ni uno solo detrás! En vano observé la bandada, pensando que algunas de las aves a las que debía haber alcanzado pronto comenzarían a vacilar en su vuelo para caer luego a tierra. Pero ninguna vaciló o cayó. Volví a casa muy intrigado y frustrado. Mucho más tarde regresó mi hermano con una avutarda y tres o cuatro patos. Le conté mi triste historia, y entonces rompió a reír y me informó que se había ocupado de sacar la munición de mi escopeta antes de salir. El conocía bien mis pequeñas trampas, dijo, y no me iba a permitir desperdiciar la poca munición que nos quedaba.

Nuestra caza de patos fue proseguida con muchas dificultades durante aquellos días. Buscábamos munición en todas las casas de varias leguas a la redonda, y en una de ellas encontramos y compramos una cantidad de pólvora extremadamente gruesa, con granos con casi el tamaño del alpiste. Nos dijeron que era pólvora de cañón, y para adecuarla a su uso en nuestras escopetas la desmenuzábamos empleando botellas de vidrio o de barro a modo de rodillos sobre una placa de lata. Municiones, no pudimos encontrar, de modo que tuvimos que hacerlas nosotros mismos cortando planchas de plomo en pedacitos cuadrados con un cuchillo y un martillo.

Eventualmente la guerra civil, que se había prolongado por tanto tiempo, trajo a nuestra casa un peligro inesperado e hizo que nuestras mentes se volvieran a cosas más importantes que los patos. Ya he dicho que la ciudad estaba sitiada por un ejército de las provincias, pero del otro lado, en la frontera del sur de la provincia de Buenos Aires, el partido sitiado, o la facción, tenía un poderoso amigo en un estanciero que tenía relaciones amistosas con los indios, y que reclutó un ejército de indios hambrientos de botín, y de gauchos, en su mayor parte criminales y desertores, que en aquellos días acostumbraban a venir de todas partes del país a ponerse bajo la protección de aquel buen hombre.

Esa horda de ladrones y de fanáticos estaba ahora avanzando sobre la capital para levantar el sitio, y cada día nos llegaban informes alarmantes —no podíamos saber si verdaderos o falsos— de las depredaciones que cometían en su marcha. El buen hombre, su comandante, no era un soldado y en su fuerza no había pretensiones de disciplina de ninguna clase; los hombres, se decía, hacían lo que se les antojaba, pululando por el país sobre la línea de marcha en bandas, saqueando y quemando casas, matando o llevándose el ganado, y cosas por el estilo. Desgraciadamente nuestra casa estaba sobre el camino principal que corría hacia el sur desde la capital, y directamente en el camino de la canalla que se acercaba.

Que el peligro era real y muy grande lo podíamos ver en los rostros ansiosos de nuestros padres; además, no se hablaba ahora de otra cosa que del ejército que se aproximaba y de todo lo que teníamos que temer.

En esta coyuntura mi hermano tomó sobre sí la preocupación de hacer preparativos para la defensa de la casa. Nuestro hermano mayor estaba ausente, encerrado en la ciudad sitiada, pero los tres que estábamos en casa decidimos dar una buena lucha, y nos pusimos a la tarea limpiando y puliendo nuestras armas de fuego —el mosquete Tower, el terrible trabuco, las tres escopetas de uno y dos caños, las dos grandes pistolas y un viejo revólver—. Recogimos todo

349

el plomo viejo que pudimos encontrar en el lugar e hicimos balas en un par de moldes de balas que habíamos encontrado —uno para balas de una onza y otro para balas pequeñas, tres por onza—. El fuego para derretir el plomo estaba en un abrigo que habíamos hecho detrás de un galpón, y allí un día, a pesar de todas nuestras precauciones fuimos descubiertos en plena tarea, con hileras y pirámides de balas brillantes en torno nuestro, y nuestro secreto se divulgó. Nuestros trabajos nos valieron que se rieran de nosotros como de un grupo de jóvenes tontos. —No importa —dijo mi hermano. —Que se burlen ahora; pronto, cuando que haya que elegir entre dejarnos degollar y defendernos, probablemente se alegrarán de que hayamos hecho las balas—.

Pero, aunque se rieron, no interfirieron con nuestro trabajo, y así moldeamos algunos cientos de balas que resultaban un lindo espectáculo.

Mientras tanto los sitiadores no permanecían ociosos: tenían en su ejército un oficial de caballería con una gran experiencia en la guerra de frontera y que siempre había resultado victorioso en sus combates con los indios pampas; y este hombre, con un cuerpo escogido compuesto de guerreros veteranos, fue despachado para enfrentar a los bárbaros. Estos ya habían cruzado el río Salado y estaban a dos o tres fáciles marchas de nosotros, cuando la fuerza pequeña y disciplinada los encontró y les dio batalla derrotándolos completamente. Indios y gauchos fueron arrojados hacia el sur como semillas de cardo empujadas por el viento; pero como iban todos bien montados no murieron muchos.

Así terminó aquel peligro, y creo que nosotros, los muchachos, nos sentíamos un poco frustrados porque no se había hecho uso de nuestras hermosas y brillantes balas. Estoy seguro de que mi hermano lo estaba; pero pronto dejó nuestro hogar por un país distante, y nuestras comunes aventuras de caza, y otras, terminaron para siempre.

CAPITULO XXII

EL FIN DE LA NIÑEZ

El libro. El saladero, o matadero, y su olor. Muros construidos con cráneos de bueyes. Una ciudad pestilente. El agua de río y el agua de aljibe. Días de languidez. Escenas nuevas. De nuevo en casa. Tifus. Mi primer día de salida. Reflexiones de cumpleaños. Lo que le pedía a la vida. La mente de un muchacho. La resolución de mi hermano. Fin de nuestras mil y una noches. Hechizo de la lectura. Mi niñez termina en desastre

Este libro ha alcanzado ya una extensión mayor de la que me había propuesto; pese a ello debo escribir aún un capítulo más, o dos, para conducirlo a un adecuado final, que sólo puedo alcanzar salteándome tres años de mi vida, y llegando así directamente a la edad de quince años. Porque esa fue una época de grandes acontecimientos y de serios cambios, tanto físicos como espirituales, que prácticamente trajeron a su fin el dichoso tiempo de mi niñez.

Repasando el libro, veo que en tres o cuatro ocasiones he ubicado algún incidente un año, o algo así, antes o después de lo que correspondía. Con todo, no vale la pena alterar ahora esos pequeños errores de la memoria: en tanto que la escena o el acontecimiento sea recordado y descrito correctamente no importa mucho si en aquel momento yo tenía seis o siete u ocho años. Veo, también, que he omitido muchas cosas que tal vez merecían un lugar en el libro: escenas y acontecimientos que recuerdo vívidamente pero que por desgracia no se presentaron en el momento adecuado, y por eso quedaron fuera.

De esas escenas omitidas involuntariamente, voy ahora a recordar una que debió aparecer en el capítulo que describe mi primera visita a la ciudad de Buenos Aires: ubicada aquí servirá muy bien como introducción a este capítulo. En aquellos días, y seguramente hasta los años 70 del siglo pasado, el lado sur de la capital era el asiento del famoso Saladero, o matadero, donde el ganado vacuno gordo, los caballos y las ovejas traídos de todo el país, eran degollados cada día, algunos para proveer a la ciudad de carne de vaca y de cordero y para hacer charque, o sea carne secada al sol, que se exportaba al Brasil, donde era usada para alimentar a los esclavos; pero el mayor número de los animales, incluyendo todos los caballos, eran matados únicamente por sus cueros y por el sebo. El lugar cubría un espacio de tres o cuatro millas cuadradas, donde había corrales de ganado hechos de ringleras de postes erectos colocados muy juntos, y algunos edificios bajos esparcidos por los alrededores. Hacia ese lugar eran conducidos interminables rebaños de ovejas, de caballos salvajes o semisalvajes, y ganado vacuno de aspecto peligroso, de largos cuernos, en grandes manadas de un ciento, o algo más, hasta mil, cada uno de ellos moviéndose en su propia nube de polvo, con ruidos de bramidos y balidos y gritos furiosos de los troperos mientras galopaban a lo largo de la tropa obligando a marchar a los animales condenados. Cuando las bestias llegaban en cantidades demasiado grandes para proceder a matarlas en los edificios, se podía ver cientos de vacas matadas en el campo abierto a la vieja y bárbara manera de los gauchos: enlazando primero a cada animal, luego desjarretándolo y después degollándolo... un odioso y horrible espectáculo con un adecuado acompañamiento de sonidos en los gritos salvajes de los degolladores y los terribles bramidos de las bestias torturadas. Allí donde el animal era derribado y muerto, se le despojaba de su cuero y la res era cortada: una porción de carne y la grasa se quitaban y todo el resto quedaba en el suelo para ser devorado por los perros abandonados, los caranchos y una multitud de gritonas gaviotas de cabeza negra que siempre estaban esperando. La sangre derramada con tanta abundancia, día a día, mezclada con el polvo, había formado una costra de medio pie de espesor, sobre todo el espacio abierto: trate el lector de imaginar el olor de esa costra y de toneladas de bazofias y carne y huesos que yacían en montones por todos lados.

Pero no, no puede imaginárselo. Las más espantosas escenas, las peores del *Infierno* de Dante, por ejemplo, pueden ser visualizadas por la mirada interior; y los sonidos también pueden ser transmitidos en una descripción de tal modo que puedan ser oídos mentalmente; pero no pasa lo mismo con los olores. El lector sólo puede aceptar mi palabra de que *ese* olor era probablemente el peor que se conoce en la tierra, a menos que aceptemos como verdadera la historia de Tobit y los "tufos de pescado" por medio de los cuales aquel antiguo héroe se defendía en su retirada del demonio que lo perseguía.

Era el olor de la carroña, de la carne putrefacta, y de aquella vieja y siempre nuevamente humedecida costra de polvo y de sangre coagulada. Era, o parecía, un olor curiosamente sustancial y estacionario; los viajeros que se aproximaban a la capital o que la abandonaban por el gran camino del sur, que bordeaba los mataderos, se tapaban las narices y viajaban, durante una milla o más, a un galope furioso hasta que salían de aquel abominable hedor.

Uno de los rasgos extraordinarios de las quintas privadas o huertos, y de las plantaciones en la vecindad del saladero, eran las paredes o cercos. Estos estaban construidos enteramente con cráneos de vacas, siete, ocho o nueve superpuestos, colocados parejamente como piedras, con los cuernos proyectándose hacia afuera. Cientos de miles de cráneos habían sido empleados así, y algunas de las paredes viejas, muy viejas, coronadas con pasto verde y con enredaderas y flores silvestres que crecían en las cavidades de los huesos, tenían una apariencia pintoresca pero bastante pavorosa. Como norma había hileras de álamos de Lombardía detrás de esos extraños muros y cercas.

En aquellos días los huesos no se utilizaban; eran desechados y quienes querían hacer paredes en una tierra donde no había piedras, donde los ladrillos y la madera para cercos se vendían caros, encontraban en los cráneos un útil sustituto.

La abominación que acabo de describir era sólo una entre muchas: el principal y sublime hedor de una ciudad de malos olores, de una populosa ciudad construida en una llanura sin drenaje y sin provisión de agua, salvo aquella que era vendida por aguateros en baldes, cada uno de los cuales contenía una libra de arcilla roja en solución. Es cierto que las mejores casas tenían aljibes, o cisternas, bajo el patio, donde el agua de lluvia que caía de los techos chatos se depositaba. Recuerdo aquel pozo de agua: siempre había uno o dos o media docena de gusanitos rojos, las larvas de los mosquitos, en un cubilete, y uno bebía su agua tan tranquilamente, ¡con larvas y todo!

Todo esto servirá para dar una idea de la condición de la ciudad en esos tiempos desde el punto de vista sanitario, y ese estado de cosas duró hasta los años 70 del siglo pasado, cuando Buenos Aires llegó a ser la principal ciudad del globo en cuanto a pestes se refería, y se vio obligada a traer ingenieros de Inglaterra para que hicieran algo para salvar a sus habitantes de la extinción.

Cuando yo tenía quince años, antes de que ningún cambio hubiera tenido lugar y cuando las grandes explosiones de cólera y de fiebre amarilla todavía no habían sobrevenido, pasé cuatro o cinco semanas en la ciudad, disfrutando enormemente de las nuevas escenas y de la nueva vida. Después de diez o doce días empecé a sentirme cansado y lánguido, y este estado fue creciendo en mí día a día hasta que se volvió penoso para mí visitar incluso los lugares que visitaba con preferencia —el gran Mercado del Sur, donde se veían cientos de pájaros enjaulados, entre los que predominaban los verdes periquitos y los cardenales; o la costa del río, donde pasaba mucho tiempo pescando pequeños pejerreyes plateados desde las rocas; o más lejos, en las quintas y los jardines de las colinas, donde por primera vez regalé mis ojos con la vista de los huertos de naranjos cargados con sus frutos dorados entre el vívido follaje de un verde bruñido y viejos olivos con sus negras frutas ovoides que aparecían entre las hojas grises.

Y a través de todo ello el sentimiento de lasitud continuaba, y era, pensaba, debido a que andaba a pie en vez de a caballo, y caminando sobre el pavimento empedrado en vez de hacerlo sobre el verde pasto. Nunca se me ocurrió que la causa podía ser otra: estaba respirando una atmósfera pestilente y el veneno estaba trabajando en mi organismo.

Abandonando la ciudad viajé para pasar la noche en la casa de un amigo, y a la mañana siguiente volví a caballo. Tenía que hacer veintisiete millas a campo traviesa y sin pisar nunca un camino, y tan pronto estuve en marcha mis espíritus revivieron; estaba bien e indeciblemente feliz de nuevo, a caballo, en la amplia llanura verde, bebiendo en el aire puro un trago de vida eterna. Era otoño, y la llanura, hasta tan lejos como se podía ver hacia todos lados, era de un húmedo verde brillante, con un cielo de cristal azul en lo alto, sobre el que frotaban brillantes nubes blancas. El alegre sentimiento saludable duró tanto como mi paseo, y aun un día o dos más, durante los cuales volví a visitar mis lugares favoritos, regocijándome una vez más con mis amados pájaros y árboles.

Entonces reapareció en mí el odioso sentimiento ciudadano de languidez y todo mi vigor desapareció, y desapareció todo el placer que hallaba en la vida. Desde entonces, durante una quincena, lo pasé apático, por la casa; hubo una racha de heladas con un cortante viento gélido para informarnos que era invierno, que, incluso en aquellas latitudes, puede ser muy frío. Un día, después de un temprano almuerzo, mi madre y mis hermanas fueron en el carruaje a hacer una visita a una estancia vecina, y como mis hermanos habían salido o estaban ausentes, yo estaba solo en la casa. La galería me pareció el lugar más cálido que pude encontrar, dado que el sol daba sobre ella, caliente y brillante, y allí me senté en un sillón que estaba contra la pared junto a una pila de bolsas de harina o de alguna otra cosa que habían dejado allí, y que formaba un lindo abrigo contra el viento.

La casa estaba extrañamente tranquila y el sol del oeste, dando plenamente sobre mí, me hacía sentir completamente confortable, y al cabo de algunos momentos me quedé dormido. El Sol se puso y la tarde se volvió cruelmente fría, pero no me desperté y, cuando mi madre volvió y preguntó por mí no se me pudo encontrar. Finalmente toda la gente de la casa salió con linternas a buscarme por todas partes a través de la plantación, y la búsqueda aún continuaba cuando, a eso de las diez de la noche, alguno que pasaba a lo largo de la galería tropezó conmigo en mi abrigado rincón junto a las bolsas, aún en mi sillón pero inconsciente y ardiendo de fiebre. Era el temido tifus, una enfermedad casi obsoleta en Europa, y, de hecho, en todos los países civilizados, pero nada infrecuente en aquella época en la pestilente ciudad. Es asombroso que haya sobrevivido a esa enfermedad en un lugar donde estábamos fuera del alcance de médicos y boticarios, con sólo la habilidad de mi madre para cuidarme y su conocimiento de las drogas que pudiera haber en la casa para salvarme. Ella me cuidó día y noche las tres semanas que duró la fiebre, y, cuando me dejó —una mera sombra de mi ser anterior—, yo estaba mudo: ni siquiera podía articular un pequeño Sí o No, por mucho que lo intentara, y al fin se estimó que nunca podría volver a hablar. Con todo, después de unos quince días, volvió la facultad perdida, para la inexpresable alegría de mi madre.

El invierno se acercaba a su fin cuando una mañana de fines de julio me aventuré puertas afuera por primera vez. Era un día ventoso de sol brillante, un día que nunca voy a olvidar, y el efecto del aire y del sol, y el olor de la tierra y de las flores tempranas y los sonidos de los pájaros, con el espectáculo del joven pasto intensamente verde y el vasto domo de cristal celeste en lo alto, fueron como hondos tragos de algún poderoso licor que hicieron danzar la sangre en mis venas. ¡Ah, qué inexpresable, inconmensurable alegría de estar vivo y no muerto, de tener todavía mis pies sobre la tierra, y beber el viento y la luz del sol otra vez! Pero el placer fue más de lo que pude soportar en aquel estado; el viento helado me atravesaba como agujas de hielo, mis sentidos vacilaron, y hubiera caído al suelo si mi hermano mayor no me hubiera tomado en brazos para volverme a casa.

A pesar de aquel desmayo era feliz de nuevo, con la antigua felicidad, y desde aquel día recobré las fuerzas hasta que un día a principios de agosto repentinamente mis hermanas y hermanos me hicieron recordar que era mi aniversario, trayéndome todos sus regalos de cumpleaños de que cuidadosamente se habían provisto antes, y congratulaciones por mi recuperación.

¡Quince años! Ese fue, indudablemente, el día más memorable de mi vida, porque aquella noche comencé a pensar acerca de mí mismo, y mis pensamientos eran para mí extraños y desdichados... ¡Qué era yo, para qué estaba en el mundo, qué iba a hacer de mí el destino! ¿O estaba en mí hacer exactamente lo que yo quisiera, dar forma a mi destino, como habían hecho mis hermanos mayores? Era la primera vez que se me habían presentado tales cuestiones, y me habían perturbado. Era como si sólo entonces me hubiera vuelto consciente: dudo de que antes hubiera estado alguna vez completamente consciente. Había vivido hasta entonces en un paraíso de vívidas impresiones de los sentidos en el que todos los pensamientos me llegaban saturados de emoción, y en ese estado mental la reflexión es casi completamente imposible. Hasta la idea de la muerte, que me había sobrevenido como una sorpresa, no me había hecho reflexionar. La muerte era una persona, un ser monstruoso que había saltado sobre mí, en mi florido paraíso, y que había infligido una herida con una daga emponzoñada en mi carne. Luego había llegado el conocimiento de la inmortalidad del alma, y la herida quedó curada, o en parte, al menos por un tiempo; después del cual un pensamiento que me había perturbado seriamente era que no podía seguir siendo siempre un chico. Pasar de muchacho a hombre no era tan malo como morir; con todo, era un cambio penoso de encarar. El deleite y el asombro, que llegaban hasta el éxtasis, que estaban en el niño y en el muchacho, se marchitarían y desaparecerían, y en su lugar habría esa aburrida y baja forma de satisfacción que el hombre poseía al someterse a su trabajo, al diario intercambio a horario con otros de su misma condición y al diario comer y dormir. Yo no había podido pensar, por ejemplo, en una edad tan avanzada como los quince años sin la más aguda aprensión. Y ahora estaba realmente en esa edad, en la cruz de los caminos, según me parecía.

¿Qué quería, pues? ¿Qué pedía? Si entonces se me hubiera hecho la pregunta, y si hubiera sido capaz de expresar lo que estaba en mí, hubiera replicado: sólo quiero retener lo que tengo; levantarme cada mañana y mirar el cielo y los pastos de la tierra húmeda de rocío, de un día al otro, de un año al otro. Esperar cada julio la primavera, sentir la misma y vieja dulce sorpresa ante la aparición de cada flor familiar, de cada insecto recién nacido, de cada pájaro que volvía una vez más desde el norte. Escuchar en un trance de deleite las notas silvestres del chorlo, de vuelta otra vez a la gran llanura, volando, volando hacia el sur, bandada tras bandada a lo largo del día entero. ¡Ah, esos salvajes gritos del chorlo! Yo podría exclamar con Hafiz, cambiando sólo una palabra: "¡Si después de mil años ese sonido flotara sobre mi tumba, mis huesos, irguiéndose de alegría, danzarían en el sepulcro!" Treparme a los árboles y meter mi mano en el profundo y caliente nido del venteveo y sentir los huevos calientes —los cinco huevos color crema, puntiagudos, con manchas color chocolate y salpicaduras en la parte más ancha— acostarme sobre el pasto de la orilla con el agua azul entre mí y las matas de altos juncos, oyendo los misteriosos ruidos del viento y de escondidas aves zancudas, conversando en extraños tonos que parecían humanos; dejar que mi vista reposara y se regalara en la flor del camalote entre sus flotantes masas de húmedas hojas verdes —la gran flor del más puro y divino amarillo que, cuando se arrancaba, plegaba sus preciosos pétalos y sólo dejaba en nuestra mano su tallo verde—. Cabalgar al mediodía en los días más calientes, cuando toda la tierra centellea con aguas ilusorias, y ver el ganado y los caballos por miles cubriendo la llanura junto a las aguadas; visitar algunas guaridas de grandes pájaros en esa hora caliente e inmóvil y ver cigüeñas, ibis, garzas, airones de una blancura deslumbrantes, y rosados espátulas y flamencos, parados en el agua poco profunda en donde sus formas inmóviles se reflejaban. Yacer sobre mi espalda, sobre el pasto marrón-oxidado de enero y mirar el ancho cielo blanco-azulado, poblado por millones y miríadas de relucientes bolitas de cardo que pasan y pasan, siempre flotando; ¡mirar y mirar hasta que se convierten para mí en cosas vivas y yo, en éxtasis, estoy con ellas flotando en aquel inmenso vacío resplandeciente!

Y ahora parecía que estaba a punto de perderlo, de perder esa feliz emoción que había hecho del mundo lo que era para mí: un reino encantado, una naturaleza a la vez natural y sobrenatural; se iba a borrar y a perder imperceptiblemente, día tras día, año tras año, a medida que yo me fuera absorbiendo más y más en los aburridos asuntos de la vida, hasta que se perdiera tan efectivamente como si yo hubiera dejado de ver y de oír y de palpitar, y mi cálido cuerpo se hubiera vuelto frío y rígido en la muerte, y yo, como los muertos y los vivos, hubiera sido inconsciente de mi pérdida.

No era un sentimiento único o singular; ha sido conocido por otros muchachos, según he leído y oído; también me encontré, ocasionalmente, con uno que, en un raro momento de confidencias, confesó que a veces se había visto perturbado por el pensamiento de lo que iba a perder. Pero dudo que alguna vez haya sido sentido más profundamente que en mi caso; dudo, también, de que sea común o poderoso en los muchachos ingleses considerando las condiciones en que viven. Porque la coerción es tediosa para todos los seres, desde un escarabajo o un gusano de tierra hasta un águila, o, para ir más arriba en la escala, para un orangután o un hombre; y es sentida más agudamente por los jóvenes, en nuestra especie, al menos. Y el joven británico sufre las más grandes coerciones durante el período en que el llamado de la naturaleza, los instintos de juego y de aventura, son más urgentes. Naturalmente, él espera con avidez el tiempo de escapar que amorosamente imagina será cuando su adolescencia termine y esté libre de sus dómines.

Para volver a mi propio caso: yo no sabía y no podía saber si era un caso excepcional, si mis sentimientos por la naturaleza era algo más que el sentimiento de placer por el sol y la lluvia y el viento y la tierra y el agua y por la libertad de movimientos, que es universal en los niños, o si era debido a una facultad que no es universal ni común. El miedo, pues, era un miedo vacío, pero tenía buenas razones para tenerlo cuando consideraba lo que había pasado con mis hermanos mayores, que habían sido tan poco cohibidos como yo mismo, especialmente aquel que era tan dominante y aventurero, —ahora en un lejano país, a miles de millas de casa—, quien más o menos a la edad que yo ahora tenía, se había hecho dueño de sí mismo, para hacer lo que quería con su propia vida. Yo lo había visto en *su* encrucijada, con qué resolución había abandonado sus costumbres de vida al aire libre, y, de hecho, todo lo que había sido su deleite para dedicarse puramente al duro trabajo intelectual, y esto en nuestra casa de la pampa donde no había maestros, y donde incluso los libros e instrumentos requeridos para sus estudios sólo podían ser conseguidos con grandes dificultades y después de largas dilaciones. Recuerdo que una tarde, cuando estábamos reunidos en el comedor para el té, él estaba leyendo, y mi madre, al entrar, miró por encima de su hombro y le dijo: —Estás leyendo una novela: ¿no crees que todas esas fruslerías románticas apartarán tu mente de tus estudios?

Ahora él se encolerizará, me dije; es tan malditamente independiente y susceptible que nadie puede decirle una palabra. Me quedé sorprendido cuando le respondió tranquilamente: —Sí, madre, ya sé, pero debo terminar este libro ahora; va a ser la última novela que lea durante algunos años—. Y así fue, creo.

Su resolución nos impresionó aun más en otro asunto. Tenía un extraordinario talento para inventar historias, la mayor parte de ellas acerca de guerras y de aventuras violentas con cantidad de luchas en ellas, y, cuando estábamos todos los chicos juntos, que era generalmente después que nos habíamos ido a la cama y apagado la vela, él comenzaba uno de sus maravillosos cuentos y seguía durante horas, mientras todos nosotros completamente despiertos lo escuchábamos en silencio y conteniendo el aliento. A la larga, hacia la media noche, el fluir de la narración se cortaba súbitamente, y después de un intervalo todos empezábamos a gritarle que prosiguiera. —¡Ah!, *estaban* despiertos! —exclamaba con una risita ahogada. —Muy bien, pues, saben perfectamente dónde quedó nuestra historia, para que la sigamos otro día, ahora se pueden dormir—. A la noche siguiente retomaba el cuento que a menudo duraba una semana entera; luego lo seguía otro igualmetne largo, y luego otro, y así sucesivamente... Nuestras mil y una noches. Y este ameno y fantasioso narrar interminable también fue abandonado a medida que lo iban absorbiendo más y más sus estudios matemáticos, y otros.

Hasta el día de hoy puedo recordar partes de esos cuentos, especialmente de aquellos en que los actores eran pájaros y bestias en vez de hombres, y los extrañábamos tanto que a veces, alguna tarde en que estábamos reunidos, empezábamos a pedirle que contara un cuento... —sólo uno más, y cuanto más largo, mejor— le decíamos para tentarlo. Y él, un poco halagado ante nuestra profunda apreciación de su talento de narrador, parecía inclinado a ceder. —Bueno, y ahora, ¿qué historia les contaré?— decía; y entonces, justamente cuando todos nos estábamos acomodando para escucharlo, gritaba: —no, no, no más historias— y, para apartar de sí el asunto, echaba mano a un libro ¡y nos ordenaba callarnos la boca y abandonar la habitación!

No estaba en mí seguir su camino; yo no tenía la capacidad intelectual ni la fuerza de voluntad para consagrarme a tales tareas, y no sólo en aquella memorable noche de mi cumpleaños sino que por muchos días después, continué en un estado de ánimo perturbado, avergonzado de mi ignorancia, de mi indolencia, de mi poca inclinación a toda clase de trabajo intelectual... avergonzado hasta de pensar que mi deleite en la naturaleza y mi falta de deseos para ninguna otra cosa en la vida fuera meramente debida al hecho de que mientras los otros iban haciendo a un lado las cosas infantiles a medida que crecían, yo me negaba a separarme de ellas.

El resultado de todas estas meditaciones fue una contemporización: yo no quería abandonar, no podía abandonar, los paseos a caballo y los vagabundeos que ocupaban la mayoría de mi tiempo, pero iba a tratar de dominar mi desinterés por la lectura seria. Había gran cantidad de libros en la casa... siempre fue para mí un enigma que hubiera tantos. Su presencia en los estantes me era familiar; habían estado allí desde antes de que yo hubiera abierto los ojos... su forma, tamaño, color, hasta sus títulos, y eso era todo lo que sabía de ellos. Una *Historia Natural* general y dos pequeños trabajos de James Rennie sobre las costumbres y las facultades de los pájaros eran toda la literatura que convenía a mis necesidades en aquella colección de tres a cuatrocientos volúmenes. Aparte de eso, había leído unos pocos libros de cuentos y novelas; pero no teníamos novelas. Cuando llegaba una a la casa era leída y prestada a nuestro más próximo vecino, a unas dos leguas de casa y él, a su turno, se la prestaba a otro, a siete leguas más lejos, y así sucesivamente hasta que desaparecía en el espacio.

Comencé por la *Historia antigua* de Rollin en dos enormes volúmenes en cuarto; me imagino que fueron los tipos grandes y claros y los numerosos grabados que la ilustraban los que determinaron mi elección. Rollin, el buen y anciano sacerdote, abrió para mí un mundo nuevo y maravilloso, y en vez de la tediosa tarea que había temido que resultara ser la lectura, fue tan amena como antes había sido oír las interminables historias de mi hermano acerca de héroes imaginarios y de sus guerras y aventuras.

Todavía ávido por la historia, después de terminar Rollin, comencé a hojear otros libros de esa clase: estaba *Josephus* de Whiston, un libro demasiado pesado para sostenerlo en las manos cuando leía fuera de la casa; y también estaba Gibbon en seis majestuosos volúmenes. Yo no era capaz de apreciar su estilo altivo y artificial, y pronto di con algo más adecuado a mis gustos literarios de jovencito: una *Historia de la cristiandad* en, creo, dieciséis o dieciocho volúmenes de un tamaño conveniente. El discurso simple o natural me atraía, y pronto me convencí de que no podría haber tropezado con una lectura más fascinante que la de las vidas de los Padres de la Iglesia incluidas en algunos de los primeros volúmenes, especialmente la de Agustín, el más grande de todos: ¡qué hermosas y maravillosas eran su vida y su madre Mónica!... sus *Confesiones* y su *Ciudad de Dios,* de las que en ese volumen se transcribían largos extractos.

Esas biografías me remitieron a otro viejo libro: *Leland on Revelation,* que me contó muchas cosas que tenía curiosidad por conocer acerca de las mitologías o sistemas filosóficos de los antiguos —los innumerables falsos cultos que habían florecido en un mundo antes del amanecer de la verdadera religión.

A continuación vino la *Revolución Francesa* de Carlyle y, al fin, Gibbon, y estaba todavía sumergido en la *Declinación y caída* cuando nos alcanzó el desastre: mi padre estaba prácticamente arruinado, debido, como he dicho en un capítulo anterior, a su confianza infantil en sus prójimos, y abandonamos el hogar que él había considerado como nuestro hogar permanente, que, a su debido tiempo, hubiera llegado a ser propiedad suya con que sólo hubiera asegurado su posición por una escritura adecuada al principio, cuando consintió en tomar posesión del lugar en la ruinosa condición en que se encontraba entonces.

Así terminaron, bastante tristemente, los encantadores años de mi niñez; y aquí también debería terminar el libro, pero habiendo ido tan lejos, me aventuraré un poco más lejos aún y haré una breve relación de lo que siguió y de la vida que por varios de los años subsiguientes iba a ser la mía... la vida, esto es, de la mente y del espíritu.

CAPITULO XXIII

UNA VIDA ENSOMBRECIDA

Una severa enfermedad. Se declara que el caso es sin esperanzas. Cómo me afectó eso. Dudas religiosas y una mente angustiada. Pensamientos desmandados. Conversación acerca de la religión con un viejo gaucho. George Combe y el deseo de inmortalidad

Después que hubimos vuelto empobrecidos a nuestra vieja casa, en la que vi la luz por vez primera, que era todavía propiedad de mi padre, y todo cuanto le había quedado, continué con mis lecturas, y estaba tan entregado a los asuntos del universo visible e invisible, que no sentí demasiado los cambios de nuestras posición y comodidades. Tomé la parte que me correspondía en el trabajo rudo y estaba mucho fuera de la casa a caballo, cuidando los animales, y no me sentía desdichado. Era ya muy alto y delgado en aquel tiempo, a los dieciséis años, y crecía aún rápidamente, y aunque era fornido, es probable que la fiebre hubiera dejado en mí alguna debilidad. Sea como fuere, apenas me había asentado en mi nuevo modo de vida cuando un nuevo golpe cayó sobre mí: una enfermedad que, aunque no llegó a matarme, hizo, sin embargo, naufragar todos mis sueños y esperanzas mundanales recién nacidos e hizo fracasar tristemente mi vida futura.

Un día emprendí, sin ayuda, la tarea de arrear hasta las casas una pequeña tropa de ganado que habíamos comprado, a lo largo de una buena cantidad de leguas, y estuve a caballo desde la mañana hasta después de ponerse el sol bajo una continua lluvia torrencial y un fuerte viento. Tenía el viento en contra, y los animales trataban incesantemente de escapar y volver hacia el lugar de donde los había sacado, y la lucha con el viento y con el ganado prosiguió fatigosamente mientras la lluvia violenta iba gradualmente atravesando mi poncho de lana, luego mis ropas hasta llegar a la piel, y deslizándose hasta que mis largas botas estuvieron llenas y me mojaban hasta las rodillas. Durante la última mitad de aquel día de pleno invierno, mis pies y mis piernas estuvieron completamente insensibles. El resultado de aquello fue una fiebre reumática y años de mala salud, con constantes ataques de dolores agudos y violentas palpitaciones del corazón que duraban horas cada vez. De tiempo en tiempo se me enviaba o era llevado a la ciudad a consultar un médico y de esa manera, desde el principio hasta el fin, estuve en manos de la mayor parte de los doctores ingleses del lugar, pero ninguno de ellos me mejoró de una manera permanente, ni ninguno dijo nada que me diera esperanzas de un completo restablecimiento. Eventulamente se nos dijo que era prácticamente un caso sin esperanzas, que yo había "sobrepasado la edad de curarme" y que tenía un corazón permanentemente enfermo y podía caerme muerto en cualquier momento.

Como es natural este pronunciamiento tuvo un efecto de lo más desastroso sobre mí. Que el diagnóstico mostrara al fin que estaba equivocado no importaba nada, ya que el daño estaba hecho y no podía deshacerse aunque yo viviera un siglo. Porque el golpe había caído en el período más crítico de mi vida, el período de transición cuando la mente recién despierta se encuentra en su estado más fresco y receptivo, y es más curiosa, más ávida, cuando el conocimiento es más prestamente asimilado, y, por sobre todo, cuando se echan las bases del carácter y de la vida entera del hombre.

Hablo, debe comprenderse, de una mente que no había sido entrenada o moldeada por maestros ni escuelas; una mente que era una selva inculta más bien que una planta, una entre diez mil como ella, creciendo en un invernadero sobre un suelo bien preparado, en un vivero.

Que tuviera que decir adiós a toda idea de seguir una carrera, a todos los brillantes sueños de futuro que las recientes lecturas habían puesto en mi cabeza, no lo sentía como la pérdida principal; de hecho era cosa de menor cuantía comparada con el pensamiento espantoso de que pronto debía renunciar a esta vida terrenal que era tanto más para mí, según no podía evitar pensarlo, que para la mayoría de los demás. Yo era como aquel joven de rostro lívido que había visto atado a un poste en nuestro granero, o como cualquier desdichado cautivo, atado de pies y manos y dejado allí tirado hasta que a su captor le acomodara regresar y degollarlo o atravesarlo con una espada, de un modo pausado o deliberado, como para sacar toda la satisfacción posible del empleo de su habilidad y del espectáculo de la sangre que sale a borbotones y de la agonía de su víctima.

No era esto ni siquiera lo peor de lo que me había sobrevenido: descubría ahora que a despecho de todos mis esfuerzos en busca del espíritu religioso, aquel viejo miedo de la aniquilación que había experimentado por primera vez cuando era un niño pequeño no estaba muerto, como yo había gustado imaginar, sino que aún vivía y actuaba en mí. Este mundo visible, este paraíso del que yo no había tenido hasta entonces más que una efímera visión: el sol y la luna y los mundos que poblaban el espacio con sus brillantes constelaciones, y aun otros soles y sistemas, tan totalmente remotos, en tan inconcebibles cantidades como para aparecer a nuestros ojos como una débil bruma luminosa en el cielo, todo ese universo que había existido durante millones y billones de edades, o desde la eternidad, habría existido en vano, puesto que ahora estaba condenado con mi último aliento, con el último resplandor de mi conciencia, a convertirse en nada. Porque así era como el pensamiento de la muerte se me presentaba.

Contra este pensamiento aterrador luchaba con todas mis fuerzas, y rezaba, y rezaba de nuevo, mañana, tarde y noche, luchando con Dios, como dice el proverbio, como si se tratara de arrancar algo de sus manos que pudiera salvarme, y que El, por alguna razón que yo no podía descubrir, me rehusaba.

No era extraño que en tales circunstancias me entregara cada vez más a la literatura religiosa de la que teníamos uan buena cantidad en nuestras estanterías: teología, sermones, meditaciones para cada día del año, *The Whole Duty of Man, A Call to the Unconverted,* y muchas otras viejas obras de un contenido similar.

Entre ellas encontré una titulada, si recuerdo bien, *An answer to the infidel,* y esta obra, que tomé ávidamente en la esperanza de que iba a mitigar aquellas dudas enloquecedoras que perpetuamente se presentaban a mi mente, y de que sería una ayuda y un consuelo para mí, sólo sirvió para empeorar las cosas en todo caso, por un tiempo. Porque en ese libro trabé por primera vez conocimiento con muchos de los argumentos de los librepensadores, tanto de los Deístas que se oponían al credo cristiano como de aquellos que negaban la verdad de toda religión sobrenatural. Y las respuestas a aquellos argumentos no siempre eran convincentes. Era ocioso, pues, buscar pruebas en los libros. Los propios libros, después de todas sus argumentaciones, no me decían mucho más cuando explicaban que el hombre podía salvarse por la fe. Y a la triste pregunta: "¿Cómo alcanzarla?" la única respuesta era: esforzarse y esforzarse hasta conseguirla. Y como no había otra cosa que hacer yo continuaba esforzándome, con el resultado de que creía y no creía, y mi alma, o más bien mi esperanza de inmortalidad, temblaba en la balanza.

Esto, desde el principio hasta el fin, era la única cosa que importaba; significaba tanto para mí que leyendo uno de los libros religiosos titulado *The Saint's Everlasting Rest* en el cual el piadoso autor, Richard Baxter, se extendía y se esforzaba para que sus lectores se dieran cuenta de la condición de los condenados por toda la eternidad, me dije: "si un ángel, o uno que regresase de entre los muertos, vinieran a asegurarme que la vida no termina con la muerte, que nosotros, los mortales, estamos destinados a vivir para siempre, pero que para mí no podría haber bienaventuranza en adelante a causa de mi falta de fe, y porque yo había amado y adorado la naturaleza más que al autor de mi ser, ese sería no un mensaje de desesperación, sino un consuelo; porque en aquel terrible lugar al que sería enviado, estaría vivo y no muerto, y tendría mis recuerdos de la tierra y tal vez encontraría y entraría en comunión con otros espíritus semejantes al mío y de rememoraciones como las mías".

Este era uno de los muchos pensamientos desmandados que me asaltaban en aquellos días. Otro, muy persistente, era el punto de vista que adoptaba con respecto a los sufrimientos del Salvador de la humanidad. ¿Por qué, me preguntaba, se le daba un importancia tan grande? . . . ¿por qué se decía que El había sufrido tanto como ningún hombre había sufrido? ¡No era nada más que el dolor físico que miles y millones habían tenido que sufrir! Y si yo pudiera estar tan seguro de la inmortalidad como Jesús, la muerte no sería para mí más que el pinchazo de una espina. ¿Qué importaría ser clavado a una cruz y perecer en una lenta agonía si creyera que una vez terminada la agonía, me sentaría, refrescado, a cenar en el Paraíso? Lo peor de todo era que cuando trataba de rechazar estas ideas rebeldes y amargas, considerándolas como los susurros del Malvado, como enseñaban los libros, surgía la pronta respuesta de que el supuesto Malvado era nada más que la voz de mi propia razón esforzándose para hacerse oír.

Pero la contienda no podía ser abandonada; diablo o razón, o lo que quiera que fuese, debía ser subyugado, de otro modo no había esperanza para mí; y es tal el poderoso efecto de fijar todos nuestros pensamientos sobre un asunto, asistido sin duda por el efecto reflejado sobre la mente de la plegaria, que a su debido tiempo conseguí hacerme creer todo lo que quería creer y tuve mi recompensa ya que después de muchos días de aflicción mental sobrevinieron hermosos intervalos de paz, una nueva y sorprendente experiencia, un estado de exaltación, en que me parecía que era levantado o trasladado a una atmósfera puramente espiritual y que estaba en comunión y era uno con el mundo invisible.

Era maravilloso. Al fin y para siempre mi Oscura Noche del Alma había terminado; ya no más amargas cavilaciones y susurros burlones y retroceder temblando de los terribles fantasmas de la muerte que continuamente rondaban a mi alrededor; y, por sobre todo, no más "dificultades" —las barreras pétreas que había golpeado, lastimándome, en vano—. Porque había sido elevado milagrosamente por encima de ellas y puesto a salvo al otro lado donde no había más que caminar sencillamente.

Desdichadamente, estos benditos intervalos no duraban mucho. La memoria de algo que había oído o leído volvía de pronto a sacarme del estado de ánimo feliz y confiado; la razón revivía como saliendo de una condición adormecida o hipnotizada, y la voz burlona se hacía oír diciéndome que había sido víctima de una ilusión. Una vez más me estremecía y abominaba del negro fantasma, y cuando el pensamiento de la aniquilación era más insistente, recordaba a menudo las amargas y punzantes palabras acerca de la muerte y de la inmortalidad, que me había dicho un viejo gaucho propietario de tierras que había sido vecino nuestro en mi casa anterior.

Era un hombre rudo, de aspecto más bien severo, con una masa de cabellos plateados y ojos grises; un gaucho que conservaba sus ropas y su primitivo modo de vida, y dueño de un campo pequeño y de unos pocos animales —el menguado resto de la estancia que había pertenecido una vez a su gente—. Pero era un viejo vigoroso, que pasaba la mitad de sus días a caballo, cuidando su ganado, su único medio de vida. Un día estaba él en casa y salió, y viniéndose hacia donde yo estaba haciendo algo en el campo, se sentó en un banco y me llamó a su lado. Fui muy contento, pensando que tendría algunas novedades interesantes acerca de pájaros. Se quedó un rato silencioso, fumando su cigarro y mirando el cielo como si mirara el humo desvaneciéndose en el aire. Al fin abrió fuego.

—Mira— me dijo, —tú eres sólo un muchacho, pero puedes decirme algo que yo no sé. Tus padres leen libros, y tú oyes lo que conversan y aprendes cosas. Nosotros somos católicos romanos y ustedes son protestantes. Nosotros los llamamos heréticos y decimos que, para quienes lo son, no hay salvación. Ahora bien: quiero que me digas cuál es la diferencia entre nuestra religión y la de ustedes—.

Yo expliqué el asunto lo mejor que pude, y agregué, un tanto maliciosamente, que la mayor diferencia consistía en que su religión era una forma corrupta del cristianismo y la nuestra una forma pura.

Esto no le hizo ningún efecto; siguió fumando y mirando el cielo como si no me hubiera oído. Luego comenzó de nuevo: —Ahora ya sé. Esas diferencias no significan nada para mí, y aunque tenía curiosidad por saber cuáles eran, no vale la pena hablar de ellas, porque, según sé, todas las religiones son falsas—.

—¿Qué quería decir? . . . ¿Cómo lo sabía? —pregunté sorprendido en grado sumo.

—Los sacerdotes nos dicen —replicó—, que debemos creer y llevar una vida religiosa en este mundo para ser salvados. Los sacerdotes de ustedes les dicen lo mismo, y, como no hay otro mundo y no tenemos almas, todo lo que dicen tiene que ser falso. Tú ves todo esto con tus ojos —continuó tendiendo sus manos para indicar todo el mundo visible—, y cuando los cierras o te quedas ciego no lo ves más. Es lo mismo con nuestros cerebros. Pensamos mil cosas y recordamos, y cuando el cerebro decae olvidamos todo, y morimos, y todo muere con nosotros. ¿No tiene el ganado ojos para ver y cerebro para recordar también? Y cuando mueren ningún sacerdote nos dice que tienen un alma que debe ir al purgatorio, o donde sea que quiera enviarlos. Ahora bien: a cambio de lo que tú me dijiste, yo te he dicho algo que tú no sabías—.

Oír eso fue un gran golpe. Hasta entonces había pensado que lo que estaba mal en nuestros amigos criollos era que ellos creían demasiado, y este hombre —este gaucho bueno y honesto que todos respetábamos— ¡no creía en nada! Traté de discutir con él y le dije que me había dicho una cosa terrible, ya que cada uno sabía en su corazón que tenía un alma inmortal y que debía ser juzgado después de la muerte. El me había angustiado y hasta asustado, pero siguió fumando calmosamente y parecía no estar escuchándome, y como se rehusaba a hablar, al fin estallé: —¿Cómo lo sabe? ¿Por qué dice que lo sabe?—

Al fin habló. —Escucha: Yo también fui una vez un muchacho, y sé que un muchacho de catorce años puede entender las cosas tan bien como un hombre. Yo era hijo único y mi madre era viuda, y yo era más que el mundo entero para ella, y ella era para mí más que todo lo existente. Estábamos solos y juntos en el mundo. . . los dos. Luego ella murió, y lo que fue su pérdida para mí ¿cómo puedo decirlo? . . . ¿Cómo podrías comprenderlo? Y después que se la llevaron y la enterraron, yo me dije: 'no está muerta, y donde quiera que esté ahora, en el cielo o en el purgatorio o en el sol, me recordará y vendrá a mí y me consolará'. Cuando oscureció, salí solo y me senté en el fondo de la casa, y pasé horas esperándola. 'Seguramente vendrá', decía, 'pero no sé si la veré o no. Tal vez será un susurro en mi oído, tal vez el roce de su mano en la mía, pero yo sabré que está conmigo'. Y al fin, cansado de esperar y de velar me fui a la cama y me dije que ella vendría mañana. Y la noche siguiente, y la otra, sucedió lo mismo. A veces subía la escalera, que siempre estaba contra el alero de modo que uno pudiera subir, y, de pies sobre el techo, miraba hacia la llanura, y veía donde nuestros caballos estaban pastando. Allí me sentaba o me acostaba en el techo de totora durante varias horas y gritaba: '¡ven conmigo, madre mía! ¡no puedo vivir sin ti! ¡ven pronto... ven pronto antes de que me muera con el corazón destrozado!' Ese era mi llamado cada noche, hasta que cansado de mi vigilia volvía a mi habitación. Y ella nunca vino, y al final supe que estaba muerta y que estábamos separados para siempre... que no hay vida después de la muerte—.

Su historia me traspasó el corazón y, sin otra palabra, lo dejé, pero logré convencerme a mí mismo de que la pena por su madre lo había enloquecido, de que, cuando niño había tenido esas ilusiones en su mente y que las había conservado toda su vida. Y ahora ese recuerdo me obsesionaba. Entonces, un día, con mi mente en ese estado de perturbación, mientras leía la *Fisiología* de George Combe, di con un pasaje en el cual se discute la cuestión del deseo de la inmortalidad del alma, en que él argumenta que ese deseo no es universal, y, como prueba de ello, afirma que él mismo no tenía tal deseo.

Esto me hizo una gran impresión, puesto que, hasta el momento de leerlo, yo, en mi ignorancia, había dado por supuesto que ese deseo es inherente a cada ser humano desde el amanecer de su conciencia hasta el fin de su vida, que ese es nuestro máximo deseo, y que es un instinto del alma como es un instinto físico el del ave migratoria que la llama anualmente desde las más distantes regiones y la hace volver a su lugar natal. Yo había dado por supuesto que nuestra esperanza de inmortalidad, o, más bien, nuestra creencia en ella, estaba fundada en esa misma pasión en nosotros y en su universalidad. El hecho de que hubiera quienes no tenían tal deseo era suficiente para demostrar que no era un instinto espiritual o de origen divino.

Hubo muchas más impresiones de esa clase —cuando mi memoria vuelve a aquella triste época, me parece casi increíble que aquella pobre fe dubitativa en la religión revelada sobreviviera aún, y que la lucha siguiera aún, pero ciertamente seguía—.

Para muchos de mis lectores, para todos los que se han interesado en la historia de la religión y en sus efectos en las mentes individuales —en su psicología— todo cuanto he escrito concerniente a mi condición mental en aquel período, resultará como un cuento contado dos veces, ya que miles y millones de hombres han pasado por similares experiencias y las han relatado en innumerables libros. Y aquí debo rogar a mi lector tener en cuenta que en los días de mi juventud no habíamos caído aún en la indiferencia y en el escepticismo que ahora infecta a todo el mundo cristiano. En aquellos días la gente aún creía;

y aquí, en Inglaterra, en el propio centro y espíritu del mundo, a muchos miles de millas de mis rudas soledades, los campesinos de la Iglesia estaban en un conflicto mortal con los evolucionistas. Nada sabía yo de todo eso: no tenía libros modernos —los que teníamos eran en su mayoría viejos de cien años—. Mi lucha hasta ese período estaba enteramente en la vieja línea, y por esa causa la he relatado tan brevemente como fue posible; pero había que contarla, ya que entra en la historia del desarrollo de mi mente en aquel período. No dudo de que mis sufrimientos a través de aquellas experiencias religiosas fueron mucho mayores que en la mayoría de los casos, y esto por la razón especial que ya he indicado.

CAPITULO XXIV

PERDIDAS Y GANANCIAS

La soledad del alma. Mi madre y su muerte. El amor de una madre por su hijo. Su carácter. Anécdotas. Un misterio y una revelación. La migración otoñal de los pájaros. Vigilias a la luz de la luna. Regreso de mi hermano ausente. El me introduce a las obras de Darwin. Una nueva filosofía de la vida. Conclusión

La triste verdad de que un hombre —cada hombre— debe morir solo, había sido inculcada bruscamente en mi mente y allí había sido conservada por los frecuentes y violentos ataques de la enfermedad que en aquel tiempo yo sufría, cada uno de los cuales amenazaba con ser el último. Y este sentimiento y esta aprensión de la soledad en el momento de la ruptura con todos los lazos terrenos y de la separación de la luz y de la vida, era tal vez la causa de la idea o de la noción que me poseía, de que en todos nuestros más íntimos pensamientos y reflexiones concernientes a nuestro destino y a nuestras más profundas emociones nosotros estamos y debemos estar solos. Sea como sea, en lo que concernía a esos asuntos, nunca había tenido o deseado tener un confidente. Respecto a esto recuerdo las últimas palabras que me dijo mi hermano más joven, el ser a quien yo más quería en el mundo en ese tiempo y aquel con quien había intimado más que con cualquier otra persona que haya conocido. Esto fue después de que los días y los años sombríos habían quedado atrás, cuando yo había tenido largos períodos de bastante buena salud y había conocido la dicha en los lugares solitarios que amaga frecuentar, comulgando con la naturaleza agreste, con los pájaros selváticos por toda compañía.

El estaba conmigo en el barco en que yo había comprado mi pasaje "a casa", como insistía en llamar a Inglaterra, lo que le hacía mucha gracia, y cuando nos dimos la mano por última vez, y nos dimos nuestro último adiós, él agregó esta única y última frase: "De todas las personas que he conocido nunca, tú eres la única que no conozco". Es una frase, me imagino, jamás dicha por una madre a un hijo querido, por ser su discernimiento, fruto de su excesivo amor, tanto mayor que el del más íntimo amigo o hermano. Yo nunca insinué una palabra acerca de mis dudas y mis agonías mentales a mi madre; sólo le hablaba de mis sufrimientos físicos; sin embargo, ella lo sabía todo, y yo sabía que ella sabía. Y porque conocía y comprendía tan bien la índole de mi mente, nunca preguntaba, nunca indagaba, pero, invariablemente, cuando estaba a solas conmigo, con infinita ternura en su actitud, trataba de cosas espirituales, y me hablaba de su propio estado de ánimo, de los consuelos de su fe que le daba paz y fuerza en todas nuestras vicisitudes y ansiedades.

Yo sabía, también, que su preocupación por mi estado era más grande porque no era su primera experiencia de esa clase. Mi hermano mayor, ausente hacía tanto tiempo, apenas había dejado de ser un muchacho cuando renunció a todo su credo cristiano, congratulándose de haberse librado de esas fábulas de viejas, como burlonamente las llamaba. Pero nunca le dijo a ella una palabra de ese cambio, y, sin que le dijera una palabra, ella lo sabía, y cuando hablaba con nosotros del tema más cercano a su corazón y él escuchaba en respetuoso silencio, ella sabía qué pensamientos y sentimientos alentaban en él: que él la quería más que a nadie pero que estaba libre de su credo.

El había sido capaz de hacerlo a un lado de corazón ligero a causa de su perfecta salud, ya que en esa condición no se está pensando en la muerte —la mente rehúsa admitir pensar en ella, pues en ese estado le es tan remota que uno se considera como prácticamente inmortal—. Y, al no estar perturbada por ese pensamiento, la mente está clara y vigorosa y destrabada. Cómo, me preguntaba cuando aún estaba esforzándome por alcanzar la fe, acaso la fe en otro mundo me hubiera importado si yo no hubiera sido sentenciado repentinamente a una temprana muerte, cuando todo el deseo de mi alma era la vida, nada más que la vida... ¡vivir para siempre!

Entonces murió mi madre. Su perfecta salud le falló repentinamente, y su declinación no fue larga. Pero sufrió mucho, y en la última ocasión en que estuve con ella junto a su lecho me dijo que estaba muy cansada y que no tenía miedo a la muerte, y que se alegraría de irse si no fuera por el pensamiento de dejarme en un estado de salud tan precario y con la mente angustiada. Aun entonces no me hizo preguntas; sólo expresó la esperanza de que sus plegarias por mí encontraran respuesta y de que al fin nos encontraríamos juntos de nuevo.

No puedo decir, cómo podría decir en el caso de cualquier otro pariente o amigo, que la había perdido. El amor de una madre por el hijo de sus entrañas difiere esencialmente de todos los otros afectos, y arde con una llama tan clara y firme que parece una de las cosas que no cambian en esta mudable vida terrena, de tal modo que cuando ella ya no está presente es aún una luz en nuestra senda y un consuelo.

366

Fue una gran sorpresa para mí, hace unos pocos años, que me fueran expresados mis sentimientos secretos y más caros hacia mi madre, como nunca los había oído expresar antes, por un amigo, un hombre que nunca había conocido a su madre, que había muerto durante su infancia. El lamentaba que hubiera sido así, no sólo a causa de haber tenido una niñez y una adolescencia sin madre, sino principalmente porque en su vida posterior tuvo que sufrir haber sido privado de algo infinitamente precioso que otros tienen: la duradera y protectora memoria de un amor que es diferente de cualquier otro amor conocido por los mortales, y es casi un sentimiento y una presciencia de la inmortalidad.

Cuando leo, nada llega a mi corazón tanto como la narración verdadera del amor mutuo entre una madre y su hijo tal como lo encontramos en ese libro veraz de que ya he hablado en un capítulo anterior, la *History of my childhood*, de Serge Aksakoff. De otros libros puedo citar la *Autobiography* de Leigh Hunt, en sus primeros capítulos. Leyendo los incidentes que anota acerca de la piedad y el amor de su madre para todos los atribulados y sus actos de abnegación he exclamado: —¡Qué propio de mi madre! ¡Así excatamente hubiera actuado!— Daré aquí un ejemplo de su amorosa benevolencia.

Unos días después de su muerte tuve ocasión de ir a la casa de uno de nuestros vecinos criollos, un rancho humilde de gente pobre. Cuando lo hice no tenía presente que no había visto a esa gente desde la muerte de mi madre, y al entrar a la sala la anciana madre de familia, que tenía nietos de mi edad, se levantó de su asiento con pasos vacilantes para venir a mi encuentro y, tomando mi mano entre las suyas, con sus ojos derramando lágrimas exclamó: —¡Ella nos ha dejado! Ella que me llamaba madre por mis años y por su propio corazón amoroso. Ella sí que era mi madre y la madre de todos nosotros. ¿Qué vamos a hacer sin ella?—

Sólo después de salir y montar a caballo se me ocurrió que la memoria de la anciana señora se remontaba a la época en que conoció por primera vez a mi madre, una esposa-niña, muchos años antes de que yo naciera. Ella podía recordar numerosos actos de amor y de compasión. Por ejemplo que, cuando una de sus hijas murió al dar a luz en aquella misma casa, mi madre, que estaba entonces criándome, fue a darle todo el consuelo y la ayuda que le fue posible, y al ver que el niño vivía, se lo llevó a casa y lo amamantó junto conmigo, por varios días, hasta que se encontró una nodriza.

Desde el tiempo en que comencé a pensar por mí mismo, acostumbraba a maravillarme de su tolerancia; porque, en su vida, era una santa. Y de una espiritualidad del más alto grado. A ella, descendiente de padres y abuelos de Nueva Inglaterra, criada en una atmósfera intensamente religiosa, los habitantes de la pampa, entre quienes le tocó en suerte vivir, deben haberle parecido casi como los habitantes de otro mundo. Ellos eran tan extraños a su alma, moral y espiritualmente, como eran diferentes exteriormente a su propia gente en su lenguaje, sus ropas, sus costumbres. Y, sin embargo, era capaz de prohijarlos, de visitarlos y sentarse cómodamente entre ellos, en el más humilde de sus ranchos, interesándose tanto en sus asuntos como si fuera uno de ellos. Esa simpatía y esa libertad la hacían muy querida, y para algunos que estaban muy apegados a ella era una pena que no fuera de su misma religión. Era protestante, y, aunque no supieran exactamente lo que aquello quería decir, suponían que era algo muy malo. Los protestantes, sostenían algunos de ellos, habían estado involucrados en la crucifixión del Salvador; de todos modos, ellos no iban a la misa ni se confesaban, y despreciaban a los santos, esos seres glorificados que, subordinados a la Reina de los Cielos, y junto con los ángeles, eran los guardianes de las almas cristianas en esta vida y sus intercesores en la otra. Estaban ansiosos por salvarla, y cuando nací, esa misma anciana de que hablé una o dos páginas antes, al enterarse de que yo había llegado al mundo en el día de Santo Domingo se propuso persuadir a mi madre que me pusiera el nombre de ese santo, como era la costumbre religiosa de aquel país. Porque, si lo hubieran logrado, eso hubiera sido considerado como un signo de gracia, de que ella no despreciaba a los santos y de que su caso no era desesperado. Pero mi madre había ya elegido un nombre para mí y no lo quiso cambiar por otro, ni siquiera para complacer a sus pobres vecinos. Ciertamente no por un nombre como Domingo; tal vez no hay otro en el calendario más ofensivo para los heréticos de todas las sectas.

Se sintieron muy heridos —ese fue el único daño que ella les causó nunca— y la anciana señora y algunos de su familia que habían tenido aquel proyecto por demasiado bueno como para dejarlo caer ¡insistieron siempre en llamarme Domingo!

La simpatía y el amor de mi madre por todos se revelaba, también, en la hospitalidad que le encantaba brindar. Esa era, indudablemente, la virtud común del país, especialmente entre la población nativa; pero en toda mi experiencia durante mis vagabundeos por aquellas vastas llanuras en los años subsiguientes, cuando cada noche veía en mí el huésped de un establecimiento diferente, nunca vi nada que pudiese compararse con la hospitalidad de mis padres. Nada parecía alegrarlos tanto como tener extraños y viajeros haciendo un alto en el camino en nuestra casa; había también un buen número de personas que acostumbraban a hacer visitas periódicas a la capital desde la zona sur de la provincia y que, después de una noche, seguida tal vez por un día de descanso, hacían de nuestra casa su habitual lugar de reposo. Pero no se hacían distinciones. Los más pobres, incluso hombres que hubieran sido calificados como vagabundos en Inglaterra, viajeros a pie por ejemplo, en una tierra donde el ganado hacía peligroso andar a pie, eran tan bien venidos como aquellos de un clase más alta. Nos encantaba cuando niños, gustándonos tanto cualquier diversión, tener un huésped de esa condición humilde cenando en nuestra mesa. Ubicados en nuestros lugares en la larga mesa cargada de buenas cosas, una severa mirada admonitoria de nuestro padre nos ponía en el secreto de la condición de nuestro nuevo huésped: su inadecuación a lo que lo rodeaba. Nos divertía mucho observarlo furtivamente y escuchar sus torpes esfuerzos para mantener una conversación, pero sabíamos que el menor sonido de una risita de nuestra parte hubiera sido una ofensa imperdonable. Cuanto más pobres y más rústicos o ridículos parecían desde nuestro punto de vista, más ansiosa estaba mi madre por hacerlos sentir a gusto. Y a veces nos decía, después que no podía reír con nosotros porque recordaba que el pobre hombre probablemente tenía una madre en alguna parte, en alguna región distante, que tal vez estaba pensando en él en el mismo momento en que él estaba sentado a la mesa con nosotros, y esperándolo y rogando que en sus andanzas se encontrara con gentes que fueran amables con él.

Recuerdo muchos de esos huéspedes casuales, e informaré particularmente sobre uno —el huésped y la noche que pasamos en su compañía—, porque perdura con una peculiar frescura en mi memoria y porque era también un recuerdo que mi madre atesoraba.

Tenía yo entonces nueve o diez años, y nuestro huésped era un joven caballero español, singularmente buen mozo, de expresión y actitudes muy atractivas. Estaba en viaje de Buenos Aires a una parte de nuestra provincia que quedaba más lejos, a unas sesenta o setenta leguas al sur, y, después de pedir permiso para pasar la noche en nuestra casa, explicó que sólo tenía un caballo, puesto que le gustaba esa manera de viajar más que la costumbre criolla de llevar por delante una tropilla, yendo al galope furioso desde el alba hasta que oscurecía, y cambiando de caballo cada tres o cuatro leguas. Teniendo nada más que un caballo, él tenía que ir despaciosamente, descansando a menudo, y le gustaba visitar varias casas cada día sólo para conversar con la gente.

Después de la cena, durante la cual nos encantó con su conversación y su puro castellano, que, como él lo hablaba, era una música, formamos un círculo alrededor de un fuego de leña en el comedor y le hicimos sentar en el centro. Porque había confesado que tocaba la guitarra y todos queríamos sentarnos donde pudiésemos verlo tanto como oírlo. El afinó el instrumento despaciosamente, haciendo a menudo pausas para continuar la conversación con mis padres, hasta que al fin, viendo con qué avidez esperábamos, empezó a tocar, y su música y su estilo nos eran extraños, porque él no tocaba las melodías con arpegios y fantásticos floreos y caprichos a que tan afectos eran nuestros criollos. Era una música hermosa pero seria.

Luego hizo otra larga pausa y habló de nuevo y dijo que las piezas que había estado tocando las había compuesto su músico favorito, Sarasate. Dijo que Sarasate había sido uno de los más famosos guitarristas de España, y que había compuesto una buena cantidad de música para guitarra antes de haber abandonado ésta por el violín. Como violinista había ganado una reputación europea, pero en España lamentaban que hubiera abandonado el instrumento nacional.

Todo lo que decía era interesante, pero queríamos más y más música, y él tocaba cada vez menos y a intervalos más largos, y al fin dejó la guitarra y volviéndose hacia mis padres dijo con una sonrisa que rogaba que lo excusaran, que no podía tocar más porque estaba pensando. Les debía, dijo, una explicación acerca de eso que estaba pensando; él formaba parte, continuó, de una larga familia, muy unida, en la que todos vivían con sus padres en su hogar; y en invierno, que era frío en esa parte de España, sus momentos más felices se daban por las noches, cuando todos ellos se reunían ante un gran fuego de troncos de roble en su sala y pasaban el tiempo entre libros y conversación y un poco de música y de canto. Naturalmente, desde que había dejado su país, hacía años, el recuerdo de aquel tiempo y de aquellas noches reaparecía ocasionalmente en su espíritu, pero como recuerdos y memorias pasajeras. Esta noche, en cambio, las cosas se habían dado de diferente manera, menos como un recuerdo que como una manera de revivir el pasado, de modo que allí, sentado entre nosotros, había vuelto a ser de nuevo un chico de vuelta en España una vez más, sentado ante el fuego con sus hermanos y hermanas y sus padres. Ese sentimiento que lo había invadido no le dejaba seguir tocando. Y pensaba que era sumamente extraño que tal experiencia le hubiera sobrevenido por primera vez en aquel lugar lejano de la gran pampa desnuda, escasamente habitada, donde la vida era tan ruda, tan primitiva.

Y mientras él hablaba todos nosotros escuchábamos ¡tan ávidamente!, bebiendo sus palabras, especialmente mi madre, cuyos ojos brillaban con las lágrimas que pugnaban por asomar a ellos; y a menudo recordó a aquel huésped de una noche, que nunca más vimos pero que dejó una imagen perdurable en nuestros corazones.

Este es un retrato de mi madre tal como ella aparecía ante cuantos la conocían. En mi caso particular había algo más: un secreto lazo de unión entre nosotros ya que ella era quien mejor comprendía mis sentimientos por la naturaleza y mi sentido de la belleza, y reconocía que en esto era yo quien estaba más próximo a ella. Así, además y por sobre el amor de madre e hijo, teníamos un parentesco espiritual, y esto significaba tanto para mí, que todo cuanto me afectaba por ser hermoso a la vista o al oído estaba en mi espíritu asociado con ella. He encontrado este sentimiento expresado de la manera más perfecta en algunos versos del *Snowdrop* de nuestro malogrado poeta Dolben. Creo que decía así:

> *Si el verano nos trae una flor tan amable,*
> *de tan meditativo sosiego como ésta,*
> *con todas sus rosas y con sus claveles,*
> *la mañana ni mueve sus silentes campánulas;*
> *mas, puedo imaginar que susurran "Hogar",*
> *porque cuanto es gentil, cuanto es hermoso,*
> *lo tengo, madre mía, como parte de ti.*

Y así lo tuve yo. Todas las cosas hermosas, pero principalmente las flores. Sus sentimientos por ellas eran poco menos que de adoración. Su espíritu religioso parecía considerarlas como pequeños mensajeros mudos del Autor de nuestro ser y de la Naturaleza, o como símbolos divinos de un lugar y de una belleza no imaginables porque imaginarlos está más allá de nuestro poder.

Supongo que cuando Dolben escribió esas líneas de su *Snowdrop* tenía presente que esa flor, la campánula blanca, era una de las favoritas de su madre. Mi madre también tenía sus favoritas; no entre las rosas y los claveles de nuestros jardines, sino entre las flores silvestres que crecían en la pampa —flores que nunca vi en Inglaterra—. Pero las recuerdo, y si por algún extraño azar me llego a encontrar de nuevo en aquella región distante, iré en busca de ellas, y, viéndolas de nuevo, sentiré que estoy en comunión con su espíritu.

Esos recuerdos de mi madre son un consuelo para mí al evocar esos tiempos melancólicos, los años de mi juventud perdidos, y peor que perdidos, considerando su efecto y que el sólo pensar en aquel período que para otros es el más pleno, el más rico y el más feliz de la vida, ha sido tan penoso para mí. Y, sin embargo, a él estoy ahora obligado a volver por espacio de dos o tres páginas para relatar cómo, eventualmente, salí de él.

Mi caso no fue precisamente como el de El Proscrito de Cowper, sino que más bien como el del fugitivo de su barco en alguna costa tropical que, nadando hacia la orilla, se encuentra en un pantano, hundido hasta la cintura en el fango, enredado en raíces como cuerdas, esforzándose frenéticamente por escapar a su destrucción.

He contado cómo después de cumplir mis quince años, cuando comencé a reflexionar seriamente sobre mi vida futura, persistía aún en mí la idea de que mi perpetuo deleite en la naturaleza no era nada más que una condición o fase de mi espíritu de niño y de muchacho, que se iba a borrar con el tiempo. Yo podría haber sospechado en una época más temprana que esto era una ilusión, ya que el sentimiento había acrecido su fuerza con los años, pero fue sólo después que comencé a leer, al comenzar mis dieciséis años, que descubrí su verdadero carácter. Uno de los libros que leí entonces por primera vez fue el *Selborne* de White, que me regaló un viejo amigo de nuestra familia, un comerciante de Buenos Aires, que había tomado la costumbre de pasar una o dos semanas con nosotros una vez por año cuando tomaba sus vacaciones. Había estado visitando Europa, y un día, según me dijo, estando en Londres en víspera de su partida, se encontraba en una librería, y al ver ese libro sobre el mostrador y al hojear algunas páginas se le ocurrió que era justamente lo más apropiado para aquel muchacho de las pampas amante de los pájaros. Yo lo leí y lo releí muchas veces, porque nada tan bueno en su clase me había llegado nunca, pero el libro no me revelaba el secreto de mis propios sentimientos hacia la naturaleza —el sentimiento del cual me había vuelto cada vez más consciente, y que era un misterio para mí, especialmente en ciertos momentos, cuando me llegaba con un ímpetu repentino—. Tan poderoso era, tan inexplicable que en verdad hasta le temía, y, sin embargo, me apartaba de mi camino para buscarlo. A la hora de la puesta del Sol me alejaba a unas cuadras de la casa y, sentándome sobre el pasto seco con las manos trabadas y abrazando mis rodillas, miraba el cielo de occidente, esperando que aquel sentimiento se apoderara de mí. Y me preguntaba: ¿qué significa esto? Pero no había respuesta para eso en ningún libro sobre la "vida y conversación con los animales". Lo encontré en otras palabras en la *Philosophy* de Brown —otro de los antiguos tomos de nuestros estantes— y en un viejo volumen que contenía apreciaciones de los poetas tempranos del siglo XIX; también en otros libros. Ellos no me decían con todas las palabras que era la facultad mística en mí la que producía esos extraños ímpetus o estallidos de sentimiento y me elevaban por momentos por sobre mí mismo; pero lo que yo encontraba en sus palabras era suficiente para demostrarme que aquel sentimiento de deleite por la naturaleza era un sentimiento perdurable, que otros lo habían conocido, y que había sido una secreta fuente de felicidad a través de sus vidas.

Esta revelación, que en otras circunstancias me hubiera hecho tremendamente feliz, no hacía más que aumentar mi desdicha cuando, según parecía, yo no tenía más que un corto lapso para vivir. La naturaleza podía arrobarme, podía encantarme, y sus mensajes sin palabras a mi alma eran para mí más dulces que la miel y que el panal, pero ella no podía arrancar el aguijón y la victoria de la muerte, y yo no tenía más remedio que buscar en otra parte mi consuelo. Sin embargo, incluso así, en mis días peores, en mis años más negros, cuando estaba ocupado por los laboriosos esfuerzos de trabajar por mi propia salvación con temor y temblor, con aquel espectro de la muerte siguiéndome siempre, aún entonces no podía librar mi espíritu de su vieja pasión y delicia. La salida y la puesta del Sol, la vista de un reluciente cielo azul después de las nubes y la lluvia, la larga nota familiar pero no escuchada hacía tiempo de algún ave migratoria recién llegada, la primera vez que veía alguna flor en la primavera, volvían a traer la vieja emoción y eran como un repentino rayo de sol en un lugar oscuro —una intensa alegría momentánea, que era seguida por un dolor inefable—. También había veces en que esos dos sentimientos opuestos se mezclaban y podían estar juntos en mi espíritu durante horas y horas, y esto ocurría, lo más frecuentemente, en el tiempo de la migración otoñal, cuando la gran ola de vida alada emprendía su camino hacia el norte, y durante marzo y abril enteros los pájaros eran visibles, una bandada siguiendo a la otra bandada desde el alba hasta la noche, hasta que todos los visitantes del verano se habían ido para ser sustituidos en mayo por los pájaros del lejano sur que escapaban del invierno antártico.

Este espectáculo anual siempre había sido conmovedor, pero el sentimiento que ahora me producía —ese sentimiento mezclado— era más poderoso en las quietas noches de luna, cuando me sentaba o yacía en mi lecho, mirando al paisaje, tierra y cielo, en sus cambiantes aspectos misteriosos. Y, yaciendo allí, escuchaba por horas el canto de tres sílabas del solitario chorlo mientras que iban pasando, cada pájaro solo allá en lo alto del cielo oscuro, aleando su camino hacia el norte. Era una extraña vigilia la que yo mantenía, movido por extraños pensamientos, en aquella tierra bañada por la luz de la luna, que también era extraña, pese a que era familiar, porque nunca antes el sentimiento de la naturaleza había sido más fuerte. Y aquel pájaro que escuchaba, aquel mismo solitario chorlo que yo había conocido y admirado desde mis primeros años, el más gracioso de los pájaros, hermoso de ver y de oír cuando alzaba vuelo delante de mi caballo, con su prolongado, agreste y murmurante grito de alarma y se alejaba con liviano vuelo parecido al de la golondrina —¡qué intensidad y cuánta alegría de vivir tenía en él, qué maravilloso conocimiento heredado en su cerebro, y qué inextinguible vigor en su esbelta forma para hacerlo capaz de realizar aquel doble viaje anual de más de diez mil millas! ¡Qué dicha sería vivir siglos en un mundo de tan fascinantes fenómenos!—. Si algún gran médico, más sabio que todos los demás, infalible, me hubiera dicho que todos mis doctores habían estado equivocados, que, exceptuando algún accidente, yo tenía aún cincuenta años por vivir, o cuarenta, o aunque fuera treinta, lo hubiera venerado y me hubiera considerado el ser más feliz de la tierra, con tantos otoños e inviernos y primaveras y veranos aún por ver.

Con estas noches de luna sobrenaturales termino la historia de aquellos negros tiempos, pese a que su oscuridad aún no se había desvanecido; haberlos recordado y relatado tan brevemente como pude hacerlo una vez en mi vida, es suficiente. Permítaseme ahora volver al símil del pobre infeliz perdido luchando por salvar su vida en la marisma. El primer sentimiento de haber plantado mi pie en un lugar más firme en aquel fangal de fétido lodo, de que me llegaba un saludable soplo de aire desde fuera de la sombra de la negra selva aborrecida, fue cuando comencé a experimentar intervalos de alivio del dolor físico, cuando éstos comenzaron a ser más y más frecuentes, y a extenderse por días enteros, luego, semanas, y por un tiempo me olvidé completamente de mi precario estado. Estuve aún por largo tiempo expuesto a ataques, en que el dolor era intolerable y lo sentía como un acero que se clavara en mi corazón, siempre seguido por violentas palpitaciones, que podían durar horas enteras. Pero descubrí que el ejercicio a pie o a caballo no me empeoraba y me fui sintiendo más y más dichoso, pasando la mayor parte del tiempo campo afuera aunque a menudo me turbaba el pensamiento de que mi pasión por la naturaleza era un obstáculo para mí, una manera de apartarme del difícil camino que me había estado esforzando por seguir.

Entonces volvió mi hermano mayor, un acontecimiento que fue de la más grande importancia en mi vida; y como no se le esperaba tan pronto, estuve dudando por un momento de que este extraño visitante pudiera ser mi hermano, tanto había cambiado su apariencia en esos cinco largos años de ausencia, que a mí me habían parecido como un siglo. Nos había dejado siendo un joven de cara lisa, de piel quemada hasta un profundo color que, con sus grandes ojos penetrantes y sus largos cabellos negros, lo habían hecho parecer más bien un indio que un hombre blanco. Ahora su piel era blanca, y se había dejado crecer una barba y un bigote castaños. También había cambiado su carácter que se había vuelto más afable y tolerante, pero pronto descubrí que su temple no había cambiado tanto.

En cuanto tuvo oportunidad comenzó a interrogarme y a cuestionarme en lo que se refería a mi actitud mental y a mi posición, y mostró su sorpresa al oír que yo todavía me aferraba al credo en el que habíamos sido criados. ¿Cómo, preguntaba, conciliaba yo esas antiguas nociones fabulosas con la doctrina de la evolución? ¿Qué efecto había producido Darwin en mí? Tuve que confesar que no había leído ni una línea de su obra, que, a excepción de la *Historia de la civilización,* de Draper, que por casualidad había caído en mis manos, no había leído durante esos enteros cinco años nada más que los viejos libros que habían estado siempre en nuestros estantes. Dijo que conocía la *Historia* de Draper, y que no era la clase de libro que yo debía leer en ese momento. Yo necesitaba una historia diferente, con animales tanto como hombres en ella. El tenía consigo una provisión de libros, y me prestaría el *Origen de las especies* para comenzar.

Cuando hube leído y devuelto el libro, y él se mostró interesado por oír mi opinión, le dije que no me había hecho mella en lo más mínimo, puesto que Darwin, a mi parecer, sólo había conseguido refutar su propia teoría con su argumento de la selección artificial. El mismo confesaba que ninguna nueva especie se había producido nunca de esa manera.

Esa, me respondió, era la fácil crítica que hacía cada uno que emprendía la lectura con un espíritu hostil. Ellos se aferraban a ese punto aparentemente débil y no prestaban mucha atención al hecho de que está francamente enfrentado y respondido en el libro. Cuando él lo leyó por primera vez, esto lo convenció, pero él había ido a su encuentro con una mente abierta y yo, en cambio, con una mente prejuiciada a causa de mis ideas religiosas. Me aconsejó que lo leyera de nuevo, que lo leyera y lo considerara cuidadosamente con el único propósito de llegar a la verdad. —Tómalo—, me dijo, —y léelo de nuevo en la correcta manera como lo debes leer tú... como un naturalista—.

Se había visto sorprendido de que yo, un ignorante muchacho de la pampa, me hubiera aventurado a criticar semejante obra. Yo, por mi parte, había sido igualmente sorprendido por su tranquila manera de razonar conmigo, sin que nada de su viejo espíritu sarcástico estallara. Era gentil conmigo, sabiendo que yo había sufrido mucho y que aún no estaba libre.

Lo leí de nuevo de la manera como él me había aconsejado, y después me negué a pensar más en el asunto. Como el infeliz que durante mucho tiempo se había revolcado sobre el lecho espinoso del dolor, lo único que yo quería era reparar mi vigor perdido y respirar y caminar de nuevo; andar a caballo, galopando por la pampa verde, al sol y al viento. Porque, después de todo, esto era sólo una suspensión temporal, no una conmutación de la sentencia... aunque de un tipo desconocido en las Cortes, donde al hombre condenado se le permite salir de la prisión. Mi perdón no fue recibido hasta unos pocos años más tarde. Yo volvía con un nuevo y maravilloso gusto a mis viejos deportes, cazar y pescar, y me pasaba días y semanas fuera de casa, quedándome a veces con gauchos amigos y antiguos vecinos en sus ranchos, asistiendo a las yerras y los apartes de haciendas, a bailes y a otras reuniones, y hacía también expediciones más largas a las fronteras del sur o del oeste de la provincia, viviendo al aire libre durante meses seguidos.

Pese a mi determinación de hacer a un lado el asunto, mi mente, o mi subconsciente, como un perro con un hueso que se niega a abandonar desafiando las órdenes de su amo, seguía dándole vueltas. Iba a la cama y se despertaba conmigo, y conmigo estaba todo a lo largo del día, y cuando tenía algún rato tranquilo, cuando frenaba mi caballo para quedar montado e inmóvil observando a alguna criatura —pájaro, bestia o víbora—, o me sentaba en el suelo escudriñando algún insecto ocupado con los asuntos de su pequeña vida, cobraba conciencia de la discusión y de las argumentaciones en juego. Y cada criatura que observaba, desde el gran pájaro que se remontaba en círculos en el cielo a enorme altura, hasta la pequeña vida a mis pies, entraba en la discusión, y era un tipo, que representaba a un grupo marcado por una semejanza de familia no sólo en su figura y colorido y lenguaje, sino que también en su mente, en sus hábitos y en los más triviales rasgos y gestos, etc.; a su vez relacionaba el grupo entero con otro grupo, y con otros cada vez más alejados, en que el parecido se hacía cada vez menor. ¿Qué otra explicación era posible sino la de esa comunidad de descendencia? Qué increíble parecía que esto no hubiera sido visto muchos años antes... sí, aún antes de que se descubriera que el mundo era redondo y que era sólo uno de un sistema de planetas que daban vueltas alrededor del Sol. Todo ese conocimiento estelar era de poca o de ninguna importancia comparado con la de nuestra relación con todas las infinitamente variadas formas de vida que compartía la tierra con nosotros. ¡Y, sin embargo, había habido que llegar a la segunda mitad del siglo XX para que esta verdad grande, casi evidente por sí misma, hubiera ganado una audiencia en el mundo!

No hay duda de que esta es una experiencia común: no bien el inquiridor ha sido llevado a aceptar una nueva doctrina cuando ésta toma una completa posición de su mente, y no tiene entonces la apariencia de un huésped extraño e indeseado, sino, más bien, la de uno familiar, y es como un habitante de la casa establecido allí hace años. Supongo que la explicación consiste en que cuando abrimos de par en par las puertas al nuevo e inoportuno visitante, es virtualmente una ceremonia, puesto que el acontecimiento real se ha cumplido ya habiéndose deslizado el huésped de alguna otra manera, instalándose como en su casa en la mente subconsciente. Insensible e inevitablemente yo me había convertido en un evolucionista, aunque nunca me había satisfecho totalmente la selección natural como la única y suficiente explicación del cambio de las formas de vida. Y, otra vez, insensible e inevitablemente la nueva doctrina me había conducido a hacer modificaciones en mis viejas ideas religiosas y, eventualmente, a una nueva y simplificada filosofía de la vida. Una lo suficientemente buena en cuanto concierne a esta vida, pero que, desgraciadamente, no toma en cuenta la otra, una segunda y perdurable vida sin cambio de personalidad.

Este asunto ha estado en la mente de los hombres, durante los dos o tres últimos terribles años, recordándome a menudo aquella fuerte impresión que recibí, siendo un muchacho de catorce años, ante la amarga historia del alma del viejo gaucho; también me ha hecho recordar de nuevo la teoría en que aquel hermano mío más joven y muy querido pudo encontrar consuelo. Se había vuelto profundamente religioso, y después de muchas lecturas de Herbert Spencer y de otros modernos filósofos y evolucionistas, me dijo que pensaba que era ocioso para los cristianos luchar contra los argumentos de los materialistas en cuanto a que la mente es una función del cerebro. Indudablemente lo era, y nuestras facultades mentales perecen con el cerebro; pero tenemos también un alma y ésta es imperecedera. *El lo sabía,* lo que significa que también él era un místico, y que estando profundamente preocupado por la religión, su facultad crítica encontró en ella su empleo y su ejercicio. De todos modos, su opinión le sirvió para elevarse por sobre *sus* dificultades y para sacarlo de *su* pantano... una manera tal vez menos imposible que la que fue indicada recientemente por William James.

De esta manera salí perdedor en la disputa, pero, como compensación, supe que mis médicos habían sido falsos profetas; que, exceptuando algún accidente, yo podía confiar en vivir treinta, cuarenta, hasta cincuenta años con sus veranos y otoños e inviernos. Y esa era la vida que deseaba —la vida que el corazón puede concebir—, la vida terrena. Cuando oigo decir a algunas gentes que no han encontrado el mundo y la vida tan agradables e interesantes como para enamorarse de ellos, o que consideran con indiferencia su fin, yo me siento inclinado a pensar que nunca estuvieron verdaderamente vivos ni vieron con una clara visión el mundo que juzgan tan despectivamente, ni nada de lo que hay en él —ni siquiera una brizna de hierba—. Yo sólo sé que el mío es un caso excepcional, que el mundo visible es para mí más hermoso e interesante que para la mayoría de las personas, que el deleite que experimento en mis comuniones con la naturaleza no pasa, dejando nada más que el recuerdo de una felicidad desaparecida para intensificar un dolor presente. La felicidad nunca se perdió, sino que, debido a aquella facultad de que he hablado, tuvo un efecto acumulativo en la mente, y volvió a ser mía, de modo que en mis peores momentos, cuando estuve compelido a existir excluido de la naturaleza en Londres durante largos períodos, enfermo y pobre y sin amigos, pude siempre sentir que era infinitamente mejor ser que no ser.

MARTA RIQUELME

MARTA RIQUELME

(Del manuscrito de Sepúlveda)

I

LEJOS DE LOS CAMINOS por donde andan aquellos que van y vienen sobre la tierra, duerme Jujuy en el corazón de este continente. Es la más remota de nuestras provincias, y está dividida de los países del Pacífico por la cadena gigante de la Cordillera; es una región de montañas y de selvas, de calores tórridos y aunque es un territorio la mitad de grande que la península Ibérica, sólo posee, como medio de comunicación con el mundo exterior, unos pocos caminos insignificantes que son poco más que caminos de mulas.

Las gentes de esta región tienen pocas necesidades; no tienen aspiraciones de progreso, y nunca cambiaron su antiguo modo de vida. Los españoles tardaron mucho en conquistarlos; y ahora, después de tres siglos de dominación cristiana, todavía hablan el quichua, y subsisten en gran medida del patay, una pasta dulce hecha con la vaina del algarrobo silvestre; mientras que aún mantiene como bestia de carga la llama, un don de sus antiguos amos, los incas del Perú.

Todo esto es de conocimiento corriente, pero en cambio nada conocen los de fuera del peculiar carácter de la región, o de la naturaleza de las cosas que pasan dentro de sus límites; para ellos Jujuy es sólo una provincia que está recostada contra los Andes, totalmente apartada del progreso del mundo e impasible ante él. Plugo a la Provincia darme un conocimiento más íntimo de ella y esto ha sido para mí una penosa tribulación y una pesada carga desde hace muchos años. Pero no he tomado la pluma para quejarme de que los años de mi vida se consuman en una región en donde aún se permite que el gran enemigo espiritual de la humanidad desafíe la supremacía de nuestro Señor,

379

llevando una guerra en igualdad de condiciones contra sus seguidores: mi único objeto es alertar, y tal vez también consolar, a otros que me sucederán en este puesto, y que llegarán a la iglesia de Yala ignorando los medios que serán empleados para la destrucción de sus almas. Y si en esta narración escribo algo que pueda ser ofensivo para nuestra santa religión, a causa de la oscuridad de nuestro entendimiento y de la poca fe que hay en nosotros, ruego que el pecado que hoy cometo en mi ignorancia me sea perdonado, y que este manuscrito perezca milagrosamente sin haber sido leído por ninguna persona.

Fui educado para el sacerdocio en la ciudad de Córdoba, ese famoso seminario de sabiduría y de religión; y, en 1838, a mis veintisiete años, fui designado cura de una pequeña población en la distante provincia de que hablaba. El hábito de obediencia que tempranamente me habían inculcado mis maestros jesuitas me permitió aceptar esta orden sin una protesta, y aun con muestras exteriores de contento. Sin embargo, me llenó de aflicción, aunque ya podía haber sospechado que se había dispuesto para mí algún duro destino parecido, ya que se me había hecho estudiar el quichua, que ahora sólo se habla en las provincias andinas. Con secreto y amargo desconsuelo me arranqué de todo aquello que hacía la vida agradable y deseable —la compañía de innumerables amigos, las bibliotecas, la hermosa iglesia donde había profesado, y esa renombrada universidad que ha sembrado en los turbulentos anales de nuestro desdichado país el esplendor de sabiduría y de poesía que puedan poseer.

Mis primeras impresiones de Jujuy no contribuyeron a levantar mi ánimo. Después de un viaje que duró cuatro semanas —porque los caminos eran difíciles y el país sufría en esos momentos grandes disturbios— llegué a la capital de la provincia, también llamada Jujuy, una ciudad de unos dos mil habitantes. Desde allí viajé a mi destino, la población llamada Yala, situada en el límite noroeste de la provincia, donde nace el río Yala, al pie de esa cadena de montañas en que se ramifican los Andes hacia el este, separando a Jujuy de Bolivia. Yo estaba totalmente desprevenido en cuanto al carácter del lugar en que había venido a vivir. Yala era un pueblecito desperdigado, de unas noventa almas, de gente ignorante y antipática, en su mayoría indígenas. Para mis ojos no acostumbrados la región aparecía como un caos desolado y rudo de rocas y montañas gigantescas, comparadas con las cuales las famosas sierras de Córdoba descendían a meros montículos, y de vastas selvas lóbregas, cuya quietud de muerte sólo era quebrada por los gritos salvajes de algún ave extraña o por el bronco trueno de alguna distante cascada.

Tan pronto como me di a conocer a la gente del pueblo, me propuse conocer la región circundante; pero antes de mucho empecé a desesperar de encontrar siquiera los límites de mi parroquia en la dirección que fuese. La región era bastante salvaje y estaba poblada solamente por unas pocas familias muy distantes unas de otras, y, como todos los desiertos, me era desagradable en grado sumo; pero como iba a ser requerido frecuentemente para realizar largos viajes, resolví aprender lo más posible de su geografía. Luchando siempre para sobreponerme a mis propias inclinaciones, que están más de acuerdo con una vida estudiosa y sedentaria, me propuse ser muy activo; y habiéndome procurado una buena mula empecé a hacer largas marchas cada día, sin guía y con sólo una brújula de bolsillo para evitar perderme. Nunca pude superar por completo mi natural adversión a los desiertos silenciosos, y en mis largas recorridas evité las selvas espesas y los valles profundos, manteniéndome tanto como me era posible en la llanura abierta.

Un día cuando me había alejado unos veinte kilómetros de Yala, descubrí un árbol de nobles proporciones que crecía solitario en la llanura y, sintiéndome muy agobiado por el calor, me bajé de la mula y me tendí en el suelo bajo su grata sombra. Se oía un continuo zumbido de lechiguanas —una pequeña avispa mielera— entre el follaje que me cubría, porque el árbol estaba en flor, y ese sonido sedante pronto trajo a mi espíritu esa impresión de descanso que insensiblemente conduce a dormitar. Con todo, estaba aún muy lejos del sueño, pero recostado y con los ojos entrecerrados, sin pensar en nada, cuando repentinamente, desde las profundidades del denso follaje que me cubría, resonó un grito agudo, el más terrible que le haya tocado oír a un oído humano. Su sonido era el de un grito humano pero expresaba un grado de agonía y de desesperación que sobrepasaba todo lo que es capaz de sentir cualquier ser humano, y mi impresión fue que sólo podría haber sido emitido por algún espíritu torturado al que se le hubiera permitido vagar una temporada por la tierra. Grito tras grito cada uno más poderoso y terrible de oír que el anterior, se sucedieron, y yo me puse en pie de un salto, con los cabellos erizados sobre mi cabeza, mientras que todo mi cuerpo comenzaba a sudar profusamente de miedo. La causa de esos sonidos enloquecedores seguía siendo invisible a mis ojos; y, finalmente, corriendo hacia mi mula, la monté a toda prisa y no cesé de azotar a la pobre bestia todo el camino hasta llegar a Yala.

Al llegar a mi casa mandé buscar a un tal Osuna, un hombre de posición, que podía hablar español, y muy respetado en el pueblo. Al anochecer vino a verme, y entonces lo enteré de la extraordinaria experiencia por la cual había pasado aquel día.

—No se inquiete, padre... sólo ha oído al Kakué, —me replicó. Supe entonces por él que el Kakué es un ave que frecuenta las selvas más sombrías y cerradas y que es conocido por todos en la región por su terrible voz. Kakué era, me informó también, el antiguo nombre del territorio, pero la palabra fue erróneamente anotada por los primeros exploradores, y con el tiempo ese nombre corrupto fue el que perduró. Todo eso que entonces oía por vez primera es histórico. Pero cuando pasó a informarme que el Kakué es un ser humano metamorfoseado, que las mujeres y a veces los hombres cuyas vidas han sido ensombrecidas por grandes sufrimientos y calamidades son transformados por espíritus compasivos en esos lúgubres pájaros, le pregunté un tanto desdeñosamente si él, un hombre instruido, creía en algo tan absurdo.

—No hay en todo Jujuy, —me replicó— una sola persona que no lo crea.

—Eso es una mera opinión, —exclamé— pero muestra hacia qué lado se inclina su espíritu. No hay duda de que la superstición concerniente al Kakué es muy antigua, y que ha llegado hasta nosotros por intermedio de los aborígenes junto con la lengua quichua. La transformación de hombres en animales es común en todas las religiones primitivas de Sudamérica. Por ejemplo, los guaraníes cuentan que, huyendo de una conflagración provocada por el descenso del sol a la tierra, muchas gentes se arrojaron al río Paraguay y, de inmediato, fueron transformadas en carpinchos y caimanes; mientras que otros que se refugiaron en los árboles fueron ennegrecidos y chamuscados por el fuego y se convirtieron en monos. Pero sin ir más allá de las tradiciones de los Incas que una vez gobernaron esta región, se contaba que después de la primera creación toda la familia humana, que habitaba las laderas de los Andes, fue transformada en grillos por un demonio enemistado con el primer creador del hombre. Al presente, en todo el continente esas creencias están ya muertas o moribundas; y si la leyenda del Kakué aún mantiene aquí su influjo sobre el vulgo eso se debe a la situación aislada del país, encerrado entre grandes montañas y sin contacto con los países vecinos.

Notando que mis argumentos no habían producido el menor efecto, empecé a perder la calma y le pregunté si él, un cristiano, se atrevía a confesar su creencia en una fábula nacida de la corrupta imaginación de los infieles.

Se encogió de hombros y replicó: —Sólo le he dicho lo que nosotros, en Jujuy, sabemos que es un hecho. Lo que es, es; y aunque usted siga hablando hasta mañana no puede cambiarlo, aunque sí pueda demostrar que es una persona muy instruida.

Su respuesta produjo sobre mí un extraño efecto. Por primera vez en mi vida experimenté un sentimiento de cólera en toda su potencia. Poniéndome de pie me puse a andar de un lado a otro excitado y gesticulando profusamente, golpeando la mesa con mis manos, sacudiendo mi puño cerrado sobre su rostro de manera amenazadora y, con una violencia de lenguaje improcedente en un seguidor de Cristo, denuncié la degradante ignorancia y las tendencias paganas de las gentes entre las que me había tocado vivir; y más particularmente de la persona que tenía ante mí, que tenía ciertas pretensiones de hombre educado y que debería haber estado libre de los groseros terrores de la gente común. Mientras me dirigía a él en ese tono permaneció sentado fumando un cigarrillo, haciendo anillos de humo con los labios y mirando plácidamente cómo subían hasta el techo, y con esa estudiada y altanera indiferencia redoblaba mi rabia hasta tal punto que apenas pude contenerme para no saltarle al cuello, o derribarlo a tierra golpeándolo con una de las sillas de caña que había en la habitación.

Sin embargo, tan pronto como se fue me dominó el remordimiento por haberme comportado de manera tan impropia. Pasé la noche en plegarias y en lágrimas de penitencia, y resolví mantener en lo sucesivo una estricta vigilancia sobre mí mismo, ahora que el secreto enemigo de mi alma se me había revelado. No hice esta resolución prematuramente. Hasta entonces me había considerado como una persona de carácter manso y plácido; el súbito cambio y, tal vez, el secreto disgusto que sentía por la suerte que me había tocado, habían desarrollado rápidamente mi verdadero carácter que ahora se volvió sumamente impaciente y proclive a repentinos y violentos estallidos de cólera durante los cuales apenas podía controlar mi lengua. La permanente vigilancia sobre mí mismo y la lucha contra mi perverso carácter que ahora se habían vuelto necesarias fueron la causa de sólo una parte de mis dificultades. Descubrí que la mente de mis feligreses, casi sin excepciones, tenía aquella embotada disposición apática con respecto a las cosas espirituales que me había exasperado de tal modo en Osuna, y que obstruía todos mis esfuerzos para beneficiarlos. Esas gentes, o más bien sus antecesores, hacía unos siglos, habían aceptado el cristianismo, pero éste nunca se había infiltrado propiamente hasta sus corazones. Todavía estaba en la superficie; y si alguna vez sus mentes semipaganas eran profundamente conmovidas no lo eran por la historia de La Pasión de Nuestro Señor, sino por alguna creencia supersticiosa heredada de sus antecesores. Durante todos los años que pasé en Yala nunca dije una misa, nunca prediqué un sermón, nunca traté de hablar del consuelo de la fe sin tener hincada en mí la convicción de que mis palabras eran inútiles, de que estaba regando la roca donde ninguna semilla podría germinar, y malgastando mi vida en vanos esfuerzos para impartir la religión a almas que eran impenetrables a ella. A menudo me he acordado de las palabras de nuestro santo e ilustrado Padre Guevara, cuando se queja de las dificultades encontradas por los primeros misioneros jesuitas. Cuenta cómo uno de ellos trató de impresionar a los chiriguanos con el peligro en que incurrían rehusando el bautismo, describiéndoles su futura condición cuando estuvieran condenados al fuego eterno. A lo que ellos replicaron que lo que les decía no les inquietaba, sino que, por el contrario, estaban muy complacidos de oír que las llamas del futuro serían inextinguibles, porque eso les ahorraría innúmeros problemas, y si encontraban que el fuego era demasiado caliente se desplazarían alejándose a una distancia apropiada. ¡Tan difícil era para sus mentes paganas comprender las solemnes doctrinas de nuestra fe!

II

Mi conocimiento de la lengua quichua adquirido solamente mediante el estudio de los vocablos me fue al principio de poca utilidad. Descubrí que era incapaz de conversar de temas familiares con la gente de Yala; y esta era una gran dificultad que se cruzaba en mi camino, y una causa de disgusto por más de una razón. Yo no estaba provisto de libros y de otros elementos provechosos y recreativos y, por lo tanto, buscaba ávidamente a las pocas personas del lugar que podían conversar en español, porque siempre he sido afecto al trato social. Sólo había cuatro: un hombre muy viejo, que murió poco después de mi llegada; otra era Osuna, un hombre por quien había concebido una invencible aversión; las otras dos eran mujeres: la viuda Riquelme y su hija. Acerca de esta joven debo hablar con cierta extensión, ya que esta narración se refiere principalmente a su suerte. La viuda Riquelme era pobre, no teniendo más que una casa en Yala, pero con un huerto lo suficientemente grande como para cultivar una abundante provisión de frutas y verduras, y para alimentar unas pocas cabras; de tal modo que estas mujeres tenían lo suficiente para ir viviendo, sin lujos, de su parcela de tierra. Eran de pura sangre española; la madre estaba prematuramente envejecida y marchita; Marta, que tenía poco más de quince años cuando llegué a Yala, era el ser más encantador que yo hubiera visto nunca; aunque en este asunto mi opinión podría estar prejuiciada, porque sólo la veía junto a las mujeres indias de piel oscura y cabellos gruesos, y comparada con sus caras de tipo innoble la de Marta era como la de un ángel. Sus rasgos eran regulares; su piel blanca, pero tenía ese pálido tinte oscuro que se ve en algunas personas cuyas familias han vivido durante generaciones en países tropicales. Sus ojos, sombreados por largas pestañas, eran de ese matiz violeta que se ve a veces en gente de sangre española —ojos que parecen negros hasta que se los mira muy de cerca—. Su cabello era, sin embargo, la corona de su belleza y su mayor gloria, porque era muy largo y de un brillante color oro oscuro... ¡algo maravilloso de ver!

La relación con esas dos mujeres, que estaban llenas de simpatía y de dulzura, prometía ser una verdadera bendición para mí, y a menudo iba a verlas; pero pronto descubrí que, por el contrario, ella iba sólo a agregar una nueva amargura a mi existencia. El afecto cristiano que sentía por esa hermosa niña degeneró insensiblemente en una pasión mundana de fuerza tan poderosa que todos mis esfuerzos para arrancarla de mi corazón resultaron inútiles. No puedo describir mi desdichada condición durante los largos meses que luché en vano contra esa emoción pecaminosa, y, en la amargura de mi corazón, pensé a menudo que mi Dios me había abandonado. El temor de que llegara un momento en que mis sentimientos se traicionaran aumentaba en mí hasta que al fin, para evitar un mal tan grande, me vi obligado a dejar de visitar la única casa en Yala donde para mí era un placer entrar. ¿Qué había hecho yo para ser perseguido tan cruelmente por Satanás?, era el constante grito de mi alma. Ahora sé que aquella tentación era sólo parte de esa larga y desesperada lucha en que los servidores del príncipe de las fuerzas del aire se habían empeñado para vencerme.

Por cinco años este conflicto conmigo mismo no dejó de ser un peligro constante... un período que para mi espíritu pareció de no menos de medio siglo. Sin embargo, sabiendo que el ocio es pariente del mal, estaba incesantemente ocupado; porque, cuando no había nada que me obligara a salir, trabajaba en casa con mi pluma, llenando de este modo muchos volúmenes que, un día, podrán servir para arrojar alguna luz sobre el gran problema histórico del imperio cisandino de los incas, y sobre sus efectos sobre las naciones conquistadas.

Cuando Marta tenía veinte años se supo en Yala que se había prometido en matrimonio a un tal Cosme Luna, y de este hombre deben decirse unas pocas palabras. Como muchos hombres jóvenes que no poseen propiedades ni ocupación, y no teniendo disposición para el trabajo, era un jugador empedernido, que pasaba todo su tiempo yendo de un pueblo a otro para asistir a carreras de caballos y a riñas de gallos. Hacía tiempo que lo consideraba una abominable peste para Yala, un bandido que poseía cien vicios bajo una agradable figura, y ni una virtud que lo redimiera, y fue por lo tanto con el más profundo dolor que supe de su éxito con Marta. La viuda, que estaba como es natural decepcionada por la elección de su hija, vino a verme con lágrimas y quejas, rogándome que la ayudara a persuadir a su querida hija de que rompiera un compromiso que sólo prometía hacerla desdichada de por vida. Pero con aquel sentimiento secreto en mi corazón que se esforzaba constantemente por arrastrarme a la ruina, no me animé a ayudarla, pese a que hubiera dado con alegría mi mano derecha para salvar a Marta de la calamidad de casarse con semejante hombre.

La tempestad que esas noticias habían desatado en mi pecho no cedió mientras los preparativos para el matrimonio seguían su curso. Me vi forzado entonces a abandonar mi trabajo, porque era incapaz de pensar; mis ejercicios religiosos tampoco me servían para ahuyentar ni por un momento la extraña rabia sombría que se había adueñado de mí por completo. Noche tras noche me levantaba de mi lecho y caminaba de un lado para otro por mi cuarto durante horas, tratando en vano de cerrar la puerta a las incitaciones de algún demonio que constantemente me urgía a emprender alguna acción desesperada contra aquel joven. Mil planes para destruirlo se presentaban a mi espíritu, y cuando los había rechazado resueltamente y había rogado de rodillas que me fuera perdonada mi índole pecadora, me levantaba maldiciéndolo de nuevo mil veces más que antes.

Mientras tanto, la propia Marta no veía nada malo en Cosme, porque el amor la había cegado. Era un hombre joven, buen mozo, que sabía tocar la guitarra y cantar, y que dominaba ese juguetón y liviano tono de conversación que siempre agrada tanto a las mujeres. Además, se vestía bien y era generoso con el dinero, del cual estaba, aparentemente, bien provisto.

A su debido tiempo se casaron, y Cosme, al no tener casa propia, vino a vivir con su suegra en Yala. Después, al fin, lo que yo había previsto sucedió. Se quedó sin dinero y sus nuevos parientes no tenían nada a lo que pudiera echar mano para venderlo. Era demasiado orgulloso para jugar por cobres, y la pobre gente de Yala no tenía plata que arriesgar; no podía o no quería trabajar, y la vida ociosa que estaba viviendo comenzó a hacérsele aburrida. Volvió de nuevo a sus antiguas andanzas, y pronto fue cosa corriente que se ausentara del hogar por un mes o por seis semanas cada vez. Marta parecía desdichada, pero nunca se quejaba ni hubiera permitido decir una palabra contra Cosme; porque cuando éste volvía a Yala la belleza de su mujer era para él como algo nuevo, algo que lo ponía a sus pies y lo convertía por una breve temporada en su devoto amante y esclavo.

Al fin ella fue madre. Me alegré por ella; porque ahora que tenía a su hijo ocupando sus pensamientos, el abandono de Cosme le sería más soportable. El no estaba en Yala cuando nació el niño; se había ido a Catamarca, según se dijo, y durante tres meses nada se supo de él. Era una época de disturbios políticos y, como se necesitaban hombres para abastecer los ejércitos, todos los hombres que viajaban por el país sin una ocupación legal eran reclutados para el servicio militar. Y esto le había pasado a Cosme. Una carta suya le había llegado por fin a Marta, informándole que había sido llevado a San Luis, y pidiéndole que le enviara doscientos pesos, pues con esa cantidad le sería posible pagar su exoneración. Pero para ella era imposible reunir ese dinero; tampoco podía dejar Yala para ir donde él, porque las fuerzas de su madre estaban por entonces decayendo rápidamente, y Marta no podía abandonarla al cuidado de extraños. Todo esto se vio abligada a decir a Cosme en la carta que le escribió, y que tal vez jamás llegó a sus manos, porque no hubo nunca ninguna respuesta.

Al cabo, la viuda Riquelme murió; entonces Marta vendió la casa y la huerta y cuanto poseía y, llevando a su hijo con ella, se fue a buscar a su esposo. Viajó primero hacia la ciudad de Jujuy, y allí, con otras mujeres, se reunió a un convoy que estaba por comenzar su viaje hacia las provincias del sur. Pasaron algunos meses, y entonces llegaron a Yala las desastrosas noticias de que el convoy había sido sorprendido por los indios en un lugar solitario y que toda la gente había sido masacrada.

No me voy a extender aquí sobre la angustia que sufrí al conocer el triste fin de Marta: porque trataba con todas mis fuerzas de creer que su difícil vida había realmente terminado, aunque a menudo me aseguraran mis vecinos que los indios invariablemente dejaban vivos a las mujeres y a los niños.

Cada uno de los golpes asestados por el cruel destino a aquella mujer tan desdichada me habían traspasado el corazón; y durante los años que siguieron, y cuando la gente del pueblo había dejado de hablar de ella, a menudo, en plena noche, me levantaba de la cama, me dirigía a la casa donde ella había vivido y, caminando bajo los árboles de ese huerto donde tan a menudo había conversado con ella, me entregaba a un dolor que el tiempo parecía incapaz de mitigar.

III

Marta no había muerto; lo que le había pasado después de su partida de Yala fue lo siguiente. Cuando el convoy en que viajaba fue atacado por los indios, sólo los hombres fueron masacrados, mientras que mujeres y niños fueron llevados cautivos. Cuando los vencedores se repartieron los despojos entre ellos, el niño, que en ese largo y penoso viaje por el desierto, aun con la perspectiva de una vida de cruel esclavitud por delante, había sido un consuelo para Marta, se le quitó por la fuerza de entre sus brazos para ser enviado a algún lugar distante, y desde ese momento lo perdió de vista por completo. Ella misma fue comprada por un indio que podía permitirse pagar por una linda cautiva blanca, y que hizo de ella su mujer. Ella, una cristiana, casada con un hombre por desgracia demasiado amado, no pudo soportar ese terrible destino que le había caído en suerte. Estaba además enloquecida de dolor por la pérdida de su hijo, y una noche oscura y tormentosa se escapó furtivamente del campamento indio. Durante varios días con sus noches vagó por el desierto sufriendo todas las privaciones posibles y con un constante temor de los yaguaretés, y fue encontrada al fin por los salvajes casi muerta de inanición e incapacitada para seguir huyendo de ellos. Su dueño, cuando fue devuelta a él no tuvo piedad: la ató a un árbol que crecía junto a su choza, y allí, todos los días, azotaba cruelmente su cuerpo desnudo para satisfacer su bárbaro rencor hasta que ella se dispuso a morir por el excesivo sufrimiento. También le cortó el cabello y, trenzándolo, se hizo un cinturón que llevaba siempre en torno a la cintura —un dorado trofeo que sin duda le ganó gran honor y distinción entre los salvajes. Cuando por esos medios hubo quebrantado totalmente su espíritu y la redujo al último grado de debilidad, la soltó del árbol, pero al mismo tiempo ató un tronco a su tobillo, de manera que sólo muy penosamente, y arrastrándose con ayuda de sus manos, podía realizar las diarias tareas que su amo le imponía. Sólo al cabo de un año entero de cautiverio, y cuando hubo dado a luz un niño, terminó su castigo y su pie fue liberado del tronco. El natural afecto que sintió por ese hijo de un padre tan cruel fue entonces el único consuelo de Marta. En esa dura servidumbre se consumieron cinco años de su miserable existencia; y sólo quienes conocen el carácter torvo, huraño e implacable de los indios pueden imaginar lo que fue ese período para Marta, sin ninguna simpatía de sus prójimos, sin esperanzas y sin ningún placer salvo el de amar y acariciar a sus propios hijos salvajes. Por entonces era madre de tres de ellos.

Cuando el más pequeño tenía unos pocos meses, andaba un día Marta a cierta distancia de las chozas en busca de leña para el fuego, cuando una mujer, una de las que fueron hechas cautivas con ella en Jujuy, corrió hacia ella, ya que hacía mucho tiempo buscaba la oportunidad de hablarle. Sucedía que esta mujer había conseguido persuadir a su marido indio de que la devolviera a su hogar en territorio cristiano, y había logrado al mismo tiempo su consentimiento para llevar a Marta con ellos, ya que había concebido un gran afecto por ella. La perspectiva de escapar llenó de alegría el corazón de la pobre Marta, pero cuando se le dijo que de ninguna manera podría llevarse a los niños, comenzó en su pecho una lucha cruel. Amargamente rogó que se le permitiera llevar a sus nenes y, al fin, vencida por su insistencia, la otra cautiva consintió en que llevase al más pequeño de los tres; aunque hizo esa concesión de muy mala gana.

A poco llegó el día fijado para la huida, y Marta con su niño se reunió con su amiga en el bosque. Rápidamente montaron, y comenzó el viaje que debía durar muchos días, y durante el cual iban a pasar mucha hambre y sed y fatiga. Una noche oscura, mientras viajaban por un territorio boscoso y quebrado, estando Marta dominada por el cansancio de tal modo que apenas podía mantenerse a caballo, el indio, con fingida bondad, la aligeró del peso del niño que ella siempre llevaba en sus brazos. Al cabo de una hora ella se adelantó para ponerse a su lado y, cuando preguntó por el niño, se le dijo que había sido arrojado a un torrente rápido y profundo que sus caballos habían atravesado a nado un rato antes. Sobre lo que pasó después fue incapaz de dar un informe claro. Sólo recordaba confusamente que durante muchos días de calor abrasador y muchas noches de viaje agotador había estado siempre rogando lastimeramente por su hijo perdido, pareciéndole siempre que lo oía llorar pidiéndole que lo salvara de la muerte. Al fin terminó el largo viaje. Fue dejada por los otros en el primer poblado cristiano a que llegaron, después de lo cual viajando lentamente de pueblo en pueblo, consiguió llegar a Yala. Sus antiguos vecinos y amigos al principio no la reconocieron, pero cuando al fin se convencieron de que tenían realmente ante ellos a Marta Riquelme, la recibieron como si hubiera vuelto del sepulcro. Supe que había llegado y yendo a toda prisa a saludarla, la encontré sentada frente a la casa de un vecino rodeada por la mitad de la gente del pueblo.

¡Era esta mujer realmente Marta, la que una vez fue el orgullo de Yala! Fue difícil creerlo, ¡tan ennegrecida por los soles ardientes y los vientos de años estaba su cara, antes tan tersa; tan ajada y agrietada por el dolor y por las muchas privaciones que había sufrido! Su cuerpo, adelgazado hasta casi parecer un esqueleto, estaba vestido con harapos, mientras que su cabeza, agobiada por la pena y por la desesperación, estaba privada de aquella corona de oro que había sido su principal adorno. Cuando me vio llegar se arrojó de rodillas ante mí tomando mi mano entre las suyas y cubriéndola con lágrimas y besos. El dolor que sentí al ver su desdichado estado mezclado con la alegría por su liberación de la muerte y del cautiverio, fueron más fuerte que yo; me sentí sacudido como un junco por el viento y, cubriendo mi rostro con mis ropas, lloré a gritos en presencia de toda la gente.

IV

Se hizo cuanto dictaba la caridad para aliviar su desgracia. Una compasiva mujer de Yala la recibió en su casa y le proporcionó ropas decorosas. Pero por cierto tiempo nada sirvió para levantar su ánimo abatido; seguía afligiéndose por su bebé perdido, y en su imaginación le parecía estar siempre oyendo sus lastimeros gritos pidiendo socorro. Sólo tuvo algún consuelo cuando se le aseguró que a su debido tiempo Cosme volvería. Creía lo que le decían porque eso coincidía con sus deseos y, gradualmente, los efectos de su terrible experiencia comenzaron a disiparse, dejando lugar a un sentimiento de impaciencia febril con que esperaba el regreso de su marido. Con ese sentimiento, que yo hice lo posible por estimular, advirtiendo que sería el único remedio contra la desesperación, apareció también una preocupación nueva con respecto a su apariencia personal. Comenzó a cuidar su vestimenta, y arregló lo mejor que pudo sus cabellos cortos y quemados por el sol. La belleza ya no la podría recobrar nunca; pero poseía buenos rasgos que no podían alterarse; también sus ojos retenían su color violeta, y la esperanza le devolvió algo de la perdida expresión de antaño.

Al fin, cuando hacía más de un año que estaba entre nosotros, llegó un día la noticia de que Cosme había llegado, de que había sido visto en Yala: había desmontado a las puertas de lo de Andrada, el pulpero del camino principal. Al oírlo se levantó con un grito de alegría. ¡El había vuelto a ella por fin!... ¡El sería su consuelo! No pudo esperar su llegada: ¡qué cosa maravillosa! Con premura voló como el viento a través del pueblo, y en pocos momentos estuvo en el umbral de Andrada, jadeando a causa de su carrera, con las mejillas arreboladas, y toda la esperanza y la vida y el fuego de su adolescencia agolpándose de nuevo en su corazón. Allí vio a Cosme, que no había cambiado casi, rodeado por sus viejos amigos, escuchando en silencio y con aspecto consternado la historia de los sufrimientos de Marta en el gran desierto, de su huida y de su vuelta a Yala, donde había sido recibida como alguien que vuelve de la tumba; en eso la vieron allí de pie.

—¡Aquí está la propia Marta que llega muy a tiempo, —exclamaron— mira a tu mujer!

El se desprendió de sus manos con una risa extraña. —¡Qué, esa mujer mi esposa... Marta Riquelme! —replicó—. No, no, amigos, no se engañen; Marta pereció hace tiempo en el desierto, donde yo estuve buscándola. De su muerte no tengo la menor duda; déjenme pasar.

Pasó a su lado apartándola, y la dejó allí, de pie, inmóvil como una estatua, incapaz de emitir una palabra, y rápidamente estuvo a caballo y se alejó de Yala.

Entonces ella recobró de pronto sus facultades, y con un grito de angustia se lanzó tras él, implorándole que volviera; pero viendo que no la escuchaba la dominó la desesperación y cayó desmayada al suelo. Fue recogida por la gente que la había seguido y llevada de vuelta a la casa. Desgraciadamente no había muerto, y cuando recobró la conciencia era digna de compasión escuchar las excusas que inventaba para aquel miserable sin conciencia que la había abandonado. Ella estaba cambiada, decía, enormemente cambiada... ¡No era extraño que Cosme hubiera rehusado creer que ella fuera la Marta de seis años antes! En el fondo bien sabía que nadie se dejaba engañar: para todo Yala era evidente que había sido abandonada. No lo podía soportar y, cuando se encontraba con alguien en la calle bajaba los ojos y seguía, pretendiendo que no lo veía. Pasaba la mayor parte de su tiempo en la casa, y allí se estaba sentada por horas enteras sin hablar ni moverse, con el rostro apoyado en las manos y los ojos fijos en el vacío. Mi corazón sangraba por ella; la recordaba en mis plegarias por la mañana y por la noche; traté de levantar su ánimo decaído con toda clase de argumentos, diciéndole incluso que la belleza y la frescura de su juventud volverían a ser suyas con el tiempo, y que su esposo se arrepentiría y volvería a ella.

Esos esfuerzos fueron infructuosos. No pasaron muchos días sin que desapareciera de Yala y, pese a las diligentes exploraciones que se hicieron en las montañas vecinas, no pudo ser encontrada. Sabiendo lo vacía y desolada que había quedado su vida, privada de todo afecto, concebí la idea de que había vuelto al desierto a buscar la tribu donde había estado cautiva con la esperanza de ver una vez más a sus perdidos hijos. Con el tiempo, cuando todas las esperanzas de volverla a ver jamás habían sido abandonadas, un hombre llamado Montero vino a verme con noticias de ella. Era un hombre pobre, un carbonero, que vivía con su mujer y sus hijos en la selva, a unas dos horas de marcha de Yala, y muy distante de toda otra morada. Había encontrado a Marta vagando perdida en el bosque y la había llevado a su rancho, y a ella le había agradado encontrar aquel refugio, lejos de la gente de Yala que conocía su historia; y fue a pedido de la propia Marta que este buen hombre había cabalgado hasta el pueblo para informarme que estaba a salvo. Esto me produjo un enorme alivio, y pensé que Marta había procedido sensatamente al escapar de la gente del pueblo, que estaban siempre señalándola y repitiendo su asombrosa historia. En aquel lugar retirado donde había encontrado refugio, separada de cosas de triste memoria y de lenguas murmuradoras, tal vez las heridas de su corazón se curarían poco a poco y la paz volvería a su espíritu perturbado.

Con todo, antes de que hubieran pasado muchas semanas, la mujer de Montero vino a verme con un muy triste relato acerca de Marta. Se había vuelto cada vez más silenciosa y solitaria, pasando la mayor parte del tiempo en cierto lugar escondida entre los árboles, donde se sentaba inmóvil durante muchas horas cada vez, rumiando sus recuerdos. Esto no era lo peor. Ocasionalmente hacía algún esfuerzo para ayudar en las tareas de la casa, preparando el patay o el maíz para la cena, o yendo con la mujer de Montero a recoger leña en el bosque. Pero de pronto, en medio de su tarea, dejaba caer su hato de leña y, arrojándose al suelo, rompía en los más desgarradores gritos y lamentos, exclamando a toda voz que Dios la había perseguido injustamente, que El era un ser lleno de maldad, y diciendo contra El muchas cosas espantosas de oír. Profundamente angustiado al escuchar estas nuevas pedí mi mula y acompañé a la pobre mujer hasta su casa; pero cuando llegamos allá Marta no pudo ser encontrada por ninguna parte.

De todo corazón hubiera permanecido allí para verla, y para tratar una vez más de recobrarla de su abatimiento, pero me vi obligado a volver a Yala. Porque sucedía que una fiebre epidémica se había declarado en esos días, expandiéndose por la región, de modo que rara vez pasaba un día sin tener que hacer un largo viaje para asistir al lecho de un moribundo. A menudo, durante aquellos días, agotado por el cansancio y la falta de sueño, bajaba de mi mula y descansaba un rato contra una roca o un árbol, deseando que la muerte viniera y me librara de una tan triste existencia.

Cuando dejé la casa de Montero le encargué que me enviara noticias de Marta tan pronto como la encontrara; pero, durante varios días no supe nada. Al fin vino la noticia de que habían descubierto el lugar donde se escondía en la selva, pero que no habían podido inducirla a abandonarlo, ni siquiera a que les hablara; y me imploraban que fuese a verlos, porque estaban muy angustiados por su estado, y no sabían qué hacer.

Una vez más fui en su busca; y este fue el viaje más triste de todos, porque hasta los elementos naturales estaban cargados de una lobreguez inusual como para preparar mi espíritu para alguna calamidad inconcebible. La lluvia, acompañada por truenos y relámpagos aterradores, había estado cayendo a torrentes durante varios días, de modo que la región estaba casi intransitable: los cursos de agua desbordados rugían entre las columnas, arrastrando rocas y árboles, y amenazándonos cada vez que teníamos que pasarlos, con llevarnos a la muerte. La lluvia había cesado, pero todo el cielo estaba cubierto por una oscura nube inmóvil que ningún rayo de sol atravesaba. Las montañas, envueltas en vapores azules, se destacaban ante nosotros, gigantescas y desoladas, y los árboles eran como siluetas de árboles tallados en sólida roca negra como la tinta, erigidos en alguna sombría región subterránea para burlar a sus habitantes con una imitación del mundo de la superficie.

Al fin llegamos a la choza de Montero, y, seguidos por toda la familia, salimos a buscar a Marta. El lugar donde se había escondido estaba en un denso bosque a media legua de la casa, y como la subida hacia él era empinada y difícil, Montero tuvo que caminar delante, llevando mi mula por la brida. Al fin llegamos al lugar donde la habían descubierto y allí, en la oscuridad del bosque, encontramos a Marta aún en el mismo lugar, sentada sobre el tronco de un árbol caído, empapado de lluvia y medio hundido bajo enormes lianas y masas de follaje muerto y podrido. Ella estaba agazapada, con los pies escondidos bajo sus ropas, que estaban ahora hechas girones y cubiertas de barro; tenía los codos apoyados sobre las rodillas encogidas y los largos dedos huesudos metidos entre el cabello que caía en enredado desorden sobre su rostro. A este estado lamentable había sido llevada por sus grandes e inmerecidos sufrimientos.

Al verla un grito de compasión se escapó de mis labios, y arrojándome de la mula avancé hacia ella. Cuando me estaba acercando levantó sus ojos hasta los míos, y entonces me quedé inmóvil, paralizado de pasmo y horror ante lo que veía; porque ya no eran más aquellos suaves ojos violetas que hasta hacía poco habían conservado su dulce y patética expresión; ahora eran redondos y salvajes, abiertos hasta tres veces más que su tamaño natural, y llenos de un espeluznante fuego amarillo que los asemejaba a los ojos de un animal salvaje acorralado.

—¡Gran Dios, ha perdido la razón! —exclamé; luego, cayendo de rodillas, descolgué el crucifijo de mi cuello con manos temblorosas, y traté de sostenerlo ante su mirada. Este movimiento pareció enfurecerla; los ojos locos y vacíos, de los que había desaparecido toda expresión humana, se convirtieron en dos bolas ardientes que parecían arrojar chispas de fuego; su cabello corto se erizó hasta que pareció una inmensa cresta sobre su cabeza; y, repentinamente, bajando sus manos esqueléticas, arrojó violentamente el crucifijo lejos de ella, emitiendo al mismo tiempo una sucesión de gemidos y gritos que atravesaron mi corazón de dolor. Y luego, alzando los brazos, prorrumpió en alaridos tan terribles por la profunda angustia que expresaban, que agobiado por lo que oía caí en tierra y escondí mi rostro. Los otros, que estaban tras de mí hicieron lo mismo, porque ningún ser hubiera podido soportar esos gritos, el recuerdo de los cuales, aún hoy, después de tantos años, hace que la sangre se me hiele en las venas.

—¡El Kakué! ¡El Kakué! —exclamó Montero que estaba muy cerca a mis espaldas.

Me recobré al oír esas palabras, y levanté mis ojos sólo para descubrir que ante mí Marta ya no estaba más. Porque en aquel mismo momento, cuando aquellos gritos terribles resonaban en mi corazón atravesándolo, despertando ecos en la soledad de las montañas, ¡el espantoso cambio había sobrevenido, y ella había mirado con su última mirada humana a la tierra y a los hombres! Bajo otra figura —aquella extraña forma del Kakué— había volado fuera de nuestra vista para siempre, para esconderse en aquellos bosques sombríos que de allí en adelante iban a ser su morada. Y yo, el más desdichado de los hombres, ¡qué había hecho para que todos mis esfuerzos y mis plegarias se hubieran visto frustrados de aquel modo, para que se hubiera permitido que de mis propias manos el espíritu del poder de las tinieblas me arrancara aquella alma desdichada!

Me levanté de la tierra temblando, con las lágrimas cayendo sin control por mis mejillas, mientras que los miembros de la familia Montero se agrupaban a mi alrededor, aferrándose a mis ropas. La noche cayó sobre nosotros, negra como la desesperación y como la muerte, y sólo con las mayores dificultades hicimos nuestro camino de vuelta por el bosque. Pero no me quedé en el rancho; con riesgo de mi vida, volví a Yala, y durante todo aquel viaje oscuro y solitario clamé a Dios para que tuviera compasión de mí. Hacia medianoche llegué al pueblo sano y salvo, pero el horror con que aquella inaudita tragedia me había inficionado, los temores y las dudas que aún no osaban expresarse en palabras, permanecían en mi pecho torturándome. Durante varios días no pude comer ni dormir. Quedé reducido a los huesos y mi cabello comenzó a blanquear antes de tiempo. Como ahora era incapaz de cumplir mis deberes y creía que la muerte estaba próxima me consumía de nuevo por volver a la ciudad que me vio nacer. Huí al fin de Yala y, con grandes dificultades, llegué a la ciudad de Jujuy y, desde allí, en lentas etapas viajé de vuelta a Córdoba.

V

—¡De nuevo te contemplo, Córdoba, hermosa a mis ojos como la nueva Jerusalén bajando de los Cielos para aquellos que presenciaron la resurrección! Que aquí, donde empezó mi vida, me sea permitido descansar en paz, como un niño fatigado que cae dormido sobre el pecho de su madre.

Así apostrofé a mi ciudad natal, cuando, mirándola desde lo alto, la vi al fin ante mí, circundada de colinas púrpuras y brillando a la luz del sol, con las blancas torres de sus muchas iglesias surgiendo de la verde niebla de arboledas y jardines.

No obstante la Providencia dispuso que en Córdoba yo debiera encontrar la vida y no la muerte. Rodeado por viejos y queridos amigos, rezando en la vieja iglesia que conocía tan bien, mi salud se recuperó, y me sentía como quien se levanta después de una noche de malos sueños y sale a sentir los rayos del sol y el viento fresco en su cara. Conté la extraña historia de Marta sólo a una persona: el padre Irala, un hombre culto y discreto, y muy piadoso, y una alta autoridad en la iglesia de Córdoba. Me quedé asombrado de que fuera capaz de escuchar con calma las cosas que le relaté; me dijo algunas palabras de consuelo, pero no hizo, entonces o después, ningún intento para arrojar alguna luz sobre aquel misterio. En Córdoba pareció que una oscura nube hubiera sido levantada de mi mente dejando mi fe intacta; fui de nuevo alegre y feliz, más feliz de lo que había sido nunca desde que la dejé. Pasaron tres meses; entonces Irala me dijo un día que era tiempo de que volviera a Yala, puesto que al estar restaurada mi salud no había nada que me mantuviera apartado de mi rebaño por más tiempo.

¡Oh, aquel rebaño, aquel rebaño, en el que para mí no había habido más que un solo precioso cordero!

Fui presa de un gran desasosiego; todo aquellos temores y dudas sin nombre que me habían abandonado parecieron volver; le rogué que me ahorrara aquello, que enviara a algún hombre más joven, que ignorara los asuntos que le había comunicado, para ocupar mi lugar. Replicó que, por la propia razón de estar familiarizado con aquellos asuntos, yo era la única persona adecuada para ir a Yala. Entonces, dominado por mi inquietud le abrí mi corazón. Le hablé de aquella apatía pagana de la gente que en vano había luchado por dominar, de las tentaciones que había encontrado... las pasiones de la cólera y del amor terreno, el impulso de cometer algún crimen terrible. Luego había sobrevenido la tragedia de Marta Riquelme, y el mundo espiritual había parecido resolverse en un caos en que Cristo era impotente para salvar; en mi miseria y en mi desesperanza mi razón había casi despertado, y yo había huido de aquel lugar. En Córdoba había revivido la esperanza, mis plegarias habían tenido una respuesta inmediata, y nuestro Salvador parecía estar cerca de mí. Aquí en Córdoba, dije para concluir, estaba la vida; y en la atmósfera destructora del alma de Yala estaba la muerte eterna.

—Hermano Sepúlveda, —me respondió—, conocemos todos sus sufrimientos y sufrimos con usted; no obstante usted debe volver a Yala. Aunque allá, en territorio del enemigo, en medio de la batalla, acorralado y herido, usted tal vez haya dudado de la omnipotencia de Dios, El lo llama de nuevo al frente, donde El estará con usted y luchará de su lado. Le corresponde a usted, no a nosotros, encontrar la solución de aquéllos misterios que lo perturbaron; y sus propias palabras parecen demostrar que usted ya estuvo cerca de la solución. Recuerde que estamos aquí no para nuestro propio placer, sino para llevar a cabo la obra de nuestro Señor; que la más alta recompensa no será para aquellos que se sientan en la fresca sombra con un libro en la mano, sino para los que se afanan en el campo y sufren el peso abrumador y el calor del día. Vuelva a Yala con el corazón firme, y a su debido tiempo todas las cosas se volverán claras para su entendimiento.

Esas palabras me dieron algún consuelo, y meditando mucho en ellas partí de Córdoba, y a su tiempo llegué a mi destino.

Al abandonar Yala, había prohibido a Montero y a su mujer hablar del modo cómo había desaparecido Marta, considerando que sería mejor para mi gente ignorar aquel asunto; pero ahora, a mi vuelta, andando de nuevo por el pueblo, encontré que lo sucedido era conocido por todos. En todos lados me mencionaron que "Marta se había convertido en un Kakué"; sin embargo, que hubiera sido así no los afectaba llenándolos de asombro y desaliento; era meramente un acontecimiento para ocupar la charla de las mujeres ociosas, como el rapto de Quiteria o la pelea de Máxima con su suegra.

Era entonces la estación más cálida del año, cuando se hace imposible estar mucho en actividad, o andar mucho rato fuera de la casa. Durante aquellos días el sentimiento de desaliento comenzó de nuevo a oprimir pesadamente mi corazón. Rumiaba las palabras de Irala, y rezaba continuamente, pero la iluminación que él había profetizado no llegó. Cuando predicaba mi voz era para la gente como el zumbido de las moscas de verano: ellos venían y se sentaban o se arrodillaban en el piso de la iglesia, y me escuchaban con expresión estólida e impasible, y luego se iban de nuevo con el corazón inalterado. Después de la misa matinal volvía a mi casa y, sentado solo en mi habitación, pasaba las horas de bochorno sumido en mis pensamientos melancólicos, sin ningún deseo de trabajar. En momentos así la imagen de Marta, en toda la belleza de su adolescencia, coronada con sus brillantes cabellos dorados, se levantaba ante mí, hasta que las lágrimas que se agolpaban en mis ojos resbalaban entre mis dedos. También recordaba a menudo aquella terrible escena en el bosque —la figura agazapada con sus sórdidos harapos, los furiosos ojos centelleantes—, y de nuevo aquellos penetrantes alaridos parecían resonar a través de mí, y llenar las oscuras selvas de la montaña con sus ecos, y me incorporaba medio enloquecido por las impresiones de horror que se renovaban dentro de mí.

Y un día, cuando estaba sentado en mi habitación, con esos recuerdos por toda compañía, de pronto una voz en mi corazón me dijo que el fin se aproximaba, que la crisis iba a llegar, y que hacia el lado que yo cayera, allí me quedaría por toda la eternidad. Me levanté de mi asiento mirando fijo delante de mí, como quien ve a un asesino que entra en sus habitaciones con la daga en la mano, y se hace fuerte para la lucha que sobrevendrá. Instantáneamente todas mis dudas, todos mis temores, mis pensamientos informulados, encontraron expresión, y dentro de mi alma gritaron con un millón de lenguas contra mi Redentor. Lo llamé en voz alta para que me salvara, pero El no vino; y los espíritus de lo oscuro, rabiosos por mi larga resistencia, se habían apoderado violentamente de mi alma, y la estaban arrastrando hacia su perdición. Tendí mis manos y me apoderé del crucifijo que colgaba cerca de mí y me aferré a él como un marinero que se ahoga se aferra de un mástil flotante. —¡Arrójalo al suelo! —gritaron cien demonios a mi oído—. ¡Pisotea ese símbolo de esclavitud que ha ensombrecido tu vida y ha hecho para ti de esta tierra un infierno! ¡El que murió en la cruz ahora es impotente; perecen miserablemente aquellos que ponen en El su fe! ¡Recuerda a Marta Riquelme, y sálvate de su destino mientras todavía es tiempo!

Mis manos se aflojaron soltando el crucifijo y, cayendo sobre las losas, pedí a gritos al Señor que me ultimara y se apoderara de mi alma, porque sólo por la muerte podía escapar de aquel enorme crimen que mis enemigos me urgían a perpetrar.

Apenas acababa de pronunciar aquellas palabras cuando sentí que los demonios me habían abandonado, como lobos famélicos que se asustan de su presa. Me levanté y lavé la sangre de mi frente lastimada, y alabé a Dios; porque ahora había una gran calma en mi corazón, y sabía que Aquel que murió para salvar al mundo estaba conmigo, y que Su gracia me había dado fuerzas para conquistar mi alma y librarla de la perdición.

Desde ese momento empecé a comprender el sentido de las palabras de Irala, en cuanto a que me correspondía a mí y no a él encontrar la solución de los misterios que me habían perturbado, y que estaba ya próximo a encontrarla. Vi también la razón de esa hosca resistencia contra la religión que encontraba en las mentes de la gente de Yala; de las tentaciones que me habían asaltado —las extrañas tempestades de cólera y las pasiones carnales, que nunca experimenté en otra parte, y que habían soplado sobre mi corazón como ardientes vientos agostadores—; y de igual modo los acontecimientos de la trágica vida de Marta Riquelme; porque todas esas cosas habían sido ordenadas con diabólica astucia para conducir mi alma a la rebelión. No volví a detenerme con persistencia en aquel hecho aislado de su transformación, porque ahora el entero mecanismo de aquella tremenda guerra en que estaban empeñados los poderes de las tinieblas contra los mensajeros del Evangelio empezó a desplegarse ante mis ojos.

Con el pensamiento retrocedí a aquel tiempo, siglos atrás, cuando aún no había caído ningún rayo de luz celestial sobre este continente; cuando los hombres se prosternaban adorando a dioses a quienes llamaban en sus diversas lenguas Pachacamac, Viracocha, y muchos otros; nombres que traducidos significaban El Todopoderoso, El Juez de los Hombres, El Fuerte Contendiente, El Señor de la Muerte, El Vengador. Estos no eran seres míticos; eran poderosas entidades espirituales, que diferían en carácter unas de otras: algunas se deleitaban con la guerra y la destrucción, mientras que otras miraban a sus adoradores humanos con sentimientos tolerantes y hasta bondadosos. Y a causa de esta creencia en seres poderosos y benevolentes algunos escritores cristianos sostuvieron que los aborígenes poseían un conocimiento del verdadero Dios, aunque oscurecido por muchas falsas nociones. Este es un error manifiesto; porque así como en el mundo material no pueden coincidir la luz y la oscuridad, mucho menos puede el Supremo Juez inclinarse a compartir su soberanía con Belial y Moloch, o, en este continente, con Tupa y Viracocha; sino que todos estos demonios, grandes y pequeños, y conocidos por varios nombres, eran ángeles de las tinieblas que se habían dividido entre ellos este nuevo mundo y las naciones que en él moraban. No hay por qué asombrarse de encontrar aquí semejanzas con la verdadera religión, toques de majestad o de gracia que sugieren al Divino Artista; porque el propio Satán se viste como un ángel de luz, y no se hace escrúpulos para tomar en préstamo las cosas inventadas por la Divina Inteligencia. Esos espíritus poseían poder y autoridad ilimitados; servirlos era la gran ocupación de la vida de todos los hombres; el carácter individual y los sentimientos naturales eran aplastados por un implacable despotismo, y nadie soñaba con desobedecer sus decretos, interpretados por sus altos sacerdotes; todos los hombres estaban empeñados en levantar templos colosales, enriquecidos con oro y piedras preciosas, en su honor, y sacerdotes y vírgenes por decenas de miles conducían su culto con una pompa y una magnificencia que sobrepasaban las de las antiguas Egipto o Babilonia. No podemos dudar de que esos seres hacían a menudo uso de su poder para quebrantar el orden de la naturaleza, transformando hombres en pájaros o en bestias, provocando temblores de tierra que dejaban en ruinas ciudades enteras, y cumpliendo muchos otros estupendos milagros para demostrar su autoridad o para satisfacer sus malignas naturalezas. Tiempo vino en que plugo al Soberano del mundo derribar este perverso imperio, empleando para ese fin los antiguos, débiles instrumentos despreciados por los hombres: los curas misioneros y, principalmente, los de la tan a menudo perseguida Hermandad fundada por Loyola, cuyo celo y santidad han sido siempre una ofensa para los orgullosos y los que viven para los pensamientos carnales. País tras país, tribu tras tribu, los viejos dioses fueron privados de sus reinos, luchando siempre con todas sus armas para hacer retroceder la marea de la conquista. Y, al fin, fueron derrotados en todas partes, y como un ejército que lucha en defensa de su territorio, y que gradualmente se retira ante el invasor para concentrarse en alguna región aparentemente inaccesible y allí obcecadamente resistir hasta el fin; así todos los viejos dioses y demonios se han retirado a esta región apartada, donde, si bien no pueden impedir que caigan las semillas de la verdad, han logrado por lo menos hacer árido como una piedra el suelo donde caen. Tampoco puede parecer extraño que esos seres otrora poderosos se satisfagan con permanecer en una oscuridad y una inactividad comparativas, cuando el mundo entero está abierto a ellos, ofreciéndoles campos dignos de sus perversas ambiciones. Porque, por grandes que puedan ser su poder y su inteligencia, ellos son, con todo, seres finitos, que poseen, como el hombre, características individuales, capacidades y limitaciones; y después de reinar donde han perdido un continente, es muy posible que puedan ser renuentes o inadecuados para servir en otra parte. Porque bien sabemos que aun en los puntos más fuertes de la cristiandad hay suficientes espíritus para la perversa tarea de llevar al hombre por el mal camino; naciones enteras están entregadas a condenables herejías, y toda religión es pisoteada por muchos cuya porción estará donde el gusano no ayuna y el fuego jamás se apaga.

Desde el momento de mi última batalla, cuando esta revelación comenzó a despuntar en mi mente, he estado a salvo de sus persecuciones. Ni pasiones coléricas ni impulsos pecaminosos ni dudas y desánimo perturban la paz de mi alma. He sido colmado de un nuevo celo, y en el púlpito siento que no es mi voz sino la voz de algún poderoso espíritu la que habla por mis labios y predica al pueblo con una elocuencia de la que yo no soy capaz. Hasta ahora, sin embargo, ella ha sido imponente para ganar sus almas. Los antiguos dioses, aunque ya no sean adorados abiertamente, son todavía sus dioses, y si un nuevo Tupac Amaru pudiera levantarse para echar por tierra los símbolos de la cristiandad, y proclamar una vez más El Imperio del Sol, por todas partes los hombres se prosternarían para adorar sus rayos nacientes y llenos de alegría reconstruirían los templos del Relámpago y del Arco Iris.

Aunque los espíritus malogrados no pueden hacerme daño están siempre cerca de mí, vigilando todos mis movimientos, incluso luchando para frustrar mis designios. Tampoco me olvido de su presencia. Aun aquí sentado en mi estudio y mirando hacia lo alto de las montañas, que suben como estupendas escaleras hacia el cielo perdiéndose sus cumbres entre las nubes que las rodean, me parece discernir la silueta tremenda y tenebrosa de Pachacamac, el dios supremo entre los viejos dioses. Aunque estén en ruinas sus templos, donde los faraones de los Andes lo adoraron durante mil años, es aún terrible en su majestad y en su cólera, que juegan como relámpagos sobre su frente arrugada, iluminando su severa expresión, y su barba que rueda hacia abajo, hasta sus rodillas, como una inmensa nube blanca. A su alrededor se agrupan otras tremendas formas de nubosas vestiduras —El Fuerte Contendiente, El Señor de los Muertos, El Vengador, El Juez de los Hombres, y muchos otros cuyos nombres fueron una vez poderosos a través de todo el continente—. Se han reunido para deliberar; escucho sus voces en el trueno que rueda sordamente desde las montañas y en el viento que sacude la selva ante la tempestad que se aproxima. Sus rostros están vueltos hacia mí, me señalan con sus manos sombrías, están hablando de mí —¡precisamente de mí, un hombre viejo, débil y agotado!— pero no cejo ante ellos; mi alma es firme aunque mi carne sea débil; aunque mis rodillas tiemblen mientras miro, me atrevo a esperar hasta ganar otra victoria sobre ellos antes de partir.

Día y noche ruego por aquella alma que aún vaga perdida por la inmensidad de la selva; y ninguna voz me censura mi esperanza o me dice que mi plegaria es ilícita. Aguzo la vista mirando hacia la salva; pero no sé si Marta Riquelme vendrá a verme con la noticia de su salvación en un sueño nocturno, o con su vestidura carnal, a plena luz del día. Por su salvación estoy esperando, y cuando la haya visto estaré pronto para partir; porque así como el viajero cuyos labios están calcinados por los vientos ardientes, y que tiene sed de un sorbo de agua fresca y traga arena, aguza sus ojos para ver el final de su viaje en algún vasto desierto, ¡así yo espero por la meta final de esta vida, cuando vaya hacia ti, Señor mío, y descanse!

CRONOLOGIA*

*Esta cronología ha sido revisada y ampliada por el Departamento Técnico de la Biblioteca Ayacucho.

1841	Nace William Henry Hudson en la finca de su familia en la zona de Qulmes, en la Provincia de Buenos Aires. Su padre, Daniel Hudson, era hijo de inmigrantes ingleses e irlandeses a Massachussetts; su madre, Carolina Augusta Kimble, provenía de una familia cuáquera, de estirpe originalmente inglesa, que se había establecido en Maine. William Henry era el cuarto hijo, tercer varón, de la familia, que había llegado a la Argentina en el año 1833 a bordo del *Potomac*. "La casa donde nací, en las pampas sudamericanas, se llamaba, con extraña y antigua belleza, "Los Veinticinco Ombúes", siendo que había exactamente veinticinco de estos árboles indígenas, de tamaño gigantesco, irguiéndose muy separados en una hilera de alrededor de 400 yardas de extensión." (*Allá lejos y hace tiempo.*)

A: En Buenos Aires, en abril, se descubre una supuesta máquina infernal, cargada de explosivos, destinada a matar a Rosas. Lavalle es derrotado por Oribe en Famaillá (Tucumán) (17/IX). Muerto accidentalmente en Jujuy (8/X); su cadáver será llevado por sus últimos defensores a Bolivia. Marco Avellaneda, jefe de la Liga del Norte, es entregado a Oribe; ejecutado, su cabeza es exhibida en Tucumán (3/X). La liquidación de la Liga da lugar a numerosas matanzas. Lamadrid es derrotado por Pacheco en Rodeo del Medio (Mendoza) (29/IX). Corrientes se mantiene en la disidencia; el general Paz es puesto a cargo de las fuerzas armadas y vence a Echagüe, gobernador de Entre Ríos, en Caa-Guazú. En diciembre Urquiza reemplaza a Echagüe como gobernador de Entre Ríos, y lo conserva en el apoyo de Rosas. En Buenos Aires se funda el Club de Residentes Extranjeros.

Pellegrini: *Recuerdos del Río de La Plata.*

AL: En Montevideo, Uruguay, Joaquín Suárez, presidente del Senado, asume el Poder Ejecutivo. En el Paraguay la Asamblea designa cónsules al coronel Roque Alonso y Carlos Antonio López. En Chile el general Bulnes es elegido presidente en reemplazo del general Prieto; continúa en el gobierno el conservadorismo. W. Wheelwright establece la primera línea regular de navegación a vapor entre Valparaíso y Lima. En Bolivia, alzamientos de partidarios de Santa Cruz; Ballivián, (La Paz), con apoyo de éstos, gana la supremacía en alianza con el presidente peruano Gamarra. Triunfante, solicita el retiro de éste, que se niega y es vencido y muerto en Ingavi, con lo que tiene fin la etapa de intervención peruana en los asuntos internos bolivianos. En el Brasil Don Pedro II se aparta de los liberales e impone un gabinete conservador. Luís Alves de Lima pacifica Maranhão. En México un golpe militar

En Inglaterra: Caída del gabinete liberal; Ministerio Peel (-46). Monarquismo constitucionalista en los reinos escandinavos. Tratado de Meerengen: cierre de los estrechos del Bósforo y Dardanelos a los buques de guerra. EE.UU.: John Tyler sucede a Harrison, muerto ese año. El general Espartero es regente en España. Guizot reincorpora a Francia al concierto europeo. En Francia: Ley de disminución del trabajo infantil; reposición de la Ley de enseñanza.

Ley de Joule sobre energía eléctrica. De Cristoforis: Máquina atmosférica de bencina con carburador. Whitworth: Sistema universal de roscas. Thomas Cook: Organiza los primeros viajes turísticos.

L. Feuerbach: *La esencia del cristianismo.* A. Schopenhauer: *Los problemas fundamentales de la moral.* F. List: *Sistema nacional de la economía política.* T. Carlyle: *Los héroes.* R. Emerson: *Ensayos* (-44). Gogol: *Almas muertas.* R. Wagner: *El buque fantasma.* Adam: ballet *Gisèle.*

1842

derroca a Bustamante (de orientación conservadora) y lo reemplaza por Santa Anna. Sublevación indígena y "guerra de las castas" en Yucatán, por la independencia de la península. En Cuba, el capitán general Valdés comienza una limitadísima represión de la trata negrera.

Gómez de Avellaneda: *Sab.* R. M. Baralt: *Resumen de la historia de Venezuela.* Orgaz: *Preludio del arpa.*

A: En Entre Ríos el general Paz, avanzando con tropas correntinas, ocupa casi todo el territorio provincial y se hace designar gobernador. Juan Pablo López, impuesto por Rosas como gobernador de Santa Fe, se pronuncia contra él; es vencido en Coronda (13/IV) y reemplazado por Echagüe (santafecino de origen, fue hasta entonces gobernador de Entre Ríos). Ferré (gobernador de Corrientes) y Rivera prohíben a Paz llevar la guerra al oeste del Paraná; éste se retira de Entre Ríos. Oribe, al frente de tropas proporcionadas por Rosas, obtiene sobre Rivera la victoria de Arroyo Grande (6/IX), que le abre el camino a Montevideo; el general Paz es designado jefe de la defensa de esa plaza (11/XII).

J. B. Alberdi (en Valparaíso): *El Gigante Amapolas.*

AL: En el Uruguay, el gobierno de Montevideo autoriza el retorno de los Jesuitas y la esclavitud es abolida. Es fundada la Universidad de Chile. En el Brasil el gabinete conservador disuelve las cámaras, de mayoría liberal. Los alzamientos liberales de São Paulo y Minas Gerais son sofocados por tropas regulares al mando de Caxias. En Venezuela son repatriados los restos de Bolívar. En Costa Rica, Morazán intenta apoderarse del poder pero fracasa y es ejecutado. En México el comodoro Jones, estadounidense, se apodera de Monte-

Inglaterra y China firman el tratado de Nankín; fin de la Guerra del Opio, cesión de Hong Kong por los chinos. Se produce en España el levantamiento contra Espartero, en Cataluña; aparece el Partido Republicano. Movimiento de liberales moderados en Portugal; establecimiento de la Carta de 1826; gobierno del Conde de Thomas. En Francia muere el duque de Orleáns; ley de la regencia. En Sudáfrica los Boers fundan el Estado Libre de Orange. EE.UU. fija sus fronteras con Canadá; se produce el reconocimiento de los sindicatos.

Fundación de *La Nación,* órgano de la joven Irlanda. Mayer: Principio de conservación de la energía. Joule: Equivalente mecánico del calor. Lawes patenta procedimiento para producir superfosfatos. Primer concierto de la New York Philarmonic Orchestra. El deporte comienza a integrar el sistema de enseñanza británico.

J. S. Mill: *Lógica.* B. Bertrand: *Gaspar de la noche.* E. Sué: *Los misterios de París.* E. A. Poe: *El escarabajo de oro.* Whitman: *Franklin Evans.* H. Daumier: *Tipos parisinos.* A. Comte: *Curso de filosofía positiva.* R. Emerson: *Hombres representativos.* C. Franck: *Tríos.* Glinka: *Rusland y Ludmilla.* Nace Mallarmé y muere Stendhal.

1843

rrey, Alta California, pero debe abandonar la posición. En Nueva Granada, Herrán es presidente. Primera declaración de la independencia en Paraguay. En Perú, gobierno del general Vidal. Los Estados centroamericanos firman un pacto de unión.

Plácido (G. de la Concepción Valdez): *El veguero*. A. Berro: *Poesías*. F. Toro: *Descripción de los honores fúnebres a Bolívar*.

A: Desde ahora hasta 1851 un ejército argentino actuará permanentemente en el Uruguay, al servicio de Oribe. En septiembre, Buenos Aires decreta el bloqueo de Montevideo y Maldonado, que Inglaterra y Francia deciden ignorar. En marzo, el general Guido, ministro en Río de Janeiro, concierta un acuerdo con el Brasil, que supone una alianza contra Rivera y los republicanos riograndenses; Rosas se rehúsa a ratificarlo. En Corrientes, Joaquín Madariaga expulsa a Cabral, gobernador rosista; con las tropas entrerrianas absorbidas en el Uruguay, no afronta ninguna resistencia inmediata.

AL: En el Uruguay comienza el sitio de oribistas y rosistas a Montevideo (16 de febrero). El 1º de abril Oribe, en una proclama, amenaza a los extranjeros que apoyan a los sitiados; el comodoro británico Purvis secuestra la escuadra argentina, obligándolo a retirar las citadas amenazas; los residentes franceses, italianos y españoles forman legiones que se incorporan a la defensa de la plaza. Florencio Varela es enviado a Europa en misión diplomática para conseguir apoyo a la causa de Montevideo. Oribe instala su gobierno en El Cerrito. En Chile se establece el Fuerte Bulnes sobre el Estrecho de Magallanes. En Bolivia es dictada una constitución fuertemente presidencialista, de acuerdo con las inclinaciones del presidente Ballivián. San-

Las fuerzas inglesas en la India conquistan Punjab y se produce la anexión de Natal; segundo Trek de los Boers. En España se produce un pronunciamiento militar conservador: imposición de la mayoría de edad a Isabel; exilio de Espartero. Francia: restablecimiento de la Entente Cordiale con Inglaterra. Revolución en Atenas. Miseria en Irlanda: la población disminuye de 8,3 a 5,7 millones de individuos en 1863.

Ley de Ohms sobre vibraciones sonoras. Bottax inicia excavaciones de Khorsabad. Brunel: Botadura del "Great Britain", primer vapor accionado por hélices y con casco de acero.

S. Kierkegaard: *Diario de un seductor*. T. Macaulay: *Ensayos críticos e históricos*. Montalembert: *El deber de los católicos*. C. Dickens: *Martín Chuzzlewit*. Labrouste: Biblioteca de Santa Genoveva en París. Turner: *Los alrededores de Venecia*. Donizetti: *Don Pascual*. R. Wagner: *El holandés errante*. F. Mendelssohn: *Sueño de una noche de verano*.

1844

ta Cruz intenta retornar, es capturado en Perú y deportado a Chile, donde permanecerá confinado hasta que en 1846 se le permita expatriarse en Europa. En el Brasil, Caxias obtiene una victoria decisiva contra los republicanos riograndenses; la guerra proseguirá hasta 1845. Se adopta el proteccionismo aduanero. En Ecuador el general Flores reforma la constitución, prolongando su período a ocho años; epidemia de fiebre amarilla; se establece el tributo personal. En México una junta de notables controlada por los conservadores dicta la constitución, fuertemente presidencialista. Los residentes norteamericanos son expulsados de los territorios del Norte; México se compromete a indemnizarlos por los daños sufridos en recientes disturbios, pero no cumple. En Cuba el general O'Donnel, capitán general, vuelve a tolerar plenamente la trata negrera. Es descubierta una supuesta conspiración de la gente de color; una comisión militar que obtiene confesiones bajo tortura condena a numerosos mulatos y negros libres (entre ellos el poeta Plácido) y acusa a figuras de la élite criolla. En Haití, una revolución de los mulatos, dirigida por Ch. Herard, derroca a Boyer. En Venezuela, Soublette es presidente. Vivanco es designado Director Supremo del Perú después de ocupar Lima.

V. Lastarria: *El mendigo.* Plácido: *El hijo de la maldición.* Pereira de Silva: *Parnaso brasileño.* Texeira e Sousa: *El pescador.* P. J. Rojas: periódico *El Manzanares.* J. N. de Sousa e Silva y otros fundan *Minerva Brasiliense.*

A: Se establece un acuerdo comercial entre el Paraguay y la provincia de Corrientes, pronunciada contra Rosas.

J. B. Alberdi: *Memoria sobre la conveniencia y el objeto de un Congreso Organizador Americano.*

Inglaterra: Movimiento cooperativo en Rochdale; reorganización del Banco de Inglaterra. Ley sanitaria de vivienda y urbanismo en Londres. Unión de Friburgo, socialcristiana (-91). Levantamiento de los tejedores de Silesia. En España: Gobierno del Gral. Narváez; represión política.

1845

AL: La misión Florencio Varela, enviada a buscar apoyo para el gobierno de Montevideo (Uruguay), fracasa en obtenerlo de Gran Bretaña; crisis económica en la ciudad cercada. En el Brasil, negativa a prorrogar el tratado de 1827 con Gran Bretaña, que otorga a ésta grandes ventajas comerciales. Reconocimiento de la independencia del Paraguay. En agosto, envío de la misión Abrantes para gestionar una intervención conjunta con potencias europeas contra la acción militar argentina en el Uruguay. El Emperador fuerza la renuncia del gabinete conservador y asegura en nuevas elecciones un mayor equilibrio entre la representación parlamentaria de los diversos partidos. Revuelta en Alagoas. En Paraguay, Carlos A. López es presidente. En el Perú, el mariscal Castilla obtiene un triunfo decisivo sobre el general Vivanco y es designado presidente. Comienza la explotación del guano. En Nueva Granada es autorizado el retorno de los jesuitas; la medida despierta amplia oposición entre el personal político (aun en algunos futuros jefes conservadores). El gobierno de México advierte al de los EE.UU. que considerará *casus belli* la incorporación de Tejas a la Unión; revueltas militares contra Santa Anna. La Revolución Trinitaria, en Santo Domingo, separa a la República Dominicana de Haití. Carrera es Jefe de Estado en Guatemala. En Haití el presidente Herard es derrocado y Philippe Guerrier es proclamado presidente. La independencia de Chile es reconocida por España.

F. Bilbao: *Sociabilidad chilena.* Vélez de Herrera: *Elvira de Oquendo.* Joaquín Manuel de Macedo: *La Moreninha.* L. Alamán: *Disertaciones sobre la historia de la República Mexicana.* Nace Manuel González Prada.

Francia declara la guerra a los marroquíes por el apoyo que estos ofrecen a Argelia; Marruecos es derrotado, se firma el tratado de Tanger; Toma de Tahití. En Italia Mazzini funda la Joven Europa. En EE.UU.: triunfa James Knox Polk, candidato de los esclavistas y anexionistas.

Telégrafo Morse entre Baltimore y Washington. Kalbe: ácido acético sintético. Keller: celulosa para la preparación del papel. Primera exposición industrial del Zollverein alemán. G. Williams funda la YMCA en Londres.

T. Carlyle: *Pasado y presente.* S. Kierkegaard: *El concepto de la angustia.* C. Marx, refugiado en París, redacta los *Manuscritos económicos-filosóficos.* Disraeli: *Coningsby o la nueva generación.* F. Dostoievski traduce al ruso *Eugenia Grandet.* A. Dumas: *Los tres mosqueteros.* E. Barret Browning: *Poemas.* J. Zorrilla: *Don Juan Tenorio.* G. Verdi: *Hernani.* Nace F. Nietzsche.

A: En enero, Rosas restablece el bloqueo de Montevideo y Maldonado Francia acepta

El Partido Conservador inglés sufre una escisión: Grupo Peel-Gladstone. Trastor-

la propuesta británica de intervención conjunta en el Plata, sin participación del Brasil (21/I); el comisionado británico llega al Plata (27/IV); en memorial al ministro de relaciones exteriores de Buenos Aires, exige el fin de la intervención Argentina en el Uruguay (10/V), conjuntamente con el comisionado francés. Un ultimátum conjunto concede 10 días para retirar las fuerzas argentinas del Uruguay; a ello sigue el bloqueo franco-británico de las costas argentinas (21/VII). En octubre, alianza militar entre Corrientes y Paraguay; tropas paraguayas son estacionadas en esa provincia; una expedición naval y comercial de las potencias invasoras parte al Paraná; fuerza las defensas instaladas en la Vuelta de Obligado, pese a la tenaz resistencia del general Mansilla, y continúa remontando el río hasta Corrientes. El general Paz (20/XI), está de nuevo en Corrientes como organizador de las fuerzas provinciales.

D. F. Sarmiento: *Facundo.* A. de Morel: *Usos y costumbres del Río de la Plata.*

AL: El Uruguay (Montevideo) reconoce la independencia del Paraguay. En Paraguay comienza la publicación de *El Paraguayo Independiente,* vocero del gobierno de C. A. López. En el Brasil la revolución republicana de Río Grande do Sul concluye por un acuerdo que concede amnistía a los combatientes e incorporación con sus grados en el ejército imperial a los jefes republicanos. Por el *bill Aberdeen,* Inglaterra se arroga el derecho de visita de los barcos dirigidos al Brasil, para hacer efectiva la represión de la trata negrera. En el Perú, Castilla, victorioso, es presidente constitucional. Comienza en la vida política peruana la era del guano. En el Ecuador el general Flores es derrocado por una revolución liberal. En Nueva Granada el general Mosquera es elegido presidente. En México, Mariano Paredes derroca y reemplaza a Santa Anna por Herrera; los EE.

nos climáticos provocan una seria crisis agrícola en Europa, que motivará el movimiento migratorio irlandés. Se sanciona en España una nueva constitución; Don Carlos abdica en favor de su hijo. Jesuitas en Lucerna. Tratado franco-chino en Whampoa. En EE.UU. Texas y Florida son admitidos como estados esclavistas; estalla la guerra con México.

Faraday: Estudios sobre la polarización de la luz. Layard inicia excavaciones en Kalach y Ninive. Se crea el Colegio Real de Química en Londres; primera sociedad para la provisión de viviendas en Londres. Producción textil británica sobre los 17,5 millones de husos.

Max Stirner: *El único y su propiedad.* Disraeli: *Sybil.* C. Marx: *Tesis sobre Feuerbach.* F. Engels: *Situación de la clase obrera en Inglaterra.* E. A. Poe: *El cuervo.* A. von Humboldt: *Cosmos.* E. Delacroix: *El sultán de Marruecos.* Viollet-le-Duc y Lassus ganan el concurso para la reconstrucción de Nuestra Señora de París. R. Wagner: *Tanbäuser.*

1846	Nace la hermana de W. H. Hudson, Mary Helen, último de los seis niños que tendría el matrimonio Hudson Kimble. La familia se muda a Chascomús para instalar un negocio en "Las Acacias" cerca del Camino Real al sur.

UU. deciden la incorporación del territorio de Texas hasta el Río Bravo (la colonización anglosajona sólo había alcanzado al Nueces). En Cuba adquiere fuerza una corriente anexionista, deseosa de asegurar, mediante la incorporación a los EE.UU., la completa apertura del mercado norteamericano y la perpetuación de la esclavitud negra. La independencia de Venezuela es reconocida por España.

M. Payno: *El fistol del diablo.* J. M. Macedo: *El mozo rubio.* J. V. González: *Catilinarias.* F. Toro: *Reflexiones sobre la Ley del 10 de abril de 1834.* Se publica en Montevideo *El Comercio del Plata* (Florencio Varela). *El Paraguayo Independiente* en Asunción.

A: Luego de su victoria sobre Rivas, en el Uruguay, Urquiza invade Corrientes; los Madariaga tratan con él; las fuerzas paraguayas se retiran y el general Paz se refugia en el Paraguay. El tratado de Alcázar (15/VIII) reintegra Corrientes a la Confederación Argentina, pero una cláusula secreta lo autoriza a mantener neutralidad en los conflictos con las potencias europeas y Paraguay. Rosas exige retoques, los Madariaga los rechazan y son nuevamente vencidos por Urquiza. El nuevo gobernador es Benjamín Virasoro, que ha servido en el ejército entrerriano. Llega de retorno a Montevideo la expedición al Paraná, que ha tenido éxito en sus objetivos comerciales pero ha fracasado en los políticos (14/VII).

H. Ascasubi: *Trovas y lamentos de Donato Jurao a la muerte de Camila O'Gorman y Paulino Lucero.* (1ª edición).

AL: En el Uruguay fracasa un golpe de Estado del general Rivera en Montevideo, que favorece un acuerdo con Oribe y se declara hostil a los extranjeros que sirven a la defensa. El presidente Suárez disuelve

En Inglaterra queda abolida la Ley de Granos; agitación en Irlanda; ministerio Russel. España: Casamiento de Isabel y caída de Narváez. Se produce en Portugal un levantamiento popular contra Thomas. Asamblea intelectual del pueblo alemán en Franckfurt. Austria anexa Cracovia. Papado: Encíclica *Qui Pluribus;* Amnistía para los presos liberales pide Pío IX. Tratado anglo-norteamericano en Washington, problemas con Inglaterra por el Estado de Obregón.

Galle observa el planeta Neptuno de acuerdo a cálculos de Le Verrier. Primera intervención quirúrgica con anestesia en Inglaterra. Baños y lavaderos públicos en Londres. Howe inventa la máquina de coser.

P. J. Proudhon: *Sistema de las contradicciones económicas: o la Filosofía de la Miseria.* J. Michelet: *El Pueblo.* F. Dostoievski: *El doble.* G. Keller: *Poesías.* G. Sand: *El pantano del diablo.* H. Daumier: *Nuestros buenos burgueses.* L. H. Berlioz: *La condenación de Fausto.*

1847	Llegada del primero de los tutores que tomarían a su cargo la educación de W. H. Hudson (Mr. Trigg.)

la Asamblea. En México comienza la guerra con los EE.UU.; el general Santa Anna
toma el poder para dirigir la resistencia.
En Venezuela, intensa campaña electoral:
Páez se declara presidente; se produce un
levantamiento liberal que es sofocado. En
Chile: reelección de Bulnes. En Ecuador,
el presidente Roca rompe con los liberales,
enfrentándose a Flores, quien busca ayuda
externa.

Gómez de Avellaneda: *Guatimozín*. Gonçalvez Días: *Primeros Cantos*. Martíns Pena: *Judas en el Sábado de Aleluya*. A. J.
de Irisarri: *Historia crítica del asesinato
del Gran Mariscal de Ayacucho* y el periódico *El Cristiano errante*.

A: La aproximación franco-británica que
ha hecho posible la intervención conjunta
no sobrevive; la misión Howden-Walewski
está destinada a terminar con ésta. Los co-
misionados llegan a Buenos Aires en mayo;
Inglaterra decide levantar el bloqueo de las
costas argentinas; es decidido el envío de
la misión Gore-Gros para tratar con Buenos Aires.

B. Mitre: *Soledad*.

AL: En el Uruguay Oribe consolida su
dominio sobre la campaña; Pereyra, presidente del gobierno de Montevideo, intenta
negociar condiciones de arreglo por medio
de Howden; es descubierto y derrocado. El
general Flores intenta, sin éxito, un arreglo
directo con Oribe; se alcanza una suspensión de hostilidades. En Bolivia el general
Velasco, jefe militar del sur, se levanta
contra Ballivián, que lo vence en Vitichi,
pero abandona la presidencia. En México,
Santa Anna es derrotado en Buena Vista,
en el Norte. Scott invade México central y
derrota de nuevo a Santa Anna en Cerro
Gordo; pese a la resistencia heroica, la
ciudad de México cae en manos de los invasores el 14 de septiembre; Santa Anna,

Resurgimiento del cartismo en Inglaterra;
ley sobre jornada de trabajo femenino y
aprobación de la ley de 10 horas. Ministerio liberal de Rogier en Bélgica. En España la reina Isabel se separa; el gral. Serrano es favorito. Derrota de los insurrec-
tos de Oporto, en Portugal; ayuda militar
de España e Inglaterra. En Francia, enfrentamiento de Guizot con Palmerston;
campaña de los banquetes; se agudiza la
oposición a la monarquía. Italia: surge el
movimiento del *"Risorgimento"* en Turín.
Alemania: movimientos liberales en Rena-
nia, Sajonia y Baviera; campaña por el Parlamento Nacional Germánico. EE.UU.:
yacimiento de oro en California.

Helmholtz: Principio de conservación de
la energía. Simpson: Parto con anestesia de
cloroformo. Rawlinson descifra la escritura
cuneiforme. Inauguración de la línea Ham-
burgo-América. Gervinus funda la *Gaceta
alemana*. Nace T. A. Edison.

C. Marx: *Miseria de la Filosofía*. J. Michelet: *Historia de la revolución francesa*
(-53). A. de Martine: *Historia de los gi-
rondinos*. L. von Ranke: *Historia alemana*

1848

habiendo derrocado a Gómez Farías, renuncia a la presidencia. En Cuba comienza la inmigración de culíes chinos. En Guatemala se declara la independencia. Chile funda Punta Arenas; primeras sociedades obreras, las primeras de Latinoamérica. En Venezuela, J. T. Monagas es presidente; se inicia el "monagato". En Perú, ley de amnistía general. Se reúne el Congreso de Plenipotenciarios americanos, al que acudirán Bolivia, Chile, Ecuador, Nueva Granada y, claro está, Perú. En Haití, Soulouque es presidente.

A. J. Irisarri: *El cristiano errante* (novela autobiográfica). A. Bello: *Gramática de la lengua castellana para uso de los americanos.* Pereira da Silva: *Plutarco Brasileño.*

en la época de la reforma. H. de Balzac: *El primo Pons.* E. Brontë: *Cumbres borrascosas.* R. Emerson: *Poemas.* P. Merimée: *Carmen.*

A: Se levanta el bloqueo francés de Buenos Aires. En septiembre es expulsado el representante del Reino de Cerdeña en Buenos Aires, Picolet d'Hermillon. En octubre llega a Buenos Aires H. Southern, representante británico. En La Rioja, Angel Vicente Peñaloza encabeza una revolución en los llanos riojanos que derriba al gobernador Vicente Mota y lo reemplaza por Manuel Vicente Bustos, que se proclama rosista ortodoxo.

AL: En el Uruguay, Gore y Gros comienzan negociaciones con Oribe; el 9 de mayo (al enterarse de la revolución en Francia) Rosas ordena a éste que las interrumpa. El 15 de mayo el gobierno de Montevideo decide la resistencia hasta el fin y la organización de una coalición de fuerzas regionales contra Rosas y Oribe. Armisticio entre Montevideo y El Cerrito (27 de abril al 23 de julio). En junio el gobernador francés reanuda los subsidios al de Montevideo. Las fuerzas de Oribe conquistan Colonia. El barón de Jacuhy (Chico Pedro), caudillo riograndense, lanza una "gran california" (expedición punitiva contra terri-

Se sanciona en Inglaterra la Ley de Salud Pública. En España se produce el regreso de Narváez al gobierno; es sofocado un levantamiento carlista; se expulsa al embajador inglés. Gobierno liberal de Saldanha, en Portugal. Revolución de febrero en Francia: caída de Luis Felipe; proclamación de la Segunda República. Insurrecciones proletarias de junio; represión de Cavaignac; elección de Luis Bonaparte. Italia: Levantamientos en Sicilia, Milán, Venecia y Roma; huida del Papa. Alemania: "Días de Marzo" en las calles de Berlín; insurrección popular y huida del príncipe heredero; Asamblea de Franckfurt por un Reich alemán. Austria: Revolución en las calles de Viena; dimisión de Metternich. Levantamiento en Hungría; República de Kossuth. Guerra anglo-boer.

Kneip: Hidroterapia. Inauguración de la línea Barcelona Mataró. Stephenson-Fairbairn: Puente de acero "Britannia" de la línea Chester-Holyhead.

C. Marx, F. Engels: *Manifiesto comunista.* J. S. Mill: *Principios de economía política.*

1849 Hudson visita brevemente Buenos Aires para las Fiestas de Mayo. "Era un niño que todavía no había cumplido los ocho años cuando mi madre me llevó en una de sus visitas anuales a Buenos Aires. Era un viatorio uruguayo, que se indemniza con *razzias* de ganado de los daños causados a hacendados riograndenses por la guerra civil en Uruguay). En el Brasil el emperador llama al gobierno a los conservadores, que organizan elecciones en las que obtienen una abrumadora mayoría parlamentaria. En Bolivia, Velasco alcanza la presidencia; Belzú se alza en el norte y lo vence en Yamparaes. En Nueva Granada surge una organizada oposición liberal; frente a ella los partidarios del gobierno ("ministeriales") toman el nombre de conservadores. En Venezuela, José Tadeo Monagas, cuya candidatura es de continuidad con la república conservadora, vence en los comicios a A. L. Guzmán; la oposición de éste es juzgada subversiva y es condenado a muerte, pero Monagas conmuta esta pena por el destierro; el Congreso es disuelto. En Nicaragua los británicos extienden su control sobre la costa de Mosquitos al ocupar San Juan del Norte. México firma el tratado de Guadalupe-Hidalgo, que pone fin a la guerra con los EE.UU. mediante la cesión a los vencedores de aproximadamente la mitad del territorio nacional. En Cuba el general Narciso López, complicado en una conspiración anexionista, huye a los EE. UU., desde donde dirige varias incursiones sobre la isla. Constitución de Honduras. En Bolivia, Belzú inicia la era de los "caudillos bárbaros".

H. de Irisarri: *La charla*. Gonçalves Días: *Segundos Cantos* y *Sextillas al hermano Antao*. J. M. Macedo: *Los dos amores*. Aréstegui: *El padre Horán*. J. A. Saco: *Ideas sobre la incorporación de Cuba a los EE.UU.* De Paula Virgil: *Sobre la autoridad de los gobiernos*. V. Lastarria funda la *Revista de Santiago*.

A: Por el convenio Arana-Southern (6/ III) Gran Bretaña cesa en su intervención; se intercambian ratificaciones en Buenos

T. Macaulay: *Historia de Inglaterra*. H. Mann: *Lecciones sobre educación*. J. Grimm: *Historia de la lengua alemana*. W. M. Tackeray: *Feria de vanidades*. A. Dumas: *La Dama de las Camelias*. D. G. Rossetti: Hermandad prerrafaelista. Menzel: *Entierro en Berlín de los caídos de Marzo*. R. Schumann: *Manfredo*.

Italia: Austria reprime los movimientos del norte; derrotados Garibaldi y Mazzini, quien había proclamado la República Roje muy largo para nosotros, en esos días pre-ferroviarios, pues por grandes y prósperas que sean ahora esa ciudad y esa república, no lo eran entonces, cuando la gente estaba dividida, autodesignándose "rojos" y "blancos" (o "azules") y se ocupaba de cortarse el cuello recíprocamente". (*Aventuras entre pájaros.*)

Aires (24/XI). Por el convenio Arana-Le Prédour, Francia se compromete a favorecer un armisticio en Montevideo, con desarme de los defensores, a él seguirá el retiro de las tropas argentinas, si Oribe lo solicita (4/IV); la ratificación del tratado de las Cámaras francesas se presentará erizada de dificultades. En Mendoza, el gobernador P. P. Segura es derrocado por indicación de Rosas; lo sucede Alejo Mallea, que lo conserva como consejero.

M. Sastre: *Anagnosia.*

AL: En el Uruguay, el 24 de mayo se establece un nuevo armisticio entre Montevideo y El Cerrito, y Francia levanta el bloqueo al territorio controlado por Oribe, pero mantiene el subsidio al gobierno de Montevideo. En el Brasil estalla la revolución *praieira* (liberal-republicana) en Pernambuco, que es finalmente reprimida. Las capturas de naves negreras por la marina británica se multiplican hasta 1851. Desde Río Grande do Sul se multiplican también las "californias" sobre la campaña uruguaya controlada por Oribe. Fiebre amarilla en Río de Janeiro. En Bolivia, el presidente Belzú introduce entre sus temas de propaganda la lucha contra los aristócratas y la propiedad privada; reprime con éxito alzamientos en su contra; Velasco, que incursiona desde Argentina, fracasa y huye nuevamente a territorio argentino. En Nueva Granada los liberales ganan el control de la Sociedad de Artesanos, rebautizada Sociedad Democrática de Artesanos, y la utilizan para agitar por la candidatura presidencial del general José Hilario López, que es elegido. Los conservadores crean la Sodencial del general José Hilario López, que vanta contra Monagas; exilio de este último. Soulouque se proclama Faustino I, Emperador de Haití (-59). En Perú, aumenta la exportación de guano a Europa.

Márquez: *La bandera de Ayacucho y Pablo*

mana, provocando la intervención franco-española. Víctor Manuel II es rey del Piamonte y de Cerdeña una vez derrotado su padre, Carlos Alberto por los austriacos. Francia: Actuación de Luis Bonaparte y La Montaigne; subsidio para construcción de viviendas populares; prohibición de huelgas de mineros. Ministerio extraparlamentario de Bonaparte. Alemania: El Parlamento sanciona la Constitución Federal; el rey de Prusia rechaza la corona; disolución del Parlamento. Alianza austro-rusa contra Hungría; dimisión de Kossuth. Papado: encíclica *Nostris et Nobicum.* EE. UU:. El gral. Taylor es presidente; creciente inmigración irlandesa.

Fizeau: experiencias sobre la velocidad de la luz. Francis: turbina hidráulica radial. Worms: Plancha estereotipo curva. Livingstone descubre el lago Ngami. Monier realiza las primeras experiencias con hormigón armado.

G. Dickens: *David Copperfield* (-50). A. de Lamartine: *Raphael.* Fernán Caballero: *Las Gaviotas.* J. Ruskin: *Las siete lámparas de la arquitectura.* G. Courbet: *El hombre del cinturón.* O. Nicolai: *Las alegres comadres de Windsor.* Muere F. Chopin.

1850

o *La familia del mendigo.* Gonçalvez Días, J. M. Macedo y Porto Alegre publican la *Revista Guanabara.*

A: En enero la ratificación del tratado Le Prédour-Arana es pospueta indefinidamente por la Asamblea Nacional de Francia; continúan los subsidios y en abril llegan refuerzos navales franceses a Montevideo. En junio Rosas acepta renegociar los términos del tratado; en agosto lo sigue Oribe; los franceses continúan ocupando Martín García. En octubre el gobierno brasileño rompe relaciones con Buenos Aires. Muere J. de San Martín.

AL: En el Brasil la armada brasileña decide tomar a su cargo la represión del tráfico negrero, hasta entonces tolerado aunque ilegal. Ireneo de Sousa, futuro vizconde de Maná, comienza a subsidiar al gobierno de Montevideo. En diciembre, alianza con Paraguay. En Paraguay muere en el destierro José G. Artigas (23 de septiembre). En Chile, Francisco Bilbao (cuya *Sociabilidad Chilena* ha causado vivo escándalo en 1844) funda la *Sociedad de la Igualdad,* mientras se afirma una oposición liberal en el Congreso. Comienza la colonización alemana en el sur. En Bolivia, Belzú es elegido presidente constitucional con fuerte minoría opositora en el Congreso. En el Perú comienza la inmigración de culíes chinos; J. R. Echenique es electo presidente. En Venezuela, Monagas favorece la designación como vicepresidente de Antonio Leocadio Guzmán, y pasa a apoyarse en la antigua oposición liberal. Ecuador reincorpora la orden del Sagrado Corazón de Jesús. América Latina cuenta 30 millones de habitantes.

A. Magariño Cervantes: *Caramurú.* A. Bello: *Literatura antigua del Oriente y Literatura antigua de Grecia.* F. A. Varnhagen: *Antología de la poesía brasileña.* Pu-

---

En Inglaterra la producción de algodón es de 1,85 millones de kilogramos; ley sobre jornada de 10 horas en industrias textiles para mujeres y adolescentes; primera ley sobre librerías populares. Saldanha es destituido, en Portugal; gobierno de Thomas. Italia: Cavour ingresa al gabinete del Piamonte. Francia: Ley Falloux sobre enseñanza y Ley Electoral de Thiers. Convenio de Olmutz, en Alemania; reparto de Schleswing y Holstein entre Prusia y Austria; nueva Constitución prusiana. EE.UU.: Renovación del convenio Clay sobre esclavitud en California; Fillmore es presidente. Población europea: 270 millones. En Francia: 35,63 millones de habitantes. Censo en EE.UU.: 23,6 millones de habitantes.

Kelvin: Memorias sobre el calor. Se funda la agencia Reuter. Singer: Máquina de coser. Primer cable submarino entre Dover y Calais. Classius: 2ª ley de termodinámica.

C. F. Bastiat: *Armonías económicas.* Carlo Curci: *Civiltà Cattolica.* A. Schopenhauer: *Parerga y Parilopomena.* R. Emerson: *Los hombres representativos.* N. Hawthorne: *La letra escarlata.* J. B. Corot: *Danza de las ninfas.* F. de Goya: *Los proverbios.* R. Wagner: *Lohengrin.* Muere H. de Balzac.

1851

blicación del periódico *El Amigo del Pueblo* (vocero de la *Sociedad de la Igualdad*). Larraín Gandarillas edita, en Chile, la *Revista Católica.*

A: Urquiza se pronuncia contra Rosas (1/V); le retira la representación internacional de Entre Ríos. Corrientes se adhiere al pronunciamiento (21/V). Entre Ríos, Montevideo y Brasil conciertan un acuerdo en Montevideo (29/V), que prevé una acción militar común. El ejército de Urquiza invade el Uruguay (8/X). Brasil envía la misión Carneiro Leao (22/X) (secretario Paranhos); se establece una alianza contra Rosas (21/XI). En diciembre el Ejército Grande Aliado Libertador (entrerriano-correntino-brasileño-uruguayo) se reúne en Diamante, sobre el Paraná. La escuadra brasileña fuerza las defensas de Tonelero (17/XII), de nuevo a cargo de Mansilla; llega finalmente a Diamante (19/XII). La ciudad de Santa Fe se pronuncia en favor de Urquiza (23/XII); el gobernador Echagüe huye; entra Urquiza (24/XII).

José Mármol: *Amalia y Armonías.* H. Ascasubi: *Paulino Lucero* (edición aumentada). Muere E. Echeverría.

AL: Tras de cruzar el Uruguay, el ejército entrerriano, al mando de Urquiza y del uruguayo Garzón, avanza contra El Cerrito; el 18 de julio domina todo el litoral del Uruguay al norte del Negro; el 14 de septiembre Oribe comienza negociaciones que debe interrumpir por presión de Rosas; el 6 de octubre los entrerrianos están en El Cerrito; el 7 del mismo mes renuncia Oribe, el 8 la paz asegura la fusión de los dos bandos rivales mediante elecciones con listas mixtas. El 12 de octubre Lamas, en representación del gobierno de Montevideo, firma con el Brasil, en Río de Janeiro, un tratado de alianza, subsidios, navegación, comercio, extradición de esclavos fu-

Censo en Inglaterra: 17,928 millones de habitantes; primera ley de construcciones subvencionadas. Primera exposición universal en Londres; federación de mecánicos. 220 mil irlandeses emigran a EE.UU. Creación, en España, de la Bolsa de Barcelona; concluye el gobierno de Narváez; Concordato con el Papa. En Portugal se produce el pronunciamiento de Saldanha, quien regresa al gobierno; Acta adicional en la Constitución: reformas liberales. Francia: Golpe de Estado de Luis Bonaparte; disolución de la Asamblea; presidencia vitalicia. En Alemania, Bismarck es representante de Prusia en la dieta germánica. Revuelta en los Tai-ping en China.

Monier patenta sistema de hormigón armado.

A. Comte: *Sistema de filosofía positiva.* Juan Donoso Cortés: *Ensayo sobre el catolicismo, el liberalismo y el socialismo.* T. Macaulay: *Ensayos biográficos.* Exilio de V. Hugo. H. Melville: *Moby Dick.* Hnos. Goncourt: *Diarios* (-84). H. W. Longfellow: *La leyenda dorada.* H. Murger: *Escenas de la vida de bohemia.* G. de Nerval: *Viaje a Oriente.* Paxton: *Palacio de Cristal.* J. Ruskin: *Las piedras de Venecia.* G. Verdi: *Rigoletto.* R. Schumann: *Hermann y Dorotea.*

| 1852 | En un incidente posterior a la derrota del ejército de Rosas llegan fugitivos a "Las Acacias" y el padre arriesga su vida rehusándose a darles caballos. |

gitivos y límites, que satisface las aspiraciones brasileñas más extremas, y coloca la independencia uruguaya bajo la protección imperial. En Chile un alzamiento liberal en el norte y el sur es reprimido, pero pone fin a la paz conservadora. Montt es elegido presidente de Chile; ha sido el más eficaz colaborador del presidente Bulnes. En Bolivia una constituyente acorta el período presidencial y suprime la esclavitud. Es aprobado el concordato, muy favorable a las tesis vaticanas, negociado por Santa Cruz en Roma. En el Perú, el general José Rufino Echenique, sucesor de Castilla, consolida la deuda interna en una gestión rodeada de ribetes escandalosos. Es inaugurado el ferrocarril Lima-Callao. En Cuba, aborta un movimiento en Camagüey; Narciso López, que dirige una incursión en Vuelta Abajo, es capturado y ejecutado. En Ecuador es nombrado Jefe Supremo el general Urbina; abolición de la esclavitud. En Guatemala, Carrera derrota al ejército de los Estados Unionistas y es designado presidente. En Venezuela, J. G. Monagas sucede a su hermano José Tadeo en la presidencia. En México es presidente Mariano Arista.

J. A. Maitín: *Obras Poéticas*. Gonçalves Días: *Ultimos Cantos*. V. Lastarria: *Diario político*.

A: El Ejército Grande vence en Caseros al ejército porteño, capitaneado por Rosas (3/II); Rosas se refugia en la representación británica, de donde partirá al destierro en Inglaterra. Urquiza designa a Vicente López y Planes gobernador interino de Buenos Aires. El protocolo de Palermo, firmado por representantes de Buenos Aires, Santa Fe, Entre Ríos y Corrientes delega en Urquiza el manejo de las relaciones exteriores de las provincias argentinas (6/IV). La lista opositora, casi idéntica a la favorecida por Urquiza, gana las elecciones de representantes en Buenos Aires

---

Inglaterra reconoce la independencia de Transvaal. Se restablece el Imperio en Francia, con Bonaparte; se funda el Banco de Crédit Mobilier en París; N. Boucher instala el primer *"Gran Magazin", La Maison du Bon Marché* de París. Cavour es presidente, en Italia, del Consejo del Piamonte. Austria negocia con Alemania del Sur para la unión aduanera; denuncia de Prusia; coalición de Darmstadt; indepencia de Montenegro.

Remodelación de París: Haussman es pre-

(11/IV). Urquiza lanza la candidatura de López y Planes como gobernador propietario. En San Nicolás, los gobernadores o sus representantes delegan en Urquiza las funciones de un Poder Ejecutivo en tanto se dicte la constitución (31/V). La legislatura de Buenos Aires rechaza la ratificación del Acuerdo de San Nicolás (21 y 22/VI). López y Planes renuncia. Urquiza disuelve el gobierno provincial (26/VI); crea el Departamento de Estadística de la Confederación (15/VII), a cargo de Pedro de Angelis, y se marcha de Buenos Aires (8/IX), dejando como gobernador al general Galán, asesorado por una junta de ex rosistas. Mientras Madariaga insurrecciona a las tropas correntinas estacionadas en Buenos Aires (11/IX), una revolución porteña restaura la legislatura disuelta por Urquiza. Se rubrica la reconciliación entre ex rosistas y antirrosistas porteños contra Urquiza. Urquiza reconoce, en un protocolo, la secesión de hecho de Buenos Aires (20/IX); se establece en Paraná (26/IX). En octubre Valentín Alsina es elegido gobernador de Buenos Aires; Mitre en el ministerio. El general Paz es enviado al interior, a buscar apoyo para Buenos Aires (11/XI); no es autorizado a llevar adelante su viaje. El coronel Hilario Lagos se alza (1/XII) en la campaña de Buenos Aires; el gobernador Alsina renuncia (6/XII), el coronel Pinto lo reemplaza; Lorenzo Torres pasa a apoyar la resistencia y es ministro de gobierno (27/XII); expulsa de Buenos Aires al general Guido y al representante británico, acusándolos —justificadamente— de actuar en pro de Urquiza. En Santa Fe se reúne el Congreso de las trece provincias constituyentes (XI).

J. B. Alberdi: *Bases.*

AL: En el Uruguay la Asamblea General elige presidente a Juan Francisco Giró (blanco), quien intenta desconocer los tratados firmados por Lamas con el Brasil en

fecto del Sena. Kelvin: Principio de disipación de la energía.

A. Comte: *Catecismo positivista.* H. Spencer: *Principios de psicología* (-57). R. Ihering: *Principios del derecho romano.* Carey: *Armonía de los intereses agrícolas, manufactureros y comerciales.* Los Grimm inician el *Diccionario alemán.* T. Gauthier: *Esmaltes y Camafeos.* Beecher-Stowe: *La cabaña del tío Tom.* De Lisle: *Poemas antiguos.* I. Turgueniev: *Relatos de un cazador.* Baltard: Mercado Central de París (-58).

1853

nombre del gobierno de la Defensa. Ante amenaza de guerra por parte del Brasil, Giró desiste de esa pretensión. En Nicaragua el coronel Cornelius Vanderbilt, discutido financista neoyorquino, establece la *Accesory Transit Company,* que realiza transporte por vía terrestre y fluvial entre el Atlántico y el Pacífico. En Brasil, el vizconde de Maná organiza la Compañía de Navegación a Vapor del Amazonas, que iniciará el ciclo del caucho. En Nueva Granada se suprime la esclavitud. Código Civil Peruano y expulsión, en Ecuador, de los Jesuitas.

M. Bilbao: *El inquisidor Mayor.* B. de Guimarães: *Cantos de soledad.* J. F. Lisboa publica el *Diario del Timón.*

A: Urquiza se instala en San Nicolás (Buenos Aires), y ofrece la mediación del Congreso Constituyente. Los delegados de Buenos Aires y el Congreso alcanzan un acuerdo que ignora a Lagos y es rechazado (9/III). Ya conquistada la campaña, las fuerzas de Lagos sitian Buenos Aires. La escuadra urquicista establece el bloqueo de Buenos Aires (23/IV). Se suscribe en Santa Fe la constitución de la Confederación (1/V); es jurada por las provincias interiores (9/VI). Junio: Pastor Obligado, antiurquicista extremo, es elegido gobernador de Buenos Aires; Lagos convoca una convención provincial que declara a la provincia de Buenos Aires toda, territorio federal. El comodoro Coen, jefe de la escuadra urquicista, es sobornado y hace defección (20/VI); fin del bloqueo. Urquiza se retira. La Confederación firma acuerdos de libre navegación de los ríos interiores para barcos mercantes extranjeros con Inglaterra, Francia y EE.UU. (12 y 13/VII). José de Buschenthal, financista europeo, comienza sus actividades en la Confederación con un empréstito de $ 225.000.

J. B. Alberdi: *Cartas quillotanas.* H. Asca-

Dimisión de Bravo Murillo en España. En Portugal muere la reina María; minoridad de Pedro I y regencia de Saldanha. Rusia propone a Inglaterra el reparto de Turquía; comienza la Guerra de Crimea; Rusia ocupa los principados danubianos; flota franco-inglesa en los Dardanelos. Restauración de Zollverein. Rusia y EE.UU. reclaman acceso al Japón. Pierce es presidente de EE.UU.; el sur de Arizona es comprado a México bajo presión. Los Taiping se apoderan de Nankín, en China. Francia: avances de la Iglesia en la educación; casamiento de Napoleón III con Eugenia de Montijo.

Primer congreso científico internacional de Estadística en Bruselas. Explotación de los yacimientos carboníferos en el Ruhr. Herzer: Revista liberal-socialista en Londres.

J. A. Gobineau: *Ensayo sobre la desigualdad de las razas humanas* (-55). Lieber: *La libertad civil y el gobierno autónomo.* V. Hugo: *Los castigos.* Gogol: *Taras Bulba.* G. Verdi: *La Traviata* y *El Trovador.*

1854

subi: *Colección de Versos.* D. F. Sarmiento: *Las ciento una.*

AL: En Bolivia el presidente Belzú firma un contrato de explotación del guano costero con empresarios chilenos; Melgarejo —identificado con los sectores conservadores— se alza contra Belzú y fracasa. En el Uruguay un alzamiento del efímero Partido Conservador (en el que milita Juan Carlos Gómez, con apoyo antes que nada de ex colorados) obliga al presidente Giró a refugiarse en la legación francesa. Un triunvirato de los generales Lavalleja (blanco), Rivera y Flores (colorados) toma el poder; días después muere Lavalleja. En el Brasil se instala un gabinete de mayoría conservadora, que busca la conciliación conservadora-liberal. En Nueva Granada el partido liberal se divide entre gólgotas (librecambistas, violentamente anticlericales) cuyo candidato es el panameño Herrera, y draconianos (proteccionistas) cuyo candidato es el veterano caudillo Obando, que es elegido. Se establece el matrimonio civil y la secularización de cementerios, y se autoriza a las provincias a ampliar su autonomía. En México los conservadores retoman el poder, con Santa Anna como presidente vitalicio; el nuevo gobierno vende el sur de Arizona a los EE.UU. por diez millones de dólares.

Corpancho: *Brisas del mar* y *La Lira patriótica.* G. Blest Gana: *Una escena social.* A. de Azevedo: *Poesías.* Texeira de Sousa: *La niña robada.* Nace José Martí; muere J. E. Caro.

F. Liszt: *Rapsodias húngaras.* Nace V. van Gogh.

A: Comienza en Buenos Aires la construcción del ferrocarril oeste (capitales locales). En la Confederación fracasa el intento de crear un régimen de papel moneda "moneda de Fragueiro" (por el ministro de hacienda padre del proyecto); en septiembre cierra el Banco Nacional, creado

Francia e Inglaterra declaran la guerra a Rusia; fuerza anglo-francesa desembarca en Crimea; comienza el sitio de Sebastopol. España: escándalo por la conducta de la reina; movimiento de conservadores moderados y liberales; Golpe de Estado liberal; gobierno de Espartero; la reina ma-

como banco emisor. Es promulgada la Constitución del Estado de Buenos Aires (23/V). El coronel Jerónimo Costa, federal, incursiona en Buenos Aires y es vencido en Hornos. Un acuerdo entre Buenos Aires y la Confederación proclamará el reconocimiento del *statu quo* y un compromiso de no hostilidad mutuo.

V. F. López: *La novia del hereje.*

AL: En el Uruguay muere Rivera; el general Flores, ante la creciente oposición a su gobierno, consigue que las tropas brasileñas se hagan presentes. En el Brasil, el marqués de Olinda encabeza un gabinete de coalición conservadora-liberal. En Bolivia fracasa una incursión de Linares contra Belzú, pero los militares Acha y Melgarejo se levantan en Cochabamba. En el Perú, Castilla se levanta contra el presidente Echenique; proclama la abolición de la esclavitud y la supresión del tributo indígena. En Nueva Granada el general Melo lanza en Bogotá un golpe con apoyo draconiano y la tolerancia del presidente Obando. Una alianza de gólgotas y conservadores reúne al congreso de Ibagué y separa a Obando; Herrán, conservador, Mosquera y López, liberales, encabezan las fuerzas que toman Bogotá en diciembre. Mallarino, conservador, es elegido presidente para el bienio 1855-57. En Venezuela el presidente J. G. Monagas proclama abolida la esclavitud. En Guatemala Rafael Carrera es presidente vitalicio. En México el general Juan Alvarez, veterano liberal, se levanta en Guerrero; en marzo se proclama el plan de Ayutla, para una revolución liberal de alcance nacional.

J. J. Pesado: *Los Aztecas.* F. A. de Varnhagen: *Historia general del Brasil,* 1º tomo. M. A. de Almeida: *Memorias de un sargento de milicias.* G. Blest Gana: *Poesías.*

dre abandona el país; Isabel II es Jefa del Estado. EE.UU.: Conflicto con Kansas; formación del Partido Republicano; discurso de Lincoln contra la esclavitud.

Berthelot: Principios de la termodinámica. Riemann: Geometría no-euclidiana. Producción de acero con convertidores Besemer. Primera hilandería en Bombay. Fundición en Dakar. Ferrocarriles sobre los Alpes y en la India. Se declara el Dogma de la Inmaculada Concepción de la Virgen.

T. Mommsen: *Historia de Roma.* G. de Nerval: *Las quimeras* y *Silvia.* A. Tennyson: *La carga de la brigada ligera.* Tiutchev: *Poesía.* Viollete-le-Duc: *Diccionario razonado de la arquitectura francesa.* Nacen A. Rimbaud y J. Poincaré.

1855

A: Juan B. Peña, D. Vélez Sarsfield y Miguel Ocampo, por Buenos Aires, negocian en Paraná un tratado de relaciones cordiales (8/I). En Buenos Aires, la reacción a la gestión del ministro Portela (VII), amenaza desestabilizar al Estado; Valentín Alsina (antiurquicista extremo) lo reemplaza. Fracasa un pedido de ayuda hecho a la Confederación para combatir a indios y disidentes. Una incursión de Lagos y de Flores contra Buenos Aires (X) es fácilmente rechazada. La Confederación autoriza a Buschenthal a instalar un banco en Rosario, lo que realiza Ireneo de Souza, barón de Mauá, financista brasileño.

J. M. Paz: *Memorias.*

AL: En el Uruguay se funda el Partido Nacional, que termina por ser continuación del Partido Blanco. Nuevo levantamiento conservador, renuncia de Flores en septiembre; en noviembre se produce un acuerdo de unión entre Flores y Oribe, al que sigue el retiro de las fuerzas brasileñas. En Bolivia, al concluir el período presidencial de Belzú, y por influjo de éste, es elegido para sucederlo su yerno el general Córdova. En Nueva Granada, Panamá se organiza como el primer estado federal. Entra en funcionamiento el ferrocarril Panamá-Colón, de propiedad de inversores estadounidenses. En Venezuela es electo presidente J. T. Monagas, quien reemplaza a su hermano. En Nicaragua el aventurero norteamericano Walker comienza a actuar en apoyo de los liberales. En México, Santa Anna, derrotado, abandona el país. Alvarez es presidente provisional; Benito Juárez es ministro de justicia (en noviembre la Ley Juárez suprime los fueros personales de eclesiásticos y militares). El general Comonfort, liberal moderado, reemplaza a Alvarez e inaugura una política de conciliación con los conservadores. Sublevación indígena en Puebla: "religión y fueros" es la consigna. En Nueva Granada asume

Gobierno de Palmerston en Inglaterra. Guerra de Crimea; batalla de Sebastopol, que cae en manos de los aliados. Piamonte y Cerdeña intervienen contra Rusia. Masacre de musulmanes en Yunnan. Predominio liberal en España, en las Cortes Constituyentes; reformas eclesiásticas y primera huelga general. Portugal: mayoridad de Pedro I. Francia: Atentado contra Napoleón III; leyes sobre trabajo y propiedad industrial. Autorización a Lesseps para construir el Canal de Suez. Primera Exposición Internacional de París. Los Rothschild fundan el Kreditanstalt de Viena.

Büchner: *Fuerza y materia.* Lobachevsky: *Pangeometría.* Le Play: *Los obreros europeos.* S. Kierkegaard: *El momento.* Browning: *Hombres y mujeres.* C. Baudelaire: *El Spleen de París.* G. de Nerval: *Aurelia.* W. Whitman: *Hojas de hierba* (-97). G. Courbet: *El taller.*

1856   Contrae la fiebre tifoidea después de una visita a Buenos Aires. La quiebra del negocio del padre fuerza a la familia a volver a "Los Veinticinco Ombúes".

la presidencia, como representante del conservadorismo, Mallarino.

A. Blest Gana: *Engaños y desengaños* y *Los desposados*. Cisneros: *El pabellón peruano*. R. M. Baralt: *Diccionario de galicismos*. Abreu e Lima: *El socialismo*. J. M. Macedo: *El forastero* y *El diario de mi tío*. B. Herrera funda en Perú el periódico *El Católico*.

A: La Confederación celebra un tratado de navegación y comercio con Paraguay y otro con Brasil, en que acuerda la neutralización de Martín García; el Brasil promete —de palabra— dar apoyo contra Buenos Aires. En Buenos Aires la lista "Conservadora" (antiurquicista moderada) triunfa en las elecciones legislativas. La Confederación abroga los tratados de 1854 y 55 con Buenos Aires. El Congreso de la Confederación establece (16/VII) los derechos diferenciales a la importación, favoreciendo el comercio directo de ultramar y contra la intermediación de Buenos Aires (Montevideo sufre indirectamente). Es un triunfo del grupo de Derqui, ministro del interior e intransigente.

AL: En el Uruguay, con el apoyo del Partido Nacional (blanco), es designado presidente Gabriel A. Pereira, antiguo colorado. Paraguay firma un tratado de navegación y arbitraje con Brasil, con una vigencia de seis años. En Chile la "cuestión del sacristán", que afecta la jurisdicción del Estado sobre el personal eclesiástico, aunque no desemboca en un conflicto con la Iglesia, divide al partido conservador; los conservadores extremos pasan a la oposición contra el presidente Montt y comienzan a aproximarse a los liberales. En Nicaragua el norteamericano William Walker, transformado en jefe militar de los liberales, es presidente de la república. En México es disuelta la orden jesuítica, y la Ley Lerdo, que dispone la disolución del pa-

España: O'Donnell reemplaza a Espartero pero fracasa el levantamiento liberal: Gobierno de Narváez y disolución de las Cortes. Italia: Memorándum de Cavour sobre Italia. Francia e Inglaterra firman tratado con Rusia en París; fin de la Guerra de Crimea: Triunfo aliado. Convención Internacional sobre guerra naval. Hallazgo del hombre fósil de Neanderthal. Síntesis de un colorante de anilina. Burton-Speke: Expedición a la zona de los grandes lagos africanos.

A. Tocqueville: *El Antiguo Régimen y la Revolución*. H. Taine: *Ensayo sobre Tito Livio*. Barret Browning: *Aurora Leigh*. Oksakov: *Crónica familiar*. E. Ibsen: *La fiesta en Solhaug*. Teatro de la Zarzuela en Madrid. Nace O. Wilde.

1857	Lee la *Historia Natural de Selborne* de Gilbert White. W. H. Hudson y sus hermanos trabajan en la estancia de la familia.

trimonio de las comunidades, afecta en primer término a las órdenes. En Ecuador el general Robles sucede a Urbina. En Perú es aprobada una constitución liberal y antiautoritaria.

J. A. Torres: *La independencia de Chile.* Vélez de Herrera: *Romancero cubano.* M. A. Segura: *Ña Catita.* J. M. Macedo: *El fantasma blanco.*

A: Elecciones para gobernador en Buenos Aires; Urquiza, aliado con el representante británico Christie, apoya al general Guido. Marzo: Las listas oficialistas ganan las elecciones para legisladores. Mayo: Valentín Alsina (antiurquicista extremo) es elegido gobernador. Francia reconoce a Balcarce como representante diplomático porteño. La Confederación firma con el Brasil un tratado de límites y extradición de esclavos y criminales. Derqui invita (IX) a Buenos Aires a considerar la Constitución de 1853. Entra en vigencia en Buenos Aires el código de comercio de Vélez Sarsfield y E. Acevedo. El banco Mauá se inaugura en Rosario. En San Juan, Manuel José Gómez, liberal) es gobernador. En La Rioja, M. V. Bustos apoyado por A. V. Peñaloza derroca a Fr. S. Gómez, primer gobernador constitucional del lugar.

E. del Campo: *Carta de Anastasio el Pollo sobre el beneficio de la señora La Grúa.*

AL: En el Uruguay, Juan Carlos Gómez retorna a dirigir la agitación de la oposición conservadora, que en diciembre se alza sin éxito. Muerte de Oribe (12/XII). En Chile, coalición liberal-conservadora contra los conservadores monttvaristas (nacionales). Leyes de desvinculación del mayorazgo. En Bolivia el presidente Córdova es derrocado; el conservador Linares encabeza un gobierno de austeridad y moralización. Chile ocupa Mejillones, en el litoral boliviano, y proclama su anexión, y la de

En Inglaterra: Grave crisis financiera; incremento de su expansión colonial y conquista de mercados; revuelta de los cipayos: franco-ingleses ocupan Cantón; emancipación de los judíos (incluyendo derecho a voto activo y pasivo en las elecciones parlamentarias). Francia: Entrevista de Napoleón con el Zar. Alemania: Guillermo de Prusia asume la regencia de Federico Guillermo IV. EE.UU.: Constitución esclavista en Kansas; Caso Dred Scott: Buchanan, presidente: Nueva crisis económica. Primer Censo en España: 15 millones de habitantes; Ley Moyano de Instrucción Pública; fundación de la Academia Tomista. Fundación de las Universidades de Calcuta y Madrás.

Pasteur: Estudio de la fermentación por los microorganismos. Kekulé: tetravalencia del carbono. Producción de papel con pulpa de madera. Elisha Otis patenta el ascensor. Burton parte en busca de las fuentes del Nilo.

Buckle: *Historia de la civilización de Inglaterra.* G. Flaubert: *Madame Bovary.* C. Baudelaire: *Las flores del mal* y traducción de *Historias extraordinarias* de Poe. T. S. Eliot: *Escenas de la vida clerical.* O. Feuillet: *La novela de un joven pobre.* Champfleury: Manifiesto *El realismo.* G. Courbet: *Muchachas a la orilla del Sena.*

441

| 1858 | Contrae fiebre reumática tras estar mucho tiempo a la intemperie, con mal tiempo, durante un rodeo de ganado. Como secuela su corazón queda debilitado. |

todo el territorio ubicado al sur de ese punto. En Nueva Granada se constituyen seis nuevos estados; de hecho todo el país se rige federalmente. Mariano Ospina (conservador) es elegido presidente (1857-61), contra el general Mosquera, apoyado por disidentes conservadores y liberales y por amigos partidarios de Melo. En Nicaragua Walker es expulsado por la acción concertada de las repúblicas centroamericanas. Comienza un período de predominio de los conservadores, apoyados por Gran Bretaña, que se prolongará hasta 1893. En México es promulgada una constitución federal, que separa la Iglesia y el Estado. Comonfort es elegido presidente constitucional, entra en conflicto con el Congreso y su partido; el general Zuloaga, conservador, se alza en favor del presidente y en contra de la constitución.

J. de Alencar: *El guaraní* y *El demonio familiar*. Sousândrade: *Harpas salvajes*. Gonçalves Días: *Cantos* y *Diccionario de la lengua tupí*. C. A. Salaverry: *Abel o el pescador*.

A: Misiones de la Confederación buscan alianzas militares contra Buenos Aires en Río de Janeiro y Asunción; no tienen éxito. El Cónsul de Buenos Aires es expulsado de Montevideo, acusado de auxiliar los trabajos revolucionarios de la oposición. Urquiza se inclina por la elección de Derqui como su sucesor en la presidencia. En San Juan crece la tensión entre el gobernador Gómez y Benavides, éste es asesinado (23/X), la prensa de Buenos Aires lo ha vaticinado y luego celebrará ese desenlace.

AL: En el Uruguay, De las Carreras, blanco extremo, domina el gabinete. Un alzamiento colorado es vencido; ejecución de numerosos prisioneros en Quinteros (2/II); a solicitud del gobierno, un destacamento de marina brasileño desembarca en Montevideo para protegerlo. El Para-

Inglaterra: Eliminación de la Compañía de las Indias; derrota final de los cipayos. Los franco-ingleses toman Tientsin. El comercio chino queda abierto a ingleses y franceses; es reglamentado el comercio del opio, obligando a los chinos a su consumo. En Prusia el príncipe Guillermo asume la regencia por incapacidad de Federico Guillermo. España: Retorna O' Donnell al gobierno; se organiza la Unión Liberal. Italia: entrevista Napoleón-Cavour en Plombiéres, acuerdan acción conjunta contra los austriacos. Francia: Atentado de Orsini contra Napoleón; se implantan leyes que facilitan la acción represiva. EE.UU.: Campaña electoral de Illinois; Douglas contra Lincoln.

Polémica de Pasteur y Pouchet sobre gene-

1859 | W. H. Hudson comienza a cazar pájaros con trampas para vender sus plumas. Junto a su hermano mayor Daniel, es llamado para hacer el servicio militar en el regimiento nº 13, lo que puede haber hecho que su madre apelara a Mitre. Un hermano aún mayor, Edwin, regresa de estudiar en el extranjero y "puso en mis manos un ejemplar de *El origen de las especies* aconsejándome leerlo. Cuando lo hice, me preguntó qué pensaba. Es falso, exclamé en un arranque de pasión, y él rio, conociendo poco la importancia que este asunto tenía para mí y me dijo que podía guardarme el libro si quería." (*Allá lejos y hace tiempo*.) El 4 de octubre muere su madre.

guay firma un acuerdo de libre navegación con el Brasil. Concede indemnización por daños causados al *Water Witch,* buque norteamericano, cuando ésta le es exigida por un representante de la nación del norte al frente de una flotilla que ha navegado hasta Asunción. En Bolivia el presidente Linares se proclama dictador; alzamiento de partidarios de Belzú en La Paz. En Nueva Granada una constituyente con mayoría conservadora adopta una constitución federal. El gobierno autoriza el retorno de los jesuitas. En Venezuela las oposiciones unidas (liberal y conservadora) derrocan a José Tadeo Monagas, de nuevo dispuesto a transferir la presidencia a su hermano. Una nueva constitución introduce una descentralización limitada. Comienza la guerra civil entre liberales y conservadores. En México renuncia el presidente Comonfort; los conservadores toman la ciudad de México; Benito Juárez, presidente de la Suprema Corte, se proclama sucesor legal de Comonfort e instala su gobierno en Veracruz. En Chile se inicia la segunda revolución liberal, en el norte, con un primer triunfo de los liberales en las principales ciudades.

G. Blest Gana: *La conjuración de Almagro.* A. Blest Gana: *El primer amor* (en la revista *Pacífico*). J. de Alencar: *Las alas de un ángel.* J. L. Mera: *Poesías.* J. M. Heredia, J. A. Quintero, J. C. Zenea: *El laúd del desterrado.*

A: La provincia de San Juan es intervenida. José A. Virasoro, correntino, llegado con la intervención, es elegido gobernador. El Congreso de la Confederación autoriza a Urquiza a reincorporar a Buenos Aires por la paz o la guerra (20/V). Buschenthal otorga a la Confederación un préstamo de $ 1.125.000 en condiciones durísimas. Mitre renuncia al ministerio para asumir la jefatura de las fuerzas de Buenos Aires.

ración espontánea. Virchow: patología celular. Constitución de la Compañía del canal de Suez. Adhesión de los países al sistema métrico decimal de 1795. Fundación de los transportes Wells Fargo. Apariciones de la Virgen a Bernardette Soubirous en Lourdes. Burton descubre las fuentes del Nilo. Se inventa una máquina para coser cuero, lo que abre las puertas de la industria del calzado.

T. Carlyle: *Historia de Federico II.* P. J. Proudhon: *La justicia en la Revolución y en la Iglesia.* R. Wagner: *Sigfrido.* J. Offenbach: *Orfeo en el infierno.*

España entra en guerra con Marruecos; rechaza la proposición norteamericana para adquirir Cuba. Francia: Ruptura con los católicos; etapa liberal del Imperio; ocupación de Saigón. Italia: Piamonte y Cerdeña declaran la guerra a Austria con el apoyo de Francia; victorias de Magenta y Solferino; Piamonte incorpora Lombardía y Toscana; Venecia queda en poder de Austria; Garibaldi inicia una campaña li-

En Rosario, Derqui, ministro del Interior y candidato a sucesor de Urquiza, organiza las hostilidades. En la batalla naval de Martín García, la victoria de la Confederación gana para su escuadra el acceso al Río de la Plata (14/X). Francisco Solano López, hijo del presidente del Paraguay, llega a Buenos Aires en misión mediadora (12/X); ha fracasado la del ministro de los Estados Unidos. Las fuerzas porteñas son derrotadas en Cepeda (23/X); Mitre logra salvar su infantería y artillería, que retira a San Nicolás y luego a Buenos Aires. Comienzan las negociaciones, que culminan en el pacto de San José de Flores (11/XI); Buenos Aires se incorpora a la Confederación con derecho de revisión inmediata de la constitución de 1853. Renuncia Alsina; lo reemplaza Felipe Llavallol, presidente del Senado (18/XI). En diciembre la lista del Club Libertad, auspiciada por Alsina y Mitre, triunfa en las elecciones de convencionales de Buenos Aires para la revisión de la constitución de 1853.

AL: En el Uruguay el gobierno blanco expulsa a los jesuitas. En Chile se producen importantes alzamientos en el norte minero y en Concepción; aunque sofocados hacen imposible el éxito de la candidatura de Antonio Varas, colaborador de Montt, como su sucesor. Alzamiento araucano en el sur. En México el gobierno de Juárez suprime el diezmo, nacionaliza las propiedades de la Iglesia y establece el matrimonio civil. Guatemala entrega Belice a Inglaterra. En Haití, gobierno progresista del general Fabre Geffrard.

J. V. González: *Biografía de J. F. Ribas.* Orgaz: *Las tropicales.* F. Pardo y Aliaga: *Constitución Política* (poema). J. de Alencar: *Mamá.*

bertadora. Alemania: Florecimiento del ejército prusiano con Guillermo Hohenzollern. Rusia somete completamente el Cáucaso y la Transcaucasia. EE.UU. reconoce el gobierno de Benito Juárez; ejecución de John Brown; guerra contra la esclavitud.

Drake: Perforación para extracción de petróleo en EE.UU. Bunsen-Kirchhoff: Espectroscopia. Monturiol: Prueba del sumergible "El Ictíneo".

C. Darwin: *El origen de las especies.* J. S. Mill: *Sobre la Libertad.* C. Marx: *Crítica de la economía política.* C. Dickens: *Historia de dos ciudades.* V. Hugo: *La leyenda de los siglos* (-83). A. Tennyson: *Los idilios del rey.* G. A. Bécquer: *Primeras Rimas.* E. Manet: *El bebedor de ajenjo.* J. A. Ingres: *El baño turco.* P. Webb: *La casa roja de W. Morris.* C. Gounod: *Fausto.*

| 1860 | "Sucedió cuando tenía diecinueve años que un viejo amigo íntimo mío me invitó a tomar a mi cargo la esquila de las ovejas en una finca en quiebra en las pampas." |

A: En marzo, Derqui es elegido presidente de la Confederación; Buenos Aires no ha participado en el proceso electoral. Es restaurada la autonomía provincial de Entre Ríos (excepto Paraná). En La Rioja, Peñaloza derriba al gobernador Manuel Vicente Bustos y lo reemplaza con Carlos Angel. En marzo es elegida en Buenos Aires una legislatura orientada por Alsina y Mitre. Este es elegido gobernador en mayo y adopta una política de entendimiento con la Confederación ("nacionalista"); envía a Paraná a Vélez Sarsfield. Convenio Derqui-Vélez Sarsfield (6/VI). De la Riestra (porteño) es ministro de hacienda de Derqui y nacionaliza la aduana de Buenos Aires (1/IX). Se reúne en Santa Fe la Convención reformadora de la constitución, que aprueba las reformas propuestas por Buenos Aires (24/IX). En noviembre Virasoro, apoyado por Derqui y amenazado por una incursión desde La Rioja por El Chacho (urquicista) y por la oposición violenta de los liberales sanjuaninos, es asesinado. Urquiza, Derqui y Mitre, deciden enviar una intervención pacífica, encabezada por el general Juan Saa (de San Luis) a San Juan.

AL: En el Uruguay, P. Berro (Blanco) es elegido presidente y otorga indulto parcial; expulsa a los misioneros franciscanos. En el Brasil, los liberales, sin alcanzar la mayoría, logran fuertes avances electorales. En el Perú se promulga una constitución centralista, que marca una orientación conservadora en la gestión de Castilla. En Nueva Granada el general Mosquera, gobernador del Cauca, encabeza una revolución liberal, como "supremo director de la guerra". Julio Arboleda, también del Cauca, es candidato conservador a la presidencia. En el Ecuador, lucha entre varios gobiernos rivales. El de Guillermo Franco, establecido en Guayaquil, firma un tratado con el Perú en que reconoce la

España: Ocupación de Tetuán, en Marruecos; fracasa un levantamiento carlista. Francia firma un tratado comercial con Inglaterra; liberalización de las leyes aduaneras. Italia: Revolución en Sicilia y Nápoles dirigida por Garibaldi; ambas regiones se incorporan a Italia. Se restablecen en Hungría las instituciones autónomas. Saqueo de Pekín por fuerzas europeas y reconocimiento de los privilegios de las potencias por parte de China, que firma la paz. Se funda Vladivostok, en Rusia. En EE.UU. Lincoln es elegido presidente; secesión de Carolina del Sur.

Londres: 2,8 millones de habitantes. Berlín 493 mil habitantes. Subterráneo en París; dentro del plan de Haussmann se considera la incorporación de un sistema de drenajes y de agua potable para una población de más de millón y medio de parisinos.

Speke-Grant: Descubrimiento de los afluentes del Nilo. Lenoir: Máquina de explosión. Primer Congreso Internacional de química en Karlsruhe. Crémieux funda la Alianza Israelita Universal. Se instala en Elche la primera máquina para fabricar alpargatas. Bullock inventa la rotativa.

G. T. Fechner: *Elementos de la psicofísica.* H. Taine: *La Fontaine y sus fábulas.* J. Burckhardt: *La cultura del Renacimiento en Italia.* C. Baudelaire: *Los paraísos artificiales.* Ovstrovsky: *La Tormenta.* Saint-Saëns: *Oratorio de Navidad.*

1861

soberanía de éste sobre el sur ecuatoriano. El general Flores, de vuelta de España, apoya a Gabriel García Moreno, adversario de Franco, que logra establecerse en Quito y denuncia el tratado con el Perú. En Nicaragua, Gran Bretaña reconoce la soberanía nicaragüense sobre la costa de Mosquitos (de hecho no será ejercida hasta fines del siglo). En México, completa victoria del gobierno liberal de Juárez; ha concluido la guerra de la Reforma (o Guerra de los Tres Años). En Venezuela, Tovar es presidente constitucional; Páez, de retorno de EE.UU., es ministro de guerra.

J. V. González: *Historia de Venezuela*. P. Herrera: *Ensayo sobre la historia de la literatura ecuatoriana*. B. Vicuña Mackenna: *Historia de la Independencia en el Perú*. A. Blest Gana: *La aritmética en el amor*. J. de Alencar: *Cinco minutos* y *La viuda*.

A: Aberastain (liberal), es gobernador constitucional de San Juan; Juan Saa invade la provincia y vence y ejecuta a Aberastain (11/I). Los ministros porteños se retiran del gabinete nacional. Buenos Aires elige diputados al Congreso Nacional (I) y protesta ante el gobierno federal por los sucesos de San Juan; el Club Libertad (antiurquisista) gana las elecciones para legisladores provinciales (III). La Cámara de Diputados de la Nación incorpora a los diputados que no reúnen las condiciones de residencia y rechaza a los elegidos en Buenos Aires. Derqui toma a su cargo la intervención de la provincia de Córdoba. Fracasa una entrevista entre Mitre, Urquiza y Derqui (mediación anglo-franco-peruana. 5/VIII); las fuerzas de Buenos Aires triunfan en la batalla de Pavón (17/IX) y Urquiza se retira a Entre Ríos. Derqui renuncia a la presidencia de la Confederación; Pedernera es encargado. Entre Ríos desconoce el gobierno nacional (2/

En España, conflicto con México por el pago de deudas; acuerdo de Londres para una acción conjunta con Inglaterra y Francia. Comienza en Portugal el reinado de Luis I (-90). Italia: Muere Cavour, Víctor Manuel es proclamado rey de Italia; primer Parlamento. En Austria se promulga una Constitución Imperial. Guillermo I es rey de Prusia. En Rusia es suprimida la servidumbre campesina. EE.UU.: Los estados del sur se separan de la Unión y constituyen una Confederación; se declara la guerra de Secesión.

Primer servicio de pronóstico meteorológico, en Inglaterra. Nightingale dirige la primera escuela de enfermeras, en Londres.

J. S. Mill: *Sobre el utilitarismo*. P. J. Proudhon: *Teoría del impuesto*. Bachofen: *El Matriarcado*. Cournot: *Tratado sobre el encadenamiento de las ideas fundamenta-*

XII) y éste se disuelve (12/XII). Un terremoto destruye Mendoza (20/III). J. M. del Campo depone a Zavalía, gobernador de Tucumán. Derqui designa a O. Navarro (federal), interventor en Santiago del Estero (VII). Navarro vence a Del Campo, toma Santiago del Estero y nombra gobernador a Salvatierra (antitaboadista), luego se retira a Catamarca; los Taboada, después de la batalla de Pavón, retoman el control de Santiago del Estero y Tucumán. Peñaloza, designado comandante del tercer cuerpo del ejército nacional, instala como gobernador en La Rioja a Villafañe. Juan Saa huye a Chile, es reemplazado por el presidente de la legislatura Justo Daract (liberal) (7/XII). Juan de Dios Videla derroca (16/XII) a Nazar, gobernador de Mendoza, quien se refugia en Chile.

AL: En el Uruguay el presidente blanco Berro concede amnistía general. Continúa el conflicto con la Iglesia (desconocimiento del vicario apostólico). En Chile es elegido presidente José Joaquín Pérez, conservador moderado; comienza la transición hacia el período de predominio liberal. En Bolivia el general Achá derroca a Linares y asume la presidencia. En La Paz se produce un alzamiento belicista que es cruelmente reprimido; el responsable de la represión es linchado. Fernández reemplaza a Achá y es reemplazado por Adolfo Ballivián. En el Ecuador una constitución dictada bajo la inspiración de García Moreno se apoya en principios de exclusivismo católico. En Nueva Granada, Mosquera toma Bogotá en julio; presidente provisional, crea el Distrito Federal. En Venezuela, Páez, jefe del conservatismo, toma el gobierno. En México, Juárez es elegido presidente constitucional. Estalla el conflicto internacional por deudas e indemnizaciones a súbditos extranjeros. El 14 de diciembre tropas españolas desembarcan en Veracruz; las seguirán fuerzas francesas y

les en las ciencias y en la historia. F. Dostoievski: *Recuerdos de la casa de los muertos.* T. S. Eliot: *Silas Marner.* F. Hebbel: *Los nibelungos.* Garnier: comienza la construcción de la Opera de París.

1862

británicas. La República Dominicana es reincorporada al Imperio Hispánico. En Honduras, Carrera interviene en el conflicto entre el presidente Guardiola y la Iglesia, acentuando la influencia guatemalteca.

Fagundes Varela: *Nocturnas.* J. F. dos Santos: *Los invisibles.* L. B. Cisneros: *Julia o escenas de la vida de Lima.* J. de León Mera: *La virgen del sol.* Nace José Rizal.

A: Fuerzas porteñas al mando del general Paunero avanzan en Córdoba y Cuyo. Los Liberales cordobeses se dividen en nacionalistas (De la Peña) y autonomistas (J. Posse); contra los deseos de Paunero, J. Posse es elegido gobernador (III). P. Cullen (liberal) es gobernador de Santa Fe (12/II). Sarmiento (tropas porteñas) toma Mendoza (2/I); Videla renuncia y marcha a Chile. J. M. del Campo de nuevo gobernador de Tucumán; los gobernadores federales de Salta y Jujuy renuncian. Los federales de Catamarca nombran gobernador, convencidos por Mitre, a Galíndez (federal tibio) quien es derrotado por M. Omill (liberal), derrocado a su vez por Correa (liberal). Campos vence (17/II) a Gutiérrez y Peñaloza, quien se retira a La Rioja, y es vencido en Aguadita de los Valdeses (11/III). Arredondo (fuerzas nacionales), toma La Rioja (29/III) y restaura a Villafañe. Los peñaloistas Angel y Puebla sitian a La Rioja, Bustos organiza la resistencia; Peñaloza incursiona en San Luis y es derrotado; pacta su incorporación (La Banderita, 30/V) a las fuerzas nacionales como general. Villafañe renuncia (X), lo reemplaza F. S. Gómez (federal). En Buenos Aires (11/III) la Legislatura autoriza a Mitre a ejercer el Poder Ejecutivo Nacional y a convocar al Congreso. Una ley-compromiso entre el Congreso y la Legislatura Provincial (que no acepta la federalización de Buenos Ai-

España: el general Prim reembarca luego de su incursión punitiva a México. Francia: Napoleón modera su apoyo al nacionalismo italiano; intentar evitar la toma de Roma. Italia: Garibaldi lanza el grito "Roma o Muerte", es derrotado en Aspromonte. Bismarck preside el ministerio en Prusia frente a su petición de acceso al Zollverein. Revolución en Grecia. Francia en Cochinchina y Obock. EE.UU.: Lincoln libera a los esclavos en los estados rebeldes; hay 186 mil soldados negros en el ejército yanqui.

Foucault mide la velocidad de la luz. Bernard: función de los nervios vasomotores. Berthelot: Síntesis del acetileno.

H. Spencer: *Primeros Principios.* Thiers: *Historia del Consulado y el Imperio.* V. Hugo: *Los miserables.* G. Flaubert: *Salambó.* De Lisle: *Poemas bárbaros.* E. Manet: *Lola en Valencia.* Von Klenze termina los Propíleos de Munich. G. Verdi: *La fuerza del destino.* I. Turguenev crea y define la noción de nihilismo. Nace C. Debussy.

res) autoriza al gobierno nacional a insta-
larse en Buenos Aires por cinco años, tomando a su cargo la administración municipal, la ciudad sigue perteneciendo a la
provincia. El Colegio Electoral elige, por
unanimidad (5/X) a Mitre como presidente de la Nación por el período 1862-1868;
Marcos Paz (ex rosista y ex urquicista) es
vicepresidente.

AL: En el Uruguay se firma la convención
de pago de la deuda anglo-francesa bajo
presión naval de ambas potencias. El presidente Berro declara la acefalía de la Iglesia nacional. En el Paraguay el presidente
Carlos Antonio López muere el 10 de septiembre. Su hijo, Francisco Solano es General en Jefe y Jefe Supremo el 16 de octubre. En el Brasil, cuestión Christie; el gobierno imperial se niega a seguir tratando
con ese representante británico. A la captura del navío inglés "Príncipe de Gales"
sucede la captura, por parte de Gran Bretaña, de 5 buques mercantes brasileños. En
Bolivia, el general Achá es restaurado y elegido presidente constitucional. En el Ecuador un concordato suprime el patronato,
establece la censura eclesiástica, entrega al
clero (extranjero) el control de la enseñanza y restaura la jurisdicción eclesiástica.
En Nueva Granada es suprimido el último foco de resistencia conservadora en
Antioquia. En México desembarcos anglo-
franceses siguen a los españoles. Obtenida
satisfacción, España y Gran Bretaña se retiran, Francia extrema sus exigencias y emprende la conquista de México; los franceses son derrotados en Puebla el 5 de
mayo. En Perú, San Román es presidente.
En Venezuela, guerra a muerte entre constitucionalistas y federales.

A. Blest Gana: *Martín Rivas*. M. A. Segura: *Las tres viudas*. J. de Alencar: *Lucíola*.
F. Távora: *Los indios de Juaribe*.

1863

A: Irregulares riojanos invaden San Juan y Catamarca (III) y son derrotados en Ojo de Agua (2/IV); Muabecin (31/III), jefe de las tropas liberales de Catamarca, derrota a F. Varela en Las Charcas. B. Carrizo (federal) es gobernador en La Rioja. M. Taboada al mando de tropas de la liga de Tucumán, Santiago y Catamarca, toma La Rioja (3/V), derrota a Angel y Varela (4/V) e instala como gobernador a Natal Luna. Arredondo (tropas nacionales) ocupa La Rioja (20/V) y nombra gobernador a M. V. Bustos (mitrista, ex rosista y ex urquicista). S. Luengo (peñalocista) revoluciona Córdoba, Peñaloza incursiona en la provincia pero es derrotado en Las Playas (28/VII) y huye al oeste; Sandes ejecuta numerosos prisioneros de Las Playas. Posse es restaurado como gobernador de Córdoba pero renuncia; le sucede B. Ocampo que renuncia por la tirantez de las relaciones entre autonomistas y nacionalistas; lo reemplaza R. Ferreira (autonomista). Peñaloza invade San Juan, es derrotado (30/X), capturado y muerto (11/XI). Correa (liberal), gobernador de Catamarca, renuncia y es reemplazado por Maubecín. En Buenos Aires, el liberalismo se divide ante el fracaso de la federalización propuesta por Mitre. Adolfo Alsina dirige la fracción autonomista.

J. Hernández: *Vida del Chaco.*

AL: En el Uruguay el general colorado Flores desembarca el 19 de abril; ha contado con la más amplia tolerancia del gobierno argentino para organizar la que llama Cruzada Libertadora, contra el anticlericalismo y el exclusivismo blanco del gobierno de Montevideo. El Uruguay rechaza el protocolo Lamas-Elizalde, que declara la neutralidad argentina en la guerra civil oriental. La Argentina rompe relaciones diplomáticas; el gobierno de Montevideo envía a Asunción la misión Lapido,

Crisis en la industria textil inglesa a causa de la Guerra de Secesión; baja producción de algodón en EE.UU. España: Renuncia de O' Donnell, que es reemplazado por Narváez. Bélgica: Congreso católico en Malinas, discurso de Montalembert; ataque a la intolerancia y el absolutismo. Francia asume el protectorado de Camboya. En Alemania, Bismarck disuelve el Landtag. Revolución en Polonia. Cristián IX rey de Dinamarca. Jorge I es rey de Suecia. EE.UU.: Lincoln proclama la abolición de la esclavitud, concretada dos años después; victoria decisiva de la Unión de Gettysburg. Los rusos conquistan Tanchkent, en Turquestán.

Solvay desarrolla el proceso soda-amoniaco. Lasalle funda la Asociación de Trabajadores Alemanes. Krupp funda colonias obreras en Essen. Creación del Crédit Lyonnais en Francia. Creación de la Cruz Roja Internacional.

J. E. Renán: *Vida de Jesús.* A. Huxley: *El lugar del hombre en la naturaleza.* P. J. Proudhon: *Sobre el principio federativo.* H. Taine: *Historia de la literatura inglesa.* Littré: *Diccionario de la lengua francesa* (-68). E. Ibsen: *Los pretendientes.* F. Dostoievski: *Memorias del subsuelo.* Primer número del *Petit Journal.* Salón de los rechazados en París. E. Manet: *El Almuerzo sobre la hierba.* Rossetti: *Beata Beatriz.* L. H. Berlioz: *Los troyanos,* II parte.

1864

que busca el apoyo del Paraguay para su causa y autoriza el vicario apostólico. En Chile entra en actividad el ferrocarril Santiago-Valparaíso. Bolivia rompe relaciones con Chile a causa de la ocupación chilena de parte del litoral boliviano. El incidente Christie entre Brasil y Gran Bretaña es sometido al arbitraje del Rey de Bélgica, que impone a Gran Bretaña una indemnización que ésta se niega a pagar. Brasil interrumpe sus relaciones con Londres, que sólo serán reanudadas en 1865 por mediación de Portugal. En el Perú, a la muerte del presidente San Román lo sucede Pezet; en El Callao se produce un incidente con marineros de naves españolas que dará lugar a un largo conflicto con España. En Nueva Granada la constituyente dominada por los liberales dicta la constitución de Río Negro, federal extrema, y da al país el nombre de Estados Unidos de Colombia. En Venezuela, Páez abandona el país ante el creciente hostigamiento de los liberales. Se instala la asamblea constituyente. Falcón es presidente. En México la capital cae en manos de las fuerzas francesas el 10 de junio; una asamblea de notables ofrece el trono a Maximiliano de Austria. Carrera invade El Salvador y coloca un gobierno adicto a Honduras.

R. Palma: *Anales de la Inquisición de Lima.* B. Vicuña Mackenna: *Don Diego Portales.* A. Blest Gana: *El ideal de un calavera.* Arona: *Ruinas.* E. M. de Hostos: *La peregrinación de Bayoán.* J. M. Macedo: *Brasilianas.* M. J. Irarrázabal funda, en Chile, el periódico católico *El bien público;* Isidro Errázuriz funda *La Patria.*

A: Sarmiento renuncia a la gobernación de San Juan (IV); Camilo Rojo (liberal), será elegido para reemplazarlo (X). En La Rioja, ante la división del minúsculo partido liberal, el general Arredondo impone como gobernador a Julio Campos, ma-

Se funda la Ira. Internacional en Inglaterra. Ministerio de Narváez en España; tratado con Francia e Italia para la ocupación de Roma. Tratado de Viena austro-pruso-danés. Austria y Prusia en guerra con Dinamarca; ésta debe renunciar a

461

yor del ejército nacional. En Santiago del Estero, Absalón Ibarra sucede a su primo Antonino Taboada como gobernador; Manuel Taboada es su ministro universal. En Tucumán José Posse (liberal), es elegido gobernador. En Entre Ríos, José M. Domínguez es designado gobernador con el apoyo de Urquiza; el general López Jordán es también candidato.

AL: En el Uruguay el presidente Berro anula los tratados de 1851 con el Brasil; el imperio retira su apoyo al gobierno blanco y envía a Saravia como mediador en la crisis oriental. El presidente del senado, Atanasio Aguirre, toma a su cargo el Poder Ejecutivo al concluir el período de Berro. En julio Montevideo envía una nueva misión al Paraguay para pedir apoyo frente a la intervención brasileña, que comienza en agosto, por tierra y agua. El 2 de diciembre comienza el sitio de Paysandú por fuerzas brasileñas y de revolucionarios uruguayos. El Paraguay hace suya la causa de Montevideo, en nota del 30 de agosto. López protesta contra la intervención brasileña en nombre del equilibrio del Plata; el 11 de noviembre fuerzas paraguayas capturan el vapor brasileño Marqués de Olinda y el 14 Paraguay rompe relaciones con el Brasil. En Bolivia Mariano Baptista imprime orientación clerical al partido constitucional (seguidores de Linares). Belzú lanza su candidatura presidencial; Mariano Melgarejo (militar cercano a los constitucionalistas) lanza un golpe preventivo y establece un régimen militarista. España ocupa las islas Chinchas, fuente principal del guano del Perú. Es convocado un Congreso Internacional de gobiernos americanos, en Lima, que ofrece adhesión a la causa peruana; Bolivia, Colombia, Venezuela, Ecuador, Chile y Argentina acuden. Estalla una guerra entre Colombia y Ecuador. Venezuela adopta la constitución federal. Maximiliano, empe-

Schleswing-Holstein. Papado: Pío IX publica la encíclica *Quanta cura* y el *Syllabus.* EE.UU.: Sherman ocupa Atlanta y Georgia; reelección de Lincoln. Convención, en Ginebra, en la que se establecen las normas para tratar a los heridos y prisioneros de guerra.

Rohls explora el Sahara. Producción de acero con el sistema Siemens-Martin. Primeras competencias de atletismo universitario: encuentro Oxford-Cambridge.

H. Spencer: *Principios de biología.* W. Emmanuel: *La cuestión laboral y el cristianismo.* Le Play: *La reforma social.* C. Lombroso: *Genio y Locura.* Fustel de Coulanges: *La ciudad antigua.* Hnos. Goncourt: *Renée Mauperin.* A. Tennyson: *Enoch Arden.* A. Rodin: *El hombre de la nariz rota.* E. Degas: *Retrato de Manet.* J. Offenbach: *La hermosa Elena.* Nace H. de Toulouse-Lautret.

1865   Presta su servicio militar en el regimiento nº 22 en la frontera, en Azul. Traba conocimiento con Herman Burmeister del Museo de Historia Natural de Buenos Aires y con Hinton Rowan Helper, cónsul de los Estados Unidos en Buenos Aires, que le escribe una carta de presentación para el Dr. Spencer Fullerton Baird, secretario adjunto del Instituto Smithsoniano de Washington. "El señor Hudson me ha sido recomendado como muy capaz en su profesión. Le he preguntado acerca de sus condiciones; pero dice que nunca ha hecho colecciones excepto como asunto de mero interés para sí mismo, y no sabe, en consecuencia, cuánto cobrar por sus servicios."

rador de México, adopta una política liberal. Juárez, al frente del gobierno republicano, emprende su larga retirada hacia el norte. En Colombia, Manuel Murillo Toro es presidente.

Machado de Assis: *Chrysálidas*. L. B. Cisneros: *Edgardo*. J. de Alencar: *Diva y Minas de Plata*. F. Varela: *Voces de América*. Angelo Agostini funda el diario abolicionista *O Diablo Coxo*.

A: El gobierno de Mitre niega autorización para el cruce de tropas paraguayas por territorio argentino (9/II); Paraguay envía la nota de declaración de guerra (2/III); buques paraguayos capturan navíos argentinos (13/IV) y tropas paraguayas invaden Corrientes (14/IV); se firman con Brasil y Uruguay las bases del tratado de la Triple Alianza (1/V) y se declara la guerra al Paraguay (8/V); las tropas paraguayas ocupan el este de Corrientes, llegan a Uruguayana, en Río Grande do Sul, y se rinden (8/IX). F. S. López, presidente del Paraguay, ordena la evacuación de las tropas paraguayas del territorio argentino. Mitre es nombrado general en jefe de los ejércitos aliados y delega la presidencia en Marcos Paz, quien inicia un gradual acercamiento a la facción autonomista. Urquiza apoya la causa nacional contra el Paraguay. En Corrientes los paraguayos ejecutan a dos de los miembros del triunvirato instalado como gobierno provincial y se retiran. Zalazar (federal) y M. V. Bustos, en La Rioja, se rebelan con el contingente destinado a la guerra contra el Paraguay y son derrotados en Pango por el gobernador Campos. J. Daract (liberal) es elegido gobernador en San Luis. En Santiago del Estero, M. Taboada sofoca el levantamiento del contingente destinado a la guerra. En Córdoba, J. Posse se levanta contra Ferreyra y es asesinado, Ferreyra es acusado del hecho y solicita la interven-

Ministerio Russell en Inglaterra. España: Conflicto de Narváez con los universitarios; primer congreso obrero; renuncia de Narváez y retorno de O'Donnell. Francia: Napoleón prohíbe la publicación del *Syllabus*. Oposición del gabinete. Alemania: Tratado de Gastein: Prusia obtiene Schleswik y Austria el Holstein. EE.UU.: Captura de Richmond; capitulación del Gral. Lee en Appomatox; el Congreso aprueba la abolición de la esclavitud; asesinato de Lincoln; fin de la Guerra de Secesión.

Berthelot: *Lecciones sobre termodinámica;* inventa el calorímetro. Lister: Experiencias con anestésicos. Reconocimiento legal del valor del cheque, en Francia. Peters Otto: Asociación general de mujeres alemanas; comienzos de la expansión de la industria química.

Bernard: *Introducción a la medicina experimental*. Broca: *Investigaciones y observaciones antropológicas*. Moleschot: *La unidad de la vida*. P. J. Proudhon: *Sobre el principio del arte*. J. S. Mill: *Examen de la filosofía de Hamilton*. L. Carroll: *Alicia en el país de las maravillas*. L. Tolstoi: *Guerra y Paz* (-69). Hnos. Goncourt: *Germinie Lacerteux*. Sully-Prudhome: *Poemas*. E. Manet: *Olympia*. R. Wagner: *Tristán e Isolda*. J. Brahms: *Danzas húngaras*. Muere P. J. Proudhon.

ción federal; Rawson (liberal sanjuanino) es nombrado interventor pero se retira sin tomar ninguna decisión. N. Oroño (liberal) gobernador de Santa Fe.

N. Avellaneda: *Estudio sobre las leyes de tierras públicas.* J. M. Gutiérrez: *Estudios biográficos y críticos sobre algunos poetas sudamericanos del siglo* XIX.

AL: En el Uruguay, el 1º de enero cae Paysandú; las tropas de Flores matan a numerosos prisioneros, entre ellos el general Leandro Gómez, jefe de la resistencia. El 14 de febrero renuncia el presidente interino Aguirre; el 15 lo reemplaza T. Villalba, presidente del Senado, que negocia con Flores la paz de la Unión (20 de febrero); Flores ocupa el poder; el 28 de febrero restablece los tratados de 1851 con el Brasil, el 4 de abril deroga el decreto de Berro que expulsaba a los jesuitas. En Bolivia Belzú se levanta en La Paz, Melgarejo fracasa en su intento de tomar la ciudad; entra solo en ella y asesina a Belzú. Sofoca alzamientos en La Paz, Oruro, Cochabamba y Potosí; en agosto obtiene la victoria decisiva en La Cantería, a la que siguen ejecuciones de numerosos prisioneros. En el Perú el tratado Vivanco-Pareja recoge las exigencias españolas; el general Mariano Ignacio Prado lo desconoce y se levanta contra el gobierno "traidor" de Pezet. Alianza con Ecuador, Chile y Bolivia contra España. Ignacio Prado se constituye dictador del Perú. Muere Rafael Carrera, presidente vitalicio que había tomado el poder en Guatemala en 1838; su partido, el conservador, conserva el gobierno para sí. Las tropas francesas alcanzan la frontera entre México y EE.UU., pero no logran desalojar por dentro del territorio nacional a los republicanos (Juárez instala un gobierno en El Paso). Se crea en Madrid una Junta de Información sobre las posibles reformas en Cuba y Puerto Ri-

1866

El 5 de setiembre escribe a S. Fullerton Baird: "Aunque no soy persona de recursos, no es por deseo de otro empleo que quiero coleccionar, sino puramente por amor a la naturaleza. Sin embargo, sería más sencillo para mí dedicar todo mi tiempo a esta ocupación, si se me requiriera coleccionar otros objetos naturales además de aves, como ser fósiles, insectos, hierbas, etc. y esto me permitiría hacer colecciones completas de todas las aves."

co. En Ecuador es presidente Jerónimo Ca-
rrión. La goleta chilena "Esmeralda" captura a la fragata "Covadonga". En Chile, el
Congreso establece la libertad de cultos.
Santo Domingo es finalmente abandonado
por los españoles.

V. Considerant: *Cuatro cartas al Mariscal
Bazaine*. J. Zaldumbide: *El Congreso, don
Manuel García Morente y la República*. R.
Palma: *Armonías* y *La lira americana*. J.
V. González publica las biografías políticas
de Vargas, Tovar y el Gral. Ribas. F. Va-
rela: *Cantos y fantasías*. Mueren Andrés
Bello, Francisco Bilbao y Fermín Toro. Na-
ce José Asunción Silva.

A: Adolfo Alsina es elegido gobernador
de Buenos Aires; en septiembre la provincia retoma la jurisdicción municipal en
la ciudad de Buenos Aires (2/V). Fundación de la Sociedad Rural Argentina (10/
VII). En Tucumán, Wenceslao Posse sucede a José Posse como gobernador; ambos
tienen por jefe político al cura Campos,
que lo es del liberalismo tucumano. En
Corrientes es elegido gobernador Evaristo
López, apoyado por Nicanor Cáceres, caudillo federal-urquicista. En Buenos Aires
entra en funcionamiento la primera línea
de tranvías de caballos. En la Guerra del
Paraguay los aliados cruzan el río Paraguay por Paso de la Patria (16/IV), vencen a los paraguayos en el Estero Bellaco
(2/V); vuelven a triunfar en Tuyutí (24/
V), y, en junio, en Yataytí Corá y Boque-
rón. Los aliados sufren una costosísima
derrota en Curupayti (22/IX), al ser rechazado su ataque frontal contra esa fortaleza avanzada de Humaita; durante casi
un año los aliados no proseguirán su ofensiva.

E. del Campo: *Fausto*.

AL: El Brasil declara libre a todas las

España: es sofocado el levantamiento republicano del Gral. Prim; retorno de Narváez. Francia: Imperiales y republicanos
forman el Tercer Partido; Napoleón III
retira tropas de Roma y México. Italia y
Prusia, aliadas, entran en guerra con Austria; incorporación de Venecia a Italia.
En Alemania, la victoria de Prusia es
aplastante: se organiza la Confederación
del Norte; predominio total de Bismarck.
Polémica internacional entre proudhonia-
nos y marxistas.

Black Friday londinense. En la batalla de
Sadowa, utilización de fusiles de retrocar-
ga y transporte de soldados por ferrocarril. Nobel inventa la dinamita. Siemens-
Weahtone-Varley: Dínamo. Mendel: experiencias sobre híbridos; herencia. Primer
cable transatlántico. Fundación del Ku-
klux-klan en Norteamérica. Hazañas de
Búfalo Bill.

M. Bakunin: *Catecismo revolucionario*. O.
Lange: *Historia del materialismo*. V. Hugo: *Los trabajadores del mar*. F. Dostoievski: *Crimen y castigo*. J. Verne: *De la tierra a la luna*. Antología *Parnaso Contemporáneo* (Leconte de Lisle). P. Verlaine: *Poe-

1867	El Instituto Smithsoniano rinde homenaje a sus importantes exploraciones en la Provincia de Buenos Aires declarando que "las colecciones habían sido derivadas al Sr. P. L. Sclater y al Sr. Osbert Savin de Londres para su examen, debido a que estos caballeros se habían ocupado especialmente del estudio de las aves sudamericanas."

banderas la navegación del Amazonas. Decreta la libertad de los esclavos que sirvan en la guerra con el Paraguay. En el Perú es rechazado el ataque español contra El Callao (2 de mayo); las fuerzas españolas se retiran. En Bolivia, Melgarejo dicta el Decreto Ordenatorio de Tierras, que dispone la liquidación de las comunidades indígenas. Significativo renacimiento de la minería de plata con inversiones chilenas. Tratado de medianería con Chile, establece dominio boliviano-chileno sobre el litoral, con vistas a la explotación del salitre. Concluida la guerra de secesión, crece la presión de los EE.UU. y Napoleón III se compromte a evacuar sus tropas de México antes de noviembre de 1867.

J. Montalvo: *El Cosmopolita*. Gutiérrez González: *Memorias sobre el cultivo del maíz en Antioquia*.

A: La Revolución de los Colorados (Mendoza, XI/66) se extiende a San Luis, La Rioja y San Juan; F. Varela vence al gobernador de La Rioja (5/I); C. Angel es nombrado gobernador. Medina, segundo de Varela, toma Tinogasta, en Catamarca; Campos reconquista la ciudad de La Rioja, San Román es gobernador; Taboada lo reemplaza por Brizuela, vence a Varela e instala como gobernador (30/IV) a C. Dávila (liberal apoyado por jefes federales); Arredondo ocupa La Rioja, persigue a Varela y reemplaza a Dávila por S. de la Vega; el gobierno federal decreta la intervención de la provincia pero Arredondo (sarmientista) desacata la intervención. En Córdoba, S. Luengo se declara gobernador pero es obligado a huir por un destacamento del ejército nacional al mando del Gral. Conesa, quien restaura a Luque (ambos apoyan la candidatura de Alsina). Arredondo reemplaza a Conesa, obliga a Luque a renunciar y nombra gobernador a F. de la Peña. En Catamarca, A. Taboada es nom-

mas saturnianos. A. Swinburne: *Poemas y baladas*. C. Corot: *La iglesia de Marisell*. G. Doré: ilustraciones para la Biblia. J. Offenbach: *La vida parisiense*. B. Smetana: *La novia vendida*. Von Suppé: *Caballería ligera*.

Inglaterra: Reforma electoral, se extiende el derecho al voto del obrero industrial; conspiración de los fenianos; el imperio ultramarino incluye 200 millones de personas. Austria: Francisco José inicia la modernización del Imperio; se constituye la doble monarquía de Austria-Hungría. EE.UU.: Adquisición de Alaska; reino del Carpet-baggers en el sur. Rusia conquista Samarcanda, en el Turquestán.

Pasteur: Estudios de cristalografía; fermentación del vino. Prensa rotativa de Marinoni. Shales-Soule-Glidden: Primeros modelos de máquinas de escribir. Hallazgo de diamantes en el Estado libre de Orange. Inauguración del "Gran Hotel" en París, el más grande de Europa. Livingston inicia la exploración del Congo.

C. Marx: *El Capital (tomo I)*. E. Zola: *Thérèse Raquin*. E. Ibsen: *Peer Gynt* y *Brandt*. B. Harte: *Papeles vagabundos*. J. F. Millet: *El Angelus*. C. Monet: *Mujeres*

brado interventor federal. En Tucumán, Taboada derroca al gobernador Posse y lo reemplaza por O. Luna. En Cuyo se derrumba la hegemonía mitrista federal. J. Zavalla (mitrista) es gobernador de San Juan (4/X). R. Luceo y Sosa (sarmientista) es gobernador interino de San Luis: en Mendoza es restaurado M. Arroyo, quien renuncia y es sustituido por N. Villanueva. En Buenos Aires *La Tribuna,* de los hermanos Varela, lanza las candidaturas de Sarmiento y Alsina y declara inaceptable la de Elizalde (mitrista). Mitre, desde Cuyú Tuyú Cue (Paraguay) envía una carta (18/XI) en la que condena las candidaturas de Urquiza y Alsina y declara preferible la de Elizalde y aceptable la de Sarmiento. Se abre la oficina de cambio, que termina con cuatro décadas de papel moneda inconvertible. En Mendoza, Villanueva (liberal) suprime la papeleta de conchabo que se exigía a todos los no propietarios de la campaña. En la guerra contra el Paraguay, los aliados retoman lentamente su avance destinado a completar el cerco de Humaitá.

AL: En Bolivia, Melgarejo restablece el tributo indígena, y tierras de comunidades. Por un tratado con Brasil, cede vastos territorios sobre el Río Madeira. En el Perú el general Prado asume la presidencia y encuentra resistencia. En Colombia el presidente Mosquera entra en conflicto con el Congreso y decreta su clausura; es capturado y condenado a prisión, pero autorizado a exiliarse en Lima. Asume Santos Acosta. En México la evacuación de las fuerzas francesas se completa en marzo; el derrumbe imperial es inmediato. Maximiliano se encierra en Querétaro, se rinde el 15 de mayo y es ejecutado el 19 de junio. El 15 de julio el presidente Juárez entra triunfalmente en la ciudad de México; en diciembre es reelegido presidente constitucional. Guerra civil en Haití.

en el jardín. C. Gounod: *Romeo y Julieta.* R. Strauss, hijo: *Junto al hermoso Danubio azul.*

1868	Muerte del padre el 14 de febrero, durante el verano de la gran tormenta de polvo y la intensa sequía. A D. P. L. Sclater de la Sociedad Zoológica de Londres le escribía por entonces: "Por varios meses no he recogido pájaro alguno debido a que tuve otras ocupaciones en mi hogar; por lo demás no hemos estado exentos de las aflicciones que han sobrevenido a casi todas las familias de este país." Visita la Banda Oriental, posiblemente para cazar pájaros.

J. Isaacs: *María*. R. J. Cuervo: *Apuntaciones críticas sobre el lenguaje bogotano*. M. A. Caro y R. J. Cuervo: *Gramática de la lengua latina*. V. Lastarria: *La América*. Sousândrade: *El guesa errante*. E. M. Hostos: *Romeo y Julieta*. A. Tapia y Rivera: *La cuarterona*.

A: Muere el vicepresidente M. Paz (I) y Mitre reasume la presidencia. El Club Libertad elige la candidatura de Sarmiento (2/II). Alsina ofrece la candidatura presidencial a Urquiza. Estallan en Santa Fe (9/I) disturbios antimasónicos contra Oroño (sarmientista), quien ha establecido el matrimonio civil y la secularización de los cementerios, el jefe del movimiento es S. Iriondo, la provincia es intervenida y M. Cabal (iriondista) es nombrado gobernador. Urquiza es de nuevo gobernador de Entre Ríos (1/V). Arredondo hace huir al interventor federal de La Rioja, Lafuente, e instala como gobernador a S. de la Vega; Lafuente vuelve a La Rioja y nombra gobernador a V. Gómez, aceptable para ambos, quien defiende su puesto con la ayuda del ejército nacional; Dávila, opositor, resiste en los llanos con el apoyo de los veteranos caudillos federales Cumbita y Zalazar, pero son vencidos y capturados por Arredondo; siguiendo los deseos de éste los electores de La Rioja votan por Sarmiento (18/VI). E. de la Vega es designado gobernador. La fórmula Sarmiento-Alsina es electa para ocupar los cargos de presidente y vicepresidente (VIII): asume los cargos respectivos el 12/X. E. Castro reemplaza a Alsina en la gobernación de Buenos Aires. En Corrientes una intervención federal elige como gobernador al juez Gustavino (liberal). Sarmiento interviene San Juan para reponer la Legislatura. En la guerra del Paraguay el marqués Caxias asume el comando en jefe abandonado por Mitre en enero. La armada brasileña fuerza el paso de Humaitá sobre el río Paraná

Ministerio de Gladstone (-74), en Inglaterra: los Laboristas obtienen la victoria electoral; primer congreso de Trade Unions. En España un pronunciamiento militar destrona a Isabel. Muere Narváez. Prim asume el gobierno. Se disuelve la sección francesa de la Internacional. Fin de la dinastía Shogún y comienzo de la occidentalización del Japón; la dinastía Mejii toma el trono. EE.UU.: se concede a los negros el derecho al voto. Rusia completa la conquista de Uzbequistán; Bakunin funda la Alianza Internacional de la Socialdemocracia.

Cirugía antiséptica de Lister. Descubrimiento del hombre fósil de Cromagnon, en Francia; fundación de la Escuela Práctica de Altos Estudios.

C. Darwin: *Variaciones de los animales y las plantas*. Haeckel: *Historia natural de la creación*. F. Dostoievski: *El idiota*. G. A. Bécquer: *Rimas*. R. Browning: *El anillo y el libro*. Lautréamont: *Los cantos de Maldoror*. A. Renoir: *El matrimonio Sisley*. Boito: *Mefistófeles*. J. Brahms: *Un réquiem alemán*. R. Wagner: *Los Maestros cantores*.

(19/II); López comienza a abandonar la fortaleza, que capitula en agosto. Los aliados triunfan en Lomas Valentinas (27/XII).

L. V. Mansilla: *Sarmiento, candidato del Partido Liberal a la presidencia.* (Folleto anónimo).

AL: En Uruguay crece la agitación contra el gobierno dictatorial de Flores, mientras se agudiza la crisis bancaria. Flores renuncia el 15 de febrero en medio de una sublevación del partido blanco, en el curso de la cual es asesinado; en represalia, también es asesinado el ex presidente Berro (19 de febrero). El general Lorenzo Batlle, colorado intransigente, es elegido presidente (1 de marzo). En el Brasil la decisión imperial devuelve el gobierno a los conservadores. En Bolivia es convocada una asamblea constituyente; Melgarejo es elegido presidente constitucional. En el Perú el general Balta es elegido presidente; su joven ministro de hacienda, Nicolás de Piérola, negociará el contrato Dreyfus, que emancipa al gobierno peruano del control financiero de los consignatarios locales del guano y le da oportunidad (ampliamente utilizada) de multiplicar su deuda externa. En Venezuela, José Tadeo Monagas, ahora de nuevo conservador, sucede al general Falcón, liberal. Comienza la guerra federal. En Cuba comienza, con el Grito de Demajagua (Yara), la primera guerra de independencia; el 10 de octubre los independientes toman Bayamo e instalan un gobierno provisional, encabezado por Carlos Manuel de Céspedes. En La Habana se funda el Casino Español y se reorganiza el Cuerpo de Voluntarios, peninsulares; ambos apoyan la causa metropolitana y buscan imponer a las autoridades su criterio intransigente.

J. Calcaño: *Blanca de Torrestella.* J. M. Macedo: *Memorias del Sobrino de mi Tío.* M. de Altamirano: *Revistas Literarias de México,* folletín *La Iberia.*

| 1869 | Regresa de la Banda Oriental en marzo. Su primera carta al Dr. Sclater para las *Actas de la Sociedad Zoológica de Londres* está fechada "14 de diciembre." |

A: Primer censo nacional 1.736.701 habitantes, 211.000 extranjeros 65% de población rural. Julio A. Roca derrota a Felipe Varela en Pastos Blancos (12/I). La restaurada legislatura de San Juan somete a juicio político al gobernador Zavalla y designa interino a Godoy; será elegido propietario José María del Carril, (liberal sarmientista). En Corrientes, por renuncia del gobernador Gustavino, lo reemplaza el vicegobernador Baibiene (liberal mitrista). En Tucumán una revolución de los liberales antitaboadistas, discretamente auxiliada por Roca (que sigue instrucciones de Sarmiento) con recursos del ejército nacional, lleva a la gobernación a Uladislao Frías. Los Taboada amenazan al presidente con la guerra civil; Sarmiento responde con amenazas no menos violentas. En la guerra del Paraguay el ejército aliado toma Asunción (5/I) y se prepara lentamente para retomar la ofensiva; Gastón de Orléans conde de Fau y yerno del emperador del Brasil, asume el comando en jefe (23/IV); derrota a las últimas fuerzas paraguayas organizadas en Peribebuy (12/VIII); desde entonces, con fuerzas más reducidas, los aliados se consagran a la persecución del pequeño grupo de fugitivos que defiende a López.

Se funda el diario *La Prensa*. J. M. Gutiérrez: *Poesías*.

AL: En Bolivia, Melgarejo prosigue con la venta de tierras comunitarias, lo que da lugar a cada vez más poderosos alzamientos indígenas. En el Paraguay, los brasileños instalan en Asunción un gobierno provisional encabezado por Cirilo Rivarola; fuerzas argentinas al mando del general Emilio Mitre se instalan en Villa Occidental, cabecera del Chaco que la Argentina reivindica de acuerdo con el tratado de alianza. En el Perú el congreso rechaza el contrato Dreyfus; Baltra y Pié-

En España las Cortes establecen la monarquía constitucional; Ley de sufragio universal; el gral. Serrano es nombrado regente, Prim jefe de gobierno; se realizan gestiones para designar un nuevo rey. Francia: El Partido Liberal es llamado a formar gobierno; tensiones diplomáticas con Prusia por la cuestión española. EE. UU.: Grant es elegido presidente. Apertura del Concilio Vaticano I. Tokio es designada capital del Japón.

Maxwell: Teoría de la electricidad. Mendeleiev: Ley periódica de los elementos. Galton: Herencia natural. Albert: Heliograbado. Inauguración del canal de Suez. Concluye la construcción del ferrocarril del Pacífico en Norteamérica. Constitución del Partido socialdemócrata de los trabajadores en el Congreso de Eisenach. Exposición Universal en París; promoción a la vivienda popular. En Alemania, Liebreich produce en laboratorio hidrato de cloral, primer somnífero sintético.

Ritcher: *Los derechos de las mujeres*. J. Verne: *Veinte mil leguas de viaje submarino*. E. Dickinson: *Poemas*. P. Verlaine: *Fiestas galantes*. G. Flaubert: *La educación sentimental*. R. Wagner: *El oro del Rhin*. C. Franck: *Las beatitudes*. Nace Mahatma Ghandi.

| 1870 | Carta al Dr. Sclater atacando las observaciones superficiales de Darwin sobre las costumbres del pájaro carpintero. |

rola declaran innecesaria su aprobación. En Ecuador, García Moreno es de nuevo presidente tras dos años de interregno; se prolonga el período presidencial a seis años con reelección; para consolidar la situación política, García Moreno solicita el protectorado francés, pero su propuesta es rechazada por Francia. En Cuba, las fuerzas españolas retoman Bayamo y fracasa un alzamiento en Las Villas. En La Habana se multiplican los choques entre voluntarios peninsulares y la población criolla. La acción metropolitana adquiere una brutalidad creciente: bando de piratería, guerra sin cuartel. En Nicaragua, Máximo Jerez inicia una revolución liberal.

J. M. Macedo: *Víctimas y Verdugos.* A. de Castro Alves: *Espumas flotantes.* F. Varela: *Cantos del desierto y de la ciudad.* I. M. Altamirano: *Clemencia.* G. G. de Avellaneda: *Obras literarias.* Aparece *El Cubano libre.*

A: La provincia de Buenos Aires elige una lista única acordada entre los partidos para constituir una comisión reformadora de su constitución. El Congreso autoriza al presidente Sarmiento a negociar un crédito externo para fomento, por $ 3.000.000; buena parte se gastará en la guerra de Entre Ríos. Allí son asesinados Urquiza y miembros de su familia, (11/IV), por fuerzas de la revolución provincial que estalla ese día, encabezada por López Jordán. Este es designado gobernador por la legislatura el 14; ese día Emilio Mitre es enviado a Entre Ríos como jefe de un ejército de observación; el 17 la legislatura entrerriana autoriza a López Jordán a defender la soberanía (sic) provincial; el general Rivas lo vence en Santa Rosa (12/X); el general Gelly y Obes lo vence en Don Gonzalo (12/XI); ninguna es decisiva. Entra en funcionamiento el Ferrocarril Central Argentino (de una empresa británica), que

España: Designación de Amadeo de Saboya; asesinato de Prim. Sexenio revolucionario. Francia: Guerra franco-prusiana; sitio de París por los alemanes; Napoleón capitula en Sedán y abdica; caída del II Imperio; proclamación de la República. Alemania: Los Estados organizan el Imperio, a cuya cabeza se coloca el rey de Prusia. Italia: Entran tropas en Roma y la declaran capital del reino, terminando así con el poder temporal del Papa. Papado: Concilio Vaticano I declara la infalibilidad del Papa en asuntos de dogma y moral; primer decreto dogmático: *De Fide Catholica.* Excomunión de Víctor Manuel II. Agitación en Irlanda.

Londres cuenta con 3,2 millones de habitantes. Se desarrollan los ferrocarriles en Europa: Inglaterra posee 21.821 km. de vías; Alemania, 19.500 y Francia, 17.500.

ha sido comenzado en 1863: de Córdoba a Rosario (pto.). Sarmiento funda el Colegio Militar de la Nación, destinado a la formación de oficiales profesionales para el ejército nacional, y designa jefe de la frontera indígena en Santa Fe, Córdoba y Santiago del Estero al coronel Obligado. En esa provincia es elegido gobernador Alejandro S. Montes (taboadista) que resulta insuficientemente dócil. En Mendoza es elegido gobernador Arístides Villanueva, en reemplazo de Nicolás A. Villanueva. La guerra del Paraguay concluye el 1º de marzo con la muerte de López, sorprendido por una partida brasileña en Cerro Corá.

E. del Campo: *Poesías*. L. V. Mansilla: *Una excursión a los indios Ranqueles*. Comienza a editarse el diario *La Nación*.

AL: En el Uruguay el jefe blanco Timoteo Aparicio invade desde Entre Ríos; es derrotado en Sauce pero prosigue la lucha. España reconoce la independencia del Uruguay. En el Paraguay un triunvirato encabezado por Cirilo Rivarola convoca una constituyente que elige a Rivarola presidente provisional (1 de septiembre). Aramayo comienza la exportación de estaño producido en Bolivia. En el Perú es inaugurado el ferrocarril Arequipa-Islay, de propiedad del estado peruano, y construido por el empresario norteamericano Meiggs. En Venezuela el acuerdo de Coche pone fin a la guerra federal. Guzmán Blanco, hijo de Antonio Leocadio Guzmán y jefe de la revolución, entra en Caracas; secularización del derecho civil y confiscación de la propiedad eclesiástica. En Colombia, gobierno liberal de Salgar.

Toroella: *El mulato*. F. Távora: *Cartas a Cincinato*. Estreno de la Opera de Carlos Gómez, *O Guaraní*.

Primera hilandería mecánica en Japón. Rockefeller funda la Standard Oil. Impacto del petróleo como fuente energética. Schliemann: Excavaciones en Troya.

H. Taine: *Sobre la inteligencia*. Disraeli: *Lothair*. Ritschl: *La doctrina cristiana de la justificación y la redención*. B. Pérez Galdós: *La fontana de oro*. P. Cézanne: *Naturaleza muerta con péndulo*. C. Pissarro: *La ruta*. R. Wagner: *Las Walkirias*. Delibes: *Coppelia*.

1871

Pasa la mayor parte del año en la Patagonia donde, accidentalmente, se hiere a sí mismo de un disparo mientras conversa con su amigo Buckland y donde casi es mordido por una serpiente. Se ve forzado a guardar cama, desvalido sobre su espalda "a lo largo de los prolongados días bochornosos de mediados del verano, con las paredes blanqueadas de mi habitación como único horizonte y panorama" y en consecuencia no puede estudiar los problemas de la migración que habían sido el objeto de su visita. (*Días de ocio en la Patagonia.*)

A: En octubre el presidente Sarmiento inaugura en Córdoba la Exposición Nacional y el Observatorio Astronómico, cuyo director será Benjamín Gould, astrónomo norteamericano. Leonidas Echagüe es elegido gobernador de Entre Ríos y cesa la intervención federal (31/VIII). En Santiago del Estero el gobernador Montes, ante la hostilidad de los Taboada, huye de su capital. Los mitristas logran impedir que el Congreso nacional vote la intervención a la provincia. Luis Frías (taboadista) lo reemplaza; los Taboada retoman pleno control de Santiago del Estero. En Corrientes es elegido gobernador Agustín P. Justo (liberal mitrista). En Catamarca es elegido gobernador F. R. Galíndez, contra Navarro, ahora jefe provincial del liberalismo mitrista.

E. Echeverría: *El Matadero* (póst.). G. Guido Spano: *Hojas al viento. Revista del Río de la Plata* (-77).

AL: En el Uruguay se funda el club radical, órgano del grupo principista opuesto al influjo de los caudillos rurales y militares de ambos partidos tradicionales. En el Paraguay el presidente Rivarola, presionado por los ocupantes brasileños, disuelve el Congreso, convoca uno nuevo y renuncia ante él. En Chile, Federico Errázuriz (liberal) es elegido presidente. Vicuña Mackenna, alcalde liberal de Santiago, comienza el embellecimiento de la ciudad. En el Perú se inaugura el ferrocarril Pisco-Yca. Se funda el Partido Civil, anticlerical y antimilitarista, que organiza una gran manifestación de artesanos limeños. Fundador y jefe del partido es Manuel Pardo, perteneciente al grupo de concesionarios peruanos desplazados por el contrato Dreyfus. En Bolivia, Morales derriba a Melgarejo y restituye las tierras de comunidades indígenas. Melgarejo vuelve de su destierro en el Perú y es asesinado por

Estatuto legal de los Trade Unions, en Inglaterra. Francia: Guillermo I es coronado emperador alemán, en Versalles; Paz de Franckfurt, Alemania gana Alsacia y Lorena; insurrección de París; gobierno de la Comuna, que es derrotada: se desata una cruel represión que se conoce como "Semana Sangrienta"; Thiers es presidente de la República de Francia. EE.UU.: Escándalo de Tammany-Hall, en Nueva York. Japón: Abolición de los clanes y reorganización administrativa.

Maddox: Placa seca fotográfica de bromuro de plata. Maxwell: Teoría ondulatoria de la luz. Teólogo Doellinger excomulgado por el Papa, forma la secta de los Viejos Católicos; Ratificación del *Non Expedit*. Incendio de Chicago. Stanley halla con vida a Livingstone.

C. Darwin: *El origen del hombre*. Tylor: *Culturas primitivas*. Menger: *Principios de la economía política*. M. Bakunin: *Dios y el Estado*. Renan: *La reforma intelectual y la moral*. E. Zola: *Los Rougon-Macquart* (-93). L. Carroll: *A través del espejo*. G. A. Bécquer: *Rimas*, ed., póstuma. Estreno de *Aída* de G. Verdi. Nace M. Proust.

1872	Regresa a la Provincia de Buenos Aires con un gran número de plumajes de pájaros. Su carta sobre "los pájaros del río Negro de la Patagonia" se publica el 16 de abril en las actas de la Sociedad Zoológica de Londres, con notas de P. L. Sclater. Se bautiza "Cranioleuca Hudsoni" a uno de los pájaros que descubre. Sus notas sobre los hábitos de las vizcachas, incluidas más tarde en *Un naturalista en el Plata* son publicadas por la Sociedad Zoológica de Londres el 19 de noviembre de 1872.

el hermano de su ex querida. En Guatemala la revolución liberal encabezada por García Granados y Barrios pone fin a más de tres décadas de predominio conservador. En Nicaragua, Vicente Cuadra es presidente. En Venezuela, Guzmán Blanco tiene conflictos con la Iglesia. Estudiantes fusilados en Cuba. En Brasil, gabinete del Vizconde de Río Branco; Ley de Vientres para los esclavos nacidos a partir del 28 de septiembre.

J. D. Cortés: *El Parnaso peruano*. J. Martí: *El presidio político en Cuba*. J. de Alencar: *El tronco del Ipé*. Taunay: *El retrato de Laguna*. Nace José Enrique Rodó.

A: En noviembre el congreso autoriza la creación del Banco Nacional, mixto con mayoría de accionistas privados; desde su fundación es considerado rival del Banco de la Provincia de Buenos Aires. Sarmiento funda la Escuela Naval Militar y la Academia de Ciencias de Córdoba, presidida por el botánico alemán Germán Burmeister. En Córdoba comienzan las obras del ferrocarril estatal a Tucumán. En Corrientes una revolución derriba al gobernador mitrista Justo; no se produce intervención federal y lo reemplaza M. V. Gelabert (federal-autonomista).

José Hernández: *El gaucho Martín Fierro*.

AL: En el Uruguay, Tomás Gomensoro se hace cargo del poder ejecutivo; acuerda la Paz de Abril, que pone fin a la larga Revolución de las Lanzas (de Timoteo Aparicio). En el Paraguay, Manuel Quintana, representante argentino para concertar el tratado de paz, se retira de Asunción, ocupada por los brasileños. En enero éstos firman un tratado de paz por separado con Paraguay, que satisface sus máximas aspiraciones, y alientan la resistencia paraguaya contra las pretensiones argentinas.

En España, Don Carlos se proclama rey; agitación republicana; Tercer Congreso de la Federación Regional Española, victoria anarquista. Alemania: Expulsión de los Jesuitas; política de la *"Kulturkampf"*. Limitación de la acción eclesiástica en la educación y la cultura. Congreso de la Internacional en La Haya. En Francia se establece el servicio militar obligatorio. Oscar II es rey de Suecia y Noruega. EE.UU.: Amnistía de los sudistas; reelección de Grant.

Fundación de la Oficina Internacional de Pesas y Medidas. Primera vía férrea en Japón. Westinghouse inventa los frenos de aire.

H. Spencer: *Estudios de sociología*. W. Wundt: *Principios de psicología fisiológica*. F. Nietzsche: *El origen de la tragedia*. G. H. Brandes: *Grandes corrientes de la literatura europea del siglo XIX*. S. Butler: *Erewhon*. A. Daudet: *Tartarín de Tarascón*. H. Daumier: *La monarquía*. A. Renoir: *Los remeros de Chatou*. E. Degas: *Una clase de baile*. G. Bizet: *La arlesiana*.

1873

Crece la tensión argentino-brasileña. En el Brasil es proclamada la libertad de vientres y estalla la cuestión religiosa, en la que el gobierno cuestiona el derecho de los obispos de aplicar sanciones canónicas a miembros de la masonería. En Bolivia el presidente Morales clausura el Congreso, que ha obstaculizado su programa impositivo, que golpea a los mineros de la plata; poco después es asesinado por su propio sobrino. Tomás Frías es el nuevo presidente. En el Perú los hermanos Gutiérrez encabezan un motín en Lima y asesinan al presidente Balta; en el mismo día son linchados por la muchedumbre. Manuel Pardo (civilista) es elegido presidente. Muere Benito Juárez; Lerdo de Tejada, presidente de la Corte Suprema, lo sucede interinamente y es elegido en noviembre presidente constitucional. Rebelión conservadora en Honduras. Levantamiento campesino en El Salvador; decreto para inmigración china. Reprimida revuelta de nativos en Filipinas. Abolición de la esclavitud en Puerto Rico.

M. M. Corchado Juárez: *Historias de ultratumba*. A. Tapia y Rivera: *Póstumo y Transmigrado*. E. M. de Hostos: *Hamlet*. R. Palma: *Tradiciones Peruanas*. A. Lussich: *Los tres gauchos orientales*. L. Mendonça: *Nieblas Matutinas*. B. Guimarães: *El buscador de diamantes* y *El seminarista*. Taunay: *Inocencio*. Vitor Mereiles pinta *La batalla del Riachuelo*.

A: Estalla en Entre Ríos un nuevo alzamiento jordanista (1/V); en noviembre López Jordán busca refugio en el Uruguay. Sarmiento acusa a Nicasio Oroño, senador por Santa Fe, de conspirar con los jordanistas; el senado niega el desafuero. Atentado de los hermanos Guerri (reclutados y pagados por agentes jordanistas) contra la vida del presidente Sarmiento fracasa

En España abdica Amadeo I; se restablece la República; gabinetes de Pi y Margall y Castelar; Levantamientos federales en Andalucía. Francia: avance de la fracción clerical; Mac-Mahon es presidente; se produce el retiro de las tropas alemanas. Alianza de los tres imperios europeos: Alemania, Rusia y Austria. La crisis económica alemana se extiende rápidamente

489

(23/VIII). Revolución provincial en San Juan; el gobierno federal interviene la provincia y propicia la elección como gobernador de Manuel José Gómez, liberal antimitrista. En Mendoza el ex gobernador González, liberal, es candidato a gobernador contra Francisco Civit. Este es elegido en octubre y proclama su apoyo a la candidatura presidencial de Avellaneda. En Santiago del Estero, Absalón Ibarra, es elegido gobernador para suceder al también taboadista Frías. En Catamarca es elegido el general Navarro, quien —con su fracción mitrista— pasa a apoyar la candidatura presidencial de Adolfo Alsina.

AL: En Bolivia el congreso elige presidente a Adolfo Ballivián; se establecen impuestos a las utilidades de sociedades anónimas que golpean sobre todo a las chilenas que explotan el litoral. Se firma —en función antichilena— una alianza con el Perú. En el Uruguay, José E. Ellauri, que responde a la corriente principista, es elegido presidente. El congreso del Ecuador consagra la nación al Sagrado Corazón de Jesús. En el Brasil se organiza el Partido Republicano Paulista. Guzmán Blanco es presidente de Venezuela por elección popular. Justino Rufino Barrios, liberal, es presidente de Guatemala, inaugurando un régimen de autoritarismo y activismo liberal. En Cuba, luego de una etapa muy difícil, el movimiento independentista realiza avances importantes (victoria de Palo Seco). El presidente Céspedes es depuesto por la asamblea de Cuba en Armas; lo reemplaza Cisneros Betancourt. España ejecuta a los revolucionarios del *Virginius*. En Venezuela se promulga el matrimonio civil. Muere Páez en Nueva York. Primo de Rivera es presidente en Puerto Rico.

J. Martí: *La República Española ante la revolución cubana*. M. Acuña: *Versos*. Lé-

a Europa y al mundo entero. Patrón oro en Europa y EE.UU. Los rusos conquistan Jiva, en Turquestán.

Van der Waals: Ecuación de los gases reales. Medio millón de inmigrantes europeos a EE.UU.

H. Spencer: *Sociología descriptiva*. M. Bakunin: *Política y anarquía*. A. Rimbaud: *Una temporada en el infierno*. Barbey d'Aurevilly: *Las diabólicas*. J. Verne: *La vuelta al mundo en ochenta días*. B. Pérez Galdós comienza los *Episodios nacionales*.

1874	El día 1º de abril, W. H. Hudson parte de Buenos Aires en el *Ebro,* siendo uno de sus compañeros de viaje Abel Pardo, quien más tarde fuera senador por Buenos Aires. El 3 de mayo atraca en Southampton, en comparación con la cual Buenos Aires parece "pobre, sucia, incivilizada, fea y desagradable". Después de visitar Malmsbury y Escocia, se dirige a Londres donde "me alojé en un hotel de la 'city' y, al día siguiente, salí a explorar y caminé al acaso, sin preguntar nunca a nadie por mi camino y sin saber si estaba yendo para el este o para el oeste. Luego de vagabundear por unas tres o cuatro horas llegué a un lugar boscoso donde había pocas personas... La existencia de una transcripción tan noble de la naturaleza silvestre con sus ruidosos habitantes negros (p. ej., cornejas), tan cerca del corazón de la metrópoli, rodeada por todos lados por millas de ladrillos y cemento e innumerables chimeneas humeantes, me llenó de asombro."

vy: *Nicaragua.* J. E. Caro: *Obras escogidas en prosa y en verso.* J. de Alencar: *Sueños de oro* y *La guerra de los buhoneros.* Joaquim Norberto: *La conspiración Mineira.* Nace Gómez Carrillo.

A: En La Rioja crece la tensión entre el gobernador Gordillo y el jefe de la guarnición nacional de la ciudad. Cuando se produce el acuerdo Alsina-Avellaneda en favor del segundo, Gordillo abandona su oposición. Arredondo se inclina hacia Mitre. En Córdoba la legislatura provincial, avellanedista, elige gobernador a Enrique Rodríguez. En Jujuy los indios puneños lanzan una rebelión mitrista (III); reivindican sus derechos sobre antiguas encomiendas. La represión sólo tendrá pleno éxito en enero del 75. Avellaneda es elegido presidente por amplia mayoría. Mitre encabeza una revolución, alegando fraude en las elecciones de diputados nacionales de Buenos Aires (24/XI). Es vencido y tomado prisionero. El general Arredondo se une a la revolución; toma San Juan y expulsa al gobernador Gómez; entre 4 y 7/VIII toma Córdoba; es derrotado y capturado en Santa Rosa (7/XII). El gobernador mitrista de San Luis deja su cargo y emigra a Chile junto con los ex gobernadores Daract y Barbeito. Avellaneda asume la presidencia (12/X); declara reputar "única y legítima la tradición de los partidos liberales", pese a que sus apoyos del interior provienen en su mayoría de antiguos federales. Alsina, jefe del autonomismo porteño, es ministro de guerra. Se sienten los primeros efectos serios de la crisis de 1873.

AL: En el Uruguay el principismo domina el congreso, se hace sentir una gravísima crisis financiera. En el Paraguay el presidente Jovellanos intenta firmar un tratado de paz con la Argentina, pero el Brasil provoca su caída; lo reemplaza Juan

Ministerio Disraeli (-80), en Inglaterra, al caer Gladstone; ocupación de las islas Fiji. En España, el ejército disuelve las Cortes y restaura a Alfonso XII; comienza el ministerio de Cánova del Castillo; estalla la segunda guerra carlista. Ley contra la prensa socialista, en Alemania; se establece el matrimonio civil. EE.UU.: los Demócratas reconquistan la mayoría en el Congreso. Papado: Pío IX prohíbe la participación de los católicos en política.

Fundación de la Unión Postal en Berna. Stanley atraviesa el Africa. Le Bel-Van't Hoff: Estereoquímica.

Haeckel: *Antropogenia o Historia de la evolución humana.* Walras: *Elementos de economía política pura.* G. Flaubert: *La tentación de Saint Antoine.* J. Valera: *Pepita Jiménez.* Alarcón: *El sombrero de tres picos.* Primera exposición "Impresionista" (Sala del fotógrafo Nadar). G. Monet: *La impresión.* E. Grieg: *Peer Gynt.* M. Mussorgski: *Boris Godunov.* R. Strauss: *El murciélago.*

1875	Su primer poema, "Arrullo", se publica en la revista *Family Magazine* de Cassell. Termina *La tierra purpúrea* como parte de *Historia de la casa de Lamb,* pero no la publicará hasta diez años después.

B. Gil. El general Bernardino Caballero funda el Partido Republicano (colorado). En Bolivia muere Alfonso Ballivián; Tomás Frías es nuevamente presidente interino; fracasa un nuevo intento de liquidación de las tierras comunitarias. En Brasil el vizconde Mauá se declara en quiebra; la ruina del mayor financista del Imperio arrastra la caída del gabinete Río Branco (conservador); Caxias es primer ministro. Se agudiza el conflicto eclesiástico; prisión de obispos y alzamientos clericales en el noreste. En Cuba el general independentista Máximo Gómez vence en Las Guásimas y se apresta a cruzar la trocha con que los metropolitanos han separado la sección occidental de Cuba de la oriental. En Puerto Rico cae la República y, con ella, Primo de Rivera; asume el poder el déspota Gral. José Laureano Sanz. En Venezuela se produce la ruptura con la Santa Sede y se promulga una Nueva Constitución.

A. Tapia y Rivera: *La leyenda de los veinte años*. R. J. Cuervo: *Notas a la gramática de Andrés Bello*. J. P. Varela: *La educación del pueblo*. J. C. Zenea: *Poesías completas* (póstumo). J. de Alencar: *Ubirajara*. B. de Guimarães: *El Indio Alfonso*. Taunay: *Oro sobre azul* e *Historias brasileñas*. Sousândrade: *Obras poéticas*. Pereira Barreto: *Las tres filosofías*, 1ª parte.

A: En Buenos Aires una intensa agitación anticlerical culmina con el incendio de la iglesia jesuita del Salvador; Avellaneda decreta el estado de sitio por treinta días; la policía descubre un grupo de franceses vinculados a la Internacional, a los que supone involucrados. En la provincia de Buenos Aires, Carlos Casares (autonomista) es elegido gobernador. En Santiago del Estero, el gobernador Ibarra, complicado en el alzamiento mitrista, renuncia (1/I). Lo reemplaza Octavio Gondra, también taboadista; hostigado por la guarnición del

Inglaterra: Compra de las acciones del canal de Suez; Parnell en la Cámara de los Comunes; es reconocido el derecho de huelga. Alemania: los socialistas marxistas fundan el Partido Socialista de los Trabajadores de Alemania, bien pronto marxista; elaboran el Programa de Gotha, base de su acuerdo; se produce la expulsión de las congregaciones religiosas; conflicto de Bismarck con Francia. España: Alfonso XII llega a Madrid. Francia: Sanción de las leyes republicanas; enmienda

ejército nacional, renuncia en favor de Santillán. La elección como gobernador propietario (1/XII) del Pbro. Olaechea es el fin del dominio de los Taboada (1851). En Corrientes Juan V. Pampín (autonomista) es elegido gobernador.

AL: En el Uruguay la elección de alcalde ordinario de Montevideo da lugar a disturbios en los que muere Lavandeira (principista de extracción blanca). El 15 de enero un golpe militar derroca a Ellauri, las cámaras designan a Pedro Varela para reemplazarlo; los principales principistas son embarcados en la Barca Puig, que debe llevarlos a Cuba, y navega a la deriva entre febrero y agosto. Blancos y colorados lanzan la Revolución Tricolor, que fracasa. Se establece el Código Rural, que disciplina el trabajo en la campaña, y en septiembre se conceden al Poder Ejecutivo facultades extraordinarias para la pacificación y el saneamiento económico. Juan Bo Sosa, representante del Paraguay en Río de Janeiro, firma con el representante argentino Tejedor un tratado de paz; cuando el gobierno brasileño descubre lo ocurrido, obliga al gobierno paraguayo a repudiar la actuación de Sosa. En Ecuador, García Moreno es asesinado poco después de ser reelecto. El predominio conservador por él establecido se mantendrá hasta 1895. En Cuba, Máximo Gómez logra cruzar la trocha y llevar la guerra a las regiones occidentales, donde se concentra la producción azucarera. En Puerto Rico, Sanz es relevado desde España y reemplazado por el Gral. Segundo de la Portilla. En Perú fracasa el alzamiento de Piérola contra Pardo. En México: Rebelión Yaqui en Sonora.

M. Zeno Gandía: *Eran las diez y las doce.* J. A. Saco: *Historia de la esclavitud.* Montalvo: *La dictadura perpetua.* J. de Alencar: *Señora, El sertanero* y *El jesuita.* L. Mendonça: *Alborada.* B. Guimarães: *La*

Wallon para períodos presidenciales de siete años.

Firma de la Convención Métrica Internacional en París. Santuola descubre las pinturas rupestres de Altamira. Inauguración de la Opera de París. Mme. Blavatsky funda la Sociedad Teosófica. Berthelot: Síntesis química. Berlín llega al millón de habitantes. En Gran Bretaña comienza la fabricación industrial de bicicletas. Marcus inventa el motor a explosión de dos tiempos.

H. Taine comienza *Los orígenes de la Francia contemporánea.* Fundación del *Petit Parisien.* L. Tolstoi: *Ana Karenina* (-77). A. Tennyson: *La Reina María.* G. Meredith: *La carrera de Beauchamp.* E. Manet: *Los remeros de Argenteuil.* G. Bizet: Estreno de *Carmen.* Saint-Saëns: *Danza Macabra.*

| 1876 | Publica sus notas sobre los ferrocarriles de la República Argentina. Se casa con Emily Wingrave, dueña de una casa de pensión en Leinster Square, donde se alojaba. |

esclava Isaura. T. Barreto: *Estudios de filosofía y crítica.* Nacen Julio Herrera y Reissig y Florencio Sánchez.

A: El gobierno de Santa Fe acusa al Banco de Londres de competir con el Banco de la Provincia de Santa Fe: conflicto internacional. La crisis financiera obliga a cerrar la oficina de cambios (14/V). El Banco Nacional suspende la convertibilidad de sus billetes (29/V); la ocasión es aprovechada por el Banco de la Provincia, que retira el derecho de emisión al Banco Nacional (25/IX). De la Riestra, ministro de hacienda de Avellaneda, propone una moratoria en el pago de la deuda externa, aceptada por Londres. Renuncia; su sucesor, Victorino Plaza, impone un aumento general de impuestos (en particular los de importación). El ferrocarril del Sur (británico) llega a Azul (13/IX), casi frontera indígena. Alsina logra hacer avanzar sustancialmente la frontera en la provincia de Buenos Aires. Entra en actividad el ferrocarril estatal Córdoba-Tucumán, para cuya construcción se han contraído deudas con los británicos. Se agravan los conflictos entre autonomistas en la provincia de Buenos Aires: la corriente cambacerista (fuerte sobre todo en la campaña) se separa de la delvallista (cuyo jefe es el joven Aristóbulo del Valle, fuerte en la ciudad); Alsina está más próximo a los cambaceristas. En Mendoza J. Villanueva sucede a Civit como gobernador. En Corrientes muere Pampín, asume interinamente el vicegobernador Madariaga. Estalla otro alzamiento jordanista en Entre Ríos (tal vez con apoyo mitrista) (25/XI); López Jordán es vencido y tomado prisionero (7/XII).

J. M. Gutiérrez: *Cartas de un porteño.* B. Mitre: *Historia de Belgrano y de la independencia Argentina.*

AL: En el Uruguay es dictador el coro-

Inglaterra: Victoria es Emperatriz de la India; Disolución de la I Internacional; guerra de Turquía en los Balcanes. En España, con el Pacto de El Pardo, concluye la segunda guerra Carlista, el pretendiente se refugia en Francia; sanción de la Constitución de la Monarquía. En Rusia: movimiento "Tierra y Libertad"; el Turquestán es totalmente ocupado. Es creada la Asociación Internacional Africana. EE.UU.: Custer es vencido por Toro Sentado.

Koch: Bacilo del ántrax. Teléfono de G. Bells. Máquina frigorífica de amoniaco de von Linde. Otto: motor de cuatro tiempos a gasolina.

C. Lombroso: *El hombre delincuente.* Mallarmé: *La siesta de un fauno.* M. Twain: *Las aventuras de Tom Sawyer.* B. Pérez Galdós: *Doña Perfecta.* E. Zola: *La taberna.* A. Renoir: *El molino de la Galette.* Festival wagneriano en Bayreuth: *El anillo de los nibelungos.*

1877

nel Latorre, quien dicta un reglamento general de policías rurales y departamentos de campaña que pone fin a la inestabilidad rural mediante un severo control de habitantes y propiedades. El Paraguay firma el 3 de febrero el tratado de paz con la Argentina, que reconoce a ésta el Chaco Austral; la delimitación de la frontera entre éste y el boreal se somete al arbitraje del presidente de los EE.UU. En Bolivia el general Hilarión Daza se apodera de la presidencia mediante un golpe. En Chile, Aníbal Pinto Santa Cruz (liberal) es elegido presidente. En el Perú el general M. I. Prado, cercano al civilismo, es elegido presidente. Se agudiza la crisis financiera y se recurre a emisiones inconvertibles. En Colombia el candidato liberal Aquileo Parra, que no ha alcanzado mayoría en los estados, es designado presidente por el Congreso contra Rafael Núñez, también liberal. Alzamientos conservadores en Antioquia y Tolima. En México el general Porfirio Díaz, rival derrotado de Lerdo de Tejada, reelecto presidente, se lanza a la revolución (plan de Tuxtepec, antirreeleccionista); en noviembre es presidente. En Santo Domingo se instala el primer ingenio azucarero con máquinas de vapor. Revolución liberal en Honduras: M. A. Soto dirigente. Veintemilla se levanta en Ecuador, liderando un movimiento revolucionario liberal.

Lola Rodríguez de Tío: *Mis cantares*. A. Tapia y Rivera: *Cofresí*. J. Montalvo: *El regenerador*. H. H. Gottel y F. Carnevallini: *El Porvenir de Nicaragua*. F. Távora: *La Cabellera*. A. de Castro Alves: *Gonzaga o La Revolución de Minas*. Aparecen *La Revista Ilustrada* y *La Tertulia*.

A: El presidente Avellaneda proclama la política de conciliación con la oposición mitrista (17/IV); levanta el estado de sitio (7/V); reincorpora al ejército a la ofi-

Reorganización del Partido Liberal, en Inglaterra. España: aprobación de la Ley Provincial. En Francia muere Thiers; gran manifestación republicana contra Mac-Mahon;

cialidad complicada en la revolución de 1874 (también Mitre); Mitre acepta la conciliación, vuelve a la legalidad (12/V). El autonomismo alsinista apoya la conciliación (13/IX) J. Mª Gutiérrez y R. de Elizalde (mitristas) y Laspiur (cercano al mitrismo) se incorporan al gabinete nacional. Mitristas y alsinistas apoyan la fórmula Carlos Tejedor-Félix Frías para la provincia de Buenos Aires (22/IX). En las elecciones se revela muy fuerte la facción delvallista. Adolfo Alsina, obvio candidato y seguro triunfador en la elección presidencial, muere (28/XII), siendo reemplazado por J. A. Roca, ministro de guerra. Se gestan varios conflictos provinciales. En Córdoba, C. De la Peña-A. del Viso suceden al gobernador Rodríguez. De la Peña muere antes de asumir; Rodríguez y la mayoría de los autonomistas piden nuevas elecciones; Del Viso apoya a Luis Vélez para senador nacional (clerical mitrista): con apoyo de Mitre es reconocido gobernador. Su política liberal y anticlerical es la de Miguel Juárez Célman, su ministro de gobierno. En Corrientes, en una elección discutible, Manuel Derqui es impuesto por los autonomistas como gobernador propietario. Cabral (liberal mitrista) desconoce el resultado y se proclama elegido. En La Rioja estalla el conflicto entre la legislatura y el gobernador, Almonacid; Laspiur propone una intervención rechazada por el Congreso. Almandos Almonacid disuelve la Legislatura: se aprueba la intervención; el gobernador reconvoca a la legislatura, que busca promoverle juicio político; el interventor se inclina por esta última.

M. Cané: *Ensayos*. R. Obligado: *El alma del payador*. Andrade: *Prometeo y El arpa perdida*.

AL: En el Uruguay se prorroga la dictadura de Latorre y se establece un consejo consultivo. En el Perú la muerte de Meiggs, el gran empresario ferroviario y financista

éste disuelve las cámaras, se procede a una reelección, la mayoría vuelve a ser la opositora. Guerra ruso-turca; las tomas de Kars y Plevna abren el camino hacia Constantinopla. EE.UU.: Hayes es presidente, retira las tropas del sur.

Edison inventa el micrófono y el fonógrafo. Empleo de vagones frigoríficos en EE. UU. Iluminación pública con lámparas eléctricas de arco en París. Schiaperelli descubre los canales de Marte.

F. Engels: *El antidühring*. Mommsen: *El sistema militar de César*. Traducción al francés de la *Filosofía del inconsciente* de N. Hartmann. G. Flaubert: *Tres cuentos*. G. Carducci: *Odas bárbaras*. A. Rodin: *La edad de bronce*. Mengoni: Termina la galería Víctor-Emmanuel en Milán.

1878

del gobierno peruano, agrava la crisis financiera. En Venezuela, Guzmán Blanco, dejando la presidencia en manos que juzga seguras, parte a Europa para promover inversiones y créditos para Venezuela. En Cuba se disgrega la República en Armas, que afronta a un ejército español de un cuarto de millón de hombres. Pacificación de Las Villas; V. García prisionero. En México Porfirio Díaz es electo presidente. En Guatemala se reconoce por decreto el trabajo forzoso de los indios. Pedro J. Chamorro asume la presidencia de Nicaragua. En Quito se producen numerosos motines contra Veintemilla.

Squier: *Perú, viaje y exploración en la tierra de los Incas.* Zorrilla de San Martín: *Notas de un himno.* O. V. Andrade: *Prometeo.* Miguel Lemos: *Primeros ensayos positivistas.* Se funda el Ateneo de Montevideo. *Revista de Cuba* (-84). Manuel Fernández Juncos funda, en Puerto Rico, *El buscapié* (-83). Muere J. de Alencar.

A: Sigue la agitación en las provincias. Tejedor es elejido gobernador de Buenos Aires; el Partido Republicano (A. Del Valle) se disuelve en el autonomismo, que se reorganiza en Buenos Aires bajo Cambaceres; una comisión presidida por Sarmiento busca apoyo en el interior. Los autonomistas proponen a Carlos Tejedor como candidato. En Santa Fe S. De Iriondo (Club del pueblo, divisa roja) es reelegido gobernador. Agustín Gómez es elegido gobernador de San Juan, Toribio Mendoza de San Luis y E. Villanueva de Mendoza: los tres sostienen la candidatura presidencial de J. A. Roca. En Corrientes fracasa una misión conciliadora (Derqui-De la Plaza): el alzamiento liberal se expande. De la Plaza, interventor, desarma a los liberales, que retoman el poder en elecciones: Cabral (mitrista) es gobernador. En Jujuy es gobernador M. Torino, elegido

Gran Bretaña comienza una nueva guerra contra Afganistán. Italia: Humberto I es rey; armisticio de Andrinópolis y tratado de San Stéfano. Alemania: En el Congreso de Berlín las principales potencias acuerdan el reparto de influencias sobre los Balcanes (Tracia, Macedonia y Albania quedan bajo el dominio turco; Boznia y Herzegovina siguen perteneciendo a Turquía pero son administradas por Austria). Se disuelve el *Reichstag.* Los turcos entregan Chipre a Inglaterra. Papado: León XIII sucede a Pío IX; encíclica *Quad Apostolici.*

Edison-Swan: Lámpara incandescente. Utilización de la hulla blanca. Stoecker-Wagner: Fundación del Partido Trabajador Cristiano social. Booth funda el Ejército de Salvación. Exposición Universal de París.

por influjo del saliente Aparicio; aquél entra en conflicto con la legislatura: la depura. Avellaneda lleva el problema al Congreso; el senado vota intervenir pero los diputados rechazan el proyecto.

E. Wilde: *Tiempo perdido.* R. Gutiérrez: *Poesías escogidas.*

AL: Montevideo, Uruguay, es sede episcopal. Sinimbu, primer ministro (liberal) del Brasil, propone al Emperador la convocatoria de una asamblea constituyente; el pedimento es rechazado; se reúne el Congreso Agrícola de Recife. En Chile comienza la emisión de papel moneda inconvertible, debido aquí también a la crisis financiera, y que se prolongará, con una breve interrupción en 1925, hasta nuestros días. En Perú el ex presidente Manuel Pardo, fundador del civilismo, es asesinado durante un fracasado alzamiento de los partidarios de Piérola. En Venezuela una revolución destinada a impedir el regreso de Guzmán Blanco provoca su inmediato retorno para reprimirla, lo que hace con éxito. En Cuba el grueso de los revolucionarios firma la paz del Zanjón (8 de febrero), que concede amnistía y autonomía a la Isla. El general Maceo rechaza el tratado y prosigue el combate, pero debe abandonar Cuba en mayo. Surgen los partidos Liberal autonomista y Unión constitucionalista. En México fracasa la rebelión de Escobero contra P. Díaz. En Colombia asume el liberal J. Trujillo: construcción del ferrocarril del Pacífico y escavaciones del Canal de Panamá (franceses). En Ecuador le son concedidas facultades extraordinarias a Veintemilla.

A. Tapia y Rivera: *La Satanidad, grandiosa epopeya dedicada al Príncipe de las Tinieblas.* A. de Oliveira: *Canciones románticas.* S. Romero: *La filosofía en el Brasil.* Lastarria: *Recuerdos literarios.* F. Medina: *Lira nicaragüense.*

F. Nietzsche: *Humano, demasiado humano.* J. Pierce: *Cómo podemos hacer claros nuestros pensamientos.* Queiroz: *El primo Basilio.* J. Neruda: *Cuentos de la Mala Strana.* Sully Prudhomme: *La Justicia.*

1879

A: La proximidad de las elecciones presidenciales agudiza los problemas. En Buenos Aires, en las elecciones de diputados nacionales vencen los mitristas y autonomistas de Tejedor; la Cámara comienza por incorporar a los autonomistas puros y se resigna finalmente a integrar a los vencedores. En Entre Ríos el coronel José Fco. Antelo es elegido gobernador (partidario de Roca y abierto hacia los antiguos jordanistas). En Catamarca Manuel F. Rodríguez es elegido gobernador (partidario de Roca). En La Rioja se retira la intervención: quedan dos legislaturas, sólo la antigua es reconocida; A. Almonacid retoma el poder; el ministro del Interior, Laspiur, renuncia; los seguidores de Almonacid se declaran roquistas. En Jujuy es aplastado el movimiento revolucionario y el gobernador Torino se declara roquista. Un nuevo alzamiento lo obliga a huir a Salta. Sarmiento, ministro del Interior, propone intervención para reponer a las "autoridades legítimas"; la Cámara de diputados dirá "autoridades constituidas", lo que favorece a Torino. Sarmiento renuncia con un célebre discurso al Senado en que acusa a Roca de orquestar una Liga de Gobernadores destinada a llevarlo a la presidencia de la república. Roca debe renunciar también. El presidente Avellaneda designa interventor en Jujuy a Ladislao Frías, quien asume en noviembre. En abril Roca comienza la conquista del desierto; llegará hasta el lago Nahuel Huapí y acabará con el territorio indio; el etnocidio exterminará a la población indígena. El partido autonomista nacional de Córdoba lanza la candidatura de Roca (14/V), que es apoyada por Cambaceres, en Buenos Aires (27/VII), Rocha, Del Valle, Héctor Varela, etc. La provincia de Buenos Aires comienza a comprar armas (1/VI); frente a la protesta de Sarmiento, ministro del interior, organiza milicias provinciales (2/IX). Se funda en Buenos Aires el Tiro Nacional para

Francia: Consolidación de la Tercera República. Alemania: Fortalecimiento militar e industrial del Reich germano; alianza austro-alemana; fin de la "Kulturkampf"; difusión de la enseñanza laica y común. Atentado contra Alejandro II. *Papado*s Encíclica *Aeterni Patria,* retorno al tomismo. Irlanda: crece la agitación en favor de la autonomía. España: se funda el Partido Obrero Español.

Wundt: Laboratorio de psicología experimental. Pasteur: Principio de la vacuna. Primer edificio con estructura de acero en Chicago; Escuela de Chicago. Siemens: Primer ferrocarril eléctrico en Berlín. Nace Alberto Einstein.

E. Ibsen: *Casa de muñecas.* F. Dostoievski: *Los hermanos Karamazov* (-80). E. Zola: *Nana.* H. James: *Daisy Miller.* Meredith: *El egoísta.* P. I. Chaicosvski: *Eugenio Oneguin.*

adiestrar a los combatientes en vistas a la futura guerra con el gobierno nacional.

E. Gutiérrez: *Juan Moreira.* E. L. Holmberg: *Horacio Kalibang y los autómatas.* Guido Spano: *Ráfagas.* M. Hernández: *La vuelta de Martín Fierro.* E. Gutiérrez: *Juan Moreira* en *La Patria Argentina.*

AL: En febrero, luego de un ultimátum, Chile comienza la ocupación del litoral boliviano; el 10 de marzo Bolivia declara la guerra a Chile y pierde de inmediato todo el litoral; el presidente Daza se retira al sur del Perú; cuando intenta retornar a Bolivia el ejército lo derrota. En el Perú, pese al heroísmo de la marina, ésta es finalmente aniquilada por la chilena. El presidente M. I. Pardo parte a Europa en busca de ayuda para el Perú; su decisión es poco apreciada por los que se quedan. Piérola surge en Lima como dictador y organizador de la resistencia contra la inminente invasión chilena al Perú central. En el Brasil las cámaras consideran un plan de reforma electoral y encaran por primera vez la abolición de la esclavitud. Pinheiro Machado funda el Partido Republicano Riograndense. En Venezuela, Guzmán Blanco parte a Europa nuevamente, donde permanecerá hasta 1886. En Cuba comienza la Guerra Chiquita contra el dominio español. Los jefes del movimiento, veteranos de Guerra de los Diez Años, son en su mayoría de color. El movimiento no logra extenderse, y cesará en diciembre de 1880. En México se sublevan los Marinos en Veracruz; Díaz ordena: "Mátalos en caliente". En Guatemala se promulga una constitución liberal y positivista (-1945). Leyes antiejidales en El Salvador y proceso de concentración de la riqueza: las "catorce familias". L. Salomón es presidente de Haití (-88).

M. Zeno Gandía: *Desde el fondo del alma.*

1880	Morely Roberts visita Leinster Square y conoce a W. H. Hudson. "A veces nos leíamos versos, y yo sabía que era un alivio para él tropezarse con alguien que tuviera pasión por la literatura y esperaba que pudiera ser que algún día hiciera algo que valiera la pena". (Morley Roberts.)

Barreto, Varona, Tejero y otros: *Arpas cubanas*. J. L. Mera: *Cumandá*. Zorrilla de San Martín: *La leyenda patria*. J. Gautier Benítez: *A Puerto Rico*. S. Romero: *Cantos del fin del siglo*. F. Távora: *El matrero*. Exposición General de Arte en Río de Janeiro.

A: En las elecciones de diputados nacionales los roquistas y aseguran una mayoría de un voto. En Córdoba estalla una revolución contra Del Viso: fracasa (25/II); Juárez Celman lo sucede. En La Rioja es elegido gobernador Francisco V. Bustos, hijo de M. V. Bustos. En San Juan el gobernador Gómez renuncia; le sucede A. Gil, roquista. En Jujuy, el interventor Frías renuncia. Su sucesor, Saravia, convoca a elecciones, que ganará Plácido Sánchez de Bustamante, contrario a Torino pero también roquista. Avellaneda disuelve todos los cuerpos armados provinciales (13/II); Tejedor acepta el desarme de sus fuerzas tras entrevistarse con Avellaneda (17/II). A. Del Valle y L. V. López proponen un acuerdo en torno a la candidatura. Tejedor introduce de contrabando armas en Buenos Aires (2/VI). El presidente Avellaneda se retira a la Chacarita, donde cuenta con fuerzas nacionales; establece su gobierno en Belgrano (4/V). Los colegios electorales (13/VI), consagran la fórmula Julio A. Roca-Francisco B. Madero. Las fuerzas de Buenos Aires son derrotadas. Mitre es designado comandante en jefe de Buenos Aires (22/VI) a los efectos de negociar la rendición. Tejedor accede a un arreglo y renuncia en el vice-gobernador José María Moreno (25/VI). El Congreso federaliza la ciudad de Buenos Aires y (11/VIII) declara caduca la legislatura provincial. Avellaneda renuncia en el vicepresidente Mariano Acosta, el Congreso rechaza la renuncia. Fundación del Partido Autonomista Nacional, en que confluyen los diversos grupos roquistas del país. Se producen elecciones de diputados

Ministerio de Gladstone en Inglaterra, es elegido en reemplazo de Disraeli. Guerra anglo-boer. Se funda el Partido Fusionista en España; gabinete de J. Ferry; política laica; expulsión de los Jesuitas; fundación del Partido Socialista. Gran desarrollo de EE.UU.: 50 millones de habitantes; comienza la producción de acero.

Producción mundial de acero (en miles de Tn.): Inglaterra, 6.059; Alemania, 1.262; Francia, 1.178. Laveran: parásito de la malaria. Ebert descubre el bacilo de la tifoidea. Hallyerith construye máquina de fichas perforadas. Invención de la bicicleta. Fundación de la Compañía del canal de Suez.

Fiske: *Ideas políticas norteamericanas*. Menéndez Pelayo: *Historia de los heterodoxos españoles* (-82). G. de Maupassant: *Bola de Sebo*. A. Swinburne: *Cantos de primavera*. T. Tennyson: *Balada*. A. Daudet: *Numa Rumestán*. A. Rodin: *El pensador*. J. Brahms: *Danzas húngaras*.

nacionales (11/IX) por Buenos Aires. La lista del PAN incluye a Luis Sáenz Peña e Hipólito Irigoyen, futuros presidentes, M. Cané, L. V. López, E. Zeballos, J. C. Paz (director de *La Prensa*) y al veterano Nicolás Calvo. Es, naturalmente, victoriosa. Julio A. Roca asume la presidencia (12/X).

F. Ameghino: *La antigüedad del hombre en el Plata.* Muere Estanislao del Campo.

AL: En el Uruguay, Latorre abandona la dictadura y el gobierno. Se funda el Partido Constitucional (principistas) y se reorganiza el Nacional (blancos). F. A. Vidal es presidente, el general Máximo Santos, ministro de guerra (colorado) comienza a dominar la vida política uruguaya. En el Brasil el ministro Saraiva (liberal) introduce la reforma electoral. En Bolivia, Campero se levanta en el sur con apoyo del ejército. La Convención lo proclama presidente y declara urgente la paz. En Colombia, Rafael Núñez, candidato liberal, es elegido presidente: Ley de instrucción pública, se deroga la Ley de Inspección de Cultos. En México, obedeciendo (por última vez) a su consigna de no reelección, Porfirio Díaz instala en la presidencia hasta 1884 a M. González. En Santo Domingo se funda la Liga Antillana, para procurar la independencia de las Antillas. Costa Rica inaugura el comercio bananero con EE. UU.: primer cargamento a Nueva York. En Cuba se procede a abolir gradualmente la esclavitud. Honduras adopta una constitución liberal (-93). En Brasil, Joaquín Nabuco funda la Sociedad Brasileña Contra la Esclavitud.

J. Gautier Benítez: *Poesías* (póstumo). Varona: *Conferencia filosófica* (-88). Pereira Barreto: *Positivismo y tecnología.* S. Romero: *La literatura brasileña y la crítica moderna.* J. Montalvo: *Las Catilinarias.* I. M. Altamirano: *Rimas y Cuentos de*

1881	

invierno. M. J. Othón: *Poesías.* Pérez Bonalde: *Ritmos.* E. M. de Hostos funda la Escuela Normal de Puerto Rico.	
A: Tratado de límites con Chile. Creación de moneda única para todo el país. Ley de Aduana. Consejo Nacional de Educación. Servicio telefónico. Venta por ley de territorios conquistados al indio: incremento de latifundios. Descontrol económico y fiebre especulativa.	Salisbury líder conservador en Inglaterra. Francia ocupa Túnez. Muere Disraeli. Alejandro II asesinado, asciende Alejandro III. Garfield es presidente de EE.UU. pero muere en septiembre. Se renueva la alianza de los tres emperadores europeos.
	Pasteur descubre la vacuna anticarbunclo.
L. V. López: *Recuerdos de viaje.* J. Hernández: *Instrucción del estanciero.* Cambaceres: *Pot-pourri.* E. Gutiérrez: *Hormiga negra.* F. Fernández: *Solané.* Debate Mitre-V. F. López.	Ribot: *Las enfermedades de la memoria.* W. James: *Washington Square.* A. France: *El crimen de Sylvestre Bonnard.* P. Verlaine: *Cordura.* Verga: *La Malavoglia.* Hoffmann: *Los cuentos de Hoffmann.* Fogazarro: *Malombra.* Menéndez Pelayo: *Historia de las ideas estéticas en España.* Poincaré: *Sobre la teoría de las funciones fuchianas.* A. Borodín: *El príncipe Igor.* A. Renoir: *El almuerzo de los remeros.* F. de Saussure enseña lingüística en la Escuela Práctica de Altos Estudios de París (-91). Muere T. Carlyle.
AL: Problemas fronterizos entre México y Guatemala por las regiones de Chiapas y Soconusco. En Cuba, Constitución española de "los notables". Constitución venezolana, inspirada en la suiza; arbitraje español por litigios fronterizos con Colombia; telégrafo Bogotá-Caracas. Deterioro de la educación pública en Ecuador. Batalla de Chorrillos y Miraflores y ocupación chilena de Lima, con destrucción de la Biblioteca Nacional. Presidencia de Santa María en Chile abre etapas de auge económico, colonización y fomento de la educación. Ley de reforma electoral en Brasil; comienza la instalación de las "capillas de la religión de la Humanidad" de inspiración comteana. En Nicaragua, el presidente Zavala ordena la expulsión de los jesuitas tras motines en Matagalpa.	
A. Bello: *Filosofía del entendimiento.* López Prieto: *Parnaso cubano.* A. Azevedo: *El mulato.* Machado de Assis: *Memorias póstumas de Bras Cubas.* Martí funda la *Revista Venezolana. Anales,* del Ateneo de Montevideo. Muere Cecilio Acosta.	

1882

A: Segunda Exposición Industrial. En Buenos Aires se prohíbe la circulación de carretas. Se instala el primer frigorífico en San Nicolás (Buenos Aires). Dardo Rocha funda la ciudad de La Plata, capital de la provincia de Buenos Aires. El Congreso Pedagógico enfrenta a liberales y católicos. Las fuerzas nacionales completan la ocupación de los territorios australes. Expedición Fontana al Río Pilcomayo.

Fundación del club socialista Worwarts. Watson Hutton introduce la práctica sistemática del football.

AL: En Uruguay, F. A. Vidal renuncia a la presidencia, le sustituye M. Santos. Ley de imprenta restableciendo la libertad de prensa. Mano de obra femenina en las fábricas. La masonería es legalizada. Presidencia del Dr. Francisco Zaldúa en Colombia; éste muere de neumonía, lo sucede José E. Otálora; comienza la apertura del canal de Panamá. Colaboración del partido de los "científicos" con la dictadura de P. Díaz. Heureaux es presidente de Santo Domingo (-99). La "república aristocrática" en Costa Rica: P. Fernández Oreamuno. Veintemilla se proclama una vez más Jefe Supremo de Ecuador; se inicia movimiento "restaurador". Comienza unificación y reconstrucción del Perú tras la derrota ante Chile. Gral. Santos presidente del Uruguay.

J. Martí: *Ismaelillo*. Villaverde: *Cecilia Valdés* (ed. definitiva). Montalvo: *Siete tratados*. Pérez Rosales: *Recuerdos del pasado* (-86). Medina: *Los aborígenes de Chile*. J. Caicedo Rojas: *Las dos gemelas*. Galván: *Enriquillo*. T. Días: *Fanfarrias*. *La Nación* nombra a J. Martí su corresponsal en Nueva York. Inauguración de la Biblioteca Nacional en Nicaragua.

Triple Alianza: Austria, Alemania, Italia. Leyes sobre la enseñanza primaria en Francia. Muere Gambetta. Expulsión de los judíos en Rusia. Intervención inglesa en Egipto e italiana en Eritrea. Primeras leyes restringiendo la emigración a EE.UU. Chinos y Japoneses ocupan Seúl.

Koch descubre el bacilo de la tuberculosis. Charcot: experiencias en la Salpêtrière.

H. Spencer: *Instituciones políticas*. Carducci: *Confesiones y batallas*. J. M. Pereda: *El sabor de la tierruca*. E. Manet: *El bar del Folies Bergère*. R. Wagner: *Parsifal*. Nacen James Joyce e Igor Stravinsky. Muere Emerson.

| 1883 | "La confesión de Pelino Viera" se publica en la revista *The Cornhill Magazine*. Su poema "A un gorrión de Londres" se publica en *Merry England*. |

A: Se instala el primer frigorífico en la Campaña. Modernización edilicia y urbanística de Buenos Aires. Primera Exposición Rural de Tandil. Embarques de carne ovina. Se inician campañas de ocupación de territorios indios en el Chaco. Entre 1883/91, la devaluación de la moneda alcanza 332%.

V. F. López: *Historia de la República Argentina* (-93). D. F. Sarmiento: *Conflictos y armonías de las razas en América.*

AL: Concesión venezolana a Cía. Hamilton para explotar "bosques y asfaltos". Triunfo del movimiento nacional ecuatoriano de la "Restauración". J. M. P. Caamaño, presidente. Tratado de Ancón y fin de la ocupación de Lima; Chile se anexa Tarapacá y ocupa Tacna y Arica por diez años; las riquezas salitreras chilenas pasarán a inversionistas británicos. Gobierno de Iglesias en Perú. Represión contra la prensa independiente. Creación del Ministerio de Justicia, Culto e Instrucción Pública en Uruguay. José E. Otálora asume la presidencia de Colombia. Expropiación de los territorios araucanos del sur de Chile tras la última gran sublevación india. En Brasil, la "Cuestión militar": divisiones entre políticos y militares. Cárdenas es presidente en Nicaragua.

Gutiérrez Nájera: *Cuentos frágiles.* Varona: *Estudios literarios y filosóficos.* J. Calcaño: *Cuentos fantásticos.* Castro Alves: *Los esclavos.* R. Silva: *Artículos de costumbre.* Capistrano de Abreu: *El descubrimiento del Brasil y su desarrollo en el siglo XVI.* I. De María: *Anales de la Defensa de Montevideo* (-87). Zorrilla de San Martín: primera cátedra de Literatura.

Fundación de la *Fabian Society* en Londres. Los franceses en Indochina y guerra franco-china. Ocupación de Madagascar. Segundo ministerio Ferry. *Emancipación del trabajo,* primera organización marxista rusa, creada por Plejanov y Akseldor en Suiza. Goutsky funda *Die neue zeit;* Malatesta en Florencia, *La Questione sociale.* Nacen J. M. Keynes y B. Mussolini. Muere C. Marx.

Dépez realiza el primer transporte de energía eléctrica a distancia.

P. Verlaine: *Antaño y hogaño.* F. Nietzsche: *Así habló Zaratustra* (-91). S. Stevenson: *La isla del tesoro.* G. de Maupassant: *Una vida.* L. Bourget: *Ensayos de psicología contemporánea.* W. Dilthey: *Introducción a las ciencias del espíritu.* Amiel: *Diario íntimo.* V. de L'Isle Adams: *Cuentos crueles.* Delibes: *Lakmé.* Franck: *El cazador furtivo.* Nacen Franz Kafka y Ortega y Gasset. Muere R. Wagner.

1884

Debido al fracaso de la casa de pensión Leinster House, los Hudson se mudan a Southwick Crescent. "Vivimos una semana a cocoa y leche". Se publica "La confesión de Pelino Viera" en *La Nación* de Buenos Aires. Los poemas "en el desierto" y "Gwendoline" se publican en *Merry England;* un cuento, "Tom Rainter" aparece en *Home Chimes.*

A: Carlos Pellegrini, enviado especial de Roca, logra importantes acuerdos financieros en Europa. Concluye la Campaña al Desierto con la matanza de los indios del sur. Ley de enseñanza laica, gratuita y obligatoria. Creación del Registro Civil. Firma del contrato para la construcción del puerto de Buenos Aires según el proyecto de E. Madero. Ferrocarril trasandino argentino-chileno.

L. V. López: *La Gran Aldea.* M. Cané: *Juvenilia.* P. Groussac: *Fruto vedado.* Zeballos: *Callvucurá y la dinastía de las piedras.* F. Ameghino: *Filogenia.* A. Ballerini: *La última voluntad del payador.* Muere en París J. B. Alberdi.

AL: Reforma constitucional en México para permitir reelección de P. Díaz y nuevo código minero que facilita penetración extranjera. Crisis económica cubana; G. Gómez y Maceo dirigen movimiento revolucionario desde el exilio. Tratado Keith-Soto instala empresas bananeras en Honduras. J. Crespo presidente electo de Venezuela. Segundo gobierno de Núñez en Colombia; constitución del Partido Nacional. Alzamiento y derrota de Eloy Alfaro en Ecuador. Pacto de Truce: Bolivia pierde la costa de la provincia de Atacama. Ferrocarril trasandino argentino-chileno. Sufragio universal en Chile para alfabetizados mayores de 25 años. Abolición de la esclavitud en Ceará, Brasil. J. Crespo resulta electo presidente de Venezuela; Guzmán Blanco es ministro en París.
Gavidia: *Versos.* J. Caicedo Rojas: *La bella encantadora.* Barros Arana: *Historia general de Chile.* Acevedo Díaz: *Brenda.* Bilac: *Poesías.* A. de Oliveira: *Meridionales.* R. Barbosa dirige *El País.* Nace R. Gallegos.

Los ingleses en Sudán, colonia alemana en el sudoeste africano. Crack bursátil en Nueva York. Convocatoria de la Conferencia Colonial Internacional en Berlín. Ley de seguro social en accidentes de trabajo en Alemania. Minas de oro en Transvaal. Ley de Waldech-Rousseau sobre sindicatos. Ferrocarril transcaspiano llega a Samarcanda. Nuevamente legalizadas en Francia las sociedades obreras.

Nicolaiev descubre el bacilo del tétano. Frege publica: *Fundamentos de aritmética.* Los hermanos Renard construyen un globo dirigible. Parsons: turbina de vapor a reacción. Mergenthaler: linotipia (-86). H. de Chardonnet: seda artificial a la nitrocelulosa. Maxim: ametralladora. Eastman: película fotográfica en rollos.

E. Ibsen: *El pato salvaje.* H. Spencer: *El hombre contra el Estado.* F. Engels: *El origen de la familia, la propiedad y el Estado.* G. B. Shaw: *Manifiesto de la sociedad fabiana.* Huysmans: *Al revés.* Daudet: *Safo.* L. de Lisle: *Poemas trágicos.* Stindberg: *Casados* (1ª serie). P. Verlaine: *Poetas malditos.* Grupo "Los XX". Bruckner: *Séptima Sinfonía.* A. Gaudi: *La Sagrada Familia.* A. Rodin: *Los burgueses de Calais.*

1885	Se edita *La tierra purpúrea que perdió Inglaterra* pero obtiene poca repercusión.
1886	Mudanza a St. Luke's Road, Westbourne Park, a una casa heredada por Emily. "Era imposible entrar sin una sensación de opresión, inclusive de furia, al pensar que en esta horrenda cárcel estuvo retenido la mayor parte de sus años un prisionero de genio, cuyo único hogar verdadero era el cielo abierto". (Morley Roberts).

A: Decreto de curso forzoso de billetes del Banco Nacional. Distribución de tierras indígenas entre jefes y oficiales de la Campaña al Desierto. Conflictos con Chile por los límites patagónicos. Inauguración de la Bolsa de Comercio. Primeros embarques de carne enfriada a Londres. Lucha de candidaturas para la sucesión de Roca.

G. Rawson: *Estadística vital de Buenos Aires.* Cambaceres: *Sin rumbo.* R. Obligado: *Poesías* y *Santos Vega.* D. F. Sarmiento funda el diario *El Censor.*

AL: Ley de colonización en México; apresamientos contra Guatemala. El presidente Barrios proclama la Unión Centroamericana; oposición de Costa Rica, Nicaragua y El Salvador; invasión guatemalteca al Salvador; muerte de Barrios; la Asamblea revoca el decreto presidencial. Concesión venezolana Hamilton transferida a Nueva York y Bermúdez Co. Los *marines* ocupan Colón, Panamá. Fracción del liberalismo colombiano contra el gobierno federal; fuerte repercusión en la economía del país. Pena de muerte en Ecuador. Renuncia de Iglesias en Perú; Cáceres entra a Lima. Gabinete conservador en Brasil y Ley de Saraiva, estipulando que todos los esclavos mayores de 60 años quedarán libres. Se funda la Federación de Trabajadores del Uruguay y se promulga la Ley de matrimonio civil.

J. Martí: *Amistad funesta.* G. Prieto: *El romancero nacional.* Lastarria: *Antaño y hogaño.* Varona: *Revista Cubana* (-95). R. Darío: *Epístolas y Poemas.*

A: Presidencia de Juárez Celman (12/X). Grandes inversiones, incremento de obras públicas, aumento de comunicaciones, lento predominio del cereal sobre la lana. Modificación de la ganadería (pasturas, mes-

Gabinete de Salisbury en Inglaterra. Guerra servio-búlgara. Alfonso XIII rey de España: regencia de María Cristina de Habsburgo. Presidencia de Cleveland en EE.UU. Creación en Berlín del Estado Independiente del Congo. Los italianos ocupan Massaua y los ingleses Nigeria. Creación de la De Beers Cy Co. que controla la minería de Africa del Sur. Partido Obrero belga. Unión cooperativa de sociedades francesas de consumo.

Pasteur descubre la vacuna contra la rabia. Nordenfelt construye un submarino. Daimler inventa la motocicleta.

Oswald: *Tratado de Química General.* F. Nietzsche: *Más allá del bien y del mal.* C. Marx: *El Capital* (tomo II), compilado por F. Engels. Andersen: *Cuentos.* E. Zola: *Germinal.* J. Laforgue: *Lamentaciones.* Guyau: *Esbozo de una moral sin obligación ni sanción.* Becque: *La Parisiense.* J. M. Pereda: *Sotileza.* M. Twain: *Huckleberry Finn.* H. Richardson: *Almacenes Marshall, Field & Co.,* Chicago. G. de Maupassant: *Bello amigo.* Nacen Ezra Pound, D. H. Lawrence y Sinclair Lewis. Muere Víctor Hugo.

Segundo gabinete Salisbury; crecimiento del socialismo británico. Tratado de Bucarest sobre la cuestión servio-búlgara. Se concluye el Canadian Pacific. 1º de Mayo: huelga de obreros de Chicago por jornada

| 1887 | *Una era de cristal.* |

tizajes) por exportación de carne congelada. Se sanciona la ley de organización de territorios nacionales. Código Penal y de Minería. Primera Exposición ganadera de Palermo.

J. B. Alberdi: *Obras completas* (-87). García Mérou: *Libros y autores.* D. F. Sarmiento: *Vida y escritos del coronel don F. J. Muñiz; Vida de Dominguito.* Podestá estrena *Juan Moreira.* Muere José Hernández. Sarah Bernhardt por primera vez en Buenos Aires.

AL: Es sancionada en Colombia la nueva Constitución centralista, que da al país el nombre de República de Colombia. Abolición de la esclavitud en los dominios españoles. Gradual emancipación de esclavos en el Brasil. Guzmán Blanco presidente de Venezuela; Balmaceda de Chile; Cáceres de Perú. Ley de educación en Costa Rica. Constitución liberal en El Salvador (-1945); fuerza pública armada para controlar la vagancia en el campo. Sociedad promotora de la inmigración en San Pablo.

García Icazbalceta: *Bibliografía mexicana del Siglo XVI.* Díaz Mirón: *Poesías escogidas.* R. J. Cuervo: *Diccionario de construcción y régimen de la lengua castellana* (-93). C. L. Frageiro: *Artigas.* Discurso de Manuel González Prada en el Ateneo de Lima. Escuela Nacional de Bellas Artes en Bogotá. J. Batlle y Ordóñez: *El Día,* en Montevideo.

A: Es constituida la Unión Industrial Argentina (7/II). Se funda en Buenos Aires "La Fraternidad", organización Ferroviaria Gremial (20/VI). El teniente de Navío A. del Castillo descubre el yacimiento carbonífero de Río Turbio. Venta del Ferrocarril Andino, el Central Norte y el Oeste. Primer censo general del municipio: Bue-

laboral de ocho horas; la policía acusa de atentado a sus líderes. Se funda la Federación de Obreros Americanos.

Hertz descubre las ondas electromagnéticas.

A. Rimbaud: *Iluminaciones.* Moréas: *Manifiesto simbolista.* E. D'Amicis: *Corazón.* E. Pardo Bazán: *Los pazos de Ulloa.* Kraft-Ebing: *Psicopatología sexual.* R. Stevenson: *El extraño caso del Dr. Jekill y míster Hyde.* L. Tolstoi: *La Sonata a Kreutzer, La muerte de Ivan Ilich* y *El poder de las tinieblas.* J. Laforgue: *Poesías.* F. Engels: *L. Feuerbach y el fin de la filosofía clásica alemana.* Wund: *Etica.* P. Loti: *El pescador de Islandia.* A. Chejov: *Cuentos.* Bartholdi: *La libertad iluminada al mundo.* A. Rodin: *El beso.* Muere Emily Dickinson.

Primera Conferencia Imperial inglesa. Condominio franco-inglés sobre las Nuevas Hébridas. Elección de Sadi-Carnot en Francia. El 11/XI: ejecución de los cinco dirigentes obreros anarquistas de Chicago. Gran conmoción nacional e internacional. Política anticlerical en Italia. Seguro obligatorio de accidentes en Austria. Cámara de traba-

| 1888 | Se publica en *Youth* "Ralph Herne", cuento escrito años atrás y que trata de la epidemia de fiebre amarilla que asoló Buenos Aires en 1871. Aparece el primer volumen de *Ornitología argentina,* edición a cargo de Sclater y con notas de W. H. Hudson. |

nos Aires cuenta aproximadamente con 435.000 habitantes.

Andrade: *Obras poéticas.* J. Cambaceres: *En la sangre.* B. Mitre: *Historia de San Martín.* Bouzá: *Estudios constitucionales.*

AL: En Colombia se declaran abolidas todas las leyes españolas. Primera zafra azucarera cubana con mano de obra asalariada. E. Carazo es presidente de Nicaragua. Tratado de límites Ecuador-Perú. Brasil no acepta el tasajo rioplatense. Telégrafo México-Guatemala. Oposición liberal a Cáceres en Perú. Primer concordato entre Colombia y la Iglesia. Guzmán Blanco se retira de la presidencia de Venezuela y viaja a Europa como Ministro Plenipotenciario; H. López presidente. Censo cubano: 1.631.687 habitantes. Proceso chileno de debilitamiento del poder presidencial y predominio del Parlamento; formación del Partido Democrático. Restauración del principismo en el Uruguay, tras una década de gobierno militarista.

R. Darío: *Abrojos.* E. Rabasa: *La bola.* J. Rizal: *Noli me tangere.* Nace M. L. Guzmán.

A: Es promulgada la ley de matrimonio civil. Fuerte desvalorización de la moneda. Primera legislación acerca del indio.

J. V. González: *La tradición nacional.* Ocantos: *León Zaldívar.* Muere Domingo F. Sarmiento.

AL: Colombia: la Compañía Universal del Canal interoceánico es declarada en quiebra. Nueva reelección de P. Díaz en México. Predominio económico político de la burguesía cafetalera en Costa Rica. Retracción de la producción cafetalera como consecuencia de la Ley Aurea de abolición de la esclavitud, en Brasil. J. P. Rojas

jo en Bélgica.

Dunlop inventa el neumático. Weichlebaun descubre el meningococo. Se inventa el linotipo.

R. Kipling: *Cuentos simples de las colinas.* D'Anunzio: *Las elegías romanas.* Strindberg: *Hijo de sirvienta.* B. Pérez Galdós: *Fortunata y Jacinta.* F. Nietzsche: *Genealogía de la moral.* G. de Maupassant: *El Horla.* Mallarmé: *Poemas completos.* V. van Gogh: *El padre Tanguy y Autorretrato.* C. Debussy: *La Doncella elegida.* Antoine funda el Teatro Libre. Nace Le Corbusier.

Ascenso de Guillermo II. Conflicto germano-norteamericano por las islas Samoa. Papado: encíclica *Libertas.* Leyes de Seguros por accidentes de trabajo, en Alemania.

Exposición Universal de Barcelona. Creación del Instituto Pasteur. Expedición de Nansen a Groenlandia. Donhring: cemento armado pretensado. Forest: primer motor de gasolina.

Bosanquet: *Lógica.* F. Nietzsche: *El anticristo.* Ribot: *Psicología de la atención.* G. de Maupassant: *Pedro y Juan.* Strindberg: *La señorita Julia.* E. Ibsen: *La dama del mar.* A. Chejov: *La estepa.* P. Gauguin: *El*

1889	Se funda la "Sociedad para la protección de los pájaros" (más tarde "Real Sociedad"). Comienza a visitar las zonas campestres y las colinas cercanas a Londres. Conoce al novelista George Gissing.

Paúl, presidente de Venezuela; rebelión de J. Crespo. Desarrollo industrial en Uruguay.

R. Darío emplea por primera vez la palabra "modernismo"; publica *Azul*. L. Díaz: *Sonetos*. J. M. Hostos: *Moral social*. F. Gamboa: *Del natural*. Reyles: *Por la vida*. Altamirano: *El zarco*. E. Acevedo Díaz: *Ismael*. Zorrilla de San Martín: *Tabaré*. Medicina: *Colección de documentos inéditos para la historia de Chile* (-912). S. Romero: *Historia de la literatura brasileña*. J. Rosas: *Sobre las olas*. Nacen J. E. Rivera y López Velarde.

A: Visita del general Tajes, presidente uruguayo, a Juárez Celman, presidente argentino, en el mismo momento en que muere exiliado en Buenos Aires el general Santos. Se inaugura la primera sección (Dársena Sur) del puerto de Buenos Aires (28/I); en enero del año siguiente finalizan las obras de la segunda sección.

AL: Código civil español en Filipinas. Pacto provisorio de unión entre El Salvador, Honduras y Guatemala. Primera conferencia de los Estados americanos en Washington. Convención Cubana en Cayo Hueso. Fundación del Partido Demócrata Venezolano. Campaña de represión periodística en Colombia. Contrato Grace en Perú para explotación por 66 años del guano y los ferrocarriles. Proclamación de la República en Brasil; la familia imperial abandona el país; gobierno provisorio inicia el período de la "República de Espada", hasta 1894. Roberto Sacasa a la presidencia de Nicaragua y con él concluyen los llamados "30 años conservadores".

Ayón: *Historia de Nicaragua* (III). Payno: *Los bandidos de Río Frío* (-91). J. Martí: *La edad de oro*. J. Sierra: *México*

cristo amarillo. C. Debussy: *Arabescos*. Rimsky-Korsakov: *Scherezade*. Nace E. O'Neil. Muere Louisa M. Alcott.

Huelga de los estibadores en Inglaterra. Conferencia colonial en Bruselas. Huelgas mineras en Alemania y leyes de protección social. Harrison presidente de los EE.UU. Muere Luis I de Portugal. Cecil Rhodes recibe las concesiones africanas. Congreso de París y fundación de la Segunda Internacional. Establecimiento del 1° de Mayo como fecha de reivindicación de la jornada de 8 horas.

Sequeard descubre la función de las glándulas endocrinas y Behring las antitoxinas. Primer rascacielos en Nueva York. Exposición Internacional de París: la torre Eiffel. Eastmann: fotografía en celuloide.

Kropotkin: *El apoyo mutuo*. H. Bergson: *Ensayo sobre los datos inmediatos de la conciencia*. Yeats: *Peregrinaciones de Oisin*. Eça de Queiroz: *Las cartas de Fradique Méndez*. Dukheim: *Elementos de sociología*. L. Bourget: *El Discípulo*. Hauptmann: *Antes del amanecer*. V. van Gogh: *Paisaje con cipreses*. Nacen Arnold Toynbee y Martin Heidegger.

| 1890 | Cunninghame Graham se presenta a Hudson por carta y comienza una amistad que durará toda la vida. |

social y político. Matto de Turner: *Aves sin nido.* J. A. Silva: *Nocturno II.* Gómez Carrillo llega a Europa. Muere Juan Montalvo.

A: Desde 1886 el 70% del capital británico invertido es empleado para financiar ferrocarriles (el total de rieles pasa de 4.800 a 9.400 kilómetros). La exportación de tasajo sigue siendo superior a la de carne congelada, tendencia que se revertirá banca inglesa de mayor injerencia en la banca inglesa de mayor ingerencia en la economía nacional, la Baring Brothers, crisis financiera grave. Se constituye la Unión Cívica, primer partido político argentino en sentido moderno, que poco después se divide en la Unión Cívica Nacional (Mitre) y la Unión Cívica Radical (Alem). Alem, Aristóbulo del Valle e Hipólito Yrigoyen encabezan el sector popular de la revolución del 26 de julio, que es vencida pero obliga a renunciar al presidente y posibilita el ascenso de Carlos Pellegrini, cuyo gabinete integra el mitrismo.

L. V. Mansilla: *Entre nos. Causeries del jueves.*

AL: Enmienda constitucional mexicana permitiendo reelección. Perjuicios económicos para Cuba por la reforma arancelaria norteamericana. Golpe de Estado de C. Ezeta en El Salvador. R. Andueza Palacio presidente de Venezuela. Reclamaciones de EE.UU., contra Venezuela, Morales Bermúdez, adicto a Cáceres, presidente de Perú. Leyes colombianas regulando la actividad comercial. Crisis económica en Chile y nuevo gabinete Balmaceda en oposición al Congreso. J. Herrera y Obes presidente del Uruguay: el civilismo; leyes inmigratorias, creación de la Oficina de Trabajo. Por primera vez se celebra en el Río de la Plata el 1° de Mayo. Primera revolución separatista en Río Grande do Sul; grave crisis inflacio-

Bismarck abandona el gobierno; el poder queda en mano de los Junkers. Conferencia de Berlín de protección al trabajo. Convenciones coloniales anglo-alemana y anglo-francesa. Ley Sherman antitrust en EE.UU. tarifas aduaneras proteccionistas McKinley. Quiebra el Banco Baring (Londres) y se desencadena una crisis económica mundial.

Bechring: suero antidiftérico. Otto Lilienthal: artefacto volador realiza con éxito sus primeras pruebas.

C. Lombroso: *El delito político y la revolución.* W. James: *Principios de psicología.* Wundt: *Sistema de filosofía.* E. Zola: *La bestia humana.* O. Wilde: *El retrato de Dorian Gray.* Frazer: *La rama dorada.* K. Hamsun: *Hambre.* E. Dickinson: *Poemas* (póstumo). P. Valéry: *Narciso habla.* P. Cézanne: *Jugadores de cartas.* Suicidio de V. van Gogh. Nace Charles De Gaulle.

1891   Contribuye con artículos sobre "El quebrantahuesos o airones y garzas" y "Salvemos a las garzas reales" a la "Sociedad para la protección de los pájaros".

naria (Rui Barbosa Ministro de Hacienda); surge el Partido Obrero en Río de Janeiro. Creación de la Unión Panamericana, en Washington, e iniciativa de EE.UU. Discrepancias entre el Partido Conservador nicaragüense y el presidente electo.

E. Acevedo Díaz: *Nativa*. F. Acuña de Figueroa: *Obras completas*. Revistas: En Uruguay, *Caras y Caretas*. J. del Casal: *Hojas al viento*. T. Carrasquilla: *Simón el Mago*. Silva: *La protesta de la Musa*. Romerogarcía: *Peonía*. A. Azevedo: *O. Cortico*. Angel del Campo: *Ocios y apuntes*. R. Darío define el modernismo. Creación de la Academia Uruguaya de la Lengua.

A: Inaugurado el Banco de la Nación Argentina, (26/X). El diputado nacional Osvaldo Magnasco denuncia "el gran cuadro de los grandes robos de las empresas ferrocarrileras establecidas en nuestro país". Comienza a aplicarse el sistema de impresiones digitales descubierto por Juan Vucetich.

Eduardo Schiaffino organiza en el Palacio Hume de Buenos Aires una exposición donde, junto a maestros extranjeros, exponen Della Valle, Ballerini, Giúdice, Correa Morales, Mendilaharzu, Sívori, Malharro, Caraffa, de la Cárcova y Bouchet.

J. Martel: *La Bolsa y la guerra de Tres Años*.

AL: Malestar económico y político en Cuba. Sentencia arbitral dictada por España sobre límites entre Colombia y Venezuela. El Congreso contra Balmaceda en Chile, batalla de Concón, renuncia, asilo y suicidio de Balmaceda en la embajada argentina; Saqueo de Santiago y Valparaíso, el almirante Montt es presidente de Chile (-96). Constitución República de Brasil; primer Congreso de la República. En Uru-

Acuerdo anglo-italiano sobre Abisinia. Acuerdo colonial anglo-lusitano. Construcción del tren transiberiano. Fundación del Bureau Internacional de la Paz, en Berna. Fracasa golpe de Estado en Francia: Boulanger se suicida. Alianza defensiva franco-rusa. La encíclica Rerum Novarum de León XIII inicia una nueva actitud de la Iglesia Católica ante la cuestión social. Alzamiento republicano en Oporto.

Michelin patenta el neumático. Se descubren los restos del Pitecantropo de Java.

A. Conan Doyle: *Las aventuras de Sherlock Holmes*. E. Ibsen: *Hedda Gabler*. Hardy: *Teresa de Uberville*. A. Bierce: *Cuentos de soldados y de paisanos*. S. Lagerlöf: *Saga de Gösta Berling*. C. Monet empieza *Las ninfeas*. P. Gauguin: *Las mujeres de Tahití*. R. Strauss: *Muerte y transfiguración*. Muere A. Rimbaud.

1892	Publica la novela *Abanico* con el seudónimo de Henry Hartford. Aparece *Un naturalista en el Plata,* su primer libro exitoso. Vende 1.750 ejemplares en tres años.

guay, Convención del Partido Nacional; Directorio y Comisión Militar; Ley Orgánica del Partido. Revolución blanca reprimida.

S. Blixen: *Cobre viejo. Anales de la Universidad.* Torres García en Cataluña. J. Martí: *Versos sencillos y los pinos nuevos.* Machado de Assis: *Quincas Borba.* C. Matto de Turner: *Indole.* Ocantos: *Quilito.* Pensón: *Cosas añejas.* Lamas: *Génesis de la revolución.*

A: Se impone la fórmula presidencial encabezada por Luis Sáenz Peña, en un clima político de gran violencia: clausura de periódicos, allanamientos y prisión para los opositores.

Lafone Quevedo: Investigaciones arqueológicas en el Norte Argentino. Se funda en Buenos Aires El Ateneo, instituto cultural que preside Guido Spano y en la que actúan Lucio V. López, Mansilla, Obligado y otros intelectuales de prestigio.

AL: Rizal organiza en Manila la sociedad secreta "La Liga Filipina"; "Katipunan", por A. Bonifacio. Revolución liberal en Honduras proclama presidente a Bonilla. Sublevación de los Taraumaras en Tomóchic. J. Crespo se proclama dictador en Caracas. Batalla Cururuyuqui contra indios en Bolivia. Núñez reelecto en Colombia con M. A. Caro de vice. Batlle y Ordóñez propone organización política uruguaya basada en clubes populares. Mato Grosso se declara República Trasatlántica; insurrección de Río Grande dirigido por Gumersindo Saravia; primer Congreso Socialista en Río. J. Martí funda el Partido Revolucionario de Cuba y su periódico *Patria.* Estrada Cabrera en el poder en Guatemala.

H. Frías: *Tomóchic.* Del Casal: *Nieve.* F. Gamboa: *Apariencias.* Revista *Gris,* en Colombia. *El Cojo Ilustrado,* en Caracas. Nace César Vallejo.

Convención militar franco-prusiana. Tarifas proteccionistas en Francia. Ley de 10 horas. Escándalo de Panamá en Francia; quiebra de Lesseps. Italia: Partido Socialista. Agitación obrera en EE.UU.

H. Ford construye su primer modelo de automóvil. Lorentz descubre los electrones. Scheicn concibe y aplica la anestesia local. Edición construye el kinetoscopio. Renard estudia los rayos catódicos. Casa Tassel de Bruselas: el modernismo en arquetectura.

E. Zola: *La Debacle.* Maeterlinck: *Pelleas y Melisande.* Menéndez Pelayo: *Antología de la poesía hispanoamericana.* H. James: *Compendio de psicología.* Spencer: *Principios de moral* (II y III). G. B. Shaw: *Casas de viudos.* E. Haeckel: *El monismo.* Poincaré: *Nuevos métodos de la mecánica celeste.* O. Wilde: *El abanico de Lady Windermere.* Hauptmann: *Los tejedores.* H. de Toulouse Lautrec: *Jane Avril en el Molino Rojo.* E. Manet: *La catedral de Rouen.* Leoncavallo: *Los payasos.* Mueren Ernesto Renan y Walt Whitman.

1893	*Pájaros en una aldea*. "Fue mi primer libro sobre la vida de las aves, con algunas impresiones sobre escenas rurales en Inglaterra; y, como sucede a menudo con un primer libro, su autor ha continuado alimentando cierto afecto por él." (Prólogo a la edición de 1919). Aparece *Días de ocio en la Patagonia*.

A: El presidente Sáenz Peña pide a Miguel Cané que forme gabinete y lo designa Ministro del Interior; pero este gabinete dura sólo diez días y se llama a del Valle, quien designará a Lulio V. López en Interior, reservándose para sí Guerra y Marina. Yrigoyen encabeza una revolución en la provincia de Buenos Aires.

Rubén Darío y José Martí se encuentran en Buenos Aires. El 15 de mayo abre las puertas la Primera Exposición de El Ateneo, con la participación de Schiaffino, Ballerini, Della Valle y otros pintores.

AL: Colombia: el gobierno declara en estado de sitio la capital de la República a causa de varios motines promovidos por el gremio de los artesanos. Recrudece campaña autonomista en Cuba: división del Partido Unión Constitucional y formación del Partido Reformista. Alzamiento liberal encabezado por el general Zelaya derroca a Sacasa en Nicaragua: se inicia la revolución liberal: nueva constitución, la "libérrima". Reconocimiento de la soberanía británica sobre Belice, Guatemala. J. Y. Limantour, ministro de Hacienda y artífice del "milagro económico" del porfirismo. Manifiesto del Partido Liberal venezolano a la Nación. En Perú: ferrocarril Lima-La Oroya. El almirante Melo bombardea Río de Janeiro y se une a Río Grande do Sul; lo reemplaza Da Gama. Influencia "directriz" presidencial en Uruguay. Ley de Registro Cívico permanente. Protesta por Comicios fraudulentos. Nicaragua incorpora Mosquitia.

C. L. Fregeiro: *Historia documental y crítica.* G. Melían Lafinur: *Los partidos de la República Oriental del Uruguay.* A. Lussich: *Naufragios célebres.* B. Fernández Medina: *Cuentos del pago.* A. Díaz: *Grito de gloria.* R. J. Cuervo: *Diccionario de Construcción y Régimen de la lengua castellana*

El proyecto de conceder la autonomía a Irlanda es rechazado por la Cámara de los Lores; fundación del Independent Labour Party, en Inglaterra. Guerra de Melilla. Protectorado francés en Dahomey; ocupación de Siam. Segunda presidencia de Cleveland en EE.UU.; crack bursátil; abolición de la Ley Sherman; protectorado impuesto a Hawai. Insurrección de los jóvenes checos en Praga. Masacre en Armenia. Nueva Zelandia: derechos políticos plenos a la mujer. Nace Mao Tse-tung.

Exposición colombina de Chicago. Elster-Seiter: célula fotoeléctrica. Diesel construye motor a Gas-oil. Morey: primer proyector cinematográfico.

Jean Grave: *La sociedad moribunda y la anarquía.* Heredia: *Los trofeos.* Menéndez Pelayo: *Antología de poetas hispanoamericanos* (-95). Mallarmé: *Verso y prosa.* D'Annunzio: *Poema paradisíaco.* Villaespesa: *Intimidades.* Aparece en Londres el primer número de la revista *The Studio,* con la ilustración "Salomé" de A. Beardsley. E. Munch: *El grito.* P. I. Chaicovski: *Sinfonía Patética.* A. Dvorak: *Sinfonía Nuevo Mundo.*

1894	Folleto sobre "Los pájaros británicos" escrito para la Sociedad para la Protección de los Pájaros.
1895	Escribe y edita *Pájaros británicos*. Aparece en la *Fortnightly Review* su artículo sobre el cuervo negro europeo.

(II). Del Casal: *Bustos y Rimas.* Cruz e Sousa: *Broqueles.* Nace Vicente Huidobro. Mueren J. del Casal e I. M. Altamirano.

A: El radicalismo triunfa en las elecciones de congresales y es elegido senador nacional Leandro N. Alem, que se ve obligado a renunciar a su banca siendo sustituido por Bernardo de Irigoyen.

En el Teatro Florida de la ciudad bonaerense de Pergamino tiene lugar una de las más famosas payadas de esos tiempos entre Pablo J. Vásquez y Gabino Ezeiza. Semanario *La Vanguardia* (más tarde será diario), del Partido Socialista. E. de la Cárcova: *Sin pan y sin trabajo.*

AL: Crespo es electo presidente de Venezuela; conflicto con la Guayana Británica; terremoto: perecen 10.000 personas. Bonilla es presidente de Honduras. Chile consolida su victoria sobre el Perú, quedándose con Tacna y Arica. A. Morales Bermúdez presidente del Perú. La producción cafetalera colombiana alcanza por primera vez los veinte mil kilos. J. Iriarte Borda es elegido presidente del Uruguay.

E. Regules: *Versos criollos.* A. Díaz: *Soledad.* C. Reyles: *Beba.* Pérez Petit: *Cobarde.* Fernández y Medina: *Fausto criollo.* H. Frías: *Tomóchic.* González Prada: *Páginas libres.* J. A. Silva: *Nocturno III.* Aparece la revista *Azul* en México. Se funda *Cosmópolis* en Caracas. Nace José Carlos Mariátegui.

A: El árbitro Grover Cleveland, presidente de USA, dicta un fallo favorable a Brasil con respecto al territorio de las antiguas misiones (Argentina pierde 1.200 leguas de territorio). El 21 de enero, al renunciar Sáenz Peña, asume la presidencia José Evaristo Uriburu. Se realiza el Se-

En Inglaterra, Gladstone se retira de la vida política. Asesinato de Sadi Carnot. Proceso Dreyfus. Nicolás II zar de Rusia. Guerra entre China y Japón. Los italianos invaden Abisinia. Leyes contra los anarquistas en Italia, Francia y España. Fin de la Guerra de Melilla, en España: convenio de Marruecos.

Yersin: bacilo de la peste. Roux: suero antidiftérico. Peste en la India: 12 millones de muertos en 10 años.

C. Marx: *El Capital* (edición del volumen III). W. Durkheim: *Reglas del método sociológico.* W. Dilthey: *Ideas sobre una psicología descriptiva y analítica.* Buchner: *Darwinismo y socialismo.* S. y B. Webb: *Historia del tradeunionismo.* Renard: *Cabeza de Zanahoria.* Gaudet: *Elementos y teoría de la arquitectura.* E. Ibsen: *El niño Eyolf.* R. Kipling: *El libro de la jungla.* C. Debussy: *Preludio a la siesta de un fauno.* E. Degas: *Femme et sa toilette.* Massenet: *Thais.* G. Verdi: *Falstaff.*

En Inglaterra, Salisbury forma un ministerio de coalición. Convención chino-japonesa en Pekín. Inauguración del canal de Kiel. Rhodesia del Sur se constituye en Estado. Masacre de armenios en Istambul. Se funda la CGT en Francia. A. Cánova del Castillo asume el gobierno en España.

| 1896 | Forzado a permanecer en Londres durante los meses de verano, reúne material para un libro sobre los pájaros de Londres. |

gundo Censo Nacional: la población total es de 4.044.911 habitantes con una concentración urbana del 43% (Buenos Aires, 664.000; Rosario, 90.000; La Plata, 70.000; Córdoba, 47.000; Tucumán, 34.000). La economía inicia una etapa de recuperación.

AL: Colombia: revolución liberal dirigida por el general Santos Acosta, quien es derrotado. Segunda guerra de independencia de Cuba; José Martí muerto en Dos Ríos. Derrota de los rebeldes en Brasil, Da Gama se suicida. Acuerdo sobre adopción de una política exterior común se realiza entre Honduras, El Salvador y Nicaragua (3 años). Conflicto con Inglaterra por la Mosquitia; ocupación de Corinto; pago de indemnización; retirada. El general Gutiérrez es presidente de El Salvador, y P. Bonilla de Honduras. Eloy Alfaro es nuevo presidente de Ecuador; se promulga nueva constitución. Piérola es presidente de Perú. En Venezuela: Discrepancias con Gran Bretaña por límites de Guayana. Nacen Víctor R. Haya de la Torre y Augusto César Sandino.

L. Díaz: *Bajorrelieves.* J. S. Chocoano: *En la aldea.* E. Prado: *La ilusión americana.* González: *Ritmos.* R. Delgado: *Angelina.* M. Zeno Gandía: *La charca. Revista Nacional de Literatura y Ciencias Sociales* (Rodó, Pérez Petit y hermanos Vigil). E. Regules: *El fogón. El Negro Timoteo* (2ª etapa). M. Larravide: *Marinas.* Nacen L. de Greiff, D. Samper, Martínez Estrada, J. Mancisidor y J. de Ibarbourou. Muere M. Gutiérrez Nájera.

A: Una nueva fuerza asoma al escenario político e interviene por primera vez en una elección: el Partido Socialista Obrero Argentino. Se suicida Alem y muere Aristóbulo del Valle. Se agudiza la tensión con Chile por la fijación de hitos en la Cordillera de los Andes (hay aprestos bélicos).

Roentgen: los rayos X. Lumière: primer aparato cinematográfico. Expedición polar de Nansen. Ramsy y Strutt descubren helio y argón en la atmósfera. Exposición *Art Nouveau* en París.

Hertzl: *El estado judío.* P. Valéry: *Soirèe con el señor Teste.* H. G. Wells: *La máquina para explorar el tiempo.* M. de Unamuno: *En torno al casticismo.* R. Valle Inclán: *Femeninas.* Conrad: *La locura de Almayer.* Sienkiewicz: *¿Quo Vadis?* Verhaeren: *Las ciudades tentaculares.* Keats: *Poemas.* S. Freud: *Estudios sobre la historia.* Bourget: *Ultramar.* O. Wilde: *La importancia de llamarse Ernesto.* Crane: *La roja insignia del coraje.* P. Gauguin instalado en Tahití. P. Cézanne: *Las bañistas.* Muere F. Engels.

Continúa la expansión colonial: Los ingleses en Sudán; los franceses en Madagascar. Acuerdo ruso-austriaco sobre los Balcanes. Los italianos son derrotados en Abisinia. Masacre de armenios en Constantinopla. Nueva Ley contra el anarquismo en España.

1897	El 25 de diciembre aparece en *The Times* su carta sobre "El tráfico de plumas de aves", que posteriormente se edita en forma de folleto.

P. Groussac: Revista *La Biblioteca*.

AL: Colombia firma un tratado de límites con Costa Rica. Insurrección de los Yaquis en México. Primera campaña conservadora contra Zelaya en Nicaragua. Maceo muere en acción, en Cuba. Intentos de asesinar al presidente Crespo. Batalla de Huanta, en Perú: muerte de 500 campesinos. El general José Ma. Pando asume el poder en Bolivia. F. Errázuriz presidente de Chile. En Uruguay se constituye la Unión Cívica (católica). Huelgas de obreros portuarios, tranviarios, zapateros y tipógrafos, estos últimos conquistan horario diurno de ocho horas y nocturno de siete.

Zorrilla de San Martín: *Resonancias del camino*. J. de Viana: *Campo*. C. Reyles: *Academias*. L. Cincinato Bollo: *Atlas geográfico de la República Oriental del Uruguay*. F. Piria: *El socialismo triunfante*. Gamboa: *Suprema Ley*. Coll: *Palabras*. R. Darío: *Prosas profanas* y *Los raros*. R. Barbosa: *Cartas de Inglaterra*. Primeros cortos de Lumière en Montevideo.

Fundación del *Daily Mail*. Primeras Olimpíadas en Athenas. Marconi: la telegrafía sin hilos. Becquerel: la radiactividad natural. Rutherford: detector magnético de ondas eléctricas. Inauguración de la Estatua de la Libertad en New York.

Ribot: *Psicología de los sentimientos*. Kropotkin: *La anarquía*. H. Bergson: *Materia y memoria*. Renouvier: *Filosofía analítica de la historia*. Bjornson: *Más allá de nuestros poderes*. A. Jarry: *Ubu rey*. M. Proust: *Los placeres y los días*. M. Schwob: *Vidas imaginarias*. H. Spencer: *Sociología*. E. Ibsen: *Juan Gabriel Borkman*. A. Chejov: *La gaviota*. R. Strauss: *Así habló Zaratustra*. Puccini: *La Bohemia*. E. Matisse: *El Tejedor Bretón*. P. Gauguin: *Nacimiento de Cristo*. Muere Nobel: se establecen los premios que llevan su nombre. Muere P. Verlaine. Nace A. Breton.

A: Por razones políticas se produce un duelo entre Yrigoyen y Lisandro de la Torre.

Establecida Universidad de la Plata. Tranvía Eléctrico en Buenos Aires. Uno de los primeros y mejores tangos: *El entrerriano*, de Rosendo Mendizábal P. Groussac: *Del Plata al Niágara*. Lugones: *Las montañas del oro*. Fray Mocho: *Memorias de un vigilante* y *Un viaje al país de los matreros*. E. Soria: *Justicia Criolla*.

AL: Colombia: la flota italiana permanece anclada frente a Cartagena para presionar al gobierno al pago de la deuda adquirida con aquella nación. Nueva proclamación de la república de Yara en Cuba. Gobierno autónomo en Puerto Rico. Eloy

Conflicto greco-ruso al unirse Creta. Mc Kinley presidente de los EE.UU. Fundación en Basilea del movimiento sonoista: primer Congreso Internacional Israelita. Minas de oro en Klondyke. Cánovas del Castillo asesinado por un anarquista en España. Gobierno de Sagasta. Hambre en la India.

Braun: tubo de rayos catódicos. Lorentz: teoría del electrón. Polémica, en París, entre Marcelin Berthelot y Ferdinand Brunetière sobre "El fracaso de la ciencia". Adler: Primer vuelo en aeroplano.

A. Desmoulins: *A qué se debe la superioridad de los anglosajones*. H. Ellis: *Estudios sobre la psicología sexual*. A. Gide: *Los alimentos terrestres*. H. G. Wells: *El hombre invisible*. Ganivet: *Idearium espa-*

1898	Aparece *Pájaros en Londres*. Primera visita al Selborne de White.

Alfaro incorpora a los indios a la ciudadanía ecuatoriana. Gran Bretaña somete a arbitraje su disputa con Venezuela. Ocupa la presidencia de Venezuela el general Ignacio Andrade. Auge de la explotación del caucho en el oriente peruano. En Brasil el general Oscar, al frente de 5.500 soldados, vence en Canudos a Antonio Conselherio, quien muere. Insurrección nacionalista de Aparicio Saravia y Diego Lamas. Manifestación multitudinaria por la paz. Asesinato de Idiarte Borda. Cuestas asume la presidencia. El pacto de la Cruz pone fin a la insurrección.

R. Jaimes Freyre: *Castalia Bárbara.* C. A. Becú: *En la plenitud de los éxtasis.* J. Nabuco: *Un estadista del Imperio* (-99). Blest Gana: *Durante la reconquista.* J. E. Rodó: *La vida nueva.* C. Reyles: *El extraño.*

A: Julio A. Roca, el *Zorro,* es elegido nuevamente presidente (en un acto que *La Prensa* califica de "simulacro electoral"). Firma de la Convención de límites con Brasil.

Fundación del Jardín Botánico. Se instala en Buenos Aires el primer ascensor. Fray Mocho: *En el mar austral.* Revista *Caras y Caretas* (19/VIII - 17/X/1939). Julián Aguirre: *Tristes argentinos,* para piano.

AL: M. A. Sanclemente es elegido presidente de Colombia. La explosión del acorazado Maine, en La Habana, sirve de pretexto para la guerra hispanoamericana entre Estados Unidos y España. Tratado de París pone fin a la dominación de España sobre la isla. Roca es presidente de la Argentina, Campos Salles del Brasil, Andrade de Venezuela, y Zelaya —por segunda vez— de Nicaragua. Barrios es asesinado en Guatemala, Estrada Cabrera asume la presidencia. Reunión del Consejo de los

ñol. E. Rostand: *Cyrano de Bergerac.* V. Horta: *Casa del pueblo* (Bruselas). P. Fort: *Baladas francesas.* W. Withman: *Hojas de hierba* (ed. definitiva, póstuma. 1ª en 1855). Ch. Maurras: *Los desarraigados.* Mallarmé: *Divagaciones.* W. James: *La voluntad de creer.* G. B. Shaw: *Cándida.* A. Chejov: *Tío Vania.* Rousseau: ("Le douanier"): *La gitana dormida.* P. Gauguin: *La Orana vacía.* Muere Johannes Brahms. Fundación de la *Sezession* vienesa: el modernismo austriaco.

España entra en guerra con los Estados Unidos; paz de París; Filipinas, Puerto Rico y las islas Guam cedidas a EE.UU. por 20 millones de dólares; anexión definitiva de Hawai. Se reabre el caso Dreyfus en Francia. Dreudet y Maurras fundan *Acción Francesa.* Surge el Partido Socialista Democrático en Rusia. Se forman los Boxers en China. Mueren Bismarck y Gladstone.

Los esposos Curie descubren el radio. Koldewei inicia excavaciones en Babilonia (-1917). Bordet: Suero hemolítico.

Le Bon: *Psicología de las multitudes.* Rosa Luxemburgo: *Reforma y revolución.* E. Zola: *Yo acuso.* O. Wilde: *Balada de la cárcel de Reading.* Blasco Ibáñez: *La Barraca.* D'Annunzio: *El fuego.* Howard: *Mañana..., teoría de la ciudad jardín.* A. Rodin: *Balzac.* Puvis de Chavannes: *Genoveva velando sobre Lutecia.* Nacen E. Hemingway, F. García Lorca, y Bertolt Brecht. Muere Mallarmé.

1899	Transcurre el mes de agosto de "este excepcionalmente caluroso año de 1899" en Lewes, Sussex.

Estados Unidos de Centro América, en Ampala. Guerra civil en Bolivia (-99). En Uruguay, Cuestas disuelve las Cámaras y nombra un Consejo de Estado. Manifiesto del alto comercio montevideano apoyando su candidatura.

J. Herrera y Reissig: *Canto a Lamartine.* C. Reyles: *El sueño de rapiña.* J. C. Blanco Acevedo: *Narraciones.* Visconti: *Juventud.* J. M. Vargas Vila: *Flor de Fango.* J. S. Chocoano: *La selva virgen.* R. Darío en Europa.

A: El gobierno federal interviene la provincia de Catamarca. Fijados definitivamente límites con Chile, en la Puna de Atacama. Ley de conversión que fija como unidad monetaria 44 centavos oro por unidad nacional.

El 1º de mayo sale el primer número de *El Sol,* semanario artístico-literario que durante cuatro años dirigirá Alberto Ghiraldo. Wilde: *Prometeo y Cía.*

AL: Guerra civil en Colombia: "los mil días"; el país quedará arruinado: R. Uribe Uribe y B. Herrera son los dos jefes más prestigiosos. Se establece protectorado americano sobre Cuba. Es asesinado el presidente dominicano Heureaux; el jefe revolucionario Jiménez asume la presidencia. Primera aparición de Emiliano Chamorro: segunda campaña conservadora contra Zelaya. Gobierno de T. Regalado en El Salvador. Revolución Liberal Restauradora en Venezuela, C. Castro entra en Caracas y es declarado presidente de la nación; fallo de la Comisión de Límites de París por conflicto entre Venezuela y Gran Bretaña, esta última resulta favorecida en la casi totalidad de sus pretensiones y por unanimidad en la votación. Romaña presidente del Perú. Atacama queda como territorio

Conferencia de paz en la Haya. Acuerdo anglo-ruso para dividirse China y principio norteamericano de "puerta abierta" en China. Convención franco-inglesa sobre el Sudán. Los boers derrotan a los ingleses. Revuelta en Filipinas contra los norteamericanos. Segundo proceso Dreyfus.

Bosanquet: *Teoría filosófica sobre el Estado.* L. Tolstoi: *Resurrección.* R. Mª Rilke: *Canción de amor.* Veblen: *Teoría de la clase ociosa.* Haeckel: *Enigmas del Universo.* Maurras: *Tres ideas políticas.* E. Zola: *Fecundidad.* W. James: *Los ideales de la vida.* Carducci: *Rimas y ritmos.* A. Bierce: *Fábulas Fantásticas.* M. Ravel: *Pavana para una infanta difunta.* R. Strauss: *Vida de un héroe.* Sibelius: *Sinfonía Nº 1.* V. Guimard: *Entradas al metro de París.* Muere Johan Strauss.

1900	Publica *Nature in Downland*. En junio se le otorga la ciudadanía inglesa. Se le adjudica una pensión para civiles por recomendación de Lord Gray "en reconocimiento de la originalidad de sus escritos sobre historia natural".

chileno. Peste bubónica en Santos; rebelión de caucheros en Acre, Brasil. En Uruguay, Cuestas es presidente constitucional; J. Batlle y Ordóñez presidente del Senado. Ley de amnistía general. Fracasa insurrección colectivista. Tratado de arbitraje con España. En Nicaragua la segunda reelección de Zelaya origina otra campaña conservadora.

Carrasquilla: *Luterito* (El padre Casafús). G. Valencia: *Anarkos*. Machado de Assis: *Don Casmurro*. C. Zumeta: *El continente enfermo*. J. S. Chocano: *La epopeya del morro*. Gómez Carrillo: *Bohemia sentimental y maravillas*. G. Picón Febres: *El Sargento Felipe*. Gutiérrez Nájera: *Cuentos de color humo*. J. E. Rodó: *Rubén Darío*. J. de Viana: *Gaucha*. M. Díaz Rodríguez: *Cuentos de color*. J. J. Tablada: *Florilegios*.

A: La población del país se estima en 4.600.000 habitantes. Roca cumple el segundo año de su segundo período presidencial. Visita de Campos Salles a la Argentina. Se levanta el mercado de ganados. La peste bubónica hace estragos. Monumento a Sarmiento se levanta en Palermo.

J. A. García: *La ciudad indiana*. M. Leguizamón: *Montaraz*. Ocantos: *Pequeñas miserias*.

AL: Golpe del 31 de Julio en Colombia; Marroquín es proclamado presidente. En México, quinta reelección de Díaz; Doheni and Co. organiza Mexican Petroleum Co., realizan una primera extracción en Ebano. Francia exige, con su flota, indemnización dominicana. Nicaragua firma un tratado con EE.UU. para la construcción de un canal interoceánico. Castro se erige en presidente constitucional de Venezuela. Tratado de límites argentino-chilenos por zona de los Andes. Censo brasileño: 17.384.340

Fundación del Labour-Party, de la Federación General de Trade-Unions en Inglaterra y de la Unión General de Sindicatos Cristianos en Alemania. V Congreso Internacional Socialista en París: creación del Bureau permanente (moción Kautsky). Ley Millerand sobre duración de la jornada de trabajo. Fundación de la Asociación Internacional para la protección legal de los obreros. Asesinato de Humberto I y ascensión de José Manuel III. Expedición internacional contra Pekín. Los franceses en el Tchad, los ingleses en Pretoria y Transvaal.

Max Planck: teoría de los *quanta*. Zeppelin construye su primer dirigible. Evans: La civilización minoica. Rutherford descubre la emanación del radio. Exposición mundial en París. Reconocimiento de las leyes de Mendel.

S. Freud: *La interpretación de los sueños*. E. Husserl: *Investigaciones lógicas*. B.

1901	Transcurre el verano recorriendo Hampshire en bicicleta. Conoce a Edward Garnett quien declara que "El ombú", cuyo manuscrito ha leído, es una obra genial.

habitantes. Disputa por límites con Guayana francesa; peste bubónica en Río de Janeiro. Fundación en Iquique, Chile, del sindicato Combinación Mancomunal de Obreros, al que se afilian casi todos los trabajadores de Nitratos. Censo en Uruguay: 936.000 habitantes. Imposición de los Estados Unidos a Nicaragua y Costa Rica de los tratados Hay-Corea y Hay-Calvo, para adquirir la ruta del canal. Expulsión del Obispo de Nicaragua.

J. E. Rodó: *Ariel.* Zorrilla de San Martín: *Huerto cerrado.* R. de las Carreras: *Sueño de Oriente.* C. Reyles: *La raza de Caín.* Vargas Vila: *Ibis.* García Monge: *El Moto y Las hijas del campo.* E. Díaz Romero: *Harpas en el silencio.* Orrego Luco: *Un idilio nuevo.* S. Romero: *Ensayos de Sociología y Literatura.* J. Sierra: *Evolución política del pueblo mexicano.* Revista *La Gruta* en Colombia. J. J. Tablada en Japón.

A: Tensa situación con Chile por problemas fronterizos. Se establece el servicio militar obligatorio. Se quiebra la unidad Roca-Pellegrini. Inmigrantes: entran 125. 951. Se inauguran los mataderos de Liniers.

M. Cané: *Notas e impresiones.*

AL: Los liberales son derrotados en Colombia, en la batalla de la Hacha. Venezuela rompe relaciones diplomáticas con Colombia. Revuelta maya en Yucatán. Constitución de Cuba, enmienda Platt y presidencia de Tomás Estrada Palma. Segundo Congreso Panamericano. Tratado Perú-Bolivia, de arbitraje por diez años. Depósito de guano en Huanillos, Punta Lobos y Pabellón de Pica revertidos a Chile. Intensa industrialización de San Pablo.

Croce: *Materialismo histórico y economía marxista.* Ellen Kay: *El siglo de los niños.* Spitteler: *Primavera olímpica.* Harnack: *Naturaleza del cristianismo.* Dreiser: *Sister Carie.* Puccini: *Tosca.* A. Gaudí: *Parque Güell.* Muren Ruskin, F. Nietzsche y Oscar Wilde.

A la muerte de Victoria es coronado Eduardo VII rey de Inglaterra. El presidente McKinley, de los EE.UU. es asesinado. Theodoro Roosevelt lo sucede en la presidencia. Tratado Hay-Pauncefote sobre el canal de Panamá. Formación de la United States Steel Corp. Paz en Pekín. En Rusia surge el Partido Social Revolucionario. Se establece en Suiza la Oficina Internacional del Trabajo. Primeras perforaciones en busca de petróleo se realizan en Persia. Agitación laborista en España.

Primer premio Nobel de Física: Röntgen.

S. Freud: *Psicología de la vida cotidiana.* D. Vries: *Teoría de las mutaciones.* Maeterlinck: *La vida de las abejas.* T. Mann: *Los Budden-brook.* G. B. Shaw: *Tres piezas para puritanos.* Berstein: *Sobre la teo-*

1902	Aparece *"El ombú"*. Por intermedio de Garnett conoce a figuras del mundo de las letras como Conrad e Hilaire Belloc en almuerzos y cenas literarios. Visita Selborne y la Nueva Floresta.

Gómez Carrillo: *Del amor, del dolor y del vicio.* H. Quiroga: *Los arrecifes de coral.* Viana: *¡Gurí!* L. A. de Herrera: *La Tierra Charrúa.* Vargas Vila: *Las rosas de la tarde.* González Prada: *Minúsculas.* Díaz Mirón: *Lascas.* Díaz Rodríguez: *Idolos rotos.* J. S. Chocano: *El fin de Satán y otros poemas.* La Torre de los panoramas (J. Herrera y Reissig).

A: El rey de Inglaterra, como árbitro, zanja la cuestión de límites entre Argentina y Chile. Se promulga la "Ley de residencia". Doctrina Drago: niega la intervención militar extranjera en reclamo de deudas.

E. Quesada: *El criollismo en la literatura argentina.* R. Payró: *Canción.* Coronado: *La piedra del escándalo.*

AL: Colombia: fin de la guerra civil "de los mil días", tratados de Neerlandia. Tercera reelección de Zelaya en Nicaragua y atentado en el cuartel principal. Convención de arbitraje obligatorio entre Nicaragua, El Salvador, Honduras, Costa Rica y Guatemala: creación de una Corte de arbitraje. Convención dominicana con EE.UU. por reclamaciones económicas. Ultimátum de Gran Bretaña y Alemania y bloqueo de puertos venezolanos; bombardeo de Puerto Cabello: arbitraje de Roosevelt. Chile y Argentina: tratado general de paz y limitación de armamentos navales. De Paula Rodríguez presidente del Brasil: iniciación del movimiento de Plácido de Castro en pro de la incorporación del territorio de Acre. En La Habana, huelgas de portuarios y tabacaleros. Creciente influencia de Batlle y Ordóñez en Uruguay; primer frigorífico.

Urbina: *Ingenuas.* Vargas Vila: *Ante los bárbaros.* A. Nin Frías: *Ensayos de crítica*

ría y la historia del socialismo. R. Kipling: *Kim.* S. Lagerlöf: *Jerusalem.* D. G. Brinton: *La raza americana.* S. Kierkegaard: *Obras Completas.* A. Chejov: *Las tres hermanas.* Guyau: *Génesis de la idea de tiempo.* M. Ravel: *Juegos de agua.* P. Picasso: Epoca azul (-05). Muere Tolouse Lautrec. Nacen A. Malraux y R. Alberti. Primer premio Nobel de Literatura: Sully Prudhomme.

Paz entre Inglaterra y los Boers. Fin de la resistencia filipina a EE.UU. Alianza anglo-japonesa. EE.UU. adquiere las acciones francesas del canal de Panamá. La construcción del Transiberiano toca a su fin. Alfonso XIII jura la Constitución como rey de España. Independencia de China y Corea.

Rutherford: estudios sobre la radiactividad. Fundación de la Carnegie Institution. Primer motor marino Diesel. Bayliss y Starling descubren las hormonas.

Vargas Vila: *Ante los bárbaros.* Loisy: *El evangelio y la Iglesia.* A. Gide: *El inmoralista.* A. Conan Doyle: *El sabueso de los Baskerville.* B. Croce: *Estética.* H. James: *Las alas de la paloma.* Poincaré: *La ciencia y la hipótesis.* W. Sombart: *El capitalismo moderno.* V. I. Lenin: *¿Qué hacer?* M. Machado: *Almas.* Valle Inclán: *Sonatas.* Monet: *El puente sobre el Waterloo.* C. Debussy: *Pelléas y Mélisande.* Muere E. Zola.

1903	Aparece *Hampshire Days*, dedicada "a Sir Edward y Lady Gray Northumbrians que tienen a Hampshire grabado en sus corazones". A fines de noviembre, visita las ruinas romanas de Silchester.

e Historia. E. Frugoni: *De lo más hondo.* J. Herrera y Reissig: *Epílogo wagneriano a La política de fusión,* y *Los parques abandonados* (-1907). R. Darío: *Salutación del optimista.* Othón: *Poemas místicos.* J. S. Chocano: *Poesías completas.* Díaz Rodríguez: *Sangre patricia.* G. Aranha: *Canaán.* Da Cunha: *Los sertones.* D. Halmar: *Juana Lucero.* En Perú, periódico proletario *La protesta.* Fabini gana el primer premio de violín en el Conservatorio de Bruselas.

A: El informe de un agente del Departamento de Agricultura de los EE.UU. señala que en un futuro no lejano la ganadería y la agricultura argentina podrán desalojar a los EE.UU. de su posición dominante en el mercado británico.

O. Bunge: *Nuestra América.*

AL: Panamá declara su independencia de Colombia, que EE.UU. reconoce y apoya. Tratado Bunau-Varilla para la construcción del canal. Tratado de Petrópolis: Bolivia cede Acre al Brasil. Cuba cede bases de EE.UU. (Guantámano). Protocolos de pagos a Venezuela. Con la presencia de EE.UU., México, Francia, Holanda y Bélgica, debates en el tribunal de La Haya por las reclamaciones. Iluminación eléctrica en Río y Managua. Matanza de obreros salitreros en Iqueque, Chile. Revolución del Lago de Nicaragua. P. J. Escalón presidente de El Salvador. Batlle y Ordóñez presidente del Uruguay; Revolución Nacionalista de A. Saravia y Pacto de Nico Pérez.

F. Sánchez: *M'hijo el dotor.* V. Pérez Petit: *Los modernistas.* J. Herrera y Reissig: *La vida.* R. Darío: *Oda a Roosevelt.* R. Palma: *Papeletas lexicográficas* y *Dos mil seiscientas voces que hacen falta en el diccionario.* E. González Martínez: *Preludios.*

Muere León XIII y asciende Pío X al Pontificado. Condena de la obra de Loisy. Tratado Bunau-Varilla para la construcción del canal de Panamá. Escisión entre bolcheviques y mencheviques en el Congreso de los socialistas rusos en Londres. Ley de seguros de enfermedad en Alemania.

Ford: construcción de fábrica de automóviles. Hnos. Wright: vuelo en aeroplano.

Lévy-Brhul: *Moral y ciencia de las costumbres.* E. Taylor: *Cultura primitiva.* M. Gorki: *Los bajos fondos.* S. Butler: *El camino de toda carne.* G. B. Shaw: *Hombre y superhombre.* Sorel: *Introducción a la economía moderna.* A. Machado: *Soledades.* H. Bergson: *Introducción a la metafísica.* R. Rolland: *El teatro del pueblo.* Conrad: *Tifón.* O. Weininger: *Sexo y Carácter.* Hofmannsthal: *Electra.* Moore: *Principia Etica.* Dewey: *Estudios de teoría lógica.* D'Annunzio: *Laúdes del cielo.* Se constituye la Academia Goncourt. Mueren Paul Gauguin y Camille Pissarro.

1904	La Sociedad para la Protección de los Pájaros se convierte en Real Sociedad. Revisa *La tierra purpúrea* para una segunda edición. Publica *Mansiones verdes*. Me atrevo a decir que existen algunos momentos buenos en el libro, especialmente los sentimientos del héroe hacia la naturaleza; y siendo él venezolano algunos podrían decir que eso es totalmente erróneo." (Carta a Garnett).

Darío Herrera: *Horas lejanas*. G. Zaldumbide: *Del Ariel*. Rivas Groot: *La verdadera originalidad en las letras y en las artes.*

A: Con la abstención del Partido Radical se realizan elecciones presidenciales que consagran la fórmula Quintana-Figueroa Alcorta. Se mantiene el clima de agitación social. Anarquistas y socialistas disponen numerosas huelgas. Informe Bialet Massé sobre el estado de las clases obreras en el interior del país. 20.000 Km. de líneas ferroviarias.

L. V. Mansilla: *Memorias*. J. Ingenieros: *La simulación en la lucha por la vida*. L. Lugones: *El imperio jesuítico*. R. Payró: *Sobre las ruinas.*

AL: En Colombia es presidente Rafael Reyes. Tratado de paz entre Bolivia, Perú y Chile, por el que la primera cede las provincias marítimas a cambio del ferrocarril Arica-La Paz. El Tribunal de La Haya toma las resoluciones pertinentes acerca de las reclamaciones europeas contra Venezuela. M. Quintana es presidente de Argentina. La Asamblea de Puerto Rico vota por convertirse en un estado de EE.UU. Delegados de Nicaragua y Honduras se reúnen en Guatemala y designan al rey de España árbitro sobre el pleito limítrofe. Revuelta del general Toledo en Guatemala con tropas venidas desde El Salvador. En Perú, Serapio Calderón asume provisoriamente la presidencia; elecciones: José Pardo y Barrera es Primer Magistrado. En Uruguay, Levantamiento Blanco, de A. Saravia. Manifiesto del P. Nacional contra los insurgentes; muerte de Saravia; tratado de paz y amnistía. Centrales obreras FORU (anarquista) y UGT (socialista).

F. Sánchez: *La Gringa*. H. Quiroga: *El crimen del otro*. R. de las Carreras: *Parisinas* y *Oración pagana*. J. Herrera y Reissig: *Los*

Los japoneses hunden la flota rusa en Port Arthur y Vladivostock. Sun Yat-sen funda el Kuo Ming-tang. Ruptura entre Francia y el papado. Congreso Socialista en Amsterdam. Sublevación de los Boers en Transvaal.

T. Garnier: *Proyecto de ciudad industrial*. L. Pirandello: *El difunto Matías Pascal*. R. Rolland: *Juan Cristóbal*. J. London: *El lobo del mar*. Reymont: *Los campesinos*. R. de Gourmont: *Paseos literarios* (-28). Palamas: *La vida eterna*. Puccini: *Madame Butterfly*. P. Picasso se instala en Bateau-Lavoir. Van Dogen: *Desnudo acostado*. Fundación de *L'Humanité*. Nace Salvador Dalí. Muere A. Chejov.

| 1905 | Publica *El niño perdido*. Visita Wells, donde escucha al Obispo Kenyon hablar de la Revolución Rusa. "Supongo que conociendo y amando a los rusos no pudo evitar hacer de su sermón una quemante maldición contra el Zar." (Carta a Garnett). Visita Martin, en Wiltshire, más adelante escenario de *Vida de un pastor*. A fines de año visita Cornwall. |

éxtasis de la montaña (-1907). A. Nin Frías: *Nuevos ensayos de crítica literaria y filosófica.* R. Palma: *Tradiciones peruanas.* Vargas Vila: *Los divinos y los humanos.* García Calderón: *De Litteris.* B. Lillo: *Sub Terra.* Blest Gana: *Los transplantados.* J. S. Chocano: *Los cantos del Pacífico.* Nace Pablo Neruda.

A: Conato revolucionario del Partido Radical. Sus principales dirigentes, salvo Yrigoyen, son encarcelados. Se dicta la ley del descanso dominical. Creación de la Academia Nacional de Bellas Artes.

L. Lugones: *La guerra gaucha y Los crepúsculos del jardín.* César Duayen (Emma de la Barra): *Stella.* Laferrère: *Locos de verano.* R. Payró: *Marco Severi.* Se difunden *La morocha,* de Saborido-Villoldo y *El choclo,* de Villoldo (tangos).

AL: Aduana dominicana en manos de EE.UU. Reelección de Estrada Cabrera en Guatemala (candidato único). Estrada Palma es reelecto en Cuba. Construcción del Canal de Panamá. Acuerdo venezolano de pagos con Gran Bretaña y Alemania; reclamaciones francesa y norteamericana; Castro es reelecto presidente. R. Reyes dictador en Colombia, clausura el Congreso y crea, en su lugar, la Asamblea Nacional; se producen reformas constitucionales. Creación de Liceos departamentales en Uruguay; fundación de La Caja Obrera. Veintiuna huelgas en Montevideo y seis en el interior. Reconocimiento legal del derecho de huelga y sindicación. Proyecto de ley de ocho horas (Herrera-Roxlo). Campañas de L. E. Recabarren en la pampa salitrera y prisión. Ley de vacuna obligatoria en Brasil. Tratado de límites con Argentina y Venezuela. Nueva Constitución en Nicaragua.

F. Sánchez: *Barranca abajo y En familia.*

Los japoneses ocupan Port Athur. Batalla de Mukden y Tsu-shima. Constitución de la Central Obrera Socialista. "Domingo rojo en San Petersburgo": Huelga general en Rusia y constitución del primer Soviet. Ley de 9 horas en Francia; separación del Estado y la Iglesia. Segunda presidencia de Th. Roosevelt en EE.UU.

Lorentz, Einstein, Minkowski: La relatividad restringida.

S. Freud: *Teoría de la sexualidad.* M. de Unamuno: *Vida de don Quijote y Sancho.* R. Mª Rilke: *Libros de horas.* F. Hodge: *Manual de los indios americanos del norte de México.* Mach: *Conocimiento y error.* W. James: *¿Existe la conciencia?* W. Dilthey: *Experiencia y Poesía.* M. de Falla: *La vida breve.* R. Strauss: *Salomé.* Los *Fauves* en Francia. *Die Brucke* en Alemania. E. Matisse: *La alegría de vivir.* Max Linder en la *Pathé.* R. Mª Rilke es secretario de A. Rodin, en París. Isadora Duncan en Rusia. Nace Jean Paul Sartre. Muere Julio Verne.

1906	Escribe en carta a Garnett: "Estuve examinando detenidamente una inmensa masa de cartas antes de destruirlas."

Zorrilla de San Martín: *Conferencias y discursos*. R. Montero Bustamante: *El Parnaso Oriental* (Antología de poesía). J. Ribeiro: *Páginas de estética*. S. Argüello: *El grito de las islas*. M. J. Othón: *Idilio salvaje*. A. Nervo: *Jardines interiores*. R. de las Carreras: *Psalmo a la Venus Cavalieri*. P. Henríquez Ureña: *Ensayos críticos*. A. J. Echeverría: *Concherías*. Riva-Agüero: *Carácter de la literatura del Perú independiente*.

A: Muere Quintana. Figueroa Alcorta completa el período presidencial. Ley de amnistía para los sublevados de 1905. Mueren B. Mitre y C. Pellegrini.

R. Payró: *El casamiento de Laucha*. Almafuerte: *Lamentaciones*. L. Lugones: *Las fuerzas extrañas*. C. M. Pacheco: *Los disfrazados*.

AL: Estrada Cabrera sofoca invasión de guatemaltecos desde El Salvador; primera concesión obtenida por la United Fruit Co. Th. Roosevelt visita Puerto Rico. Insurrección liberal en Cuba; desembarco de *marines* y control americano sobre la isla con Ch. Magoom como gobernador. Modus vivendi entre Perú y Colombia sobre región de Putumayo. Personería jurídica para Sindicatos de Tipógrafos en Bogotá. Eloy Alfaro depone a L. García; Constitución liberal ecuatoriana (23/XIII). Zelaya es por cuarta vez presidente de Nicaragua. Primeros tranvías eléctricos en Montevideo; proyecto del P. E. limitando la jornada de trabajo; leyes jubilatorias, educación popular, obras públicas, tecnificación, limitación del empresariado extranjero, prohibición de crucifijos en los hospitales. Terremoto en Valparaíso; P. Montt presidente de Chile. Alianza de cafeteros de Minas y San Pablo para sustentar precio del café en mercado mundial. Primer vuelo público de Santos Dumont.

Encíclica *Vehementer nos* y condena por Pío X de Murri y Tyrell. Rehabilitación de Dreyfus. Huelgas en Moscú, reunión y d-rección de la Duma. Terremoto en San Francisco, California. Conferencia de Algeciras entre España y Francia; acuerdos sobre Marruecos.

Premio Nobel de la Paz a Th. Roosevelt. Nerust: tercer principio de la termodinámica. Eijkman: sobre las vitaminas. Montessori: la "Casa de los Niños". Inauguración del túnel del Simplón. Reacción de Wasserman.

Westermarck: *Origen y evolución de las ideas morales*. Hobhouse: *Moral en evolución*. U. Sinclair: *La jungla*. Galsworthy: *La saga de los Forsyte* (-28). Pascoli: *Odas e himnos* (-13). Keyserling: *Sistema del mundo*. A. Bierce: *Diccionario del diablo*. Musil: *Las tribulaciones del estudiante Törless*. Valle Inclán: *El Marqués de Bradomín*. Alain: *Divagaciones*. G. Braque: *El puerto*. Mueren Paul Cézanne y Enrique Ibsen.

1907	Visita Cornwall varias veces.

J. E. Rodó: *Liberalismo y Jacobinismo* (Polémica de Rodó con Pedro Díaz sobre la supresión de imágenes religiosas). A. Nin Frías: *Estudios sobre Jesús y su influencia.* H. Quiroga: *La serpiente de cascabel.* R. Palma: *Mis últimas tradiciones peruanas.* J. S. Chocano: *Alma América* y *Fiat Lux.* (ed Madrid). Rivas Groot: *Resurrección.* R. Blanco Fombona: *Cuentos de Poeta.* G. Picón Febres: *La literatura venezolana en el siglo diecinueve.* Revista *Cosmos,* en Nicaragua. Nacen José Coronel Urtecho y José Román.

A: Se descubre petróleo en Comodoro Rivadavia. Huelga de inquilinos en Buenos Aires. Huelga de estibadores y sangrienta represión. Creación del Departamento Nacional del Trabajo. Se reglamenta el trabajo de mujeres y niños en las fábricas.

E. Banchs: *Las barcas.* A. Chiappori: *Bordeland.* Ramos Mejía: *Rosas y su tiempo.* Revista *Nosotros.*

AL: Perú y Chile firman tratado de paz. Candidatura de Piérola a la presidencia del Perú. Conferencia Centroamericana en Washington DC. (13/XI). Comisión Rondón inicia obras telegráficas en Brasil (Río-Mato Grosso, Acre, Amazonas); Von Ihering, director del Museo Paulista, recomienda exterminio de los indios. Zelaya niega autorización para base naval norteamericana en el Golfo de Fonseca: Nicaragua ocupa la capital de Honduras, Bonilla renuncia. Nueva presidencia de Alfaro en Ecuador. Huelga general en Chile. Concentración obrera en la ciudad de Sta. María de Iquique; represión y muerte de 2.500 trabajadores. Puerto Rico: Regis Post asume como gobernador. Venezuela: Se otorgan consesiones petroleras por cincuenta años a A. J. Vigas. Tropas gubernamentales matan al general Antonio Paredes. F.

Encíclica *Pascendi* contra el modernismo. Segunda Conferencia de La Haya. Acuerdo anglo-ruso sobre Asia; la triple *Entente.* Gustavo V, rey de Suecia. Fundación de la Compañía Shell. Rusia y Japón dividen Manchuria. Crisis económica en EE.UU. y Europa. La armada británica sustituye el carbón por el fuel-oil.

Willstarter: estudios sobre la clorofila. Lumiére: fotografía en colores. Gral. Baden-Powell funda los *boys-scouts.* E. Cohl inventa el dibujo animado.

H. Bergson: *La evolución creadora.* W. G. Summer: *Folkway.* W. H. R. Rivers: *The Todas.* M. Gorki: *La madre.* W. James: *Pragmatismo.* S. George: *El séptimo anillo.* R. Valle Inclán: *Aromas de leyendas.* Rousseau: *La encantadora de serpientes.* Yeats: *Deirdre.* Albéniz: *Iberia.* Teatro Matynski: presentación de Nijinski, Karsavina, Pavlova y Dreobrajenskaya en *Don Giovanni.* G. Malher: *Sinfonía N° 8.* P. Picasso: *Las señoritas de Aviñón.* F. de Saussure dicta su primer curso de lingüística en Ginebra. Nace Alberto Moravia. Muere Sully Prudhomme.

1908	Aparece *The Land's End*. En junio va a Salisbury para observar el período de reproducción de los pájaros de la catedral. Pasa una noche de mediados del verano en Stonehenge.

Figueroa presidente de El Salvador; amnistía política y suspensión de ley marcial. Tribunal de La Haya fija deudas venezolanas en 691.160 libras. En Uruguay: Claudio Willima es elegido presidente. Ley electoral: por departamento la minoría tendrá representación donde supere ¼ o ⅓, según corresponda. Ley aboliendo la pena de muerte. Ley de divorcio absoluto. Represión sindical en Montevideo.

J. S. Chocano: *Los conquistadores.* Revista *Contemporánea,* en Lima. R. Darío: *El canto errante.* A. A. Vasseur: *Cantos del nuevo mundo.* D. Agustini: *El libro blanco.* F. Sánchez: *Nuestros hijos.* F. García Calderón: *Le Pérou contémporain.* R. Blanco Fombona: *El hombre de hierro.* B. Lillo: *Sub sole.* M. Azuela: *María Luisa.* J. Capistrano de Abreu: *Capítulos de historia colonial.* Panamá: revista *Nuevos Ritos.* Lima: revista *Contemporánea.* En Nicaragua: Revista *Alma joven, Germinal* y *Albores.* Nace Manolo Cuadra.

A: Conflictos limítrofes. Difícil gestión política de Figueroa Alcorta. Las compañías Swift y National Packing dominan la industria envasadora de carne.

E. Larreta: *La gloria de don Ramiro.* G. Laferrère: *Las de Barranco.* E. Banchs: *El libro de los elogios.* E. Carriego: *Misas herejes. El fusilamiento de Dorrego,* primera película con argumento filmada en Argentina. Se inaugura el Teatro Colón.

AL: J. M. Gómez presidente de Cuba, A. Zayas vice. Primera Corte Centroamericana de Justicia en Costa Rica. A. B. Leguía es presidente constitucional del Perú; telégrafo inalámbrico en la zona amazónica. Castro anula concesiones americanas; conflicto con Holanda y bloqueo holandés; J. V. Gómez se proclama presidente de Venezuela. Epidemia de peste bubó

Jornada de 8 horas en minas británicas. Bélgica se anexa el Congo. Creta se une a Grecia. Austria se anexa la Bosnia-Herzegovina. Levantamiento de los jóvenes turcos en Salónica. Asesinato de Carlos en Portugal y coronación de Manuel. Se establece la Unión Sudafricana.

Blériot atraviesa la Mancha en avión. Invención del neumotórax. Ford Motor Co. produce el 1º Ford "T".

W. MacDougall: *Introducción a la psicología social.* Wasserman: *Gaspar Hauser.* Chesterton: *El hombre que fue jueves.* Sorel: *Reflexiones sobre la violencia.* E. Pound: *A lume spento.* J. Romains: *La vida unánime.* A. France: *La isla de los pingüinos.* U. Sinclair: *La metrópolis.* Khlebnikov: *Poesías.* Larbaud: *Las poesías de A. O. Barnabooth* (-23). Fundación del periódico *Acción Francesa* en París (Maurras,

1909   Publica *A foot in England*. Visita nuevamente el llano de Salisbury donde reúne material para *Vida de un pastor;* "Precisamente frente a mi puerta hay un grupo de viejos saúcos, cargados en este preciso momento de racimos de bayas maduras sobre las cuales los estorninos vienen a festejar, llenando el cuarto todo el día con esa interminable mescolanza de sonidos que es un canto." (Carta a Garnett).

nica en La Guaira. Agravamiento de la crisis en la pampa salitrera; Primer Congreso Científico Panamericano en Valparaíso. Jorge Chávez cruza los Andes en avión. Ruy Barbosa defiende tesis de igualdad de naciones menores en la Conferencia Internacional de La Haya. Escuadra de guerra norteamericana frente a Nicaragua; inmigración salvadoreña, guatemalteca y hondureña. Guatemala: atentado contra Estrada Cabrera y cruentas represalias de éste. Censo nacional en Uruguay: 1.042.686 habitantes. Extranjeros: 17,38%. Entra en funciones la Suprema Corte de Justicia. Monopolio del Estado en la explotación y administración del Puerto de Montevideo.

M. González Prada: *Horas de lucha*. Blanco Fombona: *Más allá de los horizontes*. A. de Estrada: *El huerto armonioso*. C. Vaz Ferreira: *Moral para intelectuales*. J. Herrera y Reissig: *Sonetos vascos*. H. Quiroga: *Historia de un amor turbio, Los perseguidos* y *Bohemia*. Revistas *Esfinge* y *La Patria de Darío*. L. Argüello: *Claros de alma*. D. Mayer: *Estudios sociológicos*. J. S. Chocano: *El Dorado*. V. A. Belaúnde: *El Perú antiguo y los modernos sociólogos*. O. Luco: *Casa Grande*. M. Díaz Rodríguez: *Camino de Perfección*. C. Peraza: *Leyendas del Caroní*. Se fundan en Perú la *Revista Histórica* y el semanario *Variedades*. Muere Machado de Assis. F. Braga: Sociedad de Conciertos Sinfónicos del Brasil. Primeros filmes brasileños.

A: La Argentina se convierte en la principal nación exportadora de cereales del mundo. Numerosas huelgas, atentados y choques sangrientos. El jefe de Policía de Buenos Aires muere víctima de un atentado. Jorge Newery recorre en globo una distancia de 541 km. en 13 horas.

L. Lugones: *Lunario sentimental*. R. Rojas: *La restauración nacionalista*.

L. Daudet, Bainville. Bourgent). El cine descubre California: nacimiento de Hollywood. Se acuña el término "cubismo" durante una exposición de G. Braque. B. Bartok: *Cuarteto para cuerdas Nº 1*. M. Ravel: *Mi madre la oca*. Nace Simone de Beauvoir.

Taft presidente de EE.UU. Semana trágica en Barcelona y fusilamiento de Ferrer. Acuerdo franco-alemán sobre Marruecos, austro-italiano sobre los Balcanes, ultimátum austriaco a Servia. Mohamed V, sultán de Turquía.

Se sintetiza el caucho, el celofán y la baquelita. Ford fabrica tractores Peary en el Polo Norte.

AL: Perú: Piérola y su partido encabezan la oposición, política de nuevos impuestos provoca protestas políticas en todo el país, *cassus belli* con Bolivia. Golpe de Estado apresa a Leguía y le exige infructuosamente su dimisión (29/V). Cuba, se retiran las tropas norteamericanas. Colombia reconoce la soberanía de Panamá frente a EE. UU. Tratado Root-Cortez (9/I). Cae el presidente Reyes (8/VII); el vicepresidente Jorge Holguín asume el mando. Se funda el Ateneo de México: Vasconcelos, H. Ureña, etc. (-14). Guerra civil en Honduras (-11). Chile, construcción del ferrocarril de Arica a La Paz. Los presidentes Porfirio Díaz y William Taft se entrevistan en la frontera (16/X). Revolución contra Zelaya en Nicaragua e intervención de "marines" a causa del fusilamiento de dos norteamericanos, lo sucede J. Madríz. J. V. Gómez asume la presidencia de Venezuela, apoyado por los EE.UU. Reforma Constitucional, Dictadura. En Uruguay, Ley suprimiendo enseñanza y práctica religiosa en las escuelas públicas. Se aprueba tratado de arbitraje con EE.UU. Se aprueba el tratado de límites con Brasil.

J. E. Rodó: *Motivos de Proteo.* E. Acevedo: *Artigas, alegato histórico.* J. Herrera y Reissig: *La Torre de las Esfinges* y *Las Clepsidras.* M. González Prada: *Presbiterianas.* J. C. Tello: *Antigüedad de la sífilis en el Perú.* Villa Lobos: *Cánticos Sertaneros.* Lima Barreto: *Recuerdos del escribiente Isaías Caminha.* Blest Gana: *El loco Estero.* A. Arguedas: *Pueblo enfermo.* Se funda la revista *La Ilustración Peruana.* Arvelo Larriva: *Sones y canciones.* González Martínez: *Silenter.* Revistas *Pliegos Fernandinos* y *La Torre de Marfil.* Solón Argüello: *El libro de los símbolos e islas frágiles.* Reyes, Caso, Vasconcelos, Henríquez Ureña, Torri: Ateneo de la Juventud (-14) en México.

Maeterlinck: *El pájaro azul.* E. Pound: *Persona.* H. Hubert & M. Mauss: *Esbozo de una teoría general de la magia.* A. van Gennep: *Los ritos de transición.* V. I. Lenin: *Materialismo y empiriocriticismo.* F. Marinetti: *Manifiesto futurista.* Stein: *Tres vidas.* F. L. Wright: *Robie House* (Chicago). B. Croce: *Lógica.* M. Machado: *El mal poema.* Bourdelle: *Erakles arquero.* A. Gide: *La puerta estrecha.* W. James: *Problemas fundamentales de la filosofía.* G. Braque: *Cabeza de mujer.* Ballets rusos de Diaghilev en París. Fundación de *La Nouvelle Revue Française* (Coetau, Gide, Claudel y Schlumberger). S. Freud y C. G. Jung en EE.UU. Primeras pinturas abstractas *(Paisajes con casas)* de Basilio Kandinsky. A Schönberg: *Tres piezas para piano op. 11.*

| 1910 | Publica *Vida de un pastor*. Pasa parte del otoño en Norfolk. |

A: Con el retiro de la oposición, R. Sáenz Peña gana las elecciones presidenciales. Bajo severo control policial se celebra el Centenario de la Independencia. Conferencia Panamericana. Llegan a Buenos Aires la Infanta Isabel, Clemenceau, Marconi, Blasco Ibáñez. Buenos Aires cuenta con 1.300.000 habitantes.

L. Lugones: *Odas seculares.* R. Payró: *Las divertidas aventuras de un nieto de Juan Moreira.* A. Gerchunoff: *Los gauchos judíos.* N. Ugarte: *El porvenir de la América Española.*

AL: Problemas fronterizos entre Bolivia y Perú. Perú rompe relaciones diplomáticas con Chile. Mediación de Argentina, Brasil y EE.UU. para evitar guerra entre Perú y Ecuador. Revolución en Nicaragua; Triunfa: Juan José Estrada asume la presidencia. Intervención de los Estados Unidos ("pactos Dawson"). 600.000 habitantes en el país. Varios países conmemoran el centenario de su independencia: Venezuela, Argentina, Chile, Ecuador, Colombia y México. Carlos Restrepo presidente de Colombia. Chile: muere el presidente Pedro Montt en Alemania. En Guatemala se prorroga la presidencia de Estrada Cabrera. México: es encarcelado Francisco Madero, candidato opositor; P. Díaz presidente por octava vez consecutiva. Revuelta popular en Puebla, Guerrero y Chihuahua, comienza la revolución mexicana. Ferrocarril trasandino Valparaíso-Mendoza. En Venezuela el Congreso legaliza la presidencia de J. V. Gómez: Consejo de Gobierno. Ley electoral posibilitando mayor representación de las minorías en Uruguay; J. Batlle es proclamado candidato a la presidencia de la República. Hermes da Fonseca presidente de Brasil. Revuelta de la Armada y la Marina, represión y masacre de 500 marineros.

C. Reyles: *La muerte del cisne.* R. Barrett:

Jorge V asciende al trono, a la muerte de Eduardo VII de Inglaterra. Japón se anexa Corea. La Unión Sudafricana entra al Commonwealth. Venizelos preside el Consejo de Creta. Caída de la monarquía en Portugal. Francia: huelga de ferroviarios y ley de pensiones a la vejez. Abolición de la esclavitud en China. Paso del Cometa Halley.

Santayana: *Tres poetas filósofos.* R. Mª Rilke: *Cuadernos de Malte Laurids Brigge.* R. Roussel: *Impresiones de Africa.* Russell-Whitehead: *Principia Mathematica.* R. Tagore: *Gitanjali.* Claudel: *Cinco grandes odas.* Lévy-Bruhl: *Las funciones mentales en las sociedades inferiores.* Rostand: *Chantecler.* Mack Sennett: *The slaptisck comedy.* Pavlov: *Los reflejos condicionados.* M. Scheller: *El formalismo en la estética.* N. Angell: *La gran ilusión.* A. Loos: *Casa Steiner* (Viena). Natorp: *Fundamentos lógicos de las ciencias exactas.* Villaespesa: *Saudades.* G. de Chirico: *El enigma del Oráculo.* B. Kandinsky: *Acuarela abstracta.* F. Léger: *Desnudos en el bosque.* I. Stravinski: *El pájaro de fuego.* Mueren León Tolstoi, Mark Twain y Robert Koch.

1911	La salud de Emily comienza a decaer.

Moralidades actuales y *Lo que son los yer-bales.* O. Araújo: *Prosistas uruguayos contemporáneos.* H. Miranda: *Las instrucciones del año XIII.* H. Henríquez Ureña: *Horas de estudio.* Zorrilla de San Martín: *La epopeya de Artigas.* E. Herrera: *Su majestad el hambre.* D. Agustini: *Cantos de la mañana.* J. Herrera y Reissig: *Los peregrinos de piedra.* Urbina: *Puestas de sol.* Antología *Parnaso chileno.* C. Vaz Ferreira: *Lógica viva.* J. de la Riva Agüero: *La historia en el Perú.* V. García Calderón: *Del romanticismo al modernismo, prosistas y poetas peruanos.* Z. A. Cáceres: *Mujeres de ayer y de hoy.* C. Torres: *Ydola Fori.* F. Tosta García: *Jacobilla.* R. Darío: *Poema de Otoño.* Comienza a publicarse *El País,* en Uruguay. Reaparición de la revista proletaria *La Protesta* (-23) en Perú. Mueren J. Herrera y Reissig, Florencio Sánchez, R. Barrett y J. C. Blanco.

A: Intervención a Santa Fe decretada por el Gobierno Nacional. Operaciones para ocupar el desierto Chaqueño. El Poder Ejecutivo envía al Congreso un proyecto sobre el sufragio secreto y obligatorio. El movimiento feminista gana la calle en Buenos Aires.

E. Banchs: *La urna.* L. Lugones: *Historia de Sarmiento.* Sánchez Gardel: *Los mirasoles.*

AL: Tratado comercial entre Perú y Bolivia. Conflicto armado entre Colombia y Perú. Primer paro general de obreros en el Perú, en apoyo a los obreros textiles de Vitarte, que crean el primer sindicato obrero del Perú; crisis constitucional, el gobierno de Leguía impone un tercio parlamentario adicto contra la oposición del bloque civilista, encabezado por A. Miró Quesada, amnistía general para los presos y procesados políticos, ley de accidentes de trabajo. Hiram Bingham descubre Machu

Seguros Sociales en Inglaterrra. Taft disuelve la Standard Oil y la Tobbaco Co. Sun Yat-sen proclama la República de Nankin. Golpe de Agadir. Guerra ítalo-turca; Italia se anexa la Tripolitania. Se funda la Federación Nacional del Trabajo en Barcelona.

Amundsen en el Polo Sur. Rutherford: teoría atómica nuclear.

F. Graebner: *El método en etnología.* F. Boas: *El significado del hombre primitivo.* J. G. Frazer: *La rama dorada* (1ª ed., 1890). D. H. Lawrence: *El pavo real blanco.* K. Mansfield: *Una pensión alemana.* A. Jarry: *Ubu encadenado.* Saint-John Perse: *Elogios.* P. Baroja: *El árbol de la ciencia.* E. Pound: *Canzoni.* Claudel: *El rebén.* Chesterton: *Las historias del padre Brown.* B. Kandinski y P. Klee fundan *El jinete azul.* M. Duchamp: *Desnudo bajando una escalera* Nº 1. R. Strauss: *El Caballero de la rosa.* Maillol: *Flora.* C. Debussy: *El mar-*

1912	El 17 de octubre visita Wells-junto-al-Mar para completar *Aventuras entre pájaros*. En julio recorre en bicicleta el Distrito de Peak.

Pichu. Brasil amplía sus leyes sobre inmigración. Porfirio Díaz renuncia al poder. Madero es elegido presidente de México; Emiliano Zapata formula el Plan de Ayala. En Venezuela es creada, por decreto del P. E., la Academia Militar. En Uruguay, Batlle es electo presidente por segunda vez: Consejo de Protección de Menores; Tratado con Brasil, modificando el de 1879. Se crea una Comisión Topográfica para la demarcación de límites entre los dos países. Nacionalización del Banco de la República y monopolio de los seguros por parte del Estado. En Nicaragua, Adolfo Díaz (contador de empresas mineras norteamericanas) es presidente, tras una sublevación del ejército que obliga a renunciar a Estrada.

E. Acevedo Díaz: *Epocas militares en los países del Plata.* E. Herrera: *La moral de Misia Paca* y *El león ciego.* O. Araújo: *Historia de la escuela uruguaya.* González Martínez: *Los senderos ocultos.* Reyes: *Cuestiones estéticas.* González Prada: *Exóticas.* J. María Eguren: *Simbólicas.* Ureta: *Rumor de almas.* R. Barrett: *El dolor paraguayo.* R. Blanco Fombona: *Cantos de la prisión y del destierro.* Revista *Mundial* (en París; R. Darío). Revista *Atlántida,* en Nicaragua. Nace José María Arguedas.

A: Sáenz Peña promulga la ley que establece el voto secreto y obligatorio. El Partido Radical se presenta a elecciones y envía legisladores al Congreso Nacional. "El grito de Alcorta", huelga de agricultores. Ruptura de relaciones con el Paraguay.

Lugones: *El libro fiel.* B. Roldán: *La senda encantada.* R. Rojas: *Blasón de Plata.*

AL: Perú: el director de la compañía cauchera inglesa British Rubber Co. es juzgado y encontrado culpable de obligar a trabajos forzados a los trabajadores de la

tirio de San Sebastián. Maeterlinck: Premio Nobel de Literatura.

Comienzos de la primera guerra balcánica. Triunfos servios, búlgaros y griegos. Protectorado francés sobre Marruecos. Convención horaria internacional. Se hunde el Titanic en viaje inaugural. Fundación del Kou-min-tang. Importantes huelgas en Inglaterra y EE.UU.

Hopkins: Las vitaminas. A. G. Fibiger produce los primeros tumores cancerosos en células sanas. Trabajo en cadena de las fábricas Ford.

E. Durkheim. *Las formas elementales de*

| 1913 | Cuando la guerra amenazaba escribe a Garnett: "Doy gracias a Dios de que vayamos a tener un toque de guerra, el único remedio." (Carta a Garnett). |

compañía: escisión del partido civilista; Guillermo Billinghurst presidente constitucional (24/IX). Enfrentamiento armado con Colombia. Huelga violenta, represión con saldo de más de 100 muertos. Linchamiento de Alfaro en Ecuador. Insurrección negra en Cuba, desembarco de tropas norteamericanas (1/XI); el general Menocal es presidente. Desembarco de "marines" en Honduras y Nicaragua; en ésta la ocupación es permanente y hay administración de aduanas, el ferrocarril y la banca hasta 1925. Rosendo Matienzo Cintrón funda el Partido Independentista de Puerto Rico. Venezuela: se inicia la explotación petrolera masiva, concesiones a la Shell. Peste bubónica y viruela en Caracas y alrededores. En Uruguay: La electricidad, el cabotaje nacional y los Bancos son monopolizados; se crean el Registro de Residencia, el Instituto de química celular y la Universidad para mujeres. Queda abolida la reclusión celular individual y continua. El Congreso de la FORU cuenta 7.000 miembros.

Hnos. García Calderón: *Revista de América en París*. F. García Calderón: *Les démocraties latines de l'Amérique*. Pezoa Véliz: *Alma chilena*. A. dos Anjos: *Yo*. C. Roxlo: *Historia crítica de la literatura uruguaya*. L. A. de Herrera: *El Uruguay internacional*. R. Darío: conferencias sobre Herrera y Reissig. R. Barradas: *Piriápolis*. J. Gálvez: *El jardín cerrado*. J. Capello: *Los menguados*. R. Uribe Uribe: *De cómo el liberalismo no es pecado*. Blest Gana: *Gladys Fairfield*. A. Ortiz: *El parnaso nicaragüense*. Ortega Arancibia: *40 años*. Perú, fundación del diario *La Crónica* (C. Palma director). Nace P. A. Cuadra. Fundación del Círculo de Bellas Artes en Caracas.

la vida religiosa. C. G. Jung: *Transformación y símbolo de la libido*. Claudel: *La anunciación a María*. A. France: *Los Dioses tienen sed*. G. B. Shaw: *Pigmalión*. R. Luxemburgo: *La acumulación de capital*. Papini: *Un hombre acabado*. A. Machado: *Campos de Castilla*. R. Valle Inclán: *Voces de gesta*. Barres: *Greco o el Secreto de Toledo*. J. Sorge: *El mendigo*. B. Kandinsky: *Lo espiritual en el arte*. W. James: *Ensayos sobre el empirismo radical*. G. Marcel: *Condiciones dialécticas de la filosofía*. M. Ravel: *Dafnis y Cloé*. A. Schoenberg: *Pierrot lunar*. Muere Menéndez Pelayo.

A: Ingresan 365.000 inmigrantes, pero más de 200.000 retornan. Se inaugura en Buenos Aires el primer tren subterráneo.

Manifestaciones de sufragistas en Inglaterra. Turquía reinicia hostilidades. Nueva guerra balcánica. Poincaré presidente de

J. Ingenieros: *El hombre mediocre*. M. Gálvez: *El solar de la raza*. E. Carriego: *El alma del suburbio*. A. Capdevilla: *Melpómene. El apache argentino*, en Buenos Aires.

AL: Venezuela: J. Gil Fortoul se encarga de la presidencia provisionalmente; cierre de la Universidad, recrudece la represión; se promulga la Ley de Naturalización. Perú: en absoluto secreto el presidente Billinghurst y el congreso tratan el problema de Tacna y Arica en vistas a solucionarlo. Leguía es deportado, se promulga un decreto reconociendo jornada de ocho horas a los estibadores de El Callao; el Estado expropia el servicio de agua potable. Asesinato de M. E. Araujo en El Salvador; lo sucede Carlos Meléndez, que inicia la dictadura de los Meléndez. Bordas presidente de la República Dominicana. En México, trágicos diez días de Huerta; asesinato de Madero y Suárez, acciones de Carranza, Villa y Obregón contra el presidente Huerta; Wilson pide renuncia de Huerta. Se inaugura el ferrocarril Arica-La Paz. Colonización japonesa en Brasil. Concesiones ecuatorianas a Pearson & Son para explotación petrolera. Nuevos derechos de protección sobre el Canal de Panamá son concedidos a EE.UU. Puerto Rico: A. Yager gobernador; la Cámara de Delegados declara que P. R. tiene derecho a ser independiente. En Uruguay, Ley de divorcio por sola voluntad de la mujer. Huelga tranviaria y paro general de más de 50.000 trabajadores. Escisión del Partido Colorado.

R. Sierra: *La dama de San Juan*. J. E. Rodó: *El mirador de Próspero*. D. Agustini: *Obra Completa* (póstumo). P. Dávalos y Lisson: *Leguía* (novela histórica). F. García Calderón: *La creación de un continente*. México: *La Adelita, La Cucaracha*. Diez Canedo: *Poesía Moderna Francesa* (Antología). Freitas: *Una víctima americana*. R.

Francia, Wilson de EE.UU. Tratado de Bucarest y acuerdo anglo-alemán sobre colonias portuguesas. Zanzíbar incorporada al Africa oriental inglesa. Detenido Mahatma Gandhi.

Bohr: teoría de las circunstancias. Haber: síntesis rayos X.

S. Freud: *Totem y tabú*. E. Husserl: *Ideas para una fenomenología pura y una filosofía fenomenológica*. M. Proust: *En busca del tiempo perdido* (—27). G. Apollinaire: *Alcoholes y Los pintores cubistas*. M. de Unamuno: *Del sentimiento trágico de la vida*. I. Stravinski: *La consagración de la primavera*. Malevich: *Manifiesto del Suprematismo*. D. H. Lawrence: *Hijos y amantes*. M. Duchamp: *Rueda de bicicleta*. G. de Chirico: *Plaza de Italia*. Primera gran exposición de arte moderno: *Armony Show* de Nueva York. Nace Albert Camus.

| 1914 | En abril se muda a Worthing a causa de la salud de su esposa. Ella se quedará allí por el resto de su vida. El regresa a Westbourne Grove, pero hace varias excursiones fuera de Londres. |

Gallegos: *Los aventureros*. J. R. Pocaterra: *Política Feminista*. R. Blanco Fombona: *Dramas mínimos*. Solón Argüello es fusilado en México y aparece su último libro: *Cosas crueles*.

A: Tercer Censo Nacional. El país cuenta con 7.885.000 habitantes, el 30 por ciento de los cuales es extranjero. El Gran Buenos Aires concentra alrededor de 2.000.000 de habitantes. Muere Sáenz Peña y le sucede Victorino de la Plaza. Comienzan a sentirse los efectos de la primera Gran Guerra.

M. Gálvez: *La maestra normal*. Menéndez Pidal en Buenos Aires. Nacen Julio Cortázar y Bioy Casares.

AL: Venezuela: Gómez es electo presidente constitucional; Primer levantamiento del Gral. Arévalo Cedeño. Producción comercial de petróleo en el Zulia. Perú: sublevación militar al mando del coronel Oscar Benavides. Derrocamiento y prisión de Billinghurst (4/II); asesinato del ministro de la guerra. Junta militar asume el gobierno. Benavides presidente provisional, mayoría en el congreso apoya al vicepresidente Roberto Leguía. Varios intelectuales presos. Crisis económica. Tratado Thompson-Urrutia: Colombia ratifica su reconocimiento de la independencia de Panamá; se inaugura el canal de Panamá. Bloqueo y desembarco norteamericano en Veracruz; en Niágara se realiza la conferencia para resolver diferencias entre México y EE.UU. Renuncia Huerta, Carranza presidente, Zapata y Villa en su contra. Conferencia de Aguascalientes. Tratado Bryan-Chamorro para el canal interoceánico por Nicaragua; Nicaragua cede a perpetuidad derechos de construcción por cualquier punto de su territorio. Cesión del Golgo de Fonseca para estación naval. "Marines" en Port-au-Prince (XII). O. Zamor derroca a M. Oreste con

Se desencadena la Primera guerra mundial. Francia, Inglaterra, Rusia, Bélgica, Servia, Montenegro y Japón contra Austria, Hungría, Alemania y Turquía. Asesinato del archiduque Francisco Fernando en Sarajevo. Austria declara la guerra a Servia; Alemania a Rusia y a Francia; Inglaterra a Alemania. Asesinato de Jaurès. Muerte de Pío X: Benito XV Papa. Ley anti-trustes en EE.UU. Invasión de Bélgica. Batalla del Marne.

H. Bahr: *Expresionismo*. F. Kafka: *En la colonia penitenciaria*. J. Ramón Jiménez: *Platero y Yo*. J. Joyce: *Dublineses*. J. Ortega y Gasset: *Meditaciones del Quijote*. Dreiser: *El titán*. B. Croce: *La literatura de la nueva Italia*. Watson: *Conductismo*. Alain Fournier: *El gran Meaulnes*. A. Gide: *Las cuevas del Vaticano*. E. Matisse: *Peces Rojos*. P. Picasso: *El jugador de cartas*. O. Kokoschka: *La novia del viento*. J. Gris: *Vaso y paquete de tabaco*. B. Kandinsky: *Improvisación*. C. Chaplin: *Carlitos periodista*. W. C. Handy: *St. Louis Blues*.

1915	Permanece en Cornwall durante mayo y junio y luego regresa por el invierno. Cae enfermo y lo trasladan a un sanatorio en el Convento de las Hermanas de la Cruz, cerca de Hayle.

la ayuda de J. D. Theodore (II) y asume la presidencia de Haití. Theodore se rebela contra Zamor y asume a su vez la presidencia. Oposición de la Cámara de Delegados de Puerto Rico a aceptar la ciudadanía estadounidense. En Uruguay: Ley de accidentes de trabajo. Ley reglamentando las condiciones de despido. Aumento del costo de la vida. Desocupación en Montevideo.

H. D. Barbagelata: *Artigas y la Revolución americana.* E. Acevedo Díaz: *Lanza y sable.* Vargas Vila: *La muerte del cóndor.* Arévalo Martínez: *El hombre que parecía un caballo.* Ayón: *Escritos varios.* V. García Calderón: *Los mejores cuentos americanos* y *Dolorosa y desnuda realidad.* A. Aguirre Morales: *Flor de ensueño.* P. Henríquez Ureña: *El nacimiento* y *Dyonisos.* R. Darío: *Canto a la Argentina.* M. Ponce: *Estrellita.* V. Huidobro: *Manifiesto* y *Las pagodas cultas.* Clausura de *La Prensa* de Lima; aparece en Puna el periódico *La voz del obrero* y en Lima el periódico *La Lucha.* Nacen Octavio Paz, Nicanor Parra, J. Pasos. Mueren D. Agustini, C. M. Herrera y Sambucetti.

A: El Partido Radical proclama la fórmula Yrigoyen-Luna para la próxima contienda electoral. En el campo sindical se constituye la FORA del 9º Congreso, con exclusión de los anarquistas. En Buenos Aires se inaugura la Estación terminal de ferrocarriles Retiro.

R. Güiraldes: *El cencerro de cristal.* B. Fernández Moreno: *Las iniciales del misal.* Almafuerte: *Evangélicas.* *Nobleza Gaucha,* primer éxito popular del cine argentino.

AL: Venezuela: El Congreso reelige a Gómez presidente: Código Penal y de Procedimiento. Perú: José Pardo presiden-

Empleo de gases asfixiantes por los alemanes. El *Lusitania* es torpedeado. Italia declara la guerra a Austria. Declaración de guerra aliada a Bulgaria. Alemania declara la guerra submarina y los aliados deciden el bloqueo marítimo. Triunfos alemanes en el frente ruso.

A. Einstein: Teoría de la relatividad generalizada. A. Wegener: *El nacimiento de los continentes y océanos* (Teoría de la deriva continental).

W. H. Duckwoeth: *Morfología y antropología.* F. Kafka: *La metamorfosis.* V. Maiakowski: *La nube en pantalones.* Wölfflin: *Principios fundamentales de la his-*

te constitucional; el grupo de José de la Riva Agüero funda el Partido Nacional Democrático. Establecimiento de la libertad de cultos. Deterioro del nivel de vida de las masas urbanas a pesar de la recuperación económica. Uruguay, jornada de ocho horas (13/VII); Viera es electo presidente; Monopolio estatal de correos, teléfonos y telégrafos; administración estatal de tranvías y FF.CC. Buque brasileño hundido por submarino alemán. Tratado A.B.C. (Argentina-Brasil-Chile) de arbitraje obligatorio. Haití, zamoristas obligan a J. D. Theodore a renunciar y conducen a G. Sam a la presidencia; Zamor es ejecutado por orden presidencial. Al día siguiente G. Sam es asesinado; desembarco de "marines" en Santo Domingo, derrota de rebeldes y muerte de Maximito Cabral. En México Obregón derrota a Villa. En Puerto Rico son expulsados del Partido Unión de Puerto Rico y reprimidos los independentistas. De Diego funda la Unión Antillana, en Cuba, con participación de ésta, Santo Domingo y Puerto Rico.

E. Agorio: *La fragua.* A. Dellepiane: *La Paramnesia y los sueños.* Torres García: *Pastoral.* H. Causa: *Plaza de Polenza.* J. Gálvez: *Posibilidad de una literatura genuinamente nacional.* E. Bustamante y Ballivián: *La Evocadora y Arias del silencio.* E. Barrios: *El niño que enloqueció de amor.* Palés Matos: *Azaleas.* G. Mistral: *Los sonetos de la muerte.* Marasso: *La canción olvidada.* Blanco Fombona: *El hombre de oro.* Román Mayorga Rivas: *Viejo y Nuevo.* C. Oyuela: *Estudios literarios.* Perú, E. Bustamante: revista *Cultura;* producción literaria diversa en la revista *Lulú.* Revista *Panida* en Colombia. *La Cumparsita,* tango de Matos Rodríguez.

toria del arte. M. de Unamuno: *Ensayo.* Trakl: *Sebastián en el sueño.* R. Rolland: *Por encima de la contienda.* A. Lowell: *Seis poetas franceses.* M. de Falla: *El amor brujo.* D. W. Griffith: *El nacimiento de una nación.* Revista *Orfeo* en Portugal.

1916 | Permanece en Cornwall hasta junio. Publica *Cuentos de la Pampa,* antología que contiene "El ombú", "Marta Riquelme" y "La confesión de Pelino Viera". Lee poemas de Frost y Amy Lowell y libros sobre el culto a las serpientes.

A: Yrigoyen gana las elecciones por amplio margen. El 12 de octubre asume la presidencia alentado por el entusiasmo popular. Zuloaga y Bradley unen en globo Santiago de Chile y Uspallata.

L. Lugones: *El Payador.* González Pacheco: *Las víboras.* M. Gálvez: *El mal metafísico.* B. Lynch: *Los caranchos de la Florida.* Martínez Zuviría: *La casa de los cuervos.*

AL: Perú: el presidente Pardo renuncia por motivos de salud; lo sucede el vicepresidente Ricardo Bentín, represión de las huelgas de Huacho y huelga de telegrafistas, obreros del petróleo, etc. Se promulga la ley de salario mínimo para los trabajadores indígenas. Aparece el periódico de oposición *El Tiempo.* Cuba, Menocal es reelecto presidente. En Ecuador se establece jornada de ocho horas. República Dominicana, ocupada por tropas norteamericanas. Promulgación del Código Civil Brasileño. Fundación de la Academia Antillana de la Lengua en Puerto Rico. Venezuela: Se promulga la Ley de Tareas. J. V. Gómez es condecorado por el Papa Benedicto XV. En Uruguay: Censo ganadero: 11.472.852 lanares, 7.802.442 vacunos. Frigorífico Montevideano pasa a llamarse "Swift".

A. Agorio: *Fuerza y derecho.* E. Acevedo: *Historia del Uruguay.* J. Alonso y Trelles: *Paja brava.* E. Frugoni: *Los Himnos.* C. Reyles: *El terruño.* Gómez Carrillo: *Campos de batallas y campos de ruinas.* F. Ortiz: *Hampa afrocubana: los negros esclavos.* V. Huidobro: *Adán* y *El espejo de agua.* A. Ulloa Sotomayor: *Organización social y legal del trabajo en el Perú.* J. de la Riva Agüero: *Elogio del Inca Garcilaso, ensayo biográfico.* A. Hidalgo: *Ofrenda lírica al emperador de Alemania y otros poemas.* A. Valdelomar: *Las voces múltiples,* antología poética. Aguirre Morales: *Devocionario.* Percy Gibson: *Jornada heroica.*

Batallas de Verdún y del Somme. Batalla de Jutlandia. Rumania entra en guerra. Ofensivas rusa e italiana. Segunda Conferencia Socialista Internacional. Congreso Socialista Francés. Formación del Spartakusbund en Alemania. Asesinato de Rasputín en Rusia. Reelección de Wilson en EE.UU.

Barbusse: *El fuego* (premio Goncourt). S. Freud: *Introducción al psicoanálisis.* C. J. Webb: *Teoría de grupo en religión.* J. Joyce: *Retrato del artista adolescente.* J. Dewey: *Democracia y educación.* D. W. Griffith: *Intolerancia.* F. de Saussure: *Curso de lingüística general* (póstumo). Movimiento Dadá en Zurich.

1917

J. M. Eguren: *La canción de las figuras.* V. García Calderón: *Une enquette littéraire: Don Quichotte a Paris et dans les Tranchies.* López Velarde: *La sangre devota.* M. Azuela: *Los de abajo.* L. M. Urbaneja Achelpohl: *En este país.* J. R. Pocaterra: *Vidas Oscuras.* M. Brull: *La casa del silencio.* A. Valdelomar: revista *Colónida* (Perú); periódico literario *La mujer peruana.* Muere Rubén Darío.

A: El hundimiento de los buques "Toro" y "Monte Protegido" por submarinos alemanes, crea una tensa situación diplomática. Yrigoyen mantiene el principio de neutralidad frente a las presiones para declarar la guerra a Alemania.

R. Rojas: *Historia de la literatura argentina* (1er. tomo). L. Lugones: *El libro de los pasajes.* M. Gálvez: *La sombra del convento.* Giusti: *Crítica y polémica.*

AL: Perú: ruptura de relaciones con Alemania e incautación de buques de esa nacionalidad surtos en El Callao. Se constituyen la Central General de Trabajadores (C.G.T.P.) y la Federación de Estudiantes del Perú, se funda la Universidad Católica del Perú (24/III). Comienza a realizarse la potabilización, con cloración, del agua de Lima. Ley sobre trabajo de la mujer y el niño. Huelgas en todo el país y sublevación indígena en el sur. Se retiran las tropas norteamericanas de México. Nueva constitución mexicana: sufragio universal, control del Estado sobre sus recursos naturales, restricción del poder de la Iglesia Católica, jornada de ocho horas, salario mínimo, reforma agraria y urbana, etc. Carranza elegido presidente. Uruguay: la constitución establece el gobierno colegiado y retira a la Iglesia el apoyo del Estado. La Jones Act. hace de Puerto Rico un territorio norteamericano. Unos 18 mil puertorriqueños son reclutados para la gue-

EE.UU. declara la guerra a Alemania. Declaración Balfour sobre el sionismo. Abdicación de Nicolás II. Lenin en Rusia. El Soviet toma el poder en Petrogrado: la Revolución Rusa. Negociaciones de Brest-Litovsk. Finlandia proclama su independencia. Nacen John Kennedy e Indira Gandhi.

C. G. Jung: *Psicología del inconsciente.* A. Machado: *Poesías completas.* C. Wissler: *Los Indios americanos.* P. Valéry: *La joven Parca.* Ramuz: *La gran primavera.* T. S. Eliot: *Prufrak y otras observaciones.* V. I. Lenin: *El estado y la revolución y El imperialismo, estadio superior del capitalismo.* K. Hamsun: *Los frutos de la tierra.* Satie: *Parade.* A. Berg: *Wozzeck* (—22). Mary Pickford: *Pobre niña rica.* L. Pirandello: *Cada uno a su juego.* Original Dixieland Jazz Band: *Dixie Jazz Band One Step* (primer *disco de jazz*). P. Mondrian: *De Stijl.* Creación del premio Pulitzer. Muere Edgar Degas.

1918 | Comienza *Allá lejos y hace tiempo* durante una enfermedad y lo completa en dos meses.

rra contra Alemania. Revolución de Gómez en Cuba y desembarco de "marines".
El tratado de Haití con EE.UU. es extendido hasta 1936. Chile establece descanso
dominical al comercio y a la industria. Brasil en guerra con Alemania. Terremoto
arrasa la ciudad de Guatemala. Comienza
la dictadura de Tinoco en Costa Rica. La
Corte Centroamericana de Justicia declara
infringidos los derechos de El Salvador por
el tratado entre Nicaragua y EE.UU. Un
terremoto destruye la ciudad de San Salvador. Establecimiento de la Compañía
Anónima Venezolana de Navegación; primer oleoducto y primera refinería. En Uruguay se aprueba la reforma de la Constitución con el Ejecutivo Colegiado. Ruptura
de relaciones con Alemania. Ley que declara "de interés nacional" la ocupación
de barcos alemanes internados.

Ureta: *El dolor pensativo.* A. Hidalgo:
Panoplia lírica. M. Azuela: *Los caciques.*
M. de Andrade: *Hay una gota de sangre en
cada poema.* A. Reyes: *Visión de Anáhuac.*
E. Barrios: *Un perdido.* A. Agorio: *La som-
bra de Europa.* J. Zorrilla de San Martín:
Detalles de la historia rioplatense. V.
Basso Maglio: *El diván y el espejo.* Sabat
Ercasty: *Pantheos.* H. Quiroga: *Cuentos
de amor, de locura y de muerte.* Diario
La Mañana. Academia Peruana de la Len-
gua. Aparecen la *Revista de Actualidades*
y el diario *El Perú.* Anita Malfatti: *Expo-
sición de Arte Moderno.* García Monge: *La
Mala Sombra.* Triunfo del "son" en Cuba.
Leonidas Merovi es asesinado en la puerta
del diario *La Prensa,* de Lima. Nace Mario
Florián. Mueren Ernesto Herrera y José
Enrique Rodó.

A: En Córdoba comienza el movimiento
de la Reforma Universitaria, de rápidas
proyecciones en el ámbito universitario
nacional y en el americano. Petróleo en
Plaza Huincul. Huelga en establecimien-

Fin de la Primera Guerra Mundial. Retirada de los alemanes en la posición Hinden-
burg. Conferencia de Versalles. Los "catorce puntos" de Wilson. Ruptura entre los
aliados y los soviets. Lenin establece el go-

tos metalúrgicos.

B. Lynch: *Raquela.* A. Storni: *El dulce daño.* Martínez Estrada: *Oro y Piedra.* Contursi: *Mi noche triste,* tango. Revista *Antártida.*

AL: Venezuela: Sublevación del Castillo de Puerto Cabello. Manifestaciones estudiantiles. Epidemia de gripe española: 22.000 muertos. Perú: se suspenden relaciones con Chile; Ley de Instrucción Pública (28/I), enseñanza primaria gratuita y obligatoria. Conflicto entre el Estado y la London Pacific Petroleum Co. Perú toma parte en la Asamblea de Paz de Versalles y plantea la recuperación de Tacna y Arica. Colombia elige presidente a Marcos Fidel Suárez. Guatemala es nuevamente destruida por un terremoto. Ley de propiedad estatal sobre depósitos minerales en El Salvador. Protesta norteamericana e inglesa contra México por las concesiones de petróleo. Confederación Regional Obrera. Rodrigues Alves presidente del Brasil. En Uruguay: tratado de arbitraje obligatorio con Gran Bretaña. Tratado de liquidación de deudas con Brasil. Tratado de Arbitraje con Colombia. Promulgación de la nueva Constitución.

C. Reyles: *Diálogos olímpicos.* J. E. Rodó: *El camino de Paros* (póstumo). C. Miranda: *Prosas.* H. Quiroga: *Cuentos de la selva.* S. E. Llona: *Teoría sismológica cicloidal.* J. Prado Ugarteche: *El genio de la lengua y de la literatura castellana y sus caracteres en la historia intelectual del Perú.* A. Valdelomar: *El caballero Carmelo, cuentos.* A. Hidalgo: *Hombres y bestias* y *Las voces de colores.* C. Vallejo: *Los heraldos negros.* A. Palma: *Vencida.* A. Guillén: *Prometeo.* Monteiro Lobato: *Urupés.* V. Huidobro: *Poemas árticos* y *Ecuatorial.* R. Miró: *Segundos preludios.* S. de la Selva: *Tropical town and other poems.* F. García Godoy: *El americanismo literario.* M.

bierno en Moscú. Ejecución de Nicolás II. Se vota la constitución soviética. Creación de la Tcheka. Derecho de voto a las mujeres en Inglaterra. Italia y Austria se reparten a Yugoeslavia. Guerra de liberación de la ocupación rusa y alemana por parte de los países bálticos.

M. Planck: Premio Nobel de Física.

O. Spengler: *La decadencia de Occidente* (—22). Kautsky: *La dictadura del proletariado.* R. Luxemburgo: *Programas de la Liga Espartaco.* Gómez de la Serna. *Pombo.* G. Apollinaire: *Caligramas.* Ozenfant y Le Corbusier: *Después del cubismo.* A. Modigliani: *Retrato de mujer.* T. Tzara: *Manifiesto Dadá.* Mueren Plejanov, C. Debussy y G. Apollinaire.

1919	Publica *Pájaros en la ciudad y la aldea* que agregaba nuevo material al ya publicado en *Pájaros en una aldea*. Aparece *El libro de un naturalista* incluyendo parte de su abandonado *Libro de la Serpiente*.

Azuela: *Tribulaciones de una familia decente*. Vasconcelos: *El monismo estético*. E. Martínez Estrada: *Oro y Piedra*. A. E. Blanco: *El huerto de la Epopeya*. R. Blanco Fombona: *Cancionero del amor infeliz*. J. R. Pocaterra: *Tierra del sol amada*. Nacen Juan Rulfo y Arreola.

A: Se generaliza la huelga de obreros metalúrgicos. En Buenos Aires la represión es violentísima, se produce la "Semana Trágica", hay serias repercusiones en el interior del país con saldo de varios muertos. Se funda la Universidad del Litoral.

M. Gálvez: *Nacha Regules*. B. Fernández Moreno: *Campo argentino*.

AL: Venezuela: Fracasa levantamiento de J. P. Peñaloza. Violenta represión. Perú: Leguía encabeza una revolución contra Pardo y el Congreso lo aprueba como presidente constitucional; paros generales, huelgas, decreto presidencial estableciendo cátedras libres, representación estudiantil en el Consejo Universitario, etc. Fundación de la Federación Obrera Regional Peruana (3.200 obreros) e instalación de la Asamblea Constituyente y de los congresos regionales. Brasil: muere el presidente Rodrigues Alves; eligen a Epitacio Da Pessoa. Se disuelve la Corte Internacional Centroamericana de Justicia. En Haití se subleva Charlemagne Perlate. EE.UU. embarga armas para México. Asesinato de Zapata en México. Gutiérrez derrocado en Bolivia. Snowden gobernador militar en Santo Domingo. Puerto Rico: Reconocimiento formal de la independencia; acta de ayuda para la represión. En Colombia se funda el Partido Socialista. Conatos de guerra con Venezuela. En Uruguay, B. Brum es electo presidente. División del Partido Colorado en cuatro facciones. Se reanudan relaciones con Alemania. Aparece *Justicia*, órgano del Partido Socialista.

El saldo de la Primera Guerra Mundial es de 10 millones de muertos. Se desintegra el imperio austro-húngaro por el tratado de Saint-Germain, en Laye. Tratado de Paz de Versalles, que quita colonias a Alemania. Fundación de la III Internacional Comunista en Moscú. Italia: aparición de los "fascios". Se crea la "Sociedad de Naciones". Proclamación de la República de Baviera. Rosa Luxemburgo, Liebkneck y otros militares son asesinados. Gandhi entra en la lucha por la independencia de la India. Frustrada revolución en Egipto.

Rutherford convierte el átomo de hidrógeno en átomo de oxígeno.

E. Nordenskiold: *Estudios comparados de Etnografía*. K. Jaspers: *Psicología de las concepciones del Universo*. Keynes: *Las consecuencias económicas de la paz*. Ganivet: *Epistolario*. A. Gide: *Sinfonía pastoral*. R. Jakobson: *La nueva poesía rusa*. Ungaretti: *La alegría*. H. Hesse: *Demian*. E. Pound: *Cantos* (—57). Gropius crea la *Bauhaus*. Primer periódico tabloide en EE.UU. Gramsci funda *L'ordine nuovo*. Manuel de Falla: *El Sombrero de tres picos*.

1920   Publica *Pájaros de La Plata. Dead Man's Plack and an Old Thorn.*

L. A. Herrera: *Buenos Aires, Urquiza y el Uruguay.* S. C. Rossi: *El criterio fisiológico.* A. Laplaces: *Opiniones literarias.* G. Zaldumbide: *José E. Rodó.* A. Zum Felde: *Proceso histórico del Uruguay.* J. de Ibarbourou: *Las lenguas de diamante.* Bustamante y Ballivián: *Autóctonos.* Ureta: *Poemas.* L. A. Sánchez: *Los poetas de la revolución.* A. Arguedas: *Raza de bronce.* A. Hidalgo: *Jardín zoológico.* A. Valdelomar: *Belmonte el trágico.* L. del Llano: *Cartas a mi hijo; Psicología de la mujer* y *Cuentos.* V. Huidobro: *Altazor* (-31). Lima Barreto: *Vida y muerte de M. J. Gonzaga de Sá.* Roland de Carvalho: *Pequeña historia de la literatura brasileña.* E. Planchart: *Primeros poemas.* Revista *Actualidades* (R. Gallegos) en Venezuela. R. López Velarde: *Zozobra.* Fundación del Conservatorio Universitario de Lima. Mueren Valdelomar y R. Palma.

A: Primera transmisión radiofónica organizada: *Parsifal* desde la azotea del teatro Coliseo. Comienza la construcción del primer rascacielos en Buenos Aires: el Pasaje Barolo.

L. Franco: *La flauta de caña.* S. Eichelbaum: *La mala sed.*

AL: Perú: nueva Constitución del Estado; arrestos y deportaciones por causas políticas, se reconoce imprescriptibilidad de las tierras de las comunidades indígenas, pero, en virtud de la ley de Conscripción vial se usa a los indios para la construcción y reparación de carreteras. Guatemala, cae el dictador Estrada Cabrera. En México es asesinado Carranza. Alessandri presidente de Chile, Obregón de México y Tamayo de Ecuador. El Congreso de El Salvador aprueba resolución en favor de la unidad de las cinco repúblicas centroamericanas. Avance electoral socialista en Puerto Rico. El Congreso Venezolano aprueba la incor-

Fundación del Partido Comunista en EE. UU. y en Francia. Disolución del Imperio Turco. Comienza a sesionar la "Sociedad de Naciones". Ley seca en EE.UU., derecho a voto a las mujeres, arresto de Sacco y Vanzetti. En Alemania se funda el Partido Obrero Nacional Socialista (nazi). Huelgas en Francia e Italia. II Congreso de la III Internacional en Leningrado y Moscú: se adoptan los 21 puntos de Lenin. "Domingo de sangre" en Dublin. Primer hallazgo de restos del "Hombre de Pekín".

F. Jackson Turner: *La frontera en la historia americana.* Thomas & Znaniecki: *El campesino polaco en Europa y América.* L. Trotski: *Terrorismo y comunismo.* Sh. Anderson: *Pobre blanco.* S. Lewis: *Main Street.* V. I. Lenin: *El izquierdismo, enfermedad infantil del comunismo.* E. O'Neill: *Emperador Jones.* V. Maiakovski: *150.000.000.* R. Valle Inclán: *Divinas palabras.* S. Fitzgerald: *De este lado del paraíso.* C. G. Jung: *Tipos psicológicos.* S.

| 1921 | Emily muere en Worthing. La salud de W. H. le impide asistir al entierro. Publica *Un viajero en pequeñas cosas.* (*A traveller in tittle Things*). |

poración de la Nación a la Sociedad de la Liga de las Naciones. En Uruguay, fracasado golpe rivierista. VIII Congreso del Partido Socialista: adhesión a la 3ª Internacional. Aprobación del convenio con Argentina sobre cooperación de policía internacional. Leyes de descanso semanal y de indemnización por accidentes de trabajo.

G. Gallinal: *Crítica y arte.* J. de Ibarbourou: *El cántaro fresco.* H. Quiroga: *El salvaje.* V. Pérez Petit: *Entre los pastos.* E. López Albújar: *Cuentos andinos.* J. Kimmich: *Casa Chúcara de Hongo,* leyenda. V. García Calderón: *Cantilenas, Semblanzas de América, Bajo el clamor de las sirenas* y *En la verbena de Madrid.* A. Hidalgo: *Muertos, heridos y contusos.* M. Ibérico: *¿Una filosofía estética?* A. Guillén: *Deucalión.* J. Edwards Bello: *El roto.* J. J. Tablada: *Li Po y otros poemas.* M. L. Guzmán: *A orillas del Hudson.* C. Lyra: *Cuentos de mi tía Panchita.* A. Ambrogi: *Crónicas marchitas.* M. Latorre: *Zurzulita.* C. Loveira: *Generales y doctores.* R. Gallegos: *El último Solar.* R. Bolívar Coronado: *Memorias de un semibárbaro.* López Velarde: *El son del corazón.* Creación de las universidades populares en el Perú, revista *Mundial.* J. García Monge funda en Costa Rica el *Repertorio Americano* (-58). *Revista del Instituto Histórico y Geográfico del Uruguay, Gaceta de Montevideo, Los nuevos* y *Revista Militar y Naval* en Uruguay. Repatriación de los restos de J. E. Rodó y homenaje nacional. Muere A. Nervo.

A: Fundación del Partido Comunista. Huelgas en la Patagonia duramente reprimidas. Muere Drago.

L. Lugones: *El tamaño del espacio.* R. Rojas: *Historia de la literatura argentina.* Revista *Prisma.* Gómez Cornet y Figari exponen en Buenos Aires.

Undser: *Cristina Lavransdatter* (—22). Cavafis: *Poemas* (publicados en 1935). Primer filme expresionista. *El gabinete del doctor Caligari,* de R. Wiene. Mueren B. Pérez Galdós y A. Modigliani. Knut Hamsun es Premio Nobel de Literatura.

Irlanda se convierte en parte del Imperio Británico. Huelga minera minera en Gran Bretaña. Fundación de los partidos comunistas italiano y chino. Se funda el Partido Nacional Fascista en Italia. Hitler preside el Partido Nacionalsocialista en Alemania. Lenin pone en práctica la nueva política económica. En EE.UU., repercusión

AL: En Venezuela aumenta la exportación de petróleo. Perú: primer Congreso Indígena; decreto presidencial impone las 8 horas de trabajo en las actividades agrícolas e intervención de la Comisión Inspectora del Trabajo en todos los convenios obrero-patronales. Grave crisis salitrera en Chile. Vasconcelos ministro de Educación en México. IV Conferencia Panamericana de la Habana. Creación del partido comunista boliviano. Renuncia del presidente Suárez en Colombia. En Brasil, ley de represión al anarquismo. E. Mont Reily gobernador de Puerto Rico; represión en las plantaciones azucareras. Batlle y Ordóñez presidente del Consejo Nacional en Uruguay; Congreso extraordinario del Partido Socialista, se aceptan los 21 puntos de Moscú y pasa a denominarse Partido Comunista. Despidos masivos en la industria frigorífica; 15.000 desocupados.

C. Estable: *El reino de las vocaciones.* A. Zum Felde: *Crítica de la literatura.* M. Falcao Espalter: *Antología de poetas uruguayos.* C. Sabat Ercasty: *Poemas del hombre, Libro de la voluntad, Libro del corazón, Libro del tiempo.* F. Silva Valdés: *Agua del tiempo.* H. Quiroga: *Anaconda.* A. Valdelomar: *Los hijos del sol.* Gamarra: *Cien años de vida perdularia* y *Rasgos de Pluma.* H. Gálvez: *Una Lima que se va.* L. A. Sánchez: *Poetas de la colonia.* A. Palma: *Por sendas propias.* A. Hidalgo: *España no existe.* De la Riva Agüero: *El Perú histórico y artístico.* López Velarde: *Suave patria.* A. E. Blanco: *Tierras que me oyeron.* F. S. Valdés: *Agua de tiempo.* J. E. Rivera: *Tierras de promisión.* A. Reyes: *El cazador.* P. Neruda: "La canción de la fiesta". Revista *Alfar* en Montevideo. Orozco, Rivera y Siqueiros fundan el sindicato de pintores, en México. Muere Javier Prado Ugarteche. Nace Jorge Eduardo Eielson.

del caso Sacco-Vanzetti.

A. Einstein Premio Nobel de Física. Rorschach: psico-diagnóstico. Descubrimiento de la Insulina como medio de curar la diabetes.

E. Sapir: *Lenguaje.* P. Radin: *El hombre primitivo como filósofo.* N. Hartman: *Rasgos fundamentales de una metafísica del conocimiento.* L. Wittgenstein: *Tractatus Logico-filosoficus.* J. Ortega y Gasset: *España Invertebrada.* M. Scheler: *De lo eterno en el hombre.* Giraudoux: *Susana y el Pacífico.* L. Pirandello: *Seis personajes en busca de autor.* Ivanov: *El tren blindado.* C. G. Jung: *La psicología del inconsciente.* Lang: *El doctor Mabuse.* C. Chaplin: *El chico.* Von Stroheim: *Mujeres insensatas.* Revista *Ultra* en España. Max Ernst: *El elefante Celebes.*

1922	Muere el 18 de agosto. "Yacía como algún jefe de la Edad de Bronce que hubiera conducido a su tribu a través de largos años, buenos y malos." (Garnett). Deja dinero a la Real Sociedad para la Protección de los Pájaros. *Una cierva en Richmond Park,* que queda inconcluso a su muerte, se publica con un final reconstruido a partir de sus notas por Morley Roberts.

A: La fórmula del radicalismo anti-personalista: Alvear-González, se impone con gran ventaja en las elecciones presidenciales. Alvear asume el 12 de octubre.

O. Girondo: *Veinte poemas para ser leídos en el tranvía.* R. Güiraldes: *Xaimaca.* Cancela: *Tres relatos porteños.* M. Gálvez: *Historia de arrabal.* L. Marechal: *Los aguiluchos.*

AL: Perú: cesión de los ferrocarriles nacionales a la Peruvian Co., creación oficial del Patronato de la Raza Indígena. Borno presidente de Haití. Fin de la ocupación norteamericana en Santo Domingo; presidencia de J. Vicini. Primera Corte Internacional de La Haya. Iniciación del movimiento tenientista en Brasil y fundación del Partido Comunista. Marcelo T. de Alvear presidente de la Argentina. Revuelta de cadetes de la Academia Militar contra el presidente Meléndez en El Salvador. Se funda el Partido Nacionalista de Puerto Rico. Venezuela: Gómez es reelecto por un período de 7 años. En Uruguay se produce la primera elección directa de presidente: J. Serrato. Huelgas de tranviarios, telefónicos y basureros.

D. A. Larrañaga: *Escritos.* P. Blanco Acevedo: *Informe sobre la fecha de la independencia nacional.* J. de Ibarbourou: *Raíz salvaje.* E. Oribe: *El nunca usado mar.* J. S. Chocano: *Las dictaduras organizadoras.* Zeno Gandía: *El negocio (Crónicas de un mundo enfermo).* Uriel García: *La ciudad de los incas.* C. Vallejo: *Trilce y Escalas melografiadas.* O. Miró Quesada de la Guerra: *La realidad del ideal.* G. Mistral: *Desolación.* S. de la Selva: *El soldado desconocido.* E. Barrios: *El hermano asno.* Marcel Arce: *Andamios interiores.* Arévalo Martínez: *El Señor Monitot.* J. R. Pocaterra: *Cuentos grotescos. La novela semanal* (dirigida por R. Gallegos y J. R. Po-

Fin del dominio naval británico con el tratado de desarme de Washington. Mussolini marcha sobre Roma: la dictadura fascista en Italia. Se constituye la Unión de Repúblicas Socialistas Soviéticas (URSS). Se escinde el Partido Socialista Italiano. IV Congreso de la III Internacional: Stalin, Secretario General del Partido Comunista soviético. Pío XI, Papa. Egipto, reino independiente.

J. Dewey: *Naturaleza humana y conducta.* H. Bergson: *Duración y simultaneidad.* B. Malinowski: *Argonautas del Pacífico occidental.* Lévy-Bruhl: *La mentalidad primitiva.* Weber: *Economía y sociedad.* J. Joyce: *Ulises.* P. Valéry: *El cementerio marino.* R. Martin du Gard: *Los Thibault.* Colette: *La casa de Claudine.* E. E. Cummings: *La sala enorme.* Milhaud: *La creación del mundo.* T. S. Eliot: *La tierra baldía.* B. Brecht: *Tambores en la noche.* V. Wolf: *El cuarto de Jacob.* H. Hesse: *Siddartha.* S. Lewis: *Babbitt.* Fundación del *Reader's Digest.* Muere M. Proust. Benavente: Premio Nobel de Literatura.

caterra). Diario *El Heraldo,* en Venezuela. Antonio Caso: *Discurso de la nación mexicana.* Movimiento estridentista en México. Semana de Arte Moderno en San Pablo.	

BIBLIOGRAFIA

OBRAS DE G. E. HUDSON*
(Ediciones en inglés)

Adventures Among Birds. London, 1913.
Afoot in England, London, 1909.
Birds of La Plata. London, 1920.
Birds in London, London, 1898.
Birds and Man, London, 1901, 2nd edition with additional material, 1915.
Birds in a Village, London, 1893, revised as *Birds in Town and Villaje,* 1919.
The Book of a Naturalist, London, 1919.
British Birds, London, 1895.
A Crystal Age, London, 1887. First edition published anonymously. 2nd edition, 1906 acknowledged by Hudson.
Dead Man's Plack and An Old Thorn, London, 1920.
Fan. The Story of a Young Girl's Life, 3 vols. 1892. published under the pseudonym of Henry Harlford.
Far Away and Long Ago, London, 1918, revised version 1931.
Green Mansion, A Romance of the Tropical Forest, London, 1904.
Hampshire Days, London, 1903.
A Hind in Richmond Park, London, 1922.
Idle Days, in Patagonia, London, 1893.
The Land's End, London, 1908.
Little Boy Lost, 1905.
The Naturalist in La Plata, London, 1892.
Nature in Downland, London, 1900.
El Ombú, London, 1892.
The Purple Land that England Lost, 2 vols. 1885, 2nd ed. American edition, 1916 with a prologue by Theodore Roosevelt.

* Para una bibliografía completa de las obras de Hudson, véase: John R. Payne, *W. H. Hudson. A. Bibliography.* Dawson, Archon Books, 1977.

"Ralphe Herne," in *Youth,* vol xii, 1888.

Rare, Vanishing and Lost British Birds, pamphlet published in 1894, and edited in an extended form by Linda Gardiner, 1923.

Ruff and Linnet: Chain and Cage, London, Humanitarian League, 1918.

A Shepherd's Life, London, 1910.

South American Sketches, London, 1909, included "el Ombú."

Tales of the Pampas, New York, Knopf, 1926, included "El Ombú," "Marta Riquelme" and "Pelino Viera's Confession."

A Traveller in Little Things, London, 1921.

PANFLETOS ESCRITOS PARA LA "REAL SOCIEDAD PARA LA PROTECCION DE LOS PAJAROS". LONDRES. (En Inglés)

Osprey or Egrets and Aigrettes, 1891.

Shun Aigrettes and Save the Herons, 1892, (autoría no determinada).

Feathered Women, 1893.

Bird Catching, 1893.

Lost British Birds, 1894.

Letter to Clergymen, 1895.

Pipits, 1897.

The trade in Birds' Feathers, 1898, a reprint of Hudson's letter to *The Times,* 25th December, 1897, together with the leading article of that date.

A Linnet for Sixpence, 1904.

A Thrush that Never Lived, 1911.

On Liberating Caged Birds, 1914.

CARTAS

Letters from W. H. Hudson to Edward Garnett, London, Nonesuch Press, 1923.

W. H. Hudson's Letters to Robert Bontine Cunninghame Graham, ed. Richard Curle, London, 1941.

Men, Books and Birds. Letters to Morley Roberts, with an introduction and notes by Roberts, 1925.

TRADUCCIONES AL ESPAÑOL DE LAS OBRAS DE HUDSON

El Ombú y otros cuentos rioplatenses. Buenos Aires: Agencia General de Librería y Publicaciones, 1928. Traducción de Eduardo Hillman de *El Ombú.*

La Tierra Purpúrea (un idilio uruguayo). Madrid: Sociedad General Española de Librería, 1928. Traducción de Eduardo Hillman de *The Purple Land.*

La Tierra Purpúrea. Buenos Aires: La Nación, 1928. Traducción de *The Purple Land*.

El Ombú y otros cuentos rioplatenses. Buenos Aires: Librería Anaconda, 1933. Traducción de Eduardo Hillman de *El Ombú*.

Allá lejos y hace tiempo: relatos de mi infancia. Buenos Aires: Jacobo Peuser, 1938. Traducción de Fernando Pozzo y Celia Rodríguez de Pozzo de *Far Away and Long Ago*. y otras ediciones de Peuser aparecieron en 1942, 1945, 1947, 1948, 1953.

Mansiones verdes. Santiago de Chile: Empresa Editora Zig-Zag, 1938. Traducción de Ernesto Montenegro de *Green Mansions*. Existe también una edición de 1949.

Días de ocio en la Patagonia. Buenos Aires: Joaquín Gil Editor, 1940. Traducción de J. Hubert of *Idle Days in Ptagonia*.

Antología de Guillermo Enrique Hudson: Precedida de Estudios críticos sobre su Vida y su Obra por Fernando Pozzo, E. Martínez Estrada, Jorge Casares, Jorge Luis Borges, H. J. Massingham, V. S. Pritchett y Hugo Mannning. Buenos Aires: Editorial Losada, 1941. Incluye selecciones de *Far Away and Long Ago; Idle Days in Patagonia; The Naturalist in La Plata; El Ombú; Adventures Among Birds*.

El Ombú y otros cuentos rioplatenses. Buenos Aires: Espasa-Calpe, 1941. Traducción de Eduardo Hillman de *El Ombú*.

La tierra purpúrea (un idilio uruguayo). Buenos Aires: Biblioteca "Pluma de Oro", 1941. Traducción de Eduardo Hillman de *The Purple Land*.

Cartas de W. H. Hudson a Cunninghame Graham y a la Sra. de Bontine 1890-1922. Buenos Aires: Editorial Bajel, (n.d., 1942). Traducción de Ignacio Covarrubias de *W. H. Hudson's Letters to R. B. Cunninghame Graham*.

Aventuras entre pájaros. Buenos Aires: Santiago Rueda, 1944. Traducción de Ricardo Attwell de Veyga de *Aventuras Among Birds*.

Una Cierva en el Parque de Richmond. Buenos Aires: Editorial Claridad, 1944. Traducción de Fernando Pozzo de *A Hind in Richmond Park*.

Allá Lejos y hace Tiempo. Buenos Aires: Jacobo Peuser, 1945. Traducción de Fernando Pozzo y Celia Rodríguez de Pozzo de *Far Away and Long Ago*. Con prólogo de R. B. Cunninghame Graham. El equivalente español de Limited Editions Club edition (A34f).

El Libro de un Naturalista. Buenos Aires: Santiago Rueda, 1946. Traducción de Máximo Siminovich de *The Book of a Naturalist*.

El Niño Perdido. Buenos Aires: Guillermo Kraft, 1946. Traducción de Celia Rodríguez de Pozzo y F. C. Scholes de *A Little Boy Lost*.

Pájaros de la Ciudad y la Aldea. Buenos Aires: Santiago Rueda, 1946. Traducción de Federico López Cruz de *Birds in Town and Village*.

Un Vendedor de Bagatelas. Buenos Aires: Editorial Sudamericana, 1946. Traducción de Francisco Uriburu de *A Traveller in Little Things*.

Vida de un Pastor. Buenos Aires: Santiago Rueda, 1946. Traducción de Ricardo Attwell de Veyga de *A Shepheard's Life*.

Fan. Historia de una Niña. Buenos Aires: Santiago Rueda, 1947. Traducción de Carlos A. Massini de *Fan*.

La Tierra Purpúrea. Buenos Aires: Santiago Rueda, 1951. Traducción de Eduardo Hillman de *The Purple Land*.

Mansiones Verdes. Buenos Aires: Santiago Rueda, 1952. Traducción de Ernesto Montenegro de *Green Mansions*.

La Selva Maravillosa. Madrid: Editorial Tesoro, 1952. Traducción de Joaquín Rodríguez Castro de *Green Mansions*.

El Naturalista en el Plata. Buenos Aires: Emecé, 1953. Traducción de M. C. de *The Naturalist in La Plata*.

El Ombú y otros cuentos. Buenos Aires: Guillermo Kraft, 1953. Traducción de Alfredo M. Santillan de *El Ombú.*

Allá Lejos y Hace Tiempo. Buenos Aires: 1954. Traducción de Gonzalo Fernández de *Far Away and Long Ago.*

La Tierra Purpúrea. Montevideo: Editorial Surcos, 1954: Una dramatización de Carlos Lermitte de *The Purple Land.*

Días de ocio en la Patagonia. Buenos Aires: Ediciones Agepe, 1956. Traducción de Emilio Züberbühler de *Idle Days in Patagonia.*

La Tierra Purpúrea. Buenos Aires: Guillermo Kraft, 1956. Traducción de *The Purple Land.*

La Tierra Purpúrea. Buenos Aires: Editorial Anaconda, 1956. Traducción de Eduardo Hillman de *The Purple Land.*

Allá Lejos y Hace Tiempo. Buenos Aires: Sopena, 1957. Traducción de María A. L. de Córdoba de *Far Away and Long Ago.*

Allá Lejos y Hace Tiempo, Relatos de mi Infancia. Buenos Aires: Guillermo Kraft, 1958. Traducción de Juan Antonio Brusol de *Far Away and Long Ago.*

La Tierra Purpúrea. Montevideo: Ministerio de Instrucción Pública y Previsión Social, 1965. Traducción de Eduardo Hillman de *The Purple Land.*

Pájaros Nuestros. Buenos Aires: Guillermo Kraft, n.d. Traducción de *Birds of La Plata.*

LIBROS Y ARTICULOS SOBRE G. E. HUDSON

ARA, GUILLERMO, *Guillermo H. Hudson. El paisaje pampeano y su expresión,* Buenos Aires, 1954.

BORGES, J. L. *Antología,* Buenos Aires, 1941. "Nota sobre *The Purple Land, La Nación",* 3 de agosto de 1941.

BAKER, CARLOS, "The Source-book for Hudson's *Green Mansions,"* PMLA LXI (1946), pp. 252-7.

COSTA, EDUARDO BENITO, *Antología de estudios sobre G. H. Hudson* (2 vols.), Madrid, 1947.

COSTA HERRERA, LUIS. *Un viaje por "La tierra purpúrea",* Montevideo, 1952.

CUNNINGHAME GRAHAM, ROBERT B. Prólogo a *Allá lejos y hace tiempo,* Buenos Aires, 1947.

————.Prólogo a *La tierra purpúrea,* Buenos Aires, 1951.

CRESTA, MARÍA LUISA. *El recuerdo como creación artística en Guillermo Enrique Hudson,* Córdoba, 1944.

FAIRCHILD, HOXIE N. "Rima's Mother," PMLA, Lxviii, 1953, pp. 257-70.

FAST, JOHN. *Hudson y el drama de la soledad,* Madrid, 1952.

FORWER, RICHARD. *Sangre gringa para un escritor argentino,* México, 1951.

FREDERICK, JOHN T. *William Henry Hudson,* New York, 1972.

GARNETT, EDWARD. "W. H. Hudson's 'Nature Books'", *Friday Nights* (first series) London, 1922.

GODDARD, HAROLD. *"W. H. Hudson: bird man,* New York, 1928.

HAYMAKER, RICHARD E. *From Pampas to Hedgerows and Downs. A Study of W. H. Hudson,* New York, Bookman Associates, 1954.

HUNT, VIOLET. *The Flurried Years,* London, 1926.

HILTON, RONALD. *"Recuerdos de un criollo*. William Henry Hudson," *Bulletin of Spanish Studies*, xxv 1948, pp. 19-26.

JOFFRE BARROSO, HAYDEE M. *Genio y figura de Guillermo Enrique Hudson*, Ed. Universitaria de Buenos Aires, 1972.

LIANDRAT, FRANCISQUE. *William Henry Hudson, naturaliste* (1841-1922).

LOMBÁN, JUAN CARLOS. *G. E. Hudson o el legado inmerecido*. Ed. de la Subsecretaría de Cultura de la provincia de Buenos Aires, La Plata, 1971.

LOOKER, SAMUEL J. *William Henry Hudson. A. Tribute by Various Writers*, London, 1947.

MANTOVANI, FRYDA SCHULZ DE. *Fábula del niño en el hombre*, Buenos Aires, 1948.

MARTÍNEZ ESTRADA, EZEQUIEL. *El mundo maravilloso de Guillermo Enrique Hudson*, México, 1951.

──────.*Prólogo a El naturalista en el Plata*, Buenos Aires, 1953.

MASSINGHAM, H. J. *Untrodden Ways*, London, 1923.

MENDOZA, ANGÉLICA. "Guillermo Enrique Hudson (1841-1922)", *Revista hispánica moderna* x (1944), pp. 193-222.

POZZO, FERNANDO. Prólogo a *Días de ocio en la Patagonia*, Buenos Aires, 1946.

──────.Prólogo a *Una Cierva en Richmond Park*, Buenos Aires, 1941.

──────.*Semblanza de Hudson*, Buenos Aires, 1942.

PRITCHETT, V. S. *Antología*. Buenos Aires, 1941.

ROBERTS, MORLEY. *W. H. Hudson. A Portrait*. London: Eveleigh Nash and Grayson, 1924.

RODRÍGUEZ LARRETA, AUGUSTO. *La evocación de Hudson*. Buenos Aires, 1928.

TOMALIN, RUTH. *W. H. Hudson*, New York, Greenwood Press, 1954.

TORRIANI, ISMAEL JUSTO. *Hudson, un escritor imaginativo*. Caracas, 1953.

VELÁZQUEZ, LUIS HORACIO. *Guillermo Enrique Hudson*, Buenos Aires. Ediciones Culturales Argentinas, 1963.

URBANSKI, S. EDMUNDO, "Dos novelas de la Amazonia. J. E. Rivera, *La vorágine* y W. H. Hudson: Green Mansions," *Américas*, vol. 17 nº 5, mayo, 1965.

WELLS, CARLETON F. *W. H. Hudson collection, an appreciation* by Carlton F. Wells, William L. Clements Library, Michigan, 1943.

INDICE

ALLA LEJOS Y HACE TIEMPO

MARTA RIQUELME

TITULOS PUBLICADOS

Este volumen,
el LXIII de la BIBLIOTECA AYACUCHO
se terminó de imprimir
el día 20 de mayo de 1980
en los talleres de Italgráfica, S.R.L.
Primera Transversal de calle Vargas
Edif. San Jorge - Boleíta Norte
Dtto. Sucre, Edo. Miranda.
En su composición se utilizaron
tipos Garamond
de 12, 10 y 8:8 puntos.